ISBN 978-0-266-82722-1
PIBN 10679108

Institutionen des * *
* * Bürgerlichen Gesetzbuches.

Von

Dr. jur. Paul Krückmann
a. o. Professor der Rechte an der Universität Greifswald.

Mit einer Figurentafel und in den Text gedruckten Figuren.

Zweite neubearbeitete und vermehrte Auflage.

Göttingen
Vandenhoeck & Ruprecht
1899.

Vorwort zu der zweiten Auflage.

Zu meiner Freude hat die erste Auflage auch unter den Praktikern, besonders unter den Rechtsanwälten, eine von mir garnicht erwartete freundliche Aufnahme gefunden und es ist mir aus diesen Kreisen besonders viel grundsätzliche Zustimmung zu meiner Methode geworden. Auch verdanke ich es wesentlich den Praktikern, daß wider mein eigenes Erwarten so schnell eine zweite Auflage nötig geworden ist.

Dies wird mir ein Sporn sein, auf dem betretenen Wege weiter fortzufahren.

Die Grundanlage, Methode und System sind nicht geändert, aber viele neue Beispiele, einige neue Zeichnungen sind hinzugefügt und viele einzelne Fehler und Versehen ausgemerzt. Ich glaube nunmehr das Buch als im wesentlichen von Fehlern gereinigt ausgehen lassen zu können. Wo ich gegenüber abweichenden Kritiken meine Meinung beibehalten habe, ist es nach reiflicher Überlegung geschehen.

Daß ich den zur Einführung bestimmten Teil noch mehr als in der ersten Auflage beschränkt und die betreffenden Erörterungen an das Ende des Buches gesetzt habe, ist keine Systemänderung, sondern nur die vollkommene Durchführung meines Programms. Es war ein Mangel der ersten Auflage, daß ich die nunmehr an das Ende des Buches verwiesenen Erörterungen für propädeutisch unentbehrlich hielt; sie sind es nicht, wie ich mich jetzt überzeugt habe. Mit dieser Umstellung verlieren viele der gegen mein System erhobenen Anstände z. B. ich müsse mit meinen Erörterungen vorgreifen (so Hellmann

a*

in der Kritischen Vierteljahrsschrift 1899 S. 213), ich risse die allgemeinen Lehren auseinander (so Matthiaß Centralblatt f. Rechtswissenschaft XVIII S. 86) ihre Berechtigung. Möglicher Weise setze ich in einer späteren Auflage auch die §§ 1, 2 an das Ende des Buches. Ich zweifle immer mehr an der didaktischen Notwendigkeit, ihren Inhalt der übrigen Erörterung voranzuschicken, nur vom Standpunkt des deduktiven Systems besteht eine theoretische, aber nicht einmal eine praktische Notwendigkeit dafür.

Im Übrigen haben sich meine didaktischen Anschauungen nicht geändert, sondern nur bestärkt. Ich habe mich wiederholt mit tüchtigen Pädagogen über die Aufgaben des Anfängerunterrichtes überhaupt, insbesondere des juristischen Anfängerunterrichtes beraten und habe überall dieselbe Zustimmung gefunden. Es wurde mir vom pädagogischen Standpunkte aus als selbstverständlich bezeichnet, daß der Anfänger vom Einzelnen zum Allgemeinen aufsteigen müsse, daß induktiv und nicht deduktiv zu verfahren sei. Freilich leugnet Matthiaß a. a. O., daß mein Verfahren induktiv sei, praktische Pädagogen sind jedoch nicht seiner Ansicht. Die Unterschiede in der Darstellung werden nicht jedem Auge ohne Weiteres sichtbar werden, aber sie sind vorhanden.

Verwahren muß ich mich aber gegen den Vorwurf der Unwissenschaftlichkeit, den mir Matthiaß einmal offen und einmal versteckt macht. Es ist dies die Kampfesweise, das unbequeme oder nicht verstandene Neue als „unwissenschaftlich" zu brandmarken.

Es handelt sich in der ganzen Frage nicht um Wissenschaftlichkeit, sondern um pädagogische Brauchbarkeit. Das induktive System ist genau so wissenschaftlich wie das deduktive, nur ist die praktische Daseinsberechtigung verschieden und hierüber entscheidet eben die pädagogische Brauchbarkeit.

Ferner geht Matthiaß bei seinem Vorwurf von der ganz unbewiesenen Annahme aus, daß Alles, was im Allgemeinen Teil der deduktiven Systeme gebracht wird, zusammengehöre und nicht auseinander gerissen werden dürfe. Diese Behauptung ist heute denn doch ein wenig verspätet angesichts der immer mehr zur Anerkennung kommenden Tatsache, daß der Anfängerunterricht im bürgerlichen Recht nur notgedrungen Erörterungen aus der allgemeinen Rechtslehre aufnimmt, die, weil sie an sich für alle Disziplinen des Rechtes gelten z. B.

über die Natur des Gewohnheitsrechtes, kein Sondergut des bürger=
lichen Rechtes sind. Ich habe schon in der Vorrede zur ersten Auflage
auf die Zusammenhäufung so verschiedenartiger Elemente im Allge=
meinen Teil hingewiesen und kann das dort Gesagte nur wiederholen.

Ferner ist der Protest von Matthiaß gegen die reichliche Heran=
ziehung von Beispielen im Lehrbuch ebenfalls unhaltbar. Die Vor=
lesung bei ihrer beschränkten Stundenzahl kann eben das Lehrbuch
nicht ganz ersetzen, ich verweise hierüber auf die Vorrede zur ersten
Auflage. Wichtiger ist, daß ein nach der herkömmlichen Methode ab=
gefaßtes Lehrbuch seinen Zweck als Lehrbuch nur unvollkommen er=
füllen würde, worüber mir zahlreiche Beobachtungen zu Gebote stehen,
die Matthiaß durch gegenteilige Behauptungen nicht aus der Welt
bringen kann.

Derselbe Kritiker berücksichtigt garnicht die von einsichtigen Lehrern
längst anerkannte Thatsache, daß die Bedürfnisse des Anfängerunter=
richtes grundverschieden sind von denen des Unterrichtes für Vorge=
schrittene, daß beide ihren eigenen Regeln folgen, von dem einen nicht
auf den anderen geschlossen werden kann. Nur auf dieser Erkenntnis
läßt sich ein ersprießlicher Unterricht aufbauen.

Insbesondere verdient Berücksichtigung die längst auf allen höheren,
Volks= und Mittelschulen zum siegreichen Durchbruch gekommene
Pestalozzi = Herbartsche Methode des Anfängerunterrichtes, in deren
Dienst ich meine ganze Arbeit gestellt habe. An ihrer theoretischen
und praktischen Richtigkeit zweifelt heute kein Pädagoge an den ge=
nannten Schulen mehr und wer sich gegen sie ablehnend verhielte,
würde mit Recht den Vorwurf pädagogischer Rückständigkeit dulden
müssen. Sollte nun diese Methode für den juristischen Anfänger=
unterricht ungeeignet oder gar unwissenschaftlich sein? Ich meine,
wenn der juristische Anfängerunterricht überhaupt Anfängerunter=
richt ist, so gelten für ihn dieselben pädagogischen Regeln wie für
jeden anderen Anfängerunterricht. Die praktische Durch=
führung des Prinzips wird sich nach dem Stoffe unter Umständen
verschieden gestalten, an seiner grundsätzlichen Richtigkeit wird
man aber wohl nicht zweifeln dürfen.

Insbesondere ist richtig die Apperzeptionslehre Herbarts, die für
die praktische Pädagogik verlangt, neue Begriffe an alte, das Neue an
das Bekannte anzuschließen, die unwillkürliche apperzipierende Auf=

merksamkeit pädagogisch auszunutzen (Herbart über die dunkle Seite in der Pädagogik in der Ausgabe von Hartenstein VII S. 66 und Umriß pädagogischer Vorlesungen § 74 ff., insbesondere § 77), jene unwillkürliche Aufmerksamkeit, die ohne Zwang von selber eintritt, weil verwandte Vorstellungen lebendig werden und die Apperzeption sich fast unwillkürlich vollzieht. Diese Aufmerksamkeit sich zu sichern, ist erstes Bestreben aller Pädagogen, da die gewillkürte Aufmerksamkeit, zu der sich der Hörer, Leser, Schauer mangels verwandter Vorstellungen erst zwingen muß, nicht entfernt so zuverlässig ist, nicht entfernt so gute pädagogische Ergebnisse mit sich bringt, um den Lernenden leicht und schnell in den Gegenstand einzuführen.

Weil nun der Anfängerunterricht auf Grund des B.G.B. erlaubt, die technisch sogenannte apperzipierende Aufmerksamkeit vollkommen auszunutzen, deshalb ist es m. E. auch durchaus gerechtfertigt gerade das B.G.B. zum Gegenstand des Anfängerunterrichtes zu nehmen und nicht das römische Recht. Das R.R. erschwert die unwillkürliche apperzipierende Aufmerksamkeit zu sehr, ja macht sie beinahe unmöglich, es fordert an ihrer Stelle die gewillkürte, erzwungene Aufmerksamkeit und hierin liegt der Grund für die Undankbarkeit des Anfängerunterrichtes auf römisch-rechtlicher Grundlage. An der Nichtbeachtung dieser von Herbart entwickelten pädagogischen Prinzipien liegt auch der mangelhafte Erfolg des Unterrichts im R.R. Insbesondere leidet der Anfängerunterricht im R.R. unter der Verkennung dieser psychologischen Wahrheit.

„Die willkürliche Aufmerksamkeit muß durchaus erst gelernt werden, die Konzentration derselben läßt sich selbst durch ernstes momentanes Wollen nicht vom Kinde auf längere Zeit hervorbringen, ja sogar unter Erwachsenen besitzen nur wenige diese Macht. Der Unterricht, welcher diesen Umstand übersieht oder doch nicht fortdauernd und fest genug im Auge behält und sich nach ihm richtet, muß notwendig mehr oder weniger unfruchtbar bleiben"; Waitz Allgemeine Pädagogik 4. Aufl. von Willmann § 23, S. 342.

Es ist daher m. E. verfehlt das R.R. zum Gegenstand des Anfängerunterrichtes zu nehmen.

Der beste Anfängerunterricht ist immer der, der den Anfänger auf die schnellste und leichteste Weise, mit dem geringsten Kraftverlust in die betreffende Disziplin eingeführt. Dieser Grundsatz steht für die Pädagogen unumstößlich fest. Wenn er, wie nicht zu bezweifeln, richtig ist, so ergiebt sich daraus die Richtigkeit der Forderung, das B.G.B. zum Anfängerunterricht zu benutzen, von selber.

Verwahren muß ich mich noch gegen eine Entstellung meiner Absichten. Niemand kann mehr davon überzeugt sein, wie ich, daß das R.R. im Lehrplan ausgiebig berücksichtigt werden muß, ich denke nicht daran, es zu verdrängen, ich will ihm nur eine andere Stelle anweisen, denn ich meine, daß es zum eigentlichen Anfängerunterricht zu gut ist. Ich fürchte, daß der Ruhm und die Herrlichkeit der romanistischen Wissenschaft, in der die Deutschen die Lehrmeister der ganzen Welt gewesen sind und noch sind, bald ein Ende haben wird, wenn dem R.R. nicht ein breiterer Raum im Universitätsunterricht angewiesen wird als bisher und eine andere Stelle als im jetzigen Lehrplan.

Paul Krückmann.

Aus der Vorrede zur ersten Auflage.

Ich habe selber meiner Zeit nach den jetzt gebräuchlichen Pandekten- und Institutionenlehrbüchern gelernt und bin noch nicht so weit von meinen Studienjahren entfernt, daß ich mich des Eindruckes, den die betreffenden Lehrbücher auf mich machten, nicht mehr zu entsinnen wüßte. Im Gegenteil erinnere ich mich des Gesamteindruckes und derjenigen Einzelheiten, die mir früher Schwierigkeiten gemacht haben, noch so genau, daß ich in Konservatorien und Repetitorien stets meine besondere Aufmerksamkeit denjenigen Gegenständen zuwandte und noch zuwende, die mir früher Schwierigkeiten bereitet haben. Der Erfolg ist stets derselbe: Ich treffe bei den Studenten immer und immer wieder Semester für Semester dieselben Irrtümer an. Irrtümer, die ich als Student selbst gemacht oder die ich nur mit Mühe vermieden habe. Meine Erinnerungen aus meiner Lernzeit und meine Beobachtungen als Lehrer decken sich in einer ganz auffallenden Weise.

Folgende Gegenstände sind es vorzüglich, bei denen alle Augenblicke die Studenten Schiffbruch erleiden: Gewohnheitsrecht, Gerichtsgebrauch, Bedingung, Modus, Solidar- und Alternativobligation in ihren einzelnen Erscheinungen, der Unterschied zwischen Konsensualverträgen und Stipulationen, nuda pacta, Realverträgen, das Sc. Vellejanum, die Bedeutung von Cession, Delegation und Novation, Besitz u. dergl. mehr.

Solche wiederholte Beobachtungen haben mich denn schließlich zu der Frage geführt, ob nicht unsere gebräuchlichen Lehrbücher der Verbesserung fähig und bedürftig sind, und diese Frage muß m. E. bejaht werden.

Der erste Fehler liegt in der Behandlung des allgemeinen Teiles. Dieser enthält juristische Oberbegriffe, aus denen im Laufe der Darstellung die einzelnen Folgerungen gezogen werden, um auf diese deduktive Weise die später zu behandelnden Einzelerscheinungen aus einem obersten Grundprinzip ableiten zu können. Man erhält dann ein folgerichtiges System, aber didaktisch dürfte sich das bisherige Verfahren nicht sehr empfehlen und bei einem Institutionenlehrbuch mußten didaktische Gesichtspunkte doch in erster Linie berücksichtigt werden (vgl. Sohm in der Vorrede zu seinen Institutionen). Mir erscheint es daher nicht richtig, die propädeutisch entbehrlichen Obergriffe schon zu einer Zeit zu bringen, wo dem Leser die einzelnen Anwendungsfälle noch nicht bekannt sind, ihm also noch mehr oder weniger die plastische Anschaulichkeit fehlt. Man darf m. E. wenigstens dem Anfänger keine allgemeine Theorie der Rechtsgeschäfte bieten, bevor er die konkreten einzelnen Rechtsgeschäfte, Kauf, Miete, Auftrag, Darlehn, Eigentumsübertragung 2c. kennen gelernt hat. Gerade die letztere ist so recht geeignet, an ihr die Eigenheiten der Bedingungen und des Modus zu zeigen und darum dürfte es aus didaktischen Gründen sich besonders empfehlen, Bedingung und Modus erst dann zu behandeln, wenn der Lernende die konkreten Rechtsgeschäfte, insbesondere die dinglichen, kennen gelernt hat. Dasselbe gilt von der Theorie der Rechtsgeschäfte überhaupt. Ohne Kenntnis der konkreten Rechtsgeschäfte mangelt dem Anfänger jede Anschauung, seiner Vorstellung fehlt der sichere Anhalt, der es ihm möglich macht, die neuen, ihm völlig unbekannten Begriffe mit Leben auszufüllen. Dasselbe muß man auch für die Pandekten in Bezug auf das internationale Privatrecht sagen. Hier wiederholt sich dieselbe Beobachtung. Mangels konkreter Anschauung und mangels Kenntnis der einzelnen Anwendungsfälle haben die wenigsten Studenten, wie ich auf Grund wiederholter Beobachtungen in Konversatorien und Repetitorien hier feststellen kann, eine richtige Vorstellung von dem Wesen des internationalen Privatrechtes. Die eigentliche Schuld dürfte daran liegen, daß dieser Gegenstand erörtert wird, bevor die einzelnen Rechtsgeschäfte oder Rechtsverhältnisse behandelt sind. Cosack in seinem Lehrbuch des deutschen bürgerlichen Rechtes scheint derartiges auch empfunden zu haben, denn er sagt S. 48: „Die verbreitete Methode, das ganze internationale Privatrecht bereits an dieser Stelle, im allgemeinen Teile des Systems aufzurollen, ist unbedingt verwerflich.“ Eine gleiche verwandte Ansicht findet sich auch bei Eccius in seiner Besprechung von Endemanns Lehrbuch in dem letzten Heft von Gruchots Beiträgen. Auch Eccius erkennt an, daß für Lehrzwecke ein besonderes System gefunden werden muß. Dies gilt nach seiner Ansicht auch von der Lehre von der zeitlichen Geltung des Rechtes (a. a. O. S. 51), auch darin hat er m. E. Recht, jedoch glaube ich, daß gerade für Institutionenlehrbücher, die auf diesen Gegenstand nicht so tief einzugehen brauchen, die Gefahr nicht so groß ist.

Ferner scheint es mir nicht richtig, die Erörterungen über den Rechtsschutz, insbesondere die Lehre von der Beweislast, schon im allgemeinen Teile zu behandeln. Das Recht enthält so viele Bestimmungen, die nur mit Rücksicht auf die Beweisnot geschaffen sind, daß es eine sehr dankbare Aufgabe ist, gerade bei Behandlung dieser Bestimmungen anzuführen und zu betonen, daß sie geschaffen sind mit Rücksicht auf die prozessualische Geltendmachung eines Rechtes, z. B. die Solidarhaftung der Mandatare, die Solidarhaftung bei der Sachbeschädigung, die Haftung für Zufall, die Gefahrtragung, die rechtlichen Vermutungen. Die Erörterung der Beweislast dürfte sicher an Anschaulichkeit gewinnen, wenn die einzelnen Erscheinungsfälle vorher dem Studenten kundgegeben sind.

Ferner dürften die allgemeinen Lehren zum Obligationenrecht ebenfalls einer anderen Behandlung fähig und bedürftig sein. Nach meinen gleichmäßig immer wiederkehrenden Beobachtungen, die sich auch hier genau mit meinen Erinnerungen aus meiner Studentenzeit decken, kann der junge Institutionist zunächst mit den abstrakten Begriffen Solidarobligation, Alternativobligation, Korrealobligation nur sehr wenig anfangen, ebenso mit dem Begriff der negotia b. f. und s. j. Würden ihm diese Dinge zunächst gespart, ihm aber z. B. beim Auftrag etwa folgender Fall entwickelt, so würde ihm die Sache wesentlich erleichtert werden. Gesetzt, A. bittet die beiden Brüder B. und C. für ihn einen Sack mit Weizen im Werte von etwa 10 Mk. mit zur Stadt zu nehmen und bei einem dortigen Kaufmann abzuliefern. Unterwegs wird der Weizen durch Schuld von B. völlig verdorben; A. will Er=satz, beide Brüder leugnen. Wen soll er verklagen? Verklagt er auf Geratewohl den C., so verliert er einen Prozeß, dessen Kosten sehr viel größer sind als der erlittene Schaden. Die Hilfe bringt die Solidarobligation. An diesem einfachen Beispiel wird 1) die Solidar=obligation erläutert, 2) der Zusammenhang von Rechtssatz und Prozeß nachgewiesen, 3) wird der konkrete Rechtssatz dem Gedächtnis gründlich eingeprägt.

Ferner scheint es mir nicht richtig, beispielsweise die Alternativ=obligation so ganz ohne vorherige Anschauung vorzutragen. Diese römische Spezialität, deren Zweck sogar bis auf den heutigen Tag noch nicht aufgeklärt sein dürfte, ist für den Anfänger so entlegen, daß hier besonders auf eine sinnfällige Darstellung Rücksicht genommen werden müßte.

Ferner scheint es mir ein Übelstand, daß Cession, Novation, De=legation, überhaupt Entstehung, Veränderung, Untergang der Obligation schon vor dem besonderen Teile abgehandelt werden, denn auch hier fehlt die Anschauung und zwar derart, daß ich nach meinen Beobach=tungen sogar für die Pandektenlehrbücher diese Gewohnheit nicht für unbedenklich halte. Denn alle diese Gegenstände dürften am besten vorgetragen werden im Anschluß an eine ganz konkrete Obligation, etwa eine Kaufobligation u. dergl. Es empfiehlt sich doch vielmehr zu sagen: Werner cediert dem Friedrich eine Kaufforderung auf 500 Mk. gegen Michelsen als: A. cediert dem B. eine Forderung. Doch gelten diese Ausstellungen wesentlich den Pandektenlehrbüchern.

Im Zusammenhange mit dem soeben behandelten Übelstande steht noch ein zweiter: Die Darstellung in unseren Institutionenlehrbüchern ist viel zu abstrakt. Ganz natürlich, denn es fehlt eben zu häufig das Anschauungsmaterial. Wie häufig bin ich schon von Studenten nach dem Sinn dieser oder jener Stelle gefragt worden. An der Hand eines Beispiels erläutert war sie dem Fragenden sofort verständlich. Ich kann natürlich wegen mangelnden Raumes hier nicht alle Stelle erwähnen, wo mir unsere heutigen Institutionenlehrbücher zu abstrakt abgefaßt zu sein scheinen. Man wird den Unterschied m. E. erst dann richtig ermessen können, wenn der praktische Versuch gemacht ist, ein induktiv und konkret anschaulich gehaltenes Lehrbuch zu schreiben. Es läßt sich ja auf allen Seiten unserer Institutionenlehrbücher feststellen, daß die Verfasser das Streben gehabt haben, sich dem Anfänger so verständlich wie möglich zu machen, aber das Beispiel unserer deduktiv abgefaßten Pandektenlehrbücher läßt sie m. E. auf halbem Wege stehen bleiben. Mir scheint, es wird doch nicht genügend berücksichtigt, daß wir in dem Studenten des ersten Semesters doch nur einen soeben von der Schule entlassenen Primaner vor uns haben. Gesetzt, unsere Abiturienten kämen nicht sofort nach bestandener Prüfung auf die Universität, sondern in eine Übergangsanstalt zwischen Gymnasium und Hochschule oder sie würden in freierer Stellung auf dem Gymnasium festgehalten und genössen dort einen propädeutischen Unterricht in ihrem künftigen Studienfach, so würde man natürlich dem angehenden Juristen ein Lehrbuch in die Hand geben müssen und würde zunächst zu unseren jetzigen Lehrbüchern greifen, aber ich möchte glauben, daß bald für die Bedürfnisse der Schüler ein neues Buch geschrieben werden würde, denn man würde einsehen, daß zwischen den Abiturienten und den Primanern doch kein so großer Unterschied besteht und daß man ihnen ebenfalls solche Bücher besser nicht bietet, die man dem Primaner noch nicht in die Hand geben würde. Psychologisch erklärt sich das daraus, daß man hier durch die äußeren Lebensbedingungen der Abiturienten mehr an ihr geistiges Niveau erinnert wird, als auf der Universität, wo die Unterschiede durch die Stellung als akademischer Bürger sehr verwischt werden, sodaß man leicht die Größe des Unterschiedes zwischen einem älteren Studenten und dem jungen soeben von der Schule entlassenen Anfänger zu gering einschätzt. Für die Juristen dürfte ein ganz besonders zwingender Grund vorliegen, das geistige Niveau des Anfängers nicht zu hoch einzuschätzen, denn keine Wissenschaft liegt dem Anfänger so ferne, wie die unsere.

Wenn ich von meinen erften Eindrücken fprechen darf, fo muß ich be=
kennen, daß mir zumute war, als hätte ich mich mit meinem Studium
geradezu verkauft. Solche Eindrücke wollen überwunden fein.

Ich möchte auch glauben, daß an der Unluft der Studenten viel=
fach die Art und Weife schuldig ift, mit der auf der Schule der Unter=
richt im Lateinischen und in der römischen Geschichte betrieben wird.
Man behauptet wohl nicht zu viel, wenn man sagt, daß recht häufig
durch einen ungeschickten Unterricht in diesen beiden Fächern der Ab=
iturient vor Allem, was mit ihnen zusammenhängt, eine ziemlich starke
Abneigung auf die Univerfität mitbekommt. Wenigftens fprechen meine
in der Studentenzeit gemachten Beobachtungen durchaus für diese An=
nahme. Der Student gerät zu leicht auf die Vorstellung: Nun fängt
die Geschichte wieder an mit Servius Tullius, den Komitien, Dezem=
virn, Gracchen, Latinern, Bürgerkriegen, den Kaifern, Juftinian 2c.
Ich weiß auch von mir selber, daß mir troß lebhaften Intereffes für
die Geschichte diese Vorstellung nicht erfreulich war. Ich glaube, daß
mit diesem Umftande im Allgemeinen zu wenig ge=
rechnet wird.

Dies führt uns auf eine andere Frage, ob der Anfängerunterricht
auf Grundlage des römischen Rechtes oder auf Grundlage des B.G.B.
erteilt werden foll. Für das römische Recht spricht fein zweifelofer
bidaktischer Wert. Fraglich ift jedoch, ob er schon im Anfänger=
unterricht zur Geltung kommt. Um zu den grundlegenden tech=
nischen Grundbegriffen zu gelangen, muß häufig der Weg der geschichtlichen
Entwicklung durchwandert werden, z. B. beim Pfandrecht, Kaufvertrag,
Erlaßvertrag, Inteftat= und Pflichtteilserbrecht, väterlicher Gewalt, dos,
Vormundschaft, Vermächtnis und Fideikommiß 2c. Ich glaube, daß
diese Art des Aufbaues eines Lehrbuches für die Einführung des An=
fängers nicht gerade günstig ift. Was bei richtigem Unterricht auf
einer späteren Stufe für den Studenten sehr intereffant und reizvoll
fein kann, eignet fich noch nicht notwendig zum Anfängerunterricht.
Ift jedoch jemand der Meinung, daß der Unterricht schon von An=
fang an hiftorisch vorgehen müffe, weil das Recht fich hiftorisch ent=
wickelt habe, fo ift darauf zu sagen, daß für den Anfängerunterricht
in erfter Linie bidaktische Gesichtspunkte maßgebend fein
müffen, von einer bidaktischen Prüfung der hiftorische Anfänger=
unterricht aber schwerlich bestehen dürfte. Aus zwei Gründen.

Um zu unseren einfachen, für unser heutiges Recht maßgebenden Grundbegriffen zu gelangen, muß sich der Anfänger durch vieles historische Beiwerk durchwinden, von dem ein Teil sogar nicht einmal eine besondere didaktische Bedeutung hat[1]). Dies macht den Studenten, der den Wert historischer Ausführungen schwerlich schon in seinem ersten Semester zu würdigen versteht, leicht unlustig, denn es weckt kein Interesse bei ihm. Überdies kostet ein solches Verfahren Zeit, die mit einer reichlichen und lebensvollen Anziehung von modernen, dem Studenten wenn irgend möglich aus eigener Anschauung bekannten Beispielen besser ausgefüllt werden dürfte. Ferner enthalten die römischen Institutionen so manche undifferenzierte Institute, die, wie alle undifferenzierten Institute, gerade wegen ihrer äußeren Einfachheit dem juristischen Verständnis die größten Hindernisse in den Weg legen. Erinnert sei an die emptio ad gustum, die undifferenziert nebeneinander Mängelhaftung und Gefahrtragung enthält. Ueber ihren Karakter ist man sich noch heute nicht einig, weil man nicht erkannt hat, daß es sich hier um ein uraltes, noch völlig undifferenziertes Institut handelt. Um wie viel weniger kann man dem Anfänger zumuten, dies Institut zu verstehen. Ebenso steht es mit einem Institut, das den Anfänger sogar regelmäßig auf den ersten Seiten eines Institutionenlehrbuches zu begrüßen pflegt, mit der mancipatio. Ist schon das juristische Wesen des Kaufes garnicht klar zu machen, wenn man als Beispiel einen gewöhnlichen Hand- oder Realkauf wählt, wie er alle Tage im Laden des Detaillisten vorkommt, so gilt dies von der in einem so fremdländischen Gewande auftretenden mancipatio doppelt. Wie undifferenziert ist doch die actio, diese, man kann wohl sagen didaktische Grundlage des Unterrichtes im römischen Rechte. Dem völlig abgeschlossenen Juristen ist der von Windscheid in seinen Pandekten entwickelte stufenweise Aufbau schon verständlich, der Anfänger kämpft aber mit den größten Schwierigkeiten und die Institutionenlehrbücher können ihm über diese im Stoffe liegende Schwierigkeit schwerlich hinweghelfen und überhaupt ist zu sagen, daß ein entwickeltes Recht mit einer

---

1) Ich verweise auf Stammler, Das Recht der Schuldverhältnisse, S. 182 ff., 231 f., wo er die geschichtlich-nationalen Zufälligkeiten bei Cession und Novation anschaulich dargelegt hat, denen für den Anfängerunterricht sicher keine belehrende Seite abzugewinnen ist. Solche Beispiele gibt es aber mehr.

scharfen Differenzierung aller seine Institute vor dem unentwickelten Rechte den Vorzug größerer Klarheit besitzt, daß also das B.G.B. besser zum Anfängerunterricht sich eignet, als das reine römische Recht. Zu den soeben angeführten Gründen kommt hinzu, daß das Verständnis unserer juristischen Grundbegriffe sicherlich auch dadurch erschwert wird, daß sie in einer fremdländischen Darstellung erscheinen mit Anwendungsfällen, wie sie eine schon längst entschwundene und untergegangene Welt kannte. Der junge Student muß etwas von dem vernehmen, das laut und lebendig alle Tage um ihn vorgeht, was er garnicht selten schon am eigenen Leibe erfahren oder doch bei Anderen beobachtet hat, aber er wird in eine Welt geführt, deren geistigen Zusammenhang mit dem um ihn pulsierenden Leben er noch nicht durchschauen kann. Wir bieten dem Anfänger mit den aus den römischen Quellen herausgenommenen Beispielen schwerlich das für ihn zunächst Liegende dar. Darum können wir in dem Anfänger auch nicht so leicht die bei ihm etwa schon vorhandenen, auf den zu erläuternden Rechtssatz sich beziehenden Vorstellungen auslösen und auf diese Weise die Aufnahme des Rechtsstoffes bei ihm erleichtern. Die Erörterung der verschiedenen Rechtssätze müßte doch die Wirkung haben, daß alles, was der Student bisher an Beispielen für die tatsächliche Anwendung der gelehrten Sätze durch eigene Beobachtung, Hörensagen ꝛc. erfahren hat, bei ihm lebendig wird und auf diese Weise Verständnis und Gedächtnis durch die Auslösung schon geläufiger Vorstellungen gründlich unterstützt werden. Die nicht wegzuleugnende Tatsache, mit der wir notwendig rechnen müssen, ist doch immer, daß es seine großen Bedenken hat, auf das B.G.B. vorzubereiten, indem man dem Anfänger ein ganz anderes objektives Recht lehrt, als das Recht des B.G.B., möge dieses andere Recht an sich auch noch so vollkommen sein!

Freilich entgeht dabei der bildende Einfluß der Quellenlektüre, diese vermag das B.G.B. nicht herzugeben, aber es ist zu bedenken, daß bei dem nahen Zusammenhange von corpus juris und B.G.B. immerhin ein erheblicher Teil übrig bleibt, der gelesen werden könnte. Doch scheint mir, daß für das erste Semester eine Quellenlektüre, die dem Studenten wirklich das corpus juris erschließt, noch nicht möglich ist. Setzt man, wie es heute auch meistens der Fall ist, die Exegese später, so sind damit alle Schwierigkeiten behoben.

Nun wird man sagen, daß die meisten der hier vorgetragenen Wünsche erfüllt seien durch die neue Studienordnung, die von selber darauf hindrängen werde, daß der Anfängerunterricht moderneren Inhalt bekomme, als bisher. Es bedürfe also keiner Institutionen des B.G.B. Das ist richtig, wenn wir nur nicht damit einen halben Schritt getan haben. Die eigentlichen Feinheiten des römischen Rechtes dürften, wie schon bemerkt, im ersten Semester aus Gründen der mangelnden Zeit und des mangelnden Verständnisses unter den Tisch fallen und dann fragt man, wozu denn das römische Recht vorgetragen wird. Ich berufe mich hierbei auf die Beobachtungen an Forstakademikern, die nach Beendigung ihres Studiums noch zwei Semester auf der Universität Rechte studieren. Soweit meine Beobachtung reicht, hatten diese von dem Wesen des römischen Rechtes verschwindend wenig mitbekommen. Dies wird von dem Studium eines halben Jahres um so mehr gelten müssen. Will man wirklich mit dem römischen Rechte Ernst machen, so scheint mir, müsse man ganz auf dem bisherigen Standpunkt stehen bleiben, weil man sonst aufhört, römisch zu lehren, ohne doch wirklich modern zu sein. Dazu kommt, daß das „System des römischen Privatrechtes", wenn es verständlich sein soll, einer römisch-historischen Unterlage in den meisten Beziehungen kaum wird entraten können, insofern sehr viele Institute zuweilen kaum ohne Darlegung ihrer historischen Entwicklung zu verstehen sein werden, z. B. Handlungsunfähigkeit, väterliche Gewalt, alles, was mit dem römischen Aktionensystem zusammenhängt u. a. m. Ich glaube, daß wir da vor der Alternative stehen, entweder ganz geschichtlich zu verfahren oder den Anfängerunterricht zunächst ganz ungeschichtlich, rein dogmatisch zu gestalten. Die Entscheidung dieser Frage hängt nun nicht bloß von den schon vorgetragenen Gesichtspunkten ab, es bedarf noch einer besonderen Berücksichtigung der römische Zivilprozeß. Dieser ist wohl der didaktisch schwierigste Lehrgegenstand des ganzen juristischen Studiums. Ich habe nun schon mehrfach den Eindruck gewonnen, daß es ganz außerordentlich schwer, ja beinahe unmöglich sei, dem Anfänger wie vom Wesen des Prozesses überhaupt, so insbesondere vom römischen Zivilprozeß eine richtige Anschauung zu geben. Wie schwierig ist es allein schon, den Unterschied zwischen Prätor und Judex einerseits und unserem Amtsrichter andererseits dem Anfänger klar zu machen, nun gar den ganzen Prozeßbetrieb überhaupt. Wenn der deutsche Zivilprozeß, wie es wohl kaum beſtritten wird, für den vorgeſchrittenen Juriſten ſchwierig iſt, mehr als andere Gegenſtände, ſo dürfte es zweifellos der römiſche Zivilprozeß mit ſeiner ganzen fremdländiſchen Eigentümlichkeit noch mehr ſein für den Anfänger. Ich berufe mich auch hier wieder auf meine Beobachtungen im Repetitorium. Die Erfolge ſind ſehr gering. Der römiſche Zivilprozeß iſt aber für das Verſtändnis des römiſchen Rechtes unentbehrlich.

Aus allen angeführten Gründen glaube ich, daß man dem Anfänger ſehr viele Mühe und Umwege ſparen, ihm ſein Studium von Anfang an ſehr viel intereſſanter geſtalten könnte, wenn man ihm zunächſt die hiſtoriſche Entwicklung zurücktreten läßt und ſich mit einem rein dogmatiſchen Unterrichte zur Einführung begnügt. Zugleich müßte dieſer Einführungsunterricht ſo modern und anſchaulich wie möglich gehalten werden. Dann werden dem Studenten die Augen ſo früh wie möglich geöffnet, um die ihn umgebende leibhaftige Welt juriſtiſch anſchauen zu können, und mit dieſem ſelbſtändigen Denken wird auch das Intereſſe und die Freude am Studium zunehmen. Hierin iſt uns die Medizin und Naturwiſſenſchaft didaktiſch ſo weit voraus, weil ihre Jünger ſo bald ſelbſtändig arbeiten können, ſei es auch nur, daß ſie einen Froſch ſezieren. Der Fehler des Anfangsunterrichtes im römiſchen Rechte dürfte gerade ſein, daß notgedrungener Weiſe die bloße Rezeption, mit der ſich der Schüler lange Jahre geplagt hat, zu ſehr in den Vordergrund tritt und nur der Gegenſtand aber nicht die Art des Unterrichtes gegenüber dem Gymnaſium ſich weſentlich ändert. Freilich iſt Rezeption unentbehrlich, aber ſo wie der Student nun einmal iſt, müßte ſie nach Möglichkeit eingeſchränkt werden und dies kann nur geſchehen durch einen rein dogmatiſchen, an ſich ungeſchichtlichen Anfängerunterricht.

Daneben dürfen die geſchichtlichen Vorleſungen nicht zu kurz abgehalten werden, um den Studenten zu lehren, wieviel wir unſeren Vorgängern verdanken, und wo aus didaktiſchen Gründen im dogmatiſchen Anfängerunterrichte geſchichtliche Ausführungen notwendig ſind, müſſen ſie in aller notwendigen Ausführlichkeit gegeben werden.

Die römiſchrechtliche Dogmatik, die mir nach der neuen Studienordnung denn doch zu kurz zu kommen ſcheint, wäre dann nach dem erſten Semeſter zu behandeln [1]).

―――――――

1) Das Ideal eines Anfängerunterrichtes — leider wird es ſich nicht durch-

Ich will also keineswegs das römische Recht aus dem Studienplan verdrängen, sondern ich möchte ihm nur eine andere Stelle anweisen und wünsche ihm auch einen breiteren Raum, als ihm angewiesen ist. Das Nähere hierüber sei besser Berufenen überlassen.

In die neue Studienordnung würde sich die hier angeregte Verschiebung ohne Schwierigkeit einfügen. Denn soweit geht die Bewegungsfreiheit der Fakultäten doch wohl, daß sie in dieser Hinsicht selbständig ändern können, zumal da es wünschenswert erscheint, daß dem römischen Civilprozeß ein anderer Platz angewiesen wird, oder daß der Student besser als bisher auf diese schwierigste Vorlesung vorbereitet wird.

Mit den Übungen, wie sie von Stammler vertreten werden, teilt die hier gemachte Anregung durchaus das Ziel. Mir scheint der hier gemachte Vorschlag nur eine einfache Folgerung aus der von Stammler angeregten Lehrmethode, ihre letzte noch fehlende Ergänzung.

Erweist sich der von mir vorgeschlagene Weg als ungangbar, so wird es doch nach wie vor unsere Aufgabe bleiben, uns dem Niveau des Anfängers mehr als bisher anzupassen. Wir, die wir die juristische Technik völlig beherrschen, können uns nur schwer noch in das Niveau des Anfängers hineindenken. Einen Beweis dafür liefern m. E.

---

führen lassen — wäre: Im Mai und Oktober Konversatorium, etwa 10 Stunden wöchentlich, anknüpfend an die dem Anfänger bekannten Begriffe und von ihm im täglichen Leben gemachten Erfahrungen, bestimmt, ihm die Grundbegriffe in konkreter Anwendung sinnlich vorzuführen, oder vielmehr den Anfänger im Gespräche durch Fragen auf die Begriffe und ihre Folgerungen hinzuführen, ihn selbst alles finden zu lassen; dann würde im Monat Mai bis Mitte Juni, November bis Dezember dogmatischer Vortrag folgen, ebenfalls 10 Stunden wöchentlich, der Rest des Semesters würde für die Geschichte reserviert. Dann fällt das Nebeneinander von geschichtlicher und dogmatischer Vorlesung fort, was mir deshalb ein Vorteil scheint, weil ich glaube, daß heute diese Vorlesungen nicht so recht zusammenklappen. In der hier bezeichneten Reihenfolge käme der geschichtlichen Vorlesung zu gute, daß sie bei den Studenten einen gewissen Besitzstand juristischer Kenntnisse, vor allen Dingen juristischer Technik vorfindet, weshalb denn auch das mehrmalige Vortragen desselben Gegenstandes in den verschiedenen Vorlesungen wegfällt, das heute unumgänglich ist. Zugleich wird damit viel Zeit gespart. Wie man sieht, will ich die Rechtsgeschichte in keiner Weise verdrängen, vielmehr sei ihre Unentbehrlichkeit hiermit ausdrücklich anerkannt.

unfere Inftitutionenlehrbücher. Ich habe den Eindruck gewonnen, daß wir dem Anfänger die Sache viel leichter machen können als bisher, darum meine ich sollen wir zugreifen. Unwiffenfchaftlich ift das hier vorgefchlagene Verfahren nicht, denn dadurch, daß wir den Anfänger fo nehmen, wie er nun einmal in Wirklichkeit ift, dürfte es uns befonders leicht gelingen, den Anfänger auf eine höhere Stufe zu bringen, als bisher, wo wir ihm die erften Schritte unnötig erfchweren.

Druckfehlerverzeichnis.

S. 75 Z. 2 v. ob. Mietvertrages ftatt Mietevertrages.

S. 78 Z. 25 v. unt. leichte ift zu tilgen.

S. 78 Z. 17 v. unt. Arglift ftatt Vorfatz oder.

S. 78 Z. 16 v. unt. grober Fahrläffigkeit ift zu tilgen.

S. 78 Z. 16 v. unt. 599, ift zu tilgen.

S. 78 Z. 16 v. unt. ift einzufchieben: Übergibt der Verleiher die Sache, ohne daß dies erkennbar wäre, in fo fchlechter Verpackung, daß der Entleiher trotz aller Sorgfalt fie beim Transporte befchädigt, fo kann der Verleiher, wenn er grob fahrläffig handelte, keine Anfprüche gegen den Entleiher geltend machen (§ 599).

S. 81 Z. 15 v. unt· durch die flatt der.

S. 89 Z. 11 v. ob. einzufchieben: S. Anhang.

S. 93 Z. 6 v. unt. hinter Taufch ift das Komma zu tilgen.

S. 101 Z. 3 v. unt. der größeren flatt die größere.

S. 101 Z. 4 v. ob. geringeren flatt geringere.

S. 182 Z. 11 v. unt. Überläßt flatt Überläßt.

S. 188 Z. 4 v. ob. vor bevor ift ein Komma zu fetzen.

S. 221 Z. 17 v. unt. 51 flatt 50.

S. 242 Z. 2 v. unt. fremdem flatt fremden.

S. 247 Z. 11 v. unt. einzufchieben ift hinter ift ein Komma.

S. 495 Z. 14 unt. ( ) fällt fort.

Inhaltsverzeichnis.

Verzeichnis der Abkürzungen.

B.G.B. = Bürgerliches Gesetzbuch.
E.G. = Einführungsgesetz zum B.G.B.
Art. = Artikel des Einführungsgesetzes.
H.G.B. = Handelsgesetzbuch, neue Redaktion.
R.G. = Reichsgesetz.
R.G.E. = Reichsgerichts-Entscheidung, Sammlung für Zivilsachen.
G.B.O. = Grundbuchordnung.
St.G.B. = Strafgesetzbuch.
Z.P.O. = Zivilprozeßordnung.
Z.B.G. = Gesetz über die Zwangsversteigerung und Zwangsverwaltung.

Erstes Buch.

Einführung.

§. 1. Objektives und subjektives Recht.

V. vermietet an N. sein Haus bis Neujahr, Michaelis brennt das Haus ohne Verschulden von V. oder N. ab. Hat V. das (subjektive) Recht, Fortzahlung der Miete für das Vierteljahr von Michaelis bis Neujahr verlangen zu dürfen? Die Antwort gibt das (objektive) Recht. B.G.B. § 537: Der Mieter braucht keinen Mietzins zu zahlen für die Zeit, während deren die vermietete Sache untauglich ist, d. h. in diesem Falle für die Zeit von Michaelis bis Neujahr.

Was ist denn nun das subjektive Recht begrifflich? Wenn das objektive Recht sagt, der Vermieter hat ein Recht auf den Mietzins, so heißt das: 1. der Vermieter kann den Mieter (verklagen, 2. ihn) verurteilen lassen, 3. ihm den Mietzins durch den Gerichtsvollzieher abnehmen lassen.

Der Vermieter hat also eine gewisse Macht über den Mieter, die darin gipfelt, daß er schließlich unter Beistand des Staates dem Mieter zwangsweise wegnehmen darf, was ihm, dem Vermieter, gebührt.

Diese Macht des Vermieters ist keine körperliche Ueberlegenheit, sondern eine juristische vom objektiven Rechte gegebene, gewährleistete und durch dasselbe geschützte Macht. Eine solche Macht hatte Robinson nicht, als er auf seiner Insel allein war; er hatte sie auch nicht, als sich ihm Freitag zugesellte. Als beide sich in die Insel teilten, erwarben sie gegen einander noch keine subjektiven

Rechte. Hätte der stärkere Robinson dem schwächeren Freitag sein erlegtes Wild geraubt, und wäre er nach Rückkehr in zivilisierte Verhältnisse von Freitag vor einem deutschen Amtsgerichte verklagt worden, dann wäre die Klage von Anfang an abgewiesen mit der Begründung: Robinson hat moralisch unrecht, aber Freitag hat kein (subjektives) Recht gegen, keine juristische Macht über ihn.

Warum? Weil eine über den Parteien stehende Person oder sonstige Machtgröße fehlte, um zu bestimmen, welche subjektiven Rechte und wem sie zustehen sollten. Dies konnte erst dann anders werden, als mindestens drei Personen sich zusammen fanden, sich gemeinsam Gesetze zu geben. Das objektive Recht ist das logische prius des subjektiven Rechtes ¹), wo das erste, z. B. das Gesetz, fehlt, kann auch das zweite nicht sein. Das Gesetz, z. B. § 535 B.G.B., bestimmt, daß der Mieter den Mietzins zahlen muß und erst durch das Gesetz wird die Grundlage für das subjektive Recht auf Mietzins geschaffen. Daß das objektive Recht vom subjektiven Recht unabhängig ist, sieht man noch daraus, daß es ohne letzteres bestehen kann, z. B. wenn man sich den Fall denkt, daß die Bestimmungen über die Miete nicht zur Anwendung kommen, weil jedermann im eigenen Hause wohnt und darum keine Mieten abgeschlossen werden.

Wir sehen also, daß das subjektive Recht eine vom objektiven Recht anerkannte und geschützte Macht ist.

Wenn eine Person ein subjektives Recht gegen eine andere Person hat oder ein subjektives Recht an einer Sache, z. B. Eigentum an einem Grundstück, so sagen wir: Sie steht zu der anderen Person oder zu der Sache in einem rechtlich geschützten Verhältnis, in einem Rechtsverhältnis.

Was ist nun das objektive Recht? Da subjektives Recht unmöglich wäre, wenn nicht der Staat bestimmte, was subjektives Recht sein soll, so kann man das objektive Recht als die staatliche Bestimmung ansehen, nach der sich Werden und Vergehen der subjektiven Rechte richtet.

In der That der Staat, das Gemeinwesen, das Volk, die

----

1) Man kann vielleicht darüber streiten, ob dies auch für das Gewohnheitsrecht richtig sei. Diese Frage ist m. E. unbedingt zu bejahen, aber dies näher auszuführen ist hier nicht der Ort.

Nation, der Monarch oder wie man die über den Parteien stehende, die Gesetze gebende Größe bezeichnen will, erläßt Bestimmungen, Vorschriften, Befehle, Normen, nach denen jeder sich zu richten hat. So bestimmt z. B. das deutsche Reich in § 566 B.G.B., daß ein Grundstück auf länger als ein Jahr nur schriftlich vermietet werden kann, d. h. wenn M. am 1. Januar 1900 mündlich auf fünf Jahre mietet, so darf er das Grundstück zunächst nur ein Jahr behalten, für die ferneren Jahre kann es ihm trotz der Abmachung gekündigt werden.

Das objektive Recht gibt also die Bedingungen, unter denen subjektive Rechte erworben werden können und sagt zugleich, welches diese subjektiven Rechte sind.

Damit ist aber noch nicht die Frage beantwortet: Wodurch wird ein Anspruch einer Person gegen eine andere zum subjektiven Recht?

Der ältere Mensch hat ein Recht, einen Anspruch darauf, von dem jüngeren zuerst gegrüßt zu werden. Dies ist kein juristisches Recht, sondern ein Recht kraft Sittengesetzes.

Die Eltern haben gegen ihre Kinder ein Recht auf ehrerbietige Behandlung. Dies ist ebenfalls kein juristisches Recht, sondern ein Recht kraft Sittlichkeitsgesetzes.

§ 1649 B.G.B.: „Dem Vater steht kraft der elterlichen Gewalt die Nutznießung an dem Vermögen des Kindes zu". Hier haben wir ein juristisches Recht.

Worin liegt der Unterschied? Darin, daß sich der Staat des väterlichen Rechtes auf Nießbrauch annimmt, einen widersprechenden Zustand verbietet und ihn dadurch zum Unrecht stempelt.

Die Summe der Bestimmungen, Vorschriften, Regeln, durch die der Staat dem einzelnen ein gewisses Verhalten vorschreibt, erlaubt oder verbietet, nennen wir objektives Recht. So gebietet z. B. der schon angeführte § 1649: 1) dem Kinde, die Nutznießung des Vaters zu dulden, erlaubt 2) dem Vater, die Handlungen eines Nutznießers vorzunehmen, verbietet 3) allen Personen, den Vater in der Nutznießung zu stören.

Bestritten ist, ob das Moment des Zwanges in die Definition des objektiven Rechtes hineingehört. Diese Frage läßt sich nur entscheiden, wenn wir Privatrecht und andere Rechte, z. B. öffentliches und Völkerrecht, sondern.

Das Privatrecht, das Gegenstand des B.G.B. ist, handelt von Mein und Dein, entscheidet darüber, wie weit der Verkäufer für Fehler der Ware aufkommt, ob und wie weit jemand Schadensersatz leisten muß, wenn sein Hund einen Menschen oder ein Tier beißt, ob der Vater des verstorbenen Erblassers erbt oder der Sohn des Erblassers, ob das Vermögen der Frau für die Schulden des Mannes haftet oder nicht, wann ein Gatte auf Scheidung klagen kann 2c.

Das Privatrecht regelt die Verteilung der Vermögenswerte, die familienrechtlichen Beziehungen der Menschen und die Rechte an der eigenen Persönlichkeit.

Außerdem haben wir als öffentliche (objektive) Rechte: Staatsrecht, Strafrecht, Kirchenrecht, Völkerrecht, Prozeßrecht. Diese unterscheiden sich vom Privatrecht darin, daß sie nicht grundsätzlich über die Zuteilung und Verteilung von Mein und Dein verfügen und ferner durch die Stellung, die der Staat und alle dem bloßen Privatmann an Machtvollkommenheit voranstehenden Personen und sonstigen politischen und wirtschaftlichen Größen, z. B. Provinzen, Städte, Gemeinden 2c., im Privatrecht und andererseits im öffentlichen Recht einnehmen.

Dies zeigt sich im Folgenden. Hat der Arbeiter Werner vom Reiche, oder vom Staate Baiern, oder von der hamburgischen Republik, oder von der Stadt Berlin, oder von der Stadt Schildau, oder von dem Dorfe Neudorf, oder von dem Bauern Haker 20 Mk. Arbeitslohn zu fordern, so stehen sich Gläubiger und Schuldner grundsätzlich als gleichberechtigte Personen (paritätisch) gegenüber. Die Parteien sind vor dem Gesetze gleich, wie sie auch gleich sind, wenn der Adjutant oder der Minister des regierenden Fürsten in dessen Auftrag von ihrem eigenen Gelde an dritte Personen ein Geschenk machen und dies Geld von dem Fürsten oder dessen fürstlicher Kasse zurückverlangen. Käme es zu einem Prozesse, dann würden sich Adjutant oder Minister und Fürst resp. fürstlicher Fiskus als paritätische Parteien gegenüberstehen.

Derartiges kommt im öffentlichen Recht niemals vor, hier stehen z. B. Staat und Fürst stets über dem Privatmann. Erstere befehlen, letzterer gehorcht. Der Fürst erläßt Verordnungen, vollzieht Gesetze, begnadigt Verurteilte, ernennt kraft seiner überlegenen Stellung seine Beamten, befördert und entläßt sie. Derselbe Adjutant oder Minister, der als paritätische Partei von dem Fürsten das dargeliehene Geld einklagen kann, nicht anders, als hätte er es irgend einem beliebigen Privatmann geliehen, dieser selbe Adjutant oder Minister ist in seiner Stellung als Adjutant resp. Minister und sogar als bloßer Staatsbürger abhängig vom Fürsten, ihm untergeordnet. Der Staat befiehlt den Beamten und Soldaten, er befiehlt schließlich aber auch jedem Bürger. Dies gilt entsprechend ihren abgeschwächten Machtvollkommenheiten auch von allen übrigen im Staate vorhandenen Machtgebilden, denen der Staat eine gewisse **Befehlsgewalt** gegenüber dem Einzelnen gelassen hat, z. B. den Stadtgemeinden gegenüber den städtischen, den Universitäten gegenüber den akademischen Bürgern ꝛc. Die überlegene, übergeordnete Stellung der Stadtgemeinde über dem einzelnen Bürger zeigt sich z. B. in dem Rechte, die Bürger zu besteuern. Im öffentlichen Rechte stehen sich die Parteien nicht als **gleichgeordnete**, sondern als **über-** und **untergeordnete** Persönlichkeiten gegenüber[1]); das öffentliche Recht beschäftigt sich mit Überordnung und Unterordnung der Staatsbürger, das Privatrecht kennt nur die Gleichordnung.

Zu dem öffentlichen Recht gehört auch das Völkerrecht. Diesem **fehlt eine über den Parteien stehende Person oder sonstige Machtgröße**, von der das Völkerrecht ausgeht und die ihm mit äußeren Mitteln Geltung verschafft. **Hier fehlt der organisierte, staatliche Zwang**, denn, wenn ein Volk sich den Bestimmungen des Völkerrechtes nicht fügen will, so fehlt der Richter, der es verurteilt, und es fehlt ferner der Staat oder der Staatenbund, der die Vollstreckung des Richterspruches in die Hand nimmt. Das Völkerrecht ist also noch unvollkommen.

Will man in die Definition des Rechtes das Völkerrecht mit einbeziehen, so muß man von dem Moment des Zwanges absehen und gibt damit das Beste und Wesentliche des Begriffes preis. Darum ist es besser, das Völkerrecht in der Definition nicht zu berücksichtigen und das Moment des Zwanges nicht aufzugeben[2]).

---

1) Vergl. zu dem Ganzen **Regelsberger**, Pandekten, I, § 28.

2) Näher gehe ich hierauf nicht ein. Ich meine, daß die bisher beliebte Zusammenfassung alles objektiven Rechtes in eine Formel schweren Bedenken unterliegt und vielmehr zwischen den einzelnen Disziplinen zu scheiden ist. Jedoch ist hier nicht der Ort, davon näher zu reden.

Für das Privatrecht ist es unzweifelhaft, daß in dem Begriff des Privatrechtes auch der Begriff des Zwanges von Bedeutung wird. Vergl. das Beispiel oben S. 1.

Alles subjektive Recht steht auf dem Papier, wenn ihm nicht der mächtige Arm des Staates zur Geltung verhilft. Alle Rechtsfragen sind auch in diesem Sinne Machtfragen.

Keine Ausnahmen machen die bloß natürlichen, nicht juristischen Verbindlichkeiten: z. B. nach § 762 können Spiel- und Wettschulden nicht eingeklagt werden, aber werden sie gutwillig gezahlt, so gilt dies nicht als Schenkung, sondern als richtige Zahlung einer Schuld. Aber der Zwang ist im gewissen Umfange doch da. Will der Verlierer das Gezahlte zurück haben, so wird er daran durch staatliche Gewalt verhindert. Der Zwang zeigt sich, wenn auch nur negativ, darin, daß der Staat den Verlierer zwingt, seinen durch die Zahlung erlittenen Verlust zu tragen.

§ 2. Recht im subjektiven Sinne.

V. verkauft sein Reitpferd, Fuchs, fünf Jahre alt, mit weißem Stern, an K. für 1500 Mk. Dadurch erwirbt V. ein subjektives Recht auf Zahlung von 1500 Mk., K. ein solches auf Lieferung des Pferdes. Außer diesem Rechte gibt es aber noch andere. Wenn nämlich V. dem K. das Pferd geliefert hat, so gehört es von nun an nicht mehr dem V., sondern dem K. Jetzt kann nicht mehr V., sondern nur K. sagen: das Pferd ist mein. Dies konnte K. noch nicht sagen, solange V. das Pferd noch nicht geliefert hatte. Bis dahin hatte K. nur ein Recht, die Lieferung des Pferdes zu fordern, er hatte ein sogenanntes Forderungsrecht auf das Pferd, wie auch V. ein Forderungsrecht auf die 1500 Mk. hatte. K. hatte aber das Pferd selber noch nicht, ebenso hatte V. die 1500 Mk. selber noch nicht. Als nun K. das Pferd selber bekam, da wurde es sein eigen, sein Eigentum, oder korrekter ausgedrückt: er erwarb das Eigentumsrecht am Pferde. Hatte er früher nur eine Forderung auf das Pferd, so erwarb er jetzt ein Recht am Pferde. Ebenso geht es dem V. mit den 1500 Mk. Der Unterschied zwischen beiden Arten von Rechten wiederholt sich unzählig oft. Wenn stud. jur. Werner sich einen Anzug beim Schneider bestellt, so hat er zunächst nur ein Forderungsrecht auf einen Anzug, erst nach der Lieferung hat er ein Recht an dem Anzug 2c. 2c.

Die Forderungsrechte brauchen aber nicht immer auf Lieferung einer Sache zu gehen, z. B. die Hausfrau mietet ein Dienstmädchen. Dadurch erwirbt sie ein Forderungsrecht gegen das Mädchen darauf, daß das Mädchen die aufgetragene Arbeit verrichtet, z. B. Zimmer reinige, koche 2c. Das Forderungsrecht kann also gehen auf Leistung von Arbeit, Diensten und auf Leistung von Sachen.

Das Recht an der Sache selber kann sich dagegen nur auf körperliche Dinge beziehen und heißt daher, weil nur bei körperlichen Dingen möglich, dingliches Recht.

Ein dingliches Recht habe ich an meinem Hause, dagegen nur ein Forderungsrecht gegen meinen Schuldner S., dem ich 100 Mk. geliehen habe. Forderungsrechte gehen stets gegen eine (oder auch mehrere) Person(en), das dingliche Recht geht gegen niemand besonders, aber es ist von jedermann zu achten, z. B. ich kann von jedermann, wer es auch sei, meine von mir verlorene goldene Uhr zurückfordern, wenn er sie gerade hat. Das dingliche Recht hat zwei Arten: 1) das Recht an eigener Sache, Eigentum, 2) das Recht an fremder Sache, z. B. Nießbrauch, Pfandrecht. S. leiht sich von G. 100 Mk. und gibt ihm seine wertvollsten Bücher zum Pfand. Obgleich G. nunmehr die Bücher bei sich im Hause aufbewahrt, so gehören sie doch noch dem S., dieser ist noch immer Eigentümer, hat noch immer das Eigentumsrecht an den Büchern. Aber G. hat das Recht, wenn S. ihn nicht bezahlt, sich aus den Büchern des S. bezahlt zu machen. Kommen ihm die Bücher auf irgend eine Weise abhanden, etwa D. stiehlt sie, verkauft sie alsdann an den X., so kann G. jederzeit dem D. oder, wenn X. die Bücher schon hat, dem X. die Bücher abfordern; überhaupt kann er sie jedem Menschen, bei dem er sie findet, abfordern (§§ 985, 1227 B.G.B.). Diese Befugnis gibt ihm sein Recht an der Sache. Eigentum und Pfandrecht, solange sie noch bestehen und nicht aus besonderen Gründen untergegangen sind (vergl. § 932 B.G.B.), geben beide die Befugnis, die Sache an sich zu fordern, wo man sie auch findet. Daher sind beide dingliche Rechte.

Das dingliche Recht bezieht sich auf körperliche Sachen. Giebt es auch an unkörperlichen Sachen etwas dergleichen? Unkörperlich ist z. B. der geistige Inhalt eines Buches. Kann an ihm ein besonderes Recht bestehen, das verschieden ist von dem Eigentum an dem einzelnen Exemplar, dem körperlichen Buche? Diese Frage ist unbedingt zu bejahen.

Einen gleichen Unterschied bemerkt man am Kunstwerk, hier ist der künstlerische Gehalt des Bildes und seine äußerliche körperliche Erscheinung zu scheiden. Verkauft der Maler sein Bild, so bleibt er doch juristisch der geistige Urheber desselben. Das Eigentum am Bilde und das Urheberrecht treten scharf auseinander. Vermöge seines Urheberrechtes kann der Maler das Recht vergeben, sein Bild in Kupfer zu stechen oder es sonst, wie z. B. durch Holzschnitt, Photographie, zu vervielfältigen; der Käufer des Bildes hat dies Recht nicht (§ 8 R.G. vom 9. Januar 1876). Der Maler kann also in einer doppelten Weise sein Bild verwerten, indem er 1) das Eigentum an ihm veräußert, 2) sein Urheberrecht.

Das Urheberrecht ist in Deutschland anerkannt an Schrift= werken, geographischen, topographischen, naturwissenschaftlichen, architektonischen, technischen und ähnlichen Abbildungen, musikalischen Kompositionen, dramatischen Werken, Kunstwerken, Photographieen, Erfindungen, gewerblichen Mustern und Modellen.

Verwandt ist das Urheberrecht mit dem Eigentum, insofern es nur ein Eigentum an der körperlichen Sache und nur ein Urheber= recht an der unkörperlichen Sache geben kann. Wie jedermann, dem das Eigentum nicht zusteht, das Recht des Eigentümers anerkennen muß, so muß auch jedermann das Recht des Urhebers anerkennen. Beide wirken also absolut gegen jedermann, sind von jedermann zu achten. Daher ist der Name „geistiges Eigentum" durchaus nicht unpassend, jedoch ist zuzugeben, daß die Grundsätze, die sich auf das Eigentum an körperlichen Dingen beziehen, keineswegs ohne weiteres auf das geistige Eigentum passen. Aber man sagt ja auch nicht Eigentum schlechthin, sondern geistiges Eigentum [1]).

Die Rechte an unkörperlichen Dingen, als Erzeugnissen unserer wissenschaftlichen, künstlerischen, technischen Thätigkeit, nennt man im Gegensatz zu den dinglichen Rechten wohl am besten Immaterial= güterrechte. Die Gesamtheit aller gesetzlichen Bestimmungen über die Rechte an körperlichen Dingen nennt man Sachenrecht, während sie bei den Urheberrechten Immaterialgüterrecht

---

1) Vergl. Gierke, Privatrecht, S. 750, 762.

heißt. Der wichtige Unterschied zwischen beiden besteht besonders darin, 1) daß das Eigentum an körperlichen Sachen wesentlich nur wirtschaftlich nützlichen Zwecken dient, das Urheberrecht ebenso sehr ideale wie wirthschaftliche Interessen schützen soll. Es soll den Schöpfer eines Geisteswerkes auch in seinem wissenschaftlichen und künstlerischen Schaffen schützen und ihm den Ruhm und die Ehre der Urheberschaft sichern. 2) Das Eigentum an körperlichen Sachen ist ewig, solange die Sache besteht, der Bestand des Urheberrechtes ist grundsätzlich an die Person des Urhebers gebunden. Wegen der nahen Verknüpfung mit der Person nennt man daher vielfach das Urheberrecht ein Persönlichkeitsrecht. In Wirklichkeit läßt sich diese Seite des Urheberrechtes unter dem Ausdruck „geistiges Eigentum" sehr wohl ebenfalls verstehen.

Der Ausdruck Persönlichkeitsrecht paßt so recht scharf und deutlich nur auf folgende Fälle einer unmittelbaren Betätigung der eigenen Persönlichkeit. Das B.G.B. hat in § 823 anerkannt das Recht jedes Menschen auf Leben, Körper, Gesundheit, Freiheit; in § 824 das Recht auf Ehre, indem es zugleich alle Verletzungen dieser Rechte mit der Pflicht zum Schadenersatz belegt. Hierher gehört noch das Recht auf den Namen, den erblichen Adelstitel, § 12 B.G.B., das Recht auf eine bestimmte Firma, § 17 ff. H.G.B., insbesondere § 23 ebenda. Beides sehr wichtige Rechte; auf das erste legt insbesondere die Volksanschauung großen Wert, weshalb denn auch das B.G.B. über den Familiennamen der Ehefrau § 1335, der geschiedenen Frau § 1577, der ehelichen Kinder § 1616, der unehelichen Kinder § 1706, des adoptierten Kindes §§ 1758, 1772 eingehende Bestimmungen erlassen hat.

Die Persönlichkeitsrechte werden auch Individualrechte genannt. Beide Namen bezeichnen denselben Begriff.

Mit den Persönlichkeitsrechten nicht zu verwechseln sind die Familienrechte, z. B. die Ehegatten haben gegen einander das Recht auf eheliche Lebensgemeinschaft § 1353; die Frau hat gegenüber dem Manne das Recht darauf, daß er sie das gemeinsame Hauswesen leiten lasse § 1357; der Vater hat die elterliche Gewalt und damit das Recht und die Pflicht für die Person und das Vermögen des Kindes zu sorgen § 1627; die Tochter hat nach § 1620 ein Recht auf Aussteuer; jedes Kind muß, solange es bei den Eltern lebt, den Eltern in angemessener Weise im Haushalte be-

hilflich sein § 1617 2c. Hier haben gewisse Verwandte gegen ein=
ander gewisse Forderungsrechte, ja der Vater oder auch in einigen
Fällen die Mutter haben das Recht, das Kindesvermögen zu ver=
walten und zu nutznießen. Ferner gehört hierher das Recht, das
Kind zu erziehen, eventuell es zu züchtigen § 1631 2c. Die Familien=
rechte sind wesentlich Rechte von verwandten Personen gegen ein=
ander auf ein gewisses Verhalten, gewisse Dienste 2c. Darin ge=
hören sie zu den Forderungsrechten. Aber es gibt auch Rechte am
Vermögen, z. B. der Kinder. Diese stellen sich dar als Rechte an
Sachen und insofern ist ein anderer Teil der Familienrechte ding=
licher Natur. Beispielsweise hat der Vater nach § 1649 die Nutz=
nießung am Vermögen des Kindes.

Ein ganz eigenartiges Recht, das weder zu den Forderungs=
noch zu den dinglichen Rechten gehört, ist die elterliche Gewalt.
Sie gibt ein Recht an der Person des Kindes, das sich in ge=
wissem Sinne vergleichen läßt mit dem Recht an einer Sache. Wie
derjenige, der ein dingliches Recht an einer Sache hat, sie sich von
jedermann abfordern kann, §§ 985, 1227 B.G.B., so kann auch
der Vater nach §§ 1627, 1632 und entsprechend die Mutter, vergl.
§ 1684 ff., die Herausgabe des Kindes von jedem verlangen, der es
dem Vater widerrechtlich vorenthält. Wird also z. B. das Kind
widerrechtlich in einer Irrenheilanstalt zurückgehalten, so könnte der
Vater, wenn er es nicht vorzieht, sich der Kürze halber an die
Polizei oder den Staatsanwalt zu wenden, den Direktor der Anstalt
auf Herausgabe des Kindes verklagen. Da das Kind selber seine
eigenen Persönlichkeitsrechte hat auf Betätigung seiner Persönlich=
keit, können wir das Recht des Vaters nicht mit dem Eigentumsrecht,
sondern nur mit dem dinglichen Recht an fremder Sache vergleichen.
Jedenfalls ist der Vergleich mit dem dinglichen Recht zulässig,
was auch noch aus § 1631 B.G.B. hervorgeht, der dem Vater
das Erziehungsrecht und Züchtigungsrecht giebt. Denn dies ist ein
offenbares Recht an der Person.

Sehr beachtenswert ist die Frage, ob nicht die Rechte an der
Person in weiterem Umfang anerkannt werden müssen? Sollen
nicht die Verwandten des verstorbenen Millionärs eine Klage auf
Herausgabe seiner Leiche haben, die zu Erpressungszwecken geraubt
ist? Freilich wird diese Klage praktisch schwerlich zur Anwendung
kommen, wohl aber ist dies in folgenden Fällen denkbar: der ge=

schiebene Ehemann verlangt die Herausgabe seines verstorbenen Sohnes von 24 Jahren, um die Leiche im Erbbegräbniß beizusetzen, die Frau, die ihn in ihrem Erbbegräbniß hat beisetzen lassen, verweigert sie. Oder man nehme an, daß ein ähnlicher Fall zwischen verschwägerten Familien vorliegt, nicht die Leiche des Sohnes, sondern des Bruders herausgefordert wird? Oder eine Familie will einen berühmten Angehörigen vom städtischen Friedhof entfernen und anderswo beerdigen, die Stadtverwaltung will jedoch die berühmte Leiche nicht herausgeben. Oder eine irrsinnige Frau wird von ihrem Manne unter Mißhandlungen im Hause festgehalten, der Bruder klagt auf ihre Herausgabe an ihn, ohne daß sie entmündigt oder nur ihre Geisteskrankheit festgestellt wird. Ein Vetter klagt vor dem ordentlichen Gericht auf Herausgabe seines unrechtmäßig in der Irrenanstalt festgehaltenen Verwandten.

Alle diese Fälle können und werden häufig so liegen, daß von elterlicher Gewalt oder etwaiger Erbberechtigung in Ansehung der Leiche, sodaß sie als Bestandteil des Nachlasses gelten könnte, nicht die Rede sein kann, ein Klagerecht also nur auf Verwandtschaft gestützt, durch die Verwandtschaft gerechtfertigt werden könnte.

Es wird abzuwarten sein, inwieweit in dieser Richtung ein Bedürfniß besteht. Ist es lebhaft und stark, so wird ein entsprechendes Klagerecht auch zur Anerkennung gelangen.

Wie wir sehen, sind die Familienrechte sehr verschiedener Natur, aber Eines ist ihnen allen gemeinsam, der Ursprung; weil sie der Verwandtschaft, der Familie entspringen, heißen sie Familienrechte.

Neben allen diesen Rechten gibt es noch ein besonderes, das Erbrecht. Das Kind hat ein Erbrecht gegen seine verstorbenen Eltern, der im Testamente Eingesetzte gegen den Erblasser. Dieses Recht ergreift ferner unmittelbar das Vermögen des Erblassers und macht es dem Erben von einem bestimmten Zeitpunkt an zu eigen. Hat dann der Erbe die Erbschaft erworben, so knüpfen sich noch verschiedene andere Folgen daran, z. B. er haftet den Erbschaftsgläubigern u. s. w., diese Folgen werden ebenfalls vom Erbrecht im objektiven Sinne geregelt.

Blicken wir rückwärts, so ergibt sich die Einteilung:

1. Personenrechte [1]),

---

1) Der Ausdruck Personenrechte ist nicht glücklich, denn das den hier so-

2. Forderungsrechte,
3. Sachenrechte,
4. Immaterialgüterrechte,
5. Familienrechte,
6. Erbrechte.

Dieser Einteilung entspricht auch eine Einteilung des objektiven Rechtes in der Darstellung dieses Buches.

§ 3. Historische Einführung.

Fassen wir die Deutschen als Gesamtnation zusammen, so müssen wir von ihnen sagen, daß sie noch niemals ein einheitliches, alles erschöpfendes Recht gehabt haben und daß ihnen dieses erst durch das Bürgerliche Gesetzbuch wird.

Daß die verschiedenen Stände ein verschiedenes Recht ausbildeten, ist von geringerer Bedeutung, wichtiger ist, daß die Gesetzgebung der Deutschen von Anfang an wesentlich eine Partikulargesetzgebung war, wogegen einzelne Reichsgesetze, z. B. der hohenstaufischen Kaiser, die goldene Bulle, die Kammergerichtsordnung, die Reichsnotariatsordnung, Reichspolizeiordnungen 2c. an Bedeutung nicht aufkommen.

Partikulares Recht war das Recht der salischen, der ripuarischen, der chamavischen Franken, der Thüringer, der Burgunder, ebenso Sachsen- und Schwabenspiegel, die Stadtrechte von Goslar, Lübeck, Magdeburg, Köln, Freiburg 2c., das preußische allgemeine Landrecht, der codex Maximilianeus Bavaricus, das österreichische bürgerliche Gesetzbuch, das bürgerliche Gesetzbuch für das Königreich Sachsen 2c.

Eigentümlich ist die Stellung des römischen Rechtes. Als fremdes Recht wurde es aufgenommen und wurde gemeines deutsches Recht, d. h. ein Recht, das für alle Deutschen gelten sollte. Es galt aber nur subsidiär, d. h. in Ermangelung von Partikularrechten. Daher die üppige Blüte des Partikularrechtes. Die Aufnahme des römischen Rechtes wäre unerklärlich, wenn es nicht

genannten Personenrechten entsprechende objektive Recht enthält in sich außer den Bestimmungen über die Persönlichkeitsrechte (Ehre, Namen u. s. w.) auch die Bestimmungen über Beginn und Ende der Personen, Beweis ihres Lebens, Rechtsstellung u. s. w. Vergl. Gierke, Privatrecht I S. 181.

dem deutschen Rechte überlegen gewesen wäre. Einmal bildete es ein äußerlich einheitliches, auch schriftlich überliefertes Ganze, sodann war es in technischer Durchbildung und in Einzelbestimmungen dem deutschen Rechte überlegen. Man rühmt dem römischen Rechte einen universellen Charakter nach und damit ist in der That das Wesen seines wichtigsten Teiles glücklich bezeichnet. Dies ist sein Obligationenrecht, d. h. derjenige Teil von ihm, der von Käufen, Verkäufen, Mietverträgen, Darlehnsgeschäften, Bürgschaft, Schenkung ꝛc. ꝛc. handelt. Hier hat das römische Recht mustergültig für alle Völker und Zeiten vorgezeichnet, wie derartige Geschäfte zu behandeln sind. Werden auch überall Abweichungen in Einzelheiten vorkommen, die Grundzüge, die großen Linien werden ewig bleiben. Sie sind technisch von einer Vollkommenheit, daß kein Volk an ihre Stelle wird etwas technisch Besseres setzen können. Die Römer haben z. B. das Wesen des Kauf- oder des Mietvertrages so genau erkannt, haben ihm entsprechend so genau und zutreffend ihre Rechtssätze abgefaßt, daß anderen Völkern nur verschwindend wenig übrig bleibt, wo sie technisch ändern können, ohne zugleich zu verschlechtern.

Außer der durch seine Universalität bedingten Ueberlegenheit des römischen Rechtes und seiner schriftlichen Ueberlieferung haben bei der Aufnahme des römischen Rechtes noch verschiedene andere Umstände mitgewirkt, deren Bedeutung jedoch heute keineswegs ganz klar ist, denn eine Geschichte der Aufnahme des römischen Rechtes soll noch geschrieben werden. Obgleich das Nähere eigentlich der Rechtsgeschichte angehört, seien hier doch einige Punkte erwähnt.

Das römische Recht war das Recht eines absolut regierten Staates und daher für die Erstarkung der Fürstenmacht eine nicht zu unterschätzende Hilfe. Schon Friedrich der Rotbart hat die staatsrechtlichen Bestimmungen des römischen Rechtes gegen die lombardischen Städte ausgespielt und die Territorialherren benutzten es, um sich mit seiner Hilfe zu Herren in ihren Territorien zu machen.

Ferner galt das deutsche Reich als Fortsetzung des alten römischen Reiches, sodaß das römische Recht nur als eine ganz natürliche Erbschaft erschien.

Den Städten war das römische Recht genehm, weil sein ent-

wickeltes Obligationenrecht den Bedürfnissen ihres mächtig aufge-
blühten Handels in vorzüglicher Weise entgegenkam.

Mehr idealer Natur ist der Umstand, daß das römische Recht
als Teil der antiken Kulturschätze in den Augen der Gebildeten dieselbe Verehrung genoß, wie die ganze antike Welt überhaupt. Die
Aufnahme des römischen Rechtes ist nur ein Teil der Aufnahme
der gesamten antiken Kultur. Charakteristisch für deutsche Art und
zugleich wegen der Beimischung von kritikloser Ausländerei beschämend
für uns wäre es, wenn das römische Recht zuerst infolge der
blinden Anbetung durch Gelehrte und Halbgelehrte bei uns seinen
Einzug gehalten hätte. Viele Gründe sprechen dafür. Beides, reale
Interessen bestimmter Volkskreise und ein falsch idealistischer Zug
der Zeit haben ohne Frage zusammengewirkt.

Das römische Recht galt und gilt nicht, weil es durch einen
Gesetzgebungsakt aufgenommen und bei uns anerkannt ist, es
gilt vielmehr kraft Gewohnheitsrechtes. Daraus erklärt sich,
warum das römische Recht verhältnismäßig nicht sehr viel dazu bei-
getragen hat, eine äußere Rechtseinheit in Deutschland begründen
zu helfen, als Gewohnheitsrecht stand und steht es an Ausdehnungs-
kraft hinter dem Gesetzesrecht zurück. Wir würden seine Bedeutung
schlecht verstehen, wenn wir sie nur in seiner äußeren Geltungskraft suchten. Nicht minder wichtig als sie ist der befruchtende Einfluß, der vom römischen Rechte ausging und unter dem die Partikulargesetzgebung lernte, ihre Aufgaben zu erfassen und zu lösen.
Das römische Recht ist der Lehrmeister unserer Juristen und dadurch das Vorbild unserer Gesetzgebungen geworden. Aber es wäre
falsch, zu sagen, daß ohne die Ausbildung durch das römische Recht
die Deutschen nicht im Stande gewesen wären, das bürgerliche Gesetzbuch zu schaffen. Unsere technische Ausbildung ist zweifellos
durch das römische Recht beschleunigt worden, aber es ist nicht gesagt, daß wir sie uns nicht auch ohne das römische Recht hätten
aneignen können. In dem erziehlichen Einfluß des römischen Rechtes
liegt trotzdem vielleicht sogar seine größere, seine eigentliche Bedeutung. Es hat in einem unerreichten Maße die Fähigkeit, den
Juristen zu scharfer juristischer Logik und zugleich zu praktischer
Anschauung zu erziehen. Bewundernswert ist es, wie sorgsam seine
Bestimmungen auf ihre praktische Durchführbarkeit geprüft sind.
Mit praktisch undurchführbaren Regeln, wenn sie auch im Sinne ge-

rechter Auslegung lagen, hat sich das römische Recht zu seiner besten
Zeit in weiser Erkenntnis der ihm gezogenen Grenzen niemals ab=
gegeben. Was auf den ersten Blick als eine grobe Verletzung unseres
Gerechtigkeitssinnes erscheint, erweist sich regelmäßig bei näherem Zu=
sehen als höchste und gerechte Weisheit, z. B. es erscheint im ersten
Augenblick sehr hart, daß der Schiffer unbedingt für alle Schädi=
gungen, die der Ware zustoßen, aufkommen muß, es sei denn, daß
höhere Gewalt vorliegt, der er nicht widerstehen kann. Aber wenn
diese Bestimmung nicht wäre, würde der Schiffer auf hoher See
oder in fremden Häfen unkontrolliert mit der Ware nach Gutdünken
verfahren können, ohne daß der Beschädigte, der ja keine Kontrole
ausüben konnte, ihm seine Schuld nachweisen könnte. Dies mußte
vermieden werden, weil sonst des Eigentümers Ware vogelfrei ge=
wesen wäre, zugleich wurde erreicht, daß der Schiffer seine Mann=
schaft besonders scharf überwachte und von Ungesetzlichkeiten zurück=
hielt. Viele Vorwürfe gegen das römische Recht wären ungesagt
geblieben, wenn man nur häufiger erkannt hätte, daß das römische
Recht zwischen zwei Uebeln wählen mußte und eine kleinere Unge=
rechtigkeit beging, um eine größere zu vermeiden.

Es soll aber doch willig anerkannt werden, daß das römische
Recht Vieles enthält, was vom Standpunkte der Rezeptionszeit und
mehr noch vom heutigen Standpunkte aus zu verwerfen ist. Ja
wir müssen den Tadel so weit ausdehnen, daß wir ihm Vieles auch
als Fehler vom Standpunkte der antiken Kultur aus nachsagen.
Die Römer haben gar nicht selten rein formalistisch gehandelt und
neben Rechtssätzen von größter praktischer Weisheit juristische Spitz=
findigkeiten geschaffen, bei denen man fast den Verdacht schöpfen kann,
als ob die römischen Juristen souveräne Spielerei getrieben hätten.
Gar nicht selten sind die Römer überhaupt unfähig gewesen, ihr
Recht über einen bestimmten Punkt hinaus zu entwickeln, so sind
z. B. ihre Formvorschriften bei Verträgen und ihre Bestimmungen
über die Vollmacht im höchsten Grade kindlich und unbeholfen.
Auch die Römer haben, wie ein jedes Volk, nicht aus ihrer Haut
herausgekonnt. Man muß jedoch scheiden zwischen den klassischen
und den nachklassischen Juristen. Erstere sind des höchsten Lobes
würdig, letztere haben manches verdorben, weil sie die Weisheit der
Vorfahren nicht verstanden.

Verhältnismäßig wenig gewürdigt ist die moralische Erziehung durch das römische Recht. Der männliche Römer, der sich die Welt unterwarf, hat kein Recht für die Schwachen geschaffen. Heute geht durch die Welt ein Zug des sozialen Mitleidens mit den Schwachen und Hilfsbedürftigen und dieser findet darin seinen Ausdruck, daß die Gesetzgebung bald mehr, bald minder sich den Bedürfnissen dieser unter dem Durchschnitt zurückbleibenden Bevölkerungsgruppen anzupassen versucht. Auch die Römer haben, zumal in der christlichen Kaiserzeit, hie und da etwas Aehnliches gethan, doch ist dadurch der eigentliche Charakter ihres Rechtes wenig berührt worden; es ist bis zuletzt geblieben, was es von Anfang an war, ein Recht für die Starken und das bedeutet erziehlich ganz Außerordentliches. Das römische Recht erzieht zum Kampf und stählt dadurch die Energie und die Sorgfalt. Jus vigilantibus scriptum est, das Recht ist für Solche da, die die Augen aufhalten. Stürzt z. B. das Gebäude des Nachbars A. ein infolge von Altersschwäche und wird dadurch das Haus des B. beschädigt, so hat mit nichten B. ohne weiteres Anspruch auf Schadenersatz; vielmehr nur dann, wenn B. sich vorher von A. hat versprechen lassen, daß A. den etwa entstehenden Schaden tragen wolle. Umsonst wirft das römische Recht dem B. den Anspruch auf Schadensersatz nicht in den Schoß, B. soll ihn sich vielmehr durch eigene Tätigkeit erwerben. Das bürgerliche Gesetzbuch macht heute die Sache dem Beschädigten leichter; es gibt ihm, wenn das Gebäude fehlerhaft errichtet oder mangelhaft unterhalten ist, ohne weiteres ein Recht auf Schadensersatz (§§ 836—838 B.G.B.).

Oder wenn jemand einen Vorübergehenden aus dem Fenster schuldhafterweise mit einem Gegenstand bewirft und ihm die Kleidung beschädigt, so haftet jeder, der in derselben Wohnung wohnt, für den Schaden, denn jeder soll auf seinen Mitbewohner oder seinen Besuch Acht haben, daß er keine Delikte begehe; er soll die That verhindern, bevor sie geschieht. Wer nicht Obacht gibt, seinem Verbot nicht das genügende Ansehen verschaffen kann, muß haften. Die Sache liegt ähnlich, wie in dem oben erwähnten Fall von der Haftung des Schiffers für die Beschädigungen, die der Ware durch seine Leute zugefügt werden. Dazu kommt, daß ohne die Mithaftung jedes Bewohners der Beschädigte oft gar nicht wüßte, wen er verklagen sollte und daß er dann oft gar nicht zu seinem Rechte kommen würde. Das bürgerliche Gesetzbuch hat sich dem römischen Rechte nicht angeschlossen, da der § 830 B.G.B. schwerlich als Ersatz der römischen Bestimmung gelten kann. In Wirklichkeit verlangt das B.G.B. infolge dessen vom Beschädigten unter Umständen etwas Unmögliches an Beweisleistung, wenngleich zuzugeben ist, daß Beschädigungen der genannten Art heute sehr selten, jedenfalls viel seltener als bei den Römern sind. Die häufigsten Fälle sind die, in denen ein schlecht befestigter Blumentopf von dem Fenstergesims auf einen Vorübergehenden fällt und ihn beschädigt. Hier wird allerdings die Beweislast keine Schwierigkeiten machen. Immerhin wird erst die Zukunft lehren, ob es recht gethan war, die römische Bestimmung zu übergehen.

Man sieht, das römische Recht stellt nicht geringe Anforderungen an den Menschen, und wer diesen Anforderungen nicht genügt, dem hilft es nicht. Dies mag rücksichtslos, ja gegen den Einzelnen unter Umständen grausam scheinen, aber dem Großen und Ganzen des Volkes wird nur gedient, wenn seine Bürger in eine scharfe unerbittliche Zucht genommen werden. Dies muß noch viel mehr gewürdigt und anerkannt werden.

Das römische Recht hat seine Aufgabe als Erzieher im Großen und Ganzen gelöst, bleiben auch noch manche Wünsche zu erfüllen. Von seinen Gedanken haben wir uns genährt und ohne das römische Recht wäre das B.G.B., so wie es jetzt ist, nicht da.

Immerhin müssen wir zugeben, daß viele Bestimmungen des römischen Rechtes, mochten sie technisch auch auf das Feinste durchgebildet sein, in Deutschland unheilvoll gewirkt haben, z. B. die Gleichstellung von beweglicher und unbeweglicher Habe.

Darum brauchen wir auch keineswegs die Bedeutung des germanischen Rechtes zu unterschätzen. Ist im Verkehrsrechte vermöge seiner Universalität das römische Recht vorbildlich geworden, so vermochte es doch dort, wo das nationale Wesen des Volkes seinen vorzüglichsten Ausdruck findet, das deutsche Recht nicht zu verdrängen. Das Familienrecht zumal und zum guten Teile das Erbrecht des B.G.B. sind germanischer Art.

Das römische Familienrecht mutet uns fremd an ob seiner nationalen Eigentümlichkeiten, die teilweise unseren sittlichen Anschauungen geradezu widerstreiten. Im Erbrecht hat das B.G.B. versucht, römische Technik mit deutschen Rechtsanschauungen zu vereinigen, sie in den Dienst der letzteren zu stellen. ·. ..

Ferner treffen wir auf viele deutsche Rechtssätze im Sachen-recht, das wir als überwiegend germanistisch bezeichnen können.

Manche Bestimmungen sind kaum mit Recht als romanistische oder germanistische anzusprechen, müssen vielmehr als modern univer-selle bezeichnet werden, z. B. die Grundsätze über die Verschollen-heit bilden sich jetzt bei allen Völkern immer gleichmäßiger aus oder haben es schon gethan.

Ueberhaupt ist es schwer, zwischen modern universellen und germanischen Gedanken zu scheiden, weil wir sehr viele Rechts-gedanken, die man wohl für germanisch ausgibt, mit anderen modernen Kulturvölkern gemeinsam haben. Es wird sich daher im Ganzen wie im Einzelnen schwer sagen lassen, wie weit das Gebiet rein germanischer Rechtsgedanken reicht.

Nach der bisherigen Erörterung, die uns die wichtigsten Quellen des im B.G.B. niedergelegten Rechtsstoffes vorführte, kann es nicht überraschen, daß uns die Geschichte schon von früheren Kodifikationsbestrebungen berichtet.

Aus dem Streben nach einer wenigstens territorialen Rechts-einheit und nach einer Ueberwindung des Gegensatzes zwischen dem römischen und dem germanischen Rechte sind schon in früheren Jahr-hunderten die Partikulargesetzgebungen entsprungen, insbesondere die städtischen Reformationen und das baierische, preußische, sächsische, österreichische Gesetzbuch. Zu einem eigentlichen Vorläufer des bürger-lichen Gesetzbuches hat Deutschland es aber nicht gebracht. Schon früher hatten der Germanist Konring, dann Leibniz, später der be-rühmte Pütter ein einheitliches, allgemeines Recht gefordert. Der Heidelberger Professor der Rechte Thibaut machte 1814 in seiner Schrift: „Ueber die Notwendigkeit eines Allgemeinen Bürgerlichen Rechtes für Deutschland" einen Vorstoß, aber vergeblich. Die da-maligen Verhältnisse waren in keiner Weise dazu angethan. Er-drückt durch Savignys Erwiderung: „Beruf unserer Zeit für Gesetz-gebung und Rechtswissenschaft" konnte Thibaut mit seinem patrio-tischen Vorschlage nicht durchdringen. Auch war die Zeit wirklich nicht recht danach angethan, Thibaut hatte seine Stimme zu früh erhoben.

Aber der Gedanke an eine gemeinsame einheitliche Gesetzgebung blieb fortan lebendig und erreichte im Wechselrecht, 1847, und in dem 1861 vollendeten Handelsrecht seine Verwirklichung, insofern jeder Partikularstaat für sich selbständig, die überall gleichlautende Wechselordnung und das Handelsgesetzbuch veröffentlichte.

„Die Verfassung des deutschen Reichs" vom 28. März 1849 hatte dem Reich die Zuständigkeit zur Gesetzgebung im bürgerlichen Recht, Handels- und Wechselrecht, Prozeß- und Strafrecht gegeben und in der Folge entstanden daraus das Wechsel- und Handelsrecht als Partikularrechte. Beide sind dann später zu Gesetzen des Norddeutschen Bundes und bald darauf des deutschen Reiches geworden.

Trotzdem der Versuch der Revolutionsjahre mißglückt war, traten die deutschen Juristen doch wieder für die nationale Rechtseinheit in die Schranken. In den Jahren 1860 und 1861 forderten die beiden ersten deutschen Juristentage, daß ein einheitliches deutsches Recht der Schuldverhältnisse geschaffen würde. Es sollten nunmehr Kauf-, Mietverträge, Darlehnsgeschäfte, Bürgschaften 2c. in ganz Deutschland gleichmäßig geregelt werden. Gerade für diesen Teil des bürgerlichen Rechtes ist aus praktischen Gründen die Rechtseinheit ein besonderes Bedürfnis. Seitdem Eisenbahnen, Post und Telegraph den Verkehr großartig entfesselten, wurde ein einheitliches Verkehrsrecht immer notwendiger. Daraus erklärt es sich, daß man sein Augenmerk zuerst auf das Recht der Schuldverhältnisse richtete. Diese Anregung führte zu dem sogenannten Dresdener Entwurf. Der deutsche Bund ließ diesen Entwurf herstellen, aber für den Bund war es zu spät. Preußen ging schon seine eigenen Wege, beteiligte sich nicht an der Arbeit und schlug gerade, als die Kommission in Dresden den Entwurf vollendet hatte, den Bund in Trümmer, 1866.

Der Norddeutsche Bund trat das Erbe der nationalen Pflichten an. Ursprünglich sollte er nur die Zuständigkeit für Wechsel- und Handelsrecht haben, der Abgeordnete Miquel, der jetzige Finanzminister, beantragte, ihm die Zuständigkeit für das ganze bürgerliche Recht zu geben, aber der Antrag Laskers, sich mit der Zuständigkeit für das Recht der Schuldverhältnisse zu begnügen, drang durch und dementsprechend gab die Verfassung dem Norddeutschen Bunde nur die Zuständigkeit für Obligationenrecht.

Im Jahre 1869 nahmen beide, Miquel und Lasker, den Antrag Miquel wieder auf und drangen damit zunächst im Parlamente durch. Aber wieder kam ein großer Krieg dazwischen und das

2*

deutsche Reich entstand. Es hatte zunächst nur die Zuständigkeit des Norddeutschen Bundes, aber drei Jahre hindurch nahm der Reichstag mit großer Mehrheit einen Antrag Lasker, dem Reiche die Zuständigkeit für das gesamte bürgerliche Recht zu geben, an. Die sächsische, württembergische und baierische Abgeordnetenkammer stimmten ausdrücklich zu.

So gab denn schließlich der Bundesrat dem nationalen Zuge nach, die Reichsverfassung wurde abgeändert und dem Reiche die Zuständigkeit für das gesamte bürgerliche Recht gegeben, Gesetz vom 20. Dezember 1873, verkündet am 24. December 1873.

Am 28. Februar 1874 wurden fünf Praktiker beauftragt, Vorschläge zu machen, wie ein Entwurf für ein Bürgerliches Gesetzbuch herzustellen sei. Dieser sogenannten Vorkommission gehörten an der damalige Reichsoberhandelsgerichtsrat Dr. Goldschmidt, später Professor in Berlin, der Direktor des württembergischen Obertribunals Dr. von Kübel, der preußische Appellationsgerichtspräsident Meyer, der Präsident des baierischen Oberappellationsgerichtes von Neumayr und der Präsident des sächsischen Oberappellationsgerichtes von Weber. Meyer erkrankte und wurde durch den späteren Justizminister von Schelling ersetzt. Die Vorkommission gab ihr Gutachten am 15. April 1874 ab.

Am 2. Juli 1874 wurde eine Kommission von elf Männern gewählt. Vorsitzender war der Präsident des damaligen Reichsoberhandelsgerichtes (später Reichsgericht) Pape. Mitglieder waren von Weber, von Kübel (s. o.), ferner Appellationsgerichtsrat Derscheid in Colmar, Ministerialrat Gebhard-Karlsruhe, Obertribunalsrat Johow-Berlin, vortragender Rat im Justizministerium Kurlbaum II, Appellationsgerichtsrat Planck-Celle, Professor von Roth-München, Ministerialrat von Schmitt-München, Professor Windscheid-Leipzig. Dieser trat 1883 aus, 1884 starb von Kübel, 1888 von Weber und Pape. Kübel wurde ersetzt durch den Professor von Mandry-Tübingen, Weber durch den Geheimen Justizrat Dr. Rüger-Dresden, den Vorsitz erhielt nach Papes Tod Johow.

Neben den ordentlichen Mitgliedern fungierten noch verschiedene Hilfsarbeiter Kreisgerichtsrat Neubauer-Berlin, Stadtgerichtsrat Achilles-Berlin, Gerichtsrat Börner-Leipzig, Obergerichtsrat Braun-Celle, Obergerichtsassessor Struckmann-Göttingen, Stadtgerichtsassessor Vogel-Darmstadt, Kanzleirat Dr. Martini-Rostock, Kreisrichter von Liebe-Braunschweig, Landgerichtsrat Ege-Stuttgart.

Die erste Sitzung der Kommission war am 17. September 1874. Ihr Arbeitsplan war, keines der bestehenden Gesetzbücher zu grunde zu legen, sondern einen neuen Entwurf auszuarbeiten. Es wurden folgende fünf Vorentwürfe in Auftrag gegeben. Es erhielten den Auftrag zu redigieren Gebhard den Allgemeinen Teil, von Kübel das Recht der Schuldverhältnisse, Johow das Sachenrecht, Planck das Familienrecht, von Schmitt das Erbrecht. von Kübel starb über seiner Arbeit hin und darum mußte die Kommission später ihren Beratungen den Dresdener Entwurf (s. o.) zu Grunde legen. Am 4. Oktober 1881 begannen die Beratungen über die Teilentwürfe, die bis zum 16. Dezember 1887 dauerten. Der vollendete Entwurf (E. I.) wurde dem Reichskanzler überreicht und auf Beschluß des Bundesrates mit den fünf Bänden Motive zu dem Zwecke veröffentlicht, um Juristen und interessierte Laien zur Kritik zu veranlassen.

Die kritischen Beiträge, die von allen Seiten kamen, haben viel Gutes beigebracht, von entscheidendster Bedeutung für die Entwicklung unseres deutschen Rechtes ist die freimütige und scharfe Kritik eines Mannes geworden, dem das deutsche Volk vielen Dank schuldet. Gierke hat zu einer Zeit, wo die öffentliche Meinung entschieden dem E. I im allgemeinen noch günstig gesinnt war, in seiner Schrift: „Der Entwurf eines bürgerlichen Gesetzbuches und das deutsche Recht", eine Kritik an dem Entwurfe geübt, wie sie noch nicht dagewesen war. Durch sein entschiedenes Vorgehen hat er unzweifelhaft die Stimmung von Juristen und Laien geändert und ohne ihn hätten wir sicher ein anderes, schlechteres Gesetzbuch. Neben ihm ist noch zu nennen der Reichsgerichtsrat a. D. Bähr. Die bis zum November 1890 bekannt gewordenen kritischen Aeußerungen wurden auszugsweise im Reichsjustizamt zusammengestellt und füllen sechs Druckbände. Die überwiegende Meinung war schließlich die, daß man die Fehler des Entwurfes betonte aber im E. I doch eine brauchbare Grundlage für eine Neurevision erblickte. Dieser Ansicht schloß sich der Bundesrat an und bestimmte am 4. December 1890, daß eine neue Kommission von 22 resp. 24 Mitgliedern den E. I. zum zweiten Male lesen sollte.

Ständige Mitglieder waren: Staatssekretär des Reichsjustizamts Oelschläger. Dieser schied aus, als er Präsident des Reichsgerichtes wurde und wurde ersetzt durch den Staatssekretär des Justizamtes Bosse, 1892 schied letzterer aus, weil er preußischer Kultusminister wurde und wurde ersetzt durch den Staatssekretär des Reichsjustizamtes Hanauer. Diese Genannten hatten den Vorsitz in der Kommission, der nach dem Tode Hanauers 1893 auf den Geheimen Oberjustizrat Küntzel überging mit der Maßgabe, daß der zum Nachfolger Hanauers ernannte Staatssekretär des Justizamtes Nieberding das Recht haben solle, in besonderen Fällen den Vorsitz zu führen. Generalreferent war der Geheime Justizrat Professor Planck, der schon der ersten Kommission angehört hatte, ihm hat das bürgerliche Gesetzbuch das Meiste zu verdanken. Die übrigen Mitglieder waren der vortragende Rat im Justizministerium Eichholz-Berlin, der Oberregierungsrat Jacubezky-München, Geheimrat Rüger-Dresden (s. o.), Professor von Mandry-Tübingen (s. o.), Geheimrat Gebhard-Freiburg i. B. (s. o.), Ministerialrat Dittmar-Darmstadt, Rechtsanwalt Wolffson sen.-Hamburg.

Nicht ständige Mitglieder waren:

Oberforstmeister Danckelmann-Eberswalde, Gutsbesitzer von Gagern-Erlangen, Rittergutsbesitzer und Landrat von Manteuffel-Crossen, Rittergutsbesitzer von Helldorff-Bebra, Geheimer Bergrat Leuschner-Eisleben, Landgerichtsrat Spahn-Bonn, Professor der Rechte von Cuny-Berlin, Professor der Nationalökonomie Conrad-Halle, Professor der Rechte Sohm-Leipzig, Brauereidirektor-Goldschmidt-Berlin, Generalkonsul Russel-Charlottenburg, Kammergerichtsrat Hoffmann-Berlin, Rechtsanwalt Wilke-Berlin.

Schriftführer waren Amtsrichter Kayser, Regierungsrat von Jecklin, Amtsrichter Greiff, Gerichtsassessor von Schelling, Professor André, Staatsanwalt Unzner, Gerichtsassessor Ritgen.

Reichskommissare waren Geheimer Oberregierungsrat Struckmann, Geheimer Justizrat Börner, Oberlandesgerichtsrat Achilles.

Am 15. Dezember 1890 hielt die Kommission ihre erste Sitzung ab und nahm nach einer Pause am 1. April 1891 ihre regelmäßigen Sitzungen auf. Am 21. Oktober 1895 war die letzte Sitzung, in der das bürgerliche Gesetzbuch behandelt wurde.

Neben dem bürgerlichen Gesetzbuch ist noch zu erwähnen das Einführungsgesetz. Dieses wurde von der ersten Kommission bis zum 1. Juni 1888 durchberaten, vom 14. Oktober bis 21. Dezember 1895 beriet die zweite Kommission das Einführungsgesetz.

Sodann beriet die Kommission noch ein Gesetz über Abänderung verschiedener Reichsgesetze, z. B. der Konkursordnung, der
Zivilprozeßordnung, des Gerichtsverfassungsgesetzes und der zu ihnen
gehörigen Einführungsgesetze bis zum 8. Februar 1896. Am 8. März
1896 löste sich die zweite Kommission auf.

Unter dem 22. Oktober 1895 stellte der Vorsitzende den Entwurf II dem Reichskanzler zu, dieser überreichte ihn dem Bundesrat und der Bundesrat verwies ihn an den Justizausschuß. Der
Bundesrat nahm am 16. Januar 1896 den Entwurf mit den vom
Ausschuß beantragten Aenderungen an und der Reichskanzler legte
den Entwurf (E. III) dem Reichstage vor. Bald darauf wurde
auch der Entwurf eines Einführungsgesetzes dem Reichstage vorgelegt.

Der Reichstag verwies den Entwurf an eine Kommission von
21 Mitgliedern, die am 7. Februar 1896 zusammentrat und am
12. Juni 1896 ihre Thätigkeit abschloß.

Die zweite Lesung im Reichstage dauerte vom 19. bis 27. Juni
1896, die dritte vom 30. Juni bis zum 1. Juli.

Am 14. Juli erteilte der Bundesrat seine Zustimmung, am
18. August vollzog der Kaiser das bürgerliche Gesetzbuch und das
Einführungsgesetz. Verkündet wurde das neue Recht in dem am
24. August ausgegebenen Reichsgesetzblatt. Die Gesetzeskraft ist auf
den ersten Januar 1900 festgesetzt.

Die Entwürfe und das fertige Gesetzbuch haben viele Angreifer
und viele Verteidiger gefunden. Erst die Zeit kann es lehren, wo
das bessere Recht war und schließlich ist ein wichtiger Umstand nicht
zu vergessen: das bürgerliche Gesetzbuch wird für uns das
sein, was wir aus ihm zu machen verstehen. Es wäre
ungerecht, von einem Gesetzbuch zu verlangen, daß man seine Bestimmungen so bequem wie eine Klaviatur benutzen kann.

Außer dem bürgerlichen Gesetzbuch sind im Zusammenhang mit
der großen Kodifikation noch mehrere andere Reichsgesetze ergangen,
z. B. die Grundbuchordnung und das Gesetz über die Zwangsversteigerung und Zwangsverwaltung, beide vom 24. März 1897.

Zweites Buch.

Personenrecht.

Erster Abschnitt.

Physische Personen.

§ 4. Persönlichkeit. Beginn und Ende. Beweis ihres Lebens.

I. Alle Rechte bestehen nur zwischen Menschen, und das B.G.B. gibt ohne Unterschied allen Menschen die Fähigkeit, Rechte zu erwerben und zu haben. Wer Rechte erwerben und haben kann, heißt rechtsfähig. B.G.B. § 1. „Die Rechtsfähigkeit des Menschen beginnt mit der Vollendung der Geburt." Die Rechtsfähigkeit kommt nicht ohne weiteres jedem Menschen von selber zu, sondern muß ihm erst positiv verliehen werden, aus der ganz allgemeinen Ausdrucksweise von § 1 folgt jedoch, daß das B.G.B. zwischen den Menschen in dieser Hinsicht keinen Unterschied macht.

Rechtsfähig ist jeder Mensch und in diesem Sinne spricht man auch von Rechtssubjekten. Ein Lebewesen gilt als Mensch, wenn es von Menschen geboren ist. Wann die Geburt vollendet ist, entscheidet sich nach medizinischen Gesichtspunkten. Vor der Geburt kein Mensch. Daher kann das Kind im Mutterleibe keine Rechte haben.

Aber die Leibesfrucht wird berechtigter Weise schon vor der Geburt berücksichtigt. Der Förster A. wird auf der Jagd fahrlässiger Weise vom Rentier B. getötet und hinterläßt eine schwangere Frau. Nach § 844 B.G.B. muß B. diejenigen ernähren, die A. ernähren mußte, die Mutter und das später geborene Kind, obgleich dieses als selbständiger Mensch noch garnicht existierte, als der Vater getötet wurde.

Ebenso wird die Leibesfrucht berücksichtigt bei der Erbschaft. Genau genommen hinterläßt der Förster A. keine lebenden Nachkommen. Sind dann keine sonstigen Verwandten des Mannes da, dann würde Frau B. alles erhalten, aber sie erhält nach § 1931 B.G.B. nur ein Viertel des Nachlasses, das Übrige fällt dem Kinde im Mutterleibe zu, falls es wirklich zur Welt kommt; denn nach § 1923 gilt die Leibesfrucht als schon geboren zur Zeit des Erbfalls.

Der Mensch endet mit seinem Tode, darüber hinaus kommt er für das Recht nur als Leichnam in Betracht. Eine juristische Nachexistenz nach dem Tode entsprechend der juristischen Vorexistenz vor der Geburt gibt es also nicht.

II. Unter Umständen kann es sehr wichtig werden, ob eine Person noch zu einem bestimmten Zeitpunkte lebt oder nicht. Der Matrose Vollbrecht segelt aus Hamburg ab und läßt seine junge Frau zurück. Da er lange Jahre von sich nichts hören läßt, heiratet sie wieder, indem der Standesbeamte irrtümlich sie für eine Witwe hält; diese Ehe ist nichtig, wenn ihr Mann noch lebt, § 1326 B.G.B. Es entsteht also eine Beweisfrage, ihre Lösung zu erleichtern, benutzt das B.G.B. die Todeserklärung (§ 13 ff.).

Wer wahrscheinlicher Weise schon tot ist, kann für tot erklärt werden und alles wird so gehalten, als ob er wirklich tot wäre. Da die Wahrscheinlichkeit, daß jemand tot sei, in den verschiedenen Fällen verschieden groß ist — z. B. jemand hat aus Trägheit mehrere Jahre hindurch keine Nachrichten von sich gegeben oder ein Passagier der „Elbe" wird seit ihrem Untergang vermißt —, so ist die Todeserklärung in einigen Fällen erleichtert.

Die Hauptregel enthält:

§ 14. „Die Todeserklärung ist zulässig, wenn seit zehn Jahren keine Nachricht von dem Leben des Verschollenen eingegangen ist. Sie darf nicht vor dem Schlusse des Jahres erfolgen, in welchem der Verschollene das einunddreißigste Lebensjahr vollendet haben würde.

Ein Verschollener, der das siebzigste Lebensjahr vollendet haben würde, kann für tot erklärt werden, wenn seit fünf Jahren keine Nachricht von seinem Leben eingegangen ist.

Der Zeitraum von zehn oder fünf Jahren beginnt mit dem Schlusse des letzten Jahres, in welchem der Verschollene den vorhandenen Nachrichten zufolge noch gelebt hat".

Die Ausnahmen enthalten die §§ 15, 16, 17.

§ 15. „Wer als Angehöriger einer bewaffneten Macht an einem Kriege teilgenommen hat, während des Krieges vermißt worden und seitdem verschollen ist, kann für tot erklärt werden, wenn seit dem Friedensschlusse drei Jahre verstrichen sind. Hat ein Friedensschluß nicht stattgefunden, so beginnt der dreijährige Zeitraum mit dem Schlusse des Jahres, in welchem der Krieg beendigt worden ist.

Als Angehöriger einer bewaffneten Macht gilt auch derjenige, welcher sich in einem Amts oder Dienstverhältnis oder zum Zwecke freiwilliger Hilfeleistung bei der bewaffneten Macht befindet".

Ist ein Schiff am 1. August 1901 erwiesenermaßen untergegangen und seitdem der Matrose Jenßen verschollen, so kann Jenßen für tot erklärt werden, wenn der 1. August 1902 verstrichen ist, ohne daß von ihm Nachrichten aufgetaucht sind. § 16 I.

§ 16. „Wer sich bei einer Seefahrt auf einem während der Fahrt untergegangenen Fahrzeuge befunden hat und seit dem Untergange des Fahrzeuges verschollen ist, kann für tot erklärt werden, wenn seit dem Untergang ein Jahr verstrichen ist".

Ist das Schiff nur verschollen, d. h. läßt sich sein Untergang nicht nachweisen, so muß, bevor die Verschollenheit des Matrosen zur Todeserklärung führen kann, die Verschollenheit des Schiffes entschieden sein und hiefür helfen die Vermutungen des § 16 II.

„Der Untergang des Fahrzeugs wird vermutet, wenn es an dem Orte seiner Bestimmung nicht eingetroffen oder in Ermangelung eines festen Reiseziels nicht zurückgekehrt ist und wenn

bei Fahrten innerhalb der Ostsee ein Jahr,

bei Fahrten innerhalb anderer europäischer Meere, mit Einschluß sämmtlicher Teile des Mittelländischen, Schwarzen und Azowschen Meeres, zwei Jahre,

bei Fahrten, die über außereuropäische Meere führen, drei Jahre

seit dem Antritte der Reise verstrichen sind".

D. h. von einem am 1. August 1900 von Danzig nach Kiel versegelten, in Kiel nicht angekommenen Schiffe gilt mit Ablauf des 1. August 1901 die Vermutung, daß es untergegangen sei und demzufolge kann der verschollene Matrose Jenßen für tot erklärt werden, wenn bis zum Ablauf des 1. August 1902 keine Nachricht von ihm eingegangen ist. Ist jedoch das Schiff am 6. August in

Saßnitz gewesen, wie eingegangene Nachrichten besagen, so werden die Fristen vom 6. August ab berechnet, § 16 II letzter Satz:

„Sind Nachrichten über das Fahrzeug eingegangen, so ist der Ablauf des Zeitraums erforderlich, der verstrichen sein müßte, wenn das Fahrzeug von dem Orte abgegangen wäre, an dem es sich den Nachrichten zufolge zuletzt befunden hat".

Ebenso ist die Zeit, auf drei Jahre, abgekürzt, wenn jemand bei Ueberschwemmungen, Bränden, Explosionen u. dergl. erwiesenermaßen in Lebensgefahr war. Die Frist läuft seit dem Ereignisse, durch welches die Lebensgefahr entstanden ist (§ 17).

Ergänzt werden diese Bestimmungen durch eine vom B.G.B. aufgestellte Vermutung für das Leben des Verschollenen. So wird bei bloßem Ausbleiben von Nachrichten vermutet, daß der Verschollene noch zehn Jahre seit der letzten Nachricht lebe, Soldaten gelten bis zum Friedensschluß als lebend, Seefahrer bis zum Untergang ihres Fahrzeugs, alle, die sonst in einer besonderen Gefahr waren, bis zum Eintritt der Gefahr. Werden die Verschollenen für tot erklärt, so sind sie in der Weise für tot zu erklären, daß alles so gehalten wird, als ob sie in den genannten Zeitpunkten: Friedensschluß, Untergang, Gefahreintritt gestorben wären (§§ 18, 19 B.G.B.). Möglich ist jedoch, daß das Gericht einen anderen Zeitpunkt für den richtigen erachtet und danach entscheidet.

Der Witwer Krüger aus Berlin mit seinem kleinen Sohne ertrinkt auf der Fahrt nach Amerika beim Untergange des Dampfers „Elbe". Der Vater hinterläßt 60000 Mk. Vermögen, der Sohn hat von seiner Mutter ebenfalls 40000 Mk. geerbt. Ertrinkt der Sohn vor dem Vater, wenn auch nur eine Minute früher, so beerbt ihn sein Vater und dieser wird wieder beerbt von seinen Verwandten. Stirbt der Vater früher, so beerbt ihn der Sohn und wird nun von den Verwandten seines Vaters und seiner Mutter beerbt, denn er ist mit beiden verwandt. Da ist es von Wichtigkeit, festzustellen, wer zuerst gestorben sei. Das B.G.B. hat in § 20 eine Vermutung aufgestellt, daß beide zugleich gestorben seien. Ueberhaupt, wenn mehrere in derselben Gefahr umkommen, wird vermutet, daß sie gleichzeitig gestorben seien. Wer sich also darauf beruft, daß eine Person früher gestorben sei als eine andere, muß dies Vorversterben beweisen. Wir kommen noch darauf zurück.

Die Vermutung hat mit Verschollenheit und Todeserklärung

nichts zu thun, da sie nur dort einsetzt, wo der Tod der betreffenden Personen schon tatsächlich feststeht.

Eine wichtige Rolle spielen beim Beweise des Todes oder des Lebens einer Person die Geburts= und Sterberegister gemäß dem Personenstandsgesetz vom 6. Februar 1875. „Die ordnungsmäßig geführten Standesregister beweisen diejenigen Tatsachen, zu deren Beurkundung sie bestimmt und welche in ihnen eingetragen sind, bis der Nachweis der Fälschung, der unrichtigen Eintragung oder der Unrichtigkeit der Anzeigen und Feststellungen, auf Grund deren die Eintragung stattgefunden hat, erbracht ist." Gesetz vom 6. Februar 1875 § 15. Ist also die Geburt oder der Tod eines Menschen eingetragen, so gilt dieser Mensch als geboren oder gestorben, bis das Gegenteil nachgewiesen ist.

§ 5. Rechtsstellung der natürlichen Personen.

I, 1. Alter. Wenn ein Kind unter sieben Jahren seinen Pony an einen Pferdehändler verkauft, so ist dies ganz und gar nichtig und hat der Händler den Pony schon erhalten, so muß er ihn wieder herausgeben. Kinder unter sieben Jahren können sich zu nichts verpflichten und können auch nichts veräußern. Alles, was sie tun, ist juristisch nichtig (§§ 104, 1; 105). Sie sind völlig geschäftsunfähig.

Die Menschen unter sieben Jahren nennen wir Kinder, Menschen über sieben, aber unter 21 Jahren Minderjährige. Letztere können alles, was zu ihrem Vorteil dient, mit Rechtswirksamkeit tun, aber auch nicht mehr. Verkauft ein Schüler seine Schulbücher an einen Antiquar, so braucht ihm der Antiquar den Kaufpreis noch nicht ohne weiteres zu zahlen, und er wird nicht dem Antiquar verpflichtet, die Bücher herauszugeben; denn dieser Kaufvertrag ist kein reiner Vorteil für den Schüler, da er zwar Geld erhält, aber die Bücher hergeben müßte, wenn der Vertrag gültig wäre. Der Antiquar kann ihn deshalb nicht verklagen. Der Vertrag wird erst gültig durch die Genehmigung des Vaters oder Vormundes (§ 108). Anders steht es, wenn dem Minderjährigen ein reines Geschenk angeboten wird und er es annimmt. Dies gereicht ihm lediglich zum Vorteil und solche Handlungen sind ihm erlaubt und sind gültig (§ 107).

Es ist jedoch nicht ganz genau, wenn wir sagen, daß der Kauf=
vertrag zwischen Schüler und Antiquar völlig ungültig sei. Der
Antiquar wird in gewisser Weise verpflichtet, nur kann er sich durch
Widerruf wieder aus der Sache herausziehen, solange bis der Vater
oder sonstige Vormund das Geschäft genehmigt haben (§ 109).
Also der mündige Minderjährige wird nur unter der Bedingung
verpflichtet, daß der Vertrag genehmigt wird; die Gegenpartei
unter der Bedingung, daß sie nicht widerruft. Im vorliegenden
Falle würde jedoch nach § 109 der Antiquar nicht zum Widerruf
berechtigt sein, da er dem Schüler ohne weiteres ansehen kann, ob
er minderjährig ist oder nicht. Dann wird der Antiquar unbedingt
verpflichtet. Log ihm der Minderjährige vor, er habe die Genehmi=
gung, dann darf der Antiquar widerrufen. Wußte der Antiquar,
daß er belogen wurde, dann darf er doch nicht widerrufen (§ 109).

Der Grundsatz des B.G.B. ist also: der mündige Minderjährige
verpflichtet sich nicht sofort, kann aber durch Genehmigung des Vaters
oder Vormundes nachträglich noch verpflichtet werden. Die Gegen=
partei aber verpflichtet sich sofort, kann sich jedoch, allerdings nicht
immer, durch Widerruf wieder frei machen. Vergl. § 109 II.

Das bisher Bemerkte gilt von den Verträgen, z. B. Kauf=,
Miet= und Dahrlehnsverträgen u. s. w. Neben den Verträgen giebt
es aber auch noch die sogenannten einseitigen Rechtsgeschäfte, z. B.
Kündigung, Mahnung, Genehmigung, Bevollmächtigung u. s. w.
Diese Rechtsgeschäfte heißen „einseitig", weil die Gegenpartei garnicht
um ihre Zustimmung gefragt wird, es auf ihre Zustimmung nicht
ankommt; die einseitige Erklärung der Kündigung, Mahnung u. s. w.
genügt, der Gegner braucht sie nicht anzunehmen. Von diesen be=
stimmt § 111, daß sie unheilbar unwirksam sind und nicht nach= .
träglich wirksam werden können.

§ 111. „Ein einseitiges Rechtsgeschäft, das der Minderjährige
ohne die erforderliche Einwilligung des gesetzlichen Vertreters vor=
nimmt, ist unwirksam. Nimmt der Minderjährige mit dieser Ein=
willigung ein solches Rechtsgeschäft einem Anderen gegenüber vor,
so ist das Rechtsgeschäft unwirksam, wenn der Minderjährige die
Einwilligung nicht in schriftlicher Form vorlegt und der Andere
das Rechtsgeschäft aus diesem Grunde unverzüglich zurückweist.
Die Zurückweisung ist ausgeschlossen, wenn der Vertreter den
Anderen von der Einwilligung in Kenntnis gesetzt hatte".

„Hat der andere Teil die Minderjährigkeit gekannt, so kann er nur widerrufen, wenn der Minderjährige der Wahrheit zuwider die Einwilligung des Vertreters behauptet hat; er kann auch in diesem Falle nicht widerrufen, wenn ihm das Fehlen der Einwilligung bei dem Abschluß des Vertrages bekannt war." (§ 109 II).

In einigen Fällen werden Ausnahmen gemacht:

1) Betreibt der Minderjährige mit Genehmigung des Vaters oder Vormundes einen Handel oder ein sonstiges Erwerbsgeschäft, so sind alle einzelnen im Geschäftsbetriebe gemachten Geschäfte ohne besondere Genehmigung gültig (§ 112).

2) Wenn der Vater oder Vormund dem Minderjährigen erlaubt, in Dienst oder Arbeit zu gehen, so sind alle entsprechenden Dienst= oder Arbeitsverträge und was damit notwendig zusammenhängt gültig, auch ohne daß jedesmal eine besondere Genehmigung erfolgt (§ 113).

3) Was dem Minderjährigen zu einem bestimmten Zwecke oder zur freien Verfügung überlassen ist, darüber kann er zu dem bestimmten Zwecke oder überhaupt frei verfügen und darüber kann er auch gültige Verträge schließen (§ 110), z. B. er kann sich von seinem Taschengelde, Studentenwechsel vollwirksam etwas anschaffen.

In allen diesen Fällen steht der Minderjährige dem Großjährigen im Allgemeinen gleich.

Der Minderjährige wird mit 21 Jahren volljährig, darf aber — allerdings nur zu seinem Besten, (§ 5) — schon mit 18 Jahren für volljährig erklärt werden, wenn er selber und sein etwaiger Gewalthaber (z. B. sein Vater) einwilligen (§ 4).

Da die Beschränkung des Minderjährigen nur zu seinem Vorteil geschaffen ist, so sind ihm außer den Geschäften, die ihm einen reinen rechtlichen Vorteil bringen, auch solche erlaubt, die nicht sein Vermögen betreffen, er kann also z. B. nach § 165 als Handlungsgehilfe für seinen Prinzipal vollwirksam Geschäfte abschließen.

Der Minderjährige ist beschränkt geschäftsfähig (§ 106).

II. 2. Ebenso wie der Minderjährige sind in ihrer Geschäftsfähigkeit beschränkt alle Personen, die entmündigt sind wegen

1) Geistesschwäche (nicht zu verwechseln mit Geisteskrankheit),

2) Verschwendung,

3) Trunksucht (§ 114).

Ferner gehören hierher die vorläufig Entmündigten. In gewissen Fällen kann ein Volljähriger, dessen Entmündigung beantragt ist, schon vorläufig entmündigt werden, bis die endgültige Entscheidung gefallen ist (§ 114, 1906).

Alle diese Entmündigten verpflichten sich durch Verträge und sonstige zweiseitige Geschäfte nicht sofort, können aber nachträglich durch Genehmigung des Vormundes verpflichtet werden. Die Gegenpartei verpflichtet sich sofort, kann aber bis zur Genehmigung widerrufen (§§ 114, 106—113). Einseitige Rechtsgeschäfte sind entsprechend § 111 unwirksam.

Die Wirkung der vorläufigen Entmündigung unterscheidet sich von der Wirkung der Entmündigung wegen Geistesschwäche, Trunksucht, Verschwendung garnicht. Wird also der vorläufig Entmündigte aus diesen Gründen endgültig entmündigt, so ändert sich an seiner Geschäftsfähigkeit garnichts. Wohl aber, wenn er wegen Geisteskrankheit endgültig entmündigt wird, dann wird aus dem beschränkt Geschäftsfähigen ein völlig Geschäftsunfähiger.

Die Entmündigung wegen Geisteskrankheit oder Geistesschwäche ist zulässig nur, wenn der Betreffende seine Angelegenheiten nicht mehr besorgen kann (§ 6, 1). Ein Verschwender wird erst dann entmündigt, wenn Gefahr ist, daß er sich oder seine Familie in Not bringt (§ 6, 2). Ein Trunksüchtiger wird entmündigt, wenn er in Folge seiner Trunksucht seine Angelegenheiten nicht mehr besorgen kann, oder wenn Gefahr ist, daß er sich oder seine Familie in Not bringt oder wenn er anderen Personen gefährlich wird (§ 6, 3).

Es genügt also bloße Geisteskrankheit, Geistesschwäche, Verschwendungs- und Trunksucht nicht, sondern es wird stets ein gewisser Grad derselben gefordert, der Gestörte muß „entmündigungsreif" sein. Sobald die Gefahr für die Personen oder das Vermögen schwindet oder entsprechend zusammenschrumpft, ist die Entmündigung wieder aufzuheben.

Von der Aufhebung der Entmündigung ist zu scheiden die Aufhebung des die Entmündigung aussprechenden Beschlusses. Im ersten Falle besteht eine vollgültige Entmündigung, die jedoch durch einen Aufhebungsbeschluß ihr Ende findet, sobald später ihr Grund hinwegfällt, im zweiten wird die Entmündigung als von Anfang ungerechtfertigt aufgehoben, weil niemals ein Grund für sie bestanden hat, und es soll alles so gelten, als wäre der Betreffende niemals entmündigt worden. Im erften Falle Wirkung ex nunc, im zweiten ex tunc. Was jedoch in der Zwischenzeit fein Vormund gethan hat, bleibt bei Beftand (§ 115).

Entfprechendes gilt, wenn es bei einer vorläufigen Entmündigung nicht zu einer endgültigen Entmündigung kommt (§ 115).

Zur Aufhebung des Entmündigungsbeschluffes gibt regelmäßig eine Anfechtungsklage Veranlaffung, z. B. der Fabrikant Wüfteberg fällt plötzlich am 2. September durch fein ungewöhnliches Benehmen auf und muß mit Gewalt zur Ruhe und in feine Wohnung gebracht werden. Am 3. September ftellt feine Frau den Antrag auf Entmündigung und Wüfteberg wird an diefem Tage vorläufig entmündigt (§ 1906), am 20. September wird der Beschluß, ob Entmündigung oder nicht, erlaffen. Am 5. September hat er den Einfall, ein großes Feft geben zu wollen, und beftellt bei einer Weinhandlung für 1000 Mk. Wein. Die Firma nimmt den Auftrag an. Wenn der Vormund genehmigt und die Weinhandlung nicht vor der Genehmigung widerruft, ift diefer Vertrag gültig (§§ 114, 106—113). Der Vormund aber erfährt von der Sache nichts und am 20. September lehnt das Gericht ab, den W. endgültig zu entmündigen, denn inzwischen hat der Bruder des W. den Entmündigungsbeschluß vom 4. September mit Erfolg angefochten. Diefer wird alfo am 20. September aufgehoben. Die Folge ift, daß der Weinkauf vom 5. September nicht auf Grund des Entmündigungsbeschluffes vom 3. September angefochten werden kann.

Wäre am 20. September auf endgültige Entmündigung erkannt, fo hätte der Vertrag nach §§ 114, 106—113 vollwirkfam werden können. Hätte W. alsdann am 25. September noch einmal Wein beftellt, fo wäre diefer Vertrag von Anfang an unheilbar nichtig gewefen und hätte auch nicht durch Genehmigung zu Wirkfamkeit kommen können. Die Entmündigung wird nach § 645 Z.P.O. von dem Amtsgerichte vorgenommen.

3. Geifteskrankheit und verwandte Zuftände. Oberfter Grundfatz ift: Alle krankhaften d. h. in Geiftesftörung begangenen, aus ihr hervorgehenden Handlungen find abfolut nichtig (§§ 104, 105). Kauft fich ein Geifteskranker, um feine kindifchen Neigungen zu befriedigen, Puppen oder bunte Bilderbogen, fo muß der Kaufmann das Geld wieder herausgeben.

Ebenso ist es, wenn jemand in Hypnose, Fieberdelirium, Trunkenheit, sonstiger narkotischer Vergiftung, z. B. Opiumrausch rc., Verträge schließt rc. (§ 105).

Alle in diesem Zustande vorgenommenen Handlungen sind nichtig. Aber nicht alle Handlungen eines jeden Menschen, der an einem psychischen Mangel leidet, sind nichtig. Nichtig sind zunächst nur seine krankhaften Handlungen, also nur bei dauernder Geistesstörung, die unfähig zur Selbstbestimmung macht, alle seine Handlungen. Dies ändert sich jedoch, sobald der Betreffende wegen Geisteskrankheit entmündigt ist, mag seine Krankheit an sich auch nur vorübergehender Natur sein. Alles, was ein wegen Geisteskrankheit Entmündigter tut, ist nichtig, mag es auch im einzelnen Fall keine krankhafte Handlung sein (§§ 104, 3; 105).

Den zur vernünftigen Selbstbestimmung unfähigen, dauernd Geisteskranken und den wegen Geisteskrankheit Entmündigten nennt das B.G.B. geschäftsunfähig, wie das Kind unter sieben Jahren (§ 104).

Wenn auch diese Personen äußerlich scheinbar ganz vernünftige Handlungen begehen, so wird doch alles, was sie tun, vom Rechte für null und nichtig angesehen. Bei wem also eine von beiden Voraussetzungen zutrifft, dessen sämtliche Handlungen sind nichtig. Es wird dann garnicht erst untersucht, ob die einzelne Handlung vernünftig oder krankhaft war. Daraus ergibt sich, daß lichte Zwischenräume bei dem Entmündigten nicht berücksichtigt werden, denn seine Handlungen werden nicht deshalb vom Rechte für unwirksam erklärt, weil sie in concreto unvernünftig sind.

Dies gilt auch von den dauernd Geistesgestörten, die nicht entmündigt sind. Ihrer gibt es eine große Zahl, da die Angehörigen die Entmündigung eines Familienmitgliedes gerne so weit als möglich hinauszuschieben oder ganz zu vermeiden suchen. In Wirklichkeit dürfte es bei dauernd gestörten Personen überhaupt keine lichten Zwischenräume geben, dieser Begriff vielmehr wertlos sein, da es sich um täuschenden Schein handelt. Die Geschäftsunfähigkeit hat eine besondere Bedeutung wegen § 131.

„Wird die Willenserklärung einem Geschäftsunfähigen gegenüber abgegeben, so wird sie nicht wirksam, bevor sie dem gesetzlichen Vertreter zugeht."

Wie der Zusammenhang mit § 130 ergibt, handelt es sich um

sogenannte empfangsbedürftige Willenserklärungen, d. h. solche, „die einem anderen gegenüber abzugeben sind" (§ 130), z. B. der Verkäufer V. bietet dem Käufer K. sein Pferd um 500 Mk. zu Kauf an oder K. nimmt dies Angebot an oder A. bevollmächtigt den B. zur Verhandlung mit C. und erklärt dies entweder gegenüber dem B. oder gegenüber dem C., oder der Schuldner bietet die geschuldete Leistung dem Gläubiger an (§§ 293, 294), oder eine Partei erklärt der anderen, daß sie gemäß § 346 ff. vom Vertrage zurücktrete 2c. 2c.

In diesen und allen gleichliegenden Fällen ist die an den Geschäftsunfähigen gerichtete Willenserklärung der anderen Partei erst dann wirksam, wenn sie dem gesetzlichen Vertreter, also z. B. dem Vormund, zugeht. Macht A. dem geschäftsunfähigen B. das Anerbieten, ihm etwas zu schenken und gibt er ihm die Sache, so ist und bleibt dies Alles null und nichtig, wenn der Vormund nichts davon erfährt oder ihm wenigstens nichts darüber zugeht.

Der § 131 bezieht sich nicht auf jene, die vorübergehend in Trunkenheit, Delirium, Narkose, Gasvergiftung, Hypnose 2c. sich befinden. Diese Personen bezeichnet das B.G.B. nicht als geschäftsunfähig. Eine ihnen gegenüber abgegebene Willenserklärung hat an sich ganz ihre gewöhnliche Kraft, nur kann der vorübergehend Gestörte nicht zu ihr Stellung nehmen, solange seine Störung andauert. Ist die Störung vorüber, würde er den angebotenen Vertrag, die angebotene Schenkung an sich nehmen können 2c. Die Vollmacht, die ihm gegenüber erklärt wurde, als er noch in Narkose, Hypnose 2c. war, hätte von Anfang an Gültigkeit. Dasselbe gilt von Kündigung, z. B. §§ 542, 605 2c., und Mahnung, z. B. § 284.

Aber es kommt hiebei etwas anderes in Rücksicht, nemlich die Frage, ob die Kündigung, Vollmachterklärung 2c. überhaupt als richtige Willenserklärungen anzusehen sind, wenn die Gegenpartei nicht imstande ist, die Erklärung in ihr Bewußtsein aufzunehmen. Dies müssen wir verneinen, denn wir können z. B. eine einem Schlafenden gegenüber abgegebene Erklärung unmöglich als eine wirksame Willenserklärung ansehen. Wir kommen darauf noch zurück.

Zur Geschäftsunfähigkeit und Entmündigung und Minderjährigkeit ist nachzutragen, daß sie ihre Wirkungen auch sonst noch nach anderen als den bezeichneten Richtungen hin äußern, z. B.

der Geschäftsunfähige und der Entmündigte sind unfähig, Vormund zu sein (§ 1780), Mitglied des Familienrates zu werden (§ 1865); sie können kein Testament errichten (§§ 105, 2229) 2c. 2c.

4. **Gebrechlichkeit.** Nach B.G.B. § 1910 können geistig oder körperlich Gebrechliche einen Pfleger erhalten, ohne daß dies ihrer Geschäftsfähigkeit Eintrag tut. Sie bleiben vollkommen geschäftsfähig, der Pfleger wird ihnen nur zu ihrer Unterstützung beigegeben.

§ 1910. „Ein Volljähriger, der nicht unter Vormundschaft steht, kann einen Pfleger für seine Person und sein Vermögen erhalten, wenn er infolge körperlicher Gebrechen,. insbesondere weil er taub. blind oder stumm ist, seine Angelegenheiten nicht zu besorgen vermag.

Vermag ein Volljähriger, der nicht unter Vormundschaft steht, infolge geistiger oder körperlicher Gebrechen einzelne seiner Angelegenheiten oder einen bestimmten Kreis seiner Angelegenheiten, insbesondere seine Vermögens-Angelegenheiten, nicht zu besorgen, so kann er für diese Angelegenheiten einen Pfleger erhalten.

Die Pflegschaft darf nur mit Einwilligung des Gebrechlichen angeordnet werden, es sei denn, daß eine Verständigung mit ihm nicht möglich ist."

Im ersten Absatz wird eine dauernde, allgemeine Pflegschaft angeordnet, wenn eine körperliche Gebrechlichkeit von einer gewissen Schwere vorliegt, Unfähigkeit [alle] seine Angelegenheiten zu besorgen.

Im zweiten Absatz wird eine beschränkte Pflegschaft angeordnet bei körperlichen oder geistigen Gebrechen, wenn der Gebrechliche nur einzelne seiner Angelegenheiten nicht zu besorgen vermag. Ist die geistige Gebrechlichkeit so groß, daß die Voraussetzungen von § 6 Nr. 1 zutreffen, so wird der Betreffende wegen Geisteskrankheit entmündigt, also dann, wenn er seine Angelegenheiten, d. h. alle seine Angelegenheiten, nicht zu besorgen vermag.

Der Entmündigte steht unter dem Vormund, der Gebrechliche steht über dem Pfleger, etwa wie der Vollmachtgeber über dem Bevollmächtigten steht.

5. Aus Vorstehendem ergiebt sich folgende Tabelle:

I. Geschäftsunfähige
   1. Kinder
   2. Dauernd Geisteskranke   } § 104.
   3. Wegen Geisteskrankheit Ent=
      mündigte

II. Beschränkt Geschäftsfähige
   1. Minderjährige   § 106
   2. Entmündigte Geistesschwache
   3. Entmündigte Trinker   } § 114
   4. Entmündigte Verschwender
   5. Vorläufig Entmündigte   § 1906.

III. Gebrechliche   § 1910.

II, 1. Elterliche Gewalt. Neben geistiger Gesundheit, Volljährigkeit, Geisteskrankheit, Minderjährigkeit begründet einen Unterschied zwischen den Personen die elterliche Gewalt. „Der Vater hat kraft der elterlichen Gewalt das Recht und die Pflicht, für die Person und das Vermögen des Kindes zu sorgen" (§ 1627), d. h. er hat Erziehungs=, Aufsichts= und Züchtigungsrecht (§ 1631) ꝛc. Er kann das Kind vertreten, z. B. bei Prozessen (§ 1630) ꝛc.

Die elterliche Gewalt bedeutet nun soviel, daß sie dem Vater im Allgemeinen die Rechte gibt, die bei Waisenkindern der Vor= mund hat, darum bezeichnet man den Vater auch wohl als natür= lichen, den eigentlichen Vormund als gesetzlichen Vormund und beide als „gesetzliche Vertreter".

Die elterliche Gewalt beschränkt also nicht die Geschäftsfähig= keit; dies ist schon deshalb nicht möglich, weil sie zeitlich mit der Minderjährigkeit zusammenfällt (§ 1626). Denn ein wegen Alters= unreife geschäftsunfähiges oder beschränkt geschäftsfähiges Kind kann wegen elterlicher Gewalt nicht noch einmal geschäftsunfähig oder beschränkt geschäftsfähig werden.

2. Ehre. Verlust der sittlichen und gesellschaftlichen Hoch= achtung ist ohne Einfluß auf des Menschen rechtliche Stellung. Daß in einigen Fällen ehrlose Handlungen Anlaß geben können, gegen jemand einzuschreiten, bedeutet auch noch keine Veränderung in der Rechts= oder Geschäftsfähigkeit des Menschen. So kann z. B. ein Ehegatte auf Scheidung klagen, „wenn der andere Gatte

durch ehrloses oder unsittliches Verhalten eine so tiefe Zerrüttung des ehelichen Verhältnisses verschuldet hat, daß dem ersten Ehegatten die Fortsetzung der Ehe nicht zugemutet werden kann" (§ 1568). Dies hat aber mit der rechtlichen Stellung des Menschen vor dem Gesetze nichts zu tun.

Wohl aber ist von Einfluß die Aberkennung der bürgerlichen Ehrenrechte im Strafverfahren. Wem die bürgerlichen Ehrenrechte aberkannt sind, der soll nicht als Zeuge bei der standesamtlichen Eheschließung zugezogen werden, so lange als ihm die Ehrenrechte fehlen (§ 1318). Dasselbe gilt vom Zeugnis bei Errichtung eines Testamentes (§ 2237). Ebenso soll ein solcher Mensch nicht zum Vormund bestellt werden, wenn nicht das Strafgesetzbuch es erlaubt (§ 1781, 4). Jedoch ist zu bemerken, daß die §§ 1318, 2237, 1781, 4 nur Ordnungsvorschriften enthalten, deren Befolgung zwar vom B.G.B. gewünscht wird, die jedoch nicht das Zeugnis oder die Handlungen des Ehrlosen für juristisch null und nichtig erklären. Ein solches Zeugnis kann also trotz alledem im Grunde juristisch ebenso viel wert sein als das Zeugnis eines Unbescholtenen.

3. Die Staatsangehörigkeit ist nach B.G.B. ohne Einfluß auf die rechtliche Behandlung des Menschen. Nach Art. 3 der Reichsverfassung stehen alle Reichsdeutschen in jedem Bundesstaate einander gleich. Dies gilt im Allgemeinen sogar vom Nichtreichsdeutschen.

Besonders gilt in Beziehung auf Pensionsansprüche gegen das Reich. Wer das deutsche Indigenat verliert, dessen Pension ruht während der Zeit des Verlustes, R.G. vom 31. März 1873. Vergl. R.G. vom 27. Juni 1871; vom 20. April 1881; R.G. vom 21. Juni 1887; dazu R.G. vom 26. Mai 1893.

Hier haben wir einen unmittelbaren Einfluß des Reichsindigenates auf die Stellung vor dem Gesetze.

Zu beachten ist auch Art. 88:

„Unberührt bleiben die landesgesetzlichen Vorschriften, welche den Erwerb von Grundstücken durch Ausländer von staatlicher Genehmigung abhängig machen."

Ferner Art. 31:

„Unter Zustimmung des Bundesrats kann durch Anordnung des Reichskanzlers bestimmt werden, daß gegen einen ausländischen

Staat, sowie dessen Angehörige, ein Vergeltungsrecht zur Anwen=
dung gebracht wird."

Werden die Deutschen in England zurückgesetzt, so kann zur
Vergeltung bestimmt werden, daß die Engländer in Deutschland
zurückzusetzen sind.

Zu dem Vorhergehenden ist noch zu bemerken, daß es sich in
dem Falle II, 3 weniger darum handelt, ob ein Mensch wirk=
sam für sich oder andere Menschen ein Geschäft abschließen kann,
sondern darum, ob er dieselben oder mehr oder andere Rechte haben
kann, wie die anderen Menschen. Unter (II, 1 und) II, 3 kommt
wesentlich die Rechtsfähigkeit in Frage, während sonst von der
Geschäftsfähigkeit gehandelt wird.

4. Wohnsitz und Aufenthaltsort haben besondere Bedeutung
für den Prozeß und das internationale Privatrecht.

Ueber den Wohnsitz hat das B.G.B. mehrere Bestimmungen
getroffen:

„Wer sich an einem Orte ständig niederläßt, begründet an
diesem Orte seinen Wohnsitz" (§ 7, I).

Die ständige Niederlassung unterscheidet den Wohnsitz vom
Aufenthaltsort.

„Der Wohnsitz kann gleichzeitig an mehreren Orten bestehen.

Der Wohnsitz wird aufgehoben, wenn die Niederlassung mit
dem Willen aufgehoben wird, sie aufzugeben" (§ 7, II, III).

„Wer geschäftsunfähig oder in der Geschäftsfähigkeit beschränkt
ist, kann ohne den Willen seines gesetzlichen Vertreters einen Wohn=
sitz weder begründen noch aufheben" (§ 8).

„Eine Militärperson hat ihren Wohnsitz am Garnisonorte.
Als Wohnsitz einer Militärperson, deren Truppenteil im Inlande
keinen Garnisonort hat, gilt der letzte inländische Garnisonort des
Truppenteiles.

Diese Vorschriften finden keine Anwendung auf Militärpersonen,
die nur zur Erfüllung der Wehrpflicht dienen oder die nicht selb=
ständig einen Wohnsitz begründen können" (§ 9).

„Die Ehefrau teilt den Wohnsitz des Ehemannes. Sie teilt
den Wohnsitz nicht, wenn der Mann seinen Wohnsitz im Ausland
an einem Orte begründet, an den die Frau ihm nicht folgt und zu
folgen nicht verpflichtet ist.

Solange der Mann keinen Wohnsitz hat oder die Frau seinen

Wohnsitz nicht teilt, kann die Frau selbständig einen Wohnsitz haben"
(§ 10).

„Ein eheliches Kind teilt den Wohnsitz des Vaters, ein uneheliches Kind den Wohnsitz der Mutter, ein an Kindesstatt angenommenes Kind den Wohnsitz des Annehmenden. Das Kind behält den Wohnsitz, bis es ihn rechtsgültig aufhebt.

Eine erst nach dem Eintritte der Volljährigkeit des Kindes erfolgende Legitimation oder Annahme an Kindesstatt hat keinen Einfluß auf den Wohnsitz des Kindes" (§ 11).

Ein Student teilt regelmäßig den Wohnsitz seines Vaters, die Universitätsstadt als solche ist regelmäßig sein Wohnsitz nicht.

5. Standesangehörigkeit. Nach Art. 57 des Einführungsgesetzes werden die Hausverfassungen und Landesgesetze über die Rechtsstellung der Landesherren, der Mitglieder ihrer Familien und der Mitglieder der Fürstlichen Familie Hohenzollern und des vormaligen Hannoverschen Königshauses, des vormaligen Kurhessischen und des vormaligen Herzoglich Nassauischen Fürstenhauses in Kraft erhalten. Ebenso bleiben nach Art. 58 unberührt die Landesgesetze und nach deren Maßgabe die Hausgesetze der vormals reichsständischen, seit 1806 mittelbaren Familien und aller derer, die diesen Familien durch Beschluß der vormaligen deutschen Bundesversammlung oder vor dem 1. Januar 1900 durch Landesgesetz gleichgestellt sind. Das Gleiche gilt vom vormaligen Reichsadel und denjenigen Familien des landsässigen Adels, die vor dem 1. Januar 1900 dem vormaligen Reichsadel durch Landesgesetz gleichgestellt sind. Daneben wird die sogenannte Revenuenhypothek in Art. 60 zu Gunsten der genannten Familien anerkannt.

Andere Unterschiede in der persönlichen Rechtsstellung auf Grund der Standesangehörigkeit werden im B.G.B. nicht gemacht. Etwas anderes ist es mit dem Berufsstande der Kaufleute, die ihr Sonderrecht haben. H.G.B. § 1 ff.

6. Religion. Die Zugehörigkeit zu einer bestimmten Konfession ist ohne Einfluß auf die persönliche Rechtsstellung. Nach § 1779 soll bei Bestellung eines Vormundes die Obrigkeit „auf das religiöse Bekenntnis des Mündels Rücksicht" nehmen. Dies ist eine Ordnungsvorschrift für den Richter, an die er sich nach eigenem Ermessen hält.

III. Eine eigene Stellung nimmt ein die Verantwortlichkeit für unerlaubte Handlungen gemäß §§ 823—826 B.G.B.

Während die Volljährigkeit mit 21 Jahren erreicht wird, tritt die Verantwortlichkeit für unerlaubte Handlungen schon mit 18 Jahren ein.

Mit 18 Jahren ist der Mensch unbeschränkt für den Schaden, den er durch eine nach B.G.B. unerlaubte Handlung begangen hat, verantwortlich (§ 828).

„Wer nicht das siebente Lebensjahr vollendet hat, ist für einen Schaden, den er einem Anderen zufügt, nicht verantwortlich (§ 828).

„Wer das siebente, aber nicht das achtzehnte Lebensjahr vollendet hat, ist für einen Schaden, den er einem Anderen zufügt, nicht verantwortlich, wenn er bei der Begehung der schädigenden Handlung nicht die zur Erkenntnis der Verantwortlichkeit erforderliche Einsicht hat" (§ 828).

„Das Gleiche gilt von einem Taubstummen" (§ 828), d. h. ein Taubstummer, wie alt er auch sein möge, ob 7—18 Jahre, 19, 20, 21 Jahre, 30, 40 Jahre zc. wird stets einem normalen Menschen gleich geachtet, der zwischen 7 und 18 Jahren steht.

„Wer im Zustande der Bewußtlosigkeit oder in einem die freie Willensbestimmung ausschließenden Zustande krankhafter Störung der Geistesthätigkeit einem Anderen Schaden zufügt, ist für den Schaden nicht verantwortlich. Hat er sich durch geistige Getränke oder ähnliche Mittel in einen vorübergehenden Zustand dieser Art versetzt, so ist er für einen Schaden, den er in diesem Zustande widerrechtlich verursacht, in gleicher Weise verantwortlich, wie wenn ihm Fahrlässigkeit zur Last fiele; die Verantwortlichkeit tritt nicht ein, wenn er ohne Verschulden in den Zustand geraten ist" (§ 827). Der Täter haftet also nicht, als ob er vorsätzlich den Schaden zugefügt hätte. Dies ist wichtig wegen § 276, II.

Ist der Zustand nicht vorübergehend, sondern dauernd, so haftet der Täter für den in diesem Zustande widerrechtlich angerichteten Schaden nicht, mag er den Zustand auch durch Betäubungsmittel herbeigeführt haben.

Die Haftung für unerlaubte Handlungen ist ganz unabhängig von Geschäftsunfähigkeit oder Entmündigung. Ein Geschäftsunfähiger, der in lichten Augenblicken ein Delikt im Sinne des B.G.B. begeht, ist haftbar.

Ein Entmündigter ist nur dann nicht haftbar, wenn er bei Begehung der Tat bewußtlos oder im Sinne des B.G.B. § 827 krankhaft gestört war.

Die Geschäftsunfähigen und Entmündigten werden also garnicht anders behandelt als die Gesunden.

Für alle gilt der § 829.

„Wer in einem der in den §§ 823—826 bezeichneten Fälle für einen von ihm verursachten Schaden auf Grund der §§ 827 und 828 nicht verantwortlich ist, hat gleichwohl, sofern der Ersatz des Schadens nicht von einem aufsichtspflichtigen Dritten verlangt werden kann, den Schaden insoweit zu ersetzen, als die Billigkeit nach den Umständen, insbesondere nach den Verhältnissen der Beteiligten eine Schadloshaltung erfordert und ihm nicht die Mittel entzogen werden, deren er zum standesmäßigen Unterhalte sowie zur Erfüllung seiner gesetzlichen Unterhaltspflichten bedarf."

Wenn der blödsinnige Millionär einer armen Witwe Schaden zufügt, so muß er nach § 829 den Schaden ersetzen, obgleich dies nach § 827 an sich ausgeschlossen wäre.

Nicht eigentlich zu den unerlaubten Handlungen gehört das Verschulden in Vertragsverhältnissen. Es ist etwas anderes, ob der Arbeiter A. dem Kaufmann B. nächtlicherweile die Spiegelscheibe zertrümmert, oder ob er von B. beauftragt ist, ihm eine mit der Bahn angekommene Spiegelscheibe vom Bahnhofe abzuholen und ob er beim Transport die Scheibe schuldhafterweise zerbricht. Dennoch ist die Verantwortlichkeit in beiden Fällen gemäß § 276 dieselbe und es finden die §§ 827, 828 auch auf den zweiten Fall Anwendung.

Vorausgesetzt ist natürlich dabei, daß zwischen A. und B. ein vollgültiger Vertrag vorliegt, insbesondere A. gemäß § 107 oder § 113 die Einwilligung seines Vaters oder Vormundes zu dem Vertrage hat. Liegt ein vollgültiger Vertrag nicht vor, so kann A. nur auf Grund der §§ 824 ff., insbesondere der §§ 827, 828 belangt werden. Vertragsklagen sind dann ausgeschlossen. Läßt sich also z. B. der Minderjährige die Scheibe unterwegs stehlen, während er im Wirtshaus einkehrt, so liegt keine unerlaubte Handlung im Sinne der §§ 823 ff. vor und eine Vertragsklage ist nicht möglich, folglich braucht A. dem B. keinen Schaden zu ersetzen. War der Vertrag, durch den sich der minderjährige Arbeiter zum

Transport der Scheibe verpflichtete, unter Einwilligung des Vaters oder des Vormundes geschlossen, so haftet der Minderjährige nach § 276 mit der Vertragsklage für seine Fahrlässigkeit unbedingt, wenn er mindestens 18 Jahre alt war, bedingt nach § 828, wenn er zwischen 7 und 18 Jahren alt war. Praktisch wird man in den meisten Fällen wegen § 113 Einwilligung des gesetzlichen Vertreters anzunehmen haben, sodaß der Minderjährige aus dem Vertrage haftet, der Kaufmann also Ersatz verlangen kann, wenn der Minderjährige sich fahrlässig beim Transport die Scheibe stehlen läßt. Der Unterschied zwischen Verschulden in Vertragsverhältnissen und unerlaubten Handlungen wird praktisch bedeutsam in dem Falle, wo ein entlaufener Junge sich auf einem Schiff anheuern läßt. Vertragsklagen sind dann zunächst jedenfalls ausgeschlossen, wegen einer Beschädigung, die z. B. sogleich bei der ersten aufgetragenen Arbeit begangen wird, stehen dem Schiffer nur Deliktsklagen zu.

Die Verantwortlichkeit nach bürgerlichem Recht entspricht durchaus nicht immer der Verantwortlichkeit nach Strafrecht. Nicht immer ist derjenige strafbar, der zu Schadenersatz verpflichtet ist (vergl. § 829).

§ 6. Verwandtschaft.

Man kann nicht sagen, daß die Verwandtschaft die persönliche Rechtsstellung des Menschen beeinflusse, aber sie greift als natürliche, durch das Recht juristisch verwertete Tatsache so sehr in das Leben jeder Person ein, daß wir ihr schon an dieser Stelle einige Worte widmen müssen. Zu nahe Verwandtschaft ist ein Ehehindernis, während nur die Verwandten ein gesetzliches Erbrecht gegeneinander haben. Deszendenten haben besondere Pflichten gegen ihre Aszendenten und umgekehrt. Verwandte sollen bei der Wahl von Vormündern besonders berücksichtigt werden 2c. 2c.

Verwandt sind nach B.G.B. § 1589 alle Personen mit ihren Kindern, Kindeskindern 2c., d. h. Aszendenten und Deszendenten sind in gerader Linie mit einander verwandt, z. B. Enkel und Großeltern. Großneffe und Großoheim sind in der Seitenlinie verwandt, wie überhaupt alle blutsverwandten Personen, deren eine nicht von der anderen abstammt, z. B. Geschwister, Tante und

Neffe, Vettern ꝛc. Uneheliche Kinder gelten juristisch als verwandt nur mit der Mutter und deren Verwandten.

Neben der Verwandtschaft besteht die Schwägerschaft (§ 1590). Verschwägert sind die Verwandten des einen Ehegatten mit dem anderen Gatten; nicht verschwägert im Sinne des B.G.B. sind die Verwandten beider Gatten mit einander. Die Schwägerschaft über=dauert die Ehe, durch die sie begründet wurde.

Sehr wichtig ist die Nähe der Verwandtschaft, die darum nach Graden berechnet wird: Soviel Zeugungen, soviel Grade (§ 1589).

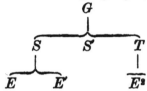

G ist der Großvater; S, S', T sind seine Kinder, zwei Söhne und die Tochter T; E, E' sind seine Enkel vom Sohne S; E² ist sein Enkel von der Tochter T.

G ist verwandt mit seinen Kindern im ersten Grad, eine Zeugung,
G   „   „   „   „   Enkeln   „ zweiten   „   zwei Zeugungen,
S   „   „   „ S'   „   „   „   „   „
S und S' sind verwandt mit T   „   „   „   „   „   „   „
E ist   „   „   „ E'   „   „   „   „   „   „
E resp. E' ist verwandt mit S' resp. T im dritten Grad, drei Zeugungen,
E²   „   „   „ S' resp. S   „   „   „   „   „
E²   „   „   „ E resp. E'   „ vierten   „   vier   „

Die soeben dargestellte Verwandtschaftsordnung ist kognatisch und nur sie wird grundsätzlich vom B.G.B. anerkannt. Daneben erhält sich nach Art. 57—59 des E.G. die besondere agnatische Erbfolge in den Familien des hohen Adels und bei Familienfidei=kommissen, Lehen und Stammgütern, wodurch in gewissen Fällen die sogenannte agnatische Verwandtschaft zur Geltung kommt. Sie ist die Verwandtschaft der durch Männer, nicht durch Frauen, mit einander verwandten Männer.

Zweiter Abschnitt.

Bloß juristische Personen.

§ 7. Allgemeines. Begriff. Arten. Entstehung.

I. Die gesellige Vereinigung Harmonia hat ein Vermögen von
etwa 70000 Mk., ein eigenes Klubhaus mit kostbarer Einrichtung,
eine wertvolle Bibliothek. Sie zählt zur Zeit 20 Mitglieder
A.....U. Da ist Eines ganz sicher, daß weder A. noch B.
noch C. ꝛc. Eigentümer des Hauses, der Bücher ꝛc. sind. Wollte
z. B. B. von der 20000 Bände enthaltenden Bibliothek ein Zwan-
zigstel, also 1000 Bücher, als seinen Anteil eigenmächtig an sich
nehmen, so würde er bald gerichtlich belehrt werden, daß er das
nicht darf, daß er auch keinerlei Recht hat, die Herausgabe der
Bücher zu fordern. Sie gehören der Gesellschaft, aber nicht dem
B., auch nicht dem A., C. ꝛc.

Da von den 20 Mitgliedern niemand Eigentümer des Gesellschaftsvermögens ist, muß irgend jemand anders, also etwa eine
einundzwanzigste Person, Eigentümerin des Vermögens sein und
diese Person ist die Gesellschaft Harmonia, genau unterschieden und
scharf getrennt von den 20 Mitgliedern A.....U. Die Harmonia
ist keine natürliche Person, denn sie ist nicht zusammengesetzt wie
eine natürliche Person aus Fleisch, Knochen, Nerven ꝛc.; sie ist nur
im juristischen Sinne eine Person.

Wie läßt sich diese Auffassung rechtfertigen?

Wir bezeichnen die Menscheneinheit als Person; die zu-
sammengewachsenen siamesischen Zwillinge waren eine Zweiheit,
zwei Personen. Ein menschenunähnliches Wesen ist keine Menscheneinheit. Wir können demnach jedes aus Menschen gebildete Wesen,
das wir als Einheit auffassen können, auch als Person, d. h.
als menschliche Einheit bezeichnen.

Daß die Harmonia aus Menschen besteht, liegt klar zu Tage.
Die 20 Mitglieder sind nicht die Harmonia, aber sie bilden sie.
Wie der einzelne Mensch zusammengesetzt ist aus verschiedenen Teilen,
so ist auch die Hormonia zusammengesetzt aus verschiedenen Teilen.
Wie die verschiedenen menschlichen Teile nicht der Mensch sind, son-

dern den Menschen erst bilden, so ist es auch bei der Harmonia. Der Mensch besteht aus Kopf, Arm, Hand, Fuß ꝛc., die Harmonia besteht aus den Mitgliedern A . . . . . U., sie ist ein aus Men= schen bestehendes Gebilde und daher vom objektiven Rechte als dem Menschen in wichtigen Beziehungen wesensgleich anerkannt.

Ist sie denn eine Einheit? Auch das trifft zu. Diese aus 20 verschiedenen Personen, A . . . . . U., zusammengesetzte Person ist gerade so gut eine Einheit, wie der aus den verschiedensten Bestandteilen zusammengesetzte Mensch. So wenig wie der Mensch eine bloße zusammenhangslose Summe von Fleisch, Blut, Knochen ꝛc. ist, so wenig ist die Harmonia ein zusammenhangsloser Knäuel Menschen. Weil beim Menschen alle seine Teile einen und denselben einheitlichen Zweck haben und zu diesem Zwecke zu einem und dem= selben Organismus zusammengefügt sind, deshalb bezeichnen wir den aus den verschiedensten Bestandteilen zusammengesetzten Menschen trotzdem als eine Einheit. Dasselbe trifft genau bei der Harmonia zu. Die Harmonia als Ganzes und in allen ihren Teilen, den Mitgliedern, hat einen einzigen einheitlichen Zweck, nemlich Pflege der Geselligkeit und eine einheitliche Organisation.

Es sei auch noch an Folgendes erinnert. Wenn auf einem Platze einige Zivilisten, je ein Füsilier, Artillerist und Dragoner zu gleicher Zeit sich aufhalten, werden wir sie nicht als eine Einheit zusammenfassen. Wenn dagegen ein Zug Husaren über diesen Platz reitet, so sprechen wir sofort von einer Einheit, denn zwischen den Husaren besteht ein Zusammenhang. Der Zusammenhang kann sehr verschiedener Natur sein, z. B. ein Haus besteht aus den ver= schiedensten Bestandteilen, aber wegen ihres Zusammenhanges be= zeichnen wir das Haus als eine Einheit. Wenn auf verschiedenen Stellen je eine Feuerschaufel, ein alter Hut, einige Mauersteine, einige Holzplatten, eine zerbrochene Flasche, ein Seil u. dergl. liegen, werden wir diese Gegenstände nicht ohne weiteres als Einheit zu= sammenfassen. Sind sie aber auf eine Stelle zusammengekehrt, so entsteht ein gewisser Zusammenhang und wir bezeichnen sie durch den Gebrauch des Wortes Haufen als eine Einheit. Also, wo Zusammenhang, da Einheit!

Darum dürfen wir die Harmonia auch als (juristische) Person bezeichnen.

Ist dies nun eine Fiktion? Keineswegs, da wir uns mit der

Logik nirgends in einem Widerspruch befinden, der nur durch eine Fiktion zu überbrücken wäre. Die Harmonia ist allerdings nur eine gedachte Person, eine gedachte Größe, aber dies Schicksal teilt sie mit vielen Dingen, an deren Dasein wir keinen Augenblick zweifeln. Ist doch der Mensch selber nur eine gedachte Einheit. Ein Tisch ist eine sinnfällige Größe, der Begriff Tisch ist nur gedacht, aber trotzdem vorhanden. Ebenso ist es mit allen abstrakten Dingen überhaupt.

Die Harmonia als gedachte Person ist tatsächlich vorhanden. Ihre Glieder, die Menschen, sind körperlich auf der Welt, und diese Glieder bilden eine gedachte Einheit, gerade so, wie auch der einzelne Mensch nur eine gedachte Einheit bildet. Einen einfachen Beweis ihres Daseins gibt die Harmonia dadurch, daß sie und nicht ihre einzelnen Mitglieder Eigentümerin ihres Hauses, ihrer Möbel, ihrer Bücher 2c. ist, daß sie Prozesse führt, sogar mit einzelnen Mitgliedern 2c.

Aber die Harmonia kann immerhin nur eine juristische Person sein. Sie kann nicht heiraten, kann keine Kinder zeugen, ist daher unfähig zu Familienrechten.

Die Harmonia gehört zu den Körperschaften. Körperschaften sind alle Personenmehrheiten mit juristischer Persönlichkeit. Solche können sein Turn=, Radfahrer=, Gesang=, Vergnügungsvereine 2c., studentische Verbindungen 2c. Körperschaften sind aber auch Städte, Dörfer, Gemeinden, Zünfte, Innungen, Gilden 2c., nur gehören diese meistenteils dem sogenannten öffentlichen Rechte an. Ferner sind echte Körperschaften auch die sogenannten Genossenschaften (vergl. Gesetz vom 1. Mai 1889 über die eingetragenen Genossenschaften), z. B. Vorschuß= und Kreditvereine, Rohstoff= und Magazinvereine, Produktivgenossenschaften, Konsumvereine 2c. Das Gesetz läßt zu, daß die Genossenschafter den Gläubigern der Genossenschaft für die Schulden der Genossenschaft unbeschränkt oder bis zu einer gewissen Summe haften oder daß sie gegenüber der Genossenschaft eine unbeschränkte Nachschußpflicht haben. Körperschaften sind ferner die Gesellschaften mit beschränkter Haftung (Gesetz vom 20. April 1892; vergl. ferner Gesetz vom 15. Juni 1883 und Gesetz vom 10. April 1892 über die Krankenkassen). Alle diese durch Reichsgesetz normierten Körperschaften bleiben trotz B.G.B. unter ihrem bisherigen Recht. Für ihre Entstehung, Verfassung, Untergang bleiben die bisherigen Bestimmungen bestehen, denn das B.G.B. hebt sie nicht auf (Art. 32). Ihre Darstellung, sowie die Darstellung der Handels=gesellschaften, z. B. Aktiengesellschaften 2c., gehört dem Handelsrechte an. Nur soviel sei hier gesagt, daß troß des verschiedenen Namens Genossenschaften, Gesellschaften und Vereine, soweit sie Körperschaften sind, im Großen und Ganzen durchaus wesensgleich sind. Dies gilt troß vielfacher Verschiedenheiten in Einzelpunkten. Bezeichnend ist, daß heutzutage viele studentische Korporationen, die an sich Ver=eine im Sinne von § 21 B.G.B. wären, sich in eine Aktiengesell=schaft oder eine Gesellschaft mit beschränkter Haftung umwandeln, um sich ein Haus bauen zu können. Darum bleibt die Verbindung doch eine Körperschaft

II. Neben den Körperschaften kommen noch in Betracht die Stif=tungen. Dies sind juristische Personen, die gebildet sind nicht aus menschlichen Mitgliedern, sondern auf Grundlage eines Vermögens. Ein reicher Bürger stiftet 500 000 Mk. zur Erbauung eines Kranken=hauses „Bethlehem“. Hat er seine Bestimmung in richtiger Form (§ 81) getroffen und ist sie vom Staate genehmigt (§§ 80, 83), dann haben wir eine juristische Person.

Eine solche Stiftung ist deshalb gleichartig mit einer Körper=schaft, weil beide wirthschaftliche und juristische Organismen sind. Nur weil die Körperschaft ein organisiertes Ganze, ein Organismus ist, können wir die in ihr enthaltene Personenmehrheit (als eine Einheit und diese Einheit wieder) als eine juristische Persönlichkeit auffassen. Ebenso ist es mit der Stiftung. Hier ist auf Grundlage eines Vermögens ein Organismus geschaffen zu bestimmten Zwecken und dieser Organismus ist eine juristische Person und muß es sein, weil er dann, wenn er es nicht wäre, zu allen rechtlichen Hand=lungen unfähig wäre. Beispielsweise würde das Krankenhaus Bethlehem, wenn es keine juristische Person wäre, auch nicht die Lebensmittel für seine Angestellten und Kranken, Verbandstoffe 2c. kaufen können, es würde keine Wärter 2c. anstellen können, kurz es wäre unfähig zu allen Geschäften. Aber jeder Tag lehrt uns das Gegenteil.

Der Unterschied zwischen Körperschaften und Stiftungen besteht darin, daß für erstere der lebendige, stets in seinen Aeußerungen sich wieder erneuernde Wille der Mitglieder maßgebend ist, der sich in den oft sehr verschiedenen Beschlüssen der Generalversammlung

der Mitglieder kundgibt, z. B. die Harmonia beschließt, ihr Pro-
gramm zu erweitern oder zu verengern auf immer oder nur zeitweise, z. B. es wird beschlossen, daß der alljährliche Klubball aus-
fallen soll.

Der Stiftung ist unabänderlich durch den Willen des Stifters
eine Vorschrift gemacht, von der es grundsätzlich kein Abweichen
gibt. Beliebige Statutenänderungen wie bei einer Körperschaft kommen
nicht vor. Die Seele der Stiftung bildet der fortwirkende Wille
des Stifters. Dieser ist von außen hineingetragen, während der
Körperschaftswille in ihr selber enthalten ist.

III. Eine sehr wichtige Frage ist: Wie entstehen juristische
Personen?

Es ist sehr wohl denkbar, daß ein Verein schon mit seiner
Begründung sofort auch juristische Person werde. Wo derartiges
vorkommt, haben wir das Prinzip der freien Körperschaftsbildung.

Es kann aber auch sein, daß der Staat aus verschiedenen, besonders politischen Gründen, die freie Körperschaftsbildung nicht
zuläßt und den Vereinen juristische Persönlichkeit nur unter besonderen Bedingungen verleiht. Dies ist der Standpunkt des B.G.B.
Alle wohlthätigen, Geselligkeits-, Sport-, Kunst- 2c. Vereine müssen
sich beim Amtsgericht in ein Register eintragen lassen und werden
juristische Personen erst durch diese Eintragung. § 21. „Ein Verein, dessen Zweck nicht auf einen wirtschaftlichen Geschäftsbetrieb
gerichtet ist, erlangt Rechtsfähigkeit durch Eintragung in das Vereinsregister des zuständigen Amtsgerichts." Voraussichtlich wird aber
die große Mehrzahl der Vereine sich nicht eintragen lassen.

Verfolgt ein Verein jedoch wirtschaftliche Zwecke, so muß er
sich die juristische Persönlichkeit ausdrücklich verleihen lassen (§ 22),
es sei denn, daß besondere reichsgesetzliche Vorschriften, z. B. Gesetz
über die Genossenschaften, H.G.B. durchgreifen und etwas anderes
bestimmen. Stiftungen entstehen durch ein testamentarisches oder
sonst schriftliches (§ 81) Stiftungsgeschäft, d. h. Aussetzung einer
Summe zu einem bestimmten Zweck in der Absicht, eine juristische
Person zu schaffen. Dazu muß kommen staatliche Genehmigung
(§ 80). Bis diese erteilt ist, darf der Stifter widerrufen (§ 81).

§ 8. Verfaſſung, Leben, Untergang der juriſtiſchen Perſonen.

I. Jeder Verein muß einen Vorſtand haben, der ihn überall ver=
tritt (§ 26); der Vorſtand wird von den Mitgliedern gewählt (§ 27),
wo der Vorſtand oder andere Organe nicht zuſtändig ſind, entſcheidet
die Generalverſammlung (§ 32) 2c.

Das B.G.B. beſtimmt in den §§ 26 ff. in zwingender Weiſe (vergl.
§ 25), wie es im einzelnen gehalten werden ſoll, läßt aber wieder=
holt Raum für beſondere Beſtimmungen in den Statuten, z. B. es
ſteht den Vereinen frei, nach § 26 die Zahl der Vorſtandsmitglieder
ſelbſtändig zu beſtimmen 2c.

Bemerkenswert iſt § 31: „Der Verein iſt für den Schaden
verantwortlich, den der Vorſtand, ein Mitglied des Vorſtandes oder
ein anderer verfaſſungsmäßig berufener Vertreter durch eine in Aus=
übung der ihm zuſtehenden Verrichtungen begangene, zum Schadens=
erſatze verpflichtende Handlung einem Dritten zufügt.“

Der Verein haftet alſo für die Delikte ſeiner Angeſtellten, ſo=
weit derartige Handlungen überhaupt zu Schadenserſatz verpflichten,
wenn die Angeſtellten in ihrer Eigenſchaft als Angeſtellte des Ver=
eins thätig geweſen ſind. Der Kommandeur einer freiwilligen Feuer=
wehr betrinkt ſich während der Hilfeleiſtung bei einem Brande, gibt
verkehrte Anordnungen und richtet dadurch in unverantwortlicher
Weiſe Schaden an, oder der Ruderklub Triton baut ſich ein Boots=
haus und der mit der Leitung des Baues betraute Vorſitzende läßt
ſchuldhafter Weiſe das Dach ſo ſchlecht herſtellen, daß beim erſten
Sturm, wie deren häufig vorkommen, die das Dach bildenden
ſchweren Holztafeln abgeriſſen und einem vorübergehenden Paſſanten
gegen den Kopf geſchleudert werden. Eine ſchwere Verletzung iſt
die Folge. Die freiwillige Feuerwehr und der Ruderklub müſſen
den angerichteten Schaden bezahlen. Betrachtet man die Beamten
des Vereins als ſeine Vertreter, ſo wird man dieſe Entſcheidung
für irrationell halten auf Grund der naheliegenden Schlußfolgerung,
daß die Vertreter ſicherlich nicht beauftragt und bevollmächtigt
waren, Delikte zu begehen. Aber die Beamten ſind keine Vertreter,
ſie ſind Organe, obgleich B.G.B. z. B. in § 31 den Ausdruck
„Vertreter“ gebraucht. Sachlich bleiben die Angeſtellten trotz des
nicht gerade glücklich gewählten Ausdrucks Organe des Vereins.
Der Unterſchied zeigt ſich am Beiſpiel: Wenn A. an die Wand=

tafel das Wort „Gesetz" schriebt, so schreibt seine Hand, ein Organ
seines Körpers, und vermittels der Hand schreibt A. unmittelbar
selber. Wenn A. durch B. das Wort „Gesetz" an die Tafel
schreiben läßt, dann schreibt er nicht selber, denn nicht sein, sondern
des B. körperliches Organ, die Hand, schreibt. A. handelt also
durch seinen Vertreter und nicht durch sein Organ, er wird nur
mittelbar und nicht unmittelbar thätig. Wer durch Organe handelt,
der handelt selbst und was seine Organe an Delikten begehen, begeht er selbst, denn wir können ihn von seinen Organen nicht
trennen. Wohl aber können wir dies bei der Vertretung durch
andere thun [1]). Wenden wir dies auf die Körperschaften an, so heißt
das soviel als: Vereine handeln durch ihre Organe unmittelbar
selber und für ihre eignen Handlungen werden sie auch mit Recht
selber verantwortlich gemacht gemäß den Thatsachen, daß die Thätigkeit meiner Hand meine, die Thätigkeit meines Vertreters seine
Handlung ist.

II. Der Verein verliert seinen Bestand, wenn er durch Beschluß
der Mitgliederversammlung aufgelöst wird (§ 41); er hört auf
juristische Person zu sein, wenn er durch Konkurs seine Rechtsfähigkeit verliert (§ 42), ferner kann ihm nach §§ 43, 44 in gewissen
Fällen die juristische Persönlichkeit durch die Behörden entzogen
werden.

Eine wichtige Frage ist, wem in allen diesen Fällen, Konkurs
ausgenommen, das vorhandene Vermögen anfällt. Zunächst entscheiden die Statuten, sei es, daß die Anfallberechtigten schon in
ihnen fest bestimmt sind oder ein entsprechender Beschluß des Vereins in den Statuten vorgesehen ist. Trifft dies nicht zu, so fällt
das Vermögen zu gleichen Teilen an die derzeitigen Mitglieder,
wenn der Verein ausschließlich den Interessen der Mitglieder diente,
z. B. Sportvereine, sonst, z. B. Verschönerungsvereine, an den
Fiskus des Staates, wo der Verein seinen Wohnsitz hat (§ 45).
Wenn das Vermögen nicht an den Fiskus fällt, so findet nach
§§ 48 ff. Liquidation statt.

III. Wenn ein Gesangverein Polyhymnia, eine Studentenverbin-
dung Germania u. dergl. sich nicht hat beim Amtsgerichte in das Vereinsregister eintragen lassen, dann fehlt ihm auch die juristische Per-

---

1) Nicht entgegen steht § 278!

sönlichkeit. Will nun z. B. ein solcher Verein sich eine Fahne kaufen und der Vorstand, bestehend aus den Mitgliedern Winter, Saß und Engel, bestellt eine Fahne zu 150 Mk. im Namen des Vereins, so sind diese drei Mitglieder persönlich und nicht der Gesangverein Polyhymnia, nicht die Verbindung Germania verpflichtet, die Fahne zu bezahlen; jeder von ihnen haftet auf die ganze Kaufsumme von 150 Mk. (§ 54). Vergl. unten § 24.

Man denke auch daran, daß der Präsident eines dörflichen nicht eingetragenen Gesangvereins für ein Vereinsfest eine Musikkapelle bestellt, eine Saal mietet 2c. Er muß dann für alle im Namen des Vereins kontrahirten Verbindlichkeiten selber aufkommen.

Es wird dies sehr häufig sich ereignen, denn sehr viele Vereine, zumal auf dem Lande, werden sich nicht eintragen lassen, teils aus Unkenntnis der gesetzlichen Bestimmungen, teils aus Gleichgültigkeit.

Dieselben Grundsätze gelten, wenn ein Verein, dessen Zweck auf einen wirtschaftlichen Geschäftsbetrieb gerichtet ist, z. B. ein Verein zum Ankauf und zur Bewaldung von Oedland, sich nicht nach § 22 die juristische Persönlichkeit hat vom Staate verleihen lassen, dann haftet aus den Geschäften des Vereins nicht der Verein, sondern diejenigen, die für den Verein handelten (§ 54).

IV. Über eingetragene Vereine bestehen u. a. noch die Sonderbestimmungen, daß ein Verein nur dann eingetragen werden soll, wenn er mindestens sieben Mitglieder zählt (§ 56) und daß mit der Eintragung der Vereinsname den Zusatz „eingetragener Verein" erhält, was auch natürlich für die studentischen Verbindungen gilt. Veränderungen im Vorstand sind nach § 67 dem Amtsgericht zur Eintragung anzumelden (§ 67), z. B. die Namen der neugewählten Chargierten; wenn das Amtsgericht es verlangt, muß ihm ein Verzeichnis der Vereinsmitglieder vorgelegt werden 2c. 2c.

Jeder kann das Vereinsregister einsehen (§ 79).

V. Die Vorschriften, nach denen eine Stiftung zu leben hat, gibt in der Regel der Stifter (§ 85).

Auch die Stiftung haftet für alle zum Schadenersatz verpflichtenden Handlungen ihrer Organe, die begangen sind in Ausübung der ihnen zustehenden Verrichtungen (§§ 86, 31). Unterschlägt z. B. der Vorstand der Stiftung „Marienhaus" von der Bausumme einen Teil und läßt dafür das Krankenhaus leichter

4*

ausführen, so muß das Stiftungsvermögen Dritten dafür aufkommen, wenn sie durch den Einsturz des Gebäudes beschädigt worden sind.

Stiftungen können von der Behörde umgewandelt oder aufgehoben werden, wenn sie gemeingefährlich sind oder ihr Zweck unmöglich geworden ist; dabei ist dann das Vermögen tunlichst einem verwandten Zweck im Sinne des Stifters zuzuführen (§ 87).

Erlischt die Stiftung, so fällt das Vermögen an die in den Statuten bestimmten Personen oder es wird wie das Vereinsvermögen gemäß §§ 46—53 liquidiert.

§ 9. Juristische Personen des öffentlichen Rechtes.

Stadt- und Landgemeinden, der Fiskus ꝛc. sind juristische Personen des öffentlichen Rechtes; sie sind vom Staate gefördert oder geradezu geschaffen und organisiert, weil der Staat ohne sie nicht leben kann, weil „sie zu den notwendigen oder für notwendig erachteten Einrichtungen des Staates" gehören, und solche juristische Personen heißen wir öffentlich rechtliche.

Die zu einer organischen Staatseinrichtung gewordenen juristischen Personen sind Körperschaften, oder die den Stiftungen entsprechenden, Anstalten, z. B. Reichsbank, auch Universitäten, Versicherungsanstalt für Alters- und Invaliditätsversicherung (Gesetz vom 22. Juni 1889). Die Anstalten entstehen heutzutage durch einen öffentlich rechtlichen Schöpfungsakt. Es kann aber eine private Stiftung nachträglich zu einer öffentlichen Anstalt werden. Anstalt ist eine vom Staate geschaffene oder staatlich gewordene Stiftung auf Grundlage von Barvermögen oder mit einer sonstigen äußeren Einrichtung von Vermögenswert.

Personen d. ö. R. müssen nach § 89 ebenso wie die übrigen j. P. für die zum Schadensersatz verpflichtenden Handlungen ihrer Vorstände oder sonstigen Vertreter, Beamten haften, wenn sie in Ausführung der diesen Personen zustehenden Verrichtungen begangen sind. Versäumt der Hauswart der Universität, der Alters- und Invaliditätsversicherungsanstalt, des städtischen Rathauses, der Gemeindeschule u. s. w. die Treppenbeleuchtung und es beschädigt sich in Folge dessen Jemand, so müssen die Universität, die Anstalt, die Stadt, die Gemeinde u. s. w. den Schaden ersetzen. Aber übersegelt ein königlicher Zollkreuzer auf einer Dienstfahrt ein anderes

Schiff, so muß der Fiskus für den Schaden aufkommen nur, wenn dies nach dem Rechte des betreffenden Staates so bestimmt ist (Art. 77), denn die Handlung ist von dem Beamten „in Ausübung der ihm anvertrauten öffentlichen Gewalt" vorgenommen, vergl. Art. 77.

Dritter Abschnitt.

§ 10. Recht der Persönlichkeit im Allgemeinen. Persönlichkeits- oder Individualrechte im Besonderen.

Dem Menschen ist die Achtung vor der Persönlichkeit des Mitmenschen eigen, nur gewalttätige und hochmütige Naturen verleugnen sie. Im Allgemeinen äußert sie sich aber täglich im Leben. Der Hochstehende hält es für seine Pflicht, für den Gruß des Ärmsten zu danken; jeder weicht dem anderen auf der Straße nach der durch die Sitte vorgeschriebenen Seite aus; es ist das durch die Sitte anerkannte Recht des ärmsten Kleinbauern, der auf seinem Pferde nach Hause reitet, wenn er sich auf der rechten Seite der Straße hält, zu verlangen, daß das ihm begegnende prunkvolle Viergespann ihm ausweiche. Wer in der Pferdebahn, im Theater, Konzert u. dergl. seinen Platz bezahlt hat, wird auch von den nebensitzenden anderen Gästen geduldet, mag ihnen seine Anwesenheit auch sehr unangenehm sein. Ebenso wird jeder Teilnehmer an einem Volksfeste oder einer öffentlichen Versammlung geduldet, wenn der Zutritt unentgeltlich ist. Das „Recht" des Einen, auf dem Festplatze zu verweilen, ist gerade so gut wie das des Anderen. Die Volksanschauung zeigt sich hier oft sehr deutlich.

Diese Beispiele werden wohl zur Genüge zeigen, daß es viele Dinge gibt, in denen sich die Menschen alle gleichstehen ohne Unterschied, ob vornehm oder gering. Nicht überall und immer ist dies so, unter Umständen muß sich der Einzelne Beschränkungen zu Gunsten Anderer gefallen lassen. So besteht z. B. die Vorschrift, daß einer marschierenden Truppe bei Strafe unter allen Umständen ausgewichen werden muß. In diesem Punkte kann also der Einzelne seine Persönlichkeit nicht so zur Geltung bringen wie sonst.

Dies ist eine Ausnahme, denn im Allgemeinen hat das Recht anerkannt, daß die Persönlichkeit des Einen genau die gleiche Geltung, die gleiche Wichtigkeit hat, denselben Schutz genießt, wie die des

Anderen. Wir haben das schon daran gesehen, daß grundsätzlich die Rechts- und die Handlungsfähigkeit aller Menschen gleich sind. Das Recht hat daneben aber auch noch das Persönlichkeits= recht, das Individualrecht anerkannt.

Selbst wenn das B.G.B. über das Individualrecht sich aus= geschwiegen hätte, könnten wir ohne seinen rechtlichen Schutz doch gar nicht bestehen. Wenn irgend ein Rechtsgedanke im Volke lebendig ist, so ist es dieser. Er würde sich mit Naturgewalt An= erkennung verschaffen.

Das Persönlichkeits= oder Individualrecht ist das Recht, von Jedermann die Anerkennung und Achtung der eigenen Persönlich= keit zu verlangen, weil sie vor dem objektiven Rechte grundsätzlich gleichwertig ist mit der Persönlichkeit eines jeden anderen Menschen.

Die objektive Gleichstellung vor dem Gesetz ist das Recht der Persönlichkeit oder, wie man auch sagt, das Recht der Person. Das Recht, die Anerkennung dieser Thatsache d. h. der Gleichstellung vor dem Recht im einzelnen Falle von Jedermann zu verlangen, ist das konkrete Persönlichkeits=, Individualrecht.

Wer einen Anderen beleidigt, verletzt, der Freiheit beraubt, in seiner Erwerbstätigkeit stört, seinen Namen, seine berechtigten Ab= zeichen, z. B. Wappen, sich anmaßt, versagt ihm die gebührende Anerkennung, verletzt sein entsprechendes Individualrecht. Aus der= gleichen Wertung, die jeder vor dem Gesetz genießt, folgt, daß der Umkreis, in dem sich der Einzelne bewegen darf, grundsätzlich jedem gesichert ist, daß also Grenzüberschreitungen verpönt sind. Eine Grenzüberschreitung liegt aber vor, wenn jemand innerhalb des ihm zukommenden Umkreises zur Betätigung seiner Persönlichkeit in seinem persönlichen Gehaben gestört wird.

Darum nennt man die Persönlichkeitsrechte auch „Rechte, die ihrem Subjekte die Herrschaft über einen Bestandteil der eigenen Persönlichkeitssphäre gewährleisten" (Gierke, Privatrecht I, § 81). Dieser Definition mangelt zwar auf den ersten Anblick etwas die Anschaulichkeit, auch könnte sie juristisch präziser gefaßt sein, doch ist sie nicht falsch, wenngleich sie methodisch fehlerhaft das logische Posterius an Stelle des Prius setzt. Die dem Einzelnen eigene Persönlichkeitssphäre wird rechtlich geschaffen erst dadurch, daß jeder von jedermann für seine Persönlichkeit und ihre Betätigung vor dem Gesetze die gleiche Geltung beanspruchen kann. Dies Recht schafft erst die Persönlichkeitssphäre und darum ist das Recht über die Persönlichkeitssphäre nur das logische Posterius.

Die eigentliche Grundlage des Individualrechtes ist und bleibt die grundsätzlich gleiche Daseinsberechtigung aller Menschen. Diese gleiche Daseinsberechtigung ist denn auch vom Rechte anerkannt, zwar nicht überall, in jeder Beziehung und für alle Menschen — so genießen z. B. der Landesherr und der Bundesfürst höheren strafrechtlichen Schutz als die Privatperson ꝛc. §§ 80 ff., 94 ff. St.G.B. —, aber sie ist doch nicht bloß ausnahmsweise, sondern grundsätzlich anerkannt.

Auch das Privatrecht, insbesondere das B.G.B. erkennt sie an. Einmal dadurch, daß es überhaupt alle Personen einander grundsätzlich gleichstellt, sie in gleicher Weise, in gleichem Umfange schützt, ferner dadurch, daß bestimmte einzelne Individualrechte ausdrücklich in Schutz genommen werden. Daraus ergibt sich dann weiter die analoge Behandlung anderer Individualrechte.

Alle einzelnen Individualrechte führen sich im Grunde darauf zurück, daß jeder das gleiche Recht hat, seine Person zu betätigen. Die Rechte auf Leben, Freiheit, Ehre, Namen ꝛc. sind nur Erscheinungsformen des ihnen allen zu Grunde liegenden Rechtes, seine Persönlichkeit zu betätigen, in seinem persönlichen Gehaben, in seinem Dasein nicht gestört zu werden. Trotzdem ist es empfehlenswert, die verschiedenen Erscheinungsformen selbständig von einander zu scheiden und ein besonderes Betätigungsrecht als Unterart aufzunehmen.

I. Jeder Mensch hat das Recht auf freie physische und psychische Betätigung seiner Person, das Recht zu gehen, zu atmen, zu sehen, zu hören, zu denken ꝛc. Dies ist ein unverzichtbares Recht. Es steht nicht unter einem besonderen privatrechtlichen Schutze, sondern wird wesentlich polizeilich geschützt, z. B. wem auf der Straße der Weg versperrt wird, der kann die Polizei um Hilfe angehen. Strafrechtlich wird es geschützt, soweit die Verletzung sich als ein strafrechtliches Delikt, z. B. Köperverletzung, Freiheitsberaubung, darstellt. Ebenso steht es mit dem privatrechtlichen Schutz, der gewährt wird, wenn die Verletzung des Persönlichkeitsrechtes eine zu Schadenersatz verpflichtende Handlung im Sinne des B.G.B. ist. Es wird also nur mittelbar vom Privatrechte geschützt.

Unmittelbar vom Privatrechte wird geschützt das Recht zu beliebiger Erwerbstätigkeit. Man muß sich zwar den Wettbewerb anderer gefallen lassen, jedoch hat man ein Recht darauf, daß man nicht durch einen unlauteren Wettbewerb in seiner Erwerbstätigkeit gestört werde. In seinem Rechte auf beliebige Erwerbstätigkeit wird der Deutsche geschützt durch eine Schadensersatzklage und durch eine Klage auf Unterlassung der unlauteren Wettbewerbshandlungen (Gesetz zur Bekämpfung des unlauteren Wettbewerbs vom 27. Mai 1896). Ferner bedroht dasselbe Gesetz den Täter auch noch mit öffentlichen Strafen. Das soeben behandelte Individualrecht steht auch den juristischen Personen zu.

Es ist unverzichtbar, aber der Einzelne kann sich verpflichten, es nur mit gewissen, jedoch nicht übermäßigen Beschränkungen auszuüben, z. B. ein Handlungsgehilfe verpflichtet sich seinem Prinzipal, nach seiner Entlassung aus dem Geschäfte an demselben Orte während der nächsten fünf Jahre kein Konkurrenzgeschäft zu begründen.

II. Jeder Mensch hat über seinen Leib und sein Leben die alleinige Verfügung. Zu seinem Schutze steht ihm das Recht der Notwehr zur Seite. Das bedeutet, daß eine Notwehrhandlung nicht strafbar ist (St.G.B. § 53) und daß sie nicht zu Schadensersatz verpflichtet.

§ 227 B.G.B.: „Eine durch Notwehr gebotene Handlung ist nicht widerrechtlich.

Notwehr ist diejenige Verteidigung, welche erforderlich ist, um einen gegenwärtigen rechtswidrigen Angriff von sich oder einem Anderen abzuwenden".

Ferner gibt das B.G.B. privatrechtliche Ansprüche auf Schadensersatz.

§ 823. „Wer vorsätzlich oder fahrlässig das Leben, den Körper die Gesundheit, die Freiheit, das Eigentum oder ein sonstiges Recht eines Anderen widerrechtlich verletzt, ist dem Anderen zum Ersatze des daraus entstehenden Schadens verpflichtet".

Einen besonderen Schutz genießt die Frau, einmal nach dem Strafgesetzbuch § 173 ff., mehrfach gemeinsam mit Personen männlichen Geschlechtes. Ferner wird sie geschützt durch § 825 B.G.B.: „Wer eine Frauensperson durch Hinterlist, durch Drohung oder unter Mißbrauch eines Abhängigkeitsverhältnisses zur Gestattung der außerehelichen Beiwohnung bestimmt, ist ihr zum Ersatze des daraus entstehenden Schadens verpflichtet". Der Schutz dieses In-

dividualrechtes erstreckt sich teilweise sogar auf Ersatz des immateriellen Schadens!

§ 847. „Im Falle der Verletzung des Körpers oder der Gesundheit, sowie im Falle der Freiheitsentziehung kann der Verletzte
auch wegen des Schadens, der nicht Vermögensschaden ist, eine
billige Entschädigung in Geld verlangen.

Ein gleicher Anspruch steht einer Frauensperson zu, gegen die
ein Verbrechen oder Vergehen wider die Sittlichkeit begangen oder
die durch Hinterlist, durch Drohung oder unter Mißbrauch eines
Abhängigkeitsverhältnisses zur Gestattung der außerehelichen Beiwohnung bestimmt ist".

Nach § 1300 kann eine unbescholtene Verlobte, die ihrem Verlobten die Beiwohnung gestattet hat, bei Auflösung der Verlobung
unter gewissen Voraussetzungen „auch wegen des Schadens, der
nicht Vermögensschaden ist, eine billige Entschädigung in Geld verlangen".

Das Recht auf Unversehrtheit ist unverzichtbar, ja es steht
nicht einmal unter der alleinigen Verfügung des Einzelnen, so macht
z. B. Einwilligung in die Tötung diese nicht straflos.

Der strafrechtliche und zivilrechtliche Schutz dieses Individualrechtes fällt im praktischen Ergebnisse mit dem Schutz des Rechtes
auf physische und psychische Betätigung der eigenen Person zusammen, wenn ihr besonderer Zweig, die Erwerbstätigkeit und der
Fall des § 1300 außer Ansatz bleiben.

III. Die Freiheit wird im Großen und Ganzen ebenso behandelt, wie Leib und Leben.

IV. Ehre. Das Recht auf Ehre ist ebenfalls ein Individualrecht. Ehre ist die äußerliche Achtung unter den Mitmenschen;
diese braucht sich niemand verkümmern zu lassen. Das Recht auf
Ehre ist also ein Recht auf Ehrung. Gegen seine Verletzung tritt
das Strafrecht auf, indem es öffentliche Strafe androht, aber auch
in § 188 St.G.B. dem Beleidigten das Recht auf Buße gibt.
B.G.B. § 824 bestimmt:

„Wer der Wahrheit zuwider eine Thatsache behauptet oder verbreitet, die geeignet ist, den Kredit eines Anderen zu gefährden oder
sonstige Nachteile für dessen Erwerb oder Fortkommen herbeizuführen, hat dem Anderen den daraus entstehenden Schaden auch

dann zu erſetzen, wenn er die Unwahrheit zwar nicht kennt, aber kennen muß", z. B. ungerechte Kritik an dem Werk eines Anderen.

Beſonderer Unterfall iſt behandelt in §§ 6, 7 des Geſetzes über den unlauteren Wettbewerb vom 27. Mai 1896.

Das Recht auf Ehre kann nicht veräußert und es kann auch nicht darauf verzichtet werden.

V. Name und Firma. Jeder Menſch hat ein unveräußerliches Recht auf ſeinen Vor- und Familiennamen. Das Recht auf den Vornamen erhält er durch Beilegung, das Recht auf den Familien-namen durch die Geburt oder Frauen auch durch Heirat, nicht eigentlich durch Vererbung; daneben kommt Kindesannahme und Legitimation vor.

§ 1616. „Das Kind erhält den Familiennamen des Vaters."

§ 1706. „Das uneheliche Kind erhält den Familiennamen der Mutter."

§ 1355. „Die Frau erhält den Familiennamen des Mannes".

§ 1758. „Das Kind erhält den Familiennamen des An-nehmenden."

§ 1772. „Mit der Aufhebung der Annahme an Kindesſtatt verlieren das Kind und diejenigen Abkömmlinge des Kindes, auf welche ſich die Aufhebung erſtreckt, das Recht, den Familiennamen des Annehmenden zu führen."

Gegen rechtswidrige Eingriffe Dritter hat der Berechtigte eine Klage auf Feſtſtellung des eigenen Rechtes oder des Nichtrechtes des Dritten. Er kann auch auf Unterlaſſung klagen.

§ 12. „Wird das Recht zum Gebrauch eines Namens dem Berechtigten von einem Anderen beſtritten oder wird das Intereſſe des Berechtigten dadurch verletzt, daß ein Anderer unbefugt den gleichen Namen gebraucht, ſo kann der Berechtigte von dem Anderen Beſeitigung der Beeinträchtigung verlangen. Sind weitere Beein-trächtigungen zu beſorgen, ſo kann er auf Unterlaſſung klagen."

Das Recht auf den Namen iſt unveräußerlich, unverzichtbar. Ja die Partikularrechte unterſagen eigenmächtige Namensänderung. Dieſe Beſtimmung wird neben dem B.G.B. in Kraft bleiben.

Auch Körperſchaften und Stiftungen haben ein Recht auf ihren bürgerlichen Namen und werden darin geſchützt.

Der adlige Name folgt den Beſtimmungen über den bürgerlichen Namen durchaus, es ſei denn, daß es ſich um einen hochadligen

Namen handelt. (So hat schon früher die Familie von Orelli einem Nichtberechtigten mit Erfolg ihren Namen abgestritten R.G.E. 29, S. 124). Es gehört das Wort „von" zu dem Namen und geht mit ihm über, ebenso im Zweifel die Titel Freiherr, Baron, Graf. Zu verwerfen ist die Ansicht, als ob neben der Frage nach dem adligen Familiennamen noch die Frage nach der Zugehörigkeit zum Adelsstande auftauchen könnte. Derartiges ist höchstens beim hohen Adel möglich. Der niedere Adel ist an sich im rechtlichen Sinne kein Stand, er ist es nur im gesellschaftlichen Sinne. Wenn Partikularrechte etwas Anderes bestimmen, so können sie doch neben den Vorschriften des B.G.B. über Erwerb und Verlust des Namens nicht zur Geltung kommen, insoweit die Frage nach der Zuhörigkeit zum „Adelsstande" praktisch ganz oder teilweise zusammenfällt mit der Frage nach dem Erwerb oder Verlust des Familiennamens.

Das Namenrecht des hohen Adels wird zunächst durch das Privatfürstenrecht geregelt [1]).

Ein besonders wichtiger Name ist die Firma der Kaufleute. Sie wird begründet durch Annahme, ist vererblich und mit dem Geschäfte zusammen veräußerlich. Der Inhaber hat das Recht, Eingriffe Dritter durch Klage abzuwehren (Gesetz gegen den unlauteren Wettbewerb vom 27. Mai 1896, Handelsgesetzbuch § 17 ff.).

Bestritten ist, ob ein Pseudonym zu schützen sei. Da ist zu beachten: Solange Pseudonyme nicht verboten sind, sind sie erlaubt und dies ist heutzutage überall der Fall. Unsere Litteratur ist reich an Pseudonymen. Ferner ist zu fragen, ob ein schutzwürdiges, berechtigtes Interesse an der alleinigen Führung des Pseudonyms besteht. Dies ist überall zu bejahen, wo das Pseudonym in Verbindung mit wertvollen Leistungen bekannt ist. Nicht jeder, der einmal ein Pseudonym gebraucht, hat ohne weiteres ein ausschließliches Anrecht daran, das Pseudonym muß vielmehr erst einen gewissen Wert gewonnen haben, dann ist das Interesse an ihm gerade so schutzwürdig, wie das Interesse am Familiennamen. Es ist also mindestens analoge Anwendung von § 12 möglich. Wir werden

---

1) So ist auf Klage des Fürsten Friedrich zu Sayn-Wittgenstein-Sayn der bürgerlichen Wittwe seines Bruders Amalie geb. Lilienthal das Recht abgesprochen worden, den fürstlichen Titel und das Geschlechtswappen als Zeichen und Ausdruck des Ranges und Standes ihres Mannes zu führen (R.G.E. 2, S. 156.)

auf den Schutz des Pseudonyms unter einem anderen Gesichtspunkte noch zurückkommen.

VI. Marke, Wappen, Warenzeichen. Noch heute bestehen Haus- und Hofmarken, die sich besonders im Bauernstande erhalten haben. Ursprünglich diente die Marke als Personalzeichen, wurde dann durch den geschriebenen Namen verdrängt und hat sich jetzt als Hofzeichen erhalten. Sie ist nicht minder wie der Name ein Individualisirungsmerkmal berechtigter Art und der Schutz, den der Name genießt, darf der Hofmarke nicht vorenthalten werden. Darum ist mindestens § 12 B.G.B. analog auf die Hofmarke anzuwenden. Man braucht nicht einmal unbedingt die analoge Anwendung von § 12. Man kann auch so schließen: Da alle Menschen Individualisierungsmerkmale führen, will ein Jeder natürlich das seinige ausschließlich für sich haben. Das B.G.B. steht nicht im Wege, denn es begünstigt auch in dieser Hinsicht nicht den Einen vor dem Anderen. Da es nicht verbietet, so erlaubt es, daß der Einzelne sein Individualisirungsmerkmal führt, es erlaubt aber nicht, daß er ein fremdes führe. Dies ist die logische Ergänzung, die deshalb notwendig ist, da der vom B.G.B. vorgefundene, von ihm stillschweigend geduldete, weil nicht verbotene Zustand der ist, daß nicht regellos und willkürlich alle möglichen Individualisierungsmerkmale gebraucht werden, sondern daß eben jeder sein ausschließliches Individualisierungsmerkmal führt. Es würde also auch das bloße Stillschweigen des B.G.B. genügen, auch wenn § 12 B.G.B. garnicht bestände.

Die Marke, die der Waldhammer trägt, fällt heute unter den reichsgesetzlich festgelegten Begriff des Warenzeichens von den unten die Rede sein wird.

Zu dem Namen gehört auch das Wappen. Dieselben Gründe sprechen für den Schutz des Wappens wie der Hofmarke. Es wird also auch hier § 12 B.G.B. analog anzuwenden sein.

Selbstverständlich ist, daß das Wappen von Körperschaften denselben Schutz genießt, wie das Wappen von Privatpersonen.

Selbst wenn man annimmt, daß analoge Anwendung des § 12 B.G.B. auf Hofmarke und Wappen unzulässig sei, so braucht man deshalb doch noch nicht mit Notwendigkeit zu der Folgerung zu kommen, daß Hofmarke und Wappen vom 1. Januar 1900 ab schutzlos seien, weil das B.G.B. sie mit Stillschweigen übergeht und bie partikularrechtlichen Bestimmungen nach Art. 54 aufgehoben sind.

Wie schon oben einmal angedeutet, besteht nirgendwo eine so gewisse Rechtsüberzeugung des Volkes als in der Grundlage für alle Individualrechte, in der gleichen Achtung eines jeden durch seine Mitmenschen vor dem Gesetz und in dem Rechte die Anerkennung dieser gleichen Achtung zu verlangen. Diese Volksüberzeugung zeigt sich ja täglich auf der Straße! Es ist nur eine besondere Aeußerung von ihr, wenn sie jedem das ausschließliche Recht auf seine gebräuchlichen ernsthaften Individualisierungsmerkmale gibt. Es würde sofort mit dem 1. Januar 1900 ein unbezweifelbares Gewohnheitsrecht einsetzen und den von der Volksanschauung als berechtigt anerkannten Individualisierungsmerkmalen Schutz verschaffen. Vergl. das S. 59 über das Pseudonym Bemerkte.

Ueber die Wappen ist noch etwas Besonderes zu bemerken. In- oder ausländische Staatswappen oder Wappen eines inländischen Ortes, eines inländischen Gemeinde- oder weiteren Kommunalverbandes dürfen nicht als Warenzeichen in die Zeichenrolle eingetragen werden (Gesetz vom 12. Mai 1894, § 4, Nr. 2).

Das Warenzeichen bezeichnet den Ursprung einer Ware. Es ist ebenso wie die Hausmarke schon sehr alt, hat sich aber in voller Kraft erhalten und ist vielfach gesetzlich anerkannt und geschützt worden, zuletzt durch Reichsgesetz vom 12. Mai 1894.

Jedermann kann für einen Geschäftsbetrieb sich das alleinige Recht zur Führung einer Marke als Warenzeichen verschaffen dadurch, daß er das Zeichen annimmt, beim Patentamte anmeldet (§§ 1, 2 des Gesetzes vom 12. Mai 1894) und daß das Patentamt es in die Zeichenrolle einträgt. „Die Eintragung eines Warenzeichens hat die Wirkung, daß dem Eingetragenen ausschließlich das Recht zusteht, Waren der angemeldeten Art oder deren Verpackung oder Umhüllung mit dem Warenzeichen zu versehen, die so bezeichneten Waren in Verkehr zu setzen, sowie auf Ankündigungen, Preislisten, Geschäftsbriefen, Empfehlungen, Rechnungen oder dergleichen das Zeichen anzubringen" (§ 12 a. a. O.).

Freizeichen, in- und ausländische Staatswappen, ärgerniserregende Darstellungen ꝛc. geben kein Recht, die Eintragung zu verlangen.

Eine nicht eingetragene Marke kann unter dem Gesichtspunkte

des Schutzes des Familiennamens, des Familienwappens gesetzlich geschützt sein, aber nicht in ihrer Eigenschaft als Warenzeichen. Wer sein Familienwappen auf den Waren führt, braucht keine Eintragung, wer aber mit fremder Erlaubnis ein fremdes Familienwappen als Warenzeichen führt, muß es eintragen lassen, weil es sonst schutzlos wäre.

Der Schutz wird erst begründet durch die Eintragung, die Annahme des Zeichens gibt nur ein Recht auf Eintragung. Hatte der Anmeldende kein solches Recht und es wird die Eintragung gelöscht, so „können für die Zeit, in welcher ein Rechtsgrund für die Löschung früher bereits vorgelegen hat, Rechte aus der Eintragung nicht mehr geltend gemacht werden" (§ 12 a. a. O.). Die Löschung wirkt rückwärts.

Neben dem eingetragenen Warenzeichen wird noch geschützt die besondere Ausstattung, die „innerhalb beteiligter Verkehrskreise als Kennzeichen gleichartiger Waren" eines Geschäftstreibenden gilt. Dieser Schutz wird ohne Eintragung gewährt.

In den behandelten Fällen gibt das Gesetz über die Warenzeichen Entschädigungsklagen, wenn Nichtberechtigte die für Waren berechneten Individualisierungsmerkmale Anderer führen. Die Voraussetzungen sind für die Klagen verschieden (§§ 14 ff. a. a. O.). In einigen Fällen wird die Absicht, zu täuschen, gefordert, in anderen wissentliche oder grob fahrlässige Rechtswidrigkeit. Statt auf Entschädigung zu klagen, kann der Geschädigte Strafantrag stellen und beantragen, daß ihm vom Strafgericht eine Buße zugesprochen werde bis zum Höchstmaß von 10 000 Mk. (§ 18 a. a. O.).

Neben den Bestimmungen des Gesetzes über die Warenzeichen kommt noch das Gesetz über den unlauteren Wettbewerb vom 27. Mai 1896 in Betracht. § 8. Wer im geschäftlichen Verkehr (einen Namen, eine Firma oder) die besondere Bezeichnung eines Erwerbsgeschäftes, eines gewerblichen Unternehmens oder einer Druckschrift in einer Weise benutzt, welche darauf berechnet und geeignet ist, Verwechselungen mit (dem Namen, der Firma oder) der besonderen Bezeichnung hervorzurufen, deren sich ein Anderer befugterweise bedient, ist diesem zu Ersatze des Schadens verpflichtet. Auch kann der Anspruch auf Unterlassung der mißbräuchlichen Art der Benutzung geltend gemacht werden. Vergl. dazu insbesondere §§ 4, 6, 7 desselben Gesetzes.

Das Gesetz über die Warenzeichen hat in § 16 unter öffent-
liche Strafe gestellt den Gebrauch eines Staatswappens, oder eines
Namens oder Wappens eines Ortes, eines Gemeinde- oder weiteren
Kommunalverbandes zum Zweck der Täuschung. Privatrechtliche
Folgen knüpfen sich hieran jedoch nicht.

VII. Der Schutz der persönlichen Geheimnisse. Der beschriebene Briefbogen steht regelmäßig im Eigentum des Empfängers,
bis zur Empfangnahme im Eigentum des Absenders. Jedoch interessiert hier die Frage nach dem Eigentum nicht, sondern es handelt
sich darum, ob das B.G.B. den Schreiber oder Empfänger eines
Briefes vor unerlaubter Veröffentlichung des Briefinhaltes schützt.

Jeder Mensch hat nach unzweifelhafter Volksanschauung das
Recht seiner eigenen Geheimnisse. Es ist taktlos, über seine Geheimnisse einen Menschen auszufragen, es ist mehr als taktlos,
irgendwelche Kniffe anzuwenden, um die Angelegenheiten eines Anderen auszuspionieren. Solche verwerflichen Mittel sind u. a.,
jemand in Trunkenheit, Hypnose, Narkose zu versetzen, seine Brief-
schaften, Tagebücher, Notizen zu durchsuchen, und ebenso schlimm ist
es, eine schon vorhandene Redseligkeit infolge von Trunkenheit ꝛc.
zu benutzen. Gleichgültig ist es, ob der Betrogene ein eigenes oder
ein ihm anvertrautes fremdes Geheimnis zu hüten hat. Jeder
Nichtwisser muß das Geheimnis Anderer achten.

Aber auch der Vertraute muß es achten. Ist es von dem,
der ein für ihn nicht bestimmtes Geheimnis mit tadelnswerten
Mitteln zu ergründen sucht, ein Unrecht, so ist Vertrauensbruch ein
noch ärgeres Unrecht.

Jedermann sieht es als das ureigenste Recht des Menschen an,
sein Innenleben für sich führen, es vor den Augen der Mitwelt
bewahren zu dürfen, möge es sich um ein Geheimnis handeln, von
dem niemand weiß oder das nur für einen einzigen oder ganz
wenige bestimmt ist. Der Grundsatz „Gedanken sind frei" wäre
hinfällig, wenn man Anderen das Recht des Ausspionierens oder
der Beaufsichtigung gäbe.

Der Vertrauensbruch ist auch dann unrecht, wenn es sich
nicht um Geheimnisse handelt, die e i n e P e r s o n betreffen
z. B. ein Architekt entdeckt beim Umbau eines Hauses wertvolle
Deckengemälde aus alter Zeit und wünscht natürlich sich den Ruhm
und die Ehre der Entdeckung und der Veröffentlichung zu bewahren.

Ein Freund mißbraucht die Erlaubniß, sich die Gemälde anzusehen und einige Felder zum Privatgebrauch für sich abzuzeichnen, und veröffentlicht das Ganze gegen den Willen des Entdeckers.

Solche Handlungen werden durch eine unzweifelhafte Rechtsüberzeugung scharf mißbilligt.

Haben diese im Volke lebendigen Rechtsanschauungen im B.G.B. Ausdruck gefunden? Unmittelbar nicht, einen besonderen Schutz gegen Indiskretionen gewährt das B.G.B. nicht. Aber soviel läßt sich mit Sicherheit sagen, daß niemand ein subjektives Recht auf die Geheimnisse eines Anderen hat.

Z.P.O. § 383 erlaubt bestimmten Vertrauten einer Partei, ihr Zeugnis über anvertraute Dinge zu verweigern, z. B. Verlobten, Ehegatten, bestimmten Verwandten, Geistlichen, Rechtsanwälten, Notaren, Aerzten, Hebammen, Apothekern 2c., vergl. auch Z.P.O. § 384, 3.

St.G.B. § 300 bedroht die Indiskretionen von Anwälten, Notaren, Aerzten, Hebammen, Apothekern 2c. mit Strafe.

St.G.B. § 299 bedroht mit Strafe die vorsätzliche und unbefugte Eröffnung eines verschlossenen Briefes oder einer anderen verschlossenen Urkunde, die nicht zu seiner Kenntnisnahme bestimmt ist.

St.G.B. § 354 enthält noch eine Sonderbestimmung für Postbeamte; St.G.B. § 355 ebenso für Telegraphenbeamte.

Unbedingt besteht für einen zivilrechtlichen Schutz ein Bedürfnis. Jemand kann den größten Schaden sich zuziehen, wenn sein Gegner hinterlistig ein Selbstgespräch von ihm oder ein Gespräch mit einem Anderen belauscht, oder den Diener durch Bestechung hiezu veranlaßt; oder wenn er trunken gemacht, hypnotisiert oder auch narkotisiert und dann hinterlistig ausgefragt wird; oder wenn sein Vertrauter eine mündliche oder schriftliche Mitteilung verrät. Der Architekt, der durch die Veröffentlichung der vielleicht kulturhistorisch sehr wichtigen Gemälde ein hohes Honorar gewinnen könnte, wird um seinen Verdienst betrogen, wenn ein Anderer durch unberechtigte Veröffentlichung der Entdeckung den Charakter der Neuheit nimmt u. s. w. Aber es hat jeder ein mehr als bloß materielles Interesse an der Achtung vor seinem Innenleben, die Handlung dessen, der ihn auszuspionieren sucht, ist immer tadelnswert. Die zweite Frage ist, ob das B.G.B. etwa durch eine Klage auf Verbot mit Androhung von Strafen für den Uebertretungsfall oder durch eine Klage unmittelbar auf Buße auch die Antastung der Persönlichkeit schützt, ohne daß aus etwaigen Indiskretionen ein materieller Schaden entsteht. Auch hier kann an sich das Bedürfnis eines zivilrechtlichen Schutzes nicht gut geleugnet werden. Dies haben z. B. außer dem Schreiber eines Briefes auch noch Andere. Vielfach werden die Briefe bedeutender Menschen nach ihrem Tode veröffentlicht. Sehr häufig enthalten sie diskrete Mitteilungen über Andere, die von diesen dem Schreiber anvertraut sind mit der Erlaubnis, sie an den Empfänger des Briefes weiter zu geben. Wenn diese Personen bei der Veröffentlichung noch leben, können sie ein sehr großes und sehr berechtigtes Interesse haben, die Veröffentlichung zu hindern. Für das Strafrecht liegen die Fälle häufig nicht schwer genug, andererseits wird Strafverfolgung auch nicht immer gewünscht. Aber die Zivilklage hat einen großen Mangel: die Oeffentlichkeit des Verfahrens. Durch sie wird das Geheimnis, das durch die Klage geschützt werden soll, zur Kenntnis der ganzen Welt gebracht und ohne entsprechende Aenderungen in unserer Zivilprozeßordnung ist eine solche zivilrechtliche Klage ziemlich unpraktisch. Daher mag es denn auch wohl kommen, daß Klagen dieser Art so wenig angestellt werden.

Wenn auch das B.G.B. dem soeben behandelten Persönlichkeitsrecht keine ausdrückliche Bestimmung widmet, so ist es doch nicht schutzlos. Die Hilfe kommt von § 823. „Wer vorsätzlich oder fahrlässig das Leben, den Körper, die Gesundheit, die Freiheit, das Eigentum oder ein sonstiges Recht eines Anderen widerrechtlich verletzt, ist dem Anderen zum Ersatz des daraus entstehenden Schadens verpflichtet.

„Die gleiche Verpflichtung trifft denjenigen, welcher gegen ein den Schutz eines Anderen bezweckendes Gesetz verstößt.“

Dies trifft zu in den Fällen der §§ 300, 299, 354, 355 St.G.B. Diese Paragraphen bezwecken den Schutz eines Anderen und ein Verstoß gegen sie macht nach § 823 II B.G.B. haftbar auf Schadensersatz.

Ferner hilft das B.G.B. noch sonst. Vergl. § 826. „Wer in einer gegen die guten Sitten verstoßenden Weise einem Anderen vorsätzlich Schaden zufügt, ist dem Anderen zum Ersatz des Schadens verpflichtet.“ Diese Bestimmung paßt im Allgemeinen recht gut, denn ein Verstoß gegen die guten Sitten liegt bei Indis-

tretionen immer vor. Soweit fahrläſſig Schaden zugefügt iſt, gewährt § 826 keinen Schutz. Im Großen und Ganzen kann man
mit dieſem Ergebnis zufrieden ſein.

Eine kleine Folgerung muß aber noch gezogen werden. Wer
auf Entſchädigung klagen kann, muß auch das Recht haben, künftige
Schädigungen zu verbieten oder gerichtlich verbieten zu laſſen. Wo
alſo die §§ 823, 826 platzgreifen, wird man dem Klagberechtigten
auch die Befugnis zugeſtehen müſſen, gemäß § 890 Z.P.O. auf
richterliche Strafandrohung anzutragen für den Fall weiterer Indiskretionen. Einen Mangel allerdings haben die §§ 823, 826, ſie
umfaſſen nur den Schaden, der Vermögensſchaden iſt. Ideeller
Schaden wird nicht erſetzt.

Es iſt aber noch ganz allgemein hieher zu ziehen das Verbot
der Schikane. § 226. „Die Ausübung eines Rechtes iſt unzu-
läſſig, wenn ſie nur den Zweck haben kann, einem Anderen Schaden
zuzufügen." Hier wird die Perſon um ihrer ſelbſt willen aus ſitt-
lichen Beweggründen geſchützt, ſogar gegen ein offenbares ſubjektives
Recht des Schädigers. Um wie viel mehr muß dies gelten, wenn
der Schädiger ſich nicht einmal auf ein beſonderes ſubjektives Recht
zur Vornahme ſeiner Handlung berufen kann, vielmehr ſeine Handlung nur dadurch rechtfertigen will, daß ſie erlaubt ſei, weil ſie
nicht ausdrücklich verboten ſei. Wer alſo aus Bosheit fremde Ge-
heimniſſe der Welt kundgibt, kann auf Schadenserſatz und Unterlaſſung gemäß § 226 B.G.B. und § 890 Z.P.O. verklagt werden,
wenn es offenbar iſt, daß er nichts anderes wollte, als dem Anderen Schaden zuzufügen.

Das Geſetz gegen das unlautere Geſchäftsgebahren vom 27. Mai
1896 ſchützt in den §§ 9, 10 das Geſchäfts- oder Betriebsgeheimnis.
Doch iſt hier das Geheimnis ſchon zu ſehr zu einem ſelbſtändigen
Vermögenswert ausgewachſen, als daß es ſtreng genommen hierher
gehörte. Es gehört näher an die Gruppe der zu ſelbſtändigen Ver-
mögenswerten ausgewachſenen Immaterialgüterrechte, vergl. § 384, 3.
Z.P.O.

Es bleibt aber immer noch ein beträchtlicher Teil des Perſön-
lichkeitsrechtes ungeſchützt, aber auch hier gilt, was überhaupt vom
Menſchen verlangt werden kann: Ein Jeder ſoll Acht haben auf
ſich und ſeinen Umgang und ſoll in erſter Linie durch ſeine Vorſicht
ſich ſchützen.

Die im Vorstehenden über den § 826 entwickelten Grundsätze zeigen den Weg, wie man auch das Pseudonym schützen kann, ohne die Frage aufwerfen zu müssen, ob § 12 B.G.B. anwendbar ist. Es kann zwar nicht unmittelbar durch Anwendung von § 12, sondern mittelbar geschützt werden, soweit die Voraussetzungen von § 826 zutreffen. Dies gilt auch von Hofmarke und Wappen, oben S. 60.

VIII. Allgemeine Bemerkungen. Die Persönlichkeitsrechte sind im Allgemeinen ziemlich stiefmütterlich bedacht, aber man darf doch nicht so weit gehen, zu sagen, daß sie nach dem B.G.B. geradezu schutzlos wären. Im Gegenteil geht ihr Schutz weit über einige bloße Ansätze hinaus, insbesondere werden sich hier die §§ 823, 826, 226, 829 fruchtbar erweisen.

Besonders beachtenswert ist aber auch noch § 823 I: Wer ein sonstiges Recht verletzt .. Es ist gleichgültig, ob das Recht durch das B.G.B., das St.G.B. oder ein anderes Gesetz anerkannt ist. Dieser Begriff des „sonstigen Rechtes" wird sich zum Schutze des Individualrechtes noch als sehr fruchtbar erweisen. Beachtenswert ist ein Urteil des obersten Landesgerichtes für Baiern, Juristenzeitg. II S. 348, das einen Deutschen wegen groben Unfugs verurteilte, der durch Aushängen einer Trikolore an einem Festtage die berechtigten patriotischen Empfindungen seiner Mitbürger rücksichtslos und grob verletzt hatte. Durch dieses Erkenntniß wurde das Individualrecht der Mitbürger geschützt und es besteht gar kein Grund, den Schutz des § 823 I da zu versagen, wo eine Verurteilung wegen groben Unfugs erfolgen könnte. Dann bedeutet es auch keinen Verlust, daß § 823 II auf die Fälle des groben Unfugs grundsätzlich nicht anwendbar sein wird.

Es muß aber allen Juristen zur Erkenntnis kommen, daß das Recht der Persönlichkeit das ureigenste Recht eines jeden Menschen ist, so zwar, daß es alle seine sonstigen subjektiven Rechte, z. B. Eigentum, Pfandrecht, Nießbrauch, Forderungsrecht begleitet. In der Verletzung dieser Rechte kann liegen und liegt auch regelmäßig eine Verletzung der Persönlichkeit. Da diese subjektiven Rechte ihren Schutz schon in sich selber genießen, entfällt für den Menschen jedes Interesse, daneben sein verletztes Recht der Persönlichkeit noch besonders geltend zu machen. Aber wo sonstige subjektive Rechte nicht bestehen, muß das einzelne Persönlichkeitsrecht für sich allein schon geschützt werden. Dieser Schutz

5*

läßt sich aber auf dem Boden der Erkenntnis, daß vor dem Rechte alle Personen gleichstehen und aus dieser gleichen Geltung Aller die entsprechende Beschränkung des Einzelnen folgt, sehr wohl aufbauen. Es wäre ein Widerspruch, wenn man jemandem, der nicht mehr gilt als sein Mitmensch, erlauben wollte, dessen Kreise zu stören. **Das wäre ein Verstoß gegen den obersten Grundsatz unseres positiven Rechtes.** Wenn irgendwo, so haben hier die Juristen die Pflicht, den Grundsatz: Suum cuique durchzuführen [1]).

Das Recht hat einen Jeden zu schützen in dem, was es ihm zugeteilt hat, es hat aber auch einem Jeden zuzuteilen, worauf er berechtigten Anspruch hat.

Wir sind daher in Beziehung auf die Persönlichkeitsrechte garnicht so sehr, wie in anderen Fällen, von positiven Regeln des Gesetzes abhängig. Solange jener oberste Grundsatz von der gleichen Geltung Aller vor dem Gesetz festgehalten wird, ergibt sich der Schutz der einzelnen Persönlichkeitsrechte in gewissem Umfange als Folgerung daraus von selber. So hat denn auch schon früher unsere Rechtsprechung das Recht auf den Namen anerkannt, obgleich eine positive Gesetzesbestimmung fehlte.

---

1) Man höre die Römer l. 10 § 1 D. de justitia et jure 1, 1. Ulpianus l. 1 regularum. Juris praecepta sunt haec: honeste vivere, alterum non laedere, suum cuique tribuere.

Drittes Buch.

Recht der Schuldverhältnisse.

—

Erster Abschnitt.

Einzelne Schuldverhältnisse.

§ 11. Miete, Pacht.

I. **Miete.** 1) Wenn jemand sich eine Wohnung mietet, so erwirbt er das Recht, genauer das **Forderungsrecht**, daß ihm der Vermieter die gemietete Wohnung zum Gebrauch überlasse, andererseits übernimmt er die Pflicht, d. h. die obligatorische Verpflichtung, den verabredeten Mietzins, Schuld, zu zahlen, § 535. Der Mietzins braucht nicht in Geld zu bestehen, z. B. der Mieter liefert Naturalien, oder der Mieter erhält freie Wohnung gegen die Verpflichtung, die Gartenarbeiten oder die Maurerarbeiten zu besorgen ꝛc. Die Miete bezieht sich immer nur auf körperliche Sachen (§§ 535, 90). Der Mieter erwirbt nicht das Eigentum an der Wohnung, den in ihr befindlichen Mobilien ꝛc., sondern alles bleibt Eigentum des Vermieters: Verbrennt das Haus, so ist dies zunächst Schaden des vermietenden Eigentümers, dem Mieter gehört nichts von dem Hause und er braucht auch nichts zu ersetzen, wenn er an dem Brande keine Schuld trägt. Die Miete entsteht, wie es schon aus dem täglichen Leben bekannt ist, durch einen Vertrag. Dieser Vertrag kann mündlich, schriftlich, wie die Parteien es wollen, geschlossen werden. Jedoch muß der Vertrag schriftlich geschlossen werden, wenn ein Haus, Stockwerk, Zimmer, Scheune ꝛc. auf längere Zeit als ein Jahr gemietet wird (§§ 566, 580).

2) Rechte des Vermieters. Der Mieter hat den Mietzins, wenn nichts anderes ausgemacht ist, postnumerando zu zahlen (§ 551). Er hat die gemietete Sache mit Sorgfalt zu behandeln. Stößt der Mieter einer möblierten Wohnung das Tintengeschirr um, sodaß die Tischdecke beschädigt wird, so muß er, da regelmäßig Fahrlässigkeit vorliegen wird, den Schaden tragen. Denn es ist ein ganz allgemeiner Satz des Rechtes der Schuldverhältnisse, daß der Schuldner für Vorsatz und Fahrlässigkeit aufzukommen hat. Fahrlässig im Sinne des B.G.B. ist, "wer die im Verkehr erforderliche Sorgfalt außer Acht läßt (§ 276)". Entschuldigen kann sich der Mieter nicht damit, daß er bewußtlos trunken gewesen sei, denn er soll sich eben nicht berauschen (§ 827). Trunkenheit wird nur dann nachgesehen, wenn sie unverschuldet war (§ 827). Wird die Wohnung vom Mieter z. B. durch fahrlässige Brandstiftung ganz oder teilweise zerstört (§ 276), so muß er natürlich Schadensersatz leisten.

Wenn den Mieter an der Beschädigung oder Zerstörung der Wohnung keine Schuld trifft, mag andererseits die Wohnung a. mit oder b. ohne Schuld des Vermieters (vorsätzlich oder fahrlässig) beschädigt oder zerstört sein, so braucht in diesen Fällen der Mieter keinen oder doch nur einen entsprechend geringeren Mietzins zu zahlen (§ 537). Jedoch muß er wählen: Entweder, wo er zulässig ist, f. a, Schadensersatz oder gänzliche, auch teilweise Befreiung vom Mietzins (§ 538).

Der Vermieter eines Grundstückes [1]), z. B. eines ganzen Hauses oder auch nur eines Stockwerkes, oder eines Zimmers hat für seine Forderungen aus dem Mietverhältniß, aber nicht für gelieferte Lebensmittel, Auslagen an Schneider, Schuster, Post u. s. w. ein Pfandrecht an den eingebrachten Sachen des Mieters, z. B. den Möbeln (§ 559). Er kann verhindern, daß Sachen des Studenten, der bei ihm wohnt, entfernt werden, ja er kann in bloßer Selbsthilfe ohne gerichtliche Hilfe die Sachen mit Beschlag belegen und an sich nehmen, wenn der Student auszieht. Werden die Sachen ohne Wissen oder gegen Widerspruch des Vermieters vom Grundstück fortgeschafft, so

---

1) Einzelne Stockwerke, Zimmer, Keller werden nach § 580 wie Grundstücke behandelt.

kann er sie binnen eines Monats herausverlangen (§ 561). Werden jedoch die Sachen mit seinem Wissen oder ohne seinen Widerspruch fortgeschafft, so erlischt das Pfandrecht sofort (§ 560). Ein entsprechendes Recht des Mieters gibt es nicht, er kann sich also nicht weigern, bei Ablauf der Mietzeit auszuziehen, weil er noch Forderungen gegen den Vermieter hat (§ 556).

3) **Rechte des Mieters.** Der Mieter braucht für das gewöhnliche „Verwohnen", „Abwohnen" der Wohnung keinen Ersatz zu geben (§ 548), vielmehr muß nach §§ 536, 580 der Vermieter die Wohnung dem Mieter in einem Zustande, der dem verabredeten Gebrauch entspricht, übergeben und erhalten. Wird also bei normalem Gebrauch der Fußbodenanstrich abgetreten, dann muß der Vermieter ihn erneuern lassen. Entfernt der Vermieter einer möblierten Wohnung aus ihr die besseren Möbel, Teppiche 2c., um sie garnicht oder durch schlechtere zu ersetzen, nachdem er die Wohnung mit den besseren Möbeln, Teppichen 2c. vermietet hatte, so kann der Mieter verlangen, daß das ursprüngliche Mobiliar wieder hergegeben werde. Waren beim Abschluß des Mietvertrages dem Mieter zwei gute, heile Handtücher zur Verfügung gestellt, so darf der Vermieter nicht nachträglich sie durch ein schlechtes, zerrissenes Handtuch ersetzen 2c. Wird die Wohnung vom Vermieter fahrlässig oder vorsätzlich z. B. durch Brandstiftung zerstört, so muß der Vermieter ebenfalls nach § 276 Schadensersatz leisten, z. B. für verbrannte Sachen des Mieters, aber auch für Ausgaben, die der Mieter seiner Unterkunft wegen machen mußte, Umzugskosten 2c.

Die vermietete Sache hat **Mängel**, wenn sie a) Fehler im Sinne von § 537, I hat, die „ihre Tauglichkeit zu dem vertragsmäßigen Gebrauch aufheben oder mindern" oder b) zugesicherte Eigenschaften ihr fehlen, § 537, II. Fehler ist immer ein Mangel, aber nicht umgekehrt. Wird die Wohnung am 5. August gemietet und am 1. Oktober bezogen, so ist zu unterscheiden, ob die Mängel schon am 5. August oder am 1. Oktober vorhanden sind. a. Wenn die vermietete Wohnung schon beim Abschluß des Mietvertrages (am 5. August) Mängel hatte, so hat der Mieter das Recht auf Erlaß oder Minderung des Mietzinses (s. o. S. 70) nur dann, wenn er die Mängel nicht kennt. Hat aber der Mieter in grober Fahrlässigkeit die Wohnung nicht genügend besichtigt, als er sie mietete, so kann er wegen Fehler keinerlei Ansprüche gegen den Vermieter erheben, es sei denn, daß dieser die Fehler arglistig verschweigt. Will also N. von V. ein Haus mieten und es besichtigen, so ist zweierlei möglich. V. gibt dem N. den Schlüssel und sagt: Besehen Sie sich das ganze Haus, alle Thüren sind offen. N. geht sehr flüchtig durch das Haus und nimmt sich nicht einmal die Mühe, das obere Stockwerk zu besichtigen, iu dem die Zimmerdielen große mit darüber genagelten, ungehobelten Brettern verdeckte Löcher haben. Nach seiner Rückkunft fragt ihn V.: Haben Sie alles gesehen? N. bejaht und V. schließt gutgläubig mit ihm den Mietvertrag ab. In diesem Falle haftet V. nicht (§ 539).

Wenn V. den N. begleitet und bemerkt, daß N. nicht einmal das obere Stockwerk besichtigt und ohne weiteres mieten will, dann darf V. diesen Umstand nicht arglistig benutzen, die Fehler des oberen Stockwerkes verschweigen und schnell mit N. einen bindenden Vertrag schließen, bevor dieser die Mängel bemerkt hat. In diesem Falle haftet V. (§ 539).

Wollte sich nun der Vermieter doppelt sichern und würde er mit dem Mieter vereinbaren, daß er dem N. für keinerlei Mängel aufkäme, so würde ein solches Abkommen doch garnicht gelten, weil eben V. dem N. den Mangel arglistig verschwiegen hat (§ 540).

b. Die Mängel, die schon beim Abschluß des Vertrages vorhanden waren, zeigen sich zuweilen erst, wenn die Wohnung bezogen wird, oder sie entstehen erst nach dem Abschluß des Vertrages, (nach dem 5. August). Dann kann dem Mieter unmöglich der Beweis aufgelegt werden, daß die Mängel schon am 5. August vorhanden gewesen seien. Darum bestimmt § 537 „Ist die vermietete Sache zur Zeit der Ueberlassung an den Mieter mit einem Fehler behaftet, der ihre Tauglichkeit zu dem vertragsmäßigen Gebrauch aufhebt oder mindert, oder entsteht im Laufe der Miete ein solcher Fehler, so ist der Mieter für die Zeit, während deren die Tauglichkeit aufgehoben ist, von der Entrichtung des Mietzinses befreit, für die Zeit, während deren die Tauglichkeit gemindert ist, nur zur Entrichtung eines nach den §§ 472, 473 zu bemessenden Teiles des Mietzinses verpflichtet.

Das Gleiche gilt, wenn eine zugesicherte Eigenschaft fehlt oder später wegfällt. Bei der Vermietung eines Grundstücks steht die Zusicherung einer bestimmten Größe der Zusicherung einer Eigenschaft gleich".

Merkt der Mieter beim Einzuge Fehler der Wohnung, so muß er sich beim Einzuge seine Rechte vorbehalten, da er sie sonst verliert (§ 539), dagegen schadet es ihm nicht, wenn er beim Einzuge in Folge grober Fahrläßigkeit den Fehler nicht merkt. Dem § 539 entspricht

§ 545. „Zeigt sich im Laufe der Miete ein Mangel der gemieteten Sache oder wird eine Vorkehrung zum Schutze der Sache gegen eine nicht vorhergesehene Gefahr erforderlich, so hat der Mieter dem Vermieter unverzüglich Anzeige zu machen. Das Gleiche gilt, wenn sich ein Dritter ein Recht an der Sache anmaßt.

Unterläßt der Mieter die Anzeige, so ist er zum Ersatze des daraus entstehenden Schadens verpflichtet; er ist, soweit der Vermieter infolge der Unterlassung der Anzeige Abhilfe zu schaffen außer stande war, nicht berechtigt, die im § 537 bestimmten Rechte geltend zu machen oder nach § 542 Abs. 1 Satz 3 ohne Bestimmung einer Frist zu kündigen oder Schadensersatz wegen Nichterfüllung zu verlangen.“

Ferner haftet der Vermieter, wenn er eine Sache vermietete, die ihm nicht gehört (§ 541), auch hat der Mieter das Recht, den Vertrag sofort zu kündigen, wenn ihm die gemietete Sache zu spät zur Verfügung gestellt oder wieder entzogen wird. Näheres enthalten die §§ 542, 543. Kann der Mieter die Wohnung nicht beziehen, z. B. wegen Versetzung, so muß er die Wohnung bezahlen, jedoch muß der Vermieter abrechnen, was er durch etwaiges Wiedervermieten erzielt. Der Vermieter ist nicht verpflichtet, wieder zu vermieten, aber der Mieter kann nach § 549 unter Einwilligung des Vermieters aftervermieten. Hat der Vermieter schon anderweitig wiedervermietet, so kann er vom ersten Mieter keine Miete verlangen, solange er ihm die Wohnung nicht einräumen kann (§ 552). Andererseits können nach § 570 Militärpersonen, Beamte, Geistliche, Lehrer an öffentlichen Unterrichtsanstalten mit Einhaltung der gesetzlichen Frist kündigen, wenn sie versetzt werden. (Näheres siehe unter 4.)

4) Endigung der Miete.

§ 569. „Stirbt der Mieter, so ist sowohl der Erbe als der Vermieter berechtigt, das Mietverhältnis unter Einhaltung der gesetzlichen Frist zu kündigen. Die Kündigung kann nur für den ersten Termin erfolgen, für den sie zulässig ist.“

Hat also der Mieter vom 1. April 1900 bis zum 31. März 1902 fest gemietet, so hat an sich keine von beiden Parteien ein Kündigungsrecht. Stirbt der Mieter am 1. August 1900, so haben der Vermieter und der Erbe des Mieters gleicher Weise das Kündigungsrecht des § 565 I Satz 1 d. h. jeder kann zum 31. Dezember 1900 kündigen und zwar muß er spätestens am 3. Oktober und, wenn der 1. Oktober auf einen Feiertag fällt, spätestens am 4. Oktober (§ 565 I Satz 1) kündigen. Versäumt er dies, so muß er die Miete bis zum 31. März 1902 aushalten und kann nicht etwa am 1. Januar 1901 zum 31. März 1901 kündigen (§ 569 Satz 2). Es steht ihm auch nicht frei am 3. oder 4. Oktober 1900 zum 31. März, 30. Juni, 30. September 1901 ꝛc. zu kündigen; er kann nicht später als am 3. oder 4. Oktober und nicht später als zum 31. Dezember 1900 kündigen.

Ganz genau entsprechend ist zu verstehen § 570, wenn man den 1. August statt als Todestag als Termin der Versetzung des Beamten, Offiziers ꝛc. betrachtet.

In gewissen Fällen z. B. „wenn der Mieter für zwei aufeinander folgende Termine mit der Entrichtung des Mietzinses oder eines Teiles des Mietzinses in Verzug" ist, kann der Vermieter sofort kündigen, sodaß der Mieter sofort ausziehen muß (§§ 553, 554).

Dasselbe Recht hat der Mieter, wenn die Wohnung gesundheitsschädlich ist, er verliert es nicht einmal durch Verzicht (§ 544).

Im Übrigen gelten die ausgemachten Kündigungsfristen, insbesondere gelten die ortsüblichen Kündigungsfristen als stillschweigend ausgemachte (§ 564).

Ist a. keine Kündigungsfrist ausgemacht, was man nur in dem sehr seltenen Falle annehmen kann, daß ortsübliche Fristen nicht bestehen, oder kommen b. die teilweise schon besprochenen §§ 567, 569, 570 B.G.B., § 19 K.O., § 57 Z.B.G. zur Anwendung, so gelten die gesetzlichen Kündigungsfristen des § 565. Es ist wohl zu beachten, daß die gesetzlichen Kündigungsfristen nur für die unter a. und b. aufgeführten Fälle von Bedeutung sind. Bemerkenswert ist, daß bei Grundstücken regelmäßig nur zum 31. Dezember, 31. März, 30. Juni oder 30. September gekündigt werden kann. Vergl. jedoch § 565 I Satz 2, 3; III.

Das Recht des Mieters für die Zeit, wo die Wohnung wegen

Mängel nicht bewohnbar ist, den Mietzins zu verweigern (§ 537 ff). bedeutet noch keine Aufhebung des Mietevertrages; dieser besteht an sich weiter und jede Partei bleibt an ihn gebunden. Wird also die auf mehrere Jahre gemietete und durch Hochwasser zerstörte Wohnung noch vor Ablauf der Mietzeit wieder hergestellt, so zeigt sich die volle Kraft des Mietvertrages wieder vorbehaltlich jedoch § 542, s. u.

Haben dritte Personen Rechte an der vermieteten Wohnung, die sie zum Nachteil des Mieters geltend machen, so hat der Mieter entsprechende Rechte, wie bei körperlichen Mängeln der Wohnung.

§ 541. „Wird durch das Recht eines Dritten dem Mieter der vertragsmäßige Gebrauch der gemieteten Sache ganz oder zum Teil entzogen, so finden die Vorschriften der §§ 537, 538, des § 539 Satz 1 und des § 540 entsprechende Anwendung."

§ 542. „Wird dem Mieter der vertragsmäßige Gebrauch der gemieteten Sache ganz oder zum Teil nicht rechtzeitig gewährt oder wieder entzogen, so kann der Mieter ohne Einhaltung einer Kündigungsfrist das Mietverhältnis kündigen. Die Kündigung ist erst zulässig, wenn der Vermieter eine ihm von dem Mieter bestimmte angemessene Frist hat verstreichen lassen, ohne Abhilfe zu schaffen. Der Bestimmung einer Frist bedarf es nicht, wenn die Erfüllung des Vertrags infolge des die Kündigung rechtfertigenden Umstandes für den Mieter kein Interesse hat.

Wegen einer unerheblichen Hinderung oder Vorenthaltung des Gebrauchs ist die Kündigung nur zulässig, wenn sie durch ein besonderes Interesse des Mieters gerechtfertigt wird.

Bestreitet der Vermieter die Zulässigkeit der erfolgten Kündigung, weil er den Gebrauch der Sache rechtzeitig gewährt oder vor dem Ablaufe der Frist die Abhilfe bewirkt habe, so trifft ihn die Beweislast."

Voraussetzung für die Geltendmachung der in § 542 gegebenen Rechte ist die Beobachtung der Vorschriften des § 545, s. oben.

Bleibt der Mieter nach Ablauf der Mietzeit wohnen ꝛc., so gilt der alte Vertrag weiter, aber so, als ob eine Zeitbestimmung in ihm nicht enthalten wäre. Die Zeitbestimmung wird einfach gestrichen (§ 565). Jeder kann in der ortsüblichen oder der gesetzlichen Frist kündigen (§ 568).

5) Veräußert der Vermieter sein Grundstück an einen Dritten, so tritt der Käufer in den Mietvertrag ein, als ob dieser mit ihm

abgeschlossen wäre, jedoch haftet der Vermieter gewissermaßen als Bürge für den Käufer auf Ersatz des von dem Erwerber zu ersetzenden Schadens. Der Verkäufer ist im Übrigen des Mietsvertrages ledig. Teilt er dem Mieter mit, daß nunmehr der Käufer Eigentümer sei, so haftet er als Bürge nur dann, wenn nicht der Mieter zu dem ersten gesetzlich zulässigen Termin kündigt. Kann also nur vom 1. Oktober zum 31. März und umgekehrt gekündigt werden und das Haus wird am 15. April verkauft und vom Käufer erworben, so muß der Mieter zum 31. März kündigen und dann haftet ihm der Vermieter als Bürge für den Käufer bis zum 31. März. Kündigt der Mieter überhaupt nicht, so haftet auch der Vermieter nicht. Will also der Mieter wegen Schadens, den der Erwerber zu ersetzen hat — und nur für eine Schadenersatzforderung haftet der Verkäufer als Bürge —, den Verkäufer im Juni als Bürgen verklagen, so muß er vorher dem Käufer gekündigt haben. Will er im November klagen und hat er den 1. Oktober vorübergehen lassen, ohne inzwischen zu kündigen, so haftet ihm der Verkäufer überhaupt nicht (§ 571).

Veräußert der Käufer weiter, so wird nach § 579 im Allgemeinen bei diesem zweiten Eigentumswechsel alles ebenso gehalten, wie beim ersten (§ 579).

Die erwähnten Bestimmungen faßt man ihrer wesentlichen Bedeutung nach unter dem Worte: Kauf bricht nicht Miete zusammmen. Der Verkäufer haftet als Bürge, weil sonst der Mieter leicht geschädigt werden könnte, wenn der Käufer zahlungsunfähig ist. Aber die Haftung wird billiger Weise zeitlich begrenzt.

6) Alle Vorschriften des B.G.B. über die Miete, wenn sie nicht ganz besonders nur auf Grundstücke berechnet sind (vergl. §§ 544, 551 II, 556 II, 559—563, 565 I, III, 566, 571—579), gelten auch für bewegliche Sachen, z. B. man mietet sich ein Pferd, eine Dampfdreschmaschine, einen Dampfpflug, ein Buch aus der Leihbibliothek, ein Paar Schlittschuhe 2c. Volkstümlich spricht man in den letzten Fällen von leihen, weil jedoch ein Entgelt gezahlt werden muß, haben wir eine echte Miete vor uns.

II. Pacht. 1. Die Pacht unterscheidet sich von der Miete dadurch, das der Pächter berechtigt ist, sich die Erträgnisse des verpachteten Gegenstandes anzueignen, z. B. der Pächter erwirbt zwar nicht an dem verpachteten Lande, aber an den geernteten Früchten

Eigentum. Die Ställe und Scheunen gehören dem Verpächter, aber was darin ist, gehört dem Pächter, wenn es auch von dem Grund und Boden des Verpächters stammt (§ 581).

Im Allgemeinen steht die Pacht unter den Vorschriften der Miete (§ 581).

2. Jedoch trägt die gewöhnlichen Verbesserungen z. B. an Wegen, Gräben, Stall, Scheuer, Wohnhaus der Pächter (§ 582), er darf die wirtschaftliche Bestimmung des Gutes nur für seine Pachtzeit ändern, z. B. keine Brauerei anlegen (§ 583). Der Verpächter hat ein Pfandrecht auch an den Früchten des Gutes, aber im weiteren Umfange als der Vermieter (§ 585). Andererseits hat (im Gegensatz zum Mieter [vergl. § 556]) der Pächter ein Pfandrecht an dem in seinen Händen befindlichen Inventar, aber nur wegen Forderungen, die sich auf das Inventar beziehen (§ 590).

3. a. Ist das Inventar mit verpachtet, so muß der Pächter es in Stand und Ordnung halten, den gewöhnlichen Abgang am Viehstand nach den Grundsätzen einer ordnungsmäßigen Wirtschaft ersetzen. Außerordentliche Verluste am Inventar, z. B. durch Rotz, Maul- und Klauenseuche ꝛc., trägt jedoch der Verpächter, wenn nicht der Pächter z. B. wegen Fahrlässigkeit haftbar gemacht werden kann (§ 586).

b. Übernimmt der Pächter das Inventar zum Schätzungswerte mit der Verpflichtung, nach Ablauf der Pacht es zum Schätzungswerte wieder zu erstatten, so muß er alle Gefahr tragen, der Verpächter kommt für nichts auf, obgleich das Inventar, auch die vom Pächter neu angeschafften Stücke, sein Eigentum sind (§§ 587, 588). Wird z. B. Vieh durch Blitzstrahl getötet, so müßte dies eigentlich Schaden des Eigentümers, des Verpächters sein, aber nach § 588 trifft dieser Schaden den Pächter. Die Sache liegt also umgekehrt wie im Falle des § 586, wo ohne Schätzung das Inventar verpachtet wird.

4. Beim Abzug vom Gute muß in jedem Falle der Pächter soviel Futter, Korn, Früchte zurücklassen, als nötig sind, um die Wirtschaft bis zur nächsten Ernte der betreffenden Fruchtart durchführen zu können (§ 593).

5. Die weitgehenden Kündigungsrechte bei der Miete sind zum großen Teil bei der Pacht ausgeschlossen (§ 596).

6. Die Pacht kann sich auch auf andere Dinge, als Landgüter,

z. B. auf Rechte, beziehen, also etwa auf das Recht, Wegegeld zu
erheben. Auch dann gelten die Vorschriften über die Miete entsprechend, soweit sie nicht durch die §§ 582—597 ausgeschlossen
sind (§ 581).

§ 12. Leihe.

Wer sich ein Buch aus der Leihbibliothek „leiht", mietet sich
das Buch, denn er bezahlt Entgelt, Miete. Wer sich von einem
guten Freunde ohne Entgelt ein Buch leiht, der schließt einen echten
Leihvertrag, denn der Verleiher muß dem Entleiher den Gebrauch
der geliehenen Sache unentgeltlich gestatten (§ 598).

Der Bauer Winter leiht seinem Nachbar Engel ein Pferd,
dieses ist rotzkrank und steckt den ganzen Viehstand des Engel an.
Muß nun Winter den Schaden ersetzen? Da ist zu unterscheiden:
Winter trifft keine Schuld oder es trifft ihn nur leichte Fahrlässigkeit, dann trägt Engel den Schaden. Dies deshalb, weil Winter
mit dem Herleihen des Pferdes dem Engel eine reine Gefälligkeit
erweist, der ganze Leihvertrag nur zum Vorteil von Engel gereicht
und Winter deshalb nicht zu strenge behandelt werden darf.
Kannte er dagegen die Rotzkrankheit und verlieh trotzdem das Pferd
an den ahnungslosen Nachbar, so haftet er wegen Vorsatz oder
grober Fahrlässigkeit für den Schaden (§ 599, 600). Unter Vorsatz
versteht man das Wissen und Wollen, daß eine Tatsache eine gewisse
z. B. schädliche Wirkung haben werde. Grob fahrlässig ist, wer
die im Verkehr erforderliche Sorgfalt in schwerer Weise verabsäumt,
wie es nicht einmal ein ganz gewöhnlicher Durchschnittsmensch thun
würde (s. unten § 33, II).

Der Entleiher muß die gewöhnlichen laufenden Kosten für die
Erhaltung der geliehenen Sache tragen, z. B. die Fütterungskosten
für ein geliehenes Pferd (§ 601) und braucht auch nicht zu ersetzen,
was normaler Weise an der Sache abgebraucht wird. Er darf die
Sache nur in vorgeschriebener Weise gebrauchen (§ 603). Regelmäßig darf er sie behalten, bis er sie genügend gebraucht hat (§ 604),
aber der Verleiher kann sie sofort zurückfordern, wenn er sie plötzlich
selber gebraucht, wenn der Entleiher stirbt oder vertragswidrig
mit ihr umgeht, z. B. die Sache weiter verleiht (§ 605).

Der Entleiher haftet für jede Fahrlässigkeit (§§ 605 Nr. 2, 276).

Stößt der Entleiher sein Tintengeschirr um und die Tinte ergießt sich über das geliehene Buch, so muß er den Schaden ersetzen. Der Entleiher haftet für leichte Fahrlässigkeit, weil er die Gefälligkeit des Anderen benutzt und darum von ihm billiger Weise die höchste Sorgfalt verlangt werden kann.

§ 13. Verwahrung.

I. 1. Wenn der Rentner Homeyer, im Begriff eine längere Reise anzutreten, seinem Freunde Kaufmann Peters seine Wertpapiere zur Verwahrung in dessen Geldschrank übergibt, dann schließen die Parteien einen Verwahrungsvertrag. Der Verwahrer wird verpflichtet, die ihm übergebene bewegliche Sache aufzubewahren (§ 688). Aufzubewahren ist mehr als einen bloßen Raum gewähren, vielmehr muß der Verwahrer auch positive Sorgfalt auf die Sache verwenden, z. B. nötigenfalls eine schadhaft gewordene Verpackung ausbessern.

Weil der Verwahrer dem Anderen eine Gefälligkeit erweist, braucht er die in Verwahrung genommene Sache, wenn er keine Vergütung erhält, nicht sorgfältiger zu behandeln als seine eigenen (§ 690), d. h. wenn er fahrlässig mit ihr umgegangen ist und zur Rechenschaft gezogen werden soll, dann kann er sich durch den Gegenbeweis befreien, daß er mit seinen eigenen Sachen auch nicht sorgfältiger umgehe. Jedoch muß er nach § 277 immer für grobe Fahrlässigkeit und Vorsatz haften. Er kann sich also nicht damit entschuldigen, daß er seine eigenen Sachen grob fahrlässig behandele.

Läßt sich der Verwahrer eine Vergütung zahlen (§ 689), so muß er für Vorsatz und grobe und leichte Fahrlässigkeit nach der allgemeinen Regel des § 276 aufkommen.

2. „Macht der Verwahrer zum Zweck der Aufbewahrung Aufwendungen, die er den Umständen nach für erforderlich halten darf, so ist der Hinterleger zum Ersatze verpflichtet" (§ 693).

Der Hinterleger gibt wissentlich eine leicht explodierende Masse in Verwahrung, ohne den Verwahrer darüber aufzuklären, daß sie nur an einem kühlen Ort aufbewahrt werden dürfe. Entsteht hieraus ein Unglück, weil der Verwahrer ahnungslos die ihm übergebene Sache auf dem im Sommer heißen Boden des Hauses verwahrt, so kommt der Hinterleger dafür auf. Kannte jedoch der Hinterleger die Beschaffenheit der hinterlegten Sache nicht und mußte er sie nicht kennen oder kannte sie der Verwahrer oder war sie ihm vom Hinterleger angezeigt, dann haftet der Hinterleger nicht (§ 694). Dies kommt besonders leicht dort vor, wo der Verwahrer, dem die Sache lästig wird, oder dessen Räume plötzlich mehr in Anspruch genommen werden, die Sache nunmehr, ohne ihre Natur zu kennen, bei einem Dritten mit Erlaubnis des ersten hinterlegt. Dann entsteht zwischen dem ersten und dem zweiten Verwahrer wiederum ein Verwahrungsvertrag.

3. Verwahrer und Hinterleger können durch Herausgabe oder Rückforderung der Sache den Verwahrungsvertrag jederzeit aufheben (§§ 695, 696). Hat sich der Verwahrer auf eine bestimmte Zeit verpflichtet, so kann er die vorzeitige Rücknahme der Sache nur verlangen, wenn ein wichtiger Grund, z. B. der Verwahrer zieht in eine andere, kleinere Wohnung, vorliegt (§ 696).

4. Dem Verwahrungsvertrage ist mit dem Miet- und Leihvertrage gemeinsam, daß das Eigentum der vermieteten, verliehenen, hinterlegten Sache bei dem Eigentümer bleibt, nicht auf den Mieter, Entleiher, Verwahrer übergeht. Darum wurde auch immer die Frage wichtig: Wenn der Sache aus irgend einem Grunde etwas zustößt, wen trifft der Schaden, den Eigentümer oder die andere Partei? Diese Frage ist, wie wir gesehen haben, sehr verschieden zu beantworten, zumal kommt es darauf an, ob den Mieter, Entleiher oder Verwahrer ein Verschulden trifft, gleich ist in allen Fällen nur soviel, daß der zufällige Schaden den Eigentümer trifft.

II. Mit dem Verwahrungsvertrage sehr verwandt ist das Einbringen von Sachen bei Gastwirten. Der Gastwirt nimmt nicht bloß den Reisenden, sondern auch sein Gepäck auf. Dieses vertraut ihm und seinem Hause, seinem Personal der Reisende an in ähnlicher Weise, wie der Hinterleger sein Eigentum dem Verwahrer anvertraut. Für die ihm anvertrauten Sachen haftet der Gastwirt unbedingt. Wenn also dem Gast seine Wäsche von einem Hoteldieb, von einem Einbrecher, einem Kellner, dem Dienstmädchen, Hausknecht 2c. gestohlen wird, muß der Gast unverzüglich, nachdem er den Verlust bemerkt hat, dem Wirt Anzeige machen (§ 703), und dann muß der Wirt den Schaden ersetzen (§ 701).

Wird dem Gast von einem Hoteldieb seine Brieftasche mit 3000 Mk. gestohlen, so erhält er doch nur 1000 Mk. ersetzt, denn für Geld, Wertpapiere und Kostbarkeiten haftet der Wirt nur bis zur Höhe von 1000 Mk., es sei denn, daß er sie in Verwahrung nimmt als das, was sie sind, oder daß er die Verwahrung ablehnt, oder daß er oder seine Leute den Schaden verursachen (§ 702). Zerbricht während des Aufenthalts im Hotel die Zofe den wertvollen Schmuck ihrer Herrin, oder stiehlt der Diener seinem Herrn eine Kiste Havanna-Zigarren, so haftet der Wirt überhaupt nicht. Wenn der Gast selber oder sein Begleiter, oder jemand, den er bei sich aufgenommen hat, den Schaden verursacht hat oder wenn dieser durch die Beschaffenheit der Sachen oder durch höhere Gewalt entsteht, ist der Wirt frei (§ 701). Gerät das Nachbarhaus in Brand und das Feuer springt bei günstigem Winde unaufhaltsam auf das Hotel über und ist nicht zu löschen, so braucht der Wirt für den Schaden seiner Gäste nicht aufzukommen, denn es liegt höhere Gewalt vor, und die Unschuld des Wirtes ist offenkundig.

Die strenge Haftung des Wirtes ist begründet darin, daß der Reisende regelmäßig sich und seine Sachen einem ihm völlig unbekannten Menschen anvertrauen muß und daß die Gefahr eines Diebstahls oder einer Beschädigung besonders groß ist. Darum kann der Wirt durch einen bloßen Anschlag die Haftung nicht ablehnen (§ 701).

Andererseits hat der Wirt wegen seiner Forderung als Wirt ein Pfandrecht an den Sachen des Gastes, ähnlich wie es bei der Miete besteht (§ 704).

Die Vorschriften über die Aufnahme der Gastwirte beziehen sich nur auf solche, die gewerbsmäßig Fremde beherbergen, nicht auf Restaurateure und bloße Ausspannwirte.

III. Ist zwischen dem eigentlichen Verwahrungsvertrag und der Aufnahme durch die Gastwirte eine unverkennbare Ähnlichkeit, so stehen wir doch plötzlich auf einem ganz anderen Boden, bei dem „uneigentlichen Verwahrungsvertrage".

Jemand deponiert bei einer Bank eine Summe Geldes, gewährt der Bank freie Verfügung und behält sich das Recht vor, eine gleiche Summe jederzeit zurückfordern zu können. Das Eigentum kann zunächst beim Einzahler bleiben, aber die Bank kann sich das Geld aneignen und selber Eigentümer desselben werden oder auch das Eigentum an dem Eingezahlten geht sofort an die Bank über. Derartiges kann vorkommen bei Geld, aber auch bei Wertpapieren und ferner bei allen übrigen Sachen, die im Verkehr nach Zahl,

Maß oder Gewicht bestimmt werden, sogenannte vertretbare Sachen (§§ 700, 91).

Der Verwahrer ist verpflichtet, Sachen von gleicher Art, Güte und Menge zurückzuerstatten, das ganze Geschäft wird als Darlehn behandelt, sobald der Verwahrer Eigentum erwirbt, jedoch bestimmen sich Zeit und Art der Rückgabe im Zweifel nach den Grundsätzen des eigentlichen Verwahrungsvertrages. Für Wertpapiere ist noch besonders bestimmt, daß der Verwahrer nur dann das Recht hat, sie sich anzueignen, wenn dies ausdrücklich ausgemacht ist (§ 700).

IV. Aber das Reichsgesetz vom 5. Juli 1896 geht noch weiter. Weil Kaufleute und Bankiers wiederholt die ihnen anvertrauten Wertpapiere unterschlugen, bestimmt es, daß Kaufleute, die im Betriebe ihres Handelsgewerbes bestimmte Arten von vertretbaren Wertpapieren unverschlossen in Verwahrung oder zu Pfand nehmen, die Wertpapiere äußerlich gesondert aufbewahren und über sie ein eigenes Buch führen sollen (§ 1 a. a. O.).

Der Hinterleger oder Verpfänder muß die Erlaubnis, über die Papiere zu verfügen, sie in das Eigentum des Verwahrers zu bringen, für jeden Fall ausdrücklich und schriftlich geben, wenn er nicht selber gewerbsmäßig Bank- oder Geldwechslergeschäfte betreibt (§ 2 a. a. O.). Hinterlegt also Bankier A. bei Bankier B., so genügt eine allgemeine und stillschweigende Erlaubnis. Hinterlegt Rittergutsbesitzer F. bei Bankier B., so muß er nach § 2 a. a. O. und § 700 B.G.B. die Erlaubnis schriftlich geben und zwar jedesmal, so oft er Papiere hinterlegt, sonst gilt die Erlaubnis nicht. Ferner enthält das Gesetz noch eine Reihe von Ordnungsvorschriften und Strafdrohungen.

§ 14. Darlehn.

I. Stud. jur. A. leiht sich von stud. jur. B. 20 Mk., dies ist ein Darlehnsvertrag. Frau B. leiht sich von ihrer Nachbarin Frau C. 20 Eier, ein halbes Pfund Butter, um sie in ihrer Wirtschaft zu verbrauchen; der Rentner F. leiht sich von seinem Nachbar einen Scheffel Kartoffeln zur Bestellung, um ihm später dieselbe Art, Menge und Güte zurückzuerstatten. Alles dies ist echtes Darlehn, echter Darlehnsvertrag (§ 607); dargeliehen können werden Geld oder andere vertretbare Sachen (§ 607, 91).

Das Darlehn ist mit der uneigentlichen Verwahrung dadurch verwandt, daß der Empfänger Eigentum an den übergebenen Sachen erwirbt. Dadurch wird dem Empfänger die Gefahr des Unterganges und der Verschlechterung des Gegebenen aufgelegt. Leihe ich jemand 100 Mk. und dieser verliert das Geld sofort, so ist das sein Schaden, denn er muß mir in jedem Falle 100 Mk. zurückgeben. Beim Darlehn wie beim uneigentlichen Verwahrungsvertrage fallen alle Erörterungen über die Gefahr hinweg.

Darlehn ist die Hingabe vertretbarer Sachen mit der Verpflichtung zur Rückgabe von Sachen derselben Art, Güte und Menge. Zinsenpflicht versteht sich nicht von selbst (§ 608). Ist über die Kündigungsfrist nichts verabredet, so beträgt sie bei Darlehn von mehr als 300 Mk. drei Monate, bei geringeren Beträgen einen Monat (§ 609).

Wünscht in solchem Fall der Darleiher vier Tage nach Abschluß des Darlehnsvertrages sein Geld zurück, so muß er kündigen und alsdann noch einen oder drei Monate warten. Kein nach dem 1. Januar 1900 gegebenes Darlehn berechtigt zur sofortigen Rückforderung des Geliehenen, sondern immer muß die Kündigungsfrist des § 609 innegehalten werden, wenn über die Kündigung nichts ausgemacht ist.

Eine Hotelwirtin kommt anläßlich einer großen in ihrer Wirtschaft abgehaltenen Feier in Verlegenheit, da es plötzlich an Eiern mangelt. Die Geschäfte sind schon geschlossen und darum leiht sie sich vom Konkurrenzhotel 100 Eier und erhält absichtlich ausgesuchte schlechte. Sie verbraucht sie in ihrer Wirtschaft und hat nach verschiedenen Richtungen hin Schaden, denn 1) die mit den verdorbenen Eiern angerührten Speisen sind verdorben und müssen weggeworfen werden, 2) der Ruf des Hotels erleidet einen schweren Stoß. Ueber diesen Fall bestimmt das B.G.B. nichts. Wir müssen darum auf die Natur der Sache sehen, denn § 276 greift nicht durch, da der Darlehnsgeber kein Schuldner ist. Das unverzinsliche Darlehn ist regelmäßig nur im Interesse des Empfängers, wie der Leihvertrag, abgeschlossen und darum tritt hier das Prinzip ein, das wir schon bei Leihe und Verwahrung kennen gelernt haben. Aus einem Vertrage haftet nur derjenige unbedingt für jede Fahrlässigkeit, in dessen Interesse der Vertrag abgeschlossen ist. Darum werden wir nach Analogie des Leihvertrages den Darlehnsgeber

6 *

beim unverzinslichen Darlehen nur für Arglist und grobe Fahr=
lässigkeit haften lassen, trotzdem das Gesetz diese, sachlich wohl
begründete, Unterscheidung nicht ausspricht. Im vorliegenden Bei=
spiel hätte also der Konkurrent nicht zu zahlen brauchen, wenn ihm
nur leichte Fahrlässigkeit zur Last gefallen wäre. Hatte er jedoch
die Gelegenheit benutzt, um ein Geschäft zu machen, und hatte er
sich ausbedungen, daß statt 100 Eier ihm 110 wiedergegeben werden
sollten, so mußte er unbedingt auch für das leichteste Verschulden
haften, denn unter diesen Umständen war der Darlehnsvertrag auch
in seinem Interesse abgeschlossen. Wir sehen, daß das Darlehn eine
Doppelnatur hat, als zinsenloses Gefälligkeitsdarlehn steht es der
Leihe am nächsten, als verzinsliches der Sachmiete.

II. Eine besondere Erwähnung verdient das Reichsschuldbuch
(Gesetz vom 31. Mai 1891). Das Reich hat für seine Anleihen
Schuldscheine ausgegeben, die sogenannten Reichsschuldverschreibungen.
Jeder Eigentümer einer Reichsschuldverschreibung ist Darlehnsgläu=
biger des Reiches, wer mehrere hat, ist mehrfacher Gläubiger.
Liefert ein Gläubiger alle seine Verschreibungen, soweit sie zum
Umlaufe brauchbar sind, ein, etwa im Gesamtwert von 50 000 Mk.,
so wird für ihn ein Posten von 50 000 Mk. Darlehnsforderung in
das Reichsschuldbuch des Reiches eingetragen, er wird nunmehr
Gläubiger auf diesen neuen Posten und verliert alle Rechte an seinen
Schuldverschreibungen. Der Vorteil ist, daß er sie nicht mehr auf=
zubewahren braucht, die Gefahr von Diebstahl und Vernichtung
nicht mehr für ihn besteht. Ferner lautet nunmehr seine Forderung
gegen das Reich nur noch auf seinen Namen. Die Sicherheit des
Gläubigers ist bei diesem Darlehnsgeschäft also viel größer als bei
den Schuldverschreibungen.

§ 15. Kauf.

I. Im „Preußischen Hof" der benachbarten Kreisstadt treffen
Gutsbesitzer Mengel von Althof und Gutsbesitzer Becker von Brüse=
witz zusammen. Gesprächsweise äußert Mengel, er wolle einen Stier
kaufen und Becker bietet ihm den seinen, den Mengel ja von der
letzten Tierschau her kenne, für 320 Mk. an. Beide Teile einigen
sich und Mengel schließt die Verhandlung mit den Worten: Also
abgemacht, der Stier ist gekauft. Es kann demnach gar kein Zweifel

sein, daß der Kaufvertrag zwischen beiden Parteien fertig abgeschlossen, perfekt ist.

Welches sind nun die Wirkungen dieses Vertrages?

Jedenfalls hat Mengel das Recht, den Stier zu fordern, und Becker hat das Recht auf 320 Mk. Es entstehen also für beide Parteien obligatorische Rechte und Pflichten.

Ist denn aber, als Mengel sagte: der Stier ist gekauft, das **Eigentum an dem Stier auf Mengel übergegangen? Keineswegs, das Eigentum erwirbt Mengel erst dadurch, daß er den Stier durch seine Leute abholen läßt, denn nach § 929 ist Übergabe des Stieres an den Käufer notwendig.** Der Stier bleibt also zunächst noch im Eigentum von Becker und wenn er vor der Übergabe an Mengel eingeht, so ist das Beckers Schaden, d. h. der Verkäufer trägt die Gefahr bis zur Übergabe der Sache (§ 446). Übernimmt es Becker, dem Mengel den Stier zuzusenden, so geht die Gefahr auf Mengel schon dann über, sobald Becker den Stier (dem Spediteur, Frachtführer oder) der sonst zur Ausführung der Versendung bestimmten Person oder Anstalt übergeben hat (§ 447).

Zunächst ergeben sich also nur obligatorische Rechte und Pflichten der Parteien gegeneinander. Der Verkäufer muß dem Käufer die Sache übergeben und ihm das Eigentum übertragen, der Käufer muß den Preis zahlen und die Sache abnehmen (§ 433). Er kann also nicht das Geld zahlen und die Sache trotz Mahnung des Verkäufers im Stich lassen. Tut nun der Verkäufer seine Schuldigkeit nicht, indem er die verkaufte Sache nicht oder nicht zu rechter Zeit hergibt, so hat der Käufer das Recht auf Erfüllung der vom Verkäufer übernommenen Pflichten und auf Schadensersatz zu klagen, oder er kann unter Umständen vom Vertrage zurücktreten (§§ 440, 320—327). Entsprechende Rechte hat der Verkäufer gegen den Käufer.

II. Wird von beiden Teilen zunächst ordnungsmäßig geleistet, so können sich nachträglich aber doch noch Zwistigkeiten ergeben, z. B. es machen Dritte gegenüber dem Käufer ältere Rechte an der Sache geltend (§§ 433—435).

In solchen Fällen kann der Käufer die Zahlung verweigern, Erfüllung oder wegen Nichterfüllung Schadensersatz verlangen oder vom Vertrage zurücktreten (§§ 440, 320—327). Vorausgesetzt ist jedoch, daß der Käufer den Mangel im Rechte bei Abschluß des Kaufvertrages nicht kennt (§ 439).

III. Es kann sich Streit erheben, wenn die Sache Mängel hat.

A. a) Sie kann Mängel haben, weil sie „mit Fehlern behaftet ist, die den Wert oder die Tauglichkeit zu dem gewöhnlichen oder dem nach dem Vertrage vorausgesetzten Gebrauch aufheben oder mindern. Eine unerhebliche Minderung des Wertes oder der Tauglichkeit kommt nicht in Betracht" (§ 459 I).

b) Sie kann Mängel haben, weil ihr zugesicherte Eigenschaften fehlen (§ 459 II).

Fehler der Sache sind also nur eine Unterart der Mängel.

B. 1. Fehler der Sache.

Wenn der Käufer Fehler der Sache geltend macht, wird von ihm nicht notwendig der Beweis verlangt, daß die Fehler schon im Augenblick des Kaufabschlusses vorhanden waren, es genügt, wenn er nachweist, daß sie vorhanden waren in dem Augenblick, wo die Gefahr auf ihn übergeht (§ 459). Wird der Kauf über das silberne Präsentierbrett am 1. Mai abgeschlossen, das Brett aber erst am 5. Mai übergeben, nachdem der Namenszug eingraviert ist, so braucht der Käufer nur zu beweisen, daß das Brett am 5. Mai Fehler (z. B. tiefe Schrammen, Beulen) hatte.

Der Käufer kann dann Rückgängigmachung des Kaufes (Wandelung) oder Herabsetzung des Kaufpreises (Minderung) verlangen. (§ 462). Kann er jedoch nachweisen, daß der Fehler schon am 1. Mai bestand und daß der Verkäufer ihn arglistig verschwieg, so kann der Käufer statt Wandelung oder Minderung sogar Schadensersatz wegen Nichterfüllung verlangen (§ 463 Satz 2).

Aber es bestehen Ausnahmen.

a. Der Käufer kann den Verkäufer nicht haftbar machen, wenn der Verkäufer nachweist, daß der Käufer den Mangel beim Abschluß des Kaufes (also am 1. Mai) kannte (§ 460 Satz 1).

b. Der Käufer kann den Verkäufer nicht haftbar machen wenn der Verkäufer nachweist, daß dem Käufer der Fehler in Folge grober Fahrlässigkeit unbekannt geblieben ist. Dieser Beweis nützt dem Verkäufer aber dann nicht, wenn der Käufer nachweist, daß der Verkäufer den Fehler (am 1. Mai) arglistig verschwiegen oder seine Abwesenheit zugesichert hat (§ 460 Satz 2).

c. Der Käufer kann den Verkäufer nicht haftbar machen,

wenn der Verkäufer nachweist, daß der Käufer die fehlerhafte Sache angenommen hat (am 5. Mai), obschon er den Mangel kannte (§ 464). Dieser Nachweis nützt dem Verkäufer aber nicht, wenn der Käufer nunmehr nachweist, daß er, der Käufer, sich seine Rechte bei der Annahme der Kaufsache vorbehalten habe (§ 464).

2. Mangel der zugesicherten Eigenschaften.

Der Käufer braucht auch hier nur zu beweisen, daß sie zur Zeit des Gefahrüberganges (am 5. Mai) fehlten (§ 459 II). Er hat das Recht auf Wandelung oder Minderung (§ 462). Weist der Käufer nach, daß eine zugesicherte Eigenschaft schon zur Zeit des Kaufabschlusses (1. Mai) fehlte, so kann er statt Wandelung oder Minderung Schadensersatz wegen Nichterfüllung verlangen (§ 463 Satz 1).

Aber es bestehen Ausnahmen.

a. Der Käufer kann den Verkäufer wegen Mangels an zugesicherten Eigenschaften nicht haftbar machen, wenn der Verkäufer nachweist, daß der Käufer den Mangel beim Abschluß des Kaufvertrages kannte (§ 460 Satz 1).

b. Der Käufer kann den Verkäufer wegen Mangels an zugesicherten Eigenschaften nicht haftbar machen wenn der Verkäufer nachweist, daß der Käufer die mangelhafte Sache angenommen hat, obschon er den Mangel kannte. Dieser Nachweis nützt aber dem Verkäufer dann nicht, wenn nunmehr dagegen der Käufer nachweist, daß er sich seine Rechte bei der Annahme vorbehalten habe (§ 464).

C. Sind mehrere Sachen zusammen verkauft und nur einige mangelhaft, so kann der Käufer nur in Beziehung auf diese die Wandelungsklage anstellen. Anders, wenn die Sachen zusammengehörend verkauft sind und nicht ohne Nachteil von einander getrennt werden können (§ 469).

Der Käufer kann Minderung und Wandelung verlangen, so oft sich ein Fehler zeigt, daher ist mehrmalige Minderung und zum Schluß auch Wandelung möglich, wenn sich immer neue Fehler zeigen (§ 475).

§ 466. „Behauptet der Käufer dem Verkäufer gegenüber einen Mangel der Sache, so kann der Verkäufer ihn unter dem Erbieten zur Wandelung und unter Bestimmung einer angemessenen Frist zur Erklärung darüber auffordern, ob er Wandelung verlange. Die

Wandelung kann in diesem Falle nur bis zum Ablaufe der Frist verlangt werden."

Das Recht auf Wandelung oder Minderung und das Recht auf Schadenersatz wegen Mangels einer zugesicherten Eigenschaft verjähren bei beweglichen Sachen in sechs Monaten von der Ablieferung an, bei Grundstücken in einem Jahr von der Übergabe an (§ 477). Wenn der Verkäufer den Mangel arglistig verschwiegen hat, greift die gewöhnliche Verjährung von 30 Jahren Platz (§ 195).

IV. Die bisher dargestellten Rechtssätze beziehen sich auf den sogenannten Spezieskauf, in dem eine ganz bestimmte und regelmäßig den beiden Parteien bekannte Sache oder eine solche, die sich beide Parteien ansehen können, verkauft wird, z. B. die gebrauchte Zentralfeuer-Doppelflinte des Försters H. oder der weiße Kachelofen im Rokokostil aus dem Schaufenster des Ofensetzers G. 2c.

Davon verschieden ist der Kaufvertrag über Gegenstände, die beiden Parteien, insbesondere dem Käufer noch unbekannt sind und wo das Kaufobjekt nur nach Gattungsmerkmalen bestimmt ist, z. B. A. schreibt an B.: Liefern Sie mir 5 Ctr. besten inländischen Winterroggen; oder 10 Ctr. Kartoffeln Magnum bonum Ia Qualität; oder 10000 Drahtstifte 5 cm lang, 3 mm stark; oder 4 Dutzend Papierkragen; oder ein Theeservice, wie es unter Nr. 743 auf Seite 51 Ihres Preisverzeichnisses abgebildet ist 2c. 2c. (vergl. unten § 34 II, 2b). Dies sind Fälle des sogenannten Genuskaufes. Beim Genuskauf trägt der Käufer die Gefahr erst nach der Übergabe oder wenn die Sache, wie es gerade beim Genuskauf besonders häufig vorkommt, dem Käufer zugesendet wird, so trägt er die Gefahr, sobald der Verkäufer die Sache dem Spediteur, Frachtführer oder der sonst zur Ausführung der Versendung bestimmten Person oder Anstalt ausgeliefert hat (§§ 446, 447). Alles wie beim Spezieskauf. Aber es hat der Käufer außer Wandelung und Minderung auch noch das Recht, an Stelle der mangelhaften eine neue fehlerlose Sache zu fordern. Fehlte der Sache zu der Zeit, als die Gefahr auf den Käufer überging, eine zugesicherte Eigenschaft oder hat der Verkäufer einen Mangel arglistig verschwiegen, so kann der Käufer statt Wandelung, Minderung oder Neulieferung vom Verkäufer Schadenersatz verlangen (§ 480). Mischt also der verkaufende Bauer unter das verkaufte Obst Fallobst, sendet es an den Obsthändler ab und dieser verkauft es weiter

an eine Obstweinfabrik, so kann die Fabrik Wandelung oder Minderung oder Neulieferung, der Händler alles dieses oder Schadensersatz verlangen. Hätte allerdings der Händler das Fallobst zwischen
dem übrigen Obst gesehen, dies aber der Fabrik verschwiegen, so
würde er ebenfalls auf Schadensersatz haften.

V. Besonderes gilt für den Handel mit Pferden, Eseln, Mauleseln und Maultieren, Rindvieh, Schafen und Schweinen (§ 481).

Der Verkäufer vertritt nur Hauptmängel und auch nur dann,
wenn sie innerhalb der Gewährfristen sich zeigen. Was Hauptmängel sind und wie lange Gewährfristen dauern, wird durch
Kaiserliche Verordnung bestimmt (§ 482).

Die Gewährfrist beginnt mit dem Ablaufe des Tages, an dem
die Gefahr auf den Käufer übergeht (§ 483); sie hat Bedeutung
deshalb, weil vermutet wird, daß alle innerhalb der Gewährfrist
hervortretenden Hauptmängel schon vorhanden waren, als die Gefahr auf den Käufer überging, also z. B. als ihm die Kuh übergeben oder als sie zum Transport auf die Bahn gegeben wurde.
Die Gewährfrist hat wesentlich Bedeutung für den Beweis im
Prozesse. Der Käufer, der Hauptmängel geltend macht, muß beweisen, daß sie schon vorhanden waren, als die Gefahr auf ihn
überging, dieser Beweis wird ihm durch § 484 erleichtert. Die Gewährfrist ist eine Ausschlußfrist und nicht zu verwechseln mit der
Verjährungsfrist der Klage. Die Klage fängt an zu verjähren, nachdem die Gewährfrist abgelaufen ist, die Verjährungszeit dauert sechs Wochen (§ 490).

Der Käufer muß spätestens zwei Tage nach Ablauf der Gewährfrist oder falls das Tier schon vorher fiel oder getötet wurde,
zwei Tage nach dem Tode des Tieres den Mangel dem Verkäufer
anzeigen, oder doch die Anzeige an ihn absenden, oder Klage erheben rc. Geschieht dies nicht, verliert der Käufer alle seine Rechte
gegen den Verkäufer, kann ihn also nicht mehr verklagen, sodaß die
Verjährung überflüssig wird. Es sei denn, daß der Verkäufer den
Mangel arglistig verschwieg (§ 485).

Wegen Tiermängel kann nur Wandelung, nicht Minderung
verlangt werden (§ 487 I).

War nicht ein individuell bestimmtes Tier, z. B. der vor den
Parteien stehende rotweiße Mastochse im Eigentum des Verkäufers
V. verkauft, sondern hatte sich der Verkäufer ganz allgemein ver-

pflichtet, „einen vierjährigen wohlgenährten und gesunden Mast-
ochsen" zu liefern (Genuskauf), so gilt in diesem und allen ähnlichen
Fällen, daß der Käufer, wenn das gelieferte Tier mangelhaft war,
statt der Wandelung die Nachlieferung eines fehlerlosen Stückes
verlangen kann (§ 491), s. o. S. 88.

VI. Beim Verkauf von Grundstücken gilt, daß der Verkäufer,
wenn er eine bestimmte Größe zusichert, er dafür wie für eine zugesicherte Eigenschaft haftet. „Der Käufer kann jedoch wegen
Mangels der zugesicherten Größe Wandelung nur verlangen, wenn
der Mangel so erheblich ist, daß die Erfüllung des Vertrages für
den Käufer kein Interesse hat" (§ 468).

VII. „Der Verkäufer hat einen Mangel der verkauften Sache
nicht zu vertreten, wenn die Sache auf Grund eines Pfandrechtes
in öffentlicher Versteigerung unter der Bezeichnung als Pfand verkauft wird" (§ 461).

VIII. Wenn jemand sonst eine Sache veräußert oder Anderen
Rechte daran außer dem Eigentum einräumt, so muß er wie ein
Verkäufer für die Mängel der Sache Gewähr leisten (§ 493).

§ 16. Besondere Einzelheiten beim Kauf.

I. Kauf nach Probe. Ein Versandhaus versendet Stoff-
proben und der Käufer bestellt auf Grund der Proben. Hier muß
der Verkäufer eine Sache liefern, die der Probe oder dem Muster
genau entspricht (§ 494). Ist die Ware nicht probemäßig, so hat
der Käufer gegen den Verkäufer Ansprüche, als wenn dieser bestimmte Eigenschaften der Ware zusichert, aber diese Eigenschaften
bei der Lieferung fehlen (vergl. §§ 459 Abs. 2, 462, 463, 480).

II. Kauf auf Probe. Eine Gewehrfabrik in Suhl sendet
an den Gutsbesitzer Below das bestellte Gewehr, daß sich Below
auf acht Tage Probe bestellt hat. Nach Ablauf dieser Zeit erhält
die Fabrik das Gewehr mit dem einfachen Vermerk zurück, daß es
dem Käufer nicht gefalle. Diese Erklärung muß der Fabrik genügen, der Käufer ist nicht verpflichtet, seine Ablehnung irgendwie
zu rechtfertigen, es hängt ganz von seinem freien Belieben ab, ob
aus dem Kauf etwas werden soll oder nicht, und dabei wird, wenn
dem Käufer die Sache schon übergeben ist, angenommen, daß der
Käufer auf den Handel eingeht, wenn er die Frist ver-

streichen läßt, ohne sich gegen den Kauf zu erklären (§§ 495, 496). Ist die Ware dem Käufer nicht übergeben, hat er sie sich nur beim Verkäufer besehen und sie sich durch einen Kauf auf Probe gesichert, indem er wiederkommen und sie noch einmal probieren will, dann muß er positiv seine Billigung erklären. Läßt er in diesem Falle die verabredete oder ihm vom Verkäufer gesetzte Frist verstreichen, ohne sich darüber auszusprechen, ob er die Sache haben will oder nicht, so gilt sein Schweigen als Ablehnung (§ 495).

III. Wiederkauf. Wenn sich der Verkäufer das Wiederkaufsrecht vorbehält, so hat das die Wirkung, daß der Käufer auf Anfordern des Verkäufers die Kaufsache wieder zurückgeben muß (§ 498). Das Eigentum an der Kaufsache geht, trotzdem sich der Verkäufer den Wiederkauf vorbehält, ursprünglich vollkommen auf den Käufer über und fällt auch dann noch nicht ohne weiteres an den Verkäufer zurück, wenn dieser erklärt, daß er die Sache wiederkaufen wolle oder wiederkaufe. Vielmehr muß der Käufer das Eigentum an der Sache zurückübertragen, so wie es ihm seinerzeit übertragen worden ist. Erst durch diese Zurückübertragung erlangt der Verkäufer sein Eigentum wieder. Hat z. B. der Landmann Plath am 1. April, um sich Geld zu verschaffen, seine Dreschmaschine an den Nachbar Fink für 500 Mk. verkauft, sich aber den Wiederkauf bis Ende des Jahres vorbehalten und erklärt er am 1. September, daß er die Maschine wiederkaufe, so fällt dadurch die Maschine noch nicht in sein Eigentum zurück. Sie würde vielmehr erst wieder sein Eigentum, wenn etwa am 3. September ihm der Käufer die Maschine zurückgäbe. Gesetzt Fink verkauft am 2. September die Maschine an Koehn und übergibt sie ihm sofort, so wird Koehn Eigentümer und Plath kann zwar Ansprüche auf Schadensersatz geltend machen, erhält aber die Maschine selbst nicht zurück (§ 498 I dazu § 249 ff.).

Beim Wiederkauf gilt im Zweifel der ursprüngliche Kaufpreis (§ 497 II), also 500 Mk. und ist die Kaufsache inzwischen verschlechtert worden, so kann der Wiederkäufer, d. h. Plath, Minderung des Kaufpreises nicht verlangen. Ist jedoch die Kaufsache durch Schuld des Käufers Fink verschlechtert, so kann der Wiederkäufer Plath Schadensersatz verlangen (§ 498 II). Andererseits kann der Käufer

Fink Erſatz für Verwendungen, z. B. Verbeſſerungen, verlangen, ſoweit dadurch die Sache wertvoller geworden iſt (§ 500).

Das Wiederkaufsrecht ſoll und kann bei Grundſtücken nach 30 Jahren, bei anderen Dingen nach 3 Jahren nicht mehr ausgeübt werden (§ 503).

IV. Vorkauf. Der Gutsbeſitzer Buſch will ſein altgedientes Reitpferd, aber nur in gute Hände, verkaufen. Er verkauft es für 500 Mk. an ſeinen Nachbar Hintze und bedingt ſich zugleich das Vorkaufsrecht aus, um es jederzeit verhindern zu können, daß Hintze etwa das Pferd in ſchlechte Hände weiterverkaufe. Hintze verkauft das Pferd an den als Tierquäler verrufenen Schlachtermeiſter Reuter für 200 Mk. und Buſch erklärt ſofort, von ſeinem Vorkaufsrecht Gebrauch zu machen. Dann iſt nunmehr Hintze verpflichtet, dem Buſch das Pferd zu denſelben Bedingungen, alſo zu 200 Mk. bar, zu verkaufen, zu denen er es an Reuter verkauft hatte. Buſch hat alſo 200 Mk. zu zahlen, während er von Hintze 500 Mk. bekommen hatte (§§ 504, 505). Er bekommt das Eigentum am Pferde nicht ohne weiteres dadurch, daß er erklärt, ſein Vorkaufsrecht auszuüben; vielmehr iſt auch hier alles ſo wie beim Wiederkauf. Erklärt Buſch am 1. Juli, daß er ſein Vorkaufsrecht ausüben wolle, und Hintze verkauft und tradiert am 2. Juli das Pferd an Reuter, ſo gehört das Pferd für alle Zeiten unwiderruflich dem Reuter. Hintze muß dem Buſch unverzüglich Anzeige machen von ſeinem Kaufvertrag, den er mit Reuter geſchloſſen hat, damit Buſch ſein Vorkaufsrecht ausüben kann. Sobald Buſch die Nachricht empfangen hat, muß er ſich innerhalb einer Woche erklären. Hätte es ſich um ein Grundſtück gehandelt, dann hätte er zwei Monate Zeit gehabt. Jedoch wenn Buſch und Hintze eine andere Friſt abgemacht haben, ſo gilt dieſe (§ 510).

V. Handelskauf. Beſondere Vorſchriften gelten für den Handelskauf. Handelskauf iſt ein Kauf eines Kaufmanns, der zum Betriebe ſeines Handelsgewerbes gehört; iſt ſein Handelsgewerbe gewöhnlich auf andere Geſchäfte gerichtet, ſo gilt doch jeder Kauf im Sinne von § 1 II H.G.B. als Handelskauf (§ 343 H.G.B.). Wer Kaufmann iſt, richtet ſich nach den §§ 1—7 H.G.B.

Der Verkäufer kann nicht bloß auf Abnahme klagen (§ 433 B.G.B.), er kann nach § 373 H.G.B. die Ware in einem Lager-

Haus hinterlegen und sie öffentlich versteigern lassen, Selbsthilfe-
verkauf.

Ist eine bestimmte Zeit für die Lieferung oder Zahlung ausgemacht und die Zeit wird nicht innegehalten, so kann der Gegner
zurücktreten oder, falls der Schuldner in Verzug ist Schadensersatz
verlangen, aber auch auf Erfüllung bestehen (§ 376 I H.G.B.).

Ist der Kauf für beide Teile ein Handelskauf, so muß der
Käufer die Ware unverzüglich nach Ablieferung durch den Verkäufer, soweit dies nach ordnungsmäßigem Geschäftsgange tunlich
ist, untersuchen und, wenn sich ein Mangel zeigt, dem Verkäufer
unverzüglich Anzeige machen. Dazu gelten noch einige Sonderbestimmungen (§ 377 H.G.B.).

Ferner muß der Käufer die beanstandete Ware einstweilen aufbewahren (§ 379 H.G.B.).

Einige besondere Vorschriften sind noch in den §§ 380 ff.
H.G.B. enthalten.

VI. Zum Kauf ist noch zu bemerken, daß sehr häufig es
schwer ist, den Unterschied zwischen dem obligatorischen Kaufvertrag
und der dinglichen Eigentumsübertragung äußerlich zu sondern, z. B.
jemand tritt in einen offenen Laden und sagt: Ich bitte um zwei
Pfund Salz. Der Kaufmann sagt darauf nichts, geht zu seinen
Vorräten, holt zwei Pfund, übergibt die Ware und läßt sich 20
Pfennige dafür zahlen. Hier spielt sich alles so schnell ab, daß fast
in demselben Augenblick der Kaufvertrag abgeschlossen und erfüllt
wird. Nichtsdestoweniger ist juristisch hier alles genau so, wie bei
jedem anderen Kaufvertrage, bei dem der Verkäufer erst später die
Ware dem Käufer übergibt.

§ 17. Tausch.

Der Tausch wird nach den Vorschriften für den Kauf entsprechend behandelt (§ 515). Jeder hat die Pflichten eines Verkäufers und die Rechte eines Käufers, nur modifiziert dadurch, daß
beim Tausch, wenigstens ein Tauschgegenstand sofort übergeben wird,
während beim Kauf die Leistungen beider Parteien noch hinausgeschoben sein können.

§ 18. Dienstvertrag.

I. Die Hausfrau bestellt sich auf Sonnabend eine Frau zur

Hilfe beim Reinmachen ins Haus, oder sie nimmt im Frühjahr einige Arbeiter an, um den Garten zu bestellen, sie mietet ein Dienstmädchen für das ganze Jahr, der Herr mietet einen Kutscher für das ganze Jahr, ein Reisender mietet eine Droschke auf Zeit, nicht für eine bestimmte Fahrt, ein Fabrikbesitzer stellt Arbeiter an, ein Gutsbesitzer nimmt Tagelöhner an ꝛc., alles dies ist Abschluß eines Dienstvertrages. Der Dienstvertrag verpflichtet die gemietete Person, ihre Kräfte dem Dienstherrn zur Verfügung zu stellen und die versprochenen Dienste als Dienstbote, Hilfsarbeiter ꝛc. dauernd oder vorübergehend zu leisten. Der Dienstherr muß den ausgemachten Lohn, der aber nicht in Geld zu bestehen braucht, zahlen (§ 611), mag dieser ausdrücklich oder stillschweigend vereinbart sein (§ 612). Steige ich in eine Droschke mit der Anweisung: Fahren sie mich eine Stunde hindurch spazieren, so muß ich nach Ablauf der Stunde, wenn ich nichts mit dem Droschkenkutscher ausgemacht habe, bezahlen, was üblich oder was bei Bestehen einer Taxe taxmäßig ist (§ 612).

II. Nimmt der Arbeitgeber die Dienste nicht an, z. B. die Hausfrau schickt die gemietete Frau wieder zu Hause, weil sie irrtümlicherweise sich eine Person zuviel gemietet hat, so muß der Arbeitgeber doch den Lohn bezahlen, nur kann er abrechnen, was der Arbeiter durch anderweitige Verwertung seiner Arbeitskraft erwirbt oder zu erwerben böswillig unterläßt (§ 615).

Kommt der Arbeiter, den ich auf nur einen Tag angenommen habe, eine Viertelstunde zu spät, weil er wegen Erkrankung seiner Frau hat schnell zum Arzte eilen müssen, so kann ich den Mann, der jetzt bereit ist für mich zu arbeiten, nicht zurückweisen und muß den Lohn ihm voll auszahlen. Ferner, wenn das Dienstmädchen auf drei Tage erkrankt, kann die Herrschaft ihm deshalb noch nichts in Abrechnung bringen.

§ 616. „Der zur Dienstleistung Verpflichtete wird des Anspruchs auf die Vergütung nicht dadurch verlustig, daß er für eine verhältnismäßig nicht erhebliche Zeit durch einen in seiner Person liegenden Grund ohne sein Verschulden an der Dienstleistung verhindert wird. Er muß sich jedoch den Betrag anrechnen lassen, welcher ihm für die Zeit der Verhinderung aus einer auf Grund gesetzlicher Verpflichtung bestehenden Kranken- oder Unfallversicherung zukommt".

Jedoch ist zu bemerken, daß Fabriken regelmäßig für keine

Versäumnis einen Entschuldigungsgrund gelten lassen und sich vertragsmäßig das Recht zu Lohnabzügen oder Strafgeldern vorzubehalten pflegen.

Dienstboten, Ammen, Bonnen, Wirtschafterinnen, Gesellschafterinnen, Hauslehrer, Erzieherinnen ꝛc. muß der Dienstherr, Arbeitgeber, Prinzipal, der sie in seine häusliche Gemeinschaft aufgenommen hat, bis zu sechs Wochen verpflegen und ärztlich behandeln lassen, wenn sie in ihrer Stellung ohne Vorsatz oder grobe Fahrlässigkeit sich eine Erkrankung zuziehen. Er kann diese Personen, statt sie im Hause zu verpflegen, auch ins Krankenhaus schicken. Für die Zeit der Verpflegung kann er den für die Zeit der Krankheit geschuldeten Lohn oder Gehalt anrechnen. Läuft das Dienstverhältnis schon früher als die sechs Wochen Freizeit ab, so endigen damit auch die Pflichten des Prinzipals. Dieser darf die Erkrankung seines Angestellten wohl zur sofortigen Kündigung benutzen, muß aber trotzdem sechs Wochen hindurch für den Erkrankten sorgen. Ist der Erkrankte in einer Versicherung oder in einer öffentlichen Krankenkasse u. bergl., so braucht der Dienstherr nichts für ihn zu leisten (§ 617).

Der Dienstherr muß in Allem nach Möglichkeit dafür sorgen, daß seine Angestellten, Arbeiter ꝛc. an Leben und Gesundheit keinen Schaden erleiden; ferner soll er für seine dienenden Hausgenossen Rücksicht auf ihre Religion und Sittlichkeit nehmen, z. B. der protestantische Gutsherr darf seinen katholischen Arbeitern den Besuch des katholischen Gottesdienstes nicht verwehren, und der Hausherr muß seinen Dienstboten für die beiden Geschlechter verschiedene Schlaf-, Wasch- und Ankleideräume eventuell Aborte ꝛc. zur Verfügung stellen (§ 618).

Die in den §§ 617, 618 vorgeschriebenen Pflichten sind derartig zwingendes Recht, daß sich der Dienstherr von ihnen auch nicht durch einen ausdrücklichen Vertrag befreien kann (§ 619).

III. Haben die Parteien nichts ausgemacht, wann das Dienstverhältnis zu Ende sein soll (§ 620), so entscheiden die §§ 621—625, deren Grundgedanke ist, daß sich die Kündigungsfrist sich nach den Zeitabschnitten richtet, für welche der Lohn berechnet wird. Wird z. B. der Lohn nach Tagen berechnet, kann sofort auf den anderen Tag gekündigt werden ꝛc. Lehrern, Erziehern und Privatbeamten, Gesellschafterinnen 2c. kann nur auf Schluß eines Kalendervierteljahres sechs Wochen vorher gekündigt werden.

§ 622. „Das Dienstverhältnis der mit festen Bezügen zur Leistung von Diensten höherer Art Angestellten, deren Erwerbstätigkeit durch das Dienstverhältnis vollständig oder hauptsächlich in Anspruch genommen wird, insbesondere der Lehrer, Erzieher, Privatbeamten, Gesellschafterinnen, kann nur für den Schluß eines Kalendervierteljahrs und nur unter Einhaltung einer Kündigungsfrist von sechs Wochen gekündigt werden, auch wenn die Vergütung nach kürzeren Zeitabschnitten als Vierteljahren bemessen ist".

Ist die Vergütung nicht nach Zeitabschnitten bemessen, z. B. wenn jemand Stücklohn erhält, so kann jederzeit gekündigt werden. Wer also an verschiedene Geschäftshäuser in Stücklohn Arbeit liefert, dem kann jederzeit gekündigt, liefert er aber nur für ein einziges Haus und nimmt die Arbeit seine Erwerbstätigkeit ganz oder doch hauptsächlich in Anspruch, so muß eine Kündigungsfrist von zwei Wochen innegehalten werden (§ 623).

Die Kündigung kann nur für höchstens fünf Jahre ausgeschlossen werden, jeder Vertrag auf längere oder Lebenszeit kann nach Ablauf von fünf Jahren von dem Verpflichteten mit einer Kündigungsfrist von sechs Monaten gekündigt werden (§ 624).

Aus wichtigen Gründen kann jederzeit sofort gekündigt werden, z. B. Trunkenheit, Unfähigkeit des Arbeiters (§ 626).

Rechtsanwälten, Ärzten 2c., die nicht dauernd engagiert sind, kann auch ohne wichtige Gründe jederzeit sofort gekündigt werden (§ 627), z. B. der Kranke kann beliebig einen neuen Arzt rufen; ich kann meinem Anwalt den Prozeß jederzeit aus der Hand nehmen, denn diesen Personen werden die Dienste regelmäßig auf Grund besonderen Vertrauens übertragen. Aber dem als Syndikus einer Aktiengesellschaft angestellten Anwalt, dem als Hausarzt dauernd angenommenen Arzte kann nicht jederzeit sofort gekündigt werden. Hier entscheiden die §§ 621, 623.

Wird auf Grund der §§ 626, 627 gekündigt, so muß doch immerhin für die abgediente Zeit Lohn, Gehalt; Honorar 2c. gezahlt werden. Jedoch gibt es hievon einige Ausnahmen (§ 628).

Kündigt der Herr seinem Kutscher, die Frau dem Mädchen, so muß, da hier ein dauerndes Dienstverhältnis vorliegt, in diesen und ähnlichen Fällen die Herrschaft, der Arbeitgeber, Prinzipal dem Angestellten, Tagelöhner ꝛc. angemessenen Urlaub geben, um sich eine neue Stellung zu suchen (§ 629). Der Herr muß seinem Kutscher erlauben, sich auf dem Nachbargute persönlich vorzustellen ꝛc.

Der Dienstherr muß bei dauernden Stellungen auf Verlangen ein Zeugnis über Art und Dauer der Stellung und die Brauchbarkeit des Angestellten ausstellen (§ 630).

§ 19. Werk- und Werklieferungsvertrag.

I. Wenn der Bauer Winter dem durchfahrenden Frachtfuhrmann einen Sack mit Korn übergibt, den dieser gegen Vergütung von 50 Pfennig mit zur Stadt nimmt, so schließen beide Parteien einen Werkvertrag mit einander. Ebenso wenn ein Reisender in Berlin auf dem Stettiner Bahnhof eine Droschke nimmt mit den Worten: Fahren Sie mich zum Friedrichsbahnhof. Wer seinen zerrissenen Rock zum Schneider schickt zwecks Ausbesserung, schließt mit dem Schneider einen Werkvertrag. Wenn jemand einem Bauunternehmer einen Bau übergibt, so schließen die Parteien einen Werkvertrag. Ein Werkvertrag wird auch geschlossen mit dem Privatlehrer, der sich verpflichtet, innerhalb bestimmter Zeit seinen Schüler Englisch zu lehren.

Worin liegt denn nun der Unterschied zwischen Dienst- und Werkvertrag? Zunächst äußerlich darin, daß beim ersten der Arbeiter dem Arbeitgeber gegenüber eine mehr abhängige, im zweiten eine mehr freie Stellung hat. Man vergleiche die abhängige Stellung des Dienstboten und die freie Stellung des Gerbers, der in meinem Auftrage den Balg der von mir geschossenen Seehunde gerbt, oder man vergleiche die abhängige Stellung der Gesellschafterin oder Vorleserin mit der freien Stellung des Tischlermeisters, der mir aus dem Holz meiner Eiche ein Möbel macht, oder man stelle einander gegenüber den Rollfuhrmann, der gegen Entgelt meine Sachen zum Güterbahnhof transportiert, und die abhängige Stellung meines Kutschers, der auf meinen Befehl mit meinem Fuhrwerk dasselbe tut.

Noch deutlicher zeigt sich der Unterschied beim sogenannten Werklieferungsvertrage. Dies ist ein Werkvertrag, bei dem der Arbeiter oder Unternehmer die Materialien, den Stoff liefert, an dem die Arbeit vorgenommen wird. Kaufe ich mir in einem Tuchgeschäfte Stoff und sämtliche Zutaten zu einem Anzug und gebe dies alles einem Schneider zur Bearbeitung, damit er mir einen Anzug daraus mache, so schließe ich mit ihm einen Werkvertrag, durch den der Schneider „zur Herstellung des versprochenen Werkes" und ich „zur Entrichtung der vereinbarten Vergütung verpflichtet" werde (§ 631). Ein Werklieferungsvertrag liegt dagegen vor, wenn der Schneider Stoff, Zutaten und Arbeit liefert, z. B. er hat einen Tuchladen neben seinem Schneidergeschäft. Einen Werklieferungs-vertrag schließe ich regelmäßig mit dem Buchbinder, dem Tischler, Schuhmacher ꝛc., denen ich auftrage, einen Gegenstand mir neu zu liefern, zu arbeiten, z. B. einen neuen Pappkasten, einen neuen Tisch, ein Paar neue Stiefel ꝛc. Einen Werklieferungsvertrag schließt man mit dem Bauunternehmer, wenn dieser Materialien und Grund und Boden liefert.

Vergleicht man alle diese und sonstige Fälle des Werklieferungs-vertrages mit dem Dienstvertrag, so wird ein Unterschied sichtbar: Auf der einen Seite dauernde Unterworfenheit unter die Wünsche, Anweisungen und Befehle des Dienstherrn (Arbeiter, Dienstbote, Hauslehrer, Erzieherin) auf der anderen Seite eine mehr freie Stellung des Arbeitnehmers gegenüber dem Besteller.

Dieser Unterschied zeigt sich praktisch im Folgenden.

Wenn der Dienstherr befiehlt, muß der Dienstbote tun, was ihm vorgeschrieben wird, der Arbeitnehmer kann jederzeit zu jeder beliebigen Arbeit befohlen werden, soweit sie nur innerhalb des im Dienstvertrage übernommenen Pflichtenkreises liegt. Der Prinzipal kann dem Hauslehrer, der Erzieherin vorschreiben, welcher Stunden-plan innegehalten werden soll, in welchem Verhältnis die einzelnen Fächer zu einander stehen sollen, und er kann seine Anordnungen während der ganzen Dauer des Dienstvertrages beliebig widerrufen und ändern, ohne daß Lehrerin oder Erzieherin dadurch etwaige Ansprüche, z. B. auf besondere Vergütung oder Schadens-ersatz gegen ihn erhielten. Sobald sich die Anordnungen des Prinzipals innerhalb der durch den Dienstvertrag von selber gegebenen Grenzen halten (er kann z. B. nicht ver-langen, daß jemand, der nur für Sprachen angenommen ist, Klavier-unterricht erteile, oder daß eine auch auf Klavierunterricht ver-pflichtete Erzieherin übermäßigen Klavierunterricht erteile oder daß die Erzieherin Dienstbotenarbeit verrichte, z. B. Feuer im Ofen mache, Kohlen hole ꝛc.), solange müssen sich die Angestellten ihnen ohne weiteres fügen, sie müssen gehorchen, ohne ein besonderes Entgelt verlangen zu dürfen.

Anders steht es beim Werk- und beim Werklieferungsvertrage. Wenn jemand einem Buchbinder ein Buch einzubinden gibt und einen kostbaren Prachteinband im Werte zu 50 Mk bestellt, so kann er nicht nachträglich diese Bestellung ohne weiteres umändern, indem er den Buchbinder anweist, einfach in Halbleinen zu binden. Der Buchbinder hat mit Abschluß des Vertrages, d. h. mit Annahme des Buches zum Einbinden, das unentziehbare Recht erworben auf einen Verdienst, wie er ihn bei einem Prachtbande im Werte von 50 Mk. machen würde. Diesen Verdienst darf ihm der Besteller nicht kürzen dadurch, daß er nachträglich einen Halbleinenband bestellt. Der Buchbinder kann nunmehr das Buch in Halbleinen binden oder, wenn er sich dessen weigert, muß er auf Verlangen das Buch so wie es ist jederzeit zurückgeben, aber er kann den abgemachten Preis verlangen und muß sich nur abrechnen lassen, was er an Selbstkosten spart oder sonst durch anderweitige Verwendung seiner Arbeitskraft erwirbt oder zu erwerben böswillig unterläßt (§ 649). Ferner kann der Besteller nicht nachträglich vorschreiben, daß der Prachtband so teuer ausgeführt werde, wie er nur ausgeführt werden kann, wenn ein höherer Preis von etwa 80—100 Mk. angelegt wird. Hierauf braucht der Buchbinder nur einzugehen, wenn der Besteller auch entsprechend höheren Preis zahlt. Beim Dienstvertrage untersteht der Arbeitnehmer auch nach dem Vertrage stets den Anweisungen des Dienstherrn, während beim Werk- und Werklieferungsvertrage der Besteller regelmäßig seine sämtlichen Wünsche und Befehle beim Vertragschlusse anzugeben hat, später wohl noch mit ihnen hervorkommen kann, sie aber regelmäßig nur dann durchzusetzen vermag, wenn er gleichzeitig eine entsprechende Entschädigung an den Arbeiter oder Unternehmer leistet. Darin liegt aber nichts Anderes als: Der alte Vertrag wird aufgehoben und ein neuer geschlossen, wenn die Parteien sich friedlich einigen. Einigen sie sich nicht, so kann der Besteller einseitig kündigen, aber der Unternehmer behält das Recht auf den Preis abzüglich gewisser Beträge (§ 649, s. o.).

Es kann aber doch sehr wohl sein, daß beim Werkvertrage sich

7*

der Besteller vorbehält, gewisse Wünsche noch später zu äußern, unvereinbar ist dies mit dem Werkvertrage nicht.

Ebenso ist es mit dem Werkvertrage vereinbar, daß der Besteller neue Wünsche äußert und der Arbeiter oder Unternehmer sie ausführen muß, auch wenn sich der Besteller nicht vorbehalten hat, gewisse Wünsche nachträglich zu äußern. Dies trifft dann zu, wenn es für den Arbeiter, den Unternehmer ohne Interesse ist, ob er das Werk in der ursprünglich geplanten Weise ausführt oder gemäß den neuen Wünschen des Bestellers z. B. der Gartenbesitzer gibt dem Gärtner für das Teppichbeet ein anderes Muster an als das alte und dies Muster ist nicht schwerer, zeitraubender und kostspieliger auszuführen als das alte. In diesem Fall muß gemäß der Auslegungsregel des § 157 der Arbeiter, Unternehmer die neuen Anordnungen des Bestellers unbedingt verfolgen, soweit seine Interessen nicht dadurch verletzt werden. Es braucht also der Besteller keineswegs seine Wünsche immer schon beim Vertragschluß zu spezialisieren.

Andererseits muß beim Werkvertrage der Arbeitnehmer, der Unternehmer das Verbot des Bestellers, die Arbeit fortzusetzen unter allen Umständen befolgen, z. B. der Buchbinder, der Schuhmacher müssen auf mein Geheiß die Arbeit an meinem Buch, meinem Stiefel sofort einstellen, aber ich muß sie nach § 649 schadlos halten. Diese Befugnis des Bestellers ergibt sich aus dem Eigentum an dem Stoff, nicht aus dem Werkvertrag, und sie entfällt beim Werklieferungsvertrag. Darum darf man den Unterschied in der Selbständigkeit oder Unabhängigkeit des Arbeitnehmers nicht überschätzen, er ist nur quantitativ.

Eine Grenze hat die Befehlsgewalt des Bestellers ebenso wie die des Dienstherrn. Die Grenze liegt da, wo das berechtigte Interesse des Arbeitnehmers oder Unternehmers anfängt. Welches dies berechtigte Interesse ist, bestimmt sich je nach dem Inhalt des einzelnen Vertrages.

Der Prinzipal darf z. B. nicht jede Art von Diensten vom Angestellten verlangen, sondern nur solche, die ausgemacht sind. Aber auch diese darf er nicht verlangen, wenn sie im gegebenen Fall außerordentlicher Weise mit einer Gefahr für Leib und Leben oder das Vermögen des Angestellten verbunden sind. Der Herr darf jederzeit dem Diener befehlen, den Teppich aus dem Arbeitszimmer zu holen, er darf ihn aber nicht ohne weiteres in das brennende Haus hineinschicken, um den Teppich zu retten.

Ein begrifflicher Unterschied läßt sich also auf die größere oder geringere Abhängigkeit des Arbeitnehmers oder Unternehmers nicht aufbauen.

Der Unterschied liegt in etwas Anderem. Der Hauslehrer verpflichtet sich wohl, seine Zöglinge tüchtig zu unterrichten, von seiner Seite aus Alles zu tun, was von einem tüchtigen Hauslehrer verlangt werden darf, aber er übernimmt keine Garantie dafür, daß seine Zöglinge das von den Eltern gewünschte Ziel, z. B. Aufnahme in der Quarta, auch unbedingt erreichen. Der Bauunternehmer dagegen, der einen Hausbau übernimmt, verpflichtet sich nicht bloß, das Seinige zu tun, daß das Haus hergestellt werde, vielmehr übernimmt er noch die Garantie, daß das Haus auch wirklich werde vollendet werden.

Wer einer Fabrik aufgibt, ein Fahrrad, eine Büchse, ein Paar Schlittschuhe, eine Dampfmaschine 2c. zu bauen, dem garantiert die Fabrik, daß Fahrrad, Büchse, Schlittschuhe, Dampfmaschine 2c. unbedingt in der vorgeschriebenen Ausführung werden fertig gestellt (und dem Besteller abgeliefert) werden.

Der Tagelöhner garantiert dagegen an sich nicht dafür, daß die aufgegebene Arbeit unbedingt in der vorgeschriebenen Ausführung zu der gewünschten Zeit werde fertig gestellt sein. Er garantiert nur dafür, daß er die Vorbedingungen für eine solche Arbeit erfülle, also die nötigen körperlichen und geistigen Eigenschaften, Kenntnisse und Geschicklichkeit habe.

Die Mantelnäherin, die für ein großes Konfektionsgeschäft arbeitet, steht regelmäßig in einem Werkvertrage, die ins Haus genommene Schneiderin wohl ausnahmslos in einem Dienstvertrage. Jedoch ist auch das Umgekehrte möglich. Regelmäßig jedoch wird der hier betonte Unterschied in der Garantieübernahme sich geltend machen. Stücklohn läßt zwar einen Werkvertrag vermuten, kann aber auch bei einem Dienstvertrage vorkommen.

Wir können also sagen:

Dienstvertrag ist die entgeltliche Übernahme der Verpflichtung zur Leistung von Diensten mit der Gutsage, daß man die Vorbedingungen zu einer erfolgreichen Dienstleistung erfülle.

Werk- und Werklieferungsvertrag ist die entgeltliche Übernahme der Verpflichtung zur Leistung von
Diensten mit der Gutsage, daß der vom Besteller gewollte Erfolg unbedingt eintreten werde.

II. Hieraus ergibt sich, daß der Unternehmer eine größere Verantwortung trägt, ihretwegen aber auch eine selbständigere Stellung
gegenüber dem Besteller einnimmt, als dies beim Dienstvertrag
möglich ist.

Beim Dienstvertrag trifft den Arbeiter keine Verantwortung,
soweit er durch Befehle des Dienstherrn gedeckt ist, so ist z. B. das
Dienstmädchen berechtigt und verpflichtet, die Befehle der Hausfrau
zu erfüllen, ohne daß ihr ein Vorwurf zu machen ist, wenn die
Anordnungen thöricht waren.

Der Unternehmer trägt die Verantwortung für die technisch
richtige Ausführung der Arbeit und braucht hierin überhaupt keinerlei
nachträgliche Vorschriften anzunehmen, z. B. der Uhrmacher kann
sich sehr wohl beim Abschluß des Werk- oder Werklieferungsvertrages
verpflichten, gegen alle Regeln der Uhrmacherkunst eine ganz unsinnig
gebaute Uhr herzustellen. Der Besteller verfolgt vielleicht einen
ganz vernünftigen Zweck damit, jedenfalls ist dem Uhrmacher durch
den Vertrag der Rücken gedeckt. Anders ist es, wenn er eine Uhr
herzustellen oder auszubessern übernommen hat und nachträglich
der Besteller unvernünftige Vorschriften macht oder unsinnige
Wünsche kundgibt und zugleich trotzdem eine richtige, fehlerlose
Uhr verlangt. Solange der Besteller an dem ursprünglichen Vertrage (gute Ausbesserung oder Herstellung einer guten Uhr) festhält,
darf sich der Uhrmacher an die Anordnungen des Bestellers garnicht kehren, denn er und nicht der Besteller trägt die Verantwortung
für eine technisch richtige Arbeit. Und in dieser Hinsicht hat der
Unternehmer freilich eine Selbständigkeit, die beim Dienstvertrage
ausgeschlossen ist. Sie ist aber erst die Folge seiner Garantieübernahme! Etwas anders liegt die Sache, wenn in diesen Neu-
anordnungen in Wirklichkeit eine Kündigung des alten Vertrages,
ein, Widerruf des ursprünglichen Auftrages und Erteilung eines
neuen Auftrages liegt. Dann darf der Uhrmacher nicht seiner
besseren Einsicht folgen, gegen den Willen des Bestellers arbeiten
und den ganzen abgemachten Preis ohne Abzüge einfordern.
Vielmehr kann er nunmehr die Arbeit einstellen, den abgemachten

Lohn fordern, muß sich aber Abzüge gefallen lassen für etwaige Ersparnisse an Auslagen und durch anderweitige Verwendung seiner Arbeitskraft (§ 649 s. o. S. 99 f.).

Immer aber muß er nach den Forderungen von Treu und Glauben den Besteller auf das Verkehrte seiner Anordnungen aufmerksam machen (§ 157). Voraussichtlich werden die meisten durch nachträgliche Wünsche oder Anordnungen des Bestellers hervorgerufenen Zwistigkeiten zwischen Besteller und Unternehmer durch Kündigung seitens des Bestellers beendet werden.

III. Der Unternehmer muß in der vorgeschriebenen Art und Weise und Güte seine Arbeit verrichten, sein Werk herstellen. Es darf nicht solche Fehler haben, die seinen Wert mindern oder es ganz oder teilweise untauglich machen für den gewöhnlichen oder nach dem Vertrage vorausgesetzten Gebrauch (§ 633). Dies gilt auch für den Werklieferungsvertrag, soweit der Unternehmer eine nicht vertretbare Sache herstellen soll. Z. B. wer sich beim Schuhmacher nach Maß ein Paar gewöhnliche Stiefel bestellt, kann verlangen, daß sie fehlerlos, aber nicht, daß sie unbedingt wasserdicht sind, wer sich aber nach Maß ein Paar wasserdichte Stiefel, oder ein Paar Fischer- oder Jagdstiefel bestellt, kann unbedingte Wasserdichtigkeit verlangen. Fehlt hieran etwas, so kann er verlangen, daß der Mangel beseitigt werde, kann aber auch auf Kosten des Schuhmachers den Mangel selbst beseitigen oder beseitigen lassen (§ 633).

Der Besteller kann zugleich dem Unternehmer eine angemessene Frist setzen mit der Erklärung, daß er nach der Frist Nachbesserungen nicht mehr annehme. Nach dieser Frist kann der Besteller Wandelung oder Minderung des Preises (s. o. Kauf §§ 462—464) verlangen, wenn nicht der Mangel rechtzeitig beseitigt ist (§ 634). Dies gilt für alle die Mängel des Werkes, die mit oder ohne Schuld des Unternehmers entstehen, z. B. ein Unternehmer verpflichtet sich, einen Tennisplatz zu einem bestimmten Termin herzustellen, Regengüsse stören das Werk, sodaß es ohne Schuld nicht tadellos hergestellt ist. Hier kann nach Ablauf der Frist nur Wandelung oder Minderung verlangt werden (§ 634).

Trifft jedoch den Unternehmer oder seine Leute eine Schuld, so kann der Besteller statt Wandelung und Minderung Schadensersatz verlangen (§ 635).

Handelt es sich um einen Werklieferungsvertrag über vertretbare Sachen, z. B. Zwirn, Garn, Seide, Knöpfe, Nadeln, Briefbogen, Drahtstifte, Gewehrpatronen, Wäscheklammern, so gelten nur die Regeln des Kaufes; die Frist zur Nachbesserung fällt fort, aber der Besteller kann nach § 480 auch Neulieferung verlangen (§ 651).

IV. Wird der Unternehmer nicht zu rechter Zeit fertig, kann der Besteller ihm ebenfalls eine Frist setzen, nach ihrem Ablauf Minderung verlangen oder nach § 327 vom Vertrage zurückzutreten. Wandelung ist ausgeschlossen (§ 636).

Muß der Besteller zur Vollendung des Werkes mitwirken (z. B. der durch einen Unglücksfall Verkrüppelte muß beim Bandagisten das künstliche Glied, das Schienengestell rc. anpassen) und der Besteller bleibt aus, so kann der Unternehmer, wenn der Besteller in Verzug ist, angemessene Entschädigung verlangen (§ 642), er kann aber auch dem Besteller eine Frist setzen und für den fruchtlosen Ablauf der Frist den Vertrag kündigen (§ 643) [1].

V. Ist das Werk vertragsmäßig hergestellt, so muß der Besteller es abnehmen, beim Werklieferungsvertrag über vertretbare Sachen unbedingt (§ 433), sonst sofern nicht nach Beschaffenheit des Werks die Annahme ausgeschlossen ist (§ 640). Sieht er, daß es mangelhaft ist, muß er sich seine Rechte vorbehalten (§§ 640, 651, 464). Wer also den neuen Rock, die Gewehrpatronen ohne Bemängelung annimmt, trotzdem er sofort sieht, daß das Gelieferte grobe Mängel hat, geht seiner Rechte verlustig s. o. S. 86 f.

VI. Wenn das Werk des Unternehmers vernichtet wird, bevor es der Besteller abnimmt, so ist die Frage:

1) Bekommt der Unternehmer seine Arbeit bezahlt? Die Antwort lautet: Nein.

2) Bekommt er beim Werklieferungsvertrage den von ihm gelieferten Stoff bezahlt? Die Antwort lautet ebenfalls: Nein.

Jedoch wenn der vom Besteller gelieferte Stoff zufällig beschädigt oder vernichtet wird, so ist der Unternehmer nicht dafür verantwortlich. Dies nennt man die Frage: Wer trägt die Ge-

---

1) §§ 642, 643 gelten selbstverständlich auch für den Werklieferungsvertrag, obgleich dies nach Wortlaut von § 651 nicht vorgesehen ist. Aber beim Kaufvertrag findet sich keine entsprechende Bestimmung, folglich müssen wir auf den Werkvertrag zurückgehen.

fahr beim Werk- und Werklieferungsvertrage? Ausdrücklich muß darauf hingewiesen werden, daß beim Kauf es sich nur um Sach- gefahr, hier aber in erster Linie um Arbeitsgefahr (b. h. Ge- fahr des Lohnverlustes) und erst dann um Sachgefahr handelt. Es ist ein sehr fehlerhafter Sprachgebrauch, beides ohne weiteres mit demselben Wort zu bezeichnen.

Also wenn jemand es übernimmt, im Garten eines Anderen einen Graben zu ziehen und dieser Graben ist fertig, aber noch nicht abgenommen, so kann er keinen Lohn verlangen, wenn durch einen gerade über dem Graben losbrechenden Wolkenbruch der Graben eingerissen und verschlämmt wird. Wenn der Schneider am Abend um 11 Uhr den bestellten Anzug fertig hat, in der Nacht im Nebenhause Feuer ausbricht, auf die Wohnung des Schneiders überspringt und u. a. auch den neuen Anzug zerstört, so erhält der Schneider keinen Arbeitslohn und, wenn er den Stoff geliefert hatte, auch keine Entschädigung für den Stoff. Hatte der Besteller den Stoff geliefert, so braucht ihm aber auch der Schneider, da hier Zufall vorliegt, den Stoff nicht zu ersetzen.

Muß der Unternehmer, z. B. ein Uhrmacher das gefertigte Werk, sei es eine nur ausgebesserte (Werkvertrag) oder neugefertigte Uhr (Werklieferungsvertrag), anderswohin als nach dem Erfüllungs- orte (§ 269) schicken, so trifft den Empfänger schon in dem Augen- blick die Gefahr, wo die Sache dem Spediteur, dem Frachtführer oder der sonst zur Ausführung der Versendung bestimmten Person oder Anstalt ausgeliefert ist (§§ 644, 447). Bestellt ein in Berlin studierender Student aus Stettin sich bei seinem Stettiner Schuh- macher ein Paar Stiefel, so trägt er die Gefahr des Unterganges von dem Augenblick ab, wo sie zur Post gegeben sind.

Ausnahmsweise kann der Unternehmer Ersatz für die geleistete Arbeit verlangen, wenn 1) der vom Besteller gelieferte Stoff fehler- haft war oder 2) der Besteller in Bezug auf die Ausführung der Arbeit bestimmte Anweisungen gegeben, sodaß infolge der Fehler oder infolge der Beobachtung der Anweisungen das Werk unterging, verschlechtert oder unausführbar wurde, ohne daß der Unternehmer haftbar gemacht werden kann. Der Unternehmer kann eine der ge- leisteten Arbeit entsprechende Vergütung verlangen. Außerdem haftet ihm der Besteller wegen Verschuldung (§ 645). Dr. W., ein eifriger Jäger, will umziehen und überträgt dem Dienstmann K., seine Habe zu verpacken. Ohne daß K. darauf aufmerksam gemacht ist, daß in einer versiegelten Pappschachtel ohne Abzeichen scharf geladene Patronen enthalten sind, befiehlt er ihm, sie mit den anderen Sachen in gewöhnlicher Weise zu verpacken. Kühne verpackt sie der Anweisung entsprechend; die Patronen explodieren, schädigen die Habe des W. und die Person des K. Letzterer kann seine geleisteten Dienste entsprechend vergütet verlangen und überdies noch Schadensersatz, Werner muß seinen eigenen Schaden tragen.

VII. Der Werkvertrag ist immer entgeltlich (§ 631, I). In § 632, I wird bestimmt, wann ein auf ein Werk gerichteter Vertrag entgeltlich und darum Werkvertrag ist.

Die Vergütung beim Werkvertrage muß nicht notwendig in Geld bestehen; ein Werkvertrag kann vorliegen, wenn Gärtner A. dem Ackerbürger B. den Garten in Ordnung bringt und dieser ihm dafür den Acker pflügt.

Der Besteller hat sofort bei Abnahme zu zahlen, unter Umständen bei teilweiser Abnahme einen Teil (§ 641).

Der Unternehmer hat für seine Forderungen aus dem Vertrage ein Pfandrecht an den von ihm bearbeiteten oder hergestellten beweglichen Sachen des Bestellers, wenn sie auf Grund des Vertrages in seine Hand kamen (§ 647). Schuldet A. dem Schneider 300 Mk. und schickt seinen Anzug im Werte von 70 Mk. zum Ausbessern hin, so geht das Pfandrecht des Schneiders nur auf die Reparaturkosten im Werte von 10 Mk. Die übrigen 300 Mk. sind durch das Pfandrecht nicht mehr gesichert.

Um die Bauhandwerker, Maurer, Zimmerer, Schlosser, Tischler 2c. vor den Bauschwindlern zu schützen, bestimmt § 648, daß der Unternehmer eines Bauwerkes oder eines einzelnen Teiles eines Bauwerkes für seine Forderungen aus dem Vertrage die Einräumung einer Sicherungshypothek an dem Baugrundstück des Bestellers verlangen kann. Diese Hypothek kann schon vor vollendeter Arbeit, aber nur entsprechend dem verdienten Lohne und den gemachten Auslagen, verlangt werden. Ist das Grundstück unbebaut 50 000 Mk. wert, erhöht sich durch die Bebauung sein Wert auf 100 000 Mk., so kann, auch wenn das Grundstück schon mit 50 000 Mk. Hypotheken belastet war, doch für die Bauhandwerker entsprechend ihrer Arbeit eine neue Hypothek eingetragen werden.

§ 20. Mäklervertrag.

Der Mäklervertrag ist mit dem Werkvertrage sehr nahe verwandt, der Lohn wird nur gezahlt, wenn die Dienstleistungen des Mäklers Erfolg haben (§ 652).

Jemand wünscht ein Gut zu kaufen oder zu pachten; eine Hausfrau sucht ein Mädchen; jemand sucht eine Hypothek auf sein Grundstück. Die Suchenden wenden sich an einen Mäkler oder, wie der Sprachgebrauch des täglichen Lebens lautet, an einen Agenten oder Kommissionär. Dieser „stellt“ ein Gut 2c „an“ d. h. teilt dem Anfrager mit, wo ein seinen Wünschen entsprechendes Gut sei. Dann kann der Reflektant sich mit dem Besitzer in Verbindung setzen und hiebei kann ihn der Mäkler noch ferner unterstützen. Er kann auch den anderen Teil auf die neue Gelegenheit aufmerksam machen, ihn den Wünschen seines Auftraggebers willfährig stimmen, indem er ihm die Vorteile des Geschäftes vorstellt. Er kann dessen Wünsche erforschen und sie seinem Auftraggeber mitteilen 2c. Kurz er kann auf den Abschluß eines Kauf- oder Pachtvertrages zwischen den Parteien im Interesse seines Auftraggebers hinwirken.

Den Vertrag schließt er aber nicht etwa selber als Bevollmächtigter ab, vielmehr bleibt dies den Parteien überlassen, er tut nur das Seinige, daß ein Vertag zu Stande kommt. Mäklergebühr kann er nur beanspruchen, wenn der Vertrag wirklich zu Stande kommt (§ 652). Ist der Mäkler aber entgegen der Abmachung mit seinem Auftraggeber (dem Mäklervertrage) auch „für die andere Partei“, d. h. in deren Interesse, tätig gewesen, so erhält er nichts (§ 654). Übermäßige Provision, die sich ein Mäkler für den Nachweis oder die Vermittlung eines Dienstvertrages hat versprechen lassen, kann der Richter auf Antrag des Auftraggebers ermäßigen (§ 655).

Der Heiratsvermittler kann niemals eine Provision beanspruchen, weil entgeltliche Ehevermittelung gegen die guten Sitten verstößt (§ 656). Aber auch hier gilt wie bei der übermäßig hohen Provision: das einmal Gezahlte kann nicht zurückgefordert werden (§§ 655, 656).

§ 21. Auslobung.

Wer öffentlich für eine Tat eine Belohnung auslobt, muß sie dem geben, der die Tat vollbringt, auch wenn dieser von der Auslobung nichts wußte (§ 657).

Gelehrte Gesellschaften, die Fakultäten der verschiedenen Universitäten, reiche Privatleute, der Landesfürst, Staaten, Provinzen, Städte, Gemeinden, die Staatsanwaltschaft setzen sehr häufig Belohnungen aus, z. B. für eine wissenschaftliche Arbeit, eine künstlerische Leistung, für die Entdeckung eines Verbrechers ꝛc.

Das Besondere ist, daß der Auslobende verpflichtet wird, ohne daß ein Vertrag vorliegt. Kauf, Miete, Dienstvertrag ꝛc. verpflichten, weil sie Verträge sind, die Auslobung verpflichtet aber schon, ohne daß jemand das Anerbieten einer Belohnung annimmt. So erhält z. B. der Eroberer der ersten Fahne die ausgesetzte Belohnung, wenn er auch garnicht weiß, daß eine solche ausgesetzt ist. Die Auslobung ist kein Vertrag, sondern ein einseitig verpflichtendes Versprechen, das keiner Annahme bedarf.

„Die Auslobung kann bis zur Vornahme der Handlung widerrufen werden. Der Widerruf ist nur wirksam, wenn er in derselben Weise, wie die Auslobung bekannt gemacht wird oder wenn er durch besondere Mitteilung erfolgt" (§ 658).

Haben mehrere die vorgeschriebenen Bedingungen erfüllt, so erhält die Belohnung, wer die Bedingungen zuerst erfüllt hat. Sind alle gleichberechtigt, so wird der Preis geteilt oder, wenn dies nicht möglich ist, wird gelost (§ 659).

Preisausschreiben müssen eine bestimmte Frist setzen, sonst gelten sie nicht. Das Recht, den Preis zu verteilen, hat entweder der ernannte Preisrichter oder der Auslobende. Er muß § 659 beachten (§ 661).

§ 22. Auftrag.

I. Das Wort Auftrag ist sehr vieldeutig und uns schon mehrfach begegnet, so beim Werkvertrag und beim Mäklervertrage, es wird auch beim Dienstvertrag vielfach angewendet. Es wurde dort in dem gewöhnlichen Sinne des täglichen Lebens gebraucht, da ein besserer Ausdruck mangelt. Allerdings sind Werkvertrag, Mäklervertrag und Auftrag alle drei sehr nahe mit einander verwandt.

Bei Dienst-, Werk- und Mäklervertrag soll der Beauftragte Dienste leisten und erhält grundsätzlich ein Entgelt. Beim Auftrag soll der Beauftragte ebenfalls Dienste leisten, aber grundsätzlich unentgeltlich, z. B. A. bittet B. ihm bei seinem Ausgange in die

Stadt Briefpapier zu besorgen, ihm die ausgebesserte Uhr vom Uhrmacher mitzubringen und zu bezahlen, für ihn Geld zur Sparkasse zu bringen, Geld beim Bankier zu erheben, das Gehalt des A. bei einer öffentliche Kasse zu erheben, die Steuern des A. zur Kasse zu bringen, den Mietern des A. in seinem entfernt gelegenen Hause zu kündigen, auf eine Zeitung für A. zu abonnieren, dem Arbeiter zu sagen, er solle am anderen Tage zur Arbeit kommen, der Wäscherin D. den erwarteten Bescheid zu bringen, daß ihre Hilfe nicht mehr notwendig wäre, Bücher aus der Leihbibliothek oder aus der Universitätsbibliothek mitzubringen.

Auftrag ist im engeren technischen Sinne derjenige Vertrag, durch den sich jemand verpflichtet, ein ihm vom Auftraggeber übertragenes Geschäft unentgeltlich zu besorgen (§ 662).

Die Vieldeutigkeit des Wortes Auftrag zeigt sich an § 663. Rechtsanwälte, Notare, Gerichtsvollzieher, Gesindevermieter (d. h. also die uns schon bekannten Mäkler), Bankiers, aber auch Dienstmänner &c. müssen einen ihnen zugehenden Auftrag, der eine Geschäftsbesorgung zum Gegenstand hat, entweder annehmen oder unverzüglich ablehnen. In den meisten Fällen aber wird sich der Auftrag auf einen Dienst=, Werk= oder Mäklervertrag beziehen. § 663. „Wer zur Besorgung gewisser Geschäfte öffentlich bestellt ist oder sich öffentlich erboten hat, ist, wenn er einen auf solche Geschäfte gerichteten Auftrag nicht annimmt, verpflichtet, die Ablehnung dem Auftraggeber unverzüglich anzuzeigen. Das Gleiche gilt, wenn sich jemand dem Auftraggeber gegenüber zur Besorgung gewisser Geschäfte erboten hat."

Diese Bestimmung ist auf Dienst=, Werk= und Mäklervertrag anzuwenden, denn sie müßte eigentlich bei allen diesen Verträgen stehen (§ 675).

II. Der Beauftragte muß regelmäßig den Auftrag selber ausführen.

§ 664. „Der Beauftragte darf im Zweifel die Ausführung des Auftrags nicht einem Dritten übertragen. Ist die Übertragung gestattet, so hat er nur ein ihm bei der Übertragung zur Last fallendes Verschulden zu vertreten. Für das Verschulden eines Gehilfen ist er nach § 278 verantwortlich."

Gemäß § 664 ist zu scheiden der Substitut und der Gehülfe. Der Substitut tritt bei der Ausführung des Auftrages an die

Stelle des Beauftragten z. B. jemand verspricht einem Freunde, seine Uhr zum Uhrmacher mitzunehmen, gibt sie aber seinem Bruder mit, der sie fallen läßt und beschädigt. Er haftet unbedingt für das Verhalten seines Bruders, da es ihm nicht erlaubt war, ihn zu substituieren, auf Verschulden des Bruders kommt es nicht an. War ihm ausnahmsweise erlaubt, die Uhr auch einem verläßlichen Dritten mitzugeben und gibt er sie dem unzuverläffigen jüngeren Bruder mit, statt dem zuverläffigen älteren, so haftet er in diesem Falle gleichfalls. Hat er sie jedoch dem älteren Bruder mitgegeben, so haftet er nicht, auch wenn der Bruder die Uhr schuldhaft beschädigt.

Hat dagegen jemand einem Anderen versprochen, ihm einen Korb mit Äpfeln zum Bahnhof zu tragen und läßt er sich dabei helfen, so haftet er unbedingt für das Verschulden seiner Gehülfen gemäß § 278, wenn dieser z. B. unachtsam den Korb zu unpassender Zeit losläßt und Korb und Äpfel durch den Fall beschädigt werden.

Dies ergibt folgende Tabelle:

1. Substitution.
   a. unerlaubte: der Beauftragte haftet für alles was dem Substituten zustößt, mag dieser schuldhaft oder schuldlos den Auftraggeber schädigen.
   b. erlaubte: der Beauftragte haftet nur für Verschulden des Substituten und nur dann, wenn er schuldhaft einen untauglichen Substituten auswählt.

2. Gehülfenschaft.
   Der Beauftragte haftet unbedingt für Verschulden seines Gehülfen.

Er muß sich nach den Vorschriften richten, die ihm gegeben sind, darf aber davon abweichen, „wenn er den Umständen nach annehmen darf, daß der Auftraggeber bei Kenntnis der Sachlage die Abweichung billigen würde" (§ 665). Dies gilt auch für Dienst- und Werkvertrag, wenn sie eine Geschäftsbesorgung zum Gegenstande haben (§ 675).

Der Beauftragte mußte Auskunft geben und Rechenschaft legen (§ 666), muß Alles, was ihm der Auftraggeber einhändigt und „was er aus der Geschäftsbesorgung erlangt", herausgeben (§ 667). Dies gilt mit der schon bezeichneten Maßgabe auch für Dienst- und Werkvertrag (§ 675).

III. Der Auftraggeber muß, wo es nötig ist, auf Verlangen Vorschuß geben (§ 669) und dem Beauftragten seine gerechtfertigten Auslagen ersetzen (§ 670). Ebenso bei Dienst- und Werkvertrag (§ 675, f. o.).

IV. § 671. „Der Auftrag kann von dem Auftraggeber jederzeit widerrufen, von dem Beauftragten jederzeit gekündigt werden.

Der Beauftragte darf nur in der Art kündigen, daß der Auftraggeber für die Besorgung des Geschäfts anderweit Fürsorge treffen kann, es sei denn, daß ein wichtiger Grund für die unzeitige Kündigung vorliegt. Kündigt er ohne solchen Grund zur Unzeit, so hat er dem Auftraggeber den daraus entstehenden Schaden zu ersetzen.

Liegt ein wichtiger Grund vor, so ist der Beauftragte zur Kündigung auch dann berechtigt, wenn er auf das Kündigungsrecht verzichtet hat."

Der Widerruf endet den Auftrag sofort, die Kündigung an sich nicht.

V. Mit dem Tode des Beauftragten erlischt der Auftrag, aber der Erbe hat in besonders dringenden Fällen den Auftrag zunächst weiter zu erfüllen (§ 673). Dies gilt auch für Dienst- und Werkvertrag (§ 675).

VI. Der Beauftragte haftet für Vorsatz, grobe und leichte Fahrlässigkeit nach den Bestimmungen des § 276, von denen für den Auftrag keine Ausnahme gemacht ist. Dies scheint hart, da der Beauftragte dem Auftraggeber eine reine Gefälligkeit erweist, aber es ist jedoch nur gerecht. Trotzdem normaler Weise der Beauftragte am Vertrage nicht interessiert ist, muß er doch für jegliche Fahrlässigkeit aufkommen; denn wer seine Hände in fremde Angelegenheiten steckt, soll es ordentlich, mit Anwendung aller Vorsicht tun, sonst soll er lieber davon bleiben.

VII. Für einen bloßen Rat oder eine Empfehlung haftet niemand, wenn er nicht ein Delikt begeht, z. B. Betrug, oder wenn er nicht zu dem Anderen in einem Vertragsverhältnis steht, z. B. ein Auskunftsbureau berät den Anfragenden schlecht, oder der Verlag einer Zeitschrift, der an seine Abonnenten Ratschläge erteilt, muß für vorkommende Versehen haften, oder ein Bankier erteilt seinem Kunden, der bei ihm Wertpapiere deponiert hat, verkehrte Auskunft.

In allen diesen Ausnahmefällen haftet der Ratgeber für sein Verschulden (§ 676).

§ 23. Geschäftsführung ohne Auftrag.

I. A. verreist plötzlich und wird wider Erwarten längere Zeit ferngehalten. Da er auf eine nur kurze Abwesenheit rechnete, hat er niemand beauftragt, sich seiner Geschäfte anzunehmen. Sein Freund B. springt aber freiwillig in der Zwischenzeit ein und besorgt die Geschäfte des A. Von dem Mieter, der zahlungsunfähig zu werden droht, zieht er die Miete ein, bevor es zu spät wird; für das schwer erkrankte Dienstmädchen läßt er einen Arzt kommen; zu dem Pferde des A., das sich vertreten hat, holt er einen Tierarzt; die für A. ankommende Nachnahmesendung löst er ein; bezahlt das Schulgeld für seine Kinder; kauft für A. zur Abrundung von dessen Garten ein Stück Landes, das A. schon immer haben wollte 2c.

Ein recht häufiger Fall der Geschäftsführung ohne Auftrag ist der, daß jemand einen ihm zulaufenden Hund füttert, für einen auf der Straße verunglückten Menschen, der nicht mehr für sich selber sorgen kann, einen Arzt ruft, eine Droschke holt.

In allen diesen Fällen haben wir Geschäftsführung ohne Auftrag. Dieser ist ein Vertrag über eine Gefälligkeit, die Geschäftsführung ist eine Gefälligkeit ohne Auftrag. Daher wird sie am besten hinter dem Auftrage behandelt, obgleich sie nicht zu den Verträgen gehört.

II. Da fragt sich dann, ob derjenige, der im Interesse eines Anderen, des Geschäftsherrn, tätig wird, der Geschäftsführer, Ersatz seiner Auslagen verlangen kann.

Unbedingt wird niemand, der den häufig recht unangebrachten Diensteifer ungeschickter Freunde kennen gelernt hat, diese Frage bejahen. Das B.G.B. fordert dementsprechend auch, daß der Geschäftsführer das Geschäft so zu führen hat, „wie das Interesse des Geschäftsherrn mit Rücksicht auf dessen wirklichen oder mutmaßlichen Willen es erfordert" (§ 677).

Also als eine richtige Geschäftsführung wird dasjenige angesehen, was im Interesse des Geschäftsherrn liegt und was er getan haben würde, wenn er in der Lage gewesen wäre, seine Interessen selber wahrzunehmen. Es ist also besonders auf den wirklichen oder mutmaßlichen Willen des Geschäftsherrn zu sehen.

§ 679. „Ein der Geschäftsführung entgegenstehender Wille des Geschäftsherrn kommt nicht in Betracht, wenn ohne die Geschäftsführung eine Pflicht des Geschäftsherrn, deren Erfüllung im öffentlichen Interesse liegt, oder eine gesetzliche Unterhaltspflicht des Geschäftsherrn nicht rechtzeitig erfüllt werden würde."

Auch wenn also der Alimentationspflichtige es geradezu verbietet, dem Kinde, den alten Eltern Unterhalt zu geben, so darf es ein Anderer doch tun und die Kosten von ihm wahrnehmen.

Denn § 683 sagt:

„Entspricht die Übernahme der Geschäftsführung dem Interesse und dem wirklichen oder dem mutmaßlichen Willen des Geschäftsherrn, so kann der Geschäftsführer wie ein Beauftragter Ersatz seiner Aufwendungen verlangen. In den Fällen des § 679 steht dieser Anspruch dem Geschäftsführer zu, auch wenn die Übernahme der Geschäftsführung mit dem Willen des Geschäftsherrn in Widerspruch steht" (§ 683). Vergl. § 670 über den Auftrag. Besorgt der Geschäftsführer die Geschäfte des Geschäftsherrn in Schenkungsabsicht, z. B. jemand ruft für den auf der Straße Verunglückten einen Arzt, eine Droschke in der Absicht, Arzt und Droschkenkutscher selber zu bezahlen, so hat der Geschäftsführer keinen Ersatzanspruch; Voraussetzung für diesen ist immer, daß der Geschäftsführer zwar zunächst die Auslagen selber tragen, aber im Enderfolge doch nur für fremde Rechnung tätig sein will.

III. Der Geschäftsführer haftet ebenso wie der Beauftragte gemäß § 276 für Vorsatz, grobe und leichte Fahrlässigkeit, aber „bezweckt die Geschäftsführung die Abwendung einer dem Geschäftsherrn drohenden dringenden Gefahr, so hat der Geschäftsführer nur Vorsatz und grobe Fahrlässigkeit zu vertreten" (§ 680).

Greift der Geschäftsführer gegen den Willen des Geschäftsherrn ein und mußte er dies erkennen, so muß er allen aus der Geschäftsführung entstehenden Schaden ersetzen, auch wenn er ihn nicht verschuldet hat. Z. B. A. hat die Kuh des B. bei sich auf der Weide. Der Viehhändler bietet einen hohen Preis und A. verkauft sie, obgleich er weiß, daß B. sie nicht verkaufen will. Er hofft aber, daß B. sich durch den hohen Preis wird zufrieden stellen lassen. Die Kuh transportiert A. zum Händler, unterwegs wird sie vom Blitz erschlagen. A. haftet für diesen Zufall (§ 678).

§ 24. Gesellschaft.

I. Das Wort Gesellschaft ohne Zusätze bezeichnet im Sinne dieser Darstellung etwas ganz Anderes als das Wort Gesellschaft mit

Zusätzen, z. B. Aktiengesellschaft, offene Handelsgesellschaft, Gesellschaft mit beschränkter Haftung. Das Wort Gesellschaft mit Zusätzen bezeichnet stets eine Personenmehrheit, das Wort Gesellschaft ohne Zusatz bezeichnet aber keine Personen, sondern ein Verhältnis und zwar ein Verhältnis zwischen Personen.

A. sieht, daß sich mit einem zu Verkauf stehenden Hause eine gute Spekulation machen läßt, ihm fehlt aber das Geld dazu. Er könnte es sich von B. leihen und die Spekulation auf eigene Faust machen, aber B. will das Geld nur hergeben, wenn er unmittelbar am Geschäfte beteiligt wird. Beide vereinigen sich daher, auf gemeinsame Kosten das Haus zu kaufen, den Gewinn, aber auch den etwaigen Verlust, zu teilen.

Gesetzt, das Haus kostet 100000 Mk. und A. leiht sich von B. 80000 Mk. gegen 5 %, kauft das Haus und verkauft es nach einem Jahre für 150000 Mk. wieder, dann muß er an B. 4000 Mk. Zinsen zahlen, hat aber 50000 Mk. gewonnen, bleibt ein Überschuß von 46000 Mk. Gewinn für A. allein, von denen er sich allerdings noch die Zinsen für seine eigenen 20000 Mk. abrechnen muß [1]).

Verliert A. an dem Hause 20000 Mk., da er es für 80000 Mk. wieder verkaufen muß, so beträgt sein Verlust 20000 Mk. + 4000 Mk. = 24000 Mk. B. verliert garnichts, sondern behält seine ganze Forderung von 80000 Mk. gegen A.

Wenn A. und B. eine Gesellschaft schließen, A. 20000 Mk., B. 80000 Mk. einbringt, beide das Haus für 100000 Mk. kaufen, nach einem Jahr für 150000 Mk. verkaufen, so erhält nach § 722, wenn nichts Anderes ausgemacht ist, jeder einen Kopfteil von dem Gewinn, nemlich 25000 Mk.

Schließt die Spekulation mit einem Verluste ab, so hat jeder, wenn der Verlust 20000 Mk. beträgt, einen Verlust von 10000 Mk. zu tragen (§ 722).

Es kann aber auch ausgemacht werden, daß A. ¹/₅ vom Gewinn und Verlust, B. ⁴/₅ trage (§ 722).

---

1) Genau genommen sind in dem oben gegebenen Beispiel nicht alle Größen in Rücksicht gezogen. Es fehlt z. B. die Ausgabe für die Kaufverträge, die etwaigen Hypothekengeschäfte, Ausbesserungen und die Einnahme an Miete. Aber das Beispiel sollte nicht zu verwickelt werden.

Nach diesem Beispiel wird die Legaldefinition des § 705 verständlich sein:

„Durch den Gesellschaftsvertrag verpflichten sich die Gesellschafter gegenseitig, die Erreichung eines gemeinsamen Zweckes in der durch den Vertrag bestimmten Weise zu fördern, insbesondere die vereinbarten Beiträge zu leisten."

Wenn nichts Besonderes ausgemacht ist, haben die Gesellschafter gleiche Beiträge zu zahlen (§ 706), z. B. die Teilnehmer an einem gemeinsamen Mittagstische verpflichten sich, Strafgelder in eine gemeinsame Kasse zu zahlen für den Fall, daß sie zu spät zur Mahlzeit kommen.

Wenn die Studenten E., F., G., H. sich verabreden, auf gemeinsame Kosten eine Pfingstreise zu machen, so schließen auch sie einen Gesellschaftsvertrag, jeder muß dann einen Beitrag zu den gemeinsamen Reisekosten zahlen. Kommt das so gezahlte Geld in eine gemeinsame Kasse, so gehört es alsdann allen Teilnehmern zusammen (§§ 706, 718). Niemandem kann, wenn die Kasse zu Ende geht, über den abgemachten Beitrag hinaus noch ein Nachschuß abverlangt werden (§ 707). Recht häufig sind die auf Repartition gegründeten Unternehmungen, die regelmäßig auf einem Gesellschaftsvertrage beruhen, z. B. eine gemeinsame Wagenfahrt, eine gemeinsame Feier als Kommers, Ball.

II. Im Übrigen sind die Vorschriften des B.G.B. weniger auf Verhältnisse der letzten Art zugeschnitten als auf Gesellschaftsverträge, die zu geschäftlichen Zwecken abgeschlossen werden.

Darum ist u. a. Folgendes bestimmt:

§ 709. „Die Führung der Geschäfte steht den Gesellschaftern gemeinschaftlich zu."

§ 710. „Ist in dem Gesellschaftsvertrage die Führung der Geschäfte einem Gesellschafter oder mehreren Gesellschaftern übertragen, so sind die übrigen Gesellschafter von der Geschäftsführung ausgeschlossen."

§ 711. „Steht nach dem Gesellschaftsvertrage die Führung der Geschäfte allen oder mehreren Gesellschaftern in der Art zu, daß jeder allein zu handeln berechtigt ist, so kann jeder der Vornahme eines Geschäfts durch den anderen widersprechen. Im Fall des Widerspruchs muß das Geschäft unterbleiben."

Gesetzt A., B., C. spekulieren mit einem Hause, es bietet sich dem A. eine Gelegenheit, es sehr günstig für 160000 Mk. zu verkaufen; A. will verkaufen, B. ebenfalls, aber C. widerspricht. Der Verkauf muß unterbleiben. Die Folge ist, daß die Gesellschafter später nur 150000 Mk. erhalten. Wurde das Haus durch Schuld des C. in seinem Werte vermindert, handelte C. grob fahrlässig, so ist er zu Schadensersatz verpflichtet, handelte er dagegen nur aus leichter Fahrlässigkeit, so kann er, wenn er auf Schadensersatz verklagt wird, den Gegenbeweis erbringen, daß er in seinen eigenen Angelegenheiten nicht sorgfältiger sei, und kann sich dadurch befreien (§§ 708, 277). § 708. „Ein Gesellschafter hat bei der Erfüllung der ihm obliegenden Verpflichtungen nur für diejenige Sorgfalt einzustehen, welche er in eigenen Angelegenheiten anzuwenden pflegt."

Diese Bestimmung ist getroffen, weil das Gesellschaftsverhältnis ein persönliches Moment, sozusagen etwas Brüderschaftliches enthält oder doch enthalten sollte. Einander nahestehende Personen sollen aber mit einander nicht zu scharf ins Gericht gehen.

III. Schließt der geschäftsführende Gesellschafter mit dritten Personen Verträge ab nur auf seinen eigenen Namen, so wird nur er selber berechtigt und verpflichtet; schließt er jedoch im Namen der Gesellschaft d. h. in seinem und der übrigen Gesellschafter Namen ab, so werden alle Gesellschafter persönlich berechtigt und verpflichtet und die Forderung wird gemeinschaftliche Forderung aller Gesellschafter und Bestandteil des Gesellschaftsvermögens. So erklärt sich die Figur 1:

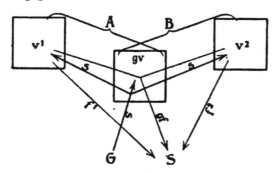

A und B sind Gesellschafter, v^1 und v^2 sind ihr Privatvermögen, gv ist ihr gemeinsames Gesellschaftsvermögen (angedeutet durch die v^1 und gv, v^2 und gv berührenden —— Linien, auf denen die Buchstaben A, B stehen; eigentlich ist der Anteil von A und B an gv ein Teil von v^1 und v^2), S ist Gesellschaftsschuldner, schuldet aber außerdem an A und B aus Geschäften, die mit der Gesellschaft in keinem Zusammenhang stehen, auch sonst noch verschiedene Summen;

diese Forderungen von A und B sind f¹ und f², dagegen die ihnen gemeinschaftliche, zum Gesellschaftsvermögen gehörige Forderung ist g f, die Gesellschaftsforderung. Sie gabelt sich in die Vermögens= massen v¹ und v² hinein, denn sie ist, wenn auch eine gemein= schaftliche Gesellschaftsforderung, so doch immerhin eine den Ge= sellschaftern persönlich zustehende Forderung; die Forderung s. des Gesellschafsgläubigers G geht gegen A und B persönlich, jedoch haftet für sie auch g v, deshalb geht eine ihrer Spitzen auch in g v hinein.

Hierin liegt der große Unterschied zwischen Gesellschaft und Verein mit juristischer Persönlichkeit: die Vereinsforderungen sind niemals Forderungen der einzelnen Vereinsmitglieder und ebenso auch nicht die Vereinsschulden, das ergiebt folgende Zeichnung Fig. 2:

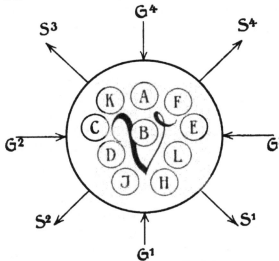

A, B, C, D, E, F, H, J, K, L sind die Vereinsmitglieder, V der umschließende Verein; S¹, S², S³, S⁴ sind Schuldner des Vereins, G¹, G², G³, G⁴ sind Gläubiger des Vereins. Die Pfeile, die die For= derungen oder die Schulden bezeichnen beginnen und endigen stets nur auf der Pe= ripherie des großen Kreises V, niemals auf den Peripherieen der kleinen Kreise A, B, C u. s. w., da Vereinsforderungen und Vereinsschulden die ein= zelnen Mitglieder nicht angehen. An den beiden Figuren läßt sich nunmehr auch der Unterschied zwischen den rechtsfähigen und den nicht rechtsfähigen Vereinen (§ 54) anschaulich machen. Nur gilt hier das Besondere, daß nur derjenige, der im Namen des Vereins handelt persönlich haftet. (§ 54.) Dies ergiebt Figur 3:

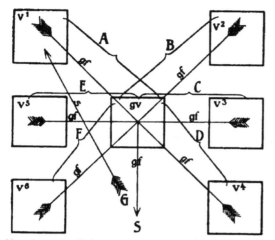

A, B, C, D, E, F ſind Vereinsmitglieder, v¹, v², v³, v⁴, v⁵, v⁶ ſind ihre Privatvermögen, gv iſt das Vereinsver= mögen, gf iſt die For= derung gegen den Ver= einsſchuldner S. Dieſe Vereinsforderung iſt aber, weil der Verein nicht rechtsfähig iſt, zu einer perſönlichen For= derung der einzelnen Vereinsmitglieder geworden, im Unterſchiede vom rechtsfähigen Verein (Fig. 2). Die Vereinsſchuld iſt eine perſönliche Schuld nur von A im Unterſchiede von der gewöhnlichen Geſellſchaft (Fig. 1). S. o. § 8 S. 50 f.

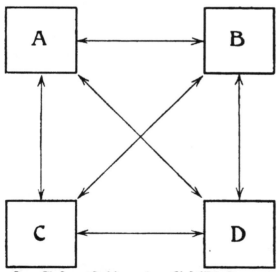

Genau genommen ſind die Figuren 1, 3 nicht ganz korrekt, vergl. Fig. 4. In Fig. 4 ſind A, B, C, D die Geſellſchafter, die vom Einen zum Anderen gehenden Pfeile zeigen ihr inne= res Verhältniß zu einander an: aus dem Geſellſchaftsvertrage hat jeder gegen jeden obligatoriſche Rechte. Fig. 4 entſpricht dem erſten Anfangsſtadium der Geſellſchaft, wo noch kein gemeinſchaft= liches Vermögen vorhanden iſt und rechtliche Beziehungen nach außen zu Dritten auch noch nicht angeknüpft ſind. Der Überſichtlichkeit wegen iſt in Fig. 1 und 3 das innere Verhältniß der Parteien nicht mit eingezeichnet. Aus Fig. 4 ergibt sich, daß die Gesellschaft nur ein Vertrag ist und der Verein eine Personenmehrheit.

IV. § 719. „Ein Gesellschafter kann nicht über seinen Anteil an dem Gesellschaftsvermögen und an den einzelnen dazu gehörenden Gegenständen verfügen; er ist nicht berechtigt, Teilung zu verlangen.

Gegen eine Forderung, die zum Gesellschaftsvermögen gehört, kann der Schuldner nicht eine ihm gegen einen einzelnen Gesellschafter zustehende Forderung aufrechnen".

„Ein Gesellschafter kann den Rechnungsabschluß und die Verteilung des Gewinnes und Verlustes erst nach der Auflösung der Gesellschaft verlangen", jedoch bei länger dauernden Gesellschaften regelmäßig am Schlusse jedes Geschäftsjahres (§ 721).

Jeder Gesellschafter kann jederzeit die Gesellschaft kündigen; ist die Gesellschaft auf bestimmte Zeit eingegangen, so kann aus wichtigen Gründen trotzdem jederzeit gekündigt werden.

Das Kündigungsrecht kann nicht für immer durch Vertrag ausgeschlossen werden (§ 723).

Der Gläubiger eines Gesellschafters kann kündigen, wenn er den Anteil seines Schuldners am Gesellschaftsvermögen hat pfänden lassen (§ 725).

„Die Gesellschaft endigt, wenn der vereinbarte Zweck erreicht oder seine Erreichung unmöglich geworden ist" (§ 726).

„Die Gesellschaft wird durch den Tod eines der Gesellschafter aufgelöst, sofern nicht aus dem Gesellschaftsvertrage sich ein Anderes ergibt" (§ 727). Ebenso wirkt Eröffnung des Konkurses über das Vermögen eines Gesellschafters (§ 728).

Durch Vertrag kann bestimmt werden, daß durch Kündigung, Tod, Konkurseröffnung nur der betreffende Gesellschafter ausscheidet, die Gesellschaft aber im Übrigen bestehen bleibt (§ 736).

Aus wichtigen Gründen kann ein Gesellschafter ausgeschlossen werden, z. B. wenn er vorsätzlich oder grob fahrlässig seine Pflichten versäumt (§§ 737, 723 Abf. 1 Satz 2).

Der ausscheidende Gesellschafter wird abgefunden (§§ 738—740).

§ 25. Bürgschaft.

I. B. leiht sich von C. 500 Mk. Wenn sich A. für B. bei C. verbürgt, so verspricht A. dem C.: Ich werde, wenn es sein muß, die Schuld des B. zahlen. A. schließt mit C. einen Vertrag, den Bürgschaftsvertrag.

„Durch den Bürgschaftsvertrag verpflichtet sich der Bürge gegenüber dem Gläubiger eines Dritten, für die Erfüllung der Verbindlichkeit des Dritten einzustehen" (§ 765).

Die Bürgschaft muß schriftlich geschehen (§ 766).

Der Bürge haftet für Alles, was der Hauptschuldner schuldet, insbesondere auch, wenn sich durch Verschulden des Hauptschuldners die Hauptschuld vergrößert (§ 767).

Da der Bürge für die Hauptschuld haftet, so wie sie ist, so kommen ihm auch alle diejenigen Umstände zugute, die die Schuld des Hauptschuldners abschwächen, z. B. der Gläubiger hat die Schuld gestundet. Wenn der Gläubiger den Hauptschuldner verklagt, hält ihm natürlich der Hauptschuldner entgegen: Ich schulde dir zwar 500 Mk. Darlehn, aber die Schuld ist mir auf neun Monate gestundet, von denen sechs Monate noch nicht abgelaufen sind; da ich erst in einem halben Jahr zu zahlen brauche, verweigere ich die Zahlung.

Der Hauptschuldner bringt hiemit eine sogenannte Einrede vor und seine Einreden stehen auch dem Bürgen zu, der also gegen eine Klage des Gläubigers genau dasselbe einwenden kann, wie der Hauptschuldner (§ 768). Ausnahmen s. § 768 I Satz 2. Kann der Hauptschuldner seine Schuld als ungültig anfechten, weil er durch Betrug des Gläubigers oder dergleichen bestimmt worden ist, auf den Vertrag mit dem Gläubiger einzugehen, so kann auch der Bürge die Befriedigung des Gläubigers verweigern (§ 770).

II. Der Bürge hat außerdem noch die Einrede der Vorausklage, d. h. er kann verlangen, daß der Gläubiger zunächst den Schuldner verklage und versuche, was sich bei ihm holen läßt. Erst wenn der Gläubiger die Zwangsvollstreckung vergeblich versucht hat, der Gerichtsvollzieher bei dem zahlungsunfähigen Schuldner nichts gefunden hat, erst dann darf der Bürge verklagt werden (§ 771).

Jedoch hat der Bürge die Einrede der Vorausklage nicht,

1) wenn er darauf verzichtet; als Verzicht gilt es, wenn er sich als Selbstschuldner verbürgt;

2) wenn der Hauptschuldner nach der Bürgschaftleistung verzieht, seine gewerbliche Niederlassung verlegt ꝛc. und dem Gläubiger dadurch die Verfolgung seines Rechtes wesentlich erschwert wird;

3) bei Konkurs des Hauptschuldners;

4) wenn anzunehmen ist, daß die Zwangsvollstreckung in das Vermögen des Hauptschuldners nicht zur Befriedigung des Gläubigers führen wird (§ 773).

Bei Handelsgeschäften, die eine schnelle Abwicklung fordern, ist die Einrede überhaupt versagt (§ 349 H.G.B.).

III. „Soweit der Bürge den Gläubiger befriedigt, geht die Forderung des Gläubigers gegen den Hauptschuldner auf ihn über" (§ 774).

Der Bürge kann sich freiwillig in Schenkungsabsicht verbürgen, wenn er sich aber im Auftrage des Hauptschuldners verbürgt, so hat er gegen ihn eine Klage aus dem Auftrag. Entsprechend ist es bei Geschäftsführung ohne Auftrag. Diese Klage ist deshalb wichtig, weil mit ihr der Bürge sich für alle Aufwendungen, die er in Erfüllung des Auftrages machen muß, schadlos halten kann. Er kann also das, was er verauslagt hat, von dem Hauptschuldner mit der Klage aus § 670 beitreiben.

Er kann sie aber auch noch in einer anderen Richtung benutzen, er kann mit ihr den Hauptschuldner zwingen, ihn von der Bürgschaft zu befreien,

1) wenn sich die Vermögensverhältnisse des Hauptschuldners wesentlich verschlechtert haben;

2) wenn die Rechtsverfolgung gegen den Hauptschuldner infolge einer nach der Übernahme der Bürgschaft eingetretenen Änderung des Wohnsitzes, der gewerblichen Niederlassung oder des Aufenthaltsortes des Hauptschuldners wesentlich erschwert ist;

3) wenn der Hauptschuldner mit der Erfüllung seiner Verbindlichkeit in Verzug ist;

4) wenn der Gläubiger gegen den Bürgen ein vollstreckbares Urteil auf Erfüllung erwirkt hat (§ 775).

IV. Wenn A. den B. beauftragt, dem C. Kredit zu geben, so hat B. als Beauftragter die Klage aus § 670 wegen aller seiner Aufwendungen, die er in Ausführung des Auftrages gemacht hat.

Im praktischen Ergebnisse dient also ein solcher **Kreditauftrag** als Bürgschaft von dem Augenblicke an, wo B. dem C. Kredit gegeben hat. C. ist dann Hauptschuldner, B. Gläubiger, A. Bürge.

„Wer einen Anderen beauftragt, im eigenen Namen und auf eigene Rechnung einem Dritten Kredit zu geben, haftet dem Beauftragten für die aus der Kreditgewährung entstehende Verbindlichkeit des Dritten als Bürge" (§ 778).

§ 26. Schenkung.

I. A. will dem B. etwas schenken; dies kann er tun, indem er dem B. ein Pferd sofort gibt, ihm 100 Mk. sofort gibt, oder ihm verspricht: ich werde dir 100 Mk. geben; ich werde dir ein Pferd geben. Es kann ferner geschehen dadurch, daß er dem B. eine Schuld von 100 Mk. ganz oder teilweise erläßt, auf Lieferung des dem B. abgekauften Pferdes verzichtet, oder daß er dem C. ein Ölgemälde im Werte von 1000 Mk. schenkt unter der Bedingung, daß C. dem B. 500 Mk. auszahle.

„Eine Zuwendung, durch die jemand aus seinem Vermögen einen Anderen bereichert, ist Schenkung, wenn beide Teile darüber einig sind, daß die Zuwendung unentgeltlich erfolgt" (§ 516 I).

Keine Schenkung liegt vor, wenn der zu Beschenkende das ihm Zugewendete nicht annimmt, sei es, daß er nicht davon erfährt, sei es, daß er davon erfährt, aber ablehnt. Z. B. A. bezahlt die Schulden des B., solange B. von nichts weiß oder wenn er ablehnt, liegt keine Schenkung vor, denn die Schenkung ist ein **Vertrag**. Eine Schenkung ist auch nicht die Leistung von Diensten, z. B. jemand pflügt aus Gefälligkeit den Acker eines Anderen, besorgt für ihn einen Gang, hilft ihm bei einer Arbeit, unterrichtet ihn ohne Vergütung, hier fehlt die „Zuwendung, durch die jemand aus seinem Vermögen einen Anderen bereichert". Ferner ist es keine Schenkung, „wenn jemand zum Vorteil eines Anderen einen Vermögenserwerb unterläßt oder auf ein angefallenes noch nicht endgültig erworbenes Recht verzichtet oder eine Erbschaft oder ein Vermächtnis ausschlägt" (§ 517). A. und B. haben beide die Aufgabe gelöst, auf deren Lösung ein Preis ausgesetzt ist. Da sich der Preis nicht teilen läßt oder nicht geteilt werden soll, entscheidet nach § 659 das Los. A. verzichtet schon vor der Verlosung zu Gunsten des B.

Dies ist keine Schenkung. Oder jemand verzichtet auf eine Erbschaft, dann erhält sie der zunächst nach ihm berufene Erbe.
Auch hier liegt keine Schenkung vor.

Ist die Schenkung keine unmittelbare Zuwendung, z. B. bare
Übergabe von 100 Mk., Übergabe des Pferdes, so liegt nur ein
Schenkungsversprechen vor und dies muß nach § 518 gerichtlich oder notariell beglaubigt werden. Ganz mit Recht, denn
ein Versprechen ist leicht gegeben, aber schwer gehalten. Darum soll
nicht jedes Versprechen gelten.

II. Wenn A. dem B. ein rotzkrankes Pferd schenkt, dieses den
ganzen Stall des B. ansteckt, muß dann A. für den Schaden aufkommen?

§ 524. „Verschweigt der Schenker arglistig einen Fehler der
verschenkten Sache, so ist er verpflichtet, dem Beschenkten den daraus
entstehenden Schaden zu ersetzen." Der Schenker haftet also nur
für Arglist.

Ebenso ist es, wenn er arglistig dem Beschenkten verschweigt,
daß an der geschenkten Sache andere Personen Rechte geltend machen
können und wenn diese Personen ihre Rechte geltend machen. Der
Schenker muß dann „den daraus entstehenden Schaden ersetzen"
(§ 523).

III. Hat der Schenker aber eine Sache versprochen, die er noch
erst erwerben wollte, hat er also ein Schenkungsversprechen gegeben,
so haftet er unter Umständen auch für grobe Fahrlässigkeit, z. B.
A. verspricht dem B., die dem C. gehörige Vollblutstute Franziska
zu kaufen und ihm zu schenken.

Wenn er das Pferd dem B. gibt und grob fahrlässig übersieht, daß K. bessere Rechte daran hat, dann muß er Schadenersatz
leisten (§ 523).

Dasselbe gilt von körperlichen Fehlern der Sache, jedoch muß
dann das Versprechen gelautet haben: Ich schenke dir ein Vollblut-
pferd. Es muß also eine nur der Gattung nach bestimmte Sache
versprochen worden sein (§ 524). Der § 521 „der Schenker hat
nur Vorsatz und grobe Fahrlässigkeit zu vertreten" bezieht sich nicht
auf die Haftung für Mängel im Rechte, oder für körperliche Mängel
der Sache, sondern darauf, daß der Schenker bei Vollzug der
Schenkung nicht vorsätzlich oder fahrlässig dem Beschenkten Schaden
zufügen soll, z. B. der Schenker liefert die (gerichtlich oder notariell!)

versprochene Sache aus grober Fahrlässigkeit garnicht oder nicht zu der versprochenen Zeit oder nicht an dem versprochenen Orte dem Beschenkten, dann kann dieser auf Schadensersatz klagen.

IV. Hat A. dem B. ein Ölgemälde geschenkt mit der Auflage, dem C. 500 Mk. auszuzahlen, so kann er den B. auf Auszahlung der 500 Mk. an C. verklagen, sobald er dem B. das Bild gegeben hat (§ 525).

V. § 519. „Der Schenker ist berechtigt, die Erfüllung eines schenkweise erteilten Versprechens zu verweigern, soweit er bei Berücksichtigung seiner sonstigen Verpflichtungen außer stande ist, das Versprechen zu erfüllen, ohne daß sein standesmäßiger Unterhalt oder die Erfüllung der ihm kraft Gesetzes obliegenden Verpflichtungen (Unterhaltspflichten) gefährdet wird."

Der Schenker kann nach der Schenkung gemäß den Vorschriften des § 528 das Geschenk zurückfordern, wenn er „außer stande ist, seinen standesmäßigen Unterhalt zu bestreiten und die ihm seinen Verwandten, seinem Ehegatten oder seinem früheren Ehegatten gegenüber gesetzlich obliegende Unterhaltspflicht zu erfüllen" (§ 528).

VI. Der Schenker kann seine Schenkung widerrufen, „wenn sich der Beschenkte durch eine schwere Verfehlung gegen den Schenker oder einen nahen Angehörigen des Schenkers groben Undankes schuldig macht. Den Erben steht das Recht des Widerrufes nur zu, wenn der Beschenkte vorsätzlich und widerrechtlich den Schenker getötet oder am Widerruf gehindert hat" (§ 530).

§ 27. Spiel und Wette.

Was jemand verspielt oder verwettet, muß er nach gesellschaftlicher Anschauung unbedingt bezahlen, aber das Recht erkennt diesen Standpunkt nicht an. Spiel und Wette werden dem Vermögen der Menschen zu leicht gefährlich. Darum kann der Gewinner seinen Gewinn niemals einklagen, aber der Verlierer kann seinen Verlust, nachdem er einmal gezahlt hat, nicht zurückfordern (§ 762).

Eine Wette liegt vor, wenn jemand eine Leistung verspricht für den Fall, daß eine von ihm aufgestellte Behauptung nicht richtig sei Im Spiel werden um der Unterhaltung willen Vermögensvorteile versprochen, falls irgend welche zukünftige ungewisse Umstände eintreten oder nicht eintreten werden. Im ersten Falle will man seine Ansicht bekräftigen, im zweiten sich die Zeit vertreiben.

Spiel und Wette sind, da sie auf einer unzweifelhaften Vereinbarung beruhen, echte Verträge.

Die Schuld, die aus ihnen hervorgeht, nennt man, da sie nicht
eingeklagt werden kann, ihre Zahlung aber nicht verboten ist, eine
natürliche Verbindlichkeit, Naturalobligation.

§ 28. Vergleich.

Im Vergleich beseitigen die Parteien streitige oder ungewisse
Punkte dadurch, daß sie einander gegenseitig nachgeben, jeder von
seinen Ansprüchen etwas abläßt und vom Gegner zugleich die Zusicherung erhält, daß er seine Ansprüche ganz oder zum Teile ebenfalls aufgebe. Voraussetzung für den Vergleich ist immer, daß die
Parteien über irgendwelche Punkte in Streit oder in Ungewißheit
sich befinden. Wie ist es aber, wenn sich nachträglich herausstellt,
daß die Sachen ganz anders liegen, als die Parteien angenommen
haben? Soll dann der Vergleich noch gelten? § 779 bestimmt:
Der Vergleich ist unwirksam, wenn der nach dem Inhalt des Ver-
gleichs „als feststehend zu Grunde gelegte Sachverhalt der Wirklichkeit nicht entspricht und der Streit oder die Ungewißheit bei Kenntnis
der Sachlage nicht entstanden sein würde".

Auch der Vergleich gehört zu den Verträgen, da er nicht zustande kommt, wenn sich die Parteien nicht einigen.

§ 29. Schuldversprechen, Schuldanerkenntnis.

I. Das B.G.B. hat entschieden den Grundsatz, daß Verträge
in allen nur denkbaren Formen abgeschlossen werden können; es
schreibt regelmäßig keine besonderen Formen für die Gültigkeit eines
Vertrages vor. Zu den wenigen Ausnahmen (Bürgschaft und
Schenkungsversprechen) gehören Schuldversprechen und Schuldanerkenntnis.

Wenn A. dem B. verspricht, ihm 500 Mk. zu geben, falls
B. ihm dafür seinen Rotschimmel überlassen wolle, dann ist für
jedermann sofort klar, zu welchem Zwecke A. sein Versprechen gegeben hat. Er will kaufen. Ebenso ist es, wenn C. dem D.
Geld verspricht für den Fall, daß D. ihn in seinem, des D., Hause
wohnen läßt. Dann ist für jedermann klar, daß C. mieten will,

sein Versprechen trägt den Zweck, zu dem es abgegeben wurde, an der Stirne. Ebenso ist es, wenn K. dem L. Lohn verspricht für Arbeiten, die der L., noch leisten soll oder schon geleistet hat.

Es ist aber auch denkbar, daß jemand einem Anderen etwas verspricht, ohne anzugeben, zu welchem Zwecke er das tut. Er schweigt sich dann gänzlich über seinen Zweck aus, er sagt nicht, ob er zum Zwecke eines Kaufes oder einer Miete, oder eines Dienstvertrages 2c. dem Anderen sein Versprechen macht. Solche Versprechen unterscheiden sich ganz wesentlich von den anderen Versprechen, denen auf den ersten Blick angesehen werden kann, zu welchem juristischen Zwecke sie abgegeben sind.

Es ist jedoch zu scheiden zwischen Zweck und Motiv des Versprechens. Die Motive liegen weiter zurück, sind sozusagen im Hintergrunde: das Motiv zum Kauf eines Pferdes kann sein 1) bloße Liebhaberei, 2) dringendes praktisches Bedürfnis, Käufer muß notwendig ein abgegangenes Pferd durch ein neues ersetzen, 3) Gefälligkeit gegen den Verkäufer, der gern bares Geld haben will, 4) Gefälligkeit gegen einen Dritten, der Übervorteilung fürchtet, wenn er selber kauft, 5) der Wunsch, das Pferd einem Anderen zu schenken 2c. Der Motive gibt es Tausende, der juristischen Zwecke, Kauf, nur einen. So ist es mit jedem Versprechen. Ich kann jemanden beschenken aus Gutmütigkeit, aber auch aus Berechnung: der juristische Zweck des Versprechens bleibt immer Schenkung, das Motiv ist verschieden.

Man denke sich, daß A. dem B. 500 Mk. schuldet oder daß er ihm 500 Mk. Darlehn geben will, oder daß er ihm 500 Mk. schenken will. Eines Tages trifft plötzlich ein Brief von ihm bei B. ein des Inhaltes: Ich verspreche dir, am 25. d. Mts. dir 500 Mk. zu zahlen. Wahrscheinlich ist es ja freilich, daß er seine Schuld tilgen will, aber da er sich über den Zweck seines Versprechens ausgeschwiegen hat, ist noch keineswegs sicher, was er eigentlich will, seine Schuld bezahlen, ein Darlehn geben oder schenken. Man kann mit Sicherheit dem Briefe nicht ansehen, welchen Zweck A. mit seinem Versprechen verfolgt. Das Versprechen ist nicht zwecklos, aber der Zweck ist nicht erkennbar. Ein solches Versprechen nennen wir ein abstraktes Versprechen. Eine wichtige Frage ist, ob das objektive Recht ein abstraktes Versprechen ebenso anerkennen soll, wie die übrigen Versprechen. Es besteht z. B. die Gefahr, daß ein Versprechen seinen Zweck nicht nennt, weil es verbotenen Zwecken dient, die geheim gehalten werden sollen. Also statt den verbotenen Zweck zu nennen, wird gar kein Zweck genannt und die eigentliche Absicht der Parteien bleibt für jeden nicht eingeweihten Dritten, also auch für den Richter, im Dunkeln. Ferner ist bei einem abstrakten Versprechen die Lage des Versprechers besonders ungünstig. Wer 500 Mk. Kaufgeld verspricht, will nach dem klaren Wortlaut das Geld nur zahlen, wenn er auch die Ware erhält. Er kann daher gegen die Klage des Verkäufers auf den Kaufpreis immer antworten, daß auch er noch nichts erhalten habe und darum die Zahlung einstweilen noch verweigere (§ 320 [s. unten § 44 III, 1, 2]). Ein solcher Einwand läßt sich ja schließlich auch gegen die Forderung aus einem abstrakten Schuldversprechen vorbringen, aber er muß noch erst mit vielen Schwierigkeiten und Umständen bewiesen werden, während bei einem nicht abstrakten Versprechen der Beklagte sich nur einfach auf den Inhalt des vom Kläger geltend gemachten Versprechens zu berufen braucht, um darzutun, daß er gegen den Kläger auch seinerseits Gegenansprüche habe. Der Beweis ist hier also für den Beklagten um vieles leichter. Wir werden diese Frage später in der Lehre vom Beweise noch einmal behandeln, hier sei nur soviel festgestellt, daß das abstrakte Versprechen zwar den Vorzug hat, ein sehr einfaches, klares Rechtsverhältnis zu schaffen, daß es aber zugleich von einer nicht ungefährlichen Schneidigkeit ist.

Das B.G.B. hat mit Recht Bedenken getragen, es mit den übrigen Schuldversprechen, die ihren Zweck offen angeben, gleichzustellen und hat bestimmt, daß ein abstraktes Schuldversprechen nur dann gültig sein soll, wenn es schriftlich gegeben ist (§ 780).

II. Neben dem Schuldversprechen ist recht häufig das Schuldanerkenntnis. A. schuldet dem B. infolge einer ihm zugefügten Sachbeschädigung 300 Mk. und erkennt seine Schuld ausdrücklich an. Er kann dies tun, indem er ausdrücklich den Schuldgrund, die Sachbeschädigung, angibt oder indem er ihn nicht angibt. Im zweiten Falle ist das Anerkenntnis abstrakt. Dies hat die Wirkung, daß der verklagte Schuldner A. nicht mehr so leicht auf den ursprünglichen Tatbestand, die Sachbeschädigung, zurückgreifen kann, um sich der Pflicht zur Zahlung zu entziehen. Er kann gegen die Klage aus dem Anerkenntnis zwar immer noch vorbringen, daß er nicht zu zahlen brauche, denn er trage für die Sachbeschädigung die Verantwortung nicht, da er selber von einem Dritten in das zertrümmerte Fenster ohne eigene Schuld hineingestoßen worden sei; er fechte sein irrtümlich gegebenes Anerkenntnis an, da er nur eine wirklich bestehende Schadenersatzpflicht habe anerkennen wollen, aber er muß nunmehr seine Schuldlosigkeit beweisen, während vor dem Anerkenntnis der Kläger die Schuld des Beklagten nachweisen mußte. Wir kommen hierauf in der Lehre vom Beweise noch zurück. Jedenfalls ist klar, daß durch Anerkenntnis der Schuldner seine Lage ebenso wie beim abstrakten Schuldversprechen in erheblicher Weise verschlechtert, denn nach dem Anerkenntnis wird das ganze Verhältnis auf Grundlage eben des Anerkenntnisses beurteilt, der Richter richtet sich zunächst nach ihm und durch das Anerkenntnis hat sich gewissermaßen der Schuldner zu der in dem Anerkenntnis versprochenen Leistung selbst verurteilt. Darum hat das B.G.B. auch für das Anerkenntnis die schriftliche Form vorgeschrieben. Unter Umständen ist jedoch eine andere Form notwendig (§ 781).

§ 30. Anweisung.

A. schuldet dem C. 200 Mk., will sie zahlen und weist den B. an, dem C. im Namen des A. 200 Mk. auszuzahlen. Zu diesem Zwecke stellt er einen Schein aus, in dem er bescheinigt, daß er den B. angewiesen habe, dem C. 200 Mk. in seinem, des A. Namen auszuzahlen. Wenn C. diesen Schein erhalten hat, so ist er ermächtigt, die ihm von B. angebotenen 200 Mk. für sich zu erheben, d. h. von dem B. die 200 Mk. sich auszahlen zu lassen. Der B. darf dann das Geld an den C. auszahlen mit der Wirkung, daß die Zahlung auf Rechnung des A. geht (§ 783).

A. ist der Anweisende, B. ist der Angewiesene, C. ist der Anweisungsempfänger, denn dem C. ist die Anweisung, d. h. der Schein oder, wie das Gesetz sich ausdrückt, die Anweisungsurkunde ausgehändigt, er hat sie empfangen. Die Anweisung ist zulässig nur bei Geld, Wertpapieren, z. B. Aktien, Banknoten und bei anderen vertretbaren Sachen, z. B. Korn, Stahlfedern, Cigarren, Tabak, Kohlen, Holz rc. (§ 783).

Wenn weiter nichts vorliegt, als daß der A. dem C. die An-

weifung, b. h. den Schein, die Urkunde, überfandt hat, dann darf
C. wohl den B. um Zahlung erfuchen und wenn B. freiwillig
zahlt, das Geld auch annehmen, aber er hat noch nicht das Recht,
den B. zu verklagen, wenn diefer nicht gutwillig zahlen will. Ein
Klagerecht gegen den angewiefenen B. erhält er erft dadurch, daß
B. die Anweifung annimmt. Dies gefchieht dadurch, daß der An=
gewiefene, B. auf der Anweifung fchriftlich vermerkt, er nehme die
Anweifung an (§ 784). Da diefer Vermerk in erfter Linie den
Zweck hat, dem Anweifungsempfänger ein Klagerecht gegen den
Angewiefenen zu geben, fo ift es ganz natürlich, daß der Ange=
wiefene, B., dem C. gegenüber erklärt, daß er die Anweifung an=
nehme. Darum wird die Annahme der Anweifung, wenn der An=
gewiefene, B., fie fchon vor Aushändigung der Anweifung an den
Anweifungsempfänger, C. auf der Anweifung vermerkt hat, diefem
gegenüber erft dann wirkfam, wenn ihm die Anweifung ausge=
händigt ift (§ 784).

Nachdem A. die fchriftliche Anweifung erteilt hat. bereut er
diefen Schritt und möchte gerne widerrufen. Dies wird ihm auch
erlaubt, aber wenn der B. fchon rechtswirkfam feine Annahme der
Anweifung auf dem Schein vermerkt und ihn dem C. ausgehändigt
hat oder fchon an den C. gezahlt oder fonft geleiftet hat, ift es
zum Widerruf zu fpät, denn die gefchehene Leiftung läßt fich nicht
mehr rückgängig machen und das Recht, das der C. durch den
Annahmevermerk des B. und den Empfang der Anweifung gegen
diefen erworben hat, kann dem C. ebenfalls nicht mehr entzogen
werden (§ 790).

§ 785. „Der Angewiefene ift nur gegen Aushändigung der
Anweifung zur Leiftung verpflichtet". Ganz mit Recht, denn die
Anweifung ift dadurch, daß der Angewiefene B. feinen Annahme=
vermerk darauf fetzte, für ihn zu einem echten Schuldfchein ge=
worden. In dem Annahmevermerk erklärt der Angewiefene, B.:
Ich verfpreche dem (Anweifungsempfänger) C. ihm 200 Mk. zu
zahlen, ihm einen Waggon gefiebte Kohlen, 20 Aktien des Nord=
deutfchen Lloyd zu liefern ꝛc. Sehr häufig oder wohl regelmäßig
ift das Verfprechen des Angewiefenen abftrakt (f. o. § 29).

„Anweifung ift keine Zahlung", d. h. wenn z. B. der An=
weifende A. dem Anweifungsempfänger C. 200 Mk. fchuldet und
zum Zwecke der Schuldtilgung den B. anweift, an C. 200 Mk. zu

zahlen, so gilt dies noch nicht als Zahlung, vielmehr ist dies nur ein Versuch, dem C. Zahlung zu verschaffen. Die Sache wird auch dann nicht anders, wenn der Angewiesene, B., durch den Annahmevermerk auch seinerseits dem C. verspricht, er wolle ihm 200 Mk. zahlen. C. hat damit immer noch nicht sein Geld mit Sicherheit, vielmehr erst dann, wenn der Angewiesene, B., es ihm richtig ausgezahlt hat. Selbstverständlich gilt dies nicht bloß vom Gelde, es gilt in gleicher Weise auch von Wertpapieren und anderen vertretbaren Sachen (§ 788).

Mündliche Anweisungen erkennt das B.G.B. nicht an.

§ 31. Schuldverschreibung auf den Inhaber.

I. Auf den Hundertmarkscheinen steht ein Vermerk, daß sich die Reichsbank verpflichtet, jedem Einlieferer des Scheines die auf dem Schein vermerkte Summe zu zahlen. Das bedeutet juristisch, die Bank verspricht, verpflichtet sich jedermann, ihm 100 Mk. zu zahlen, wenn er den Schein der Bank zurückgibt. Die Bank will also nicht ohne weiteres jedermann zahlen, sondern nur wenn derjenige, der Zahlung begehrt, zugleich die Banknote wieder zurückgibt. Die Reichsbank will zwar grundsätzlich jedermann die versprochene Summe auszahlen, aber doch nur unter einer bestimmten Bedingung, nemlich der Rücklieferung des Scheines. Man drückt dies auch so aus, das man sagt: Die Reichsbank will nur den Inhaber zahlen, wenn dieser den Schein einliefert. Darum nennt man solche Papiere, wie die Reichsbanknoten, „Inhaberpapiere, Schuldverschreibungen auf den Inhaber".

Das Papier, auf dem das Versprechen steht, dem Inhaber etwas zahlen oder sonst leisten zu wollen, ist allein und ausschließlich maßgebend für alle Verpflichtungen des Ausstellers. Der Aussteller hat nicht mehr und nicht weniger und nichts anderes zu leisten, als er in dem Papier versprochen hat. So kann z. B. niemand von der Reichsbank statt Geld irgend welche andere Dinge, z. B. Waren, verlangen, ja er kann nicht einmal statt der versprochenen Geldsorte eine andere Geldsorte verlangen. Wer seine deutsche Reichsbanknote in ausländische Münze umwechseln will, muß sich an ein Bank- und Wechselgeschäft wenden, denn die Reichsbank wird ihm niemals etwas anderes zahlen, als sie zu zahlen versprochen hat. Andererseits hat sie auch nicht das Recht, dem Einlieferer des Scheines etwas anderes aufzudrängen, als sie versprochen hat, z. B. fremdes Geld (§ 793). Die Reichsbank= note ist nur eine besondere Art von Schuldverschreibung auf den Inhaber, es gibt außer ihm noch manche andere Papiere, auf denen der Aussteller dem Inhaber irgend welche Leistungen, wenn auch kein Geld, verspricht, z. B. die in § 807 angeführten Fahrkarten, Theater=, Konzert=, Zirkusbillets, Speise= und Biermarken, Bons d. h. Gutscheine, z. B. für ein Paar Handschuhe zu 3 Mk. ꝛc. Jedoch wollen wir auf diese unten zurückkommen. Die folgenden Ausführungen beziehen sich im Zweifel wesentlich auf Inhaber= papiere, in denen eine Geldleistung versprochen wird.

Alle übrigen Inhaberpapiere, in denen keine Leistung ver= sprochen wird, also Anteilscheine auf den Inhaber, z. B. Aktien, gehören nicht hieher, werden vom B.G.B. § 793 ff. nicht geregelt.

II. Ein sehr bedenklicher Umstand ist, daß garnicht selten In= haberpapiere dem Eigentümer gestohlen und dann vom Diebe geltend gemacht werden. Der Aussteller kann es nicht erkennen, ob gerade dieser Einlieferer den Schein ehrlich erworben oder ob er ihn ge= stohlen hat. Einer muß nun den Schaden tragen, der Bestohlene oder der Aussteller, weil einem Nichtberechtigten das Versprochene ausgezahlt worden ist. Das Gesetz legt den Schaden demjenigen auf, der sich hat bestehlen lassen. Der Aussteller braucht dem be= stohlenen Eigentümer nicht noch einmal zu zahlen, er wird „auch durch die Leistung an einen nicht zur Verfügung berechtigten In= haber befreit" (§ 793). Dementsprechend vermerken viele Aussteller von Inhaberpapieren auf dem Schein, daß sie die versprochene Summe ohne jede Legitimationsprüfung an den Einlieferer aus= zahlen wollen. Hiemit hängt zusammen, daß der Aussteller an den eingelösten Scheinen, auch wenn sie von einem Diebe einge= liefert sind, Eigentum erwerben muß, denn sonst würde er von dem bestohlenen Eigentümer auf Herausgabe des Scheines verklagt werden, und der Eigentümer würde ihm alsdann den wieder= erhaltenen Schein vorlegen und auf diese Weise ihn doch noch zur Zahlung auf den gestohlenen Schein zwingen. Darum bestimmt § 797: „Der Aussteller ist nur gegen Aushändigung der Schuld= verschreibung zur Leistung verpflichtet. Mit der Aushändigung

9*

erwirbt er das Eigentum an der Urkunde, auch wenn der Inhaber zur Verfügung über sie nicht berechtigt war".

Immerhin hat der Aussteller doch das Recht, unter Umständen einem nichtberechtigten Inhaber die Zahlung oder sonstige Leistung zu verweigern, z. B. wenn der Aussteller bei Ausstellung des Papiers nicht geschäftsfähig war, dann hat er unzweifelhaft ungültige Inhaberpapiere ausgestellt, und auf diese Ungültigkeit kann er sich dem Einlieferer gegenüber berufen, oder wenn an dem Schein eine Fälschung vorgenommen ist, oder wenn er gerade gegen diesen Einlieferer besondere Tatsachen aus irgend einem anderen Grunde geltend machen kann, z. B. er weiß, daß gerade dieser Einlieferer der Dieb des gestohlenen und nun eingelieferten Papieres ist, also nicht der Eigentümer sein kann (§ 796).

Die Sache steht also mit der Berechtigung des Inhabers so: Grundsätzlich ist berechtigt nur der Eigentümer des Scheines, aber er soll nicht gezwungen werden, jedesmal dem Aussteller gegenüber sein Eigentumsrecht nachweisen zu müssen. Dies würde zu vielen Umständlichkeiten und unter Umständen auch zu Chikanen führen und dem auf strikten Umlauf berechneten Inhaberpapier seinen eigentümlichen Wert rauben. Andererseits muß auch der Aussteller vor etwaigen Ansprüchen des bestohlenen Eigentümers sichergestellt sein (f. o.), denn wenn er dies nicht wäre, müßte er jedesmal eine genaue Untersuchung anstellen, ob der Einlieferer eines Inhaberpapiers auch der wirklich Berechtigte sei. Alle diese verzögerlichen Dinge sollen abgeschnitten werden und darum kann der Aussteller jedem Einlieferer zahlen oder das sonst Versprochene leisten.

III. Die Inhaberpapiere haben eigentlich nur Zweck, wenn sie in großen Massen auf den Markt gebracht werden. Das Verfahren ist regelmäßig so, daß eine große Zahl von Inhaberpapieren hergestellt und dann an einem Tage zugleich ausgegeben, emittiert wird. Will z. B. ein großes industrielles Unternehmen, etwa ein großes Bergwerk, eine Anleihe aufnehmen, oder will eine Stadt, eine Provinz oder ein Staat eine große Anleihe machen, so bedienen sie sich hierzu sehr häufig der Ausgabe von Inhaberpapieren. Diese können sie aber nicht eines Tages dem Publikum sozusagen plötzlich über den Kopf schütten, denn sie wissen ja noch garnicht, ob ihre Papiere vom Publikum werden genommen werden. Darum lassen sie regelmäßig durch einige Banken Listen auflegen mit der

Aufforderung an das Publikum, durch Einzeichnung in diese Listen sich zur Abnahme der noch auszugebenden Schuldverschreibungen auf den Inhaber zu verpflichten. Erst wenn diese Zeichnungen befriedigend ausgefallen sind, werden die Schuldverschreibungen ausgegeben oder, wie die Börsensprache sagt, emittiert. Hat jemand etwa 10000 Mk. gezeichnet, so erhält er von der Bank nach Auszahlung des Geldes zehn Schuldverschreibungen etwa auf je 1000 Mk. ꝛc. Es vergeht also eine geraume Zeit, bis die Papiere unter das Publikum kommen. Wenn nun die Papiere vor der Emission gestohlen und von den Dieben in Verkehr gebracht werden, müßten sie eigentlich ungültig sein, gerade so, als ob der Aussteller bei ihrer Ausstellung geschäftsunfähig gewesen wäre, denn es ist juristisch genau dasselbe, ob ein Geschäftsunfähiger das Inhaberpapier ausstellt oder ob ein Papier, das erst ausgestellt werden und vorher nach Absicht des Ausstellers juristisch ohne Bedeutung sein soll, von dritten Personen, die zur Ausstellung oder zur Emission des Papiers garnicht berechtigt sind, in Verkehr gebracht wird. Trotzdem hat das B.G.B. bestimmt, daß der Aussteller von Schuldverschreibungen auf den Inhaber auch dann verpflichtet wird, „wenn sie ihm gestohlen worden oder verloren gegangen, oder wenn sie sonst ohne seinen Willen in den Verkehr gelangt sind" (§ 794). Wie der Wortlaut ergibt, sieht der § 794 noch die Fälle vor, daß das schon in den Verkehr gebrachte Papier wieder in die Hand des Ausstellers zurückgekehrt und ihm dann gestohlen oder von ihm verloren worden ist. Auch hier soll der Aussteller verpflichtet sein, auf und gegen das Papier leisten zu müssen.

IV. Die Ausgabe von Inhaberpapieren ist in gewisser Weise gefährlich. Gibt der Aussteller mehr Schuldverschreibungen aus, als sein Vermögen vertragen kann, so droht den Inhabern seiner Schuldverschreibungen und seinen sonstigen Gläubigern große Gefahr. Es können durch übermäßige Ausgabe von Schuldverschreibungen die weitesten Volkskreise in Mitleidenschaft gezogen werden, da die wenigsten Inhaber die Vermögensverhältnisse des Ausstellers, des Schuldners, kontrollieren können, andererseits verführt die leichte Ausgabe von Schuldverschreibungen dazu, dies Mittel, sich bares Geld zu verschaffen, zu mißbrauchen. Aus diesen Gründen bestimmt § 795: „Im Inland ausgestellte Schuldverschreibungen auf den Inhaber, in denen die Zahlung einer bestimmten Geldsumme ver-

sprochen wird, dürfen nur mit staatlicher Genehmiguug in den Verkehr gebracht werden".

„Eine ohne staatliche Genehmigung in den Verkehr gelangte
Schuldverschreibung ist nichtig; der Aussteller hat dem Inhaber den
durch die Ausgabe verursachten Schaden zu ersetzen".

V. § 798. „Ist eine Schuldverschreibung auf den Inhaber
in Folge einer Beschädigung oder einer Verunstaltung zum Umlauf
nicht mehr geeignet, so kann der Inhaber, sofern ihr wesentlicher
Inhalt und ihre Unterscheidungsmerkmale (z. B. die Nummer des
Reichskassenscheines und die Höhe der dem Einlieferer versprochenen
Geldsumme) noch mit Sicherheit erkennbar sind, von dem Aussteller
die Erteilung einer neuen Schuldverschreibung auf den Inhaber
gegen Aushändigung der beschädigten oder verunstalteten verlangen.
Die Kosten hat er zu tragen und vorzuschießen".

§ 799. „Eine abhanden gekommene oder vernichtete Schuldverschreibung auf den Inhaber kann, wenn nicht in der Urkunde
das Gegenteil bestimmt ist, im Wege des Aufgebotsverfahrens für
kraftlos erklärt werden". Ausgenommen sind Zinsscheine, die sogenannten Coupons, Rentenscheine, Gewinnanteilscheine, die sogenannten Dividendenscheine, sowie die auf Sicht zahlbaren unverzinslichen Schuldverschreibungen, z. B. die Reichskassenscheine. Wer
also einen Hundertmarkschein verliert, z. B. der Wind weht ihn
über Bord in das Meer, kann den verlorenen Schein nicht für
kraftlos erklären lassen, auch wenn er klar nachweisen könnte, welche
Nummer der Schein hatte und auf welche Summe er lautete.

VI. § 807. „Werden Karten, Marken oder ähnliche Urkunden,
in denen ein Gläubiger nicht bezeichnet ist, von dem Aussteller
unter Umständen ausgegeben, aus welchen sich ergibt, daß er dem
Inhaber zu einer Leistung verpflichtet sein will, so finden die Vorschriften des § 793 I und der §§ 794, 796, 797 entsprechende Anwendung". Das heißt: Der Wirt ist berechtigt, jeden, der ein
Konzertbillet vorzeigt, als vollberechtigten Eigentümer zu behandeln,
andererseits ist er verpflichtet, den Inhaber in den Konzertsaal
hineinzulassen, er muß dies sogar dann tun, wenn ihm die für das
betreffende Konzert hergestellten Billets gestohlen sind oder er sie
verloren hat. Hat er jedoch keine Billets, die ihrem Inhalte nach
ausschließlich für das eine betreffende Konzert gelten sollen, die also
z. B. kein Datum tragen, herstellen lassen, so schadet ihm der Ver-

luft diefer Billets jedenfalls dann nicht, wenn er z. B. in der Farbe feiner Billets zu wechfeln pflegt. Ferner kann der Wirt, wenn er dem betreffenden Vorzeiger fchon früher für immer das Lokal verboten hat, ihm auch troß feines Inhaberpapiers den Eintritt in den Saal verweigern, denn er ift nach § 796 berechtigt, dem Inhaber folche Einwendungen entgegenzufeßen, die „dem Ausfteller unmittelbar gegen den Inhaber zuftehen".

Schließlich kann er, wie es ja auch der gefchäftlichen Gepflogenheit entfpricht, das Billet beim Einlaß in den Saal von dem Inhaber zurückverlangen und erwirbt daran das Eigentum, auch wenn der Inhaber es dem wahren Eigentümer geftohlen hatte (§ 797).

VII. Neben den Inhaberpapieren gibt es noch befondere Legitimationspapiere, wie z. B. die Sparkaffenbücher, die zwar auf Namen lauten, die aber den Ausfteller berechtigen, auch an eine andere als die bezeichnete Perfon zu leiften, wenn diefe das Legitimationspapier, hier das Sparkaffenbuch, vorlegt. Der Inhaber dagegen hat, wenn er nicht der mit Namen bezeichnete Eigentümer ift, kein Recht, die Leiftung zu verlangen, kann alfo nicht auf Auszahlung der Summe klagen. „Der Schuldner ift nur gegen Aushändigung der Urkunde zur Leiftung verpflichtet. Ift die Urkunde abhanden gekommen oder vernichtet, fo kann fie, wenn nicht ein Anderes beftimmt ift, im Wege des Aufgebotsverfahrens für kraftlos erklärt werden" (§ 808).

§ 32. Ungerechtfertigte Bereicherung.

Wenn A. glaubt dem B. 100 Mk. zu fchulden, fie dem B. auszahlt und wenn B. das Geld in gutem Glauben annimmt, fo ift B. um die 100 Mk. ungerechtfertigt bereichert, falls ihm A. in Wirklichkeit nichts fchuldete und daher eine Nichtfchuld bezahlte. Es läßt fich dann juriftifch nicht rechtfertigen, daß B. noch länger im Befiß der ihm verfehentlich ausgezahlten 100 Mk. bleiben foll. Ja, eine ungerechtfertigte Bereicherung liegt auch dann vor, wenn A. dem B. wirklich 100 Mk. fchuldete, aber in der Lage war, gegen die Klage des B. etwa die Einrede vorzubringen, daß er von dem B. durch Drohung oder Betrug (§ 123) dazu vermocht fei, ihm die 100 Mk. zu verfprechen (§ 853, 813) 2c. Ungerechtfertigt ift die Bereicherung auch dann, wenn A. eine Schenkung, die er dem B.

gemacht hat, wegen Undanks widerruft (§§ 530, 531). „Ist die Schenkung widerrufen, so kann die Herausgabe des Geschenkes nach den Vorschriften über die Herausgabe einer ungerechtfertigten Bereicherung gefordert werden" (§ 531). In diesem Falle ist die Bereicherung des beschenkten B. auf Kosten des Schenkers A. ursprünglich ganz berechtigt gewesen, aber sie hat aufgehört es zu sein, nachdem der Schenker berechtigter Weise widerrufen hatte. Es kommen noch sonstige Fälle vor, z. B. A. zahlt dem Maler, der es übernommen hat ihn zu porträtieren, das Honorar schon im Voraus aus; der Maler stirbt, bevor er die Arbeit begonnen hat, und A. hat nunmehr gegen dessen Erben einen Anspruch darauf, daß sie ihm die gezahlte Summe zurückzahlen. Denn da der Maler an dem Bilde noch nichts getan hat, ist es juristisch nicht zu rechtfertigen, daß die Erben das Entgelt für eine nicht geleistete Arbeit behalten. Ferner ist eine Bereicherung ungerechtfertigt, wenn z. B. jemand sich von der körperlichen Bedrohung durch einen Anderen mit einem Lösegelde befreit, denn der Bereicherte hat sich dann für die Unterlassung einer unerlaubten Handlung bezahlen lassen. Ja, man soll sich sogar für die Erfüllung seiner Amtspflichten nicht bezahlen lassen, so steht z. B. Geldstrafe oder Gefängnis darauf, daß ein Beamter für eine in sein Amt einschlagende, an sich nicht pflichtwidrige Handlung Geschenke oder andere Vorteile annimmt . . . oder sich versprechen läßt (St.G.B. § 331). Hat der Beamte sich etwas auszahlen lassen, so kann es ihm wieder abgenommen werden, denn es ist juristisch nicht zu rechtfertigen, daß er dasjenige behalten dürfe, was er auf eine solche vom Staate verpönte Weise erlangt hat. Die Annahme des Geldes verstößt gegen ein gesetzliches Verbot (§ 817). Verstößt der Empfänger mit der Annahme gegen die guten Sitten, so ist es juristisch ebenfalls nicht zu rechtfertigen, daß er einen Gewinn behalte, den er auf sittlich anstößige Weise gemacht hat. Er behält aber unter Umständen trotzdem das Erhaltene, wenn nemlich der Geber ebenfalls mit der Hergabe sittlich anstößig gehandelt hat, z. B. A. bingt den B. gegen Zahlung von 100 Mk., er solle den C. ermorden. Dann gilt A. als so unwürdig, daß er nicht für wert gehalten wird, eine Rückforderungsklage gegen den C. anstellen zu dürfen (§ 817).

§ 812. „Wer durch die Leistung eines Anderen oder in sonstiger Weise auf dessen Kosten etwas ohne rechtlichen Grund erlangt (Zahlung einer Nichtschuld), ist ihm zur Herausgabe verpflichtet. Diese Verpflichtung besteht auch dann, wenn der rechtliche Grund später wegfällt (widerrufene Schenkung) oder der mit einer Leistung nach dem Inhalt des Rechtsgeschäftes bezweckte Erfolg nicht eintritt" (nicht ausgeführtes Porträt).

§ 817. „War der Zweck einer Leistung in der Art bestimmt, daß der Empfänger durch die Annahme gegen ein gesetzliches Verbot (Bezahlung des Beamten) oder gegen die guten Sitten (Lösegeld an den Straßenräuber) verstoßen hat, so ist der Empfänger zur Herausgabe verpflichtet. Die Rückforderung ist ausgeschlossen, wenn dem Leistenden gleichfalls ein solcher Verstoß zur Last fällt" (Dingen des Mörders durch Geld).

Der Empfänger muß alles herausgeben, was er bekommen hat, und für das, was er nicht mehr hat, muß er den Wert ersetzen, soweit er durch diesen Wert noch bereichert ist (§ 818).

In einigen Fällen ist das Recht der Rückforderung ausgeschlossen. Zahlt jemand eine Nichtschuld in voller Kenntnis der Sachlage, so ist anzunehmen, daß er schenken wollte; war er sittlich oder aus Rücksichten des Anstandes zu der Leistung verpflichtet, so darf er ebenfalls nicht zurückfordern (§ 814). Leistet jemand, A., etwas einem Anderen, B., damit dieser auch seinerseits etwas dagegen leiste, so darf er, wenn die Leistung ausbleibt, dann nicht zurückfordern, wenn er wußte, daß B. nicht imstande sein würde, die angeblich gewünschte Leistung zu erbringen; ferner darf A. nichts zurückfordern, wenn er den B. wider Treu und Glauben daran verhindert hat, die Gegenleistung zu erbringen. A. soll also nicht arglistigerweise sich von dem Geschäfte wieder frei machen können (§ 815).

Wenn A. dem B. ein Jagdgewehr schenkt, dann wegen groben Undanks des B. widerruft, so kann er die Flinte auch von C. zurückverlangen, wenn dieser sie von B. geschenkt erhalten hat. § 822. „Wendet der Empfänger das Erlangte unentgeltlich einem Dritten zu, so ist, soweit infolgedessen die Verpflichtung des Empfängers zur Herausgabe der Bereicherung ausgeschlossen ist, der Dritte zur Herausgabe verpflichtet, wie wenn er die Zuwendung von dem Gläubiger ohne rechtlichen Grund erhalten hätte."

§ 33. Unerlaubte Handlungen.

I. § 823. „Wer vorsätzlich oder fahrlässig das Leben, den Körper, die Gesundheit, die Freiheit, das Eigentum oder ein sonstiges Recht eines Anderen widerrechtlich verletzt, ist dem Anderen zum Ersatze des daraus entstehenden Schadens verpflichtet." Verletzung eines Rechtes, und zwar des Eigentumsrechtes, ist z. B. der Diebstahl.

„Die gleiche Verpflichtung trifft denjenigen, welcher gegen ein den Schutz eines Anderen bezweckendes Gesetz verstößt." (S. oben § 10 S. 65).

§ 824. „Wer der Wahrheit zuwider eine Tatsache behauptet oder verbreitet, die geeignet ist, den Kredit eines Anderen zu gefährden oder sonstige Nachteile für dessen Erwerb oder Fortkommen herbeizuführen, hat dem Anderen den daraus entstehenden Schaden auch dann zu ersetzen, wenn er die Unwahrheit zwar nicht kennt, aber kennen muß.

Durch eine Mitteilung, deren Unwahrheit dem Mitteilenden unbekannt ist, wird dieser nicht zum Schadensersatze verpflichtet, wenn er oder der Empfänger die Mitteilung an ihr ein berechtigtes Interesse hat."

Gemeint ist mit dem Absatz 2 des § 824 der Fall der Krediterkundigung: Kaufmann A. erkundigt sich bei B. nach der Kreditwürdigkeit des C.; B., schlecht unterrichtet, gibt ungünstigen Bescheid und schädigt den C. Seine Mitteilung ist zwar nicht richtig, aber C. kann nicht gegen ihn vorgehen.

§ 825. „Wer eine Frauensperson durch Hinterlist, durch Drohung oder unter Mißbrauch eines Abhängigkeitsverhältnisses (Dienstmädchen, Fabrikarbeiterin) zur Gestattung der außerehelichen Beiwohnung bestimmt, ist ihr zum Ersatze des daraus entstehenden Schadens verpflichtet". z. B. das Mädchen wird wegen Schwangerschaft aus dem Dienste entlassen. Einen ähnlichen Anspruch hat die unbescholtene Braut gegen ihren Verlobten, wenn sie ihm die Beiwohnung gutwillig gestattet und der Verlobte nachher zurücktritt, oder wenn sie aus einem wichtigen vom Verlobten verschuldeten Grunde zurücktritt (§ 1300).

In allen angeführten Fällen, mit Ausnahme der Eigentums- und sonstigen Rechtsverletzung, der Kreditgefährdung, kann der oder die Beschädigte auch Ersatz des immateriellen Schadens verlangen.

„Ein gleicher Anspruch steht einer Frauensperson zu, gegen die ein Verbrechen oder Vergehen wider die Sittlichkeit begangen oder die durch Hinterlist, durch Drohung oder unter Mißbrauch eines Abhängigkeitsverhältnisses zur Gestattung der außerehelichen Beiwohnung bestimmt wird" (§ 847).

„Verletzt ein Beamter vorsätzlich oder fahrlässig die ihm einem Dritten gegenüber obliegende Amtspflicht, so hat er dem Dritten den daraus entstehenden Schaden zu ersetzen. Fällt dem Beamten nur Fahrlässigkeit zur Last, so kann er nur dann in Anspruch genommen werden, wenn der Verletzte nicht auf andere Weise Ersatz zu erlangen vermag" (§ 839 I). Der Vormundschaftsrichter genehmigt schuldhafter Weise, daß der Vormund auf ein dem Mündel gehöriges Grundstück gegen ein viel zu geringes Entgelt einen Nießbrauch, eine Reallast u. dergl. eintragen läßt (§ 1821 Nr. 1, § 873). Der Bevormundete kann sich an den Vormundschaftsrichter halten, nur wenn er vom Vormund nichts bekommt.

„Verletzt ein Beamter bei dem Urteil in einer Rechtssache seine Amtspflicht, so ist er für den daraus entstehenden Schaden nur dann verantwortlich, wenn die Pflichtverletzung mit einer im Wege des gerichtlichen Strafverfahrens zu verhängenden öffentlichen Strafe bedroht ist" (§ 839 II); vergl. dazu § 334 St.G.B. Mit Zuchthaus wird bestraft ein Richter, Schöffe ꝛc., der Geschenke annimmt ꝛc., um eine Rechtssache, deren Entscheidung ꝛc. ihm obliegt, zu Gunsten ꝛc. eines Beteiligten zu entscheiden ꝛc. (vergl. § 336 St.G.B).

Im Gegensatz zu den mehr speziellen Bestimmungen der §§ 823—825 enthält § 826 eine ganz allgemeine Bestimmung, die bei richtiger Anwendung sehr segensreich wirken, die aber auch leicht sehr gefährlich werden kann. „Wer in einer gegen die guten Sitten verstoßenden Weise einem Anderen vorsätzlich Schaden zufügt, ist dem Anderen zum Ersatze des Schadens verpflichtet." Diese Bestimmung bezieht sich nicht auf Körperverletzung, Sachbeschädigung u. dergl., sondern auf einen Schaden, der einem Anderen unkörperlich zugefügt ist. Wir haben oben schon einen Anwendungsfall kennen gelernt, die Veröffentlichung fremder Geheimnisse (s. oben § 10, VII). Vor allen Dingen fällt unter § 826 die arglistige Vermögensbeschädigung durch arglistige Täuschung, Betrug.

II. Allgemeine Voraussetzung für die Schadensersatzpflicht ist **Eintritt eines Schadens.**

III. Die zweite Voraussetzung ist ursächlicher Zusammenhang zwischen der Handlung und dem Schaden. Dieser Zusammenhang ist bei mehreren Tätern in Beziehung auf jeden Täter gegeben, darum haftet von mehreren Mittätern ein jeder auf den ganzen Schaden (§ 830). Wenn also A., B., C., jeder durch Steinwürfe die Fensterscheiben des K. zertrümmert haben, so muß jeder von ihnen den ganzen angerichteten Schaden ersetzen und es wird nicht danach gefragt, ob der Anteil des A. oder der des B. oder C. größer ist. A. kann sich, wenn er verklagt wird, nicht damit hinausreden, er habe nur drei kleine Scheiben eingeworfen, B. und C. hätten das Meiste getan. Er muß auch den von B. und C. angerichteten Schaden ersetzen. Voraussetzung ist aber immer, daß feststeht: A. hat Scheiben mit B. und C. zusammen eingeworfen. Anders liegt dagegen der Fall, wenn A., B., C. den K. überfallen, ihn angreifen und mit einer Stichwunde liegen lassen. Wer von den Dreien es gewesen ist, läßt sich nicht mehr ermitteln. Darum bestimmt das B.G.B. in § 830, daß jeder von mehreren Beteiligten haftet, wenn sich nicht ermitteln läßt, wer den Schaden durch seine Handlung verursacht hat. Hier haftet also nicht der überwiesene Täter, sondern schon der bloß vermutliche Täter. Kann es dem C. nicht nachgewiesen werden, daß er der Täter ist, so können auch A. und B. für die Folgen seiner Tat haftbar gemacht werden. Wir haben hier also unter Umständen eine Haftung auch des Nichttäters.

Aber es haften auch noch sonst Personen für einen angerichteten Schaden, die wir nicht eigentlich als Täter bezeichnen können. Die Aufsichtspflichtigen, z. B. Eltern, Vormünder, Pfleger, haften gemäß § 832 für den Schaden, den die ihrer Obhut unterstehenden Minderjährigen oder sonst wegen ihres geistigen oder körperlichen Zustandes der Beaufsichtigung bedürftigen Personen widerrechtlich angerichtet haben. Ferner haftet der Geschäftsherr für die Delikte seiner Angestellten, die sie in Ausübung ihrer Verrichtungen begehen, es sei denn, daß er beweist, er habe bei der Anstellung des Angestellten die im Verkehr erforderliche Sorgfalt beobachtet oder der Schaden würde auch bei Anwendung dieser Sorgfalt nicht zu vermeiden gewesen sein (§ 831). Nimmt also jemand aus Gutmütigkeit einen ihm als trunkfällig bekannten Menschen als Kutscher an und dieser fährt am Abend betrunken nach Hause zurück, ohne eine Laterne anzuzünden, so muß der Herr, wenn ein Radfahrer im Dunkeln in das Gefährt hineingerät und Schaden erleidet, dem Radfahrer den Schaden ersetzen.

Als Täter können wir auch nicht bezeichnen, wer nach den §§ 833, 834 für den durch ein Tier angerichteten Schaden in gewissen Fällen haften muß. § 833. „Wird durch ein Tier ein Mensch getötet oder der Körper oder die Gesundheit eines Menschen verletzt oder eine Sache beschädigt, so ist derjenige, der das Tier hält, verpflichtet, dem Verletzten den daraus entstehenden Schaden zu ersetzen." Neben ihm haftet derjenige, der auf Grund eines Vertrages, z. B. eines Dienstvertrages, die Führung des Tieres übernommen hat, also der Hirte, Knecht, Wärter (§ 834). Ferner kommt bei der Verpflichtung zum Ersatz des Wildschadens eine eigentliche Täterschaft auch nicht in Frage. Der Jagdberechtigte hat den durch Schwarz-, Rot-, Elch-, Dam- oder Rehwild oder durch Fasanen einem Grundstück zugefügten Schaden zu ersetzen (§ 835).

„Wird durch den Einsturz eines Gebäudes oder eines anderen mit einem Grundstück verbundenen Werkes (z. B. Brücke, eingemauerter Brunnen) oder durch die Ablösung von Teilen des Gebäudes oder des Werkes ein Mensch getötet, der Körper oder die Gesundheit eines Menschen verletzt oder eine Sache beschädigt, so ist der Besitzer des Grundstückes, sofern der Einsturz oder die Ablösung die Folge fehlerhafter Errichtung oder mangelhafter Unterhaltung ist, verpflichtet, dem Verletzten den daraus entstehenden Schaden zu ersetzen" (§ 836). In den §§ 837, 838 ist bestimmt, daß unter Umständen andere Personen als der Besitzer des Grundstücks für den Schaden aufzukommen haben, z. B. der Erbbauberechtigte (vergl. § 1012) oder der Nießbraucher (vergl. § 1041).

IV. Ferner ist Voraussetzung der Schadensersatzpflicht Verschulden des Täters. Da ist zu unterscheiden <u>Vorsatz</u> und Fahrlässigkeit. Vorsatz ist Erkennen, Vorhersehen, daß die Handlung den Erfolg haben werde, den sie wirklich hat, zugleich mit der Absicht, die Handlung vorzunehmen und den Erfolg herbeizuführen. In dem Begriff des Vorsatzes steckt ganz unzweifelhaft auch der Begriff der Absichtlichkeit. Der Mörder hatte den Vorsatz zu töten heißt: er erkannte, daß seine Handlung den Tod herbeiführen konnte und er wollte die Handlung und ihren Erfolg.

Bei der Fahrlässigkeit fällt das Wollen des schädlichen Erfolges weg. Es kann vorliegen 1) Nichtwissen und Nichtwollen des Erfolges oder 2) Wissen aber Nichtwollen des Erfolges; ad 1: der Täter handelt blindlings, gedankenlos drauf los, ad 2: er sieht die Gefahr, wagt trotzdem die Handlung, da er hofft, daß alles gut ablaufen wird und der schädliche Erfolg tritt ein. Die Fahrlässigkeit hat zwei Grade, die grobe und die leichte Fahrlässigkeit. „Fahrlässig handelt, wer die im Verkehr erforderliche Sorgfalt außer Acht läßt“ (§ 276). Dies kann in grober und leichter Weise geschehen und danach richten sich die Grade der Fahrlässigkeit.

Wo keine Schuld, da keine Haftung. „Wer im Zustande der Bewußtlosigkeit oder in einem die freie Willensbestimmung ausschließenden Zustande krankhafter Störung der Geistestätigkeit einem Anderen Schaden zufügt, ist für den Schaden nicht verantwortlich“ (§ 827). Selbstverschuldete Trunkenheit u. dergl. ist jedoch kein Entschuldigungsgrund (§ 827). Ferner ist niemand vor dem siebenten Lebensjahr für angerichteten Schaden verantwortlich. Ein Taubstummer und ein Mensch zwischen sieben und achtzehn Jahren ist für einen angerichteten Schaden nicht verantwortlich, wenn er die zur Erkenntnis der Verantwortlichkeit erforderliche Einsicht bei Begehung der Tat nicht hat (§ 828).

Aber es wird von diesem Grundsatz aus Billigkeitsrücksichten eine Ausnahme gemacht. Es erscheint billig, den Schaden zu ersetzen, wenn er von einem zurechnungsunfähigen Millionär einem wenig begüterten Menschen zugefügt ist und daher werden die in den §§ 827, 828 bezeichneten Personen für den von ihnen angerichteten Schaden haftbar gemacht, „insoweit die Billigkeit nach den Umständen, insbesondere nach den Verhältnissen der Beteiligten, eine Schadloshaltung fordert und ihm (dem Schädiger) nicht die Mittel entzogen werden, deren er zum standesmäßigen Unterhalte sowie zur Erfüllung seiner gesetzlichen Unterhaltspflichten (z. B. gegen unterhaltsbedürftige Verwandte) bedarf“ (§ 829). Hier haben wir eine Haftung ohne Verschulden! Jedoch haftet der Schädiger nur so weit, als nicht von einer aufsichtspflichtigen Person etwas zu erlangen ist (§§ 829, 832). Über Haftung ohne Verschulden siehe auch die §§ 833, 834; oben S. 141.

Trotz Verschulden des Schädigers kann unter Umständen seine Haftung ausgeschlossen sein, wenn nemlich der Beschädigte ebenfalls in Schuld ist. Dann „hängt die Verpflichtung zum Ersatze, sowie der Umfang des zu leistenden Ersatzes von den Umständen, insbesondere davon ab, inwieweit der Schaden vorwiegend von dem einen oder dem anderen Teile verursacht ist" (§ 846; s. unten § 35, III, 4).

V. Außer Verschuldung ist Voraussetzung für die Haftung die **Widerrechtlichkeit** des Tuns. Der Täter darf nicht zur Schädigung berechtigt sein. Es darf nicht vorliegen Einwilligung des Verletzten, Notwehr (§ 227), Notstand (§ 228), Selbsthilferecht (§ 229 ff.), oder gesetzliche oder obrigkeitliche Erlaubnis.

VI. Mehrere Schadensersatzpflichtige haften jeder auf das Ganze (§ 840), aber der Schadensersatzberechtigte darf das Ganze nur einmal fordern. Wird durch eine Verletzung des Körpers oder der Gesundheit der Verletzte ganz oder teilweise erwerbsunfähig oder vermehren sich infolge der Verletzung seine Bedürfnisse, so ist dem Verletzten eine Geldrente zu zahlen. Eine Abfindung in Kapital kann der Verletzte nur wenn ein wichtiger Grund vorliegt verlangen (§ 843). Im Falle der Tötung hat der Ersatzpflichtige die Beerdigungskosten dem Beerdigungspflichtigen zu ersetzen (§ 844 I).

Entschädigungsberechtigt ist im Allgemeinen der Verletzte, bei Tötung die Unterhaltsberechtigten, z. B. die Kinder und diejenigen, die voraussichtlich unterhaltsberechtigt werden, soweit „der Getötete während der mutmaßlichen Dauer seines Lebens zur Gewährung des Unterhalts verpflichtet gewesen sein würde" (§ 844 II).

War der Verletzte kraft Gesetzes einem Dritten zur Leistung von Diensten in dessen Hauswesen oder Gewerbe verpflichtet (unter Umständen die Frau, z. B. in Arbeiterfamilien, bei Bauern, kleinen Kaufleuten und Handwerkern, vergl. § 1356, entsprechend die Kinder, §§ 1617, 1757), so ist dem Dritten (dem Ehemanne, dem Vater) eine Geldrente zu zahlen (§ 845).

Zweiter Abschnitt.

Allgemeiner Teil des Rechtes der Schuldverhältnisse.

§ 34. Begriff und Inhalt der Schuldverhältnisse.

I. Oben im § 2 ist schon eine Beschreibung des obligatorischen oder Forderungsrechtes gegeben worden. Auf diese Darstellung wird hier verwiesen.

In dem soeben abgeschlossenen besonderen Teil des Rechtes der Schuldverhältnisse ist häufig wiedergekehrt die Wendung: Jemand, der Schuldner ist, ist verpflichtet etwas zu tun, spezieller etwas zu geben, z. B. als Darlehnsschuldner das geschuldete Geld, oder als Verkäufer die geschuldete Ware, oder der Schuldner ist verpflichtet etwas zu tun, z. B. als Dienstbote gemäß des Dienstvertrages die ihm obliegenden Verrichtungen, als Handwerker vermöge des Werk- oder Werklieferungsvertrages die übernommene Arbeit, als Beauftragter die übernommene Gefälligkeit auszurichten 2c. In allen diesen Fällen sprechen wir ganz allgemein davon, daß der Schuldner dem Gläubiger verpflichtet ist, etwas zu leisten. Das Schuld- verhältnis gibt also regelmäßig dem Gläubiger ein Recht a u f eine Leistung.

Das Recht des Gläubigers ist aber kein Recht an der Person des Schuldners, wie es etwa der Herr in Rom an der Person seines Sklaven hatte, vielmehr bleibt unser objektives Recht auch hier seinem Grundprinzip treu, daß alle Menschen persönlich gleich frei sind. Wenn auch das Recht des Gläubigers nicht an der Person des Schuldners besteht, so besteht es gegen die Person des Schuldners. Da es darauf geht, dem Gläubiger eine Leistung zu verschaffen, diese Leistung aber erst in Zukunft erbracht werden soll, so kann das Forderungsrecht auch kein Recht an der ja noch nicht bestehenden Leistung sein, sondern nur ein Recht a u f eine Leistung.

Das Forderungsrecht ist ein Recht gegen eine Person auf eine Leistung. § 241. „Kraft des Schuldver- hältnisses ist der Gläubiger berechtigt, von dem Schuldner eine Leistung zu fordern."

II. Die Leistung kann, wie wir schon wiederholt gesehen haben, einen sehr verschiedenen Inhalt haben. Sie kann gehen auf ein juristisches Tun, z. B. Übertragung des Eigentums, so beim Kauf (§ 433), oder auf ein rein tatsächliches Tun, z. B. Umackern eines Feldes, so beim Dienstvertrage (§ 611) oder Werkvertrage (§ 631), oder auf ein Dulden, z. B. A. erlaubt dem B., seinen überflüssigen Kies auf dem Grundstück des A. zu lagern, oder auf ein Unter- lassen: A. verpflichtet sich, auf seinem Grundstücke nicht über eine gewisse Höhe hinaus, solange er das Grundstück habe, zu bauen. § 241. „Die Leistung kann auch in einem Unterlassen bestehen."

1) Die geschuldete Leistung kann teilbar oder unteilbar

sein. Sie ist teilbar, wenn sie ohne Schaden für den Gläubiger in mehreren Teilleistungen erbracht werden kann, so ist es z. B. für den Gläubiger ohne Interesse, ob ihm die geschuldeten 1000 Mk. in Goldstücken oder mit einem einzigen Tausendmarkschein bezahlt werden. Hierbei ist jedoch zu bemerken, daß Teilbarkeit nicht bedeutet, der Schuldner könne seine Teilleistungen zu verschiedenen Zeiten machen, oder er könne den die ganze Leistung einfordernden Gläubiger zunächst mit einem Teile abfinden. Im Gegenteil, wer 1000 Mk. zu fordern hat, braucht sich nicht mit 500 Mk. abspeisen zu lassen. In diesem Sinne ist § 266 gemeint. „Der Schuldner ist zu Teilleistungen nicht berechtigt." § 266 besagt, daß der Gläubiger stets berechtigt ist, die ganze Leistung zu ihrer Zeit zu fordern. Trotzdem der Schuldner die ganze Summe mit einem Male zahlen muß, bleibt seine Leistung teilbar, nur muß er auch die letzte Teilleistung zugleich mit oder unmittelbar nach der ersten Teilleistung erbringen. Solange durch die Teilleistungen ein Interesse des Gläubigers nicht berührt wird, ist die geschuldete Leistung auch teilbar. Es kann jedoch auch die Unteilbarkeit ausgemacht werden. Wer sich von einer Bierbrauerei 100 Liter Bier kommen läßt und sich ausbedingt, daß das Bier in einem einzigen großen Fasse ihm zugesendet werden solle, der bedingt sich eine unteilbare Leistung aus, denn nach seiner Bestellung soll ihm das Bier eben nicht in mehreren kleineren Fässern geliefert werden. Hier ist die Leistung unteilbar, weil die Parteien es so ausgemacht haben. Unteilbar ist auch die Verpflichtung des Fleischers, der Hausfrau einen Rinderbraten von sechs Pfund zu liefern, denn die Hausfrau will nicht mehrere Stücke Fleisch im Gesamtgewicht von sechs Pfund haben, sondern sie verlangt ein einziges zusammenhängendes Stück Fleisch. Nach natürlicher Auffassung wäre hier die Leistung teilbar gewesen, wenn nicht das Interesse der Hausfrau entgegengestanden hätte. Unteilbar ist die Leistung auch bei einem Werkvertrage, denn hier ist nicht eine Summe von mehreren Teilleistungen ausbedungen, sondern eine einzige einheitliche Gesamtleistung und es wird dem Interesse des Gläubigers nicht Genüge getan, wenn er auf Teilleistungen verwiesen wird und sich die unvollendete Leistung selber vervollständigen soll. Ist aber ausnahmsweise abgeredet, daß das Werk in Teilen abzunehmen sei und ist die Vergütung für die einzelnen Teile bestimmt, so muß er schon die entsprechenden Teilleistungen bezahlen (§ 641). Hier wird durch Parteiabrede die Leistung teilbar.

Das Prinzip ist also: Ob eine Leistung teilbar ist oder nicht, bemißt sich ganz nach dem Interesse des Gläubigers.

Darum kann schließlich eine jede Leistung zu einer unteilbaren gemacht werden, wenn der Gläubiger ein Interesse daran hat.

Im Übrigen ist zur Teilbarkeit der Schuld zu bemerken, daß eine Teilbarkeit in einem sehr verschiedenen Sinne vorliegen kann: eine Schuld kann unter dem einen Gesichtspunkte teilbar, unter einem anderen unteilbar sein. Die Verpflichtung, einen Rinder=braten von sechs Pfund zu liefern, die wir oben als unteilbar kennen gelernt haben, kann in gewisser Hinsicht doch teilbar sein. Gesetzt das Tier, von dem geliefert wird, gehört dem Fleischer nicht allein, sondern ihm gemeinsam mit seinem Bruder. Dann hat jeder die Hälfte des Eigentums an dem Fleisch und die Hausfrau erwirbt das Eigentum an dem gelieferten Braten dadurch, daß der Schlachter ihr seine Hälfte des Eigentums an dem Braten überträgt und der Bruder die seine. Für die Hausfrau ist es ohne Interesse, von wem sie das Eigentum an dem Fleische erhält und ob sie es in Teilen oder ungeteilt erhält, wenn sie nur das Fleisch mit Sicherheit zu der abgemachten Zeit körperlich ungeteilt bekommt. Wir sehen, daß neben den natürlichen Teilen auch juristische Teile wichtig werden, nemlich nicht die Teile der Sache selber, sondern die Teile des Rechtes an der Sache.

Es ist darum stets in jedem einzelnen Falle zu untersuchen, ob und unter welchen Gesichtspunkten eine Leistung teilbar ist oder nicht. Allgemeine Regeln lassen sich über die Teilbarkeit hier nicht aufstellen, es muß genügen, darauf hinzuweisen, daß die Leistung und damit die Schuld oder Forderung unter Umständen teilbar sind.

Ausdrücklich geregelt sind die Teilzahlungen bei den Abzahl=lungsgeschäften durch R.G. vom 16. Mai 1894. Dies Gesetz will den Mißbräuchen, die beim Abzahlungsgeschäft vorgekommen sind, steuern. Vorzüglich handelt es sich um den Nähmaschinenhandel: Armen Näherinnen wurden Nähmaschinen auf Abzahlung verkauft und häufig wurde ausgemacht, daß die Käuferin ihre schon geleisteten Teilzahlungen verlieren sollte, wenn sie nur mit einer einzigen Teil=zahlung im Rückstand blieb, daß ferner bis zur völligen Auszahlung des Kaufpreises das Eigentum der verkauften Sache beim Verkäufer bleiben sollte, die Käuferin überdies eine Konventionalstrafe zahlen müsse, sobald sie mit einer Zahlung im Rückstand bleibe ꝛc., kurz es wurden der Käuferin die härtesten Bedingungen diktiert, denen sie sich unterwarf, nur um ohne große Anzahlung in den Besitz einer Maschine zu gelangen. Das genannte Gesetz bestimmt daher im § 1: „Hat bei dem Verkauf einer dem Käufer übergebenen beweglichen Sache, deren Kaufpreis in Teilzahlungen berichtigt werden soll, der Verkäufer sich das Recht vorbehalten, wegen Nichterfüllung der dem Käufer obliegenden Verpflichtungen von dem Vertrage zurückzutreten, so ist im Falle dieses Rücktritts jeder Teil verpflichtet, dem anderen Teil die empfangenen Leistungen zurückzugewähren. Eine entgegenstehende Vereinbarung ist nichtig." Der Käufer muß freilich für verschuldete Verschlechterungen der Sache Ersatz leisten und für die Benutzung deren Wert vergüten, wenn der Verkäufer vom Vertrage zurücktritt, aber „eine entgegenstehende Vereinbarung, insbesondere die vor Ausübung des Rücktrittsrechtes erfolgte vertragsmäßige Festsetzung einer höheren Vergütung ist nichtig" (§ 2 a. a. O.). „Die Abrede, daß die Nichterfüllung der dem Käufer obliegenden Verpflichtungen die Fälligkeit der Restschuld zur Folge haben solle, kann rechtsgültig nur für den Fall getroffen werden, daß der Käufer mit mindestens zwei aufeinander folgenden Teilzahlungen ganz oder teilweise in Verzug ist und der Betrag, mit dessen Zahlung er in Verzug ist, mindestens dem zehnten Teile des Kaufpreises der übergebenen Sache gleichkommt" (§ 4).

2) Eine Leistung kann ganz genau bestimmt sein, sodaß der Schuldner keinerlei Bewegungsfreiheit hat, wenn er seine Schuld erfüllen will. Wenn der Pferdehändler ein ganz bestimmtes, genau bezeichnetes Pferd verkauft, so kann er sich von seiner Verpflichtung nur dadurch befreien, daß er gerade das bestimmte Pferd und kein anderes liefert. Wir sprechen dann von einer sogenannten Speziesschuld oder, wie man auch sagt, Speziesobligation. Es gibt aber auch Fälle, wo die Leistung mehr oder weniger unbestimmt ist.

a. Dies trifft zu bei der Alternativschuld. A. sagt zu B.: Ich schenke dir eines von meinen Pferden aus meinem Stalle. Er hat in seinem Stalle die Pferde Hans, Ella, Peter. Da steht fest, daß nur eines von den Dreien in Frage kommen kann, welches von den Dreien es aber sein wird, ist ungewiß. Das Geschäft kann aber auch ein Kauf sein. A. verkauft eines von seinen Pferden aus seinem Stalle, indem abgemacht wird, daß für Hans 500 Mk., für Ella 475 Mk., für Peter 520 Mk. bezahlt werden sollen, wenn die Wahl auf das betreffende Pferd fällt. Dann ist jedes Pferd alternativ geschuldet. Das Wahlrecht hat der A. § 262. „Werden mehrere Leistungen in der Weise geschuldet, daß nur die eine oder die andere zu bewirken ist, so steht das Wahlrecht im Zweifel dem Schuldner zu."

Von der Alternativschuld verschieden ist die sogenannte alter= native Möglichkeit, facultas alternativa. Der Schuldner schuldet nur eine einzige Leistung, kann auch nur auf diese eine Leistung verklagt und verurteilt werden, während bei der Alternativschuld der Gläubiger klagen muß „auf Leistung von Hans für 500 Mk., oder Ella für 475 Mk., oder Peter für 520 Mk." Würde der Gläubiger nur „auf Leistung von Hans für 500 Mk." klagen, so würde er abgewiesen werden, wenn er nicht ausnahmsweise selber das Wahl= recht hätte. Bei der alternativen Möglichkeit kommt dies nicht vor. Hier hat der Schuldner nur das Recht, sich von seiner Schuld zu befreien dadurch, daß er etwas anderes als das Geschuldete leistet. Aber dieses Andere kann der Gläubiger nicht verlangen, er muß es sich nur gefallen lassen. Gesetzt, Hans ist geschuldet, der Schuldner kann aber Ella und Peter liefern, dann muß der Gläu= biger klagen „auf Leistung von Hans für 500 Mk.", der Schuldner kann aber Peter für 520 Mk. oder Ella für 475 Mk. liefern.

b. Neben der Alternativschuld oder, wie man auch sagt, der Alternativobligation besteht die Gattungsschuld oder die Genus= obligation. Beispiel: V. verkauft dem K. 50 Zentner Weizen, börsenmäßiger Qualität, deutscher Landweizen, oder jemand bestellt bei Mey & Edlich 6 Dutzend Papierkragen, oder bei der Fabrik ein Fahrrad, wie es unter Katalognummer 12 beschrieben ist.

Die Gattungsschuld unterscheidet sich von der Alternativschuld in einem sehr wichtigen Punkte. Bei der Alternativschuld ist der Umkreis, aus dem der geschuldete Leistungsgegenstand entnommen werden kann, fest und klar umschrieben. Darum ist es hier dem Gläubiger auch möglich, den Schuldner zu überwachen. Er kann sich z. B. davon überzeugen, ob von den Pferden Hans, Ella, Peter eines krank ist, wie sie aussehen, welche Fehler sie haben 2c. Er kann also z. B. beim alternativen Kauf sich sichern dagegen, daß nicht etwa statt der genannten Pferde ein anderes untergeschoben, er somit vom Schuldner betrogen werde. Er kann beim alternativen Werkvertrag sich überzeugen, wie die Gegenstände beschaffen sind, an denen der Schuldner seine Arbeit ausführen soll, wieviel also an ihnen zu tun ist ꝛc. Dies alles ist bei der Gattungsschuld **nicht möglich, aber auch nicht nötig.** Die Alternativschuld ist in Wirklichkeit nur eine erweiterte Speziesschuld. Beide Male ist die Schuld mehr oder weniger auf einen bestimmten Leistungsgegenstand konzentriert, denn schließlich soll doch immer nur ein Gegenstand geleistet werden, der den Parteien schon individuell bekannt ist oder von dem sich insbesondere der Gläubiger wenigstens Kenntnis verschaffen kann. Bei der Gattungsschuld liegt aber von einer, wenn auch noch so beschränkten, Konzentration nichts vor, sondern der Leistungsgegenstand ist nur ganz allgemein bestimmt.

§ 243 I. „Wer eine nur der Gattung nach bestimmte Sache schuldet, hat eine Sache von mittlerer Art und Güte zu leisten."

Nicht zur Gattungsschuld gehört die Verpflichtung, aus individuell bezeichneten Massen etwas zu liefern, z. B. 100 Liter aus diesem Fasse mit Rotwein. Auch dieses Schuldverhältnis ist wie die Alternativschuld nur eine erweiterte Spezieschuld und daher nicht nach den Grundsätzen der Gattungsschuld zu behandeln. Sie gehört zur Spezieschuld aus denselben Gründen, aus denen die Alternativschuld dazu gehört.

Die Gattungsschuld kann aber zur Spezieschuld werden. § 243 II: „Hat der Schuldner das zur Leistung einer solchen (d. h. nur der Gattung nach bestimmten) Sache seinerseits Erforderliche getan, so beschränkt sich das Schuldverhältnis auf diese Sache . . .", d. h. alles wird von nun an so gehalten, als ob diese Sache individuell bestimmt allein geschuldet wäre, Gefahr und Vorteil des Geschäftes knüpfen sich nur noch an diese Sache.

§ 35. Gegenstand der Schuldverhältnisse.

I. Sehr wichtig ist, ob eine Forderung auch auf Leistungen gehen könne, die keinen Vermögenswert im Sinne von Marktwert haben. Grundsätzlich ist davon auszugehen, daß erlaubt sein muß, was nicht verboten ist; darum ist zu folgern, daß die dem Schuldner obliegende Leistung keinen Vermögenswert zu haben braucht. Der § 241 bestimmt ganz allgemein: „Kraft des Schuldverhältnisses ist der Gläubiger berechtigt, von dem Schuldner eine Leistung zu fordern. Die Leistung kann auch in einem Unterlassen bestehen."

Davon, daß die Leistung einen Vermögenswert im Sinne von Marktwert haben müsse, wird nichts gesagt, folglich ist es auch nicht anzunehmen. Dem widerspricht auch nicht der § 253: „Wegen eines Schadens, der nicht Vermögensschaden ist, kann Entschädigung in Geld nur in den durch das Gesetz bestimmten Fällen gefordert werden." Dies bezieht sich aber nur auf Schadensersatz. Wenn der an nervöser Schlaflosigkeit leidende A. sich von seinen sämtlichen Miteinwohnern versprechen läßt, daß sie in der Nacht immer ruhig nach Hause kommen wollen, so kann das von den Miteinwohnern wohl als ein Versprechen gemeint sein, das man gibt und nach Möglichkeit zu halten bemüht ist, auf das man sich aber nicht juristisch verpflichten will. Aber es kann von den Parteien auch eine vollgiltige juristische Verpflichtung gewollt sein. Wenn dann die Miteinwohner ihrer Pflicht zuwider handeln, kann der Gläubiger wegen § 253 zwar nicht auf Ersatz eines nicht vermögensrechtlichen Schadens klagen, aber er kann darauf klagen, daß die Miteinwohner verurteilt werden, zukünftige Störungen zu unterlassen und daß der Richter ihnen für jeden Fall des Zuwiderhandelns gemäß § 890 Z.P.O. eine Strafe auferlege. Dies wäre garnicht möglich, wenn das Forderungsrecht des Gläubigers überhaupt nicht bestände. Wäre ihm durch den Bruch des Versprechens ein vermögensrechtlicher Schaden zugefügt worden, so würde er z. B. wegen Unfähigkeit zu seinen Berufsarbeiten infolge der nächtlichen Störungen auf Ersatz des ihm zugefügten materiellen Schadens klagen können, selbst wenn der § 823 (Schädigung der Gesundheit) nicht anwendbar wäre.

Das Ergebnis ist, daß grundsätzlich alles ausbedungen werden, alles Gegenstand eines Schuldverhältnisses sein kann.

II. Jedoch gibt es einige Einschränkungen. Die Verpflichtung darf nicht auf etwas gehen, das gegen die guten Sitten verstößt (§ 138), z. B. Wucherschulden, auch nicht auf etwas Verbotenes (§ 134). Forderungen auf etwas Unsittliches oder Verbotenes können garnicht entstehen. Nichtig ist auch die Abmachung, daß der Schuldner für vorsätzliche Pflichtverletzung nicht zu haften braucht (§ 276). Ebenso ist es mit Forderungen, die auf etwas Unmögliches gehen. Sie können garnicht entstehen, dies ist von Verträgen ausdrücklich bestimmt (§ 306) und gilt natürlich auch für einseitige Versprechen. (Für Vermächtnisse ist es ausdrücklich bestimmt in § 2171.) Im Übrigen kommt eine Unmöglichkeit, die schon zur Zeit der Begründung des Forderungsrechtes besteht, nicht vor. Wohl aber kann es sich ereignen, daß eine anfänglich mögliche Leistung nachträglich mit oder ohne Verschulden einer Partei unmöglich wird. Davon ist jedoch an einem anderen Orte zu handeln.

Ebenso können wir hier noch nicht auf die Frage eingehen, ob und wann jemand, dem eine unmögliche Leistung versprochen worden ist, Schadensersatz verlangen kann und was überhaupt sonst die Folgen von der Unmöglichkeit der Leistung sind.

Es kann Leistungen geben, die vielleicht sehr wünschenswert sind, deren sich aber das objektive Recht trotzdem nicht annimmt, z. B. A. verspricht dem Freunde B., niemals wieder Hasard zu spielen. In diesen und ähnlichen Fällen (Versprechen, nicht mehr zu trinken, an einem Spaziergange teilzunehmen, den ersten Walzer mit einer bestimmten Person zu tanzen) kümmert sich das Recht nicht um die Abmachungen. Trotzdem im einzelnen Fall der Versprecher die ernstliche Absicht haben kann, sich juristisch zu verpflichten, versagt das Recht seine Anerkennung. Der Vertrag bleibt trotz aller Bemühungen der Parteien juristisch wirkungslos. Der Grund liegt nicht in einem mangelnden Vermögensinteresse, sondern darin, daß das objektive Recht bewußt darauf verzichtet, sich in Abmachungen nach Art der angeführten Beispiele einzumischen. Gerade im Interesse der Menschen selber mischt sich das Recht nicht in diese Verabredungen hinein, damit der Verkehr in Familie, Freundschaft, engerer und auch weiterer Geselligkeit nicht in seiner Unbefangenheit gestört werde. Verabredungen, wie die angeführten und alles was mit ihnen verwandt ist, vertragen den juristischen Zwang nicht, denn es handelt sich bei ihnen regelmäßig um viel zu delikate Dinge, die wohl für den feineren Zwang von Gesetzen der Geselligkeit und des Anstandes, aber nicht für die gröberen Mittel eines rechtlichen Verfahrens geeignet sind. Wo die Grenze ist, das ist wesentlich eine Frage des juristischen Taktes und kann nicht abstrakt gelehrt werden.

Man verwechsele aber Zweierlei nicht: A. verspricht seinem Freunde B., sich seinen Bart abnehmen zu lassen und Studenten kaufen einem auf seinen Schnurrbart eitlen Hausirer seinen Bart um 20 Mk. ab d. h. sie verpflichten ihn gegen Zahlung von 20 Mk., seinen Bart zu rasieren und ihn vor Ablauf einer bestimmten Frist nicht wieder wachsen zu lassen. Die letzte Verabredung, in der die Parteien selbst die Leistung in Geld bewerten, ist unbedingt gültig.

III. Unter den Gegenständen eines Schuldverhältnisses sind einige besonders hervorzuheben.

1) Die Geldschuld. Die Forderung auf Geld ist keine Forderung auf einzelne bestimmte Geldstücke, sondern auf einen bestimmten Wert. Die Geldsumme bezeichnet denjenigen Wert, den der Schuldner dem Gläubiger zu verschaffen hat. Da fragt es sich, welche Geldstücke eignen sich dazu, sobaß durch ihre Zahlung dem Gläubiger der in der Summe bezeichnete Wert verschafft wird mit der Wirkung, die Schuld des Schuldners zu tilgen? Es liegt auf der Hand, daß nicht alle Geldstücke sich hiezu eignen, denn sonst könnte man seine Schulden mit ausländischem, oder für kraftlos erklärtem einheimischem Gelde bezahlen. Aber dies Geld hat nicht die Kraft, die Schuld zu tilgen, es hat keine Zahlkraft. Als Tilgungsmittel kommt also nur das Geld in Frage, das bei uns Zahlkraft hat. Dieses nennen wir Währung, einheimische Währung. Nur mit Währung kann ich alle meine Geldschulden tilgen. Nur sie hat unbeschränkte Zahlkraft. Daneben hat eine nur sehr beschränkte Zahlkraft die Scheidemünze. Bei uns ist Währung die Krone, Doppelkrone, das goldene Fünfmarkstück, der Thaler. Diese müssen in jedem Betrage genommen werden. Alle übrigen Geldstücke, auch die silbernen Fünfmarkstücke, sind nur Scheidemünze, haben nur eine ganz beschränkte Zahlkraft. Die Zahlkraft wird dem Gelde durch den Staat gegeben, indem er dem Gelde einen bestimmten Nennwert beigelegt.

Weil ihnen vom Staate keine Zahlkraft beigelegt ist, deshalb sind Reichsbanknoten kein Geld, keine Währung. Sie sind nur Schuldverschreibungen auf den Inhaber, ausgegeben nicht vom Staate, sondern von der Reichsbank. Sie werden aber im Verkehr als Geld behandelt, weil ihr Aussteller, die Reichsbank, einen so hohen Kredit genießt, daß diese Papiere im Verkehr dem Gelde gleichgewertet werden. Privatpersonen brauchen die Reichsbanknoten nicht in Zahlung zu nehmen.

§ 244. „Ist eine in ausländischer Währung ausgedrückte Geldschuld im Inlande zu zahlen, so kann die Zahlung in Reichswährung erfolgen, es sei denn, daß Zahlung in ausländischer Währung ausdrücklich bedungen ist.

Die Umrechnung erfolgt nach dem Kurswerte, der zur Zeit der Zahlung für den Zahlungsort maßgebend ist."

Von der Zahlkraft ist verschieden die Kaufkraft. Wenn Gold hoch im Preise steht, so bekommt der Besitzer von Gold für dasselbe viel Ware, das Gold hat also starke Kaufkraft. Sie kann zu verschiedenen Zeiten verschieden groß sein, schwanken. Dann wechselt der Kurs des Goldes.

Wir unterscheiden daher neben dem vom Staate dem Gelde aufgeprägten Nennwert noch den Kurswert. Der letztere richtet sich wesentlich nach dem Metallwert des Geldes, dieser aber nach dem Werte des betreffenden Metalles (als Ware!) zu der betreffenden Zeit. Herrscht viel Nachfrage nach Gold, weil viele Staaten zur Goldwährung übergehen, so steigt der Metallwert des Goldes und damit sein Kurs, zumal wenn noch hinzukommt, daß wenig Gold aus Bergwerken gewonnen wird. Wird viel Silber gewonnen, ohne daß nach ihm besondere Nachfrage besteht, so wie es heute ist, dann sinkt der Kurs des Silbers, seine Kaufkraft.

Zahlkraft und Kaufkraft haben juristisch nichts mit einander zu tun, sind von einander ganz unabhängig. Daher kommt es, daß derjenige, der viele Waren erzeugt und zu verkaufen hat, z. B. der Landmann, viel Interesse daran haben kann, daß das Geld wohl eine schwache Kaufkraft erhalte, aber seine alte Zahlkraft behalte. Bei schwacher Kaufkraft werden ihm seine Erzeugnisse teuer bezahlt und er kann seine Schulden, deren Nennbetrag sich gleich geblieben ist, leichter bezahlen, da das Geld noch immer dieselbe Zahlkraft hat wie damals, als er es sich lieh, als er die Schulden machte.

Die Zahlkraft des Geldes zeigt sich vorzüglich in seiner Kraft, alle Schuldverhältnisse zu tilgen, die aus irgend einem Grunde auf die natürliche Weise nicht zur Tilgung kommen können, indem an Stelle der eigentlich geschuldeten Leistung die Verpflichtung zum Ersatze des durch die Nichtleistung entstandenen Schadens tritt. Mit der Entrichtung des Schadenersatzes erlischt das ganze Schuldverhältnis, als ob der Schuldner vorschriftsmäßig erfüllt hätte. Das Geld oder, genauer gesprochen, das Währungsgeld, die Währung ist das letzte Tilgungsmittel aller Schuldverhältnisse (vergl. § 249 ff.).

Eine Unterart der Geldschuld ist die Schuld aus § 245: „Ist

eine Geldschuld in einer bestimmten Münzsorte zu zahlen, die sich zur Zeit der Zahlung nicht mehr im Umlaufe befindet, so ist die Zahlung so zu leisten, wie wenn die Münzsorte nicht bestimmt wäre".

Die eigentliche Geldsortenschuld geht auf etwas anderes, hat einen anderen Zweck. Von ihr reden wir, z. B. wenn jemand, der in die Schweiz reisen will, sich beim Bankier schweizerisches Geld bestellt. Auf diesen Fall bezieht sich § 245 nicht.

2) Zinsen. Zinsen bilden das stetige und gleichmäßige Einkommen eines Kapitals, daß der Schuldner des Kapitals dem Gläubiger außer dem Kapital leisten muß. Sie werden geschuldet ohne Rücksicht darauf, ob das Kapital Gewinn abwirft, und unterscheiden sich dadurch von den Gewinnanteilen, Dividenden. Amortisationsquoten sind Teilzahlungen auf das Kapital. Unter Rente kann man verschiedenes verstehen, wesentlich ist ihr, daß sie anstatt des Kapitals geschuldet wird.

Zinsen brauchen nicht immer Geldzinsen zu sein; wenn eine Hausfrau einer anderen 100 Eier leiht und sich 105 zurückbedingt, so sind die 5 Eier mehr nichts anderes als Zinsen.

Die Höhe der gesetzlichen Zinsen beträgt 4 % für das Jahr, jedoch können die Parteien höhere Zinsen abmachen (§ 246).

Gegen die Ausbeutung des Schuldners richten sich folgende Bestimmungen: Sind mehr als 6 v. H. Zinsen ausgemacht, so hat der Schuldner ein unentziehbares Kündigungsrecht mit den in § 247 angegebenen Besonderheiten. Ferner ist eine im Voraus getroffene Vereinbarung, daß fällige Zinsen ohne weiteres vom Augenblick ihrer Fälligkeit an Zinsen tragen sollen, nichtig (§ 248). Mit dem Kapital verjähren auch die Zinsen, wenn auch ihre Verjährungszeit noch nicht abgelaufen ist (§ 224).

3) Leibrente. Leibrenten können auf sehr verschiedene Weise entstehen. Jemand, der nicht genug Vermögen hat, um von den Zinsen allein leben zu können, zahlt bei einer Bank sein Kapital ganz oder teilweise ein, verzichtet auf die Rückzahlung, bedingt sich aber aus, daß die Bank ihm eine Rente zahle auf bestimmte Jahre oder auf Lebenszeit, oder der Erblasser hinterläßt in seinem Testamente seinem langjährigen Diener eine Rente, die ihm von den Erben auszuzahlen ist, oder jemand hat einen Anderen schuldhaft körperlich verletzt und muß nach § 843 ihm eine Rente zahlen.

Die Leibrente ist im Voraus zu zahlen (§ 760), sie geht, wenn

nichts anderes ausgemacht ist, auf die Lebensdauer des Renten=
berechtigten (§ 759); wird sie durch Vertrag begründet, dann muß,
wenn nicht eine andere Form vorgeschrieben ist, der Vertrag schrift=
lich abgeschlossen werden (§ 761).

Jedoch können in allen diesen Fällen mit Ausnahme von § 761
die Parteien etwas anderes ausmachen, denn die Vorschriften des
B.G.B. sind nicht zwingend.

Die Rente kann ebenso wie die Zinsen in Geld oder in anderen
vertretbaren Sachen geschuldet sein, z. B. Lebensmitteln.

Sie vertritt in vielen Fällen die Unterhaltspflicht. Die Be=
handlung der Unterhaltspflicht als solcher bleibt jedoch dem Familien=
recht überlassen.

4) Schadensersatz, Interesse. Schaden ist an sich jede
nachteilige Vermögensveränderung, Vermögensverschlechterung. Wem
eine Kuh am Milzbrand fällt, wer sie durch einen Blitzschlag ver=
liert, wem sie gestohlen wird, der hat einen Schaden gerade so gut,
wie der, dem seine Getreidescheune angezündet wird oder dessen
Wertpapiere im Kurs zurückgehen. Die Frage, wer den Schaden
zu verantworten, zu vertreten hat, kann hier nicht näher beant=
wortet werden. Es sei hier nur daran erinnert, daß Schaden ent=
steht durch Sachbeschädigung, Betrug, aber auch dadurch, daß
jemand seine kontraktlich übernommenen Pflichten vorsätzlich oder
fahrlässig nicht erfüllt, daß also etwa der Knecht die Pferde ver=
wahrlost, das Dienstmädchen einen Auftrag nicht erfüllt, der Uhr=
macher meine Uhr schlecht ausbessert, der Verkäufer einem ohne
genügende Legitimation auftretenden Schwindler die für mich be=
stimmte Ware einhändigt 2c. (vergl. das oben S. 41 ausgeführte
Beispiel). Grundsätzlich berücksichtigt das B.G.B. nur Vermögens=
schaden, aber ausnahmsweise auch immateriellen Schaden (§ 253;
vergl. §§ 847, 1300, f. oben S. 56 f., 138 f., 150).

§ 249. „Wer zum Schadensersatz verpflichtet ist, hat den Zu=
stand herzustellen, der bestehen würde, wenn der zum Ersatze ver=
pflichtende Umstand nicht eingetreten wäre. Ist wegen Verletzung
einer Person oder wegen Beschädigung einer Sache Schadensersatz
zu leisten, so kann der Gläubiger statt der Herstellung den dazu
erforderlichen Geldbetrag verlangen". Damit der Gläubiger nicht
mit dem Schadensersatz spekuliere, wird dem Schuldner zunächst
nur Naturalrestitution auferlegt, aber „soweit die Herstellung nicht

möglich oder zur Entschädigung des Gläubigers nicht genügend ist, hat der Ersatzpflichtige den Gläubiger in Geld zu entschädigen.

Der Ersatzpflichtige kann den Gläubiger in Geld entschädigen, wenn die Herstellung nur mit unverhältnismäßigen Mitteln möglich ist" (§ 251). Dies ist eine Billigkeitsvorschrift, um ungebührliche Ansprüche abzuschneiden.

Es muß ersetzt werden auch der entgangene Gewinn, „welcher nach dem gewöhnlichen Laufe der Dinge oder nach den besonderen Umständen, insbesondere nach den getroffenen Anstalten und Vorkehrungen, mit Wahrscheinlichkeit erwartet werden konnte" (§ 252). Hat jemand ein Pferd, dessen objektiver Wert auf 1000 Mk. zu schätzen ist, für 1200 Mk. verkauft und es wird, bevor er es dem Käufer übergibt, von einem Dritten schuldhaft getötet, so kann er mit der Klage auf Grund von § 823 von dem Schädiger 1200 Mk. verlangen.

Den Gedanken, der dieser letzten Bestimmung zu Grunde liegt, können wir allgemeiner auch so ausdrücken: Der Beschädigte kann Ersatz seines Interesses verlangen. Das Interesse steht im Gegensatz zum gemeinen Wert; denn ein Vermögensgegenstand kann für die verschiedenen Menschen einen verschiedenen Wert haben, wie wir an dem letzten Beispiele gesehen haben. Darum bestimmt das Gesetz Herstellung des früheren Zustandes (§ 249) und schützt dadurch das Interesse. Wem von seinem durchaus gleichmäßigen Viergespann ein Pferd getötet wird, der hat einen größeren Verlust als bloß den Verlust eines Pferdes, denn zugleich ist auch sein Viergespann entwertet. Hat das einzelne Pferd vielleicht einen Wert von je 2000 Mk. und das ganze Viergespann einen solchen von 12 000 Mk., so hat der Schädiger auch die Wertminderung des Viergespanns zu ersetzen, also 12000 — 6000 Mk. = 6000 Mk. Hier kommt insbesondere die Billigkeitsvorschrift des § 251 zur Anwendung.

Das zu ersetzende Interesse muß ein Geldinteresse sein: bloße Liebhaberei genügt nicht. Das sogenannte Affektionsinteresse wird nicht berücksichtigt. Hat jedoch ein Gegenstand dadurch, daß ihm weitere Kreise ihre Liebhaberei, ihr Affektionsinteresse zuwenden und bereit sind, für ihn Opfer zu bringen, z. B. altes Porzellan, Waffen rc. einen besonderen Geldwert erlangt, so wird dieser Geldwert natürlich berücksichtigt.

Hat der Beschädigte ebenfalls ein Verschulden auf sich geladen, so wird das beiderseitige Verschulden in gewisser Weise gegeneinander aufgerechnet, z. B. A. spaziert in einer Allee, deren Bäume ausgesägt werden. Obgleich er sieht, daß ein Arbeiter im Begriff steht, einen schweren Ast zu Boden zu werfen, ohne Rücksicht auf die Spaziergänger, tritt A. doch der gefährlichen Stelle näher und wird von dem herabfallenden Aste schwer verletzt. Für solche Fälle bestimmt § 254, daß die Verpflichtung zum Schadensersatze insbesondere davon abhängt, „inwieweit der Schaden vorwiegend von dem einen oder dem anderen Teile verursacht worden ist". Man spricht hier von einer Verschuldungskonkurrenz (vergl oben § 33, IV, S. 142).

5) Rechnungslegung und Offenbarungseid. Wenn jemand einen Auftrag übernimmt und ausführt, oder ohne Auftrag die Geschäfte eines Anderen führt, oder wenn jemand für seine Mitgesellschafter die Geschäfte führt, so hat in allen diesen Fällen der Geschäftsführende Rechenschaft zu legen (vergl. die §§ 666, 681, 713). Rechenschaft zu legen hat auch der Vormund (§§ 1840, 1841, 1890), der Testamentsvollstrecker (§ 2218) u. a. m.

Für alle diese und andere Fälle hat das B.G.B. einige einheitliche Vorschriften erlassen. Wer Rechnung zu legen hat, muß die Einnahmen und Ausgaben geordnet zusammenstellen und die gebräuchlichen Belege, z. B. quittierte Rechnungen vorlegen. Besteht Grund zum Mißtrauen gegen ihn, daß die Einnahmen nicht mit der erforderlichen Sorgfalt angegeben sind, so muß er auf Verlangen eidlich beschwören, „daß er nach bestem Wissen die Einnahmen so vollständig angegeben habe, als er dazu imstande sei (§ 259). Ein solcher Eid heißt Offenbarungseid. Einen zweiten Fall des Offenbarungseides enthält § 260: „Wer verpflichtet ist, einen Inbegriff von Gegenständen herauszugeben oder über den Bestand eines solchen Inbegriffs (z. B. Nachlaß) Auskunft zu erteilen, hat dem Berechtigten ein Verzeichnis des Bestandes vorzulegen. Besteht Grund zu der Annahme, daß das Verzeichnis nicht mit der erforderlichen Sorgfalt aufgestellt worden ist, so hat der Verpflichtete auf Verlangen den Offenbarungseid dahin zu leisten: daß er nach bestem Wissen den Bestand so vollständig angegeben habe, als er dazu imstande sei".

Der Offenbarungseid gemäß §§ 259, 260 braucht aber in Angelegenheiten von geringer Bedeutung nicht geleistet zu werden.

6) **Sicherheitsleistung.** Hat sich bei Auflösung einer juristischen Person ein Gläubiger mit einer bestrittenen Forderung gemeldet, so darf das Vermögen des Vereins demjenigen, dem es zukommt, nur dann ausgeantwortet werden, wenn dem Gläubiger Sicherheit geleistet ist (§ 52).

Wie schon bemerkt, hat der Vermieter eines Grundstücks „für seine Forderungen aus dem Mietverhältnis ein Pfandrecht an den eingebrachten Sachen des Mieters" (§ 559). „Der Mieter kann die Geltendmachung des Pfandrechtes des Vermieters durch Sicherheitsleistung abwenden" (§ 562). Wird jemand infolge von Körperverletzung erwerbsunfähig, so kann er eine Geldrente und je nach den Umständen auch Sicherheit für die Zahlung der Rente verlangen (§ 843). „Wird durch das Verhalten des Nießbrauchers die Besorgnis einer erheblichen Verletzung der Rechte des Eigentümers begründet, so kann der Eigentümer Sicherheitsleistung verlangen" (§ 1051). Andere Beispiele der Sicherheitsleistung sind in den §§ 1067, 1218, 1986 u. a. m. enthalten.

Die Fälle, in denen Sicherheit zu leisten ist, sind sehr verschieden. Zuweilen hat jemand das Recht, Sicherheit zu leisten, um sich dadurch einen Vorteil zu verschaffen, zuweilen ist jemand geradezu verpflichtet, Sicherheit zu leisten: Es kommt stets auf den einzelnen Fall an. Wesentlich aber kommt die Sicherheitsleistung bei Schuldverhältnissen vor. Das B.G.B. hat einheitlich geregelt, wie jemand Sicherheit zu leisten hat.

„Wer Sicherheit zu leisten hat, kann dies bewirken

durch Hinterlegung von Geld oder Wertpapieren,

durch Verpfändung von Forderungen, die in das Reichsschuldbuch oder in das Staatsschuldbuch eines Bundesstaates eingetragen sind,

durch Verpfändung beweglicher Sachen

durch Bestellung von Hypotheken an inländischen Grundstücken,

durch Verpfändung von Forderungen, für die eine Hypothek an einem inländischen Grundstücke besteht, oder durch Verpfändung von Grundschulden oder Rentenschulden an inländischen Grundstücken.

Kann die Sicherheit nicht in dieser Weise geleistet werden, so ist die Stellung eines tauglichen Bürgen zulässig (§ 232).

An dem hinterlegten Gelde und den hinterlegten Wertpapieren erwirbt derjenige, dem Sicherheit zu leisten ist, ein Pfandrecht (§ 233).

Das B.G.B. erläßt noch verschiedene Bestimmungen darüber, bis zu welcher Höhe und unter welchen Umständen die im § 232 angeführten Sicherungsmittel geeignet sind, Sicherheit zu geben (vergl. die §§ 234, 236, 239).

„Wird die geleistete Sicherheit ohne Verschulden des Berechtigten (d. h. desjenigen, dem Sicherheit zu leisten ist) unzureichend, so ist sie zu ergänzen oder anderweitige Sicherheit zu leisten" (§ 240).

Ueber die Buchschulden vergl. oben S. 84 Sicherheit durch Hypothek kann gegeben werden in doppelter Weise, entweder es wird eine Hypothek für den Berechtigten neubestellt (vierter Fall) oder es wird ihm eine schon bestehende Hypothek, Grundschuld oder Rentenschuld verpfändet. Diese drei sind alle nahe mit einander verwandt. Wir werden später noch darauf zurückkommen. (Vergl. B.G.B. §§ 1113 ff., 1191 ff., 1199 ff.)

§ 36. Arten der Schuldverhältnisse.

Es gibt zwei Arten der Schuldverhältnisse und diesen entsprechen die volle und die bloß natürliche Verbindlichkeit. Die letztere unterscheidet sich von der ersteren dadurch, daß sie nicht klagbar ist. Die volle Verbindlichkeit, auch einfach Vollobligation zu nennen, hat grundsätzlich alle Wirkungen, die eine Verbindlichkeit nur haben kann, vor Allem ist sie stets und unter allen Umständen klagbar, der Gläubiger kann also, wenn der Schuldner nicht gutwillig leistet, die Leistung mittels Klage erzwingen. Dies kann er bei der bloß natürlichen Verbindlichkeit niemals! Es gibt also Schulden, die nicht eingeklagt werden können, aber dennoch im Rechtssinne Schulden sind. Dies zeigt sich besonders in ihrer Zahlbarkeit, z. B. bei Spielschulden (vergl. § 762 und oben § 27). Der Gewinner kann den Gewinn nicht einklagen, aber der Verlierer kann das gutwillig Gezahlte nicht wieder zurückfordern. Die Zahlung der Spielschuld gilt als Zahlung einer richtigen Schuld und nicht als Schenkung. Einen anderen Fall einer natürlichen Verbindlichkeit bietet § 656. Der Ehemakler kann den versprochenen

Maklerlohn nicht einklagen, denn das Recht mißbilligt solche Ge=
schäfte. Es mißbilligt sie aber nicht so sehr, daß es die Zahlung
des Lohnes verbietet, es schließt nur die Klage aus. Wenn aber
gutwillig gezahlt ist, so läßt es die Zahlung bei Bestand und das
gutwillig Gezahlte kann nicht zurückgefordert werden. Ein Schenkungs=
versprechen erzeugt ebenfalls nur eine natürliche Verbindlichkeit, wenn
es nur mündlich abgegeben und nicht gerichtlich oder notariell be=
urkundet wird (§ 518). Wird jedoch das Versprechen gutwillig
von dem Schenker erfüllt, so gilt alles so, als ob das Schenkungs=
versprechen in richtiger Form abgegeben gewesen wäre.

§ 37. Entstehung der Schuldverhältnisse. Einleitung.

Die Schuldverhältnisse entstehen, wie wir schon wiederholt ge=
sehen haben, häufig durch Vertrag, z. B. Kaufvertrag, Mietvertrag,
Leihvertrag. Sie können aber auch ohne Vertrag entstehen, z. B.
bei der Auslobung. Dieses ist, wie wir oben sahen, ein Versprechen,
dem aber die Annahme fehlt. Das Versprechen verpflichtet hier,
obgleich es nicht angenommen zu sein braucht. Ferner kann sich
eine Verpflichtung ergeben aus bloßen Zuständen. So verpflichtet
die bloße Tatsache, daß jemand auf eines anderen Kosten ungerecht=
fertigt bereichert ist, den Bereicherten zur Herausgabe der Be=
reicherung, oder die unbeauftragte Geschäftsführung erzeugt Rechte
und Pflichten. Eine Verpflichtung, z. B. zu Schadensersatz, kann
auch begründet werden durch eine unerlaubte Handlung, Delikt,
z. B. Körperbeschädigung.

Einige besondere Fälle, die ich hier nur der Vollständigkeit
halber erwähne, auf die ich hier jedoch nicht näher eingehen kann,
sind die durch Gesetz oder durch Richterspruch begründeten Ver=
pflichtungen, ebenso die familien= und erbrechtlichen Verpflichtungen.

Wenn wir von diesen Fällen absehen, so gewinnen wir folgende
Einteilung für die Entstehungsgründe der Schuldverhältnisse.

1) Verträge.
2) Versprechen ohne Annahme.
3) Schuldverhältnisse aus Zuständen.
4) Schuldverhältnisse auf Grund von unerlaubten Handlungen.

§ 38. (Fortsetzung.) L. Die Verträge.

I. Die Verträge, die wir hier zu behandeln haben, bezeichnen wir als obligatorische Verträge. Deshalb, weil sie Verpflichtungen erzeugen, obligatorische Verpflichtungen, Obligationen. Dies ist wohl zu beachten, denn es gibt außer den obligatorischen Verträgen noch verschiedene andere Verträge, die der Sprachgebrauch allerdings regelmäßig nicht als solche bezeichnet, die aber wir Juristen abweichend von dem Sprachgebrauch des täglichen Lebens als Verträge bezeichnen. Wir werden darauf noch zurückkommen.

Der Vertrag setzt sich zusammen aus Angebot und Annahme. Statt Angebot sagt man auch vielfach Antrag. Der Inhalt des Antrages bildet die Grundlage für den Vertrag, in der Annahme erklärt der Annehmende nur, daß er mit dem Inhalt des Antrages einverstanden sei und ihn für und gegen sich gelten lassen wolle. Der Vertrag verlangt also Übereinstimmung beider Parteien, Konsens.

Die Verpflichtungen entstehen, wenn Antrag und Annahme erklärt worden sind. Damit nun der Antragsteller nicht beliebig dem Gegner entschlüpfen könne, ist bestimmt, daß er sein Angebot nicht ohne Weiteres widerrufen kann, daß er also gewisse Zeit hindurch an sein Angebot gebunden bleibt (§ 145). Jedoch kommt es zumal im kaufmännischen Verkehr vor, daß sich jemand etwa mit den Worten „freibleibend", „ohne Obligo" freie Hand vorbehält und dies wird denn auch von § 145 zugegeben. „Der Antrag erlischt, wenn er dem Antragenden gegenüber abgelehnt, oder wenn er nicht diesem gegenüber nach den §§ 147—149 rechtzeitig angenommen wird" (§ 146). Hier ist bestimmt, daß unter Gegenwärtigen, also z. B. von Mund zu Mund der Antrag sofort angenommen sein muß, unter Abwesenden ist der Antragsteller an seinen Antrag so lange gebunden, als er den Eingang der Antwort unter regelmäßigen Umständen erwarten darf, oder so lange, als die vom Antragenden gesetzte Frist läuft. Alle Annahmeerklärungen, die nach dem Ende der genannten Fristen einlaufen, haben nur die Wirkung, daß sie ihrerseits als Angebot zu einem neuen Vertrage gelten (§ 150). Bei Versteigerungen erlischt das Gebot durch Übergebot (§ 156).

II. Zu beachten ist, daß die Annahme dem Antragenden gegenüber abgegeben sein muß (vergl. oben). Da fragt es sich, wann denn ein Antrag oder eine Annahme als vollendet anzusehen ist, so daß sie die ihr zukommenden Wirkungen äußert. Zunächst ist festzustellen, daß Antrag und Annahme unter den Begriff der Willenserklärung fallen, wir also allgemeiner zu fragen haben, wann eine Willenserklärung vollendet oder, wie man auch sagt, perfekt ist. Es kommen hiebei vor Allem zwei Zeitpunkte in Betracht, der Augenblick, wo jemand die Willenserklärung vernimmt und in sein geistiges Verständnis aufnimmt, und der Augenblick wo der Erklärende mit der Erklärungshandlung fertig ist, wenn auch der Empfänger die Erklärung noch nicht vernommen hat. Mit dem Zeitpunkt der Vernehmung fällt die Vollendung der Willenserklärung nicht zusammen, denn die Vernehmung ist erst der Erfolg der Erklärungshandlung, gehört als der erst nachfolgende Erfolg nicht in die Erklärungshandlung hinein; außerdem wäre es sehr unpraktisch an die Vernehmung, die ein fast völlig unbeweisbarer Vorgang im menschlichen Gehirn ist, rechtliche Folgen zu knüpfen: Die sogenannte Vernehmungstheorie ist daher verfehlt. Richtiger ist die zweite Theorie, wenn man nur die Beendigung der Erklärungshandlung richtig versteht. Die Frage macht Schwierigkeiten, wenn es sich um Erklärungen unter Abwesenden handelt. Die Erklärung ist beendet nicht schon mit der Niederschrift des Briefes, damit schließt vielmehr nur die unmittelbare Tätigkeit des Erklärenden ab, sie ist erst beendet mit der Beförderung des Briefes an sein Ziel, denn bis dahin haben wir immer noch eine allerdings nur mittelbare Handlung des Erklärenden vor uns. Die Erklärung ist also vollendet, wenn der Erklärende sie, sei es durch eigene unmittelbare Tätigkeit, sei es durch Benutzung von Mittelgliedern, z. B. Post, Telegraph an ihren Bestimmungsort befördert hat, wenn der Adressat sie empfangen hat. Diese Ansicht nennt man die Empfangstheorie, die allein zu praktischen Ergebnissen führt. „Eine Willenserklärung, die einem Anderen gegenüber abzugeben ist, wird, wenn sie in dessen Abwesenheit abgegeben wird, in dem Zeitpunkte wirksam, in welchem sie ihm zugeht" (§ 130). Es genügt also, wenn der Brief in den auf dem Flure angebrachten Briefkasten geworfen wird.

Nach diesen soeben dargelegten Grundsätzen entscheidet sich folgender Fall: Kaufmann A. in Frankfurt a. M. offeriert dem B. in Berlin 100 Sack Javakaffee. Der Brief geht am Vormittag des 1. Juli aus Frankfurt ab, wird am Morgen des 2. Juli dem Berliner eingehändigt, und unter regelmäßigen Umständen kann A. am 3. Juli Vormittags die Antwort erwarten (§ 147), bis dahin ist er also an seinen Antrag gebunden. Wenn B. am 4. Juli schreibt, daß er auf den angebotenen Vertrag eingehe, kommt er zu spät, der Vertrag kommt nicht zu Stande.

Will A. sein Angebot widerrufen, dann muß er so rechtzeitig einen Brief oder ein Telegramm hinterhersenden, daß seine Widerrufserklärung mindestens gleichzeitig mit dem Antrage bei dem B. eintrifft (§ 130 I Satz 2).

Hat A. geschrieben: „„Ich offeriere bei Drahtzusage", so will er an seinen Antrag nur so lange gebunden sein, als er unter regelmäßigen Umständen den Eingang einer Antwortsdepesche erwarten darf (§ 148).

Wenn der Grossist A. in Berlin den Importör B. in Hamburg anweist: Schicken Sie dem C. in Nordhausen 1 Waggon Chilisalpeter, so wird häufig B. den Auftrag ausführen, den Chilisalpeter nach Nordhausen verladen und erst wenn der Auftrag ausgeführt ist, an A. schreiben: Ich sandte in Ihrem Auftrage für Ihre Rechnung heute 1 Waggon Chilisalpeter nach Nordhausen. Der Brief des B. enthält nicht die Annahmeerklärung auf den von A. ausgehenden Vertragsantrag, sondern ist nur eine Benachrichtigung, daß B. den Antrag des A. durch die Ausführung des Auftrages angenommen habe. Der Antrag ist dann stillschweigend angenommen, durch eine Handlung, deren ausschließlicher Zweck nicht die Erklärung eines Willens ist. Eine solche Erklärung ist zulässig nach § 151:

„Der Vertrag kommt durch die Annahme des Antrages zu stande, ohne daß die Annahme dem Antragenden gegenüber erklärt zu werden braucht, wenn eine solche Erklärung nach der Verkehrssitte nicht zu erwarten ist oder der Antragende auf sie verzichtet hat. Der Zeitpunkt, in welchem der Antrag erlischt, bestimmt sich nach dem aus dem Antrag oder den Umständen zu entnehmenden Willen des Antragenden".

III. „So lange nicht die Parteien sich über alle Punkte eines Vertrags geeinigt haben, über die nach der Erklärung auch nur einer Partei eine Vereinbarung getroffen werden soll, ist im Zweifel der Vertrag nicht geschlossen", d. h. das Abgemachte gilt nicht, weil es unvollständig ist (§ 154). Haben sich die Parteien über alle Hauptsachen geeinigt, aber nicht über eine oder mehrere Nebensachen, so gilt der Vertrag dennoch (§ 155).

IV. Das B.G.B. vertritt den Grundsatz von der Formlosigkeit der Verträge, d. h. grundsätzlich ist für den Vertragsschluß keine bestimmte Form vorgeschrieben, es genügt, daß sich die Parteien überhaupt geeinigt haben.

§ 39. (Fortsetzung.) Vertragschluß durch Stellvertreter.

I. Wer einen Vertrag schließen will, kann sich dazu auch einer Mittelsperson bedienen. Wenn die Mutter ihr kleines sechsjähriges Kind zum Kaufmann schickt, um für 10 Pfennige Salz zu holen, so bedient sie sich des Kindes, um dem Kaufmann erklären zu lassen, was sie haben und was sie dafür bezahlen will. Unter Umständen wird dem Kinde auch ein schriftlicher Auftrag mitgegeben, sodaß es nur das Papier abzugeben hat, um dem Kaufmann die Wünsche seiner Mutter kundzugeben. Juristisch ist es ganz dasselbe, ob die Mutter ihren Willen niederschreibt und den Zettel durch das Kind zum Kaufmann tragen läßt oder ob sie alles dem Gedächtnis des Kindes anvertraut und darauf rechnet, daß es schon richtig bestellen werde, was ihm aufgetragen ist. In allen diesen Fällen, wo die Mittelsperson nur die Aufgabe hat, der einen Vertragspartei Nachricht von dem zu geben, was die andere Partei will, sprechen wir von einem Boten. In diesem Sinne ist die Post ein Bote, denn sie gibt oder überbringt den verschiedenen Parteien die Nachricht von dem, was der Gegner will. In diesem Sinne leistet auch vielfach Botendienste der Mäkler (s. oben S. 107).

II. 1. Ganz anders und viel wichtiger ist die Stellung des Stellvertreters. Er unterscheidet sich vom Boten dadurch, daß er nicht der Ueberbringer fremden Willens ist, sondern seinen eigenen Willen an Stelle des fremden Willens einsetzt mit der Wirkung, daß alles so gehalten wird, als ob die von ihm vertretene Person ihren eigenen Willen selber ausgesprochen hätte. Der Stellvertreter handelt statt des Vertretenen, die rechtlichen Wirkungen treten aber beim Vertretenen ein. Der Bote leistet nur tatsächliche Dienste, der Stellvertreter juristische (§ 164).

Der Stellvertreter kann seine Befugnis auf verschiedene Weise erhalten. Der Vormund erhält seine Vertretungsmacht durch den Richter, der ihn zum Vormund bestellt, der Vater erhält seine Vertretungsmacht für die Kinder durch Gesetz (§§ 1627, 1630). Privatpersonen bestellen sich selber einen Vertreter durch Bevollmächtigung.

Die Stellvertretung findet Anwendung zwar nicht nur bei den Schuldverhältnissen, aber sie findet hier ihre vorzüglichste Anwendung, weshalb sie denn auch an dieser Stelle erörtert wird.

Wenn jemand als Stellvertreter Geschäfte schließt, so wirken diese unmittelbar für und gegen den Vertretenen (§ 164).

Der Vertreter kann selber beschränkt geschäftsfähig sein, ohne daß dadurch das von ihm in fremdem Namen abgeschlossene Geschäft berührt wird. Die Geschäftsfähigkeit ist nur zum Besten des Minderjährigen beschränkt, wo aber der Minderjährige in fremdem Namen handelt, fehlt jedes Bedürfnis, seine Geschäftsfähigkeit zu beschränken (§ 165).

Vollmacht wird erklärt durch Mitteilung an den Vertreter oder durch Mitteilung an den Dritten, mit dem der Vertreter unterhandeln soll (§ 167). In letzterem Fall gilt sie solange gegenüber dem Dritten, bis der Vollmachtgeber ihm anzeigt, daß die Vollmacht erloschen ist (§ 170). Wird jemand als Bevollmächtigter dadurch legitimiert, daß ihm der Vollmachtgeber eine Vollmachtsurkunde aushändigt und er sie dem Dritten vorlegt, so bleibt seine Vertretungsmacht bestehen, bis die Vollmachtsurkunde dem Vollmachtgeber zurückgegeben oder für kraftlos erklärt wird (§ 172).

Wie man sieht, unterscheidet das B.G.B. genau zwischen Erteilung der Vollmacht und ihrer Kundmachung. Hieher gehören noch folgende Bestimmungen: „Hat jemand durch besondere Mitteilung an einem Dritten oder durch öffentliche Bekanntmachung kundgegeben, daß er einen Anderen bevollmächtigt habe", so bleibt die Vertretungsmacht bestehen, „bis die Kundgebung in derselben Weise, wie sie erfolgt ist, widerrufen wird" (§ 171). „Der Vollmachtgeber kann die Vollmachtsurkunde durch eine öffentliche Bekanntmachung für kraftlos erklären" (§ 176).

II. Hat jemand im Namen eines Anderen ein Geschäft abgeschlossen, ohne bevollmächtigt zu sein, wie dies z. B. bei der Geschäftsführung ohne Auftrag vorkommen kann (s. oben § 23), „so hängt die Wirksamkeit des Vertrages für und gegen den Vertretenen von deſſen **Genehmigung** ab" (§ 177). Bis zur Genehmigung kann der Gegner widerrufen, wenn er bei Abſchluß des Vertrages nicht wußte, daß der Vertreter nicht bevollmächtigt war (§ 178).

Wer als Vertreter handelt, ohne nachweiſen zu können, daß er es wirklich iſt, muß dem Gegner etwaigen Schaden erſetzen, es ſei denn, daß der Gegner den Mangel der Vertretungsmacht kannte oder kennen mußte. Aber wenn der Vertreter den Mangel der Vertretungsmacht ſelber nicht kannte, wird nicht der gewöhnliche Schaden erſetzt, der entſteht, wenn der Schuldner ſeine Verpflichtungen nicht erfüllt. Es ſoll vielmehr dem Dritten der Schaden erſetzt werden, den er dadurch erleidet, daß er ſich darauf verlaſſen hat, es werde ein Vertrag zwiſchen ihm und dem Vertretenen zu ſtande kommen. Der Dritte darf nur ſein Intereſſe geltend machen, das er daran hat, daß der in Ausſicht geſtellte Vertrag zu ſtande komme. Dies Intereſſe nennt man **negatives Vertrags-intereſſe** im Gegenſatz zu dem poſitiven Intereſſe, das der Gläubiger an der Leiſtung des Schuldners, an der poſitiven Erfüllung des Vertrages hat. Von dem negativen Intereſſe, auf das wir ſpäter noch einmal zurückkommen werden, beſtimmt § 179 II, daß der entſprechende Schadenserſatz nicht mehr als den Umfang des poſitiven Vertragsintereſſes betragen dürfe.

§ 179. „Wer als Vertreter einen Vertrag geſchloſſen hat, iſt, ſofern er nicht ſeine Vertretungsmacht nachweiſt, dem anderen Teile nach deſſen Wahl zur Erfüllung oder zum Schadenserſatze verpflichtet, wenn der Vertretene die Genehmigung des Vertrags verweigert.

Hat der Vertreter den Mangel der Vertretungsmacht nicht gekannt, ſo iſt er nur zum Erſatze desjenigen Schadens verpflichtet, welchen der andere Teil dadurch erleidet, daß er auf die Vertretungsmacht vertraut, jedoch nicht über den Betrag des Intereſſes hinaus, welches der andere Teil an der Wirkſamkeit des Vertrags hat.

Der Vertreter haftet nicht, wenn der andere Teil den Mangel der Vertretungsmacht kannte oder kennen mußte. Der Vertreter haftet auch dann nicht, wenn er in der Geſchäftsfähigkeit beſchränkt war, es ſei denn, daß er mit Zuſtimmung ſeines geſetzlichen Vertreters gehandelt hat".

III. Von der unmittelbaren Stellvertretung iſt zu unterſcheiden die ſogenannte **mittelbare Vertretung**, wie wir ſie in Ermangelung eines besseren Ausdrucks nennen müssen. Wenn jemand Aktien oder andere Wertpapiere kaufen will, betraut er häufig einen Bankier damit, sie ihm zu besorgen. Der Bankier kauft sie dann im Auftrage seines Kunden, aber nicht in dessen Namen, sondern regelmäßig in eigenem Namen, er ist dann dem Verkäufer gegenüber der wahre, eigentliche Käufer, aber er ist seinem Hintermann verpflichtet, ihm die abgemachte Zahl Aktien zu verschaffen und überträgt ihm daher die eingekauften Aktien. In solchen Fällen haben wir zwei Geschäfte vor uns, eins zwischen Bankier und Verkäufer und ein zweites zwischen Bankier und Hintermann. Es ist leicht zu sehen, daß hier von einer richtigen Stellvertretung nicht die Rede sein kann und der Ausdruck mittelbare Stellvertretung ist auch recht unbefriedigend. Man sagt deshalb vielfach Ersatzmann.

IV. Vertretung und Genehmigung kommen natürlich auch bei einseitigen Rechtsgeschäften vor z. B. bei der Auslobung, zu beachten ist

§ 180. „Bei einem einseitigen Rechtsgeschäft ist Vertretung ohne Vertretungsmacht unzulässig. Hat jedoch derjenige, welchem gegenüber ein solches Rechtsgeschäft vorzunehmen war, die von dem Vertreter behauptete Vertretungsmacht bei der Vornahme des Rechtsgeschäfts nicht beanstandet oder ist er damit einverstanden gewesen, daß der Vertreter ohne Vertretungsmacht handele, so finden die Vorschriften über Verträge entsprechende Anwendung. Das Gleiche gilt, wenn ein einseitiges Rechtsgeschäft gegenüber einem Vertreter ohne Vertretungsmacht mit dessen Einverständnisse vorgenommen wird".

§ 40. (Fortsetzung.) Versprechen der Leistung an einen Dritten. Vertrag zu Gunsten Dritter.

In den Zeitungen ist häufig ein Inserat folgenden Inhaltes enthalten: „Auf Gut Hohenfelde deckt der angekörte Vollbluthengst Hannibal angekörte Stuten gegen 30 Mk. Deckgeld und 2 Mk. an den Stall". Das will heißen, daß der Eigentümer für sich 30 Mk. fordert, für sein Stallpersonal, insbesondere den Kutscher, der wichtige Handreichungen zu machen hat, aber das Recht begründen will, sich von dem Eigentümer der Stute 2 Mk., die kein bloßes Trinkgeld, sondern richtiger Lohn für geleistete Dienste sind, zu fordern

Die Absicht des Herrn geht dahin, daß er selber mit der Forderung auf 2 Mk. garnichts zu tun haben, daß er vielmehr die ganze Angelegenheit von Anfang an allein in die Hände seines Kutschers geben will. Dieser soll sofort das Recht auf die 2 Mk. erwerben und soll dadurch aber auch andererseits genötigt sein, für die Beitreibung seines Lohnes selber zu sorgen. So weit geht die Fürsorge des Herrn für seinen Kutscher nicht, daß er diesem auch noch die Beitreibung des Geldes abnehmen will, es genügt ihm, wenn er dem Kutscher überhaupt nur das Recht auf das Geld verschafft hat. Da haben wir denn die eigentümliche Erscheinung, daß aus dem Vertrag, den der Herr mit dem Eigentümer der Stute schließt, ein ganz Anderer als der Herr berechtigt wird, wenn wir von der Forderung des Herrn auf 30 Mk. absehen und nur die Forderung auf 2 Mk. ins Auge fassen. Dies widerspricht allem Bisherigen insofern, als wir immer nur den Fall kennen gelernt haben, daß nur jemand, der Vertragspartei ist, aus einem Vertrag Rechte erwirbt. Im vorliegenden Falle erwirbt das Recht eine dritte bei dem Vertragsschluß garnicht beteiligte Person, der Kutscher. Wir können auch nicht davon reden, daß der Kutscher durch den Herrn beim Vertragsschlusse vertreten werde. Dafür liegt kein Grund vor. Denn der Herr handelt nicht im Auftrage und mit Vollmacht des Kutschers, sondern er handelt aus eigenem Antriebe: Er will aus wohlwollender Fürsorge für den Kutscher ihm das Trinkgeld von 2 Mk. juristisch sichern und es zu einem rechtsverbindlich geschuldeten Lohn machen, derart, daß der Kutscher im Notfalle auf Auszahlung des zum richtigen Lohn gewordenen Trinkgeldes klagen kann. Juristisch gleich zu behandeln ist folgender Fall. A. schenkt dem B. eine Sache und bestimmt zugleich, daß B. nach einiger Zeit des Gebrauches sie dem C. geben soll, der sie alsdann endgültig behalten darf; B. verpflichtet sich bei Entgegennahme des Geschenkes, die Sache dem C. herauszugeben. Die Schenkung an C. wäre juristisch ohne jeden Halt, wenn nicht C. ein unmittelbares Klagerecht gegen B. erwürbe. Steht das Klagerecht auf Leistung an C. nur dem A. zu, so wäre C. solange bis er die Sache wirklich erhält von allen Launen des A. oder, wenn dieser vorher gestorben ist, von allen Launen der Erben des A. abhängig. Das ist aber nicht als gewollt anzunehmen. Darum kommt dem C. sofort mit Übergabe der Sache an B. ein uneutziehbares Recht auf künftige Lieferung der Sache zu. Auch in diesem Falle können wir nicht davon reden, daß A. den B. vertreten und in seinem Namen den Vertrag abgeschlossen habe, daß B. verpflichtet sein solle, dem C. die Sache nach bestimmter Zeit herauszugeben. Dies ist schon deshalb — von sonstigen Gründen abgesehen — nicht anzunehmen, weil A. die ganze Schenkung zur Überraschung des C. ohne dessen Wissen mit dem B. abgeredet haben kann, sobaß C. erst nach vollendeter Schenkung von ihr erfährt.

Wir haben auch hier einen Vertrag, aus dem eine dritte am Vertragschlusse nicht beteiligte Person Rechte gewinnt. Sie gewinnt die Rechte unmittelbar mit Abschluß des Vertrages. Man darf sich also die Sache nicht so denken, daß zunächst eine der Parteien, der sogenannte Versprechensempfänger, also A., das Recht erwirbt und daß dieses Recht dann durch seine Person hindurch auf den Dritten, C., übergeht. Das wäre entschieden falsch. Der Dritte erwirbt ein eigenes, nicht ein abgeleitetes fremdes Recht.

Der Grund zu solchen Verträgen zu Gunsten Dritter liegt besonders darin, daß derjenige, der dem Dritten eine Zuwendung machen will, sie ihm unmittelbar verschaffen will, damit der Dritte imstande sei, seine Rechte selber wahrzunehmen. Daduch wird der Dritte unabhängig von anderen Personen, ihrem Wohl- oder Übelwollen, ihrer Gewissenhaftigkeit oder Nachlässigkeit. Andererseits hat der Zuwendende für sich selber den Erfolg, daß er einer weiteren Fürsorge für den Dritten überhoben ist, da dieser für sich sorgen muß. Es spielen hier also eine Hauptrolle die Sicherung des Dritten und die eigene Bequemlichkeit des Zuwendenden.

Das B.G.B. gibt einige Auslegungsregeln. „Wird in einem Lebensversicherungs- oder einem Leibrentenvertrage die Zahlung der Versicherungssumme oder der Leibrente an einen Dritten bedungen, (z. B. der Ehemann versichert sich zu Gunsten seiner Frau), so ist im Zweifel anzunehmen, daß der Dritte unmittelbar das Recht erwerben soll, die Leistung zu fordern. Das Gleiche gilt, wenn bei einer unentgeltlichen Zuwendung dem Bedachten eine Leistung an einen Dritten auferlegt oder bei einer Vermögens- oder Gutsübernahme (z. B. der Anerbe übernimmt den Bauernhof) von dem Übernehmer eine Leistung an einen Dritten (an die Geschwister) zum Zwecke der Abfindung versprochen wird" (§ 330; vergl. § 329).

§ 335 bestimmt der Sicherheit halber noch, daß außer dem Dritten auch derjenige, der sich die Leistung an den Dritten hat versprechen lassen, ein Klagerecht darauf hat, daß die Leistung an den Dritten erbracht werde.

Es kann unter Umständen gewollt sein, daß der Dritte nicht sofort oder nur unter gewissen Umständen das Recht erwerbe, ja es kann sich der Versprechensempfänger den Widerruf vorbehalten haben. Hierüber läßt sich keine allgemeine Regel aufstellen, es ist vielmehr von Fall zu Fall zu untersuchen, ob der Dritte ein vollkommenes oder ein unvollkommenes Recht erwirbt (§ 328).

Wie leicht zu sehen ist, hat der Vertrag auf Leistung an einen Dritten keinen ein für alle Male feststehenden Inhalt, wie Kauf, Miete, Darlehn und sogar die Auslobung; er stellt nur eine besondere Form dar, in der die verschiedensten Verträge mit dem verschiedensten Inhalt abgeschlossen werden können. Denkbar ist z. B., daß jemand zu Gunsten eines Anderen kauft, mietet, und dieser das Recht auf Lieferung der Sache, der Einräumung der Wohnung erwirbt, ohne zur Gegenleistung verpflichtet zu sein. Läßt sich jemand versprechen, daß der Gegner an einen Dritten etwas leisten wolle, und will er allein das Forderungsrecht erwerben, daß der Versprecher an den Dritten leiste, so gelten die gewöhnlichen Regeln über die Verträge; denn dieser Vertrag unterscheidet sich durch nichts von den sonstigen Verträgen auf eine Leistung.

§ 41. II. Versprechen ohne Annahme.

Der Hauptfall ist uns schon bekannte Auslobung, auf deren Darstellung ich hier verweise (s. oben § 21, S. 107 f.).

Manche rechnen auch hieher die Schuldverschreibungen auf den Inhaber, insbesondere deshalb, weil auch die vor der Emission (s. o. S. 133) gestohlenen oder sonst in den Verkehr gebrachten Schuldscheine den Aussteller verpflichten. Aber in Wirklichkeit haben wir in einem solchen Fall gar keinen Aussteller vor uns, es wird vielmehr etwas als ein bindendes Versprechen behandelt, was tatsächlich gar kein Versprechen ist. Die Annahme aber ermangelt in normalen Fällen niemals, sie liegt in der Zurücklieferung des Papiers. Die Schuldverschreibungen gehören nicht unter die Versprechen, die ohne Annahme zur Leistung verpflichten.

Man nennt die Versprechen ohne Annahme mit einem kürzeren und sehr bezeichnenden Ausdruck auch einseitige Versprechen; deshalb, weil der Versprecher sich einseitig allein durch seine eigene Handlung verpflichtet.

§ 42. III. Schuldverhältnisse aus Zuständen.

Hierüber ist, nachdem schon früher die Geschäftsführung ohne Auftrag und die ungerechtfertigte Bereicherung erörtert sind, nichts Besonderes zu bemerken. Die familienrechtlichen Verpflichtungen auf Grund der Verwandtschaft werden später erörtert werden, ebenso was mit dem Erbrecht zusammenhängt.

§ 43. IV. Schuldverhältnisse aus unerlaubten Handlungen.

Die unerlaubten Handlungen sind ebenfalls schon früher er- örtert worden, worauf ich hier verweise. Es genügt, hier festzu- stellen, daß sie zu den Entstehungsgründen von Verpflichtungen ge- hören, wie die übrigen schon angeführten.

§ 44. Arten der Verträge.

I. Vorverträge. Wenn zwei Parteien einen Vertrag mit einander schließen wollen, so kann es doch sein, daß sie zwar alle Punkte mit einander ausführlich bereden, aber ausmachen, daß die bloße Beredung nicht genügen solle, daß vielmehr der Vertrag noch schriftlich aufzusetzen sei. Dann gilt § 154: „Ist eine Beurkundung des beabsichtigten Vertrages verabredet worden, so ist im Zweifel der Vertrag nicht geschlossen, bis die Beurkundung erfolgt ist." Wir haben in diesem Falle einen Vorvertrag vor uns, in dem die Parteien verabreden, daß der eigentliche, der Hauptvertrag noch ge- schlossen werden solle. Es ist ja allerdings möglich, daß die Parteien, als sie ihre Abmachungen trafen, den Hauptvertrag schon vollgültig abschließen wollten und nur des Beweises halber verabredeten, den Vertrag noch schriftlich aufzusetzen. Dies muß aber besonders be- wiesen werden und ist nicht als die Regel anzusehen.

Welche Wirkung hat ein Vorvertrag? Im Allgemeinen alle Wirkungen, die ein Vertrag haben kann. Aber muß der Vorvertrag, um verbindlich zu sein, in denselben Formen abgefaßt sein, wie der Hauptvertrag? Das B.G.B. sagt hievon nichts. Trotzdem kann aus einem formlosen Vorvertrage auf Abschluß eines an bestimmte Formen gebundenen Hauptvertrages nicht geklagt werden, denn man würde durch diesen Zwang zum Abschluß eines formgebundenen Vertrages die durch die Formvorschriften erstrebte Sicherung der Parteien tatsächlich illusorisch machen, wollte man auf Grund einer formlosen Verabredung den Versprecher zwingen, den formgebundenen Hauptvertrag wirklich abzuschließen. Die Vorschrift z. B., daß eine Bürgschaft schriftlich gegeben werden muß (§ 766), würde im praktischen Erfolge (Sicherung vor Übereilung) umgangen werden, wenn jemand aus einem formlosen Versprechen verklagt werden könnte, die versprochene Bürgschaft schriftlich zu leisten.

II. Konsensual- und Realverträge. Ein Kaufvertrag liegt vor, wenn beide Parteien sich mündlich, schriftlich oder sonstwie verabredet haben, daß der Eine die Ware, der Andere den Kaufpreis leisten soll. Mit dieser bloßen Verabredung ist der Kaufvertrag vollkommen fertig; er wird also durch eine Beredung geschlossen, die Übergabe von Ware und Geld ist Erfüllung des schon vor der Übergabe fertig vorliegenden Kaufes. Ganz anders steht die Sache beim Darlehn. Der Darlehnsvertrag kommt durch eine bloße Beredung noch nicht zu stande, sondern erst durch die Übergabe des Geldes, genauer durch das Angebot des Geldes von seiten des Darlehnsgebers und durch die Annahme des Geldes durch den Darlehnsnehmer. Die Übergabe des Geldes ist also nicht Erfüllung der in einem Darlehnsvertrage übernommenen Verpflichtungen, sondern sie ist Abschluß eines Darlehnsvertrages. Erst mit der Übergabe entstehen die Rechte und Pflichten der Parteien, z. B. auf Rückgabe des Geldes, auf Zahlung von Zinsen ꝛc. Dieselben Beobachtungen machen wir bei Leihe und Miete. Die Verpflichtungen aus der Leihe entstehen erst durch die Übergabe der Sache, die Verpflichtungen aus der Miete entstehen schon mit der bloßen Beredung. Die Beredung gibt das Recht auf Einräumung der vermieteten Wohnung, aber die Übergabe der Wohnung selber gehört nicht mit zum Abschluß des Vertrages, wie die Übergabe der Sache bei der Leihe.

Wir können den hier aufgedeckten Gegensatz noch weiter verfolgen, wollen aber nur noch einen Fall besonders besprechen. Vom

Kauf wissen wir, daß er durch die Beredung als solche, sei sie nun formlos oder in irgendwelchen Formen (bei Kaufverträgen über Immobilien [§ 313] gerichtliche oder notarielle Beurkundung!) abgeschlossen, getroffen wird. Der Tausch aber wird abgeschlossen durch die Übergabe und Empfangnahme der umgetauschten Sachen. Es ist also garnicht möglich, ihn in allen Punkten als Kauf zu behandeln, was aber der Wortlaut von § 515 auch nicht verlangt. Beide Verträge entstehen auf zu verschiedene Weise. Eine Klage aus einem Tauschvertrage auf Umtausch der zum Tausch bestimmten Sachen gibt es nicht. Bereden sich die Parteien vorher, in einem Tauschvertrag gewisse Dinge gegeneinander austauschen zu wollen, so ist diese Beredung kein Tauschvertrag, sondern nur ein Vorvertrag zu einem Tauschvertrag. Aus diesem Vorvertrage kann auf Vollziehung des Tausches geklagt werden, und auch er steht gemäß § 515 unter den Regeln des Kaufes. Die Ähnlichkeit des Tausches mit dem Kaufe liegt darin, daß nach vollzogenem Tausche jede Partei wie ein Verkäufer für die rechtlichen und körperlichen Mängel der zum Tausch hergegebenen Sache haftet, daß sie, nachdem sie ihre Sache geleistet hat, klagen kann auf Leistung der anderen Sache rc.

Wir nennen jene Verträge, die durch die bloße Beredung entstehen, bei denen es genügt, daß zwischen den Parteien irgendwie, sei es formlos oder, wo sie vorgeschrieben ist, in bestimmter Form, eine Einigung, ein Konsens hergestellt ist, Konsensualverträge, die anderen Verträge, die nur durch Übergabe einer Sache zu Stande kommen, Realverträge, weil hier eine Sache, eine res übergeben wird.

Scheiden wir die Verträge nach dieser Einteilung, so ergibt sich folgendes Bild.

A. Konsensualverträge.

1) Kauf [1] ist die grundsätzlich formlose Beredung, durch die sich der Verkäufer verpflichtet, dem Käufer eine körperliche Sache zu übergeben und ihm das Eigentum daran zu verschaffen, während

---

1) Den Verkauf von Rechten kann ich aus didaktischen Rücksichten hier so wenig wie im § 21 beim Kaufvertrage als solchen behandeln. Es fehlen dazu aus verschiedenen Gründen die Voraussetzungen. Ich muß auf die spätere Darstellung über die Übertragung von obligatorischen Rechten verweisen.

sich der Käufer verpflichtet, den Kaufpreis zu zahlen und die ge=
kaufte Sache abzunehmen.

2) Miete ist die grundsätzlich formlose Beredung, durch die sich
der Vermieter verpflichtet, dem Mieter den Gebrauch der vermieteten
Sache während der Mietzeit zu gewähren, während sich der
Mieter verpflichtet, dem Vermieter den vereinbarten Mitzins zu ent=
richten.

3) Pacht ist die grundsätzlich formlose Beredung, durch die sich
der Verpächter verpflichtet, dem Pächter den Gebrauch des gepach=
teten Gegenstandes und den Genuß der Früchte, so weit sie nach
den Regeln einer ordnungsmäßigen Wirtschaft als Ertrag anzusehen
sind, während der Pachtzeit zu gewähren, während sich der Pächter
verpflichtet, den vereinbarten Pachtzins zu entrichten.

4) Dienstvertrag ist die formlose Beredung, durch die sich der
Arbeitnehmer zur Leistung von Diensten verpflichtet mit der Gut=
sage, daß er die Vorbedingungen zu einer erfolgreichen Dienstleistung
erfülle, während der Arbeitgeber sich verpflichtet, die vereinbarte
Vergütung zu gewähren.

5) Werkvertrag ist die formlose Beredung, durch die sich der
Arbeitnehmer, Unternehmer verpflichtet, dem Besteller Dienste zu
leisten mit der Gutsage, daß der vom Besteller gewollte Erfolg
unbedingt eintreten werde, während der Besteller sich verpflichtet, die
vereinbarte Vergütung zu leisten.

6) Werklieferungsvertrag ist ebenso zu definieren, nur ist hinter
„Dienste zu leisten" einzufügen „und dazu den Stoff zu liefern".

7) Mäklervertrag ist die formlose Beredung, durch die sich der
Mäkler verpflichtet, eine Gelegenheit zum Abschluß eines Vertrages
nachzuweisen oder einen Vertrag zu vermitteln, während der Kunde
sich zur Entrichtung eines Lohnes nur verpflichtet, wenn der Ver=
trag in Folge des Nachweises oder in Folge der Vermittlung des
Mäklers zu Stande kommt.

8) Auftrag ist die formlose Beredung, durch die sich der Be=
auftragte verpflichtet, ein ihm von dem Auftraggeber übertragenes
Geschäft für diesen unentgeltlich zu besorgen.

9) Gesellschaftsvertrag ist die grundsätzlich formlose Beredung,
durch die sich die Gesellschafter gegenseitig verpflichten, die Erreichung
eines gemeinsamen Zweckes in der durch den Vertrag bestimmten
Weise zu fördern, insbesondere die vereinbarten Beiträge zu leisten.

10) Leibrentenvertrag ist die formgebundene Beredung, durch die sich jemand verpflichtet, einer anderen Person eine Leibrente zu entrichten.

11) Spiel ist die formlose Beredung, durch die sich jede Partei bei einer zum Zeitvertreibe vorgenommenen Beschäftigung nach vorher vereinbarten Regeln zu Leistungen an die andere Partei verpflichtet.

12) Wette ist die formlose Beredung, durch die sich jede Partei zu einer Leistung an den Gegner verpflichtet, wenn eine von ihr als wahr aufgestellte Behauptung sich als unwahr erweist.

13) Bürgschaftsvertrag ist die formgebundene Beredung, durch die sich Jemand gegenüber dem Gläubiger eines Dritten verpflichtet, für die Erfüllung der Verbindlichkeit des Dritten einzustehen.

14) Schuldversprechen ist die formgebundene Beredung, durch die sich Jemand ohne Angabe des juristischen Zweckes verpflichtet, eine Leistung zu erbringen.

15) Schuldanerkenntnis ist die formgebundene Beredung, durch die Jemand ein Schuldverhältnis schafft, indem er es als schon bestehend zugibt.

B. Realverträge.

1) Tausch ist die Übergabe einer Sache zu Eigentum gegen Empfangnahme einer anderen zu Eigentum.

2) Leihe ist die Übergabe einer Sache zur Benutzung ohne Eigentumsübergang mit der Verpflichtung des Empfängers, dieselbe Sache wieder zurückzugeben.

3) Darlehn ist die Übergabe von Geld oder anderen vertretbaren Sachen zum Eigentum mit der Verpflichtung für den Empfänger, ebenso viel Sachen derselben Art und Güte zurückzugeben.

4) Verwahrung ist die Übergabe einer beweglichen Sache ohne Eigentumsübergang mit der Verpflichtung für den Empfänger, sie für den Hinterleger aufzubewahren und ihm zurückzugeben.

Neben diesen hier dargelegten Verträgen sind auch Abarten möglich (vergl. oben S. 106): Gärtner A. verpflichtet sich dem Ackerbürger B. zu Gartenarbeit, B. verpflichtet sich dem A. zu Feldarbeit. Solche Abarten gibt es mehrere, doch können wir hier nicht auf alle eingehen.

Ein Proteus ist die Schenkung. Denn sie kann sein unent-
geltliche Zuwendung, z. B. Übergabe einer Sache an eine andere
Person oder unentgeltliches Versprechen, einer anderen Person eine
Zuwendung machen zu wollen oder unentgeltlicher Erlaß einer
Schuld.

Die Anweisung als solche ist kein Vertrag, kann aber durch
Annahme der Anweisung zu einem Schuldversprechen führen.

III. 1) Einseitige und gegenseitige Verträge. Aus
der Schuldverschreibung auf den Inhaber wird nur der Aussteller
verpflichtet, also derjenige, der das Versprechen gibt. Ebenso wird
grundsätzlich nur eine Partei bei der Schenkung verpflichtet, nemlich
der Schenker. Bei der Leihe und beim Darlehn werden grundsätzlich nur die Empfänger, nicht die Geber verpflichtet. Ganz anders
steht es mit Kauf, Miete, Pacht, Dienstvertrag, Werk- und Werklieferungsvertrag. Hier sind stets beide Parteien verpflichtet: die
eine muß eine Sache liefern oder Dienste leisten oder eine Wohnung 2c. zur Verfügung stellen, die andere Partei muß Entgelt
dafür entrichten.

Freilich können beim Darlehn, bei der Leihe auch für den
Geber Verpflichtungen entstehen, wenn sie nemlich in verantwort-
licher Weise den Empfänger durch Übergabe einer mangelhaften
Sache schädigen (vergl. oben S. 78 f., S. 93), aber diese Verpflichtungen sind nicht notwendig schon mit den Abschluß des Vertrages gegeben und wir nennen gegenseitige Verträge nur diejenigen,
die notwendig schon mit ihrem Abschluß beide Parteien verpflichten.

2) Die zweiseitig verpflichtenden Verträge nennt man auch
synallagmatische Verträge. Deshalb, weil jede Partei berechtigt
ist, die ihr obliegende Leistung zu verweigern, wenn nicht zugleich
auch der Gegner leistet, es sei denn, daß die zur Leistung aufge-
forderte Partei vorzuleisten verpflichtet ist. So kann z. B. der auf
Zahlung des Kaufpreises verklagte Käufer die Zahlung so lange
verweigern, bis auch der Verkäufer leistet, was er schuldig ist.
Keineswegs aber kann der Vermieter dem Mieter den Einzug in
die Wohnung verweigern, weil der Mieter noch nicht gezahlt habe,
er kann auch nicht schon vor und bei dem Einzug den Mieter auf
Zahlung der Miete verklagen, denn er ist verpflichtet vorzuleisten;
der Mieter hat, wenn nichts Anderes ausgemacht ist, erst postnumerando zu zahlen (§ 551).

Wenn der Beklagte gegen die Klage einwendet, daß er nur verpflichtet sei zur Leistung gegen Gegenleistung, Zug um Zug, so macht er die Einrede des nicht erfüllten Vertrages geltend, ein Gegenrecht, das ihm gegen das Recht des Klägers zusteht. Bringt der Beklagte, etwa der Käufer diese Einrede vor, so ist er, wenn er noch nicht geleistet hat, nicht zu verurteilen „auf Zahlung von 500 Mk.", oder gar frei zu sprechen, weil auch der Verkäufer noch nicht geleistet hat, sondern er ist vielmehr zu verurteilen „auf Zahlung von 500 Mk. gegen Übergabe der verkauften Fuchsstute". Dies ist Verurteilung auf Leistung Zug um Zug (§ 322 I).

„Hat der klagende Teil vorzuleisten, so kann er, wenn der andere Teil im Verzuge der Annahme ist (z. B. der Mieter zieht nicht in die gemietete Wohnung ein und läßt einen Zahlungstermin verstreichen, ohne die schuldige Miete zu entrichten), auf Leistung nach Empfang der Gegenleistung klagen" (§ 322 II).

3) Wirtschaftlich mit der Einrede des nicht erfüllten Vertrages sehr verwandt, aber juristisch doch von ihr zu scheiden ist das Zurückbehaltungsrecht. Das Zurückbehaltungsrecht ist keineswegs auf die gegenseitige Verträge beschränkt, dürfte bei ihnen sogar regelmäßig durch die Einrede des nicht erfüllten Vertrages überflüssig gemacht werden, ist aber wegen seiner Ähnlichkeit mit der genannten Einrede hier darzustellen.

Fordert der Verleiher die verliehene Sache zurück, so kann sie der Entleiher zurückhalten, wenn er ohne seine Schuld durch eine fehlerhafte Eigenschaft der Sache, die ihm der Verleiher arglistig verschwiegen hat, zu Schaden gekommen ist, z. B. er hat sich zur Bewachung seines Hauses den Hund des Verleihers geliehen, ist von ihm gebissen worden, und der Verleiher hat ihm arglistig verschwiegen, daß der Hund bissig sei. Der Entleiher kann trotz der Klage des Verleihers den Hund zurückbehalten, wenn ihm nicht Ersatz des erlittenen Schadens wird. Im Gegensatz dazu muß der Mieter eines Hauses, Stockwerks, Zimmers mit Ablauf der Mietzeit die Wohnung räumen, wenn er auch sonst Gegenforderungen gegen den Vermieter hat, er hat kein Zurückbehaltungsrecht an der Wohnung (§ 556 II). „Hat der Schuldner aus demselben rechtlichen Verhältnis, auf dem seine Verpflichtung beruht, einen fälligen Anspruch gegen den Gläubiger, so kann er, sofern nicht aus dem Schuldverhältnis (z. B. Miete) sich ein Anderes ergibt, die geschuldete Leistung verweigern, bis die ihm gebührende Leistung bewirkt wird (Zurückbehaltungsrecht)" (§ 273 I).

„Wer zur Herausgabe eines Gegenstandes verpflichtet ist, hat das gleiche Recht, wenn ihm ein fälliger Anspruch wegen Verwendungen auf den Gegenstand, oder wegen eines ihm durch diesen verursachten Schadens (Leihe) zusteht, es sei denn, daß er den Gegenstand durch eine vorsätzlich begangene unerlaubte Handlung erlangt hat" (§ 273 II). „Gegenüber der Klage des Gläubigers hat die Geltendmachung des Zurückbehaltungsrechtes nur die Wirkung, daß der Schuldner zur Leistung gegen Empfang der ihm gebührenden Gegenleistung (Erfüllung Zug um Zug) zu verurteilen ist" (§ 274 I).

4) Es kann gesetzlich erlaubt sein von einem Vertrage zurückzutreten, z. B. beim Werkvertrage (§ 636), bei einer vom Schuldner verschuldeten nachträglichen Unmöglichkeit der Leistung (§ 280), bei Verzug des Schuldners (§ 286). Diese Fälle sind nicht zu verwechseln mit dem Recht auf Wandelung, wie denn auch § 636 beide sehr wohl unterscheidet. Nach § 467 finden auf die Wandelung die Bestimmungen über das Rücktrittsrecht Anwendung, jedoch nicht alle, und es kann der Verkäufer dem Käufer eine Frist setzen, binnen der er wandeln muß (§ 466), wovon beim Rücktritt nicht die Rede ist. Läuft die Wandelung auch schließlich auf einen Rücktritt hinaus, so ist sie doch nicht ohne Weiteres mit ihm identisch.

Die §§ 346 ff. gelten zunächst nur vom vertragsmäßigen Rücktrittsrecht, das sich eine Partei bei Abschluß der Vertrages vorbehalten hat. Wir haben oben § 34, II, 1 schon einen Fall desselben kennen gelernt: den Rücktritt bei einem Kauf auf Abzahlung.

§ 346. „Hat sich in einem Vertrag ein Teil den Rücktritt vorbehalten, so sind die Parteien, wenn der Rücktritt erfolgt, verpflichtet, einander die empfangenen Leistungen zurückzugewähren. Für geleistete Dienste sowie für die Überlassung der Benutzung einer Sache ist der Wert zu vergüten oder, falls in dem Vertrag eine Gegenleistung in Geld bestimmt ist, diese zu entrichten" (vergl. R.G. vom 16. Mai 1894 § 1).

Die Parteien müssen Zug um Zug zurückgeben oder vergüten (§ 348).

Das Recht zum Rücktritt geht verloren, „wenn der Berechtigte eine wesentliche Verschlechterung, den Untergang oder die anderweitige Unmöglichkeit der Herausgabe des empfangenen Gegenstandes verschuldet hat". § 351. „Der Rücktritt ist ausgeschlossen, wenn der Berechtigte die empfangene Sache durch Verarbeitung oder Umbildung in eine Sache anderer Art umgestaltet hat." § 352. „Hat der Berechtigte den empfangenen Gegenstand oder einen erheblichen Teil des Gegenstandes veräußert . . . ., so ist der Rücktritt ausgeschlossen, wenn bei demjenigen, welcher den Gegenstand in Folge der Verfügung erlangt hat, die Voraussetzungen des § 351 (Verschuldete Verschlechterung, Untergang oder Unmöglichkeit der Herausgabe) oder des § 352 (Verarbeitung, Umbildung) eingetreten sind (§ 353). Der Rücktritt wird aber nicht dadurch ausgeschlossen, daß der Gegenstand, den der zum Rücktritt Berechtigte empfangen hat, durch Zufall untergegangen ist" (§ 350).

5) a. Wie ist es, wenn bei einem gegenseitigen Vertrage dem einen Teil die ihm obliegende Leistung unmöglich wird? Wir können diese Frage nicht beantworten, wenn wir nicht auch die sonstigen Fälle eines Schuldverhältnisses in Betracht ziehen. Ein Schuldverhältnis kann auch aus einseitigen Verträgen, z. B. Schenkungsversprechen entstehen (vergl. überhaupt die §§ 41 ff.). Für die erb- und familienrechtlichen Schuldverhältnisse gilt an sich die folgende Erörterung ebenfalls, jedoch können wir darauf noch nicht eingehen.

Die Grundfrage ist zunächst: Was wird mit der Verpflichtung des Schuldners, wenn sie unmöglich wird? Diese Frage ist nicht zu verwechseln mit jener anderen, die wir oben schon berührt haben: Kann eine Forderung auf etwas Unmögliches überhaupt entstehen? Diese letzte Frage ist, wie oben S. 150 f. gezeigt, zu verneinen. Dies ist der Fall der ursprünglichen Unmöglichkeit. Hier interessiert uns die nachfolgende Unmöglichkeit.

§ 275. „Der Schuldner wird von der Verpflichtung zur Leistung frei, soweit die Leistung in Folge eines nach der Entstehung des Schuldverhältnisses eintretenden Umstandes, den er nicht zu vertreten hat, unmöglich wird.

Einer nach der Entstehung des Schuldverhältnisses eintretenden Unmöglichkeit steht das nachträglich eintretende Unvermögen des Schuldners zur Leistung gleich." Hat der Schenker S. dem Beschenkten B. rechtsgültig (also schriftlich!) versprochen, ihm sein Reitpferd, Fuchs, 6 Jahre alt, zu schenken und geht das Pferd vor der Übergabe ein, so ist der Schenker seiner Verpflichtungen ledig, wenn er den Tod des Pferdes nicht zu vertreten hat. Die Unmöglichkeit ist objektive Unmöglichkeit für Jedermann. Ist das versprochene Pferd tot, so kann Niemand es dem Gläubiger lebendig liefern, objektive Unmöglichkeit. Wird dem S., nach Abgabe des Schenkungsversprechens, das Pferd gestohlen, sodaß er es nicht mehr auffinden kann, so besteht keine objektive Unmöglichkeit, denn das Pferd ist noch vorhanden, aber S. ist unvermögend zur Leistung; dies ist das subjektive Unvermögen zur Leistung, das so lange es der Schuldner nicht zu vertreten hat (er kann nicht dafür verantwortlich gemacht werden, weil er selber nicht in Schuld ist und auch diejenigen Personen nicht, für die er aufzukommen hat), der objektiven Unmöglichkeit gleichgestellt wird. Es ist also notwendig, daß der Schuldner die nachfolgende Unmöglichkeit nicht zu vertreten habe. Er hat sie aber zu vertreten, wenn er sie vorsätzlich oder fahrlässig herbeigeführt hat[1]) (§ 276).

Aber es gibt Einschränkungen: Der Schenker haftet nach § 521 nur für Vorsatz und grobe Fahrlässigkeit. Seine Verpflichtung geht also auch dann unter, wenn er die Unmöglichkeit durch eine nur leichte Fahrlässigkeit verschuldet hat.

Ebenso ist es mit dem Verleiher. Jedoch kommt bei der Leihe nur insofern eine Unmöglichkeit zur Frage, als sich der Verleiher durch einen Vorvertrag zur Verleihung der Sache verpflichtet hat und diese vor Abschluß des eigentlichen Leihvertrages, d. h. Übergabe der Sache, vernichtet wird. Da der Vorvertrag natürlich unter die Grundsätze des eigentlichen Leihvertrages so weit es möglich zu stellen ist (vergl. oben S. 173 Tausch), haftet aus ihm der Versprecher auch nur für Vorsatz und grobe Fahrlässigkeit. Es ist jedoch zu beachten, daß das dem eigentlichen Leihvertrag vorhergehende Versprechen nur in den seltensten Fällen ein echter juristisch

---

1) Über Vorsatz und Fahrlässigkeit vergl. oben S. 78, 141. Es ist nicht überflüssig zu bemerken, daß im Folgenden nur von einem Verschulden in schon bestehenden Schuldverhältnissen die Rede ist, das von dem Verschulden außerhalb eines Schuldverhältnisses wohl zu scheiden ist. Letzteres haben wir oben bei der Erörterung der unerlaubten Handlungen kennen gelernt, s. oben S. 188 ff. und S. 41 f. Die dort entwickelten Grundsätze gelten an sich nur für unerlaubte Handlungen, die hier entwickelten Grundsätze gelten an sich nur für Verschulden in schon bestehenden Schuldverhältnissen. Der praktische Unterschied zeigt sich zumal in der Haftung für das Verschulden Dritter, in der nur bei unerlaubten Handlungen anerkannten Haftung ohne Verschulden nach § 829.

verbindlicher Vorvertrag sein wird, daß vielmehr regelmäſſig der Versprecher nur ein unverbindliches Versprechen wird abgeben wollen.

Eine besonders günstige Stellung hat auch der Finder einer verlorenen Sache. Der Eigentümer kann nach § 275 selbstverständlich keine Ansprüche gegen ihn geltend machen, wenn die gefundene Sache ohne Verschulden des Finders untergeht, aber der Finder wird sogar frei, wenn er durch leichte Fahrläſſigkeit den Untergang der Sache verschuldet. § 968. „Der Finder hat nur Vorsatz und grobe Fahrläſſigkeit zu vertreten."

Es kommt auch vor, daß Jemand, der wegen Fahrläſſigkeit belangt wird, einwenden kann, er sei in seinen eigenen Angelegenheiten nicht sorgfältiger, z. B. der Gesellschafter, s. oben S. 116. Hat ein zur Geschäftsführung berechtigter Gesellschafter auf Grund seiner Geschäftsführung etwas erhalten, so muß er es an die übrigen Gesellschafter auskehren. Schuldlose Unmöglichkeit befreit ihn von dieser Pflicht, ja wenn er die Unmöglichkeit verschuldet hat, kann er sich immer noch damit befreien, daß er nachweist, er sei in seinen eigenen Angelegenheiten nicht sorgfältiger. Dies geht aber nicht soweit, daß er dadurch von der Haftung für grobe Fahrläſſigkeit befreit würde (§ 277).

Geschlossen wird die Reihe der vom B.G.B. erlaſſenen Bestimmungen durch § 278. „Der Schuldner hat ein Verschulden seines gesetzlichen Vertreters (Vormund) und der Personen, deren er sich zur Erfüllung seiner Verbindlichkeit bedient, in gleichem Umfange zu vertreten wie eigenes Verschulden", z. B. der Schenker läßt die geschenkte Sache durch seinen Dienstboten zu demjenigen bringen, dem er rechtswirksam versprochen hat, sie ihm schenken zu wollen, und der Dienstbote verschuldet durch grobe Fahrläſſigkeit den Untergang der versprochenen Sache. Die Folge ist, daß der Schenker für diese Fahrläſſigkeit wie für seine eigene aufkommen muß, sich nicht mit Unmöglichkeit der Leistung entschuldigen kann. Dies wäre ihm möglich gewesen, wenn der Dienstbote leicht fahrläſſig gewesen wäre.

Blicken wir nunmehr zurück, so haben wir folgendes Bild: Die ohne Vorsatz oder Fahrläſſigkeit des Schuldners eingetretene objektive Unmöglichkeit befreit den Schuldner immer von seiner Schuld. Zuweilen befreit ihn sogar eine Unmöglichkeit, die er durch leichte

Fahrläſſigkeit herbeigeführt hat, bald unbedingt (Schenkung, Leihe), bald unter der Bedingung, daß er nachweiſt, er ſei in eigenen An= gelegenheiten ebenſo fahrläſſig (Geſellſchaft). Ein beſonderer Fall iſt die Unmöglichkeit bei Geldſchulden, wenn nemlich die Währung geändert wird, in der die Geldſendung verſprochen war. Dies iſt eine echte Unmöglichkeit der Leiſtung, die durch § 245 B.G.B. ihre poſitive Erledigung gefunden hat, ſ. o. § 35 III, 1.

b. Der objektiven Unmöglichkeit ſteht die ſubjektive Unmöglichkeit, das Unvermögen zur Leiſtung gleich, jedoch mit einer Ausnahme: „Iſt der geſchuldete Gegenſtand nur der Gattung nach beſtimmt (ſ. oben S. 148), ſo hat der Schuldner, ſolange die Leiſtung aus der Gattung möglich iſt, ſein Unvermögen zur Leiſtung auch dann zu vertreten, wenn ihm ein Verſchulden nicht zur Laſt fällt" (§ 279). Wer 100 Flaſchen Wein von beſtimmter Sorte und beſtimmten Jahrgang ſchuldet, kann ſich nicht damit entſchuldigen, daß er ſie ſich nicht zu verſchaffen vermöge, weil ſie ihren Beſitzern nicht feil ſeien. Dieſer Fall iſt wegen § 279 wohl zu ſcheiden von der Ver= pflichtung des Schenkers, ſein eigenes genau bezeichnetes Reitpferd zu übergeben.

c. Iſt die Unmöglichkeit oder das Unvermögen zur Leiſtung vor= ſätzlich oder fahrläſſig herbeigeführt, einerlei ob durch den Schuldner ſelber oder durch ſeinen geſetzlichen Vertreter (Vormund) oder eine Perſon, deren er ſich zur Erfüllung ſeiner Verbindlichkeit bedient (Dienſtbote, Gehilfe), ſo muß der Schuldner „dem Gläubiger den durch die Nichterfüllung entſtehenden Schaden erſetzen" (§ 280), z. B. der Schenker S. reitet grob fahrläſſig das verſprochene Pferd zu Schanden.

Überläßt der Schlachter von dem ſchon verkauften Rückenſtück einen Teil an einen zweiten Käufer, ſo entſteht teilweiſe Unmöglichkeit.

§ 280 II. „Im Falle teilweiſer Unmöglichkeit kann der Gläubiger unter Ablehnung des noch möglichen Teiles der Leiſtung Schadenerſatz wegen Nichterfüllung der ganzen Verbindlichkeit ver= langen, wenn die teilweiſe Erfüllung für ihn kein Intereſſe hat. Die für das vertragsmäßige Rücktrittsrecht geltenden Vorſchriften der §§ 346 bis 356 finden entſprechende Anwendung".

Wenn die Unmöglichkeit, ob mit oder ohne Schuld des Schuldners, von einem Dritten verurſacht iſt (z. B. durch Sach= beſchädigung), und der Schuldner einen Entſchädigungsanſpruch gegen den Dritten erwirbt oder der Dritte ihn tatsächlich entschädigt hat, so muß der Schuldner in allen Fällen den erhaltenen Ersatz oder den ihm zustehenden Ersatzanspruch seinem Gläubiger auf Verlangen abtreten. Diese Pflicht trifft ihn auch dann, wenn er z. B. den geschuldeten Gegenstand veräußert und dafür eine Forderung oder schon eine Geldsumme erworben hat.

§ 281. „Erlangt der Schuldner infolge des Umstandes, welcher die Leistung unmöglich macht, für den geschuldeten Gegenstand einen Ersatz oder einen Ersatzanspruch, so kann der Gläubiger Herausgabe des als Ersatz Empfangenen oder Abtretung des Ersatzanspruchs verlangen.

Hat der Gläubiger Anspruch auf Schadensersatz wegen Nichterfüllung, so mindert sich, wenn er von dem im Abs. 1 bestimmten Rechte Gebrauch macht, die ihm zu leistende Entschädigung um den Wert des erlangten Ersatzes oder Ersatzanspruchs".

Es wird hier gar kein Unterschied gemacht, ob der Schuldner für die Unmöglichkeit verantwortlich ist oder nicht; den Anspruch aus dem § 281 hat der Gläubiger in allen Fällen, aber bald mit, bald ohne begleitenden Entschädigungsanspruch.

d. Im Vorstehenden sind die Grundsätze dargestellt, nach denen die Unmöglichkeit behandelt wird, wenn nur die eine Partei der anderen etwas schuldet. Wir kommen jetzt zu unserem eigentlichen Thema, wie es mit der Unmöglichkeit bei gegenseitigen Verträgen zu halten ist. Hier kommt noch ein zweiter Umstand in Frage: Was wird mit der Gegenleistung? Festzuhalten ist, daß auf den gegenseitigen Vertrag die soeben dargelegten Bestimmungen an sich durchaus Anwendung finden und nicht zu verwechseln sind die Fragen: 1) Wie ist es, wenn die Leistung unmöglich wird, mit der Leistungspflicht des Schuldners? 2) Wie ist es, wenn die Leistung unmöglich wird, mit der Verpflichtung des Gegners zur Gegenleistung? Uns interessiert jetzt die zweite Frage.

Wir haben oben schon einige hieher gehörige Fälle kennen gelernt. Den Verkäufer trifft die Gefahr nach Maßgabe des § 446 bis zur Übergabe der Sache, wenn er jedoch auf Verlangen des Käufers die Sache nach einem anderen Orte, an dem er die Sache dem Käufer an sich nicht zu übergeben braucht (§ 269), versendet, „so geht die Gefahr auf den Käufer über, sobald der Verkäufer die Sachen dem Spediteur, dem Frachtführer oder der sonst zur Aus=

führung der Versendung bestimmten Person oder Anstalt ausgeliefert hat" (§ 447). Im letzten Falle hat die eintretende Unmöglichkeit gar keinen Einfluß auf die Verpflichtung des Käufers, er muß zahlen, als hätte er die Sache erhalten.

Dies ist der typische Fall bei der Gefahrüberwälzung. Der Verkäufer trägt bis zur Übergabe der Sache die eigene Gefahr, denn bis zur Übergabe ist die Sache seine eigene und er ist darum der nächste, die Gefahr seiner eigenen Sache zu tragen. Trägt dagegen der Käufer gemäß § 447 die Gefahr seit der Auslieferung an den Spediteur u. s. w., so wird damit die Gefahr der fremden, dem Verkäufer noch gehörigen Sache auf ihn überwälzt. Will man also die Regeln über die Gefahr richtig verstehen, muß man stets eigene und überwälzte Gefahr scheiden.

Anders wie beim gewöhnlichen Kauf liegt die Sache beim Erbschaftskauf.

§ 2375. „Hat der Verkäufer vor dem Verkauf einen Erbschaftsgegenstand verbraucht, unentgeltlich veräußert oder unentgeltlich belastet, so ist er verpflichtet, dem Käufer den Wert des verbrauchten oder veräußerten Gegenstandes, im Falle der Belastung die Wertminderung zu ersetzen. Die Ersatzpflicht tritt nicht ein, wenn der Käufer den Verbrauch oder die unentgeltliche Verfügung bei dem Abschlusse des Kaufes kennt.

Im Übrigen kann der Käufer wegen Verschlechterung, Unterganges oder einer aus einem anderen Grunde eingetretenen Unmöglichkeit der Herausgabe eines Erbschaftsgegenstandes nicht Ersatz verlangen".

Anders liegt die Sache bei der Miete. Wird die vermietete Wohnung infolge von Zufall durch Brand zerstört, so braucht der Mieter vom Augenblicke des Brandes an keinen Mietzins zu zahlen (§ 537 I).

Von einer Unmöglichkeit der Leistung läßt sich auch beim Dienstvertrage reden, wenn der Dienstpflichtige ohne sein Verschulden durch einen in seiner Person liegenden Grund an der Dienstleistung verhindert wird (s. oben § 18, S. 94). Dann muß der Dienstberechtigte dennoch den Lohn zahlen, wenn der Arbeitnehmer nur für eine verhältnismäßig nicht erhebliche Zeit an der Dienstleistung verhindert wird.

Beim Werkvertrag erhält der Arbeiter, Unternehmer keinen

Lohn, wenn das Werk, sei es bei oder nach der Herstellung, durch Zufall untergeht, bevor es **abgenommen** ist. Versendet der Unternehmer das Werk auf Verlangen des Bestellers nach einem anderen Orte als dem, wo es zu übergeben er verpflichtet ist, so wird hier alles wie beim Kauf gehalten (§§ 644, 447) (s. o. § 19 S. 105.)

Beim **Werklieferungsvertrag** über eine vertretbare Sache (s. o. § 19, S. 104) trägt entsprechend den Grundsätzen des Kaufs der Unternehmer die Gefahr (Sach= und Arbeitsgefahr, s. oben S. 105) bis zur **Übergabe** (§ 446) nicht bis zur **Abnahme**[1]) (§ 644) des Werks. In Ansehung der Transportgefahr[2]) (Unternehmer versendet auf Verlangen des Bestellers dahin, wohin er an sich die Sache nicht zu versenden braucht) wird alles wie beim Kauf gehalten (§§ 447, 651).

Beim **Werklieferungsvertrag** über eine nicht vertretbare Sache trägt der Unternehmer die Gefahr bis zur **Abnahme** (§§ 651, 644) wie beim Werkvertrag, die Transportgefahr[2]) wird auch hier wie beim Kaufe geregelt (§§ 651, 644, 447).

Das ergibt folgende Zusammenstellung:

Der Schuldner trägt beim

1. Kauf die **Sachgefahr**
   a. bis zur Übergabe, **eigene** Gefahr,
   b. bis zur Auslieferung an den Spediteur u. s. w., **Über-wälzung** der Gefahr;

---

1) **Übergabe ist nicht immer Abnahme.** Der Schuhmacher bringt die Stiefel in meiner Abwesenheit in mein Zimmer: Das Werk ist übergeben, aber nicht abgenommen. Abnahme und Annahme (§ 464) setzt die Möglichkeit der Prüfung voraus, Übergabe nicht. Vorbehaltlose Ab= und Annahme befreien den Verkäufer oder Unternehmer von der Haftung für Mängel, die der Empfänger kennt, die Übergabe an sich nicht. Ferner tritt an Stelle der Abnahme zuweilen die bloße Vollendung des Werks (§ 646), an Stelle der Übergabe niemals.

2) Es ist streng genommen nicht richtig, wenn wir die Transportgefahr auch bei der Unmöglichkeit der Leistung besprechen. Die Auffassung des B.G.B. ist die, daß der Verkäufer mit Aufgabe der Sache, des Werkes auf die Post, die Eisenbahn, Übergabe an den Spediteur ꝛc. alle seine ihm obliegenden Pflichten schon erfüllt, dem Käufer oder Besteller schon geleistet habe, was er ihm zu leisten schuldig sei, vorausgesetzt, daß die Sache mangelfrei ist u. s. w. Die Unmöglichkeit ist also eine erst nach der Erfüllung eintretende Unmöglichkeit und daher in Wirklichkeit gar keine. Des Zusammenhanges halber ist aber Alles zugleich aufgeführt.

2. Werkvertrag die Lohngefahr
  a. bis zur Abnahme, eigene Gefahr,
  b. bis zur Auslieferung an den Spediteur u. s. w., Über-
     wälzung der Gefahr;
3. Werklieferungsvertrag über vertretbare Sachen die Sach- und
   Lohngefahr
  a. bis zur Übergabe, eigene Sach- und Lohngefahr,
  b. bis zur Auslieferung an den Spediteur u. s. w., Über-
     wälzung der Sach- und Lohngefahr;
4. Werklieferungsvertrag über nicht vertretbare Sachen, die
   Sach- und Lohngefahr
  a. bis zur Abnahme, eigene Sach- und Lohngefahr,
  b. bis zur Auslieferung an den Spediteur u. s. w., Über-
     wälzung der Sach- und Lohngefahr.
Vorstehendes ergiebt folgende Beispiele:

Kauf.

1. Der Bauer übergibt dem Schlachter die verkaufte Kuh.
2. Die Hundezüchterei versendet den verkauften Hund an die
   Adresse des Bestellers.

Werkvertrag.

1. Der ausgebesserte Rock, Uhr ist abgeliefert.
2. Er wird dem inzwischen abgereisten Besteller nachgesandt.

Werklieferungsvertrag über vertretbare Sachen.

1. Der Buchdrucker hat die bestellten Besuchskarten ins Haus
   gebracht, bloße Übergabe.
2. Er sendet sie dem inzwischen verzogenen Besteller nach.

Werklieferungsvertrag über eine nicht vertretbare Sache.

1. Der Mechaniker hat den nach Angaben gearbeiteten Apparat
   in das chemische u. s. w. Institut gebracht und er ist dort
   abgenommen worden.
2. Er hat einen solchen Apparat auf Bestellung von Auswärts
   gearbeitet und sendet ihn dem Besteller.

Außer den soeben dargelegten Sonderbestimmungen hat das
B.G.B. einige allgemeine Regeln ausgesprochen. „Wird die aus
einem gegenseitigen Vertrage dem einen Teile obliegende Leistung
infolge eines Umstandes unmöglich, den weder er noch der andere
Teil zu vertreten hat, so verliert er den Anspruch auf die Gegen-

leistung; bei teilweiser Unmöglichkeit mindert sich die Gegenleistung. nach Maßgabe der §§ 472, 473 (Minderung des Kaufpreises bei der Minderungsklage).

Verlangt der andere Teil nach § 281 Herausgabe des für den geschuldeten Gegenstand erlangten Ersatzes oder Abtretung des Ersatzanspruchs, so bleibt er zur Gegenleistung verpflichtet; diese mindert sich jedoch nach Maßgabe der §§ 472, 473 insoweit, als der Wert des Ersatzes oder des Ersatzanspruchs hinter dem Werte der geschuldeten Leistung zurückbleibt.

Soweit die nach diesen Vorschriften nicht geschuldete Gegenleistung bewirkt ist, kann das Geleistete nach den Vorschriften über die Herausgabe einer ungerechtfertigten Bereicherung zurückgefordert werden" (§ 323).

Also die Verpflichtung des Schuldners geht unter, aber auch die Verpflichtung des Gegners. Wie man sieht, stimmen hiemit die Vorschriften über die Miete überein, die über Kauf, Werk- und Werklieferungsvertrag auch, da die Transportgefahr genau genommen nicht hieher gehört, wenn auch im praktischen Ergebnis die Sache darauf hinausläuft, daß wir hier zwar nicht formell juristisch aber praktisch wirtschaftlich eine Ausnahme von dem allgemeinen Prinzip des § 323 vor uns haben. Eine echte Ausnahme enthält der § 616 (der Dienstherr muß den vollen Lohn zahlen, wenn der Arbeitnehmer „für eine verhälnismäßig nicht erhebliche Zeit durch einen in seiner Person liegenden Grund ohne sein Verschulden an der Dienstleistung verhindert wird"), ferner § 616 (das Werk geht unter infolge Mängel des vom Besteller gelieferten Stoffes 2c., der Unternehmer kann entsprechende Vergütung und Ersatz verlangen).

§ 265. „Ist eine der Leistungen von Anfang an unmöglich. oder wird sie später unmöglich, so beschränkt sich das Schuldverhältnis auf die übrigen Leistungen. Die Beschränkung tritt nicht ein, wenn die Leistung infolge eines Umstandes unmöglich wird, den der nicht wahlberechtigte Teil zu vertreten hat". Alternativschuld.

Es ist noch genauer zu erörtern, in welchem Verhältniß die allgemeinen Bestimmungen des B.G.B. über die Unmöglichkeit der Leistung zu den Bestimmungen über die Gefahrtragung stehen.

Zunächst ist ganz allgemein zu bemerken, daß Gefahr einen schon körperlich vorhandenen wirthschaftlichen Wert voraussetzt, z. B. die verkaufte Uhr, die angefertigten oder ausgebesserten Stiefel, der untergehen kann. Die Unmöglichkeit dagegen setzt nicht voraus, daß schon ein wirthschaftlicher Wert vorhanden sei, sie liegt schon dann vor, wenn ein solcher Wert nicht zur Entstehung kommen kann, z. B. der Maler verliert sein Augenlicht bevor er das Bild angefangen hat. Sie kann also gegeben sein, wenn überhaupt nichts entsteht oder wenn zwar schon etwas entstanden ist und in der Weise untergeht, daß die eigentliche Leistung, von der das Untergegangene nur einen Teil zu bilden braucht, für die Zukunft unmöglich wird, z. B. eine schon halbvollendete Truhe aus der letzten übrig gebliebenen Planke eines historisch berühmten Schiffes verbrennt mit samt den Resten der Planke. Darum decken sich Unmöglichkeit der Leistung und Gefahr durchaus nicht.

Noch ein Anderes ist zu berücksichtigen. Die Gefahr beim Kaufe ist die Gefahr des körperlichen Untergangs, Unmöglichkeit der Leistung liegt aber auch dann vor, wenn die verkaufte Sache nach dem Abschluß des Kaufvertrages aber vor der Lieferung von einem Anderen ersessen oder im guten Glauben erworben wird und für diesen Fall sowie für den Eigentumsübergang durch Verbindung, Vermischung, Verarbeitung werden die Bestimmungen über die Unmöglichkeit der Leistung sehr wohl praktisch; es ist auch durch § 440 I auf die Bestimmungen über die Unmöglichkeit ausdrücklich hingewiesen worden. Das soeben Bemerkte gilt vermöge § 651 auch für den Werklieferungsvertrag, soweit nicht eben durch § 651 Ausnahmen gemacht werden, auf die ich hier nicht eingehen kann. Es handelt sich hier hauptsächlich um den Unterschied zwischen Übergabe beim Kauf und Abnahme beim Werkvertrag. In Ansehung des Werkvertrages ist lediglich zu wiederholen, was ich vorhin allgemein bemerkt habe, daß nemlich die Bestimmungen über die Gefahr erst dann zur Anwendung kommen können, wenn schon durch die Leistung des Schuldners etwas von Wert geschaffen worden ist, daß nachfolgende Unmöglichkeit aber schon dann vorliegt, wenn die Leistung nach dem Vertragsschlusse und vor Beginn der Leistung unmöglich wird z. B. der Gegenstand, an dem eine Arbeit verrichtet werden soll, geht vor Beginn der Arbeit unter, das Pferd, das der Tierarzt in Pflege nehmen soll geht ein, bevor es in seine Pflege kommt. Kasuistisch ist noch Folgendes zu bemerken: Der Student, der meine Vorlesung belegt hat, erkrankt während des Semesters, sodaß er meine Vorlesung nicht besuchen kann. Auf den ersten Blick liegt Unmöglichkeit der Leistung vor und ich müßte danach das Honorar ganz oder teilweise herausgeben. Dies erscheint billig und gerecht wenn der Student nach Annahme der Vorlesung stirbt, aber nicht, solange er bloß krank ist. Denn nur im ersten Falle liegt wirkliche Unmöglichkeit der Leistung vor, im zweiten dagegen Annahmeverzug des Gläubigers, der nach § 293 schon dann in Verzug kommt, wenn er die Leistung nicht annimmt; aus welchem Grunde er sie nicht annimmt, ist nach dem B.G.B. unerheblich. Es ist daher vor einer Verwechselung zwischen Unmöglichkeit der Leistung und Annahmeverzug des Gläubigers zu warnen. Die objektive Möglichkeit bedingt Annahmeverzug. Ferner ist für den Werkvertrag noch die in § 645 I gemachte Ausnahme zu berücksichtigen. Nach § 645 I kann der Unternehmer nur einen der geleisteten Arbeit entsprechenden Teil der Vergütung und Ersatz der in der Vergütung nicht inbegriffenen Auslagen verlangen, denn das Unmöglichwerden der Leistung ist zwar von dem Besteller veranlaßt aber nicht verschuldet Ist die Unmöglichkeit von dem Besteller verschuldet, so entscheiden andere Grundsätze, die wir alsbald bei Besprechung der verschuldeten Unmöglichkeit kennen lernen werden.

e. Neben der unverschuldeten Unmöglichkeit kommt vor die vom Gläubiger und die vom Schuldner verschuldete Unmöglichkeit.

Hat der Gläubiger die Unmöglichkeit zu verantworten, so geht die Verpflichtung des Schuldners unter und dieser behält den Anspruch auf die Gegenleistung, „muß sich jedoch dasjenige anrechnen lassen, was er infolge der Befreiung von der Leistung erspart oder durch anderweitige Verwendung seiner Arbeitskraft erwirbt oder zu erwerben böswillig unterläßt" (§ 324).

Diesem allgemeinen Grundsatz entspricht die Behandlung des Dienstvertrages durch das B.G.B. (s. oben S. 94). „Kommt der Dienstberechtigte mit der Annahme der Dienste in Verzug, so kann der Verpflichtete für die infolge des Verzugs nicht geleisteten Dienste die vereinbarte Vergütung verlangen, ohne zur Nachleistung verpflichtet zu sein. Er muß sich jedoch den Wert desjenigen anrechnen lassen, was er infolge des Unterbleibens der Dienstleistung erspart oder durch anderweitige Verwendung seiner Dienste erwirbt oder zu erwerben böswillig unterläßt" (§ 615).

Auf den Werk- und den Werklieferungsvertrag finden (worauf § 645 II ausdrücklich hinweist) an sich die Bestimmungen des

§ 324 auch Anwendung, aber mit der Besonderheit des § 642. Muß der Besteller bei Herstellung des Werkes mitwirken und er kommt mit seiner Mitwirkung in Verzug, so kann der Unternehmer eine angemessene Entschädigung verlangen, deren Höhe sich insbesondere bestimmt nach der Dauer des Verzugs und der Höhe der vereinbarten Vergütung, und nach demjenigen, was der Unternehmer an Aufwendungen spart oder durch anderweitige Verwendung seiner Arbeitskraft erwerben kann, s. oben S. 104.

Wir haben hier zweifellos eine subjektive Unmöglichkeit der Leistung vor uns, während dies bei der Miete, wenn der Mieter nicht in die gemietete Wohnung einzieht, schon zweifelhaft sein kann. Dieser Fall gehört auch nicht unter die Unmöglichkeit, sei aber der Ähnlichkeit halber erwähnt. Nach § 552 muß der Mieter den Mietzins zahlen, wenn er durch einen in seiner Person liegenden Grund verhindert wird, einzuziehen oder in der Wohnung zu bleiben (z. B. er wird in eine andere Stadt versetzt). Alternativschuld s. § 265.

f. Hat der Schuldner die Unmöglichkeit zu verantworten, so kann der Gläubiger Schadenersatz wegen Nichterfüllung verlangen oder vom Vertrage zurücktreten (§ 325). Die Verpflichtung des Schuldners geht also nicht unter, sondern verwandelt sich in eine Verpflichtung zu Schadensersatz (vergl. § 280). Alternativschuld s. § 265.

§ 45. Draufgabe. Vertragsstrafe.

I. Wenn die Hausfrau ein Dienstmädchen in Dienst nimmt, gibt sie ihm häufig ein Angeld, d. h. bei Abschluß des Dienstvertrages und vor Antritt der Stelle durch das Dienstmädchen gibt die Hausfrau pränumerando und freiwillig einen Theil des Lohnes, z. B. einen Thaler, den sogenannten Mietsthaler. Damit will sie es möglichst offenkundig machen, daß der Dienstvertrag bindend abgeschlossen, das Dienstmädchen verpflichtet sei, die Stelle anzutreten. Die Hausfrau will sich ein Beweismittel schaffen dafür, daß der Vertrag wirklich abgeschlossen sei.

§ 336. „Wird bei der Eingehung eines Vertrages etwas als Draufgabe gegeben, so gilt dies als Zeichen des Abschlusses des Vertrages."

§ 337 I. „Die Draufgabe ist im Zweifel auf die von dem

Geber geschuldete Leistung anzurechnen oder, wenn dies nicht geschehen kann, bei der Erfüllung des Vertrages zurückzugeben."

Die Draufgabe hat nicht die Wirkung, daß der Geber (die
Hausfrau) sich von dem Vertrage wieder frei machen kann, wenn
er die Draufgabe in Stich läßt. „Die Draufgabe gilt im Zweifel
nicht als Reugeld" (§ 336 II).

„Wird der Vertrag wieder aufgehoben, so ist die Draufgabe
zurückzugeben" (§ 337 II).

II. Wenn dem Gläubiger bei einem Vertrage besonders viel
daran liegt, daß der Schuldner seine Pflicht erfülle, nicht gegen sie
verstoße, bedingt er sich häufig aus, daß der Schuldner, sobald er
sich gegen seine Vertragspflichten verfehle, eine Strafe an ihn zahlen
solle. Damit ist für den Gläubiger ein Druckmittel geschaffen, um
den Schuldner zur gewissenhaften Erfüllung seiner Pflichten anzu-
halten. Wenn er auch regelmäßig bei Nichterfüllung oder mangelhafter Erfüllung Schadenersatz verlangen kann, so hat doch die
Vertragsstrafe den Vorzug, daß der Gläubiger die Höhe des Schadenersatzes garnicht zu beweisen braucht, ja daß er die Vertragsstrafe auch einfordern kann, ohne einen Schaden erlitten zu haben.

Die Strafe verfällt, wenn der Schuldner mit seiner Leistung
in Verzug (s. unten) kommt. „Besteht die geschuldete Leistung in
einem Unterlassen, so tritt die Verwirkung mit der Zuwiderhandlung
ein" § 339).

Deckt die Vertragsstrafe den erlittenen Schaden nicht, so kann
der Gläubiger außer der Strafe Ersatz fordern, bis sein ganzer
in Folge der Nichterfüllung erlittener Schaden gedeckt ist (§ 340).

„Ist eine verwirkte Strafe unverhältnismäßig hoch, so kann sie
auf Antrag des Schuldners durch Urteil auf den angemessenen Betrag herabgesetzt werden. Bei der Beurteilung der Angemessenheit
ist jedes berechtigte Interesse des Gläubigers, nicht bloß das Vermögensinteresse in Betracht zu ziehen" (§ 343). Der Examens-
kandidat kann also mit Rechtswirksamkeit sich von seinem Nachbarn
bei Vertragsstrafe versprechen lassen, daß er das Musizieren unterlassen wolle.

Der § 343 B.G.B. entspricht einigermaßen dem § 4 des Gesetzes vom 16. Mai 1894 über die Abzahlungsgeschäfte, in dem für
einen bestimmten Fall die richterliche Ermäßigung der Vertragsstrafen erlaubt wird.

Die Draufgabe und die Vertragsstrafe brauchen nicht auf Geld zu gehen, sondern können auch in anderen Dingen bestehen (§ 342).

§ 46. Erlöschen der Schuldverhältnisse.

I. 1a. Erfüllung. „Das Schuldverhältnis erlischt, wenn die geschuldete Leistung an den Gläubiger bewirkt wird" (§ 362 I).

Damit eine Leistung das Schuldverhältnis tilgen könne, muß sie die wirklich geschuldete Leistung sein und muß in der rechten Art erbracht werden. Da bestimmt das B.G.B. zunächst zweierlei: „Bei der Auslegung von Willenserklärungen ist der wirkliche Wille zu erforschen und nicht an dem buchstäblichen Sinne des Ausdrucks zu haften" (§ 133). Ferner: „Verträge sind so auszulegen, wie Treu und Glauben mit Rücksicht auf die Verkehrssitte es erfordern" (§ 157). Ist hienach festgestellt, welches die wirklich geschuldete Leistung ist, so kommt § 242 zur Anwendung: „Der Schuldner ist verpflichtet, die Leistung so zu bewirken, wie Treu und Glauben mit Rücksicht auf die Verkehrssitte es erfordern."

„Ist der Schuldner dem Gläubiger aus mehreren Schuldverhältnissen zu gleichartigen Leistungen verpflichtet und reicht das von ihm Geleistete nicht zur Tilgung sämtlicher Schulden aus, so wird diejenige Schuld getilgt, welche er bei der Leistung bestimmt" (§ 366 I). S. schuldet 300 Mk. unverzinsliches aber durch Pfand gesichertes Darlehn und 300 Mk. mit 4 v. H. verzinsliche Kaufschuld. Er zahlt 300 Mk., um die Kaufschuld zu tilgen und der Gläubiger muß sich dies gefallen lassen, wenn auch die Kaufschuld noch garnicht fällig ist, während die Darlehnsschuld schon fällig ist.

„Trifft der Schuldner keine Bestimmung, so wird zunächst die fällige Schuld (also die Darlehnsschuld), unter mehreren fälligen Schulden diejenige, welche dem Gläubiger die geringere Sicherheit bietet (sind beide fällig, die Kaufschuld, denn diese ist nicht durch Pfand gesichert), unter mehreren gleich sicheren die dem Schuldner lästigere (also eventuell die Kaufschuld), unter mehreren gleich lästigen die ältere Schuld und bei gleichem Alter jede Schuld verhältnismäßig getilgt" (§ 366 II).

Der Gläubiger hat auf Kosten des Schuldners schriftlich oder wie es sonst ausgemacht ist zu quittieren (§§ 368, 369) und einen etwaigen Schuldschein zurückzugeben (§ 371).

b. „Hat der Schuldner nicht in Person zu leisten, so kann auch ein Dritter die Leistung bewirken. Die Einwilligung des Schuldners ist nicht erforderlich" (§ 267 I). Beispiel: A. bezahlt die Schulden des B. § 267 findet im Zweifel keine Anwendung bei Dienstvertrag (§ 613), Auftrag (§ 664) und Verwahrung (§ 691).

c. Die Leistung muß an dem richtigen Orte erbracht sein, an dem sogenannten Leistungsorte, Erfüllungsorte.

Leistungsort ist im Zweifel der Ort, wo „der Schuldner zur Zeit der Entstehung des Schuldverhältnisses (also z. B. des Vertragsschlusses) seinen Wohnsitz hatte". An seine Stelle tritt unter Umständen der Ort der gewerblichen Niederlassung (§ 269). Verkauft Dellwall in Hamburg an Werner in Erfurt, so ist für Dellwall Hamburg der Leistungsort. Für Werner wäre es an sich Erfurt, aber das B.G.B. bestimmt im § 270, daß der Schuldner Geld im Zweifel auf seine Gefahr und Kosten dem Gläubiger an dessen Wohnsitz zu übermitteln habe.

Die Frage nach dem Leistungsort ist deshalb von so großer praktischer Bedeutung, weil mit der Leistung am Leistungsorte stets die Gefahr auf den Gläubiger übergeht. Der Leistungsort bestimmt sich unter Umständen aus dem Inhalt des Vertrages entsprechend den Bestimmungen des § 269 I, so sind Maurerarbeiten an sich weder am Wohnsitz des Schuldners noch des Gläubigers zu leisten, sondern da, wo der betreffende Bau aufgeführt wird. Der Arzt, der verspricht, einen Kranken im Nachbarorte behandeln zu wollen, hat keineswegs am Orte seines Wohnsitzes zu leisten. Vom Leistungsort verschieden ist der Bestimmungsort. Kauft Werner in Erfurt von Dellwall in Hamburg mit der Abrede, daß Dellwall die Waren im Auftrage von Werner nach Leipzig schicken solle, so ist Leistungsort nach wie vor Hamburg, Leipzig ist nur Bestimmungsort. Die Folge ist, daß Werner die Gefahr der versandten Ware trägt, sobald sie in Hamburg, „dem Spediteur, dem Frachtführer oder der sonst zur Ausführung der Versendung bestimmten Person oder Anstalt ausgeliefert" ist (§ 447).

d. Die Leistung muß auch zu rechter Zeit erbracht werden. „Ist eine Zeit für die Leistung weder bestimmt noch aus den Umständen zu entnehmen, so kann der Gläubiger die Leistung sofort verlangen, der Schuldner sie sofort bewirken.

Ist eine Zeit bestimmt, so ist im Zweifel anzunehmen, daß

der Gläubiger die Leistung nicht vor dieser Zeit verlangen, der Schuldner aber sie vorher bewirken kann" (§ 271). Eine Zeit ist bestimmt bei der Leihe: entweder ausdrücklich oder durch den Zweck des Gebrauches. Für die bloße Einsicht und für das richtige Durchstudieren eines Buches braucht man verschiedene Zeit, danach bemißt sich auch die Dauer der Leihe verschieden (§ 604). Ausdrücklich sind bestimmte gesetzliche Fristen für die Rückzahlung des Darlehns vorgesehen im § 609 (s. oben S. 83). Dem § 271 I entsprechen genau die §§ 695, 696 über die Rücknahme der hinterlegten Sache bei der Verwahrung.

„Bezahlt der Schuldner eine unverzinsliche Schuld vor der Fälligkeit, so ist er zu einem Abzuge wegen der Zwischenzinsen nicht berechtigt" (§ 272).

2) Verzug des Schuldners und des Gläubigers.

a. Der Schuldner soll zu rechter Zeit leisten. Wie ist es, wenn dies nicht geschieht? Die Gerechtigkeit fordert, daß den Säumigen Nachteile treffen.

Es genügt hiezu aber nicht das bloße Ausbleiben der Leistung. Hiedurch allein kommt der Schuldner noch nicht in Verzug und erst mit dem Verzuge treten Nachteile für den Schuldner ein. B.G.B. bestimmt: „Leistet der Schuldner auf eine Mahnung des Gläubigers nicht, die nach dem Eintritt der Fälligkeit erfolgt, so kommt er durch die Mahnung in Verzug" (§ 284 I).

Es wird also gefordert 1) Fälligkeit der Schuld, 2) Mahnung des Gläubigers. Letztere ist aber in einem Fall nicht nötig. „Ist für die Leistung eine Zeit nach dem Kalender bestimmt, so kommt der Schuldner ohne Mahnung in Verzug, wenn er nicht zu der bestimmten Zeit leistet" (§ 284 II). Dies Letztere drückt man auch durch die lateinische Regel aus: Dies interpellat pro homine.

Der Mahnung steht gleich die Erhebung der Klage, sowie die Zustellung eines Zahlungsbefehls im Mahnverfahren (§ 284 I).

Wenn also der Landmann Hinzelmann dem Hause Eschbach & Ko. für gelieferten künstlichen Dünger 1000 Mk. schuldet, da er, ohne sich ausdrücklich Kredit geben zu lassen, den Dünger nicht bezahlt hat, so schuldet er eine schon fällige Schuld, aber er ist noch nicht ohne weiteres in Verzug; er kommt erst in Verzug, wenn ihm die Firma einen Mahnbrief schickt. Der Förster König in X. tauscht Brehms Tierleben gegen einen deutschen kurzhaarigen Vorstehhund des Rent=

ners Voigt in Y. König schickt dem Voigt sein Buch, erhält aber den Hund nicht. Er mahnt und da seine Forderung auf den Hund fällig ist, so kommt durch die Mahnung Voigt in Verzug. Dr. jur. Reuter leiht sich am 15. November 1902 von Bankier Meier 500 Mark und verpflichtet sich, seine Schuld am 15. Januar 1903 zurückzuzahlen oder, wie er sich ausdrückt, „über zwei Monate". Am 15. Januar ist seine Schuld fällig und zugleich gilt Reuter als gemahnt, ohne daß Meier ihn noch mahnen müßte. Die Folge ist, daß Reuter am 15. Januar in Verzug kommt.

Aber nicht immer gelten die eben dargelegten Grundsätze. „Der Schuldner kommt nicht in Verzug, solange die Leistung infolge eines Umstandes unterbleibt, den er nicht zu vertreten hat" (§ 285). Erkrankt der Schuldner plötzlich schwer, vielleicht noch dazu auf der Reise in einem fremden Orte, wo niemand ihn kennt, und es unterbleibt die Leistung, weil es unter solchen Umständen unmöglich ist, alles vorzusehen und für alles zu sorgen, so kommt der Schuldner nicht in Verzug. Notwendig ist aber, daß er weder vorsätzlich noch fahrlässig seine Pflichten vernachlässigt.

Je nach dem einzelnen Schuldverhältnis tritt der Verzug verschieden ein. Der Schenker haftet nur für Vorsatz und grobe Fahrlässigkeit. Hat jemand schriftlich ein Geschenk versprochen und unterläßt er die Leistung trotz Fälligkeit und Mahnung durch den Beschenkten, so kommt er doch nur dann in Verzug, wenn er infolge von grober Fahrlässigkeit oder vorsätzlich die Leistung versäumt. Ähnlich ist es mit dem Verwahrer, der sich für die Verwahrung keine Vergütung zahlen läßt, er kommt nicht in Verzug, wenn trotz Fälligkeit und Mahnung er die Sache aus leichter Fahrlässigkeit, wie er sie auch in seinen eigenen Angelegenheiten zu begehen pflegt, nicht zurückgibt (§ 690). So ist es auch bei der Gesellschaft, da hier jeder, wie der Verwahrer, nur für die Sorgfalt einzustehen hat, welche er in eigenen Angelegenheiten anzuwenden pflegt (§ 708). In diesen und gleichartigen Fällen wird also der Verzug regelmäßig später eintreten, wie in den übrigen Schuldverhältnissen.

b. Ist der Schuldner in Verzug, so muß er dem Gläubiger „den durch den Verzug entstehenden Schaden ersetzen" (§ 286), daneben muß er nach wie vor die geschuldete Leistung erbringen. „Hat die Leistung infolge des Verzugs für den Gläubiger kein Interesse, so kann dieser unter Ablehnung der Leistung Schadensersatz wegen

18*

Nichterfüllung verlangen" (§ 286 II) d. h. er kann zurücktreten. Der Restaurateur A. bestellt zum bevorstehenden Schützenfeste 400 Liter Bier, erhält es nicht zur rechten Zeit, tritt vom Vertrage zurück, da die Leistung für ihn kein Interesse mehr hat, und verlangt Schadensersatz wegen Nichterfüllung, da er sich mit einem beim Publikum nicht beliebten Bier unter außergewöhnlich großen Kosten habe versorgen müssen.

Nicht eigentlich ein Rücktrittsrecht, sondern ein Kündigungsrecht gibt § 554 dem Vermieter, wenn der Mieter für zwei aufeinander folgende Termine mit der Entrichtung des Mietzinses oder eines Teiles des Mietzinses im Verzug ist. Der Vermieter kann dann ohne Einhaltung einer Kündigungsfrist kündigen.

Beseitigt der Vermieter die der vermieteten Sache anhaftenden in § 537 bezeichneten Mängel nicht zu rechter Zeit und kommt er in Verzug, so kann der Mieter Schadensersatz wegen Nichterfüllung verlangen oder kann den Mangel selbst beseitigen und Ersatz der erforderlichen Aufwendungen verlangen (§ 538).

Auch beim Werkvertrage haben wir schon einen Fall des Verzuges kennen gelernt (s. oben S. 104, 190). Wenn der Besteller zur Herstellung des Werkes mitwirken muß, es jedoch unterläßt und dadurch in Verzug der Annahme des Werkes kommt, so kann der Unternehmer eine angemessene Entschädigung verlangen (§ 642).

Besonders gilt vom Verzuge bei gegenseitigen Verträgen, weil hier immer die Gegenleistung in Frage kommt. „Ist bei einem gegenseitigen Vertrage der eine Teil mit der ihm obliegenden Leistung im Verzuge, so kann ihm der andere Teil zur Bewirkung der Leistung eine angemessene Frist mit der Erklärung bestimmen, daß er die Annahme der Leistung mit dem Ablaufe der Frist ablehne. Nach dem Ablaufe der Frist ist er berechtigt, Schadensersatz wegen Nichterfüllung zu verlangen oder von dem Vertrage zurückzutreten, wenn nicht die Leistung rechtzeitig erfolgt ist; der Anspruch auf Erfüllung ist ausgeschlossen" (§ 326).

Dies würde in dem obigen Beispiel von dem Umtausch des Buches gegen den Hund zu folgendem Ergebnis führen. An sich hat jeder, König wie Voigt, die Pflichten eines Verkäufers. Da sie beide nicht an demselben Wohnort wohnen und einander die umzutauschenden Sachen zuschicken wollen, so geht an sich die Gefahr auf den Gegner über, wenn die ihm zugedachte Sache auf die Post, Bahn 2c. aufgeliefert ist. Liefert also König am 1. Juli auf, so geht am 1. Juli die Gefahr auf Voigt über. König kann, da Voigt in Verzug kommt, ihm eine Frist zur Nachholung setzen. Wenn auch diese verstreicht, kann er Schadensersatz wegen Nicht=erfüllung verlangen oder von dem Vertrage zurücktreten und sein Buch zurückfordern. Er kann aber auch auf die Fristsetzung mit allen ihren Wirkungen verzichten und einfach auf Erfüllung und Schadensersatz wegen Verzugs klagen. Will er sich den Anspruch auf Erfüllung sichern (der Hund ist ihm wertvoller als das Buch), dann muß er sogar auf die Fristsetzung verzichten. Grundprinzip ist: Die Klage auf Erfüllung bleibt und zu ihr tritt eine Klage auf Schadensersatz. Ausnahmsweise kann der Gläubiger zurück=treten oder wegen Nichterfüllung Schadensersatz fordern. Dies gilt, wenn er kein Interesse an der Erfüllung hat, und bei der Miete, wenn der Vermieter mit Beseitigung von Mängeln in Verzug kommt und unter bestimmten Voraussetzungen bei den gegenseitigen Ver=trägen (s. oben).

In dem S. 196 erwähnten Falle hat der Vermieter das Recht zur Kündigung ohne Einhaltung einer Kündigungsfrist. Neben dem Schadensersatz trifft den Schuldner bei Verzug der Verfall einer etwa ausbedungenen Vertragsstrafe (§ 339).

c. Für Geldschulden ist bestimmt, daß Verzugszinsen vom Kapital, aber nicht von den aufgewachsenen Verzugszinsen selber zu zahlen sind, der Gläubiger statt ihrer aber einen etwaigen Schaden ersetzt verlangen kann (§§ 288, 289). Der Schenker ist von Ver=zugszinsen frei (§ 522). Den Verzugszinsen ähnlich sind gewisser=maßen auch die Prozeßzinsen, die der Schuldner vom Eintritt der Rechtshängigkeit an zu zahlen hat, auch wenn er nicht im Verzuge ist, d. h. die Leistung infolge eines Umstandes nicht erbracht hat, den er nicht zu vertreten hat (§ 291). Die Höhe der Verzugs= und Prozeßzinsen beträgt 4 v. H. (§§ 288, 291).

d. „Der Schuldner hat während des Verzugs jede Fahrlässig=keit zu vertreten. Er ist auch für die während des Verzugs durch Zufall eintretende Unmöglichkeit der Leistung verantwortlich, es sei denn, daß der Schaden auch bei rechtzeitiger Leistung eingetreten sein würde" (§ 287). Diese Bestimmung deckt sich teilweise mit der anderen, daß der Schuldner zuweilen schon ohne Verzug unbedingt die Gefahr tragen muß, z. B. bei dem Werkvertrag (§ 644), dem Werklieferungsvertrag über eine nicht vertretbare Sache (§ 651), ferner bei dem Werklieferungsvertrag über eine vertretbare Sache und dem Kauf, soweit nicht die Transportgefahr in Frage kommt (§§ 446, 651). Wo diese zur Frage steht (Verkäufer, Unternehmer versendet auf Verlangen des Käufers, Bestellers nach einem anderen als dem Erfüllungsort), wird durch Verzug allerdings dem Schuldner (Verkäufer, Unternehmer) eine Gefahr aufgebürdet, die ihn sonst nicht getroffen haben würde (§§ 447, 651). Dies zeigt sich an dem Beispiel über den Tausch. Da jede Partei als Verkäufer verpflichtet ist, folgt daraus, daß sie die Transportgefahr des von ihr abgeschickten Tauschgegenstandes nicht zu tragen hat, aber die des zugesandten tragen muß. Wenn nun Voigt erst nach geschehener Mahnung auf die Bahn liefert, so werden durch seinen Verzug die Regeln über die Transportgefahr ausgeschlossen und Voigt trägt die Gefahr des Unterganges des Hundes und muß — und dies ist das Unterscheidende — sogar, vorbehaltlich § 287 Satz 2, außerdem Schadenersatz leisten.

Wichtig wird § 287 für Verwahrung und Leihe (Verwahrer und Entleiher sind in Verzug mit der Rückgabe der Sache), Auftrag, Gesellschaft, Geschäftsführung ohne Auftrag, Schenkungsversprechen, ungerechtfertigte Bereicherung. Aber auch für das Einbringen bei Gastwirten ist § 287 nicht ohne Bedeutung. Der Gastwirt haftet freilich schon an sich für Zufall, kann sich aber durch den Gegenbeweis befreien, daß höhere Gewalt vorgelegen habe (§ 701). Dieser Gegenbeweis ist ihm abgeschnitten, sobald er mit Herausgabe der Sache in Verzug gekommen und die Sache während des Verzugs, wenn auch durch höhere Gewalt zu Grunde gegangen ist.

e. „Der Gläubiger kommt in Verzug, wenn er die ihm angebotene Leistung nicht annimmt" (§ 293). „Die Leistung muß dem Gläubiger so, wie sie zu bewirken ist, tatsächlich angeboten werden" (§ 294). Wer 200 Mk. schuldet muß 200 Mk. bar vorzeigen und sich bereit erklären, sie zu zahlen (Realangebot). Wenn er das Geld nicht vorzeigt, kann vom Gläubiger nicht erwartet werden, daß er den bloßen Worten des Schuldners Glauben schenke und noch weniger kann dem Richter, der über den Prozeß zu entscheiden hat, zugemutet werden, daß er nachträglich dem wegen Nichtleistung verklagten Schuldner glaube, er, der Schuldner, sei wirklich bereit und im Stande gewesen die 200 Mk. zu zahlen. Ausnahmsweise genügt ein wörtliches Angebot des Schuldners, „wenn der Gläubiger ihm erklärt hat, daß er die Leistung nicht annehmen werde, oder wenn zur Bewirkung der Leistung eine Handlung des Gläubigers erforderlich ist, insbesondere wenn der Gläubiger die geschuldete Sache abzuholen hat" (§ 295).

Für alle Fälle gilt, daß der Gläubiger nicht in Verzug kommt, wenn der Schuldner zur Zeit des Angebots außer Stande ist, die Leistung zu bewirken (§ 297).

„Ist der Schuldner nur gegen eine Leistung des Gläubigers zu leisten verpflichtet, so kommt der Gläubiger in Verzug, wenn er zwar die angebotene Leistung anzunehmen bereit ist, die verlangte Gegenleistung aber nicht anbietet" (§ 298). Der Verkäufer kommt also in Verzug, wenn er zwar den Kaufpreis anzunehmen bereit ist, aber die Waare seinerseits nicht anbietet. Dies leidet eine Ausnahme.

Wenn der Kaufmann A. sich beim Torfbauern B. ein Fuder Torf ausmacht, wobei ein bestimmter Lieferungstermin nicht angegeben, sondern nur stillschweigend angenommen wird, daß der Torf im Laufe des Sommers gebracht werden solle, so kommt A. durch das Anerbieten des B. nicht in Verzug, wenn B. mit dem Torf auf dem Hofe des A. erscheint, A. aber nicht annehmen kann, weil alle verfügbaren Räume mit Einquartierung an Mannschaften und Pferden belegt sind, vergl.:

§ 299. „Ist die Leistungszeit nicht bestimmt oder ist der Schuldner berechtigt, vor der bestimmten Zeit zu leisten, so kommt der Gläubiger nicht dadurch in Verzug, daß er vorübergehend an der Annahme der angebotenen Leistung verhindert ist, es sei denn, daß der Schuldner ihm die Leistung eine angemessene Zeit vorher angekündigt hat."

Diese Bestimmung wird regelmäßig bei dem gewöhnlichen Kaufe zutreffen, aber nicht bei dem sogenannten Fixkauf, wo der Verkäufer zu einem ganz genau bestimmten Termin liefern muß, ohne daß die Möglichkeit besteht, ihm noch eine Nachfrist zu verschaffen.

Zum Vorstehenden ist zu bemerken: Es ist nicht notwendig, daß der Schuldner stets in Person anbietet. Da nach § 267 auch ein Dritter die Leistung bewirken kann, wenn der Schuldner nicht in Person zu leisten hat, so kann der Gläubiger durch das Angebot eines Dritten, auch wenn der Schuldner nichts davon weiß, in

Verzug gesetzt werden, vorausgesetzt daß es auf die Person des Leistenden nicht ankommt (f. oben S. 193).

Ferner ist für den Verzug des Gläubigers zu beachten, daß der Gläubiger schon dann in Verzug kommt, wenn er die Leistung aus irgend einem Grund nicht annimmt. Es kommt auf sein Verschulden garnicht an. Die bloße Nichtannahme der Leistung genügt f. o. S. 188 f.

f. Die Wirkungen des Verzugs des Gläubigers zeigen sich zunächst bei dem Schuldner. „Der Schuldner hat während des Verzugs des Gläubigers nur Vorsatz und grobe Fahrlässigkeit zu vertreten.

Wird eine nur der Gattung nach bestimmte Sache geschuldet, so geht die Gefahr mit dem Zeitpunkte auf den Gläubiger über, in welchem er dadurch in Verzug kommt, daß er die angebotene Sache nicht annimmt" (§ 300). Ist also zu leisten eine fertige „gefütterte Lodenjoppe, zweireihig", so muß ein entsprechendes Exemplar dem Gläubiger angeboten sein. Nach den Regeln des Kaufes genügt aber, wenn sie nach einem anderen als dem Erfüllungsort auf Verlangen des Käufers versandt wird, z. B. Mey & Edlich schicken dem in Thorn wohnenden Besteller auf Verlangen die Joppe nach Thorn, daß die Joppe der Post in Leipzig zur Beförderung übergeben sei. Wohnt der Käufer in Leipzig, so genügt es, daß er sie auf Aufforderung nicht abholt (§ 295). Wie man sieht, werden die allgemeinen Grundsätze unter Umständen nicht unerheblich verändert.

„Von einer verzinslichen Geldschuld hat der Schuldner während des Verzugs des Gläubigers Zinsen nicht zu entrichten" (§ 301).

Soll der Schuldner ein Grundstück herausgeben und der Gläubiger kommt in Verzug, so kann der Schuldner das Grundstück stehen und liegen lassen wie es ist, er braucht sich dann garnicht mehr darum zu bekümmern. Voraussetzung ist, daß er dies dem Gläubiger, wo es tunlich ist, vorher angedroht habe (§ 303).

Auf Ersatz hat der Schuldner Anspruch nur gemäß § 304.

II. Das Schuldverhältnis erlischt auch durch Hingabe an Erfüllungsstatt, „wenn der Gläubiger eine andere als die geschuldete Leistung an Erfüllungsstatt annimmt" (§ 364 I). An Erfüllungsstatt können gegeben werden Sachen, Forderungen gegen Dritte oder sonstige Rechte. Fehlt dem Schuldner an dem Hingegebenen das volle Recht oder hat die Sache einen körperlichen Mangel, so haftet der Schuldner dafür wie ein Verkäufer (§ 365 [vergl. § 434 ff., 459 ff.]).

III. Hinterlegung. Wenn der Gläubiger in Verzug der Annahme ist, so kann sich der Schuldner durch Hinterlegung von seiner Schuld unter gewissen Voraussetzungen befreien. Schuldet er Geld, Wertpapiere und sonstige Urkunden (z. B. eine Quittung), sowie Kostbarkeiten, und er kann sie dem Gläubiger nicht leisten, weil dieser in Verzug ist, oder weil es aus einem anderen in der Person des Gläubigers liegenden Grunde, oder in Folge einer nicht auf Fahrlässigkeit des Schuldners beruhenden Ungewißheit über die Person des Gläubigers unmöglich ist, die Verbindlichkeit überhaupt oder mit Sicherheit zu erfüllen, so kann der Schuldner die geschuldeten Sachen bei der Hinterlegungsstelle des Leistungsorts (gewöhnlich das Amtsgericht) hinterlegen und muß die Hinterlegung dem Gläubiger unverzüglich anzeigen (§§ 372, 374).

Es sind zu scheiden die zurücknehmbare und die nicht zurücknehmbare Hinterlegung. Ist die Hinterlegung nicht zurücknehmbar, „so wird der Schuldner durch die Hinterlegung von seiner Verbindlichkeit in gleicher Weise befreit, wie wenn er zur Zeit der Hinterlegung an den Gläubiger geleistet hätte" (§ 378). Die Rücknahme aber ist insbesondere ausgeschlossen, wenn der Schuldner darauf verzichtet, oder der Gläubiger das Hinterlegte annimmt. Näheres enthält § 376.

§ 379. „Ist die Rücknahme der hinterlegten Sache nicht ausgeschlossen, so kann der Schuldner den Gläubiger auf die hinterlegte Sache verweisen.

Solange die Sache hinterlegt ist, trägt der Gläubiger die Gefahr und ist der Schuldner nicht verpflichtet, Zinsen zu zahlen oder Ersatz für nicht gezogene Nutzungen zu leisten.

Nimmt der Schuldner die hinterlegte Sache zurück, so gilt die Hinterlegung als nicht erfolgt". Wird also beim zuständigen Amtsgericht hinterlegt und im Gebäude kommt Feuer auf, das Alles verzehrt, auch die hinterlegten Wertpapiere, so ist das des Gläubigers Schade. Hat der Schuldner bares Geld hinterlegt, so gehen natürlich während der Zeit der Hinterlegung Zinsen verloren, der Schuldner braucht aber nicht dafür aufzukommen.

Schuldet der Schuldner eine bewegliche Sache und ist diese

zur Hinterlegung nicht geeignet, so kann er sie, wenn der Gläubiger in Verzug ist, am Leistungsorte versteigern lassen und den Erlös hinterlegen. „Die Versteigerung hat durch einen für den Versteigerungsort bestellten Gerichtsvollzieher, oder zu Versteigerungen befugten anderen Beamten, oder öffentlich angestellten Versteigerer öffentlich zu erfolgen (öffentliche Versteigerung)" (§ 383), muß aber dem Gläubiger regelmäßig vorher angedroht werden (§ 384). Sachen mit Börsen- oder Marktpreis können unter gewissen Bedingungen freihändig verkauft werden (§ 385).

Den Landesgesetzen ist es überlassen, noch nähere Bestimmungen über die Hinterlegung zu treffen nach Maßgabe der Art. 144 bis 146 E.G.

IV. Aufrechnung. „Schulden zwei Personen einander Leistungen, die ihrem Gegenstande nach gleichartig sind, so kann jeder Teil seine Forderung gegen die Forderung des anderen Teiles aufrechnen, sobald er die ihm gebührende Leistung fordern und die ihm obliegende Leistung bewirken kann" (§ 387). Die Aufrechnung ist ein ganz alltäglicher Vorgang. Sie kommt bei den verschiedensten Gelegenheiten vor, z. B. beim Kartenspiel, wenn nicht jedes einzelne Spiel baar bezahlt wird, sondern alles angeschrieben und erst am Ende des Spieles alles gegen einander verrechnet wird. Notwendig ist Gleichartigkeit der Forderungen, sie müssen z. B. gehen auf Geld oder gleichartige Wertpapiere, auf Weizen von derselben Art und Güte, 2c. Sind die Forderungen nicht gleichartig, so kann keine Aufrechnung stattfinden, aber hier hilft in gewissen Grenzen das Zurückbehaltungsrecht (s. oben S. 177), auch die Einrede des nicht erfüllten Vertrags schützt davor, daß jemand etwas aus seinem Vermögen opfere, ohne die entsprechende Vergütung zu erlangen (s. oben S. 176 f.). Aber diese letzteren beiden tilgen die Schuld nicht, während die Aufrechnung die Schuld tilgt. „Die Aufrechnung bewirkt, daß die Forderungen, soweit sie sich decken, als in dem Zeitpunkt erloschen gelten, in welchem sie zur Aufrechnung geeignet einander gegenübergetreten sind" (§ 389). Zur Aufrechnung geeignet ist die Forderung, wenn der Gläubiger die Leistung sofort verlangen, der Schuldner sie sofort bewirken kann. Dies ist aber regelmäßig der Fall bei Forderungen ohne Termin, Forderungen mit Termin können zwar vor ihrer Fälligkeit nicht eingefordert oder beigetrieben werden, aber im Zweifel kann sie der Schuldner schon vorher durch Leistung tilgen (s. oben S. 193 f.). Schuldet A. dem B. 50 Mk. fällige Kaufschuld und B. dem A. 30 Mk. erst nach 3 Monaten fällige Darlehnsschuld, so kann A., wenn er von B. auf die 50 Mk. Kaufschuld verklagt wird, mit seiner Gegenschuld nicht aufrechnen, denn er kann sie noch nicht fordern. Es ist aber auch möglich, daß B. den Wunsch hat klare Verhältnisse zwischen sich und dem A. zu schaffen. Da er im Wege der Klage gegen A. nicht vorgehen will, so erreicht er sein Ziel mittels Aufrechnung, indem er dem A. eines Tages mitteilt, daß er seine Kaufschuldforderung gegen seine Darlehnsschuld aufrechne. Alsdann sind die Forderungen bis zur Höhe von 30 Mk. getilgt, d. h. die Darlehnsschuld ist ganz aufgehoben. Hatte B. die am 1. Oktober fällige Darlehnsschuld am 1. Juni auf sich genommen und war A. die 50 Mk. Kaufschuld am 1. Juli schuldig geworden und nahm B. am 1. August die Aufrechnung vor, so gelten die Forderungen als aufgehoben vom 1. Juli an, wo sie einander gegenübertraten und zugleich fähig waren, von B. gegen einander aufgerechnet zu werden. Die Aufrechnung reicht also rückwärts auf den Zeitpunkt hin, in welchem die Forderungen zur Aufrechnung geeignet einander gegenübergetreten sind (§ 389).

Verboten ist die Aufrechnung gegen eine Forderung aus einer vorsätzlich begangenen unerlaubten Handlung (§ 393). Hat A. Schadensersatz wegen vorsätzlicher Sachbeschädigung zu fordern, so kann ihm der beklagte B. nicht entgegenhalten, daß A. ihm aus einem Darlehn etwas schulde. Die Aufrechnung ist ferner ausgeschlossen gegenüber Forderungen die nicht gepfändet werden können (z. B. Pensionen der Witwen und Waisen, Studienstipendien, Invalidenpensionen von Unteroffizieren und Soldaten, gesetzliche Alimentationsforderungen u. a. m. C.P.O. § 850) (B.G.B. § 394). Außerdem vergl. die §§ 390, 391, 392.

„Gegen eine Forderung des Reichs oder eines Bundesstaates, sowie gegen eine Forderung einer Gemeinde oder eines anderen Kommunalverbandes ist die Aufrechnung nur zulässig, wenn die Leistung an dieselbe Kasse zu erfolgen hat, aus der die Forderung des Aufrechnenden zu berichtigen ist" (§ 395). Wird also Steuer eingefordert, so kann der Steuerpflichtige nicht mit einer Forderung wegen ausgeführter Arbeiten aufrechnen.

Die Aufrechnung, wie wir sie bisher kennen gelernt haben,

geschieht einseitig, d. h. der Aufrechnende bedarf zur Wirksamkeit der Aufrechnung nicht der Einwilligung des Gegners, er wird allein tätig und durch seine alleinige Tätigkeit werden die einander gegenüberstehenden Forderungen aufgehoben. Dies ist aber nur unter bestimmten Voraussetzungen möglich, die wir oben schon kennen gelernt haben. Wenn zwei Forderungen einander gegenüberstehen, die zur einseitigen Aufrechnung nicht geeignet sind, können sie nicht durch die einseitige Aufrechnung aufgehoben werden, sondern nur durch den Aufrechnungsvertrag, d. h. keine Partei kann für sich allein vorgehen, aber gemeinsam können sie durch Übereinkunft die Forderungen gegen einander aufrechnen. Dies ist insbesondere dann notwendig, wenn beide Forderungen noch nicht fällig sind, sodaß keine Partei die Leistung verlangen kann. In solchem Falle müssen sich die Parteien schon gutwillig einigen, wenn sie die Forderungen durch Aufrechnung aus der Welt schaffen wollen. Wir haben also neben der einseitigen Aufrechnung noch den Aufrechnungsvertrag. Dieser ist kein obligatorischer Vertrag, denn er erzeugt keine Schuldverhältnisse, sondern tilgt sie. Er ist ein eigener Vertrag.

V. Erlaß. „Das Schuldverhältnis erlischt, wenn der Gläubiger dem Schuldner durch Vertrag die Schuld erläßt.

„Das Gleiche gilt, wenn der Gläubiger durch Vertrag mit dem Schuldner anerkennt, daß das Schuldverhältnis nicht bestehe" (§ 397). Der Erlaß und das Anerkenntnis haben Wirkung also nur dann, wenn der Schuldner den Erlaß oder das Anerkenntnis annimmt. Nimmt der Schuldner den Erlaß 2c. nicht an, so bleibt die Schuld bestehen.

Wir lernen hier einen neuen Vertrag kennen, den zwar der Volksmund nicht so nennt, den wir aber juristisch unzweifelhaft zu den Verträgen rechnen. Der Erlaß ist kein obligatorischer Vertrag, denn er begründet kein Schuldverhältnis, sondern er hebt es auf. Weil er den Schuldner von seiner Schuld befreit, heißt er liberatorischer Vertrag.

Anerkenntnis kann obligatorisch und liberatorisch wirken: Der Schuldner erkennt an schuldig zu sein (obligatorisch s. oben S. 127), der Gläubiger erkennt an, nichts mehr zu fordern zu haben (liberatorisch). Das Anerkenntnis bildet daher einen eigenen Vertrag für sich.

VI. Über die Unmöglichkeit der Leistung ist oben S. 179 ff. schon gesprochen.

VII. Die Schuld geht grundsätzlich auch unter, wenn Forderung und Schuld in einer Person zusammenkommen, denn niemand kann sein eigener Gläubiger sein.

VIII. „Der Auftrag erlischt im Zweifel durch den Tod des Beauftragten" (§ 673).

§ 727. „Die Gesellschaft wird durch den Tod eines der Gesellschafter aufgelöst, sofern nicht aus dem Gesellschaftsvertrage sich ein Anderes ergiebt".

§ 47. Übertragung der Forderung.

I. A. der dem B. 200 Mk. schuldet, wird von B. gemahnt. Da er nicht bar zahlen kann, macht er B. den Vorschlag, ihm eine Forderung auf 200 Mk., die er, A., gegen C. habe, abzutreten, B. solle sich alsdann das Geld von C. auszahlen lassen. B. geht darauf ein und A. tritt ihm die Forderung ab, oder wie der auch dem Laien bekannte Ausdruck lautet, er cediert seine Forderung an B., indem er ihm erklärt, daß er ihm die Forderung abtrete und indem B. dies annimmt. „Eine Forderung kann von dem Gläubiger durch Vertrag mit einem Anderen auf diesen übertragen werden (Abtretung). Mit dem Abschlusse des Vertrags tritt der neue Gläubiger an die Stelle des bisherigen Gläubigers" (§ 398). Wenn A. (Cedent) erklärt: Ich trete dir hiermit meine Forderung gegen den C. ab und B. (Cessionar) antwortet: Einverstanden, dann ist B. der Gläubiger des C. geworden, A. hat aufgehört Gläubiger zu sein.

II. 1. Die Forderung geht grundsätzlich auf den neuen Gläubiger über so wie sie ist, mit ihren Vorzügen und Mängeln. „Mit der abgetretenen Forderung gehen die Hypotheken oder Pfandrechte, die für sie bestehen, sowie die Rechte aus einer für sie bestellten Bürgschaft auf den neuen Gläubiger über" (§ 401 I). Die Pfandrechte des abtretenden Gläubigers gehen also nicht etwa unter. Ebenso wenig wird der Bürge, der sich für die Schuld verbürgt hat, durch die Abtretung frei, er haftet dem neuen Gläubiger, wie er dem früheren Gläubiger haften mußte.

2. Andererseits gehen auch die Mängel der Forderung nicht unter.

V. hat 50 Mk. Kaufpreis zu fordern, hat aber seine Waare noch nicht geliefert, sodaß ihm der Käufer K., wenn er von V. verklagt würde, einwenden könnte, er habe die von V. versprochenen Waaren noch nicht erhalten, K. würde ihm also die Einrede des nicht erfüllten Vertrages (s. oben S. 177), entgegen halten können. Würde nun V. seine Forderung auf 50 Mk. dem C. abtreten und K. könnte die Einrede des nicht erfüllten Vertrages dem C. nicht entgegensetzen, so wäre seine rechtliche Lage durch die Abtretung der Forderung an den C. sehr verschlechtert. V. hätte es also willkürlich in der Hand, durch Abtretung seiner Kaufpreisforderung dem K. um seine Einrede des nicht erfüllten Vertrags zu bringen. Darum bestimmt § 404: „Der Schuldner kann dem neuen Gläubiger die Einwendungen entgegensetzen, die zur Zeit der Abtretung der Forderung gegen den bisherigen Gläubiger begründet waren".

III. Weiß der Schuldner von der Abtretung nichts und leistet er in dieser Unkenntnis an den bisherigen Gläubiger, so wird er dadurch von seiner Schuld frei, obgleich er an jemand geleistet hat, der nicht mehr Gläubiger ist. Es kann dem Schuldner, in dessen Abwesenheit die Abtretung vorgenommen ist, nicht zugemutet werden, daß er die nachteiligen Folgen seiner unverschuldeten Unkenntnis trage; die Parteien, insbesondere der neue Gläubiger, hätten ihn ja benachrichtigen können. Der bisherige Gläubiger hat es sogar in der Hand, dem neuen Gläubiger die Forderung dadurch zu entziehen, daß er mit dem Schuldner aufrechnet, von ihm etwas an Erfüllungsstatt annimmt ꝛc., vorausgesetzt jedoch immer, daß der Schuldner nichts von der Abtretung weiß (§ 407). Betrügt auf diese Weise der bisherige Gläubiger den neuen, so kann dieser doch nicht seinen Schaden auf den an der ganzen Abtretung unschuldigen Schuldner abwälzen. Der neue Gläubiger muß solche Möglichkeiten mit in den Kauf nehmen.

Der Schutz des Schuldners geht noch weiter. „Zeigt der Gläubiger dem Schuldner an, daß er die Forderung abgetreten habe, so muß er dem Schuldner gegenüber die angezeigte Abtretung gegen sich gelten lassen, auch wenn sie nicht erfolgt oder nicht wirksam ist".

Die Anzeige kann nur mit Zustimmung desjenigen zurückgenommen werden, welcher als der neue Gläubiger bezeichnet worden ist" (§ 409).

„Der Schuldner ist dem neuen Gläubiger gegenüber zur Leistung nur gegen Aushändigung einer von dem bisherigen Gläubiger über die Abtretung ausgestellten Urkunde verpflichtet"; es sei denn, daß „der bisherige Gläubiger dem Schuldner die Abtretung schriftlich angezeigt hat" (§ 410). Also der neue Gläubiger muß von dem bisherigen Gläubiger in jedem Fall schriftlich legitimiert worden sein. Darum bestimmt § 403: „Der bisherige Gläubiger hat dem neuen Gläubiger auf Verlangen eine öffentlich (z. B. notariell) beglaubigte Urkunde über die Abtretung auszustellen. Die Kosten hat der neue Gläubiger zu tragen und vorzuschießen". Auch muß der bisherige Gläubiger dem neuen Gläubiger die zur Geltend-machung der Forderung nötige Auskunft erteilen und ihm die zum Beweise der Forderung dienenden Urkunden, soweit sie sich in seinem Besitz befinden, ausliefern (§ 402).

IV. Forderungsabtretung ist auch der Verkauf einer Forderung. „Der Verkäufer einer Forderung (oder eines sonstigen Rechtes) haftet für den rechtlichen Bestand der Forderung (oder des Rechtes)" (§ 437 I). Inwieweit im Übrigen der Cedent für den Bestand der Forderung haftet, entscheidet sich nach dem Zweck, zu dem die Ab-tretung vorgenommen wird. Bei entgeltlichen, also laufähnlichen Geschäften wird der Cedent ebenso unbedingt haften müssen, wie beim Verkauf einer Forderung, bei der Schenkung nur, wenn er arglistig verschweigt, daß die Forderung rechtliche Mängel hat, denn bei Mängeln im Recht hat der Schenker nur dann Schaden zu ersetzen, wenn er die Mängel arglistig verschweigt (§ 523). Andere Fälle, außer den beiden genannten, dürften nicht vorkommen, sodaß wir immer nur zu wählen haben, ob der Cedent unmittelbar oder analog als Verkäufer oder als Schenker zu haften hat.

„Übernimmt der Verkäufer einer Forderung die Haftung für die Zahlungsfähigkeit des Schuldners, so ist die Haftung im Zweifel nur auf die Zahlungsfähigkeit zur Zeit der Abtretung zu beziehen" (§ 438). Dies gilt auch von einer Abtretung zu Schenkungs-zwecken, denn es besteht kein Grund, diese Auslegungsregel auf den Verkauf zu beschränken.

V. Nicht jede Forderung kann abgetreten werden, z. B. im Zweifel nicht die Forderung auf Dienste (§ 613), vergl. überhaupt § 514, 717, 847 u. s. w.

§ 399. „Eine Forderung kann nicht abgetreten werden, wenn

die Leistung an einen anderen als den ursprünglichen Gläubiger nicht ohne Veränderung ihres Inhalts erfolgen kann oder wenn die Abtretung durch Vereinbarung mit dem Schuldner ausgeschlossen ist".

Eine unpfändbare Forderung (f. oben S. 203 und überhaupt C.P.O. § 850) kann nicht abgetreten werden.

VI. Die Forderungsabtretung geschieht in Form eines Vertrages. Auch dieser Vertrag gehört nicht zu den obligatorischen Verträgen, denn er erzeugt keine Forderungen, sondern überträgt sie nur. Er steht wie der Anerkenntnisvertrag als ein Vertrag von eigener Art neben den übrigen Verträgen und muß Abtretungsvertrag genannt werden.

§ 48. Schuldübernahme.

Das Gegenteil der Forderungsabtretung ist die Schuldübernahme. Der Gläubiger G. hat von seinem Schuldner S. 200 Mk. Darlehnsschuld zu fordern, für die S. seinen Wagen zum Pfand gegeben hat, während zugleich der B. sich für sie verbürgt hat. S. möchte gerne seinen Wagen wieder auslösen und den B. von seiner Bürgschaftsverpflichtung befreien. Da er selber nicht bar zahlen, auch kein Geld anderswo auftreiben kann, bittet er den S.[1], die Schuld bei G. zu übernehmen. S.[1] geht darauf ein und macht mit dem Gläubiger ab, daß er an Stelle des S. trete. Mit dieser Abmachung wird S.[1] Schuldner, hört S. auf Schuldner zu sein, und Pfandrecht und Bürgschaft erlöschen. „Eine Schuld kann von einem Dritten durch Vertrag mit dem Gläubiger in der Weise übernommen werden, daß der Dritte an die Stelle des bisherigen Schuldners tritt" (§ 414). „Infolge der Schuldübernahme erlöschen die für die Forderung bestellten Bürgschaften und Pfandrechte" (§ 418 I).

Die Wirkungen sind dieselben, wenn der neue Schuldner zunächst nur dem bisherigen Schuldner gegenüber die Schuld übernommen, einer von ihnen dies dem G. angezeigt und G. die Schuldübernahme genehmigt hat (§ 415). Bis die Genehmigung erteilt ist, ist zwar S.[1] noch nicht Schuldner geworden, aber er ist dem S. gegenüber im Zweifel verpflichtet, dem Gläubiger rechtzeitig zu befriedigen. „Das Gleiche gilt, wenn der Gläubiger die Genehmigung verweigert" (§ 415 III).

Wenn auch Pfandrechte und Bürgschaften, wie wir schon gesehen haben, bei der Schuldübernahme untergehen (§ 418), so kann doch der Übernehmer dem Gläubiger „die Einwendungen entgegensetzen, welche sich aus dem Rechtsverhältnisse zwischen dem Gläubiger und dem bisherigen Schuldner ergeben. Eine dem bisherigen Schuldner zustehende Forderung kann er nicht aufrechnen" (§ 417 I). Hatte also S. gegen G. die Einrede, daß ihm die Schuld nachträglich gestundet worden sei und er daher erst in einigen Monaten zu leisten habe, so kann sich auch S.[1] auf diese Stundung berufen.

Die Schuldübernahme ist ein Vertrag eigener Art neben den übrigen Verträgen.

§ 49. Mehrheit von Schuldnern und Gläubigern.

I. § 420. „Schulden Mehrere eine teilbare (s. oben S. 144 ff.) Leistung oder haben Mehrere eine teilbare Leistung zu fordern, so ist im Zweifel jeder Schuldner nur zu einem gleichen Anteil verpflichtet, jeder Gläubiger nur zu einem gleichen Anteil berechtigt". Dieser Fall wird ziemlich selten sein, denn das B.G.B. läßt ohne Zweifel die Gesamtschuld viel häufiger zu, sodaß die Ausnahme wohl häufiger sein wird, als die in § 420 niedergelegte Regel.

§ 421. „Schulden Mehrere eine Leistung in der Weise, daß jeder die ganze Leistung zu bewirken verpflichtet, der Gläubiger aber die Leistung nur einmal zu fordern berechtigt ist (Gesamtschuldner), so kann der Gläubiger die Leistung nach seinem Belieben von jedem der Schuldner ganz oder zu einem Teile fordern. Bis zur Erwirkung der ganzen Leistung bleiben sämtliche Schuldner verpflichtet".

Der Unterschied ist folgender. Wenn A., B., C. dem G. 300 Mk. schulden, so schulden sie, wenn § 420 zur Anwendung kommt, ein jeder dem G. 100 Mk. Wird A. zahlungsunfähig, so ist das der Schaden des G., er kann die ausfallenden 100 Mk. nicht von B. oder C. beitreiben. Kommt dagegen § 421 zur Anwendung, so kann G. jeden der drei beliebig auf 100, 200, 300 Mk. verklagen, was er bei dem Einen nicht erhält, holt er sich dann bei dem Anderen. Jeder haftet auf das Ganze, der Gläubiger kann aber nur einmalige Leistung fordern. Wir sprechen im letzteren Falle auch von einer Solidarschuld, Solidarobligation.

II. Daß die Gesamtschuld häufiger sein wird als die geteilte Schuld, würde sich zur Not schon aus § 427 ergeben: „Verpflichten sich Mehrere durch Vertrag gemeinschaftlich zu einer teilbaren Leistung, so haften sie im Zweifel als Gesamtschuldner". Aus Verträgen entstehen wohl die weitaus meisten Schuldverhältnisse und für sie gilt im Zweifel die Gesamtschuld, auch bei teilbaren Leistungen! Bei unteilbaren Leistungen versteht sich die Gesamtschuld sogar von selber, möge sie nun durch Vertrag oder auf andere Weise entstanden sein. „Schulden Mehrere eine unteilbare Leistung, so haften sie als Gesamtschuldner" (§ 431). Ferner kommt Gesamtschuld vor, wenn mehrere im Namen eines nicht rechtsfähigen Vereins Geschäfte abschließen: jeder haftet auf das Ganze (s. oben S. 51); wenn Mehrere für dieselbe Schuld sich verbürgen, auch wenn sie die Bürgschaft nicht gemeinschaftlich übernehmen (§ 769); wenn Mehrere für den aus einer unerlaubten Handlung entstehenden Schaden neben einander verantwortlich sind (als Mittäter, als bloße Beteiligte gemäß § 830 [s. oben S. 143 f.]), so haften sie . . . . . als Gesamtschuldner (§ 840 I) 2c. Wie man sieht, wird nach dem B.G.B. die Gesamtschuld den Verkehr beherrschen.

„Die Erfüllung durch einen Gesamtschuldner wirkt auch für die übrigen Schuldner. Das Gleiche gilt von der Leistung an Erfüllungsstatt, der Hinterlegung und der Aufrechnung.

Eine Forderung, die einem Gesamtschuldner zusteht, kann nicht von den übrigen Schuldnern aufgerechnet werden" (§ 422). Sind A., B., C. Gesamtschuldner, so befreit A. durch Erfüllung, Leistung an Erfüllungsstatt, Hinterlegung, Aufrechnung auch B. und C., aber B. und C. können nicht mit der Forderung des A. gegen den Gläubiger aufrechnen.

Ein Erlaßvertrag, den der Gläubiger G. mit A. schließt, kommt keineswegs ohne weiteres auch B. und C. zu gute, sondern nur dann, wenn durch ihn das ganze Schuldverhältnis aufgehoben werden soll. Es kann sehr wohl die Absicht der Parteien sein, daß nur A. befreit werden solle (§ 423).

Kommt der Gläubiger in Verzug gegenüber dem A., der ihm die geschuldete Leistung anbietet, so ist dies auch der Vorteil vom B. und C. „Der Verzug des Gläubigers gegenüber einem Gesamtschuldner wirkt auch für die übrigen Schuldner" (§ 424).

Alles übrige, insbesondere Verzug, Verschulden eines Gesamtschuldners, Unmöglichkeit der Leistung in der Person eines Gesamtschuldners rc. wirkt nur für und gegen den Gesamtschuldner, in dessen Person diese Tatsachen eintreten (§ 425). Wenn also die Brüder Christian und Wilhelm dem Nachbar Haselberger versprechen, für ihn einen Sack Getreide auf ihrem Wagen mit zur Stadt zu nehmen, so haften sie als Gesamtschuldner für die Ausführung des übernommenen Auftrages (s. oben S. 108 ff.). Wenn jedoch Christian fahrlässig das Getreide beschädigt, so haftet nach § 425 für diesen Schaden nur er und nicht auch sein Bruder Wilhelm. Haselberger kann auf Ausführung des Auftrages beide, auf Schadensersatz auf Grund von § 425 nur den Täter verklagen. Aber die Hülfe kommt in anderer Weise. Haselberger wäre in einer sehr üblen Lage, wenn er auf Schadensersatz nicht beliebig jeden der Brüder verklagen könnte. Denn, wenn beide Brüder die Täterschaft leugnen, so weiß er garnicht, wen er verklagen soll und verklagt er den Unrechten, so verliert er den Prozeß und an den Prozeßkosten mehr, als der Schade beträgt. Die Hülfe kommt von § 278, der den Schuldner haftbar macht für Verschulden der Personen, deren er sich zur Erfüllung seiner Verbindlichkeit bedient. Im vorliegenden Fall ist jeder Bruder der Gehülfe des Anderen bei der Erfüllung des Auftrages. Jeder soll den Auftrag ganz erfüllen und läßt er ihn durch seinen Bruder erfüllen, so bedient er sich eben seines Bruders zur Erfüllung seines Auftrages. Dies ändert sich auch dadurch nicht, daß der als Gehülfe benutzte Bruder eine selbständige Verpflichtung zur Erfüllung des Auftrages hat. Beides ist sehr wohl mit einander vereinbar: die Gesamtschuldner haften im vorliegenden und in den meisten anderen Fällen für einander nicht als Gesamtschuldner, sondern als Gehülfen.

Hat ein Gesamtschuldner für die übrigen geleistet, so hat er einen Rückgriff, Regreß gegen die übrigen nach gleichen Anteilen, wenn nichts Anderes ausgemacht ist. Ist einer von ihnen zahlungsunfähig, so müssen die übrigen den Ausfall decken (§ 426).

III. Gesamtgläubiger. Wenn der Schuldner S. eine unteilbare Leistung schuldet, muß ein Auskunftsmittel gesucht werden, sobald er die unteilbare Leistung mehreren Gläubigern schuldet. Da die Schuld nicht geteilt werden kann, ist an sich die Folge die, daß eigentlich alle Gläubiger zugleich fordern und in demselben Akt

14 *

sich zugleich leisten lassen müßten. Jeder Gläubiger kann dann zwar die Leistung fordern, aber er kann nicht Leistung an sich, sondern nur Leistung an alle fordern. Diesen Fall, den § 432 behandelt, muß man aber zu vermeiden suchen, denn eine derartige Ordnung des Schuldverhältnisses bringt viele Unbequemlichkeiten mit sich.

Das B.G.B. hat in § 428 noch eine zweite Möglichkeit offen gelassen: Jeder ist berechtigt, die ganze Leistung zu fordern, aber der Schuldner muß sie nur einmal erbringen (Gesamtgläubigerschaft). Der Schuldner kann beliebig an jeden der Gläubiger leisten. Wer die Leistung empfangen hat, muß, wenn nicht etwas Anderes ausgemacht ist, den anderen gleiche Teile abgeben (§ 430). Bietet der Schuldner einem Gesamtgläubiger die Leistung richtig an und dieser nimmt sie nicht an, so gilt es so, als ob alle Gesamtgläubiger in Verzug geraten seien. Kommen Forderung und Schuld in der Person eines Gesamtgläubigers zusammen, so erlöschen die Rechte der übrigen Gesamtgläubiger gegen den Schuldner ebenfalls (§ 429).

Viertes Buch.

Sachenrecht.

Erster Abschnitt.

Sachen.

§ 50. Begriff und Einteilung der Sachen.

I. Das B.G.B. benennt nur körperliche Gegenstände als Sachen. Mit dem Wort „Gegenstand" werden dagegen auch unkörperliche Objekte von Rechten bezeichnet (§ 90).

Für das Recht kommen aber nicht alle Sachen gleichmäßig in Betracht. Vielmehr müssen die Sachen verkehrsfähig sein. Ihre Verkehrsfähigkeit ist die Fähigkeit, Gegenstand des rechtlichen Austausches zu sein; sie ist nicht zu verwechseln mit der Rechtsfähigkeit, d. h. mit der Fähigkeit, im Sonderrecht der Menschen zu stehen[1]). Gewisse Sachen sind verkehrsunfähig, weil sie nicht rechtsfähig sind, andere können trotz ihrer Rechtsfähigkeit verkehrsunfähig sein. Rechts- und verkehrsunfähig sind die nicht eingefangene, nicht gefaßte Luft, das nicht eingefangene, nicht gefaßte Wasser, möge die Fassung bestehen in Gefäßen oder in sonstigen körperlichen Grenzen. Daher ist Eigentum sehr wohl möglich an einem See, einem Teich.

Ferner ist rechts- und verkehrsunfähig der menschliche lebende Körper, Teile des Körpers können verkehrsfähig werden durch Abtrennung, z. B. Haare, amputiertes Bein. Soweit jedoch eine Verfügung über die Körperteile den guten Sitten widerspricht, ist sie nichtig.

Die geweihten Sachen sind an sich verkehrsfähig, wie sie auch vollkommen rechtsfähig sind. Kirchen, Kirchhöfe, Altarleuchter, Abendmahlsbecher 2c. stehen im Privateigentum. Es fragt sich jedoch, ob sie nicht durch eine Bestimmung des öffentlichen, durch das B.G.B. an sich nicht aufgehobenen Rechtes dem Verkehr wegen ihrer Zweckbestimmung entzogen sein können. M. E. muß diese Frage verneint werden. Jedoch ist zuzugeben, daß sich über ihre Beantwortung zweifeln läßt. Eine andere Frage ist, ob eine Benutzung

---

1) Um den Text verständlich zu machen, muß ich die Grundsätze des gemeinen Rechtes kurz angeben. Luft, Meer, die fließende Wasserwelle sind rechtsunfähig, nach römischer Anschauung auch das Meeresufer. Nach deutscher Anschauung gehört das Meeresufer dem Staate und steht im Gemeingebrauch. Die geweihten Sachen (Altarleuchter, Kirche, Kirchhof) sind rechtsfähig, aber nicht verkehrsfähig, soweit dies mit ihrem Zweck nicht vereinbar ist. Der lebende menschliche Körper ist nicht rechts- und nicht verkehrsfähig, losgetrennte Teile des Körpers können es aber sein. Sachen des Staates, der Gemeinden 2c., die zu öffentlichen Zwecken dienen, Schulen, Gerichtsgebäude, Rathäuser 2c. stehen im gewöhnlichen Privateigentum, können aber nicht immer von den Gläubigern in Anspruch genommen werden. Sachen im Gemeingebrauch, Straßen, öffentliche Plätze können im Privateigentum stehen, sind aber ganz oder beschränkt verkehrsunfähig.

solcher Gegenstände zu geschäftlichen Verfügungen gegen die guten Sitten verstößt und ob nicht infolgedessen die Verfügungen über solche Sachen nichtig sind. Diese Frage wird unter Umständen zu bejahen sein, für eine allgemeine Bejahung der Frage möchte ich mich nicht aussprechen. Im Allgemeinen ist Verkauf möglich, Verpfändung, Pfändung ꝛc. aus wichtigen Gründen auch.

Die den Zwecken der öffentlichen Verwaltung gewidmeten Sachen, z. B. Schulen, Gerichtsgebäude ꝛc., sind vollkommen rechts- und verkehrsfähig, werden und gehören keinenfalls zu den unpfändbaren Sachen, da sie unter diesen von der Z.P.O. § 811 nicht erwähnt sind.

Das Meeresufer, die öffentlichen Flüsse und ihre Ufer werden ihre rechtliche Ordnung durch das Partikularrecht erhalten und wahrscheinlich werden alle schiffbaren Flüsse für öffentlich und alle öffentlichen Flüsse für herrenlos erklärt werden, die Ufer dürfte wohl der Staat durch dessen Gebiet der Fluß fließt, an sich nehmen, wie er schon das Meeresufer an sich genommen hat. Der Gemeingebrauch an diesen Sachen bleibt bestehen.

Sachen im Gemeingebrauch werden im Eigentum des Eigentümers bleiben, wenn sie z. B. im Privateigentum stehen, z. B. öffentliche Straßen, Plätze, Anlagen, Meeresufer ꝛc. Das Recht auf den Gemeingebrauch ist vom B.G.B. nicht anerkannt als ein subjektives Privatrecht, das durch Klagen irgendwelcher Art geschützt wird. Hier hat die Ordnung durch das öffentliche Recht mit ihrem Gefolge von polizeilichem Schutz des Einzelnen das Privatrecht verdrängt. Die im Gemeingebrauch befindlichen Sachen sind nach dem B.G.B. an sich genau so verkehrsfähig wie alle übrigen Sachen. Es können an ihnen sehr wohl subjektive Rechte von Privatpersonen entstehen, die mit dem Zweck, Gemeingebrauch, in Widerspruch stehen, es ist Sache der öffentlichen Behörde, darauf zu achten, daß derartiges nicht vorkomme. Dies sind die Folgen davon, daß die öffentlichen Behörden infolge einer vom Volke aus Bequemlichkeit gern ertragenen Bevormundung immer mehr die Befugnis in die Hand genommen haben, das Recht zum Gemeingebrauch zu schützen, wodurch die Regelung der Verhältnisse an Sachen im Gemeingebrauch immer mehr zu einer Aufgabe des öffentlichen Rechtes geworden ist, jedoch nicht im Widerspruch mit dem B.G.B. erfolgen kann.

II. Das B.G.B. unterscheidet verschiedene Arten von Sachen.

1) Die wichtigste Einteilung ist die in bewegliche und unbewegliche Sachen. Unbeweglich sind alle Grundstücke, mögen sie bebaut sein oder nicht. Alle übrigen Sachen sind beweglich. Diese Scheidung ist sehr wichtig, da nach dem B.G.B. das Eigentum an beweglichen und unbeweglichen Sachen auf sehr verschiedene Weise erworben und verloren wird ꝛc.

2) a. „Vertretbare Sachen im Sinne des Gesetzes sind bewegliche Sachen, die im Verkehre nach Zahl, Maß oder Gewicht bestimmt zu werden pflegen" (§ 91 [s. oben S. 81, 82, 104, 185, 186]).

b. „Verbrauchbare Sachen im Sinne des Gesetzes sind bewegliche Sachen, deren bestimmungsgemäßer Gebrauch in dem Verbrauch oder in der Veräußerung besteht.

Als verbrauchbar gelten auch bewegliche Sachen, die zu einem Warenlager oder zu einem sonstigen Sachinbegriffe gehören, dessen bestimmungsgemäßer Gebrauch in der Veräußerung der einzelnen Sachen besteht" (§ 92).

Die Verbrauchbarkeit und Vertretbarkeit sind natürliche, von den Menschen wirthschaftlich ausgenutzte und darum juristisch bedeutsame Eigenschaften, die den Sachen innewohnen. Diese Sachen sind wohl zu scheiden von den Gattungssachen. Letztere sind nur ganz allgemein und nicht individuell besonders bezeichnete Sachen. Sie können vertretbare, nicht vertretbare, verbrauchbare, nicht verbrauchbare Sachen sein, denn wir können alle diese Sachen ganz allgemein, wir können sie auch ganz speziell, individuell bezeichnen. Bei der Gattungssache handelt es sich nicht um eine Eigenschaft der Sache, sondern nur um eine besondere Bezeichnung (s. oben S. 88, 148).

Wenn ich mir bestelle zwei Dutzend Papierkragen bestimmter Art und Güte, so bestelle ich mir verbrauchbare Sachen, indem ich sie ganz allgemein, nach Gattungsmerkmalen bezeichne. Diese verbrauchbaren Sachen sind zugleich vertretbare Sachen. Bestelle ich mir dagegen 3 Dutzend Knöpfe bestimmter Art und Güte, so bestelle ich mir zwar vertretbare aber nicht verbrauchbare Sachen. Ich bezeichne sie jedoch ebenfalls so allgemein, daß sie nur als Gattungssache und nicht als Spezießsache in Frage kommen.

3) Jede Sache ist zusammengesetzt aus Bestandteilen. Bestandteile eines Hauses sind die Backsteine, sie haben, solange sie Be-

standteile sind, juristisch kein selbständiges Dasein, sie können nicht Gegenstand besonderer Rechte sein (§ 93). Es kann also nicht A. Eigentümer des Hauses und B. Eigentümer einiger eingemauerter Backsteine sein.

„Bestandteile einer Sache, die von einander nicht getrennt werden können, ohne daß der eine oder der andere zerstört oder in seinem Wesen verändert wird (wesentliche Bestandteile), können nicht Gegenstand besonderer Rechte sein" (§ 93).

„Zu den wesentlichen Bestandteilen eines Grundstücks gehören die mit dem Grund und Boden fest verbundenen Sachen, insbesondere Gebäude, sowie die Erzeugnisse des Grundstücks, solange sie mit dem Boden zusammenhängen. Samen wird mit dem Aussäen, eine Pflanze wird mit dem Einpflanzen wesentlicher Bestandteil des Grundstücks.

Zu den wesentlichen Bestandteilen eines Gebäudes gehören die zur Herstellung des Gebäudes eingefügten Sachen" (§ 94).

Nach der Begriffsbestimmung des § 93 wären eigentlich Backsteine nicht immer und notwendig wesentlicher Bestandteil des Grundstücks, aber sie sind es kraft der ausdrücklichen Bestimmung des § 94. Man wird alle diejenigen Bestandteile für wesentlich erachten müssen, durch deren Trennung von der Hauptsache sie oder die Hauptsache infolge Wesensveränderung ganz oder doch bedeutend entwertet werden. Denn § 93 will verhindern, daß aus einer Sache Bestandteile herausgefordert werden können, nach deren Trennung die Hauptsache unverhältnismäßig entwertet wird oder die ohne die Hauptsache nur geringen Wert haben. Unwesentliche Bestandteile dagegen, die für die Hauptsache nicht solche wirtschaftliche Bedeutung haben oder die auch selber durch die Trennung nicht sehr entwertet werden, können Gegenstand eines selbständigen Rechtes sein, sodaß A. der Eigentümer der Hauptsache, B. Eigentümer des Bestandteils ist und B. von A. die Herausgabe des unwesentlichen Bestandteils verlangen kann. Unwesentlicher Bestandteil ist z. B. der gewöhnliche Rahmen eines Bildes, wie er zu jeder Zeit neu in einem Laden gekauft werden und ohne Veränderung von dem Bilde getrennt werden kann. Ist jedoch zu einem wertvollen Gemälde von dem Künstler ein besonderer Rahmen entworfen, der, nur in einem einzigen Exemplare existierend, mit dem Bilde eine künstlerische Einheit bildet, so ist dieser Rahmen ein so wesentlicher Bestandteil des ganzen, als einheitliche Sache aufzufassenden Kunstwerks, daß an ihm keine selbständigen Rechte bestehen können. Es wird auf diese Weise dafür gesorgt, daß das Kunstwerk nicht durch Trennung entwertet wird.

In Ansehung der Grundstücke geht das B.G.B. davon aus, daß die Hauptsache unter allen Umständen der Grund und Boden ist, daß der Eigentümer von Grund und Boden notwendig Eigentümer von Allem ist, das mit dem Grund und Boden verbunden ist. Insbesondere kann nur derjenige Eigentümer eines Hauses sein, dem der Grund und Boden gehört, denn das Haus wird nur als Bestandteil des Grundstücks angesehen. Eine Ausnahme machen das Erbbaurecht, s. unten § 63, und die Grundbienstbarkeiten, s. unten § 64. Die Bestandteile müssen aber der Hauptsache dauernd eingefügt sein.

„Zu den Bestandteilen eines Grundstücks gehören solche Sachen nicht, die nur zu einem vorübergehenden Zwecke mit dem Grund und Boden verbunden sind (z. B. Marktbude, Festzelt, fliegender Zirkus).

Sachen, die nur zu einem vorübergehenden Zweck in ein Gebäude eingefügt sind, gehören nicht zu den Bestandteilen eines Gebäudes" (§ 95). Ist zum Zweck der Illumination dem Gebäude eine gemietete elektrische Beleuchtungsanlage in Form eines Buchstabens oder eines Monogrammes eingefügt worden, so wird dies durch die Einfügung nicht zu einem Bestandteil des Hauses. Es wird nicht einmal unwesentlicher Bestandteil.

Bestandteile können auch sein unkörperliche Dinge, nemlich Rechte, die mit dem Grundstück verbunden sind, z. B. Realberechtigungen etwa auf Lieferung einer gewissen Menge Holz oder Dienstbarkeiten, etwa eine Weidegerechtigkeit auf einem anderen Grundstück (§ 96).

4) Von den Bestandteilen einer Sache ist zu scheiden das Zubehör. „Zubehör sind bewegliche Sachen, die, ohne Bestandteile der Hauptsache zu sein, dem wirtschaftlichen Zwecke der Hauptsache zu dienen bestimmt sind (z. B. Hausschlüssel, Doppelfenster, Vorthüren) und zu ihr in einem dieser Bestimmung entsprechenden räumlichen Verhältnisse stehen. Eine Sache ist nicht Zubehör, wenn sie im Verkehr nicht als Zubehör angesehen wird.

Die vorübergehende Benutzung einer Sache für den wirtschaftlichen Zweck einer anderen begründet nicht die Zubehöreigenschaft. Die vorübergehende Trennung eines Zubehörstücks von der Haupt- sache hebt die Zubehöreigenschaft nicht auf" (§ 97).

Es wird also gefordert die Bestimmung, dauernd zu dienen und zwar dem Grundstück als solchem nicht bloß dem augenblick- lichen Eigentümer, ferner ein räumliches Verhältnis zur Sache.

Nach § 98 dienen dem wirthschaftlichen Zweck der Hauptsache und sind geeignet, Zubehör zu sein, insbesondere die Maschinen von Mühlen, Schmieden, Brauhäusern, Fabriken, ferner Gerät, Vieh und Dünger, soweit er auf dem Gut gewonnen ist, 2c.

Der Unterschied zwischen Bestandteil und Zubehör ist haupt- sächlich ein äußerer, Zubehörteile sind selbständige Sachen, Bestand- teile nicht. Sie werden juristisch ziemlich gleich behandelt, insofern z. B. ein Kauf im Zweifel sich auch auf das Zubehör erstreckt (§ 314), während dies beim Bestandteil allerdings selbstverständlich ist. Aber es ist doch möglich, daß ein unwesentlicher Bestandteil ebenso wie das Zubehör von der Veräußerung ausgeschlossen wird. Denn wesentliche Bestandteile können freilich nur im Eigentum des Eigentümers der Sache stehen, Zubehör und unwesentliche Bestand- teile können auch jemand gehören, der nicht Eigentümer der Haupt- sache ist. Nur so viel läßt sich sagen, daß mit der Bezeichnung der Sache die Bestandteile stets und immer mitgemeint sind, nicht bloß im Zweifel. Aber praktisch hat dieser Unterschied auch wenig zu bedeuten.

5) Ferner kennt das B.G.B. noch Früchte. „Früchte einer Sache sind die Erzeugnisse der Sache und die sonstige Ausbeute, welche aus der Sache ihrer Bestimmung gemäß gewonnen wird (also Korn, Obst, bei Forsten das regelmäßige Schlagholz, aber auch das durch den außerordentlicher Weise eintretenden Windbruch gestürzte Holz).

Früchte eines Rechtes sind die Erträge, welche das Recht seiner Bestimmung gemäß gewährt, insbesondere bei einem Rechte auf Ge- winnung von Bodenbestandteilen (Mergel, Kies, Lehm, Steine) die gewonnenen Bestandteile.

Früchte sind auch die Erträge, welche eine Sache oder ein Recht vermöge eines Rechtsverhältnisses gewährt (Mietzins des ver- mieteten Hauses, Pachtzins für das verpachtete Recht auf Wege- geld)" (§ 99). Zu beachten ist auch hier, daß das B.G.B. fordert, die Früchte sollen der Bestimmung der Sache oder des Rechtes gemäß gewonnen sein. Damit werden außerordentliche Erträge nicht ausgeschlossen, wenn sie auch nicht der ordnungsmäßigen Wirtschaft entsprechen, z. B. das vom Sturm gebrochene Holz.

6) Der Begriff der Nutzungen ist allgemeiner und umfaßt die Früchte, „sowie die Vorteile, welche der Gebrauch der Sache oder des Rechtes gewährt" (§ 100). Es gibt von Möbeln, Fahrrädern, Büchern, Gerätschaften keine Früchte, sie gewähren nur den Gebrauch, d. h. nach der Sprechweise des B.G.B. Nutzungen.

III. Der bisherigen Erörterung ist zu Grunde gelegt der Begriff der Einzelsache. Juristisch haben wir zu scheiden die zusammengesetzte und die nicht zusammengesetzte Einzelsache. Im natürlichen Sinne sind alle Sachen mit Ausnahme der Elemente zusammengesetzt, juristisch sind zusammengesetzt die Sachen, die unwesentliche Bestandteile enthalten, an denen ein Anderer als der Eigentümer der Sache das Eigentum haben kann. Mit den zusammengesetzten Sachen ist nicht zu verwechseln der Sachinbegriff, die Sachgesamtheit, z. B. Bibliothek, Viehherde. Diese Sachgesamtheit ist wieder nicht zu verwechseln mit der Sachmenge, z. B. ein Haufen Getreidekörner, Stroh, Seegras, Heu, Werg, Mehl ꝛc. Bei der Bibliothek hat jedes Buch seinen besonderen, selbständigen Wert, ebenso bei der Herde jedes Tier, aber Heu- und Strohhalme, Sand- und Getreidekörner ꝛc., bezeichnend Mengesachen genannt, haben einzeln keinen Wert, kommen wirtschaftlich nur in gewissen Mengen in Betracht und nur in gewissen Mengen werden sie vom Rechte berücksichtigt. Daraus folgt, daß sie solange sie für den Verkehr (wegen ihrer geringen Menge) gleichgültig sind, sie auch für das Recht gleichgültig sein werden, weil dann eben kein Mensch an ihnen ein Interesse nimmt. Sie werden für das Recht erst wichtig, sobald die Menschen an ihnen Interesse nehmen. Wie groß die Menge sein muß, läßt sich nicht allgemein bestimmen, ja es kann eintreten, daß eine Sache zu der einen Zeit schon in der Einzahl für den Verkehr wichtig wird, zu der anderen Zeit nur in größerer Zahl, z. B. der Samen einer neuen Pflanze wird durch einen Entdeckungsreisenden nach Deutschland gebracht und jedes Samenkorn wird zu Anfang einzeln bezahlt, weil es wegen der Seltenheit des Samens seinen eigenen Wert hat. Sinkt der Wert des Samens infolge erfolgreichen Anbaues, so wird er für die Menschen erst wertvoll in gewiſſen Mengen. Undenkbar iſt es auch nicht, daß ein bisher ziemlich häufig vorhandener Samen sehr selten wird und schließlich die einzelnen Samenkörner schon in der Einzahl Wert gewinnen. Solange aber nur die Mehrzahl für den Verkehr von Bedeutung iſt, kann das Recht die Einzahl noch nicht berückſichtigen und das Recht an der Sache wird erſt anfangen bei einer Summe von Sachen. Dieſe Summe aber bildet im Rechtsſinne nur eine einzige Sache, denn die einzelnen Körner ꝛc. ſind ja als ſolche wertlos. Darum iſt ein Haufen Getreide im juriſtiſchen Sinne nur eine einzige Sache, nicht eine Mehrheit von Sachen.

Ganz anders ſteht es mit dem Sachinbegriff, da hier jede einzelne Sache ihren beſonderen ſelbſtändigen Wert hat: Wir haben hier eine Summe von ſelbſtändigen Sachen vor uns. Dadurch unterſcheidet ſich die Sachgeſamtheit von der Einzelſache, die ebenſo wie die Sachgeſamtheit unter Umſtänden in einer Menge von körperlich nicht zuſammenhängenden Sachen ſich darſtellen kann. Der Sachinbegriff kommt vor im § 92, und zwar wird dort als Beiſpiel eines Sachinbegriffs das Warenlager erwähnt.

Vertretbare Sachen dürfen nicht verwechſelt werden mit Mengeſachen. Beide werden zwar regelmäßig ſich decken, ſind aber doch begrifflich zu ſcheiden. Der Begriff der Mengeſachen ruht auf der Wertloſigkeit der einzelnen Sache, der Begriff der vertretbaren Sache darauf, daß alle Sachen derſelben Art einander im Werte gleichgeſchätzt werden, keine von der anderen bevorzugt wird. Die Grundlage für die verſchiedenen Begriffe iſt einmal Wertloſigkeit, andererſeits die Gleichwertigkeit der einzelnen Sachen. Beides kann bei derſelben Sache zutreffen (z. B. bei dem Weizenkorn ꝛc.), muß aber, freilich weniger aus praktiſchen Gründen, ſcharf von einander geſchieden werden.

Wir können alſo einteilen Einzelſache, zuſammengeſetzte Einzelſache, Sachinbegriff oder Sachgeſamtheit, Mengeſachen.

IV. Häufig taucht auch die Frage auf, ob Sachen teilbar ſeien. Im natürlichen Sinne ſind ſie es jedenfalls. Juriſtiſche Teilbarkeit bedeutet aber etwas Anderes, nemlich ob Perſonen, die an der Sache intereſſirt ſind, eine Teilung der Sache ſich gefallen laſſen müſſen. Über die Teilbarkeit einer Sache beſtimmt in erſter Linie das menſchliche Intereſſe und die Erwägung, daß wertvolle Sachen nicht beliebig der körperlichen Teilung, durch die ihr eigentlicher

Wert untergehen würde, preisgegeben werden sollen. Wann dies im einzelnen stattfindet, läßt sich schwer allgemein sagen; § 752 bestimmt, daß eine gemeinschaftliche Sache geteilt werden könne, wenn sie sich ohne Verminderung des Wertes in gleichartige, den Anteilen der Teilhaber entsprechende Teile zerlegen läßt. Wo dies nicht möglich ist, muß nach der Ausdrucksweise des § 753 die Teilung in Natur ausgeschlossen sein. Da die Teilbarkeit auch bei Schuldverhältnissen wichtig wird, ist zu vergleichen oben § 34, II, 1 S. 144 ff.

Zweiter Abschnitt.

Rechte an Sachen.

Erstes Kapitel.

Eigentum.

§ 50. Begriff und Inhalt.

I. Das Eigentum ist ein dingliches Recht, ein Recht an einem Dinge, so benannt im Gegensatz zum obligatorischen Recht. Beim Kauf, oben S. 85, ist der Unterschied zwischen dem Eigentum an einer Sache und dem Forderungsrecht auf eine Sache schon berührt worden, worauf hier verwiesen wird. Das B.G.B. sagt im § 903: „Der Eigentümer einer Sache kann, soweit nicht das Gesetz oder Rechte Dritter entgegenstehen, mit der Sache nach Belieben verfahren und Andere von jeder Einwirkung ausschließen". Er kann seine Sache zerstören, verändern, veräußern gegen und ohne Entgelt rc. Er kann aber doch nicht alles mit der Sache machen, was er will, denn ein völlig schrankenloses Recht an der Sache hat er nicht.

Darin, daß der Eigentümer jeden Anderen, soweit dieser nicht ein besonderes Recht hat, von der Einwirkung auf die Sache ausschließen darf, liegt sein unmittelbares Recht an der Sache selbst. Durch die Ausschließung Anderer wird erst das Eigentum begründet. Würde eine Abenteurerschar eines Tages eine unbewohnte Insel entdecken, so würden an sich alle Schätze der Insel für jeden zur Verfügung stehen. Wer einen Goldklumpen fände, würde aber an ihm noch kein juristisches Recht haben, er würde ihn nur solange behalten, als er sich selber im Besitz zu erhalten vermöchte. Der Goldklumpen wäre ihm gesichert nur durch die rohe Gewalt. An sich könnte jeder seiner Genossen ihn ebenso wohl für sich selber verlangen, und würde es bei der entsprechenden Rücksichtslosigkeit auch tun, wenn er dem Finder etwa an körperlichen Kräften überlegen wäre. Eine unmittelbare Verfügungsmöglichkeit steht ihm an sich nicht in einem höheren Grade zu, wie den übrigen Kameraden. Sie ist jedenfalls solange für alle gleich, als noch nicht Jemand durch überlegene Kraft oder List einen Vorsprung vor den Übrigen gewonnen hat. Soll nun Einer allein die ausschließliche Verfügungsgewalt haben, so müssen die anderen ausgeschlossen werden. Das Eigentum hat also eine negative Seite (Ausschluß der Übrigen), daneben besteht die positive Seite, dargestellt durch die dem Eigentümer zustehenden positiven Befugnisse. Und diese Befugnisse bestehen in der vom objektiven Rechte geschützten Möglichkeit, tatsächlich und juristisch über die Sache ausschließlich zu verfügen.

II. Das Eigentum ist wol das am wenigsten beschränkte, aber kein schrankenloses Recht. Dies zeigt sich in verschiedenen Beschränkungen, die sich der Eigentümer gefallen lassen muß und die ihm durch das B.G.B. auferlegt sind.

1. „Der Eigentümer einer Sache ist nicht berechtigt, die Einwirkung eines Anderen auf die Sache zu verbieten, wenn die Einwirkung zur Abwendung einer gegenwärtigen Gefahr notwendig und der drohende Schaden gegenüber dem aus der Einwirkung entstehenden Schaden unverhältnismäßig groß ist. Der Eigentümer kann Ersatz des ihm entstehenden Schadens verlangen" (§ 904). Der Eigentümer muß z. B. das Betreten seines Grundstücks dulden, damit das Feuer im Nachbarhause gelöscht werden kann.

2. An sich hat der Eigentümer die Verfügung nicht nur über die Erdoberfläche seines Grundstücks, vielmehr auch über den Raum über und unter ihr. Aber sein Recht geht nur soweit wie sein Interesse geht. Ich darf verbieten, daß ein Fremder auf meinem Grundstücke sich aufhalte, aber ich muß es mir gefallen lassen, daß ein Luftschiffer etwa 100 Meter über meinem Grundstück mit seinem Ballon stehen bleibt und sich über mir sozusagen häuslich einrichtet.

Der Eigentümer eines nach amerikanischem Muster gebauten sechszehnstöckigen Riesenhauses dagegen wird mit Recht die Entfernung des Ballons verlangen dürfen, weil dieser den obersten Fenstern die Aussicht sperrt oder andere Belästigungen der Einwohner mit sich bringt (§ 905).

3. Der Eigentümer darf es nicht verbieten, daß von einem anderen Grundstücke Rauch, Ruß, Dämpfe, Gase, Wärme, Gerüche, Erschütterungen ꝛc. auf sein Grundstück hinüberbringen, wenn dadurch die Benutzung seines Grundstückes nicht oder nur unwesentlich beeinträchtigt wird oder es nach den örtlichen Verhältnissen bei Grundstücken dieser Lage gewöhnlich ist, daß Rauch, Ruß ꝛc. in gewisser Menge hinüberbringen (§ 906).

4. „Ein Grundstück darf nicht in der Weise vertieft werden, daß der Boden des Nachbargrundstückes die erforderliche Stütze verliert, es sei denn, daß für eine genügende anderweitige Befestigung gesorgt ist" (§ 909). Ich darf also keinen Brunnen unmittelbar neben dem Nachbargrundstück ausschachten, sodaß dieses abrutscht.

5. Der Eigentümer muß ferner einen Notweg gegen Entschädigung dulden, wenn der Nachbar ohne den Weg nicht die zur ordnungsmäßigen Benutzung notwendige Verbindung mit dem öffentlichen Wege hat (§ 917).

6. An sich müßte jeder Eigentümer das Recht haben, Baum- und Strauchwurzeln, die vom Nachbargrundstück in sein Grundstück eindringen, oder überhängende Zweige vom Baum des Nachbarn abzuschneiden. Aber er darf es nicht, wenn die Wurzeln oder die Zweige die Benutzung des Grundstücks nicht beeinträchtigen (§ 910).

7. „Hat der Eigentümer eines Grundstücks bei der Errichtung eines Gebäudes über die Grenze gebaut, ohne daß ihm Vorsatz oder grobe Fahrlässigkeit zur Last fällt, so hat der Nachbar den Überbau zu dulden, es sei denn, daß er vor oder sofort nach der Grenzüberschreitung Widerspruch erhoben hat.

Der Nachbar ist durch eine Geldrente zu entschädigen" (§ 912).

8. Zu erwähnen ist auch, daß das Strafgesetzbuch verbietet, eigene Gebäude, Schiffe, Hütten, Waldungen, Torfmoore ꝛc. in Brand zu setzen, wenn sie nach Lage und Beschaffenheit geeignet sind, das Feuer 1) einem zu gottesdienstlichen Versammlungen bestimmten Gebäude, 2) einem Gebäude, einem Schiff oder einer Hütte, welche zur Wohnung von Menschen dienen, 3) einer Räum-

lichkeit, welche zeitweise zum Aufenthalt von Menschen dient, mitzuteilen, und zwar zu einer Zeit, während welcher Menschen in
derselben sich aufzuhalten pflegen (St.G.B. §§ 308, 306).

Den soeben aufgeführten Einschränkungen des Eigentums entsprechen mehrfach Erweiterungen des Eigentumsrechtes, insofern
z. B. den Beschränkungen des einen Eigentümers häufig erweiterte
Rechte des anderen Eigentümers entsprechen. Außerdem kennt das
B.G.B. noch mehrere Erweiterungen des Rechtes des Eigentümers,
die sich nicht notwendig gegen den Eigentümer eines anderen Grundstücks richten müssen, sich vielmehr auch gegen Nichteigentümer,
z. B. Mieter, Pächter richten können.

Der Eigentümer eines Grundstücks kann verlangen, daß auf
dem Nachbargrundstück, einerlei von wem, nicht Anlagen hergestellt
oder gehalten werden, von denen mit Sicherheit vorauszusehen ist,
daß sie z. B. seinem Grundstück mehr Rauch, Ruß, Dämpfe ꝛc.
(§ 906; s. oben S. 223) zuführen werden, als er sich nach § 906
gefallen lassen muß (§ 907), also Fabriken, Brauereien, Brenne-
reien ꝛc.

III. Die erwähnten Beschränkungen fallen zum großen Teil
unter das Nachbarrecht. Das B.G.B. hat eine Reihe von nach-
barrechtlichen Bestimmungen getroffen, um den Grenzfrieden zwischen
den Nachbarn möglichst zu sichern. Außer den erwähnten, die wir
schon unter dem Gesichtspunkte der Eigentumsbeschränkung kennen
gelernt haben, sind besonders erwähnenswert die Bestimmungen über
die Grenzregelung. „Der Eigentümer eines Grundstücks kann von
dem Eigentümer des Nachbargrundstücks verlangen, daß dieser zur
Errichtung fester Grenzzeichen und wenn ein Grenzzeichen verrückt
oder unkenntlich geworden ist, zur Wiederherstellung mitwirkt"
(§ 919 I). Voraussetzung ist, daß die richtige Grenze feststeht oder
sich ermitteln läßt. Läßt sich die richtige Grenze nicht ermitteln,
so wird die Grenze so gezogen, daß jeder das behält, was er tatsächlich, wenn auch vielleicht unberechtigt hat. Voraussetzung hiefür
aber ist wieder, daß feststeht oder sich feststellen läßt, wieviel ein
jeder tatsächlich hat, d. h. wie der augenblickliche tatsächliche Besitzstand ist, mag er auch in Widerspruch stehen mit der wahren Berechtigung. Ist aber streitig wieviel ein jeder hat, „so ist jedem
der Grundstücke ein gleich großes Stück der streitigen Fläche zuzuteilen" (§ 920).

„Werden zwei Grundstücke durch einen Zwischenraum, Rain, Winkel, einen Graben, eine Mauer, Hecke, Planke oder eine andere Einrichtung, die zum Vorteile beider Grundstücke dient, von einander geschieden, so wird vermutet, daß die Eigentümer der Grundstücke zur Benutzung der Einrichtung gemeinschaftlich berechtigt seien, sofern nicht äußere Merkmale darauf hinweisen, daß die Einrichtung einem der Nachbarn allein gehört" (§ 921).

„Steht auf der Grenze ein Baum, so gebühren die Früchte und, wenn der Baum gefällt wird, auch der Baum den Nachbarn zu gleichen Teilen. Jeder der Nachbarn kann die Beseitigung des Baums verlangen" (§ 923).

Zweites Kapitel.

Erwerb und Verlust des Eigentums an beweglichen Sachen.

§ 52. Übertragung.

I. Das Eigentum an einer beweglichen Sache wird durch Übergabe der Sache dem Empfänger verschafft.

„Zur Übertragung des Eigentums an einer beweglichen Sache ist erforderlich, daß der Eigentümer die Sache dem Erwerber übergibt und beide darüber einig sind, daß das Eigentum übergehen soll" (§ 929). Der Eigentümer bietet die Sache dem Erwerber an und dieser nimmt sie an im Einverständnis mit dem Eigentümer. Wir haben hier also vollständigen Konsens vor uns wie bei jedem anderen Vertrage. Der vorliegende Vertrag ist der Eigentumsübertragungsvertrag, die Tradition, dargestellt in Angebot und Annahme der Sache mit der Wirkung der Eigentumsübertragung. Wie der obligatorische Vertrag ein Forderungsrecht erzeugt, so erzeugt dieser Vertrag ein dingliches Recht. Er steht als ein neuer und besonderer Vertrag neben den übrigen uns schon bekannten Verträgen und gehört zu den Verträgen, die wir Juristen im Gegensatz zum Sprachgebrauch des Volkes als solche bezeichnen.

II. Die Übergabe kann unter Umständen gespart werden. Hat nemlich der Erwerber die Sache schon im Besitze, weil etwa der

Veräußerer sie ihm vermietet, geliehen hat, so müßte genau genommen er die Sache dem Eigentümer zurückgeben und dieser müßte sie ihm dann übergeben, um Eigentum zu übertragen. Dies wiederholte Hin- und Hergeben können die Parteien sparen. „Ist der Erwerber im Besitze der Sache, so genügt die Einigung über den Übergang des Eigentums" (§ 929). Dies nennt man Übertragung kurzer Hand, brevi manu traditio.

III. Umgekehrt „ist der Eigentümer im Besitze der Sache, so kann die Übergabe dadurch ersetzt werden, daß zwischen ihm und dem Erwerber ein Rechtsverhältnis vereinbart wird", vermöge dessen der Erwerber den Besitz erlangt, indem der frühere Eigentümer anfängt die Sache für den Erwerber zu besitzen (§ 930). Dies geschieht dann, wenn der Eigentümer die Sache verkauft, sie von dem neuen Käufer sofort wieder mietet und fortan nicht mehr für sich sondern für den Erwerber besitzt. Auch hier wird Hin- und Hergeben gespart, man nennt diesen Vorgang constitutum possessorium.

IV. „Ist ein Dritter im Besitze der Sache, so kann die Übergabe dadurch ersetzt werden, daß der Eigentümer dem Erwerber den Anspruch auf Herausgabe der Sache abtritt." (§ 931.)

V. „Durch eine nach § 929 erfolgte Veräußerung wird der Erwerber auch dann Eigentümer, wenn die Sache nicht dem Veräußerer gehört, es sei denn, daß er zu der Zeit, zu der er nach diesen Vorschriften das Eigentum erwerben würde, nicht in gutem Glauben ist. In dem Falle des § 929 Satz 2 (Übergabe kurzer Hand) gilt dies jedoch nur dann, wenn der Erwerber den Besitz von dem Veräußerer erlangt hatte" (d. h. der Veräußerer muß seiner Zeit dem jetzigen Erwerber die Sache geliehen, vermietet haben ꝛc., es genügt nicht, daß ein Anderer dem Erwerber die Sache geliehen, vermietet habe).

Der Erwerber ist nicht in gutem Glauben, wenn ihm bekannt oder in Folge grober Fahrlässigkeit unbekannt ist, daß die Sache nicht dem Veräußerer gehört" (§ 932).

Ein sehr wichtiger Grundsatz! Eigentlich kann Jemand, der nicht Eigentümer ist, einem Anderen das Eigentum an der Sache nicht verschaffen, denn es kann Niemand mehr Rechte übertragen, als er selbst hat; aber der Erwerber soll wegen seines guten Glaubens doch geschützt werden, und da das B.G.B. vor der Wahl

ſtand, den gutgläubigen Dritten ungeſchützt zu laſſen oder ihm das
Eigentum zu verſchaffen, hat es ſich für das Letztere entſchieden.
Es kann alſo der Eigentümer ſein Eigentum dadurch verlieren, daß
ein Nichteigentümer die Sache an einen gutgläubigen Dritten veräußert. Dies gilt aber nur bei den Sachen, die der Veräußerer
freiwillig aus der Hand gegeben hat. Iſt ihm die Sache geſtohlen,
verloren gegangen oder ſonſt abhanden gekommen, erwirbt der gutgläubige Erwerber kein Eigentum (§ 935). Der Gedanke iſt: Wer
ſeine Sachen freiwillig einem Anderen anvertraut, muß die Folgen
tragen, wenn dieſer das in ihn geſetzte Vertrauen täuſcht, der Dritte
darf nicht darunter leiden. „Wo du deinen Glauben gelaſſen haſt,
da mußt du ihn wieder ſuchen."

An Geld, Inhaberpapieren (ſ. oben S. 130 ff.) und an Sachen,
die im Wege öffentlicher Verſteigerung veräußert werden, erwirbt
der gutgläubige Erwerber auch dann Eigentum, wenn ſie geſtohlen,
verloren ꝛc. waren (§ 935).

Beſonderes gilt von dem Erwerb durch constitutum possessorium: Es genügt zum Erwerbe nicht, daß der veräußernde Nichteigentümer anfängt die Sache für den Erwerber zu beſitzen, vielmehr muß der Veräußerer, wenn er nicht Eigentümer iſt, die Sache
dem Erwerber richtig übergeben und der Erwerber erhält erſt mit
der Übergabe das Eigentum, es ſei denn, daß er zur Zeit der
Übergabe nicht in gutem Glauben iſt (§ 933). Wird alſo am
1. Januar die Sache von dem Nichteigentümer verkauft und ſogleich
von ihm bis zum 1. März gemietet und am 1. März erſt dem Erwerber übergeben, ſo erhält der Erwerber das Eigentum erſt am
1. März, wenn er an dieſem Termin in gutem Glauben iſt. Wäre
der Veräußerer Eigentümer geweſen, ſo hätte der Erwerber ſchon
am 1. Januar das Eigentum erworben.

VI. Mit dem Erwerb des Eigentums durch den gutgläubigen
Erwerber erliſcht außer dem Eigentum des früheren Eigentümers
auch ein etwaiges Pfandrecht, ein Nießbrauch ꝛc. an der Sache
(§ 936). Der Erwerber erhält die Sache frei von allen Laſten
und Beſchränkungen, wenn ſie ihm weder bekannt, noch aus grober
Fahrläſſigkeit unbekannt ſind. Das bringt natürlich für Andere eine
Schädigung mit ſich. Hiergegen hilft § 816. „Trifft ein Nichtberechtigter über einen Gegenſtand eine Verfügung, die dem Berechtigten gegenüber wirkſam iſt, ſo iſt er dem Berechtigten zur

15 *

Herausgabe des durch die Verfügung Erlangten verpflichtet. Erfolgt die Verfügung unentgeltlich, so trifft die gleiche Verpflichtung denjenigen, welcher auf Grund der Verfügung unmittelbar einen rechtlichen Vorteil erlangt" (der gutgläubige Empfänger einer fremden ihm geschenkten Sache). Daneben bleibt die Verpflichtung bestehen, nach den Regeln über die unerlaubten Handlungen Ersatz zu geben.

§ 53. Ersitzung.

I. „Wer eine bewegliche Sache zehn Jahre im Eigenbesitze hat, erwirbt das Eigentum. (Ersitzung.)

Die Ersitzung ist ausgeschlossen, wenn der Erwerber bei dem Erwerbe des Eigenbesitzes nicht in gutem Glauben ist oder wenn er später erfährt, daß ihm das Eigentum nicht zusteht" (§ 937). Was Eigenbesitz ist sagt § 872: „Wer eine Sache als ihm gehörend besitzt, ist Eigenbesitzer". Die Erfordernisse der Ersitzung sind also 1. Eigenbesitz, 2. guter Glaube, 3. Ablauf von 10 Jahren.

II. Durch den gutgläubigen Eigenbesitz geht aber nicht immer das Eigentum über, sondern nur dann, wenn der Eigentümer während der Ersitzungszeit rechtlich nicht gehindert war, sein Eigentum geltend zu machen. Denn wenn dem Eigentümer etwa durch einen Mietvertrag oder durch ein Pfandrecht eines Anderen die Hände gebunden sind, wäre es sehr ungerecht, eine Ersitzung zuzulassen, wo er doch mit dem besten Willen nichts tun kann, um sie zu hindern. Gesetzt, S. verpfändet dem G. eine Sache, dieser leiht sie dem A. Die Schuld des S. wird erst nach langen sieben Jahren berichtigt und beide Teile haben das bei A. befindliche Pfand völlig vergessen, fordern es darum auch nicht ein. A. stirbt, seine Erben wissen von dem Leihvertrage nichts und nehmen daher die Sache gutgläubig in Eigenbesitz. Wann kann die Ersitzung beginnen? Jedenfalls noch nicht zu Lebzeiten des A., denn dieser ist entweder in bösem Glauben, weil er weiß, oder er ist grob fahrlässig, weil er vergessen hat, daß ihm die Sache geliehen ist (§ 932). Die Ersitzung kann also frühestens mit dem Tode des A. beginnen. Aber sie beginnt auch dann nicht immer, wenn nemlich S. seine Schuld an G. noch nicht berichtigt hat. Die Ersitzung kann erst dann beginnen, wenn S. sich die Sache zurückfordern kann. Dies ist erst nach 7 Jahren möglich und, wenn A. schon nach 3 Jahren gestorben ift, kann bie Erfitzung ber Erben bes A. erft 4 Jahre nach feinem Tobe beginnen (§ 939). Umgekehrt ftirbt A. 3 Jahre nach Berichtigung ber Schulb, fo kann bie Erfitzung erft mit feinem Tobe beginnen wegen bes Erforberniffes bes guten Glaubens.

III. „Die Erfitzung wird burch ben Berluft bes Eigenbefitzes unterbrochen" (§ 940). Es kommt nicht barauf an, ob ber Erfitzenbe von bem Eigentümer ober irgenb einem Dritten aus bem Befitz gefetzt ift.

Die Erfitzung wird unterbrochen, wenn ber Eigentümer auf Grunb feines Eigentums klagt (§ 941).

Läuft bie Erfitzung schon 8 Jahre unb wirb fie unterbrochen, fo kann nach ber Unterbrechung wieber eine neue Erfitzung beginnen, aber bie verfloffenen 8 Jahre werben nicht gerechnet. Die neue Erfitzung muß wie jebe anbere Erfitzung 10 Jahre laufen (§ 942).

IV. Der Erfitzenbe kann sich bie Befitzeit feines Vormanns anrechnen, wenn er ihm in feinem Rechte folgt (§ 943). A. erbt bie Sache von B., B. hat schon fünf Jahre hinburch erfeffen. A.'s Erfitzungszeit läuft nur noch fünf Jahre.

V. Mit bem Eigentum bes früheren Eigentümers erlöschen auch Pfandrecht, Nießbrauch 2c. britter (§ 945) (vergl. § 52, VI).

§ 54. Verbinbung. Vermifchung. Verarbeitung.

I. „Wirb eine bewegliche Sache mit einem Grunbftücke bergeftalt verbunben, baß fie wefentlicher Beftanbteil bes Grunbftücks wirb (Samen, Pflanze f. oben S. 215 ff.), fo erftreckt sich bas Eigentum an bem Grunbftück auf bie Sache" (§ 946).

II. „Werben bewegliche Sachen mit einanber bergeftalt verbunben, baß fie wefentliche Beftanbteile einer einheitlichen Sache werben, fo werben bie bisherigen Eigentümer Miteigentümer biefer Sache (Gewehrlauf unb Schäftung mit Schloß). Ift eine ber Sachen als bie Hauptfache anzufehen, fo erwirbt ihr Eigentümer Alleineigentum" (§ 947). Dem A. fehlt eine Schieblabe in feiner Kommobe, bes B. Kommobe ift verbrannt mit Ausnahme einer einzigen für fich wertlofen Schieblabe. Diefe paßt in bie Kommobe bes A. unb A. fügt fie ein. Die Verbinbung ift bamit hergeftellt, burch fie bekommen beibe Sachen wieber Wert, bie Schieblabe wirb zum

wesentlichen Bestandteil der Kommode und A. und B. werden Mit-
eigentümer, wenn die Kommode oder das, was von ihr ohne die
Schieblade übrig bleibt, nicht als die Hauptsache anzusehen ist.
Im letzteren Falle wird A. Alleineigentümer von Schieblade und
Kommode [1]).

III. „Werden bewegliche Sachen untrennbar mit einander
vermischt oder vermengt, so finden die Vorschriften des § 947 entsprechende Anwendung" (§ 948). „Der Untrennbarkeit steht es
gleich, wenn die Trennung der vermischten oder vermengten Sachen
mit unverhältnismäßigen Kosten verbunden sein würde" (§ 948).
Beispiel: Verschiedenartiges Getreide verschiedener Eigentümer wird
vermengt, es entsteht Miteigentum.

IV. „Wer durch Verarbeitung oder Umbildung eines oder
mehrerer Stoffe eine neue bewegliche Sache herstellt (Standbild aus
dem Marmor, Kleid aus dem Stoff, Boot aus dem Holz, Gefäß
aus dem Blech, Mehl aus dem Korn, Wein aus der Traube), erwirbt das Eigentum an der neuen Sache, sofern nicht der Wert
der Verarbeitung oder Umbildung erheblich geringer ist als der
Wert des Stoffes (Seiden- oder Brokatkleid, andererseits Kattun-
kleid). Als Verarbeitung gilt auch das Schreiben, Zeichnen, Malen,
Drucken, Gravieren, oder eine ähnliche Bearbeitung der Oberfläche"
(§ 950) [Photographie auf fremdem Platin- oder Bromsilberpapier].

Dies ist Eigentumserwerb durch Spezifikation, durch
menschliche Arbeit. Wann eine neue Sache vorliegt, ist Frage des
einzelnen Falles und wesentlich nach der Anschauung des Verkehrs
zu entscheiden. Damit der Verarbeiter oder Umbildner das Eigentum erwerbe, ist notwendig eine neue Sache und größerer Wert der
Arbeit als des Stoffes. Wer für einen Andern arbeitet, erwirbt
für ihn das Eigentum (Fabrikarbeiter — Fabrikant).

V. Wer durch Vermischung, Vermengung, Verarbeitung einen
Verlust an Rechten erleidet, da sein Eigentum oder auch sein Pfandrecht, sein Nießbrauch rc. untergeht (§ 949), „kann von demjenigen,
zu dessen Gunsten die Rechtsänderung eintritt, Vergütung in Geld
nach den Vorschriften über die Herausgabe einer ungerecht-

---

1) Die Entscheidungen betr. Kommode und Gewehr sprechen nicht an und
lassen sich nur umgehen, wenn man Gewehr und Kommode entgegen dem B.G.B.
und der Volksanschauung als Mehrheiten von selbständigen Sachen auffaßt.

fertigten Bereicherung fordern. Die Wiederherstellung des früheren Zustandes kann nicht verlangt werden" (§ 951). In allen Fällen der Verbindung, Vermischung, Verarbeitung kommt es garnicht darauf an, ob die Vermischung, Verbindung, Verarbeitung gutgläubig oder bösgläubig vorgenommen ist. Die bloße Tatsache der Vermischung, Vermengung, Verarbeitung muß genügen, da das B.G.B. guten Glauben nicht fordert. Daneben bleibt der Betreffende selbstverständlich verpflichtet, wenn seine Handlung (Vermengen ꝛc.) sich als eine unerlaubte Handlung darstellt, nach den Regeln über die unerlaubten Handlungen **Schadensersatz** zu geben. Über sonstige Verpflichtungen vergl. § 951.

§ 55. Erwerb von Erzeugnissen und sonstigen Bestandteilen einer Sache.

Grundsätzlich gehören Erzeugnisse (Äpfel, Birnen) und sonstige Bestandteile einer Sache (Bäume, Pflanzen, Thon, Mergel, Kies) auch nach der Trennung dem Eigentümer der Sache (§ 953). Aber es gibt Ausnahmen.

Der Nießbraucher einer Sache erwirbt das Eigentum an den Erzeugnissen, sowie sie von der Hauptsache getrennt sind (§ 954). Der Pächter ebenfalls, da der Besitz der Sache ihm überlassen ist (§ 956), ebenso wer eine Sache im Eigenbesitz hat, z. B. der Ersitzer (§ 955 [s. oben S. 230]). Derjenige, dem die Früchte verkauft sind, erwirbt aber das Eigentum erst, wenn er sie in seine Gewalt bekommen hat (§ 956).

§ 56. Aneignung und Dereliktion.

I. „Wer eine herrenlose bewegliche Sache (weggeworfenen Zigarrenstummel) in Eigenbesitz nimmt, erwirbt das Eigentum an der Sache. Das Eigentum wird nicht erworben, wenn die Aneignung gesetzlich verboten ist oder wenn durch die Besitzergreifung das Aneignungsrecht eines Anderen (Jagdrecht) verletzt wird" (§ 958). Der Wilderer erwirbt kein Eigentum an dem erbeuteten Wilde. Die Aneignung heißt auch Okkupation, ihr gegenüber steht die die Herrenlosigkeit begründende Aufgabe, Dereliktion.

„Eine bewegliche Sache wird herrenlos, wenn der Eigentümer in der Absicht, auf das Eigentum zu verzichten, den Besitz der Sache aufgibt" (§ 959), z. B. die dem Todten in das Grab mitgegebenen Sachen, die abgeschnittenen Haare, die man beim Friseur zurückläßt.

II. Einige Sachen sind von Anfang an herrenlos. „Wilde Tiere sind herrenlos, solange sie sich in der Freiheit befinden (Wild). Wilde Tiere in Tiergärten und Fische in Teichen oder anderen geschlossenen Privatgewässern sind nicht herrenlos.

Erlangt ein gefangenes wildes Tier (Menagerielöwe) die Freiheit wieder, so wird es herrenlos, wenn nicht der Eigentümer das Tier unverzüglich verfolgt oder wenn er die Verfolgung aufgibt.

Ein gezähmtes Tier wird herrenlos, wenn es die Gewohnheit ablegt, an den ihm bestimmten Ort zurückzukehren" (gezähmter Storch, Kranich, Fuchs [§ 960]).

„Zieht ein Bienenschwarm aus, so wird er herrenlos, wenn nicht der Eigentümer ihn unverzüglich verfolgt oder wenn der Eigentümer die Verfolgung aufgibt" (§ 961).

In den soeben behandelten Fällen haben wir Eigentumsverlust ohne Eigentumswechsel. Die hier behandelten Tatbestände stellen den reinen Eigentumsverlust dar, während die Aneignung nicht notwendig auf eine Sache sich beziehen muß, die schon im Eigentum war.

§ 57. Fund.

I. Der Fund nimmt eine eigentümliche Stellung ein, denn er setzt nicht Herrenlosigkeit der Sache voraus und gibt selber noch nicht ohne weiteres das Eigentum an der gefundenen Sache.

„Wer eine verlorene Sache findet und an sich nimmt, hat dem Verlierer oder dem Eigentümer oder einem sonstigen Empfangsberechtigten unverzüglich Anzeige zu machen.

Kennt der Finder die Empfangsberechtigten nicht oder ist ihm ihr Aufenthalt unbekannt, so hat er den Fund und die Umstände, welche für die Ermittelung des Empfangsberechtigten erheblich sein können, unverzüglich der Polizeibehörde anzuzeigen. Ist die Sache nicht mehr als drei Mark wert, so bedarf es der Anzeige nicht" (§ 965).

Der Finder muß die Sache verwahren, ist dies unverhältnismäßig teuer oder ist die Sache leicht verderblich, so muß er sie öffentlich versteigern lassen (§ 966); auf Anordnung der Polizeibehörde muß er die Sache oder den Versteigerungserlös an die Polizeibehörde abliefern (§ 967).

„Der Finder wird durch die Herausgabe der Sache an den Verlierer auch den sonstigen Empfangsberechtigten (z. B. dem Eigentümer, der aber selbst die Sache nicht verloren hat) gegenüber befreit" (§ 969).

Erfüllt der Finder die ihm obliegenden Pflichten nicht oder übt er seine Befugnisse in fehlerhafter Weise aus, so hat er nur Vorsatz und grobe Fahrlässigkeit zu vertreten (§ 968).

II. Aufwendungen wegen der gefundenen Sache kann er entsprechend den Bestimmungen des § 970 ersetzt verlangen.

Er kann ferner einen Finderlohn von dem Empfangsberechtigten verlangen, der in gewissen Prozenten des Wertes besteht. „Der Anspruch ist ausgeschlossen, wenn der Finder die Anzeigepflicht verletzt oder den Fund auf Nachfrage verheimlicht" (§ 971).

III. „Mit dem Ablauf eines Jahres nach der Anzeige des Fundes bei der Polizeibehörde erwirbt der Finder das Eigentum an der Sache, es sei denn, daß vorher ein Empfangsberechtigter dem Finder bekannt geworden ist oder sein Recht bei der Polizeibehörde angemeldet hat.

Ist die Sache nicht mehr als drei Mark wert, so beginnt die einjährige Frist mit dem Funde. Der Finder erwirbt das Eigentum nicht, wenn er den Fund auf Nachfrage verheimlicht" (§ 973).

„Verzichtet der Finder der Polizeibehörde gegenüber auf das Recht zum Erwerbe des Eigentums an der Sache, so geht sein Recht auf die Gemeinde des Fundorts über" (§ 976).

IV. Das Eigentum geht verloren, wie auch Pfandrecht und Nießbrauch ꝛc. (§ 973), aber der frühere Eigentümer, Pfandgläubiger, Nießbraucher ꝛc. kann von dem Finder oder von der Gemeinde des Fundorts die Herausgabe des durch den Eigentumsübergang ꝛc. Erlangten nach den Vorschriften über die Herausgabe einer ungerechtfertigten Bereicherung fordern. „Der Anspruch erlischt nach Ablauf von drei Jahren nach dem Übergange des Eigentums auf den Finder" (§ 977). Vergl. § 52, VI; § 53 V.

V. Besondere Vorschriften gelten, wenn eine Sache in den Geschäftsräumen oder den Beförderungsmitteln einer öffentlichen

Behörde oder einer dem öffentlichen Verkehre dienenden Verkehrsanstalt gefunden wird (Staatseisenbahn, private Pferdebahn). Wer
die Sache an sich nimmt, hat sie „unverzüglich an die Behörde
oder die Verkehrsanstalt oder an einen ihrer Angestellten abzuliefern"
(§ 978).

Die Behörde oder Verkehrsanstalt kann die Sache versteigern
lassen, nachdem sie den Fund öffentlich bekannt gemacht und die
Empfangsberechtigten zur Anmeldung ihrer Rechte binnen bestimmter
Frist aufgefordert und niemand sich gemeldet hat (§ 980).

Drei Jahre nach Ablauf der Frist fällt der Versteigerungserlös, wenn kein Empfangsberechtigter sich meldet, an den Fiskus
des Reiches oder des Bundesstaates, an die Gemeinde oder an die
Privatperson, je nachdem wessen die Behörde oder Verkehrsanstalt
ist (§ 981).

VI. Um etwas Anderes handelt es sich, wenn eine Sache gefunden wird, die einmal in früheren Zeiten vom Eigentümer oder
sonst jemand verborgen worden ist (z. B. in Kriegszeiten, um sie zu
verstecken) und später gefunden wird. Dann haben wir den sogenannten Schatzfund vor uns. „Wird eine Sache, die so lange
verborgen gelegen hat, daß der Eigentümer nicht mehr zu ermitteln
ist (Schatz), entdeckt und infolge der Entdeckung in Besitz genommen,
so wird das Eigentum zur Hälfte von dem Entdecker, zur Hälfte
von dem Eigentümer der Sache erworben, in welcher der Schatz
verborgen war" (§ 984).

§ 58. Allgemeine Bemerkungen über Rechtserwerb und Rechtsverlust bei beweglichen Sachen.

Einige Eigentumserwerbsarten haben stets Eigentumsverlust
eines Anderen zur Voraussetzung, vor Allem der Eigentumsübertragungsvertrag, die Tradition. Sie ist zugleich Eigentumsverlust
und Eigentumserwerb. Ebenso steht es mit der Ersitzung, Verbindung, Vermischung, Verarbeitung und dem Erwerb von Erzeugnissen
und sonstigen Bestandteilen einer Sache und mit dem Funde.

Eigentumserwerb ohne entsprechenden Eigentumsverlust ist die
Aneignung, Okkupation. Eigentumsverlust ohne entsprechenden Eigentumserwerb durch einen Anderen ist die Aufgabe, die Dereliktion.

Die Eigentumsübertragung ist, wie schon ausgeführt, ein Vertrag und zwar ein dinglicher Vertrag. Dies ist keine theoretische Spielerei, sondern praktisch bedeutsam. Wem ich in seiner Abwesenheit, um ihn durch ein Geschenk zu überraschen, eine Kiste mit Zigarren in das Zimmer stelle, der erwirbt das Eigentum erst, wenn er davon erfährt und das Geschenk annimmt.

Die übrigen Erwerbs- und Verlusttatbestände sind einseitige Handlungen, die keiner Annahme bedürfen.

Drittes Kapitel.

Erwerb und Verlust des Eigentums an Grundstücken.

§ 59. Übertragung. Widerspruch. Vormerkung. Ersitzung. Verzicht.

I. Das Eigentum an Grundstücken wird übertragen durch Doppelakt, Auflassung und Eintragung. Fehlt eines von beiden, so geht das Eigentum auf den Erwerber nicht über. Das B.G.B. drückt dies sehr abstrakt aus: „Zur Übertragung des Eigentums an einem Grundstück . . . ist die Einigung des Berechtigten und des anderen Teiles über den Eintritt der Rechtsänderung und die Eintragung der Rechtsänderung in das Grundbuch erforderlich" (§ 873). „Die zur Übertragung des Eigentums an einem Grundstück nach § 873 erforderliche Einigung des Veräußerers und des Erwerbers (Auflassung) muß bei gleichzeitiger Anwesenheit beider Teile vor dem Grundbuchamt erklärt werden" (§ 925). Die Auflassung enthält die Erklärung des Veräußerers, daß er das Eigentum übertrage und enthält ferner die Erklärung des Erwerbers, daß er die Übertragung annehme. Sie enthält also alle Momente eines Vertrages und ist in der Tat ein dinglicher Vertrag, der Eigentumsübertragungsvertrag. Bei Immobilien genügt der Eigentumsübertragungsvertrag allein nicht, es muß die Eintragung in das Grundbuch hinzukommen.

Das Grundbuch ist ein vom Staate angelegtes Buch, dazu bestimmt, die Eintragungen über die Rechte an Grundstücken aufzunehmen. Es wird geführt von einer staatlichen Behörde, dem sogenannten Grundbuchamt. Gewöhnlich wird die Führung von Grundbüchern dem Amtsgericht übergeben, aber auch städtische Behörden führen sehr häufig das Grundbuch. Die Grundbuchämter einzurichten, ist den Partikularstaaten überlassen.

Da nach dem Inhalt des Grundbuches in erster Linie die Geltendmachung der Rechte an Grundstücken sich richten soll, hat das B.G.B. zur Durchführung dieses Prinzips einige Vermutungen aufgestellt. „Ist im Grundbuch für Jemand ein Recht eingetragen, so wird vermutet, daß ihm das Recht zustehe" (§ 891). Hat der Eigentümer an Friedrich Weise veräußert, der Grundbuchbeamte aber den Namen Heinrich Weise aus Versehen eingetragen, so gilt zunächst Heinrich Weise als der Eigentümer. Will also Friedrich Weise Rechte an dem Grundstück geltend machen, so muß er den Heinrich Weise aus seiner Stellung verdrängen.

Um etwas Anderes handelt es sich, wenn Heinrich Weise auf Grund der Eintragung das Grundstück an Schliemann veräußert. Soll nun Schliemann Eigentümer werden oder nicht, wenn Heinrich Weise ihm das Grundstück aufläßt und Schliemann in das Grundbuch eingetragen wird? Streng genommen kann Schliemann kein Eigentum erwerben, denn Heinrich Weise ist kein Eigentümer und kann also ein Eigentumsrecht, das er nicht hat, dem Schliemann nicht übertragen; andererseits hat Friedrich Weise kein Eigentum, denn er ist nicht eingetragen und der ursprüngliche Eigentümer, der an Friedrich Weise veräußert hat, hat sein Eigentum behalten, weil er es eben nicht übertragen hat. Die Folge von Alledem ist, daß im Augenblick der richtige Eigentümer nicht eingetragen ist, aber der Eingetragene Heinrich Weise dafür gilt. Und weil kraft der Eintragung der Heinrich Weise als Eigentümer gilt, so gilt er dem Schliemann gegenüber auch als berechtigt, das Eigentum zu übertragen. Dementsprechend bestimmt das B.G.B. „Zu Gunsten desjenigen, welcher ein Recht an einem Grundstück . . . . . . durch Rechtsgeschäft (z. B. Kauf) erwirbt, gilt der Inhalt des Grundbuchs als richtig, es sei denn, daß . . die Unrichtigkeit dem Erwerber bekannt ist" (§ 892). Dies ist das auch auf die Veräußerung von Grundstücken angewandte Prinzip des Schutzes des gutgläubigen Erwerbers, wie wir es schon bei den beweglichen Sachen kennen gelernt haben. Die Folge ist, daß Schliemann nunmehr wirklicher Eigentümer wird, für alle Übrigen das Grundstück verloren ist. Selbstverständlich bleiben den verschiedenen Beteiligten ihre Ansprüche auf Schadensersatz oder auf Herausgabe der ungerechtfertigten

Bereicherung erhalten. Zu beachten ist insbesondere § 816, auch die §§ 823 ff.

Da die soeben gezogenen Folgerungen unabweisbar sind, weil sonst das Grundbuch den besten Teil seines Wertes verlieren würde, hat das B.G.B. ein Hülfsmittel geschaffen, um zu verhüten, daß Nichtberechtigte über ein Grundstück verfügen und Anderen, denen das Grundstück eigentlich zukommt, es entziehen. Schliemann hat das Grundstück nur deshalb erwerben können, weil er selbst im guten Glauben war. Ist aber jemand nicht im guten Glauben, so kann er auch kein Eigentum erwerben, wie dies in § 892 aus=drücklich gesagt ist, indem verlangt wird, daß der Erwerber die Un=richtigkeit der Eintragung nicht kenne. Der gute Glaube des Dritten kann aber für immer dadurch ausgeschlossen werden, daß ein Wider=spruch gegen die Richtigkeit der Eintragung eingetragen wird. Gesetzt Friedrich Weise bemerkt nach einiger Zeit, daß an seiner Stelle Heinrich Weise eingetragen ist, dann kann er nach § 22 der Grundbuchordnung die Berichtigung des Grundbuchs verlangen, wenn er dem Grundbuchamte die Unrichtigkeit der Eintragung nach=weist. Dies Verfahren spielt sich nur vor der Grundbuch=behörde ab, ist kein Prozeß. Glückt dieser Nachweis, so kann sich Friedrich Weise eintragen lassen und wird durch diese Ein=tragung Eigentümer. Aber wenn der Nachweis nicht glückt, kann Friedrich Weise nur mit Zustimmung von Heinrich Weise gemäß den §§ 894 ff verlangen, daß das Grundbuch berichtigt werde. Ist Heinrich Weise ehrlich, wird sich die Sache sofort erledigen, wenn Heinrich Weise aber unredlich ist, muß ihn Friedrich auf Erteilung der Zustimmung verklagen (§ 894). Dies Verfahren spielt sich im Gegensatz zu dem Verfahren nach § 22 der Grund=buchordnung vor dem Prozeßrichter ab, ist ein Prozeß. Darüber kann aber Zeit vergehen und inzwischen kann Heinrich Weise das Grundstück an den gutgläubigen Schliemann weiter ver=äußert haben, sodaß es für Friedrich Weise auf immer verloren ist. Um dem vorzubeugen, kann nach § 899 ein Widerspruch gegen die Richtigkeit der Eintragung in das Grundbuch eingetragen werden. Heinrich Weise beantragt, daß ein solcher Widerspruch eingetragen werde, und der Grundbuchbeamte trägt den Widerspruch ein, nach=dem das Gericht auf Antrag von Friedrich Weise beschleunigt einst=weilen verfügt hat, daß der Widerspruch eingetragen werde.

Diese gerichtliche Erlaubnis wird unter solchen Umständen sofort gewährt. Ist ein Widerspruch gegen die Richtigkeit eingetragen, so kann Schliemann niemals Eigentum erwerben. Der Bedrohte hat es also in seiner Hand durch beschleunigten Antrag auf Eintragung eines Widerspruchs sich zu helfen. Es wird durch dies Alles erreicht, daß der Inhalt des Grundbuchs für die Rechte der verschiedenen Interessenten nach Möglichkeit maßgebend bleibt. Um diese Wirkung zu bezeichnen bedient man sich auch des Ausdruckes: **Das Grundbuch hat öffentlichen Glauben.**

Trotzdem es das ausgesprochene Prinzip des B.G.B. ist, daß vermöge des öffentlichen Glaubens das Grundbuch maßgebend sein soll für die Geltendmachung der Rechte an einem Grundstück, kommen doch Fälle vor, wo Jemand das Eigentum an einem Grundstück hat, ohne eingetragen zu sein. Aus der Erörterung des dargelegten Beispiels ergibt sich, daß bei Veräußerungen möglicher Weise eine nicht eingetragene Person Eigentümer sein kann. Auch in anderen Fällen, wo keine Veräußerung vorliegt, kann es vorkommen, daß Jemand Eigentümer ist oder wird, der nicht eingetragen ist. Dies wird wichtig beim Erbfall. Wird der Eigentümer Adolf Wilbrandt von seinem Sohne Karl Wilbrandt beerbt, so erlangt Karl Wilbrandt das Eigentum an dem väterlichen Grundstück auch ohne Eintragung, von einer Auflassung garnicht zu reden. Vergl. §§ 1922, 1942, 2018 ff. Ferner entsteht ein Recht auch ohne Eintragung, wenn ein Ehepaar unter sich die allgemeine Gütergemeinschaft einführt. Sie wird eingeführt durch den Ehevertrag (§ 1432 ff.) und mit Abschluß des Ehevertrages erhält jeder Ehegatte Anteil an dem Vermögen des anderen Ehegatten (§ 1438). Dies gilt auch von Grundstücken, sodaß die Ehefrau ohne Eintragung Miteigentümerin der dem Manne gehörigen Grundstücke wird, auch wenn sie nicht in das Grundbuch eingetragen ist. Sie kann aber von dem Manne die Mitwirkung zur Berichtigung des Grundbuches verlangen (§ 1438).

Die soeben erwähnten Beispiele erklären es, daß § 894 die Klage auf Grundbuchberichtigung einführt, um ein nicht oder nicht richtig eingetragenes Recht nachträglich eintragen zu lassen. Es wird damit anerkannt, daß Rechte an Grundstücken unter Umständen bestehen können, auch wenn sie nicht eingetragen sind.

II. Um den zukünftigen Eigentumserwerb zu sichern, hat das

B.G.B. die Vormerkung eingeführt. Wenn V. sein Grundstück an K. verkauft hat, kann immerhin noch einge Zeit vergehen bis zur Auflassung und Eintragung und in dieser Zwischenzeit kann V. möglicher Weise, trotzdem er schon von K. Zahlungen erhalten hat, das Grundstück weiter verkaufen und es durch eine beschleunigte Auflassung und Eintragung dem K. entziehen. Derartiges unmöglich zu machen, ist die Vormerkung eingeführt. K. kann eine Vormerkung in das Grundbuch eintragen lassen zum Schutze seines Anspruchs auf Übertragung des Eigentums. „Eine Verfügung, die nach der Eintragung der Vormerkung über das Grundstück ... getroffen wird, ist insoweit unwirksam, als sie den Anspruch vereiteln oder beeinträchtigen würde" (§ 883 II).

Die Vormerkung dient zum Schutze von Forderungen, obligatorischer Rechte, der Widerspruch zum Schutze von dinglichen Rechten.

III. Den Widerspruch zwischen der wirklichen Rechtslage und dem Inhalt des Grundbuchs beseitigt unter Umständen der § 900. „Wer als Eigentümer eines Grundstücks im Grundbuch eingetragen ist, ohne daß er das Eigentum erlangt hat, erwirbt das Eigentum, wenn die Eintragung dreißig Jahre bestanden und er während dieser Zeit das Grundstück im Eigenbesitz gehabt hat". Tabularersitzung.

Anders die Ersitzung auf Grund von § 927. „Der Eigentümer eines Grundstücks kann, wenn das Grundstück seit dreißig Jahren im Eigenbesitz eines Anderen ist, im Wege des Aufgebotsverfahrens mit seinem Rechte ausgeschlossen werden.

Derjenige, der das Ausschlußurteil erwirkt hat, erlangt das Eigentum dadurch, daß er sich als Eigentümer in das Grundbuch eintragen läßt".

IV. In den bisher besprochenen Fällen verliert der Eigentümer sein Eigentum, weil es ein Anderer erwirbt. Die Tatbestände, die wir bisher kennen lernten, waren Tatbestände des Erwerbs und des Verlustes des Eigentums, der § 928 bezieht sich nur auf den Verlust des Eigentums. „Das Eigentum an einem Grundstücke kann dadurch aufgegeben werden, daß der Eigentümer den Verzicht dem Grundbuchamte gegenüber erklärt und der Verzicht in das Grundbuch eingetragen wird. (Dies ist Aufgabe, Dereliktion.)

Das Recht zur Aneignung (Okkupation), des aufgegebenen

Grundstücks steht dem Fiskus des Bundesstaats zu, in dessen Gebiete das Grundstück liegt. Der Fiskus erwirbt das Eigentum dadurch, daß er sich als Eigentümer in das Grundbuch eintragen läßt". Man glaube nicht, daß selten auf Grundstücke verzichtet werde. Dies kann sehr wohl eintreffen, wenn das Grundstück, mit Hypotheken überladen, dem Eigentümer nichts einbringt und ihm nur Mühe macht, wie es bei städtischen Häusern nicht selten ist.

Ueber Aneignung und Dereliktion sei auf § 55 verwiesen.

Viertes Kapitel.

Ansprüche aus dem Eigentum.

§ 60. Klage des Eigentümers und des gutgläubigen Besitzers.

I. Der Eigentümer kann jedem Besitzer, der die Sache hat, die Sache abfordern (§ 985).

Der Besitzer kann die Herausgabe verweigern, wenn er gegen den Eigentümer (z. B. kraft Miete) ein Recht hat, die Sache zu besitzen. Ferner kann sich der Aftermieter, wenn er vom Eigentümer belangt wird, darauf berufen, daß er gegen den Vermieter und dieser wieder gegen den Eigentümer das Recht habe, die Sache zu besitzen. War der Vermieter nicht zur Aftermiete befugt, so kann der Eigentümer nur verlangen, daß der Aftermieter seinem Vermieter die Sache wieder einräume oder, wenn dieser sie nicht haben will, daß er sie dem Eigentümer zurückgebe (§ 986). Dies Alles gilt nicht nur bei der Miete, sondern in allen ähnlichen Fällen.

1. Gesetzt E. ist der Eigentümer, D¹ stiehlt ihm die Sache, D² stiehlt sie dem D¹ und verkauft sie an den gutgläubigen K, K vermietet sie an M, D³ stiehlt sie dem M. E hat die Eigentumsklage, wie sie auf der Zeichnung abgebildet ist.

Figur 1.

E   D¹   D²   K   M   D³

2. E verleiht an V, V verkauft an den gutgläubigen K¹, D¹ stiehlt die Sache dem K¹, D² dem D¹, K² kauft gutgläubig von D².

Figur 2.    E   V   K¹   D¹   D²   K²

Zu beachten §§ 932, 935! E kann gegen V wegen § 986 erst nach Ablauf der Leihzeit klagen, nach dem Verkaufe an K¹ verschwindet seine Klage. Seine Klage aus dem Leihvertrage auf Schadensersatz bleibt ihm natürlich erhalten.

Verklagt der Eigentümer den Besitzer, so muß dieser ihm die Nutzungen herausgeben, die er nach dem Eintritt der Rechtshängigkeit zieht. Wenn er entgegen den Regeln einer ordnungsmäßigen Wirtschaft Nutzungen schuldhafter Weise nicht zieht, so muß er Ersatz geben (§ 987).

„Der Besitzer ist von dem Eintritt der Rechtshängigkeit an dem Eigentümer für den Schaden verantwortlich, der dadurch entsteht, daß in Folge seines Verschuldens die Sache verschlechtert wird, untergeht oder aus einem andern Grunde von ihm nicht herausgegeben werden kann" (§ 989).

Der bösgläubige Besitzer haftet für alles dieses schon vom Augenblick an, wo er die Sache bösgläubig hat.

§ 990. „War der Besitzer bei dem Erwerbe des Besitzes nicht in gutem Glauben, so haftet er dem Eigentümer von der Zeit des Erwerbes an nach den §§ 987, 989. Erfährt der Besitzer später, daß er zum Besitze nicht berechtigt ist, so haftet er in gleicher Weise von der Erlangung der Kenntnis an.

Eine weitergehende Haftung des Besitzers wegen Verzugs bleibt unberührt".

Wer gar durch verbotene Eigenmacht oder durch eine strafbare Handlung sich den Besitz der Sache verschafft, haftet nach den Regeln über die unerlaubten Handlungen auf Schadensersatz (§ 992).

Wer seinerzeit die Sache unentgeltlich erhalten hat, muß trotz guten Glaubens die vor der Rechtshängigkeit gezogenen Nutzungen herausgeben, soweit er noch durch sie bereichert ist.

§ 988. „Hat ein Besitzer, der die Sache als ihm gehörig oder zum Zwecke der Ausübung eines ihm in Wirklichkeit nicht zustehenden Nutzungsrechts an der Sache besitzt, den Besitz un-

entgeltlich erlangt, so ist er dem Eigentümer gegenüber zur Herausgabe der Nutzungen, die er vor dem Eintritte der Rechtshängigkeit
zieht, nach den Vorschriften über die Herausgabe einer ungerechtfertigten Bereicherung verpflichtet".

Wenn die im Vorstehenden angegebenen Voraussetzungen
(Rechtshängigkeit nebst Verschulden, bösgläubiger Besitz, verbotene
Eigenmacht, unentgeltlicher Besitzerwerb) nicht vorliegen, behält der
Besitzer die vor der Rechtshängigkeit gezogenen Früchte, soweit sie
nach den Regeln einer ordnungsmäßigen Wirtschaft als Ertrag der
Sache anzusehen sind, andernfalls muß er sie herausgeben, soweit
er ungerechtfertigt bereichert ist. Schadensersatz braucht er überhaupt nicht zu leisten (§ 993). K oder M (Figur 1), K² (Figur 2),
wenn sie gutgläubig sind, behalten alle vor der Rechtshängigkeit
ordnungsmäßig gezogenen Früchte und haben die nicht als Ertrag
der Sache anzusehenden Früchte nur nach den Regeln über die
Herausgabe einer ungerechtfertigten Bereicherung herauszugeben.
D¹, D², D³ haften nach § 992 auf Schadensersatz.

„Der Besitzer kann für die auf die Sache gemachten notwendigen
Verwendungen von dem Eigentümer Ersatz verlangen" (§ 994).
„Für andere als notwendige Verwendungen kann der Besitzer Ersatz
nur insoweit verlangen, als sie vor dem Eintritte der Rechtshängigkeit" und vor dem Eintritt des bösen Glaubens (§ 990) gemacht
werden, „und der Wert der Sache durch sie noch zu der Zeit erhöht ist, zu welcher der Eigentümer die Sache wieder erlangt"
(§ 996). Bleiben K, M und K² immer gutgläubig, so kommt
ihnen der § 996 zu gute.

Wegen seiner Verwendungen hat der Besitzer ein Zurückbehaltungsrecht, wenn er nicht die Sache durch eine unerlaubte
Handlung an sich gebracht hat (§ 1000). Also D¹, D², D³ haben
kein Zurückbehaltungsrecht, wohl aber K und M (Fig. 1) und
K² (Fig. 2).

II. Aus dem Eigentum kann der Eigentümer auch dann klagen,
wenn ihm Niemand die Sache entzieht, aber ihn Jemand sonst
in der Ausübung seines Eigentums stört. Jemand geht, um abzu-
kürzen, über das Feld eines Anderen, baut vorsätzlich oder grob
fahrlässig über die Grenze (§ 912), holt sich ohne Erlaubnis aus
fremden Brunnen Wasser, holt sich Holz aus dem Walde (da er
sich für den Eigentümer hält), versperrt unerlaubter Weise die

Fenster, errichtet eine Warmhausheizung mit einem zu niedrigen Schornstein, sodaß der Nachbar durch den Rauch übermäßig belästigt wird. Hier ist Schutz gegen Störung, nicht gegen Entziehung notwendig. „Wird das Eigentum in anderer Weise als durch Entziehung oder Vorenthaltung des Besitzes beeinträchtigt, so kann der Eigentümer von dem Störer die Beseitigung der Beeinträchtigung verlangen. Sind weitere Beeinträchtigungen zu besorgen, so kann der Eigentümer auf Unterlassung klagen" (§ 1004).

III. „Zu Gunsten des Besitzers einer beweglichen Sache wird vermutet,. daß er Eigentümer der Sache sei. Dies gilt jedoch nicht einem früheren Besitzer gegenüber, dem die Sache gestohlen worden, verloren gegangen oder sonst abhanden gekommen ist, es sei denn, daß es sich um Geld oder Inhaberpapiere handelt.

Zu Gunsten eines früheren Besitzers wird vermutet, daß er während der Dauer seines Besitzes Eigentümer der Sache gewesen sei" (§ 1006). Dies ist die Eigentumsvermutung.

Die Folgerung aus diesen Vermutungen zieht § 1007. „Wer eine bewegliche Sache im Besitze gehabt hat, kann von dem Besitzer die Herausgabe der Sache verlangen, wenn dieser bei dem Erwerbe nicht in gutem Glauben war.

Ist die Sache dem früheren Besitzer gestohlen worden, verloren gegangen oder sonst abhanden gekommen, so kann er die Herausgabe auch von einem gutgläubigen Besitzer verlangen, es sei denn, daß dieser Eigentümer ist (z. B. er hat in öffentlicher Versteigerung gekauft (§ 935) oder die Sache ihm vor der Besitzzeit des früheren Besitzers abhanden gekommen war. Auf Geld und Inhaberpapiere findet diese Vorschrift keine Anwendung".

Dies würde unsere Zeichnungen folgendermaßen verändern:

1.

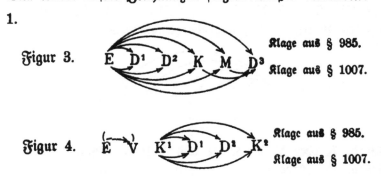

Figur 3.   E D¹ D² K M D³   Klage aus § 985.
                                  Klage aus § 1007.

Figur 4.   E V K¹ D¹ D² K²   Klage aus § 985.
                                  Klage aus § 1007.

Die Klage gegen D¹, D², D³ ist die Klage aus § 1007 I, die Klage gegen K, M (Fig. 3), K² (Fig. 4) ist die Klage aus § 1007 II. Eigentlich müßte D¹ eine Klage gegen D² und D³, und D² eine solche gegen D³ haben, aber § 1007 III bestimmt, daß die Klage ausgeschlossen sein soll, wenn der frühere Besitzer (also D¹ und D²) bei dem Erwerbe des Besitzes nicht in gutem Glauben war (oder wenn er den Besitz aufgegeben [derelinquiert] hat). Über die Klage von K und M gegen D³ aus § 1007 s. Fig. 6 u. 12.

2. Hat K¹ (Fig. 2, 4) von V bösgläubig gekauft, so ergibt sich

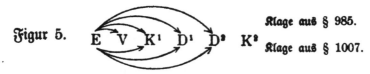

Figur 5.
E V K¹ D¹ D² K²

Klage aus § 985.

Klage aus § 1007.

Der Unterschied besteht darin, daß zunächst E aus § 985 gegen alle, nur nicht gegen K² klagen kann, denn dieser ist gutgläubiger Erwerber. Der an K¹ verübte Diebstahl des D¹ schadet dem Eigentumserwerbe des K² nicht, da die Sache nach Vorschrift des § 935 dem Eigentümer E (oder auch dem V) gestohlen sein muß, im vorliegenden Falle aber dem Nichteigentümer K¹ gestohlen worden ist. K¹ hat gar keine Klage; die Klage aus § 985 nicht, weil er kein Eigentum an der Sache erworben hat, die Klage aus § 1007 nicht, weil er im bösen Glauben gewesen ist (§ 1007 Abf. 3). V hat keine Klage, weil er den Besitz aufgegeben hat (§ 1007 Abf. 3). Dagegen kann E aus § 1007 noch gegen K¹, D¹, D² klagen. Alle Klagen gehen jedoch unter, sobald K² Eigentum erwirbt.

3. Läßt E sich einfallen, dem D³ (Fig. 1 und 3) oder dem K² (Fig. 2, 4, 5) die Sache zu stehlen, um sie sich wieder zu verschaffen, so ergeben sich folgende Zeichnungen:

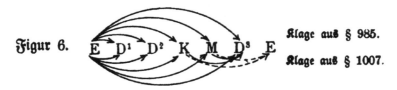

Figur 6.
E D¹ D² K M D³ E

Klage aus § 985.

Klage aus § 1007.

Würde K oder M die Klage aus § 1007 Absatz 2 gegen E anstellen, so würde er ihnen entgegenhalten: „Ich bin Eigentümer" und diese Einrede ist stärker als die Klage des gutgläubigen früheren Besitzers. Dies sollen die punktierten Linien andeuten.

4.

Figur 7.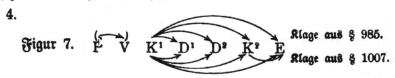
Klage aus § 985.

Klage aus § 1007.

K^2 gewinnt gegen E eine Klage aus § 1007 I. Kommt er mit dieser Klage dem K^1 zuvor, so erhält er zunächst die Sache, aber K^1 kann sie ihm mit der Klage aus § 985 als Eigentümer wieder abnehmen; ebenso mit der Klage aus § 1007 II. Die Klage aus § 1007 hat nur eine relative Kraft!

5.

Figur 8.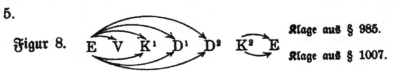
Klage aus § 985.

Klage aus § 1007.

K^2 gewinnt Klagen gegen E, der gegen K^2 wegen dessen Eigentumserwerbes (§§ 932, 935) keine wirksame Klage oder Einrede mehr hat.

Zur Unterstützung der soeben behandelten Klagen dient der § 809. Wer den Verdacht hat, daß seine Sache bei einem Anderen sich befindet und wer sich Gewißheit darüber verschaffen will, ob es seine Sache ist, kann auf seine Gefahr und Kosten (§ 811) die Vorlegung der Sache verlangen (§ 809), z. B. wenn ich fortgelaufene Hühner, Kaninchen, Hunde bei meinen Nachbaren vermute oder Jemand in Verdacht habe, daß er meine mir gestohlene Uhr hat.

§ 61. Besitz.

I. Im Vorstehenden ist wiederholt das Wort Besitz gebraucht worden, ohne daß der Sinn, den das B.GB. mit diesem Wort verbindet, näher erörtert worden wäre. Soviel hat die Darstellung jedenfalls ergeben, daß Besitz und Eigentum verschieden sind. Der Sprachgebrauch ist auch hier ungenau, indem Besitz und Eigentum, Besitzer und Eigentümer gern zusammengeworfen werden. Aber wie Figur 1 und Figur 3 lehren, ist der Eigentümer nicht immer Besitzer und der Besitzer nicht immer Eigentümer.

„Der Besitz einer Sache wird durch die Erlangung der tatsächlichen Gewalt erworben über die Sache" (§ 854). Beispiel:
Der Vermieter räumt dem Mieter die Wohnung ein, die Leihbibliothek verleiht das Buch, der Finder hebt die verlorene Börse
auf, der Bettler eignet sich den weggeworfenen Zigarrenstummel
an. In den beiden ersten Fällen haben wir den Besitzübertragungsvertrag.

Die tatsächliche Gewalt kann man streng genommen haben und
ausüben nur über solche Sachen, die man mit seinen körperlichen
Kräften unmittelbar ergreifen, halten und schützen kann (das Geld-
stück in der Hand); damit können wir uns aber nicht begnügen,
wir müssen unter körperlicher Gewalt mehr verstehen. Dem Geld-
stück in der Hand läßt sich gleichstellen das Messer in der Tasche,
die Bücher in meinem Zimmer, die Standuhr auf der Diele meines
Hauses, der Gartenstuhl in meinem Garten, der Pflug auf meinem
Felde, ja das Zimmer selbst, das Haus selbst, das ich bewohne, der
Garten, den ich mir gepachtet habe, mein Feld, das ich bebaue,
mein Wald, den ich durchforste und abholze 2c.

Häufig unterstützen mich bei Innehabung und Ausübung der
tatsächlichen Gewalt andere Personen: Mein Dienstmädchen hat alle
Küchengeräte unter sich, trägt meine Stiefel zum Schuhmacher, bringt
mein Packet zur Post, holt in meinem Armkorb Waaren 2c. Eine
solche Person nennen wir Besitzdiener. „Übt jemand die tatsächliche Gewalt über eine Sache für einen Anderen in dessen Haushalt oder Erwerbsgeschäft oder in einem ähnlichen Verhältnis aus,
vermöge dessen er den sich auf die Sache beziehenden Weisungen des
Anderen Folge zu leisten hat, so ist nur der Andere Besitzer" (§ 855).
Der Hausherr oder die Hausfrau allein sind Besitzer ihrer in den
Händen des Dienstboten befindlichen Sachen, der Kaufmann allein
ist Besitzer seiner Waren, mögen sie auch gerade sein Hausknecht
oder sein Handlungsgehilfe in der Hand oder sonst in der tatsächlichen Gewalt haben.

Neben dem Besitzer gibt es noch den mittelbaren Besitzer.
„Besitzt jemand eine Sache als Nießbraucher, Pfandgläubiger, Pächter,
Mieter, Verwahrer oder in einem ähnlichen Verhältnisse, vermöge
dessen er einem Anderen gegenüber auf Zeit zum Besitze berechtigt
oder verpflichtet ist, so ist auch der Andere Besitzer (mittelbarer Besitzer)" (§ 868). Dann haben wir zwei Besitzer der Sache, einen

unmittelbaren und einen mittelbaren. Der mittelbare hat seinen Besitz durch Vermittlung des unmittelbaren Besitzers und darum wird der Letztere im Gegensatz zu dem mittelbaren Besitzer auch als Besitzmittler bezeichnet. Der Besitzmittler ist wohl zu scheiden von dem Besitzdiener, der niemals Besitzer, sondern nur das rechtlich unselbständige, abhängige Werkzeug Anderer ist.

Der Eigentümer, der sein Haus vermietet hat, ist mittelbarer Besitzer, sein Mieter ist Besitzmittler und unmittelbarer Besitzer. Hat der Mieter das ganze Grundstück aftervermietet, so ist auch der Aftermieter Besitzmittler. Er ist der unmittelbare Besitzer, der Mieter ist mittelbarer Besitzer, der Eigentümer ist entfernt mittelbarer Besitzer. Die Sache hat dann drei Besitzer, zwei mittelbare und einen unmittelbaren (§ 871).

Alle diese verschiedenen Besitzer werden in ihrem Besitze geschützt, aber, wie wir S. 250 sehen werden, auf verschiedene Art.

II. Der Grund des Besitzesschutzes liegt darin, daß in der erdrückenden Mehrzahl aller Fälle Besitz und Recht in einer Hand sich befinden, die tatsächliche und die rechtliche Ordnung der Dinge sich decken. Jeder Leser zähle einmal die ihm gehörenden Sachen nach und er wird finden, daß von tausend Sachen, die ihm gehören, regelmäßig 999 auch in seinem Besitze sind, daß Recht und Besitz also in einer Hand sich befinden, daß da, wo das Recht ist, auch der Besitz ist. Die wenigen Fälle, in denen der Eigentümer eine ihm gehörende Sache nicht im Besitze hat, sind verschwindend neben den anderen. Darum ist auch die Vermutung gerechtfertigt, daß die rechtliche Ordnung der Dinge und die tatsächliche Ordnung sich decken, mit anderen Worten, daß da, wo Besitz ist auch das Recht sei, daß Recht und Besitz in einer Hand und nicht in verschiedenen Händen sich befinden. Daß sie sich in verschiedenen Händen befinden ist neben den anderen Falle so selten, daß es erst besonders bewiesen werden muß. Wer im Besitz ist, für den streitet die Vermutung, daß er auch im Rechte sei und diese Vermutung muß vor Gericht im ordentlichen Prozeß widerlegt werden, nicht darf der Gegner Gewalt anwenden und weil der Gegner keine Gewalt anwenden soll, wird der Besitzer geschützt auf Grund der bloßen Tatsache, daß er Besitzer ist. Es wird vermutet, daß ihm das gute Recht, Eigentum, Pfandrecht, Nießbrauch u. s. w. zur Seite stehe, daß sein Besitz juriſtiſch gerechtfertigt ſei und wegen dieſer Vermutung wird ſchon der bloße Beſitz um ſeiner ſelbſt willen geſchützt.

III. Wir wollen hier nur den einfachſten und normalen Fall erörtern, daß jemand der alleinige Beſitzer iſt.

Der Beſitzer kann beeinträchtigt werden dadurch, daß er im Beſitze ſeiner Sache geſtört, oder dadurch, daß ihm der Beſitz entzogen wird. Beſitzſtörung liegt vor, wenn jemand, um einen Umweg zu ſparen, über mein Gut fährt, geht oder reitet, oder wenn jemand in unerlaubtem Maße Rauch, Ruß, Dämpfe 2c. (vergl. § 906) meinem Grundſtück zuführt, wenn ferner jemand ohne meine Erlaubnis auf meinem Grundſtück Arbeiten verrichtet mit der Behauptung, ich hätte ihn dazu angeſtellt und er habe ſogar Lohn dafür zu fordern. Eine Beſitzſtörung iſt es auch, wenn in der Sucht des Verdienens auf dem Bahnhof ohne oder gar gegen meinen Willen der Dienſtmann meinen Koffer zur Hand nimmt, um ihn am Schalter aufzugeben, oder wenn Jemand meinen Jagdhund einſperrt, die Enten auf meinem Teich aufſcheucht, meinen Hund mit Steinen wirft. Eine Beſitzſtörung kommt eigentlich nur bei Grundſtücken vor, iſt bei beweglichen Sachen jedenfalls viel ſeltener, weil ſie hier zu leicht in die Beſitzentziehung übergeht. Dieſe wieder iſt bei beweglichen Sachen beſonders häufig, bei Grundſtücken ſeltener Unter Umſtänden iſt eine und dieſelbe Handlung zugleich Störung meines Beſitzes an beweglichen Sachen und am Grundſtück z. B. Jemand betritt mein Grundſtück und ſcheucht von meinem Grundſtück aus meine auf meinem Grundſtück befindlichen Enten auf. Beſitzentziehung bringt Beſitzverluſt mit ſich. „Der Beſitz wird dadurch beendigt, daß der Beſitzer die thatſächliche Gewalt über die Sache aufgibt oder in anderer Weiſe verliert.

Durch eine ihrer Natur nach vorübergehende Verhinderung in der Ausübung der Gewalt wird der Beſitz nicht beendigt" (§ 856). Daher wird er nicht beendigt, wenn Jemand ſich mein Buch zum Durchleſen holt, wenn der Dienſtmann meinen Koffer eigenmächtig aus der Droſchke nimmt und zur Gepäckaufgabe trägt. Wohl aber verliert den Beſitz, wer von ſeinem Grundſtück verdrängt wird, möge ſich der Eindringling in ſeiner Gegenwart oder in ſeiner Abweſenheit in den Beſitz des Grundſtücks geſetzt haben. Ferner verliert den Beſitz, wem die Sache geſtohlen wird, wer ſie verliert.

Gegen Beſitzſtörung und Beſitzverluſt richtet ſich § 858: „Wer dem Besitzer (Eigentümer, Mieter oder Aftermieter; Eigentümer, Entleiher, Verwahrer) ohne dessen Willen den Besitz entzieht oder ihn im Besitze stört, handelt, sofern nicht das Gesetz die Entziehung oder Störung gestattet, widerrechtlich (verbotene Eigenmacht).

Der durch verbotene Eigenmacht erlangte Besitz ist fehlerhaft. Die Fehlerhaftigkeit muß der Nachfolger im Besitze gegen sich gelten lassen, wenn er Erbe des Besitzers ist oder die Fehlerhaftigkeit des Besitzes seines Vorgängers (z. B. Verkäufers) bei dem Erwerbe kennt."

IV. Gegen die verbotene Eigenmacht hat der Besitzer zunächst die Selbsthülfe. „Der Besitzer darf sich verbotener Eigenmacht mit Gewalt erwehren. (Der Dieb eines Reisekoffers kann dem zudringlichen Dienstmann auf dem Bahnhofe den Koffer mit Gewalt entwinden.)

Wird eine bewegliche Sache dem Besitzer mittels verbotener Eigenmacht weggenommen, so darf er sie dem auf frischer Tat betroffenen oder verfolgten Täter mit Gewalt wieder abnehmen. (Der Dieb stiehlt den Koffer außerhalb des Bahnhofes von dem Wagen fort, eilt, vom Eigentümer verfolgt, in den Bahnhof hinein, der Dienstmann nimmt eigenmächtig den Koffer, um ihn am Schalter aufzugeben. Dann hat der Dieb gegen den Dienstmann und der darüber zukommende Eigentümer gegen den Dieb das Recht der Selbsthülfe.)

Wird dem Besitzer eines Grundstücks der Besitz durch verbotene Eigenmacht entzogen, so darf er sofort nach der Entziehung sich des Besitzes durch Entsetzung des Täters wiederbemächtigen. (Setzt sich der Eindringling in dem Grundstück während der Abwesenheit des Besitzers fest, so kann der erst später darüber zukommende Besitzer keine Selbsthülfe anwenden.)

Die gleichen Rechte stehen dem Besitzer gegen denjenigen zu, welcher nach § 858 II die Fehlerhaftigkeit des Besitzes gegen sich gelten lassen muß" (859).

Die Selbsthülfe steht auch dem Besitzdiener zu, so kann das Gesinde den Eindringling abwehren, den Dieb verjagen, ihm mit Gewalt die gestohlenen Sachen abnehmen, wenn und soweit es der Herr darf (§ 860).

Zu der Selbsthülfe ist zu bemerken, daß sie dem Eigentümer einer Sache zusteht, nicht weil er Eigentümer, sondern weil er Besitzer ist. Er darf sie ausüben nur, wenn er den Täter auf

frischer Tat betrifft oder verfolgt. Stiehlt D dem E seinen Überzieher und wird nach einigen Tagen mit dem Überzieher auf der
Straße betroffen, so kann E keineswegs Gewalt anwenden, um sein
Eigentum wiederzuerhalten. Er muß mindestens die Staatshülfe
anrufen, indem er sich sofort an die Polizei wendet. Der Besitzes-
schutz, der dem E zukam, als er die Sache noch hatte, kommt nunmehr
dem Diebe D zu, und zwar nur deshalb, weil er augenblicklich
die Sache hat. Würde E Gewalt anwenden, so würde D ihm
gegenüber das Recht der Selbsthülfe haben.

Wir erkennen schon jetzt den sehr einfachen Grundgedanken des
Besitzschutzes: Das Recht gibt das Recht der Selbsthülfe dem, der
die Sache hat, einerlei ob er sie mit Recht oder zu Unrecht hat,
ob er sie als Eigentümer oder als Pächter, Mieter, Nießbraucher 2c.
hat, oder ob er als Nichteigentümer sich für den Eigentümer hält
(gutgläubiger Besitz) oder ob er ein Dieb ist.

V. Das B.G.B. bewilligt auch noch gerichtlichen Schutz.

1. „Wird der Besitz durch verbotene Eigenmacht dem Besitzer
entzogen, so kann dieser die Wiedereinräumung des Besitzes von
demjenigen verlangen, welcher ihm gegenüber fehlerhaft besitzt"
(§ 861).

Dies ergibt folgendes Bild. Dem Eigentümer und Besitzer E
stiehlt der Dieb D¹, dem D¹ der Dieb D² die Sache, und verkauft
sie an dem gutgläubigen K, K vermietet an M, D³ stiehlt die
Sache dem M. Dies ist derselbe Thatbestand wie in Fig. 1, 3 in
§ 60 (s. oben S. 240, 243). Zur Vergleichung und um den Unterschied zwischen Eigentums- und Besitzklage hervorzuheben, ist auch
die Eigentumsklage eingezeichnet.

Figur 9.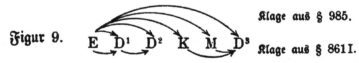

Klage aus § 985.

Klage aus § 861 I.

K hat die Klage als mittelbarer, M als unmittelbarer Besitzer,
Besitzmittler, aber K kann nach § 869 nur Herausgabe an M, und
erst wenn M den Besitz nicht wieder übernehmen kann oder will, an
sich selber verlangen.

2. E verleiht an V, V verkauft an den gutgläubigen K¹, D¹
stiehlt die Sache dem K¹, D² dem D¹ und verkauft an K², s.
Fig. 2 im § 60, S. 241.

Figur 10.

Klage aus § 985.

Klage aus § 861 I.

Fig. 9 ändert sich, wenn auch die Klage aus § 1007 heran=
gezogen wird, vergl. Fig. 12.

3. Hat, wie in Fig. 5, K¹ bösgläubig von V gekauft, so er=
gibt sich die Zeichnung

Figur 11.

Klage aus § 985 und
§ 1007.

Klage aus § 861 I.

Die durchkreuzte Linie EV stellt nur die Klage aus § 985
dar, E hat aus § 1007 keine Klage gegen V, vergl. Fig. 5.

K¹ entzieht dem E den Besitz zwar mit Willen des V, aber
ohne Willen des E; folglich müßte E eigentlich eine Besitzklage
gegen ihn haben. Aber nach § 869 kann der mittelbare Besitzer E
nur dann wegen Besitzverlustes des unmittelbaren Besitzers V klagen,
wenn gegen diesen verbotene Eigenmacht geübt ist. Solche liegt
aber nicht vor. K¹ hat gegen seinen Dieb D¹, D¹ gegen seinen
Dieb D² nur die Besitzklage wegen § 1007 III.

4. Wenn E in Fig. 9 die Sache dem D² wiederstiehlt, so er=
gibt sich folgende Zeichnung, vergl. Fig. 6 und Bemerkungen.

Figur 12.

Klage aus § 985 und
§ 1007.

Klage aus § 861 I.

Die durchkreuzten Linien KD², MD², KE, ME stellen nur
die Klage aus § 1007 dar. Diese Klage ist neben der Klage aus
§ 861 I zumal gegenüber D² wertvoll, weil mit ihr gemäß
§§ 987 ff., 1007 III Schaden und Nutzungen eingeklagt werden
können, während § 861 nur eine Klage auf eine bloße Wieder=
einräumung des Besitzes gibt. Zu beachten ist, daß der Dieb D²
gegen E die Besitzklage hat, E gegen ihn die Klage aus § 985
und § 1007. D¹ und D² haben die Klage aus § 1007 gegen D²
nicht, weil sie den Besitz nicht gutgläubig erworben haben; E hat
sie trotz seines an D² begangenen Diebstahls, denn er macht gegen
D² nicht seinen jetzigen, sondern seinen früheren Besitz geltend.
Gegen die Klagen von K und M aus § 1007 bringt E die Ein=

rede vor, daß er wirklich der Eigentümer sei (vergl. Fig. 6 S. 244). Gegen die Besitzklage des D³ aus § 861 I hat E keine Einreden (s. unten VI S. 253).

5. Wenn E in Figur 10 den K² bestiehlt, ergibt sich

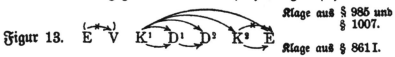

Figur 13. E V K¹ D¹ D² K² E

Klage aus § 985 und § 1007.

Klage aus § 861 I.

Die Linie EV stellt nur die Klage aus § 985 dar, die mit dem gutgläubigen Erwerb durch K¹ verschwindet. Die durchkreuzte Linie K²E bedeutet die Klage aus § 1007 I. Jedoch kann K¹ dem K² die Sache auf Grund von § 985 und § 1007 II abnehmen, wenn dieser sie dem E abgenommen hat, s. Fig 7.

E hat gegen K¹ keine Besitzklage, denn K¹ erwirbt den Besitz mit Willen des V, hat gegen E die Klagen aus § 985, § 1007. Die Besitzklage regelt sich im Übrigen so, daß jeder gegen seinen Dieb klagen kann.

6. Ist K¹ bösgläubig, Fig. 5, 8, 11, so ergibt sich

Figur 14. E V K¹ D¹ D² K² E

Klage aus § 985 und § 1007.

Klage aus § 861 I.

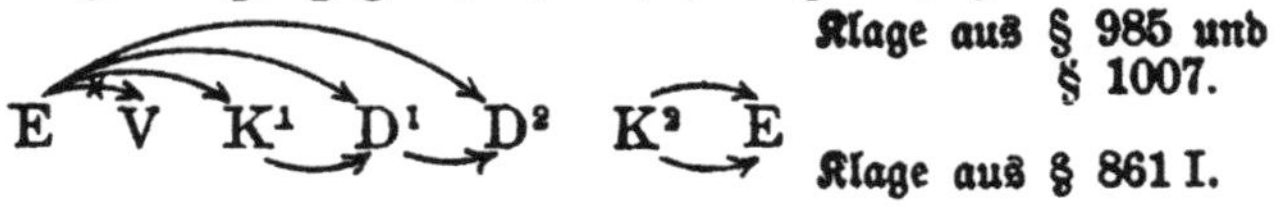

Die durchkreuzte Linie EV stellt nur die Klage aus § 985 dar.

7. Würde K¹ seinem Diebe D¹ (Fig. 11) D¹ seinem Diebe D² (Fig. 11 ff.), oder M seinem Diebe D³ (Fig. 12), oder D³ seinem Diebe E (Fig. 12), oder K² seinem Diebe E (Fig. 13, 14) die Sache wieder stehlen, dann tritt § 861 II in Wirksamkeit.

„Der Anspruch (auf Wiedereinräumung des Besitzes) ist ausgeschlossen, wenn der entzogene Besitz dem gegenwärtigen Besitzer oder dessen Rechtsvorgänger gegenüber fehlerhaft war und in dem letzten Jahre vor der Entziehung erlangt worden ist".

Das bedeutet, daß Niemand seinen Dieb mit der Besitzklage verklagen kann, wenn er ihm vorher selber die Sache gestohlen hatte.

D¹ bestiehlt E, E wieder den D¹, D¹ wieder den E, D² den D¹ ꝛc.

Fig. 15. E D¹ E D¹ D² D¹ D² D³ D³ D³

Klage aus § 861 I.

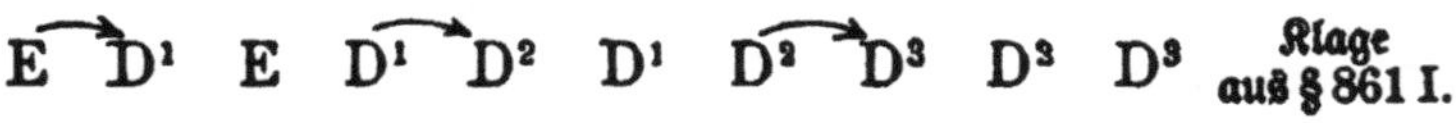

Aus den 9 Diebstählen kann nur drei Male wegen Besitzentziehung geklagt werden. E kann gegen D¹ aus dem ersten, aber nicht aus dem zweiten Diebstahl klagen, ebenso D¹ gegen D², D² gegen D³. D¹ kann nicht gegen E, D² nicht gegen D¹, D³ nicht gegen D² klagen. Das Hindernis ist in allen Fällen die Einrede des fehlerhaften Besitzes. Der Kläger behauptet: Du hast mir die Sache gestohlen, ich verlange sie zurück. Der Beklagte entgegnet: Du hast sie mir vorher selber gestohlen, bist selber an mir zum Diebe geworden.

Zu beachten ist, daß der Beklagte dem Kläger nicht vorhalten darf: Du hast sie einem Anderen gestohlen. So darf z. B. (Fig. 9, 12) D² dem D¹ nicht entgegen halten: Du hast die Sache dem E gestohlen, oder (Fig. 10, 11, 13, 14): Du hast die Sache dem K¹ gestohlen. D¹ würde mit Recht darauf erwidern: Darauf kommt es hier nicht an.

VI. Ueber den Schutz gegen bloße Störung bestimmt § 862: „Wird der Besitzer durch verbotene Eigenmacht im Besitze gestört, so kann er von dem Störer die Beseitigung der Störung verlangen. Sind weitere Störungen zu besorgen, so kann der Besitzer auf Unterlassung klagen.

Der Anspruch ist ausgeschlossen, wenn der Besitzer dem Störer oder Rechtsvorgänger gegenüber fehlerhaft besitzt und der Besitz in dem letzten Jahre vor der Störung erlangt worden ist" (§ 862). Am 1. Juni stört der S. den D. im Besitz der Sache. D. klagt, S. weist nach, daß D. im Oktober vorher die Sache ihm gestohlen hat und daher fehlerhaft im gegenüber besitze, D. wird mit seiner Klage abgewiesen.

VII. Gegenüber der Klage aus dem Besitz können keine dinglichen und sonstigen Rechte geltend gemacht werden, um die Besitzstörung oder Entziehung zu rechtfertigen. Aus den Zeichnungen ist ersichtlich, daß dingliche und Besitzklage durchaus ihre eigenen Wege gehen. Dabei soll es auch bleiben. Der klagende Besitzer beruft sich nicht darauf: Ich habe das Recht erworben, es steht mir zu, ich mache es geltend, sondern er sagt: Ich habe das Recht ausgeübt, diesen durch die Ausübung geschaffenen Zustand darfst Du nicht eigenmächtig stören. Er kann nur aufgehoben werden auf Grund eines gerichtlichen Erkenntnisses, s. u. S. 255. Das B.G.B. schließt es aus, daß das Recht zum Besitz oder zur Vornahme der störenden Handlung der Besitzklage entgegengehalten werde. Unter Umständen können diese Rechte aber doch im Prozesse zur

Frage kommen, wenn nemlich der Beklagte sich auf sie beruft, um darzutun, daß er nicht in verbotener Eigenmacht gehandelt habe. Wenn Nachbar A. dem Nachbar B. das Recht eingeräumt hat, Wasser aus seinem, des A. Brunnen zu holen und B. hat dies getan, so kann er, wenn er von A. wegen Besitzstörung verklagt wird, entgegenhalten, daß A. es ihm erlaubt habe, er also nicht ohne den Willen des A. dessen Besitz störe und darum auch keine verbotene Eigenmacht begehe. Durch diesen Nachweis wird der Klage des A. die Grundlage, die verbotene Eigenmacht, entzogen. Besitzt dagegen der Nichteigentümer D³ (Fig. 12) die Sache des Eigentümers E, so kann dieser nicht ohne weiteres seine Befugnisse als Eigentümer ausüben, sondern muß mit der Eigentumsklage sich die Sache verschaffen. Würde er sofort zugreifen, so würde er der Besitzesklage des D³ unterliegen, und den Besitzproceß verlieren, und müßte dementsprechend auch die Kosten dieses Prozesses tragen. Andererseits kann er einen Eigentumsprozeß anstrengen und würde ihn, wenn er alles genügend beweisen kann, gewinnen und D³ muß alsdann die Kosten des Eigentumsprozesses tragen. Hat E sofort, nachdem er die Störung begangen hat, geklagt auf Feststellung, daß ihm das Eigentum zustehe, und ist in diesem Prozesse ein rechtskräftiges Urteil ergangen, so erlischt mit der Rechtskraft des Urteils das Recht des D³, wegen Besitzstörung zu klagen. E wird sich in einem Besitzprozeß stets mit Erfolg auf dies Urteil berufen können, denn seine Eigenmacht hat nunmehr aufgehört, eine verbotene zu sein (§ 864).

VIII. Eine Besonderheit, die mit den Beschränkungen des Eigentums eine gewisse Ähnlichkeit hat, enthält § 867. „Ist eine Sache aus der Gewalt des Besitzers auf ein im Besitz eines Anderen befindliches Grundstück gelangt (verflogener Papierdrache, Gummiball ꝛc.), so hat ihm der Besitzer des Grundstücks die Aufsuchung und die Wegschaffung zu gestatten, sofern nicht die Sache inzwischen in Besitz genommen worden ist (der Drache, Gummiball ist ins Haus genommen). Der Besitzer des Grundstücks kann Ersatz des durch die Aufsuchung und die Wegschaffung entstandenen Schadens verlangen" (§ 867). Unter Umständen kann er die Erlaubnis verweigern, wenn ihm nicht Sicherheit geleistet wird, es sei denn, daß mit dem Aufschub Gefahr verbunden ist (§ 867).

IX. Vergleicht man den Besitz mit dem Eigentum, so fällt

sofort ins Auge, daß das Eigentum gegen Jedermann verfolgt werden kann, solange es noch besteht und nicht durch gutgläubigen Erwerb Dritter untergegangen ist. Wer die Sache auch hat, muß sie herausgeben! Ganz anders beim Besitz, nur der Täter haftet und nicht jeder Dritte, der die Sache hat. Gibt der Besitz auch das Recht der Selbsthülfe gegen Jedermann, so gibt er doch nur ein relatives Klagerecht, während das Eigentum ein Klagerecht gegen Jedermann, ein absolutes Klagerecht gibt.

Ferner kann derjenige, der gegen den einen ein Klagerecht hat, sehr wohl einem Anderen gegenüber der Beklagte sein. Bestiehlt D^1 den E, D^2 den D^1, E den D^2, so kann erst E den D^1, dann D^1 den D^2, dann D^2 den E verklagen. Wenn diese Klagen auch nur zeitlich hinter einander möglich sind, und mit dem Entstehen der späteren die frühere erlischt, so zeigt sich doch an ihnen, daß der Besitz kein Recht nach Art des Eigentums mit absoluter Geltungskraft ist. Dies wird um so deutlicher, wenn wir die Einrede des fehlerhaften Besitzes betrachten, die eine Besitzklage gegenüber bestimmten Personen garnicht aufkommen läßt, während sie einer Klage gegen andere Personen nicht hinderlich ist.

Zu definieren ist der Besitz als das Recht, in dem augenblicklichen äußeren Stand der Dinge nicht durch äußere, rechtlich nicht ausdrücklich erlaubte Eingriffe gestört zu werden.

Dementsprechend wird in § 857 mit Recht bestimmt, daß der Besitz auf den Erben übergeht, was nur bei Rechten möglich ist. Dies Recht leitet sich grundsätzlich her aus der Tatsache des bloßen Habens einer Sache. Das bloße Haben wird um seiner selbst willen geschützt, denn es soll Niemand, möge er auch ein Recht darauf haben, daß der augenblickliche äußere Besitzstand zu seinen Gunsten geändert werde, durch Eigenmacht den gegebenen Besitzstand verändern. Dies ist Sache des Richters, den die in ihren Rechten gekränkte Partei anrufen soll. Das B.G.B. hat ganz mit Recht den Nachdruck auf die Bekämpfung der verbotenen Eigenmacht gelegt und damit ist die wesentlichste Funktion des Besitzesschutzes in glücklicher Weise angegeben.

§ 62. Miteigentum.

Wenn eine Sache mehreren Personen gemeinsam gehört, sprechen wir von Miteigentum. Die Miteigentümer müssen sich natürlich irgend wie in die Sache teilen. Wenn sie eine körperliche Teilung vornehmen, entstehen neue selbständige Sachen, von denen möglicher Weise je eine auf je einen Mitbesitzer kommt. Wenn sich die Miteigentümer auf diese Art gegenseitig abfinden, so hört dadurch auch das Miteigentum auf. Das Miteigentum kann also nicht auf der körperlichen Teilung der Sache beruhen. Außer der körperlichen ist möglich die unkörperliche, bloß gedachte Teilung und nur eine solche kann in Frage kommen. Man denkt sich das Recht an der Sache als geteilt, da man sich zum mindesten aus praktischen Gründen nicht die Sache selbst als geteilt denken kann. Dies wäre eine nicht durchgeführte, sondern bloß gedachte körperliche Teilung, die sich tatsächlich nicht durchführen läßt, da jedes kleinste Teilchen als geteilt gedacht werden muß. Eine höchst unpraktische Vorstellung und eine Fiktion, die für das Recht ohne jeden Wert ist.

Wir denken uns also das unkörperliche Recht als geteilt. Diese gedachte Teilung einer gedachten Größe ist leichter durchzuführen, als eine juristische Atomentheorie.

Jeder Miteigentümer hat einen Anteil am Recht an der Sache, das Eigentum ist nach Bruchteilen, ideellen Anteilen geteilt (§ 1008). Diese Bruchteile des Rechtes werden in Bezug auf Erwerb, Verlust, Geltendmachung nicht anders behandelt, als das Alleineigentum.

Das Miteigentum ist der Hauptfall der Gemeinschaft und darum müssen wir diese hier heranziehen.

„Im Zweifel ist anzunehmen, daß den Teilhabern (in unserem Fall also den Miteigentümern) gleiche Anteile zustehen" (§ 742).

„Jedem Teilhaber gebührt ein seinem Anteil entsprechender Bruchteil der Früchte.

Jeder Teilhaber ist zum Gebrauche des gemeinschaftlichen Gegenstandes insoweit befugt, als nicht der Mitgebrauch der übrigen Teilhaber beeinträchtigt wird" (§ 743).

Die Verwaltung des gemeinschaftlichen Gegenstandes steht den Teilhabern gemeinschaftlich zu" (§ 744).

Die Bestimmung hierüber muß jeder anerkennen, der an die Stelle eines Teilhabers tritt. § 746. „Haben die Teilhaber die Verwaltung und Benutzung des gemeinschaftlichen Gegenstandes geregelt, so wirkt die getroffene Bestimmung auch für und gegen die Sondernachfolger". Aber „haben die Miteigentümer eines Grundstücks die Verwaltung und Benutzung geregelt oder das Recht, die

Aufhebung der Gemeinschaft zu verlangen, für immer oder auf Zeit ausgeschlossen, oder eine Kündigungsfrist bestimmt, so wirkt die getroffene Bestimmung gegen den Sondernachfolger (Käufer, Beschenkten) eines Miteigentümers nur, wenn sie als Belastung des Anteils im Grundbuch eingetragen ist" (§ 1010). Dies ist eine Ausnahme von § 746. Bei beweglichen Sachen ist jeder, der an die Stelle eines Teilhabers tritt, an die Abmachung über Verwaltung oder Benutzung gebunden, bei Grundstücken ist unbedingt daran gebunden nur der Erbe, andere Nachfolger des Teilhabers z. B. sein Abkäufer nur dann, wenn die Abmachung als Belastung des Anteils in das Grundbuch eingetragen ist.

„Jeder Teilhaber ist den anderen Teilhabern gegenüber verpflichtet, die Lasten des gemeinschaftlichen Gegenstandes (z. B. Hypotheken) sowie die Kosten der Erhaltung, der Verwaltung und einer gemeinschaftlichen Benutzung nach dem Verhältnisse seines Anteils zu tragen" (§ 748).

Wichtig ist die Bestimmung, daß jeder Teilhaber über seinen Anteil selbständig verfügen, ihn also veräußern und dadurch den übrigen Miteigentümern jederzeit einen neuen Teilhaber aufdrängen kann (§ 747). Darum gewährt § 749 I ein Hülfsmittel, um sich von einem mißliebigen Teilhaber zu befreien, auch wenn es nicht gelingt, durch Verkauf der übrigen Anteile seiner lebig zu werden „Jeder Teilhaber kann jederzeit die Aufhebung der Gemeinschaft verlangen." Jeder Miteigentümer kann also jederzeit auf Teilung klagen, entweder Teilung in Natur (§ 752), oder wenn diese aus wirtschaftlichen Gründen ausgeschlossen ist, auf Verkauf des gemeinschaftlichen Gegenstandes und Teilung des Erlöses (§ 752, 753).

Das Recht auf Teilung kann aber auch ausgeschlossen werden (§ 751). § 749 I. „Wird das Recht, die Aufhebung zu verlangen, durch Vereinbarung für immer oder auf Zeit ausgeschlossen, so kann die Aufhebung gleichwohl verlangt werden, wenn ein wichtiger Grund vorliegt. Unter der gleichen Voraussetzung kann, wenn eine Kündigungsfrist bestimmt wird, die Aufhebung ohne Einhaltung der Frist verlangt werden.

Eine Vereinbarung, durch welche das Recht, die Aufhebung zu verlangen, diesen Vorschriften zuwider ausgeschlossen oder beschränkt wird, ist nichtig". Wer bei der Teilung die Sache oder einen Teil

erhält, bem haften bie Übrigen für körperliche unb rechtliche Mängel
ber Sache, als wenn sie Verkäufer wären (§ 757).

§ 758. „Der Anspruch auf Aufhebung ber Gemeinschaft unterliegt nicht ber Verjährung".

Fünftes Kapitel.

Rechte an fremder Sache.

§ 63. Erbbaurecht.

Das Erbbaurecht, auch superficies genannt, ist bas veräußer-
liche, vererbliche Recht eines Nichteigentümers, auf fremdem Grundstück auf ober unter ber Oberfläche ein Bauwerk (Haus, Keller) zu
haben. Es ist ein bingliches Recht unb unterscheidet sich baburch
von bem Recht bes Pächters, auf bem gepachteten Grundstück ein
Bauwerk zu errichten unb zu haben. Wird bie Scheune von bem
Pächter nicht zu bloß vorübergehenden Zwecken (§ 95) errichtet, so
wird sie, wie es bas Normale ist, Bestandteil bes Grundstücks, ba-
gegen bas von einem Erbbauberechtigten errichtete Gebäude wird
niemals Bestandteil (§ 95). Ferner muß jeber Eigentümer bes
Grundstücks bas von bem Erbbauberechtigten errichtete Bauwerk
bulden, benn ber Erbbauberechtigte hat ein auf bem Grundstück
selbst ruhendes Recht, auf ihm sein Bauwerk zu haben, ber Pächter
hat nur einen persönlichen Anspruch, ein bloßes Forderungsrecht
barauf, baß sein Verpächter sein Bauwerk bulde. Das Erbbaurecht
kann man burch bie sogenannte Tabularersitzung, s. u., ersitzen, ein
Pachtrecht kann nie ersessen werden. Ferner, wenn ein eingetragener
Nichteigentümer bas Grundstück ersitzt, Tabularersitzung nach § 900,
ober ein nicht eingetragener Nichteigentümer ben Eigentümer burch
Aufgebotsverfahren gemäß § 927 ausschließen läßt, so ist er an ben
von bem bisherigen Eigentümer geschlossenen Pachtvertrag nicht gebunden unb braucht bas Bauwerk bes Pächters nicht zu bulden. Doch
gegen ben Erbbauberechtigten ist er ohnmächtig, dieser wird burch
ben Wechsel ber Eigentümer in keiner Weise betroffen, sein Recht
bewährt sich gegenüber Jedermann, wer auch Eigentümer bes Grund-

stücks sein möge. Hierin liegt der große Unterschied zwischen dem bloß obligatorischen Rechte des Pächters und dem dinglichen Rechte des Erbbauberechtigten. Der Pächter hat nur ein obligatorisches Recht gegen den Verpächter, dessen Erben und gegen diejenigen, an die der Verpächter oder sein Erbe das Grundstück veräußert, (§ 571, 581). Der Erbbauberechtigte aber hat ein Recht gegen alle Personen, die jemals Eigentümer des Grundstücks werden und daher auch gegen die Ersitzer, gegen die der Pächter machtlos ist.

Das Erbbaurecht ist veräußerlich und vererblich (§ 1012).

Es kann nicht auf einen Teil des Gebäudes, insbesondere ein Stockwerk beschränkt werden (§ 1014), erlischt nicht durch Untergang des Bauwerks (§ 1016).

Wenn also eine Stadt, um ein gemeinnütziges Unternehmen zu unterstützen, den Bauplatz mit Vorbehalt des Eigentums hergibt und das errichtete Gebäude abbrennt, so wird dadurch das Grundstück mit Nichten wieder von seiner Last frei.

Um Übrigen ist über das Erbbaurecht nicht sonderlich viel zu bemerken. „Für das Erbbaurecht gelten die sich auf Grundstücke beziehenden Vorschriften.

Die für den Erwerb des Eigentums und die Ansprüche aus dem Eigentum geltenden Vorschriften finden auf das Erbbaurecht entsprechende Anwendung" (§ 1017).

Wie die Auflassung bei der Eigentumsübertragung, so muß der Vertrag, durch den der Eigentümer dem Erbbauberechtigten das Erbbaurecht bewilligt, in Anwesenheit beider Teile vor dem Grundbuchamte geschlossen werden (§ 1015). Das Erbbaurecht entsteht ebenso wie das Eigentum durch einen Doppelakt, die dingliche Übertragung durch den Eigentümer des Grundstücks und die Eintragung in das Grundbuch (§ 873). Die Auflassung, der Eigentumsübertragungsvertrag ist ein dinglicher Vertrag, aber sie ist nicht der einzige dingliche Vertrag, sondern ein dinglicher Vertrag ist auch der Vertrag, durch den der Eine dem Anderen ein Erbbaurecht, ein dingliches Recht an fremder Sache bewilligt. Wir werden solche dingliche Verträge noch wiederholt finden.

Das Erbbaurecht entsteht ferner durch die sogenannte Tabularersitzung des § 900. Wenn Jemand, der kein Erbbauberechtigter ist, doch als solcher im Grundbuch während 30 Jahre eingetragen gewesen ist und das Grundstück während dieser

17*

Zeit als Erbbauberechtigter in Besitz gehabt hat, so erwirbt er mit Ablauf der 30 Jahre das Erbbaurecht.

Ferner entsteht das Erbbaurecht dadurch, daß ein Nichtberechtigter, der das Grundstück seit 30 Jahren als Erbbauberechtigter besitzt, im Aufgebotsverfahren den Eigentümer mit seinem Rechte ausschließen läßt, soweit es mit dem Erbbaurecht in Widerspruch steht, und daß er sich als Erbbauberechtigter in das Grundbuch eintragen läßt (§§ 1017 II, 927).

Wohl zu beachten ist, daß nur der Erwerb des Erbbaurechtes in § 1017 den für das Eigentum geltenden Grundsätzen unterstellt ist, durch § 1017 II die Anwendung von § 875 nicht ausgeschlossen wird. Auf das Erbbaurecht wird also nicht gemäß § 928, s. o. § 59 S. 239 verzichtet, sondern gemäß § 875.

§ 875. „Zur Aufhebung eines Rechtes an einem Grundstück ist, soweit nicht das Gesetz ein Anderes vorschreibt, die Erklärung des Berechtigten, daß er das Recht aufgebe, und die Löschung des Rechtes im Grundbuch erforderlich. Die Erklärung ist dem Grundbuchamt oder demjenigen gegenüber abzugeben, zu dessen Gunsten sie erfolgt."

§ 64. Grunddienstbarkeiten.

I. Ich kann mir von meinem Nachbar das obligatorische Recht auswirken, aus seinem Brunnen Wasser zu schöpfen. Dann schließe ich mit ihm in normaler Weise einen Mietvertrag über seinen Brunnen. Ich kann aber ein dingliches Recht erwerben, eine Gerechtigkeit, wie man sagt, des Inhaltes, Wasser schöpfen zu dürfen. Es kehrt hier der beim Erbbaurecht schon beleuchtete Unterschied zwischen dinglichem und obligatorischem Recht wieder, weshalb ich auf § 63 verweise.

Das Recht kann sich auch beziehen auf gehen, reiten, fahren, Vieh treiben, tränken, weiden lassen 2c. Man spricht dann von einer Wege-, Weide- 2c. -gerechtigkeit. Alle diese Rechte geben dem Berechtigten die Befugnis, das mit dieser Gerechtigkeit belastete Grundstück in gewisser Weise benutzen zu dürfen, soweit es dem Inhalt der Gerechtigkeit entspricht. „Ein Grundstück kann zu Gunsten des jeweiligen Eigentümers eines andern Grundstücks in der Weise belastet werden, daß dieser das Grundstück in einzelnen Beziehungen benutzen darf oder daß auf dem Grundstück gewisse Handlungen nicht vorgenommen werden dürfen oder daß die Ausübung eines Rechtes ausgeschlossen ist, das sich aus dem Eigentum an dem belasteten Grundstück dem anderen Grundstück gegenüber ergibt (Grunddienstbarkeit)" (§ 1018). Beispiele: Wegegerechtigkeit; Recht dem Eigentümer zu verbieten, daß er auf seinem Grundstück eine Fabrik betreibe; Recht zu verbieten, daß er seine Bäume über eine gewisse Höhe wachsen lasse.

Nicht alles, was man sich obligatorisch ausbedingen kann, ist geeignet, Gegenstand einer Dienstbarkeit zu sein. Denn die Dienstbarkeit soll nicht nur dem augenblicklichen Berechtigten nützlich sein, sondern jedem künftigen Eigentümer, der später einmal dem Berechtigten in dem Eigentum an seinem Grundstück nachfolgt. Die Dienstbarkeit soll dem betreffenden Grundstück nützlich sein (§ 1019). Darum wird die Berechtigung an das Eigentum des Grundstücks geknüpft, für das der erste Berechtigte die Dienstbarkeit erwarb. Man nennt dies Grundstück das herrschende Grundstück im Gegensatz zu dem mit der Dienstbarkeit belasteten dienenden Grundstück. Berechtigt ist nicht das herrschende Grundstück, sondern wie das B.G.B. selber sagt, der jeweilige Eigentümer des herrschenden Grundstücks, vergl. § 1018.

II. Die Dienstbarkeit entsteht ebenfalls durch Doppelakt, dinglichen Vertrag und Eintragung in das Grundbuch (§ 873).

Der dingliche Vertrag muß nicht notwendig vor dem Grundbuchamte erklärt werden, wie es für die Entstehung von Eigentum und Erbbaurecht vorgeschrieben ist.

III. Der Berechtigte soll sein Recht schonend ausüben (§ 1020).

IV. Mit Teilung des herrschenden Grundstücks geht die Berechtigung auf jedes Teilstück über, aber ihre Ausübung darf für den Eigentümer des belasteten Grundstücks nicht beschwerlicher werden (§ 1025).

Wird das Grundstück geteilt, so bleibt jedes Teilstück genau so belastet, wie vorher. Grundsätzlich wird durch die Teilung nichts geändert, kein Teilstück wird dadurch in seiner Lage verbessert oder verschlechtert, weil sonst der Berechtigte zu leicht in seinem Rechte geschädigt werden könnte. Dies ist nicht ausdrücklich ausgesprochen, versteht sich aber von selber und wird mittelbar bestätigt durch

§ 1026. „Wird das belastete Grundstück geteilt, so werden,

wenn die Ausübung der Grunddienstbarkeit auf einen bestimmten Teil des belasteten Grundstücks beschränkt ist, die Teile, welche außerhalb des Bereichs der Ausübung liegen, von der Dienstbarkeit frei."

V. „Wird eine Grunddienstbarkeit beeinträchtigt, so stehen dem Berechtigten die im § 1004 bestimmten Rechte (Schutz des Eigentums gegen Störung) zu". (§ 1027).

Ist die Dienstbarkeit eingetragen und der Besitzer des herrschenden Grundstücks wird in ihrer Ausübung gestört, „so finden die für den Besitzschutz geltenden Vorschriften entsprechende Anwendung, soweit die Dienstbarkeit innerhalb eines Jahres vor der Störung, sei es auch nur einmal, ausgeübt worden ist" (§ 1029). Ist eine Wegegerechtigkeit zu Gunsten des Grundstücks a. eingetragen und hat A, der Eigentümer von a., im letzten Jahre die Gerechtigkeitauch nur einmal ausgeübt, so kann er, wenn B als Eigentümer des belasteten Grundstücks b. sein Grundstück gegen die angeblich unberechtigte Dienstbarkeit absperrt, mittelst Klage die Öffnung des Grundstücks b. verlangen und braucht sich nur darauf zu berufen, daß eine Dienstbarkeit eingetragen sei und daß er sie im letzten Jahre ausgeübt habe. Kann A diese Tatsachen beweisen, so muß ihm B sofort das Grundstück öffnen, hat aber die Möglichkeit, den A zu verklagen mit der Behauptung, daß die Dienstbarkeit zu Unrecht eingetragen sei und in Wirklichkeit gar nicht bestehe. Einstweilen behält A die Oberhand, wird aber möglicherweise im Prozesse um das Recht selbst verurteilt. Denn auch hier kann es wie bei jedem dinglichen Recht zutreffen, daß ein Nichtberechtigter fälschlich eingetragen ist, eine Dienstbarkeit überhaupt nicht besteht oder einem Nichteingetragenen zusteht. Hier wiederholt sich derselbe Vorgang, der oben S. 253 f. schon einmal beschrieben ist.

VI. Die Dienstbarkeit geht unter „durch die Erklärung des Berechtigten, daß er sein Recht aufgebe" und die Löschung des Rechtes im Grundbuch" (§ 875). Ferner kann sie verjähren, wenn der Zustand des dienenden Grundstücks der Dienstbarkeit widerspricht (§ 1028). Dies ist eine Ausnahme von § 902, der für Ansprüche aus eingetragenen Rechten die Verjährung ausschließt.

§ 65. Nießbrauch.

I. Nießbrauch an Sachen. 1. Nießbrauch ist das Recht an fremder Sache, die Nutzungen der Sache zu ziehen

(§ 1030). „Der Nießbrauch kann durch den Ausschluß einzelner Nutzungen beschränkt werden".

Auch hier stoßen wir wieder auf den Unterschied zwischen dinglichem und obligatorischem Recht, Nießbrauch und Pacht. Vergl. die Bemerkungen oben zu dem Erbbaurecht.

2. Der Nießbrauch an Grundstücken entsteht wie die Dienstbarkeiten durch dinglichen Vertrag und Eintragung (§ 873). An beweglichen Sachen entsteht er durch Übergabe der Sache zu Nießbrauch d. h. durch den bloßen auf Erzeugung des Nießbrauchrechtes gerichteten dinglichen Vertrag. Selbstverständlich gilt auch hier der Satz, daß einem gutgläubigen Erwerber auch ein Nichteigentümer den Nießbrauch verschaffen kann (§ 1032). Ferner kann an beweglichen Sachen ein Nießbrauch nach den für das Eigentum geltenden Vorschriften ersessen werden (§ 1033). An Grundstücken ist die Tabularersitzung des § 900 II zulässig, da der Nießbrauch zum Besitze der Sache berechtigt (§§ 900, 1036), s. o. S. 239.

3. Der Nießbrauch an Grundstücken geht unter wie die Grunddienstbarkeiten (§ 875), bei beweglichen Sachen genügt die Erklärung des Nießbrauchers gegenüber dem Eigentümer oder Besteller, daß er den Nießbrauch aufgebe (§ 1064); oder auch das Zusammentreffen von Eigentum und Nießbrauch in einer Person (§ 1063).

In allen Fällen beendet der Tod des Nießbrauchers sein Recht (§ 1061 Satz 1).

4. „Der Nießbraucher ist zum Besitz der Sache berechtigt" (§ 1036 I). Er darf die wirtschaftliche Bestimmung der Sache nicht ändern (statt Getreidebau keine Waldwirtschaft einführen) und muß ordnungsmäßig wirtschaften (§ 1036). Er darf die Sache nicht umgestalten oder wesentlich verändern, darf aber Steinbrüche, Kies-, Sand-, Thon ꝛc. -gruben einrichten, Torf stechen, „sofern nicht die wirtschaftliche Bestimmung des Grundstücks wesentlich dadurch verändert wird" (§ 1037).

Der Nießbraucher erwirbt Eigentum an allen Früchten, auch wenn er Raubbau treibt, oder wenn sie durch besondere Ereignisse (Windbruch) im Übermaß entstanden sind. Er muß jedoch den Wert der nicht ordnungsmäßig oder übermäßig gezogenen Früchte ersetzen und haftet jedenfalls für Verschulden (§ 1039).

Er muß die Sache in ihrem wirtschaftlichen Bestande erhalten und muß sie dementsprechend ausbessern und erneuern, soweit dies zur gewöhnlichen Unterhaltung der Sache gehört (§ 1041).

Er muß für die Dauer seines Nießbrauchs die Sache gegen Brand und sonstige Unfälle auf seine Kosten zu Gunsten des Eigentümers versichern, wenn dies einer ordnungsmäßigen Wirtschaft entspricht (§ 1045). Der Nießbraucher ist dem Eigentümer gegenüber verpflichtet, während seines Nießbrauches die auf der Sache ruhenden öffentlichen Lasten, mit Ausnahme gewisser außerordentlicher Lasten, sowie alle privatrechtlichen Lasten zu tragen, die schon bei der Entstehung des Nießbrauchs auf der Sache ruhten, insbesondere die Zinsen von Hypotheken 2c. (§ 1047).

5. „Wird durch das Verhalten des Nießbrauchers die Besorgnis einer erheblichen Verletzung der Rechte des Eigentümers begründet (der Nießbraucher trifft Vorkehrungen, um die Sache entgegen § 1037 umzugestalten oder wesentlich zu verändern), so kann der Eigentümer Sicherheitsleistung verlangen" (§ 1051) oder gemäß § 1053 Verwaltung durch einen gerichtlich bestellten Verwalter.

„Macht der Nießbraucher einen Gebrauch von der Sache, zu dem er nicht befugt ist (Raubbau), und setzt er den Gebrauch ungeachtet einer Abmahnung des Eigentümers fort, so kann der Eigentümer auf Unterlassung klagen" (§ 1053). In schweren Fällen (vergl. § 1054) kann der Eigentümer die Bestellung eines gerichtlichen Verwalters verlangen (§ 1054).

Nach Beendigung des Nießbrauches muß der Nießbraucher die Sache zurückgeben (§ 1055).

6. „Der Nießbrauch ist nicht übertragbar. Die Ausübung des Nießbrauchs kann einem Anderen überlassen werden" (§ 1059). Nach der Auffassung des B.G.B. ist der Nießbrauch ein so höchst persönliches Recht, daß er nicht von der Person des Berechtigten getrennt werden kann. Darum erlischt er auch mit dem Tode des Nießbrauchers (§ 1061).

Der Nießbraucher hat wie der Eigentümer eine Klage wegen Entziehung und wegen Störung (§ 1065).

Uneigentlicher Nießbrauch. „Sind verbrauchbare Sachen Gegenstand des Nießbrauches, so wird der Nießbraucher Eigentümer der Sachen; nach der Beendigung des Nießbrauches hat er dem Besteller den Wert zu ersetzen, den die Sachen zur Zeit der Bestellung hatten" (§ 1067 Satz 1).

II. Nießbrauch an Rechten. „Gegenstand des Nießbrauches kann auch ein Recht sein.

„Auf den Nießbrauch an Rechten finden die Vorschriften über den Nießbrauch an Sachen entsprechende Anwendung, soweit sich nicht aus den §§ 1069—1084 ein Anderes ergibt" (§ 1068). Der Nießbrauch an einem Rechte ist in den für das Recht selber vorgeschriebenen Formen zu bestellen. Der Nießbrauch an einer Dienstbarkeit kann also nur in der Form entstehen, in der die Dienstbarkeit selber entsteht (§ 1069).

Der Hauptfall, auf den wir uns beschränken wollen, ist der Nießbrauch an einer Forderung.

Der Nießbrauch wird bestellt durch Übertragung der Forderung selbst zu Nießbrauchzwecken (§ 1070 I).

„Dem Nießbraucher einer Leibrente, eines Auszugs oder eines ähnlichen Rechtes gebühren die einzelnen Leistungen, die auf Grund des Rechtes gefordert werden können" (§ 1073).

Der Nießbraucher einer Forderung kann die Forderung einziehen (§ 1074). Leistet der Schuldner an den Nießbraucher, so erwirbt der eigentliche Gläubiger den geleisteten Gegenstand zu Eigentum und der Nießbraucher daran den Nießbrauch (§ 1075). Verzinsliches Kapital kann der Schuldner nur an Gläubiger und Nießbraucher gemeinsam zahlen (§ 1077). Aus der Übertragung der Forderung ergäbe sich eigentlich, daß der Nießbraucher die Zahlung an sich allein verlangen könnte, aber da die Übertragung nur zu Nießbrauchszwecken geschieht, ist diese Beschränkung eingeführt.

III. Nießbrauch an einem Vermögen. „Der Nießbrauch an dem Vermögen einer Person kann nur in der Weise bestellt werden, daß der Nießbraucher den Nießbrauch an den einzelnen zu dem Vermögen gehörenden Gegenständen (Sachen, Rechten) erlangt" (§ 1085). Der Nießbrauch ist also verschieden zu bestellen, je nachdem im Vermögen bewegliche, unbewegliche Sachen oder dingliche oder Forderungsrechte sind.

Damit ältere Gläubiger nicht durch die Bestellung des Nießbrauchs geschädigt werden, können sie ohne Rücksicht auf den Nießbrauch Befriedigung aus den dem Nießbrauch unterliegenden Gegenständen verlangen (§ 1086). Sind ihre Forderungen verzinslich, so können sie die Zinsen für die Dauer des Nießbrauchs auch von dem Nießbraucher einfordern (§ 1088 Satz 1).

Der Nießbrauch an Rechten sprengt den Rahmen der dinglichen Rechte, wird aber des Zusammenhanges wegen nach dem Beispiel des B.G.B. hier behandelt.

§ 66. Beschränkte persönliche Dienstbarkeiten.

Die persönlichen Dienstbarkeiten setzen nicht voraus, daß dem Berechtigten das Eigentum an einem bestimmten Grundstücke zustehe. Hauptfall ist das Wohnungsrecht: Der Berechtigte darf ein Gebäude oder einen Teil eines Gebäudes unter Ausschluß des Eigentümers als Wohnung benutzen und hat dies Recht gegenüber jedem Eigentümer des Grundstücks (§ 1093 I). Er darf „seine Familie sowie die zur standesmäßigen Bedienung und zur Pflege erforderlichen Personen in die Wohnung aufnehmen" (§ 1093 II).

„Eine beschränkte persönliche Dienstbarkeit ist nicht übertragbar. Die Ausübung der Dienstbarkeit kann einem Anderen nur überlassen werden, wenn die Überlassung gestattet ist" (§ 1092).

Im Übrigen enthalten die §§ 1090 und 1093 Hinweisungen darauf, welche Vorschriften insbesondere über den Nießbrauch auf die beschränkten persönlichen Dienstbarkeiten Anwendung finden. Danach richten sich vorzüglich Entstehung und Untergang der beschränkten persönlichen Dienstbarkeiten.

§ 67. Vorkaufsrecht an Grundstücken.

Oben S. 92 ist das obligatorische Vorkaufsrecht schon behandelt, hier ist das dingliche Vorkaufsrecht an Grundstücken zu erörtern. Der Vorkaufsberechtigte hat jedem Eigentümer gegenüber das Recht zum Vorkauf und berechtigt kann sein eine bestimmte Person allein, aber auch der jeweilige Eigentümer eines anderen Grundstücks (§ 1094). An sich beschränkt sich das Vorkaufsrecht auf den Fall, daß der Eigentümer, dem das Grundstück zur Zeit der Bestellung gehört, oder dessen Erben verkaufen; es kann jedoch auch für mehrere oder für alle Verkaufsfälle (z. B. der dritte Käufer, der Ersitzer verkauft) bestellt werden (§ 1097).

Das Vorkaufsrecht ist zunächst nur ein Recht gegen den Eigentümer oder seine Rechtsnachfolger: diese werden verpflichtet, den Vorkaufsberechtigten in den Kauf eintreten zu lassen, den sie mit

einer dritten Person abgeschlossen haben. Dritten gegenüber zeigt
es sich aber ebenfalls im Gegensatz zum obligatorischen Vorkaufsrecht und diese Wirkung hängt mit seiner Entstehungsform zusammen: es entsteht durch den dinglichen Vertrag und durch die
Eintragung in das Grundbuch (§ 873). Das gibt dem Vorkaufsrechte natürlich eine dem obligatorischen Vorkaufsrecht fremde
Öffentlichkeit und diese Öffentlichkeit hat die Wirkung einer Vormerkung zur Sicherung aller Ansprüche, die sich aus der Geltendmachung des Vorkaufsrechtes ergeben, insbesondere zur Sicherung
des Anspruchs auf Übertragung des Eigentums (§ 1098; vergl.
§ 883).

Wenn der Nachbar N¹ an dem Grundstück des Nachbarn N²
ein Vorkaufsrecht hat, N² an K verkauft und N¹ sein Vorkaufsrecht ausüben will, so muß er dies dem Verkäufer N² erklären
(§§ 1098, 505) und tritt dann in den Vertrag ein, den N² mit
K. geschlossen hat. N¹ kann dann von N² Übertragung des Eigentums verlangen, K. muß sich dies gefallen lassen (§ 883, 888), weil
ihm gegenüber die Eintragung des Vorkaufsrechtes als Vormerkung
wirkt.

Ist K. aber schon das Eigentum des Grundstücks übertragen
worden, so kann er seine Zustimmung zur Eintragung des N¹ als
Eigentümer und die Herausgabe des Grundstücks verweigern und
kann von N¹ verlangen, daß dieser ihm den an N² gezahlten Kaufpreis wiedererstatte und soweit N¹ dem K. den gezahlten Kaufpreis
wieder zu erstatten hat, wird N¹ gegenüber dem N² von der Verpflichtung zur Zahlung des aus dem Vorkaufe geschuldeten Kaufpreises frei (§§ 1100, 1101). K. kann dagegen von N² den gezahlten Preis nicht zurückfordern, wenn er infolge der Ausübung
des Vorkaufsrechtes sein Eigentum verliert. Hat er noch nichts
bezahlt, so wird er dem Verkäufer gegenüber von seiner Verpflichtung frei (§ 1102). Hat N¹ schon an N² gezahlt und fordert
nunmehr K. von N¹ sein des K. an N² als Kaufpreis gezahltes
Geld zurück, indem er das soeben beschriebene Zurückbehaltungsrecht
gemäß § 1100 ausübt, so muß N¹ dem K. auszahlen auf die Gefahr hin, daß er von N² sein Geld nicht wieder erhält. N¹ muß
also unter Umständen doppelt zahlen an N² und K. Der Vorkaufsberechtigte muß darum vorsichtig zu Werke gehen und den

Verkäufer nicht auszahlen, bevor feststeht, daß der Käufer kein
Zurückbehaltungsrecht hat.

Das Vorkaufsrecht geht normaler Weise unter durch Verzicht und
nachfolgende Löschung (§ 875) oder Ausschußurteil gemäß § 1104.

§ 68. Reallaften.

Sehr häufig setzt sich das Einkommen eines Pastors aus den
verschiedenen Beiträgen, insbesondere Naturalleistungen, zusammen,
die ihm die einzelnen Gemeindeglieder liefern müssen. Seit alter
Zeit bestehende Sätze bestimmen, was und wieviel das einzelne Gut,
der einzelne Bauernhof zu leisten hat 2c. Auf den Grundstücken
ruhen diese Verpflichtungen, insofern jeder Eigentümer sie zu erfüllen hat. Solche Verpflichtungen nennt man Reallasten, Lasten,
die auf einem Grundstück ruhen. Die entsprechenden Rechte nennt
man Realberechtigungen.

Die Reallast ist im Grunde eine Obligation, erzeugt ein Schuldverhältnis und gehört daher eigentlich in das Recht der Schuldverhältnisse. Ihre Eigenheit ist aber, daß sie nicht unmittelbar, sondern durch das Mittel eines Grundstückes mit der Person des
Schuldners verknüpft ist. Schuldner ist immer nur der jeweilige
Eigentümer eines bestimmten Grundstückes. An sich haben wir in
der Reallast ein gewöhnliches Schuldverhältnis vor uns, das jedoch
zwei Besonderheiten aufweist. Die Person des Schuldners wird
auf eigenartige Weise bestimmt. Ja es kann auch die Person des
Gläubigers in derselben Weise bestimmt werden, wie die Person des
Schuldners, wenn nämlich der jeweilige Eigentümer eines bestimmten
Grundstückes der Realberechtigte ist.

Dadurch wird die Reallast an sich mit Nichten zu einem dinglichen Recht an fremder Sache. Dieses legt dem Eigentümer des
belasteten Grundstückes niemals die Verpflichtung zu positiven
Leistungen auf, wie die Reallast, sondern verbindet ihn nur zu
einem passiven Dulden. Dennoch ist mit der Reallast ein dingliches
Recht verbunden und dies ist ihre zweite Besonderheit. Für die
Reallast haftet das Grundstück wie ein Pfand; ist eine Reallast
eingetragen, so kann der Realberechtigte Befriedigung aus dem
Grundstück vor den gewöhnlichen Gläubigern des Realschuldners
verlangen.

§ 1105. „Ein Grundstück kann in der Weise belastet werden, daß an denjenigen, zu dessen Gunsten die Belastung erfolgt, wiederkehrende Leistungen aus dem Grundstücke zu entrichten sind (Reallast).

Die Reallast kann auch zu Gunsten des jeweiligen Eigentümers eines anderen Grundstücks bestellt werden".

Die Reallast entsteht durch Doppelakt, dinglich und obligatorisch gemischten Vertrag und Eintragung § 873. Nicht zur Anwendung kommt § 900 über die Tabularersitzung des eingetragenen Nichtberechtigten, s. o. S. 239, denn die Realberechtigung gibt kein Recht zum Besitz und wird auch nicht durch die Besitzklage geschützt.

An sich haftet für die einzelnen Gefälle nur das Grundstück, aber es kann auch der Eigentümer haften für die während der Dauer seines Eigentums fällig werdenden Leistungen. Dies ist sogar die Regel.

§ 1108 I. „Der Eigentümer haftet für die während der Dauer seines Eigentums fällig werdenden Leistungen auch persönlich, soweit nicht ein Anderes bestimmt ist".

Ruht also auf dem Grundstück eine Reallast zur Zahlung von vierteljährlich 100 Mk. und E¹ hat das Grundstück im Eigentum vom 13. März 1904 bis zum 18. November 1904, so haftet E¹ für die am 1. April, 1. Juli, 1. Oktober fälligen Beträge außer mit dem Grundstück auch mit seinem übrigen Vermögen und wird von dieser Haftung auch nicht frei durch den Verkauf des Grundstückes. Der neue Eigentümer E² haftet mit seinem sonstigen Privatvermögen für diese alten Schulden nicht, sondern nur mit dem Grundstück. Für die Gefälle, die nach dem 18. November 1809 fällig werden, haftet er auch mit seinem sonstigen Privatvermögen. Das Grundstück haftet nach wie vor für die Schulden, die einmal fällig geworden sind, auch wenn inzwischen E¹ an E² verkauft hat. Durch diesen Verkauf wird die Haftung des Grundstücks für die Schulden nicht berührt, die fällig wurden, als E¹ Eigentümer war. Auch wenn E¹ aufhört Eigentümer zu sein, so haftet das Grundstück oder richtiger gesagt E² mit dem Grundstück doch für die während der Dauer von E¹.s Eigentum fällig gewordenen Summen. Nur haftet E² nicht, wie schon bemerkt, für die von E¹ herrührenden Schulden mit seinem sonstigen Vermögen.

„Wird das Grundstück geteilt, so haften die Eigentümer der einzelnen Teile als Gesamtschuldner" (§ 1108 II).

Die Reallast geht normaler Weise unter durch Verzicht und nachfolgende Löschung (§ 875) oder Ausschlußurteil (§ 1112).

§ 69. Hypothek.

I. Entstehung der Hypothek.

Wenn S., der sich von G. 5000 Mk. geliehen hat, ihm sein Grundstück verpfänden will, so muß er dem G. eine Hypothek auf 5000 Mk. an seinem, des S., Grundstück bestellen.

Dies kann auf doppelte Weise geschehen, je nachdem ob über die Hypothek ein Hypothekenbrief ausgestellt wird, Briefhypothek, oder nicht, Buchhypothek.

Soll nur eine Buchhypothek bestellt werden, so muß S. dem G. eine solche Hypothek bewilligen und die Hypothek muß in das Grundbuch eingetragen werden, sie entsteht also grundsätzlich wie alle dinglichen Rechte durch den sogenannten dinglichen Vertrag und die Eintragung, diesen schon wiederholt berührten Doppelakt (§ 873).

Wenn G. in Wirklichkeit keine Darlehnsforderung gegen S. erworben hatte, diese Darlehnsforderung garnicht zur Entstehung gelangt war, etwa weil die Auszahlung des Geldes durch die beauftragte Bank wegen Zahlungsunfähigkeit der Bank unterblieben war, und wenn nun S. und G. in der Meinung, der Rendant des S. habe von der Bank 5000 Mk. erhalten, die Hypothek für die vermeintliche, in Wirklichkeit nicht bestehende Darlehnsschuld bestellen, so entsteht immerhin eine wirksame Hypothek. Das B.G.B. hat keineswegs bestimmt, daß wegen Mangels der zu sichernden Forderung eine Hypothek nicht zur Entstehung komme. Eigentlich müßte das B.G.B. dies bestimmen, wenn es die accessorische Natur der Hypothek als eines dinglichen Sicherungsmittels einer Forderung streng festhalten wollte, denn der grundsätzlich accessorischen Natur des Pfandrechtes entspricht es, daß es mit der Forderung, für die es bestellt ist, steht und fällt. Das B.G.B. läßt trotzdem die Hypothek zur Entstehung kommen, gibt sie jedoch dem Eigentümer als sogenannte Eigentümerhypothek (§ 1163 I Satz 1).

Das hat folgende praktische Bedeutung. Ist nach der Hypothek des G. auf 5000 Mk., eine andere auf 10000 Mk. eingetragen, so müßte diese an die erste Stelle rücken, wenn die Hypothek auf

5000 Mk. nicht zur Entstehung kommt, der Hypothekengläubiger käme also ohne Verdienst und Grund in eine viel bessere Stellung, als ihm bei Bestellung der Hypothek gegeben werden sollte. Dies wird vermieden dadurch, daß die Hypothek auf 5000 Mk. dem S. als Eigentümerhypothek gegeben, er nunmehr als Hypothekengläubiger seines eigenen Grundstücks behandelt wird. Dadurch bleibt die an erster Stelle stehende Hypothek zu Gunsten des S. erhalten und S. kann sie durch Weiterveräußerung beliebig weiter verwerten. Im praktischen Ergebnis bedeutet dies, daß aus dem Nichtentstehen der Darlehnsschuld, wie es recht und billig ist, S. den Vorteil zieht und nicht der nachstehende Hypothekengläubiger G.

Theoretisch ist dies folgendermaßen zu erklären. Durch den Doppelakt von Bewilligung und Eintragung erwirbt nach der Auffassung des B.G.B. noch nicht sofort der Hypothekengläubiger H. die Hypothek, sondern zunächst erwirbt sie an sich der Eigentümer des belasteten Grundstücks, S., und erst aus seiner Hand geht die Hypothek in die Hand des G. über. Soll eine Briefhypothek bestellt werden, was im Belieben der Parteien steht, so ist notwendig zum Entstehen der Hypothek der Doppelakt, Vertrag und Eintragung, dieser genügt aber noch nicht um dem Gläubiger die Hypothek zu verschaffen. An sich entsteht zunächst nur eine Eigentümerhypothek, aus der eine Gläubigerhypothek erst durch Übergabe des Hypothekenbriefes an den Gläubiger wird.

§ 1117. „Der Gläubiger erwirbt, sofern nicht die Erteilung des Hypothekenbriefs ausgeschlossen ist, die Hypothek erst, wenn ihm der Brief von dem Eigentümer des Grundstücks übergeben wird. Auf die Übergabe finden die Vorschriften des § 929 Satz 2 und der §§ 930, 931 Anwendung.

Die Übergabe des Briefes kann durch die Vereinbarung ersetzt werden, daß der Gläubiger berechtigt sein soll, sich den Brief von dem Grundbuchamt aushändigen zu lassen.

Ist der Gläubiger im Besitze des Briefes, so wird vermutet, daß die Übergabe erfolgt sei".

§ 1163 II. „Eine Hypothek, für welche die Erteilung des Hypothekenbriefs nicht ausgeschlossen ist, steht bis zur Übergabe des Briefes an den Gläubiger dem Eigentümer zu".

Wie man sieht, ist der Grundsatz, daß zunächst der Eigentümer die Hypothek erwirbt und sie erst aus seiner Hand in die des Gläubigers übergeht, für die Briefhypothek ausdrücklich ausgesprochen und hieraus ergibt sich noch ein zweiter Beweis, daß die Buch= hypothek auf dieselbe Weise zu behandeln ist, denn Brief= und Buch= hypothek sind wesensgleich, das B.G.B. macht zwischen ihnen keine Unterschiede. Nur tritt bei der Briefhypothek ihre ursprüngliche Natur als Eigentümerhypothek äußerlich deutlicher hervor, als bei der Buchhypothek.

Über die Ausstellung eines Hypothekenbriefes ist zu beachten

§ 1116. „Über die Hypothek wird ein Hypothekenbrief ertheilt.

Die Erteilung des Briefes kann ausgeschlossen werden. Die Ausschließung kann auch nachträglich erfolgen.

Die Ausschließung der Erteilung des Briefes kann aufge= hoben werden; die Aufhebung erfolgt in gleicher Weise wie die Ausschließung".

II. Übertragung der Hypothek. Da die Hypothek zur Sicherung einer Forderung dienen soll, hat das B.G.B. ihr die accessorische Natur nicht ganz genommen, sondern hält an ihr trotz der oben geschilderten Ausnahme fest.

Daraus ergibt sich aber eine gewisse Schwierigkeit, wenn nämlich der Gläubiger seine Forderung ohne die Hypothek oder die Hypothek ohne die Forderung cediert, oder wenn aus irgend welchen anderen Gründen Hypothek und Forderung in verschiedene Hände kommen würden.

Derartiges hat das B.G.B. für immer unmöglich gemacht durch

§ 1153. „Mit der Übertragung der Forderung geht die Hy= pothek auf den neuen Gläubiger über.

Die Forderung kann nicht ohne die Hypothek, die Hypothek kann nicht ohne die Forderung übertragen werden".

Wo die Erteilung eines Hypothekenbriefes ausgeschlossen ist (§ 1116), muß die Übertragung in der Form vorgenommen werden, daß der Gläubiger die Forderung dem neuen Erwerber abtritt und die Abtretung in das Grundbuch eingetragen wird. Ist aber ein Hypothekenbrief erteilt, so genügt es, wenn der Gläubiger schriftlich erklärt, die Forderung abzutreten und wenn zugleich der Hypo= thekenbrief übergeben wird. Statt schriftlich die Hypothek ab= zutreten, können die Parteien die Abtretung der Forderung in das Grundbuch eintragen lassen, je nachdem, was ihnen bequemer ist.

§ 1154. „Zur Abtretung der Forderung ist Erteilung der Abtretungserklärung in schriftlicher Form und Übergabe des Hypothekenbriefs erforderlich; die Vorschriften des § 1117 finden Anwendung. Der bisherige Gläubiger hat auf Verlangen des neuen Gläubigers die Abtretungserklärung auf seine Kosten öffentlich beglaubigen zu lassen.

Die schriftliche Form der Abtretungserklärung kann dadurch ersetzt werden, daß die Abtretung in das Grundbuch eingetragen wird.

Ist die Erteilung des Hypothekenbriefs ausgeschlossen, so finden auf die Abtretung der Forderung die Vorschriften der §§ 873, 878 entsprechende Anwendung".

Der neue Gläubiger muß also nicht notwendig in das Grundbuch eingetragen sein, es genügt, wenn er den Hypothekenbrief besitzt und eine zusammenhängende Reihe von öffentlich beglaubigten Abtretungserklärungen vorlegen kann, die auf einen eingetragenen Gläubiger zurückführen (§ 1155).

Daraus ergibt sich die Funktion des Hypothekenbriefes, die Übertragung der Hypothek zu erleichtern. Wohnt der Cedent in Breslau, der Cessionar in Hannover und liegt das belastete Grundstück in Berlin, so wird durch den Hypothekenbrief den Parteien erspart, sich an die Grundbuchbehörde in Berlin wenden zu müssen, sie können die Hypothek übertragen, ohne die Berliner Behörde zu bemühen.

III. Geltendmachung der Hypothek. Die Hypothek wird geltend gemacht gegenüber dem Eigentümer des belasteten Grundstücks wie jedes andere Recht an fremder Sache, wenn eine Buchhypothek vorliegt. Wegen der Briefhypothek bestimmt

§ 1160 I. „Der Geltendmachung der Hypothek kann, sofern nicht die Erteilung des Hypothekenbriefs ausgeschlossen ist, widersprochen werden, wenn der Gläubiger nicht den Brief vorlegt; ist der Gläubiger nicht im Grundbuch eingetragen, so sind auch die im § 1155 bezeichneten Urkunden vorzulegen".

Diese Bestimmung dient auch dazu, den Gläubiger gegen die Gefahren zu sichern, die der öffentliche Glaube des Grundbuchs mit sich bringt, denn bei der Hypothek ist es ebensowohl wie bei dem Eigentum möglich, daß versehentlich ein Nichtberechtigter in das Grundbuch eingetragen wird und vermöge des öffentlichen Glaubens Dritten gegenüber wirksam über die Hypothek würde verfügen können, wenn nicht ein Hypothekenbrief ausgestellt wäre. Darum bestimmt G.B.O. § 42: „Bei einer Hypothek, über die ein Brief erteilt ist, soll eine Eintragung nur erfolgen, wenn der Brief vorgelegt wird“. G.B.O. § 62: „Eintragungen, die bei der Hypothek erfolgen, sind von dem Grundbuchamt auf dem Hypothekenbriefe zu vermerken“.

IV. Umfang der Haftung.

1. § 1118. „Kraft der Hypothek haftet das Grundstück auch für die gesetzlichen Zinsen der Forderung sowie für die Kosten der Kündigung und der die Befriedigung aus dem Grundstücke bezweckenden Rechtsverfolgung“.

2. Das Grundstück haftet für die Hypothekenforderung, mit ihm haften die von ihm getrennten Erzeugnisse und sonstigen Bestandteile, soweit sie nicht mit der Trennung Eigentum eines Andern als des Eigentümers werden (§§ 954—957), auch das Zubehör (§ 1120), soweit es dem Eigentümer des Grundstücks gehört, ferner auch Miet- und Pachtzinsforderungen (§ 1123), Realberechtigungen ꝛc. (§ 1126), die Versicherungssumme (§ 1127).

Haften mehrere Grundstücke für eine Hypothek, so haftet jedes Grundstück für die ganze Forderung (§ 1132). Dies ist die sogenannte Gesamthypothek.

Wird die Hypothek durch Verschlechterung des Grundstücks gefährdet, so kann der Gläubiger dem Eigentümer eine Frist zur Beseitigung der Gefahr bestimmen und nach ihrem Ablauf sofortige Befriedigung verlangen (§ 1133).

V. A. Eigentümlich ist der Hypothek der Dualismus von zwei Forderungsrechten. In dem oben gegebenen Beispiel hat G. zwei Forderungen auf 5000 Mk., die Darlehnsforderung und daneben die eigentliche Hypothekenforderung. Dadurch, daß er sich für seine Darlehnsforderung eine Hypothek bestellen läßt, verschwindet die Darlehnsforderung nicht, andererseits gewinnt er durch die Hypothekbestellung eine zweite, die eigentliche Hypothekenforderung [1]; für die erste haftet der S. persönlich mit seinem ganzen Vermögen, aber

---

1) Das B.G.B. bezeichnet als Forderung nur die erste; die zweite wird unter dem Wort Hypothek mitverstanden.

ohne Pfandsicherheit, für die zweite haftet nur das Grundstück, aber mit Pfandsicherheit. Die Sicherung des Gläubigers bei der Hypothek beruht darin, daß ihm neben der alten Forderung noch eine neue mit Pfandsicherheit bestellt wird. Es wird also streng genommen für die alte Forderung selbst kein Pfand bestellt, sondern nur für die zweite. Diese aber ist um der ersten willen ins Leben gerufen und mittelbar kommt ihre Pfandsicherheit der ersten Forderung zugute.

Daraus ergeben sich unter Umständen eigentümliche Verhältnisse, zumal, wenn für die Schuld eine Hypothek auf das Grundstück eines Nichtschuldners eingetragen ist. Dann hat der Gläubiger gegen den Schuldner die Darlehnsklage und gegen den Eigentümer die Hypothekenklage. Gegen die Hypothekenklage kann aber der Eigentümer alle Einreden vorbringen, die der Schuldner gegen die Darlehnsklage vorbringen kann (§ 1137), denn die Hypothek ist ein accessorisches Recht.

Der Eigentümer wird wie ein Bürge behandelt, da wirtschaftlich die Bestellung der Hypothek gleich der Übernahme einer Bürgschaft zu erachten ist, vergl. § 768. Nur zwei Einreden sind ihm versagt, die Einrede der Verjährung (§ 223 I) und die Einrede, daß der Erbe nur beschränkt für die Schulden des Erblassers hafte. Beschränkt also der Erbe des persönlichen Schuldners gemäß § 1975 ff. seine Haftung, so kommt dies weder dem Bürgen noch dem Eigentümer des mit der Hypothek belasteten Grundstückes zu Gute (§ 1137 I).

Andererseits kann der Schuldner den Eigentümer des belasteten Grundstücks so wenig wie den Bürgen dadurch schädigen, daß er auf Einreden verzichtet, trotz Verzichtes des Schuldners bleiben dem Eigentümer seine Einreden erhalten (§ 1137 II). Dies läßt sich jedoch nicht im Widerspruch mit dem Grundsatz des öffentlichen Glaubens des Grundbuchs durchführen, denn nach § 1138 erstreckt sich der öffentliche Glaube, den die Bekundungen im Grundbuch genießen, auch auf die persönliche Forderung und die ihr entgegenstehenden Einreden. Der gutgläubige Erwerber der Forderung kann sich also darauf verlassen, daß eine Einrede, deren Aufhebung im Grundbuch vermerkt ist, auch wirklich aufgehoben sei. Zu Gunsten des gutgläubigen Cessionars gilt also die Einrede als nicht mehr bestehend.

Ferner hat der Eigentümer Einreden gegen die Hypothek, die

18*

sich nicht auf die Forderung, sondern nur auf die Hypothek allein beziehen, sich unmittelbar gegen das dingliche Recht richten, z. B. die Einrede, daß die Hypothekenbestellung durch Betrug erwirkt sei, daß die Hypothek, so wie sie im Hypothekenbrief angegeben sei, nicht bestehe u. s. w. Ferner hat der Eigentümer gegen die Hypothek noch solche Einreden, die sich aus einem zwischen ihm und dem Gläubiger bestehenden besonderen Rechtsverhältnisse ergeben (§ 1157) z. B. der Gläubiger hat dem Eigentümer gegenüber für eine gewisse Zeit auf Geltendmachung der Hypothek verzichtet. Alle diese Einreden dürfen jedoch nicht im Widerspruch mit dem öffentlichen Glauben des Grundbuchs vorgebracht werden.

B. Mancherlei Schwierigkeiten ergeben sich auch, wenn der Eigentümer des belasteten Grundstücks die persönliche Schuld tilgen will.

Die persönliche Schuld kann vom Eigentümer des belasteten Grundstücks getilgt werden, aber auch natürlich vom persönlichen Schuldner selber; ebenso die Hypothek. Es ist also ein Vierfaches denkbar:

1. Die persönliche Schuld wird getilgt
   a. vom persönlichen Schuldner,
   b. vom Eigentümer des belasteten Grundstücks.
2. Die Hypothek wird getilgt
   a. vom Eigentümer des belasteten Grundstücks,
   b. vom persönlichen Schuldner.

Zu 1 a. Der persönliche Schuldner kann die Schuld freiwillig oder zwangsweise tilgen, wenn er nemlich, auf Zahlung verklagt, vom Richter zur Zahlung verurteilt wird. Beide Fälle werden gleich behandelt.

Zahlt der persönliche Schuldner, so geht keineswegs mit dieser Zahlung die Hypothek unter, sie bleibt vielmehr bestehen und es kann sich nur fragen, auf wen sie übergeht, auf den Schuldner oder den Eigentümer. Eigentlich müßte sie auf den Eigentümer übergehen, denn die Hypothek ist von Hause aus Eigentümerhypothek und wenn sie als Hypothek des Nichteigentümers des Gläubigers ihren Zweck verloren hat (wegen Zahlung der persönlichen Schuld), so ist das Nächstliegende, sie wieder in die Hand des Eigentümers zu geben. Dies kann unter Umständen jedoch zu großen Härten gegen den persönlichen Schuldner führen, wenn nämlich der persönliche Schuldner die Schuld im Interesse des Eigentümers übernommen hat. Wir müssen zwei Fälle streng scheiden, nämlich entweder der Eigentümer hat die Hypothek aufgenommen im Interesse des persönlichen Schuldners, weil dieser sonst keinen Kredit erhalten würde oder der persönliche Schuldner hat die persönliche Schuld übernommen im Interesse des Eigentümers, weil dessen Grundstück schon so hoch verschuldet ist, daß ihm Niemand sonst Kredit geben würde. In solchem Fall dient wirtschaftlich die Haftung des persönlichen Schuldners zur Sicherung der Hypothek und nicht umgekehrt. Damit steht ein anderer Fall gleich. Der Eigentümer E^1 verkauft sein Grundstück, auf dem eine Hypothek von 3000 Mk. steht für 20000 Mk. an E^2, E^2 übernimmt die Hypothek auf den Kaufpreis, E^1 ist noch einstweilen persöulicher Schuldner des G. geblieben, weil aus irgend einem Grunde, Zufall oder Versehen, E^2 die persönliche Schuld noch nicht übernommen hat, die er übernehmen soll. Zahlt nun E^1, so tilgt er eine Schuld, die eigentlich den E^2 angeht, denn dem E^2 kam es zu, diese Schuld zu übernehmen und zu tilgen. Darum ist es nicht billig, daß in Folge Tilgung der Schuld durch E^1 die Hypothek nunmehr auf E^2 übergeht. Diesen verschiedenen Erwägungen hat das B.G.B. Rechnung getragen in

§ 1164. „Befriedigt der persönliche Schuldner den Gläubiger, so geht die Hypothek insoweit auf ihn über, als er von dem Eigentümer oder einem Rechtsvorgänger des Eigentümers Ersatz verlangen kann. Ist dem Schuldner nur teilweise Ersatz zu leisten, so kann der Eigentümer die Hypothek, soweit sie auf ihn übergegangen ist, nicht zum Nachteile der Hypothek des Schuldners geltend machen.

Der Befriedigung des Gläubigers steht es gleich, wenn sich Forderung und Schuld in einer Person vereinigen".

E^1 kann von E^2 Ersatz verlangen mit der Klage aus dem Kaufvertrage, denn es war abgemacht, daß E^2 die Schuld übernehmen und tilgen sollte. Ferner kann der persönliche Schuldner Ersatz verlangen, wenn er die Schuld im Interesse des überschuldeten Eigentümers aufnahm: In diesen beiden Fällen geht also die Hypothek auf den persönlichen Schuldner über, während sie sonst zur Eigentümerhypothek wird.

Zu 1 b. Der Eigentümer kann zur Zahlung der Forderung nur dann gezwungen werden, wenn er zugleich persönlicher Schuldner ift. Ift er nicht perfönlicher Schuldner, fo hat er wohl das Recht, aber nicht die Pflicht die Schuld zu zahlen.

Auf beide Fälle bezieht fich

§ 1142 I. „Der Eigentümer ift berechtigt, den Gläubiger zu befriedigen, wenn die Forderung ihm gegenüber fällig geworden ift (der Eigentümer ift zugleich perfönlicher Schuldner) oder wenn der perfönliche Schuldner zur Leiftung berechtigt ift" (der Eigentümer ift nicht perfönlicher Schuldner).

Aus § 1142 I ergibt fich, daß der Eigentümer nicht unbedingt zu jeder Zeit die Forderung tilgen kann, fondern erft von dem Augenblicke an, wo der perfönliche Schuldner zur Zahlung an den Gläubiger berechtigt ift, vergl. § 271.

§ 1143 I. „Ift der Eigentümer nicht der perfönliche Schuldner, fo geht, foweit er den Gläubiger befriedigt, die Forderung auf ihn über. Die für einen Bürgen geltenden Vorfchriften des § 774 I finden entfprechende Anwendung".

Die Hypothek geht ohne Weiteres auf ihn über, aber das Grundbuch muß berichtigt und der Hypothekenbrief muß übergeben werden, deshalb beftimmt

§ 1144. „Der Eigentümer kann gegen Befriedigung des Gläubigers die Aushändigung des Hypothekenbriefs und der fonftigen Urkunden verlangen, die zur Berichtigung des Grundbuchs oder zur Löfchung der Hypothek erforderlich find".

Zu 2 a. Die Befriedigung der Forderung ift Erwerb der Forderung und zugleich auch Befriedigung oder beffer Erwerb der Hypothek, §§ 1142 ff., 1153, denn mit der Forderung erwirbt er auch die Hypothek, §§ 1143 I, 1153.

Zu 2 b. Befriedigt der perfönliche Schuldner den Hypothekengläubiger, fo greift auf Grund der Erwägungen, die unter 1 a. dargelegt find, wieder § 1164 durch, auf den ich hier verweife.

C. Von den foeben erörterten Fällen ift wohl zu fcheiden der in § 1163 I Satz 2 geregelte Fall „Erlifcht die Forderung, fo erwirbt der Eigentümer die Hypothek". Diefe Beftimmung kommt zur Anwendung, wenn der Eigentümer zugleich perfönlicher Schuldner ift und durch Zahlung, Aufrechnung, Hingabe an Zahlungsftatt, Hinterlegung, Vereinigung von Forderung und Schuld in einer Perfon, Eintritt einer auflöfenden Bedingung, Erlaß u. f. w. die Forderung untergeht.

D. „Verzichtet der Gläubiger auf die Hypothek, so erwirbt sie der Eigentümer" (§ 1168 I), die Forderung (z. B. Darlehnsforderung) geht unter, soweit der Schuldner nach § 1164 aus der Hypothek von dem Eigentümer hätte Ersatz verlangen können (§ 1165).

Der Gläubiger wird seiner Hypothek verlustig durch Aufgebot, wenn er während zehn Jahren nach der letzten Eintragung keine Zinsen, keine Abschlagszahlung ꝛc. mehr erhielt (§ 208) und wenn er zugleich unbekannt ist. Wird die Hypothek aufgeboten und durch Ausschlußurteil für kraftlos erklärt, so erwirbt der Eigentümer die Hypothek (§ 1170). Das Aufgebotsverfahren ist auch dann zulässig, „wenn der Eigentümer zur Befriedigung des Gläubigers oder zur Kündigung berechtigt ist und den Betrag der Forderung für den Gläubiger unter Verzicht auf das Recht zur Rücknahme hinterlegt" (§ 1171).

In allen diesen Fällen geht die Hypothek an sich noch nicht unter, sondern geht nur über auf eine andere Person.

Die Hypothek erlischt durch Befriedigung des Gläubigers aus dem Grundstück im Wege der Zwangsvollstreckung (§ 1181 I) oder durch Löschung unter Zustimmung des Eigentümers, die dem Grundbuchamte zu erklären ist (§ 1183).

VI. Wenn die Schuld nicht gezahlt wird, so wird die Zwangsvollstreckung in das Grundstück eingeleitet. Kommt es im Laufe der Zwangsvollstreckung zum Verkaufe und der Erlös aus dem Grundstück deckt die Hypothekenschuld nicht, so geht sie unter, insoweit sie nicht durch den Erlös gedeckt ist. Der Hypothekengläubiger kann sich wegen des Ausfalls nicht an das sonstige Vermögen des Schuldners halten. Das Eigentümliche an der Hypothekenschuld ist also, daß ihr das Grundstück zwar als Pfand haftet, daß aber außer dem Pfand nichts mehr haftet.

Im Einzelnen verläuft die Sache folgendermaßen. Ein Gläubiger (oder auch mehrere) verklagt den Eigentümer auf Zahlung der Hypothekenschuld, dieser wird verurteilt und der Gläubiger beantragt bei dem (Vollstreckungs-) Gericht, daß das Grundstück zwangsweise versteigert werde (Gesetz über die Zwangsversteigerung vom 24. März 1897, § 15). „Die Zwangsversteigerung darf nur angeordnet werden, wenn der Schuldner als Eigentümer eingetragen oder wenn er Erbe des eingetragenen Eigentümers ist" (§ 17 ibid.). „Bei der Versteigerung wird nur ein solches Gebot zugelassen, durch welches die dem Anspruche des Gläubigers vorgehenden Rechte, sowie die aus dem Versteigerungserlöse zu entnehmenden Kosten des Verfahrens gedeckt werden (geringstes Gebot)" (§ 44 ibid.).

Die dinglichen Rechte an fremder Sache haben einen verschiedenen Rang, der sich bei Grundstücken nach der Reihenfolge der Eintragungen in das Grundbuch richtet, sodaß das ältere dem jüngeren vorgeht (§ 879). Hat A. 5000 Mk., B. 10000 Mk., C. 15000 Mk., D. 20000 Mk. Hypothek auf dem Grundstück stehen, und C. betreibt die Zwangsvollstreckung, so wird, wenn die Kosten des Verfahrens auf 300 Mk. anzurechnen sind, als Mindestgebot die Summe von 15300 Mk. bestimmt. Werden geboten und gezahlt 25000 Mk., so werden hieraus die Kosten des Verfahrens gedeckt, die Hypotheken von A. und B. berichtigt und der Rest von 9700 Mk. wird dem C. ausgezahlt. Dann erlischt seine Forderung gänzlich, es bleiben nicht etwa 5300 Mk. bestehen und ebenso erlöschen die nachstehenden Rechte, insbesondere die Hypothek des D. Es erlöschen aber auch die der Hypothek des C. nachstehenden Dienstbarkeiten und sonstigen Rechte, während etwaige Dienstbarkeiten, die dem Rechte des C. vorgehen und bei Feststellung des geringsten Gebots berücksichtigt worden sind, bestehen bleiben, insoweit sie nicht durch Zahlung zu decken sind (§ 52 ibid.).

„Durch den Zuschlag erlöschen die Rechte, welche nicht nach den Versteigerungsbedingungen bestehen bleiben sollen" (§ 91 I ibid.) Die soeben beschriebene Regelung des Verfahrens will die Interessen der Hypothekengläubiger nach Möglichkeit wahren. Sichere Hypotheken sind eine beliebte Kapitalanlange, die vom Publikum nicht gerne aufgegeben wird. Darum sollen die Hypotheken, so weit es möglich ist, erhalten bleiben und dies wird dadurch erreicht, daß die Hypotheken bis zum Betrage des geringsten Gebotes übernommen werden und ihr Betrag auf den Kaufpreis angerechnet wird. Das geringste Gebot ist also der Betrag, den der Käufer nicht bar zu zahlen braucht, denn erst der Überschuß über das geringste Gebot ist von ihm bar zu entrichten.

Man bezeichnet dies Verfahren als das Deckungsverfahren, spricht vom Deckungsprinzip.

VII. Aus dem Vorstehenden ergibt sich folgende Zusammenstellung:

A. Die Hypothek geht über

1. auf den Eigentümer,

a. wenn sie für eine nicht bestehende Forderung begründet wird (§ 1163 I Satz 1),

b. wenn die Forderung irgendwie erlischt durch Zahlung, Erlaß, Aufrechnung, Eintritt einer auflösenden Bedingung, u. s. w., s. o. V C., S. 278, (§ 1163 I Satz 2) und der Eigentümer zugleich persönlicher Schuldner ist,

c. wenn der Eigentümer, der nicht persönlicher Schuldner ist, den Gläubiger befriedigt (§ 1142 ff., § 1153),

d. wenn für den Eigentümer, der nicht persönlicher Schuldner ist, ein Dritter zahlt (§§ 267, 1142 ff., 1153),

e. wenn der Gläubiger auf die Hypothek verzichtet (§ 1168 I),

f. wenn die Hypothek aufgeboten und durch Ausschlußurteil für kraftlos erklärt ist in den Fällen der §§ 1170, 1171;

2. auf den persönlichen Schuldner,

a. wenn dieser den Gläubiger befriedigt, insoweit als er von dem Eigentümer Ersatz verlangen kann (§ 1164),

b. wenn ein Dritter für den Schuldner den Gläubiger befriedigt (§ 267), insoweit der Schuldner von dem Eigentümer Ersatz verlangen kann (§ 1164);

3. auf einen Dritten,

a. wenn diesem die Forderung abgetreten wird (§ 1153),

b. wenn er gemäß § 268 im eigenen Interesse die Forderung tilgt (§§ 268, 1144, 1150).

B. Die Hypothek geht unter

1. durch Befriedigung des Gläubigers aus dem Grundstück (§ 1181),

2. durch Löschung unter Zustimmung des Eigentümers (§ 1183).

C. Die Forderung geht über

1. auf den Eigentümer

a. soweit er den Gläubiger befriedigt, wenn er nicht der persönliche Schuldner ist (§ 1143), vergl. A 1 c.,

b. soweit für ihn ein Dritter den Gläubiger befriedigt, wenn der Eigentümer nicht der persönliche Schuldner ist (§§ 267, 1143), vergl. A 1 d.;

2. auf einen Dritten,

a. wenn sie ihm abgetreten wird, vergl. A. 3 a,

b. wenn er im eigenen Interesse den Gläubiger befriedigt (§§ 268, 1150), vergl. A 3 b.

D. Die Forderung geht unter

1. a. wenn der Eigentümer, der zugleich persönlicher Schuldner ist, die Forderung tilgt, aufrechnet, die Schuldsumme hinterlegt (§ 1163 I Satz 2) vergl. A. 1 b. Über Verzicht des Gläubigers f. E.

b. wenn für den Eigentümer, der zugleich persönlicher Schuldner ist, ein Dritter den Gläubiger befriedigt (§§ 267, 1163 I, Satz 2), vergl. A 1b;

2. wenn der Gläubiger auf die Hypothek verzichtet (§ 1165), vergl. A 1e;

3. wenn der Gläubiger die Hypothek in Übereinstimmung mit dem Eigentümer löschen läßt (§ 1165, 1183), vergl. B 2;

4. wenn der Gläubiger einem anderen Rechte den Vorrang einräumt, insoweit als der persönliche Schuldner ohne diese Verfügung nach § 1164 aus der Hypothek hätte Ersatz verlangen können (§ 1165).

E. Erläßt der Gläubiger dem Eigentümer, der zugleich persönlicher Schuldner ist, die Schuld ohne jedoch auf seine Hypothek verzichten zu wollen, so verwandelt sich die Hypothek in eine Grundschuld (§ 1198). Dies trifft dann zu, wenn der Verzicht auf die Forderung kein Verzicht auf die Hypothek ist (§ 1168), vergl. A 1 b.

VIII. Normaler Weise besteht bei Bestellung einer Hypothek schon eine Forderung, für die die Hypothek bestellt wird, es können aber auch Hypotheken für zukünftige Forderungen bestellt werden, die vielleicht gar nicht entstehen oder deren Größe sich noch nicht übersehen läßt, z. B. A. wünscht von einer Bank Kredit in der Art, daß er jederzeit, wenn er Geld bedarf, es sofort von der Bank ohne Weiteres erhält. Die Bank geht darauf ein, indem sie sich Sicherheit durch eine Hypothek geben läßt. Es wird für sie eine sogenannte Sicherungshypothek auf das Grundstück des A. eingetragen im Betrage von etwa 50000 Mk. A. kann nun jederzeit von der Bank Geld erheben bis zur Höhe von 50000 Mk. In einem solchen Falle haben wir eine Sicherungshypothek, die zugleich eine Maximalhypothek ist, weil sie nicht auf eine bestimmte Geldsumme lautet, sondern auf ein Höchstmaß, das möglicher Weise erreicht wird, das aber ebensowohl unerreicht bleiben kann. Weil nun die Hypothek nur soweit Rechte geben soll, als der Schuldner bei dem Gläubiger Schulden hat, kann sie nicht mit der gewöhnlichen Hypothek gleich behandelt werden. Denn es geht nicht an, dem Gläubiger eine Klage auf 50000 Mk. zu geben, wenn der Schuldner nur 30000 Mk. entliehen hat; es ist ja doch ausdrücklich ausgemacht, daß die Hypothek nur zur Sicherung dessen dienen soll, was wirklich angeliehen worden ist. Darum ist (§ 1184 I) bestimmt, „daß das Recht des Gläubigers aus der Hypothek sich nur nach der Forderung bestimmt und der Gläubiger sich zum Beweise seiner Forderung nicht auf die Eintragung berufen kann". Denn könnte der Gläubiger sich auf die Eintragung berufen, dann könnte im vorliegenden Fall die Bank den ganzen Betrag von 50000 Mk., wie er im Grundbuch vermerkt ist, einklagen, obgleich sie dem A. nur 30000 Mk. geliehen hat. Dies zu vermeiden wird dem Gläubiger bei der Sicherungshypothek der Beweis auferlegt, daß er wirklich eine Forderung gegen den Schuldner habe und wie groß sie sei. Bei der gewöhnlichen Hypothek fällt die Verpflichtung diesen Beweis zu führen fort, da hier sich der Gläubiger nur auf Grundbuch und Hypothekenbrief zu berufen braucht. Dies erklärt es auch, warum bei der Sicherungshypothek die Erteilung eines Hypothekenbriefs ausgeschlossen ist (§ 1185).

§ 70. Grundschuld. Rentenschuld.

I. Die Grundschuld kann man als eine Hypothek bezeichnen, die keine Forderung des Gläubigers voraussetzt, vergl. oben § 69 VII E. Es bleibt also die Hypothekenklage, aber eine etwaige Klage aus einem Darlehn zc. kommt nicht in Betracht. Dadurch wird das Verhältnis der Parteien zu einander einfacher. Eine Grundschuld kann bestellt werden, trotzdem eine Forderung vorliegt, nur darf auf die Forderung kein Bezug genommen werden. Der Eigentümer des Grundschuldbriefs geht gegen den Grundschuldner vor nur nach Maßgabe des Grundschuldbriefs. Im übrigen sind Grundschuld und Hypothek durchaus wesensgleich.

Weil Grundschuld und Forderungsrecht nicht an einander gebunden sind, kann der Umlauf des Grundschuldbriefs in ganz anderem Maße begünstigt werden als der Umlauf des Hypothekenbriefs. Dementsprechend erlaubt § 1195, daß der Grundschuldbrief auf den Inhaber ausgestellt wird. „Auf einen solchen Brief finden die Vorschriften über Schuldverschreibungen auf den Inhaber entsprechende Anwendung" (1195). Vergl. oben § 31, S. 130 ff.

„Eine Hypothek kann in eine Grundschuld, eine Grundschuld kann in eine Hypothek umgewandelt werden" (§ 1198 Satz 1).

II. Eine Grundschuld ist Kapitalschuld, kann aber in der Weise bestellt werden, daß statt eines Kapitals „in regelmäßig wieder- kehrenden Terminen eine bestimmte Geldsumme aus dem Grundstücke zu zahlen ist (Rentenschuld)". (§ 1199 I.)

„Das Recht zur Ablösung steht dem Eigentümer zu (§ 1201 I).

Dem Gläubiger kann das Recht, die Ablösung zu verlangen, nicht eingeräumt werden" (§ 1201 II Satz 1). Er hat es jedoch, wenn durch Verschlechterung des Grundstücks die Sicherheit der Rente gefährdet wird, nach den Vorschriften des § 1133 Satz 2 (§ 1201 I Satz 2).

Von Grundschuld und Rentenschuld gilt selbstverständlich auch jene grundlegende Bestimmung, daß dem Gläubiger für die Grund- oder Rentenschuldforderung nur das Grundstück, dieses aber mit Pfandsicherheit haftet. Dies ist der Unterschied von der Reallast, § 1108, s. oben S. 268.

§ 71. Pfandrecht an beweglichen Sachen.

I. Das B.G.B. kennt nur das Faustpfand, d. h. die zu ver- pfändende Sache muß dem Gläubiger übergeben werden. „Zur Bestellung des Pfandrechts ist erforderlich, daß der Eigentümer die Sache dem Gläubiger übergibt und beide darüber einig sind, daß dem Gläubiger das Pfandrecht zustehen soll. Ist der Gläubiger im Besitze der Sache, so genügt die Einigung über die Entstehung des Pfandrechts" (§ 1205 I). Dies letzte ist der Fall der Über- tragung kurzer Hand, brevi manu traditio. Dagegen ist das constitutum possessorium bei der Bestellung eines Pfandrechts nicht anerkannt. Wenn jedoch der Schuldner seine Sache vermietet hat ꝛc., sodaß er mittelbarer Besitzer und sein Mieter ꝛc. unmittel- barer Besitzer wird, so kann die Sache dadurch verpfändet werden, daß der Schuldner dem Gläubiger den mittelbaren Besitz überträgt, d. h. sie ihm verpfändet und die Verpfändung dem unmittelbaren Besitzer anzeigt (§ 1205 II).

§ 1206. „An Stelle der Übergabe der Sache genügt die Ein- räumung des Mitbesitzes, wenn sich die Sache unter dem Mitverschluffe des Gläubigers befindet oder, falls sie im Besitz eines Dritten ist, die Herausgabe nur an den Eigentümer und den Gläubiger gemeinschaftlich erfolgen kann."

Gehört die Sache nicht dem Verpfänder, so erwirbt der gutgläubige Gläubiger wegen seines guten Glaubens ein Pfandrecht gemäß den schon wiederholt berührten Grundsätzen über den Erwerb in gutem Glauben (§ 1207).

„Das Pfandrecht erstreckt sich auf die Erzeugnisse, die von dem Pfande getrennt werden" (§ 1212), z. B. ist eine tragende Kuh verpfändet, so fällt das später geborene Kalb auch unter das Pfandrecht.

II. Das Pfand haftet für die Forderung in ihrem jeweiligen Bestand nebst Zinsen, Vertragsstrafen, für die Ansprüche des Pfandgläubigers auf Ersatz von Verwendungen, die er auf die Sache gemacht hat (§ 1216), ferner für die ihm zu ersetzenden Kosten der Kündigung und der Rechtsverfolgung (Prozesses), sowie für die Kosten des Pfandverkaufs (§ 1210).

III. Der Pfandgläubiger muß das Pfand verwahren (§ 1215), muß es nach dem Erlöschen des Pfandrechts dem Verpfänder zurückgeben (§ 1223 I); wenn er das Pfand verkaufen will, hat er dem Eigentümer den Verkauf vorher anzudrohen (§ 1234).

„Verletzt der Pfandgläubiger die Rechte des Verpfänders in erheblichem Maße und setzt er das verletzende Verhalten ungeachtet einer Abmahnung des Verpfänders fort, so kann der Verpfänder verlangen, daß das Pfand auf Kosten des Pfandgläubigers hinterlegt oder, wenn es sich nicht zur Hinterlegung eignet, an einen gerichtlich zu bestellenden Verwahrer abgeliefert wird" (§ 1217 I).

§ 1218. „Ist der Verderb des Pfandes oder eine wesentliche Minderung des Wertes zu besorgen, so kann der Verpfänder die Rückgabe des Pfandes gegen anderweitige Sicherheitsleistung verlangen; die Sicherheitsleistung durch Bürgen ist ausgeschlossen.

Der Pfandgläubiger hat dem Verpfänder von dem drohenden Verderb unverzüglich Anzeige zu machen, sofern nicht die Anzeige unthunlich ist".

IV. „Wird durch den drohenden Verderb des Pfandes oder durch eine zu besorgende wesentliche Minderung des Wertes die Sicherheit des Pfandgläubigers gefährdet, so kann dieser das Pfand öffentlich versteigern lassen.

Der Erlös tritt an Stelle des Pfandes. Auf Verlangen des Verpfänders ist der Erlös zu hinterlegen" (§ 1219). Dies ist der vorzeitige Verkauf. Der eigentliche Pfandverkauf (§ 1228 ff.) gibt das Recht, sich aus dem Erlöse sofort zu befriedigen.

„Wird das Recht des Pfandgläubigers beeinträchtigt, so finden auf die Ansprüche des Pfandgläubigers die für die Ansprüche aus dem Eigentume geltenden Vorschriften entsprechende Anwendung" (§ 1227). Wenn also jemand dem Pfandgläubiger sein Pfandrecht bestreitet, oder ihm das Pfand beschädigt, es stiehlt ꝛc., kann der Pfandgläubiger unter denselben Voraussetzungen wegen Beeinträchtigung, auf Herausgabe, Schadenersatz klagen, unter denen der Eigentümer würde klagen können.

V. 1. „Mit der Übertragung der Forderung geht das Pfandrecht auf den neuen Gläubiger über. Das Pfandrecht kann nicht ohne die Forderung übertragen werden" (§ 1250 I).

2 a. „Das Pfandrecht erlischt mit der Forderung, für die es besteht" (§ 1252).

b. „Das Pfandrecht erlischt, wenn der Pfandgläubiger das Pfand dem Verpfänder oder dem Eigentümer zurückgibt. Der Vorbehalt der Fortdauer des Pfandrechts ist unwirksam" (§ 1253 I). Dies Letztere ist bestimmt, weil das B.G.B. nur das Faustpfandrecht anerkennt. Das Pfandrecht erlischt nicht, wenn der Gläubiger die Sache bloß verliert, sie ihm gestohlen wird, er sie einem Anderen leiht ꝛc.

c. Es genügt aber auch die Erklärung des Pfandgläubigers gegenüber dem Verpfänder oder dem Eigentümer, daß er das Pfandrecht aufgebe (§ 1255 I).

d. „Das Pfandrecht erlischt, wenn es mit dem Eigentum in derselben Person zusammentrifft" (§ 1256 I Satz 1).

e. § 1250. „Mit der Übertragung der Forderung geht das Pfandrecht auf den neuen Gläubiger über. Das Pfandrecht kann nicht ohne die Forderung übertragen werden.

Wird bei der Übertragung der Forderung der Übergang des Pfandrechts ausgeschlossen, so erlischt das Pfandrecht."

§ 72. Schiffspfandrecht.

I. Das Schiff, zwar grundsätzlich als bewegliche Sache zu betrachten, kann den übrigen beweglichen Sachen wegen seiner Größe und seines Wertes nicht gleichgestellt werden. Die besonderen Bestimmungen über das Schiffspfandrecht beziehen sich aber nur auf die eingetragenen Schiffe (§ 1259). Nach R.G. vom 25. Oktober 1867 § 3 sind die zur Führung der Bundesflagge befugten Kauffahrteischiffe in Register einzutragen und nach dem Gesetz vom 15. Juni 1895 über die Binnenschifffahrt sind für Dampfschiffe und andere Schiffe mit eigener Triebkraft, deren Tragfähigkeit mehr als 15000 Kilogramm beträgt, sowie für sonstige Schiffe mit einer Tragfähigkeit von mehr als 20000 Kilogramm Schiffsregister zu führen.

Kähne, Boote, kleine Kutter und Motorboote sind also vom Schiffsregister ausgeschlossen und lassen nur Faustpfand zu, das durch Übergabe entsteht.

II. Das Pfandrecht am eingetragenen Schiffe wird bestellt durch den dinglichen Pfandvertrag und die Eintragung des Pfandrechts in das Register. Es spielt sich hier also äußerlich alles ähnlich ab wie bei Grundstücken (§§ 1260, 873 II, 875).

III. Das Pfandrecht erstreckt sich auch auf das Zubehör, soweit dies dem Schiffseigenthümer gehört (§ 1265).

Das Schiff haftet nur für die Forderung in der eingetragenen Höhe und die Zinsen nach dem eingetragenen Zinssatze (§ 1264), haftet also nicht wie sonstige bewegliche Sachen, wenn sie verpfändet sind, für die Forderung in deren jeweiligem Bestand und für Vertragsstrafen (§ 1210).

„Das Pfandrecht kann in der Weise bestellt werden, daß nur der Höchstbetrag, bis zu dem das Schiff haften soll, bestimmt wird" (§ 1271 I Satz 1).

IV. „Steht der Inhalt des Schiffsregisters in Ansehung eines Pfandrechts mit der wirklichen Rechtslage nicht im Einklange, so kann die Berechtigung des Registers nach den für die Berichtigung des Grundbuchs geltenden Vorschriften der §§ 894, 895, 897, 898 verlangt werden" (§ 1263 I).

V. Der Gläubiger kann seine Befriedigung aus dem Schiff nur in der Weise suchen, daß er den Eigentümer verklagt, daß dieser verurteilt wird und daß nun auf Grund des verurteilenden richterlichen Erkenntnisses der Gläubiger das Gericht ersucht, die Zwangsversteigerung anzuordnen und zu vollziehen. Z.V.G. §§ 162 ff. Die Zwangsversteigerung vollzieht sich nicht nach den Grundsätzen über die Mobilarpfändung und -vollstreckung, sondern entsprechend den Grundsätzen über die Zwangsvollstreckung in Grundstücke. Seine Befriedigung findet er dann in dem Erlöse aus dem Schiffe. Er hat nicht wie bei den übrigen beweglichen Sachen (§ 1233) das Recht die Pfandsache ohne gerichtliche Mitwirkung zu verkaufen. Vergl. oben § 69.

§ 73. Pfandrecht an Rechten.

I. An einem Recht kann so, wie wir es bisher kennen gelernt haben, kein Pfandrecht bestellt werden. Die Vorstellung eines Rechtes an einem Rechte ist zu vermeiden, wenn sie auch scheinbar durch den Wortlaut des B.G.B. nahegelegt wird.

Das sogenannte Pfandrecht an Rechten wird nicht dadurch bestellt, daß der Besteller des Pfandrechtes sein verpfändetes Recht behält und der Pfandgläubiger an diesem ihm fremden Recht ein Pfandrecht, sozusagen ein Recht an fremdem Recht gewinnt. Das verpfändete Recht wird, um den Gläubiger zu sichern, ihm übertragen. Aber diese Übertragung hat nicht alle Wirkungen der gewöhnlichen Rechtsübertragung. Es handelt sich nur um eine Übertragung des angeblich verpfändeten Rechtes auf den Pfandgläubiger zu Pfandrechtszwecken. Der Berechtigte tritt dem Pfandgläubiger nicht alle in dem verpfändeten Rechte enthaltenen Befugnisse ab, sondern nur so viele, als zur Erreichung des besonderen Zweckes, pfandartige Sicherung des Pfandgläubigers, notwendig sind. Der Berechtigte behält unter allen Umständen einige Befugnisse und kann diese auch an andere Personen als den Pfandgläubiger übertragen. Gleiche Befugnisse wie dem ersten Pfandgläubiger kann er auch einem zweiten und dritten Pfandgläubiger übertragen, nur können die nachstehenden Pfandgläubiger ihre Befugnisse nicht zum Schaden des vorgehenden Pfandgläubigers geltend machen.

Hauptfälle sind die Verpfändung einer Forderung, z. B. einer Kaufforderung, einer Grund- oder Rentenschuld und eines Wechsels (§§ 1279 ff., 1291, 1292).

„Die Bestellung des Pfandrechts an einem Recht erfolgt nach den für die Übertragung des Rechts geltenden Vorschriften" (§ 1274 Satz 1).

§ 1280. „Die Verpfändung einer Forderung, zu deren Übertragung der Abtretungsvertrag genügt, ist nur wirksam, wenn der
Gläubiger sie dem Schuldner anzeigt."

Eine Ausnahme macht

§ 1293. „Für das Pfandrecht an einem Inhaberpapiere gelten
die Vorschriften über das Pfandrecht an beweglichen Sachen."

II. „Der Schuldner kann nur an den Pfandgläubiger und den
Gläubiger gemeinschaftlich leisten" (§ 1281). Darin zeigt sich, daß
die Forderung nur zu Pfandzwecken übertragen ist, denn bei der
gewöhnlichen Übertragung muß der Schuldner nicht an beide Teile
zugleich leisten, sondern grundsätzlich nur an den neuen Gläubiger.
Dies ist eine Bestimmung, wie sie für den Nießbrauch an Forderungen ebenfalls getroffen ist (s. oben § 65 S. 265). Denn auch
beim Nießbrauch wird zwar die Forderung übertragen, aber nur zu
bestimmten Zwecken und daraus folgt, daß die Übertragung hier
so wenig wie bei der Übertragung zu Pfandrechtszwecken alle die
Wirkungen haben kann, die sie gewöhnlich hat.

Zu beachten ist § 1282, der dem Pfandgläubiger das Recht
gibt, die verpfändete Forderung für sich allein einzuziehen, wenn
seine, des Pfandgläubigers, Forderung gegen den Verpfänder fällig
ist. Nur für diesen Fall kann er allein über die Forderung verfügen. Geht die verpfändete Forderung auf Geld, so kann der
Pfandgläubiger aber nur so viel Geld beitreiben, als zu seiner Befriedigung erforderlich ist (§ 1282 I). Er kann also nicht über die
ganze Forderung verfügen.

„Zu anderen Verfügungen ist der Pfandgläubiger nicht berechtigt" (§ 1282), diese anderen Verfügungen bleiben Recht des Verpfänders; dieser allein kann die verpfändete Forderung vollwirksam
abtreten u. s. w., natürlich unbeschadet der Rechte des Pfandgläubigers.

Aus den bisher angeführten Einzelbestimmungen ergibt sich,
daß einzelne Befugnisse der Pfandgläubiger allein hat, aber unter
Umständen nicht in ihrem ganzen Umfange (Eintreibung der fälligen
verpfändeten Forderung bei Fälligkeit der Forderung des Pfandgläubigers, § 1282), andere gemeinsam mit dem Verpfänder (Ein-
ziehung der fälligen verpfändeten Forderung, wenn die Forderung
des Pfandgläubigers noch nicht fällig ist, § 1281). Daneben kommen Befugnisse vor, die der Verpfänder allein behält, da sie dem
Pfandgläubiger nicht gegeben werden (§ 1282 II).

Fünftes Buch.

Rechtsgeschäfte des Rechtes der Schuldverhältnisse und des Sachenrechtes.

---

§ 74. Einleitung.

I. Hier können uns nur die Handlungen interessieren, die von juristischer Bedeutung sind, die juristischen Handlungen. Sie werden so genannt, weil sich an sie immer die Entstehung, der Untergang oder die Veränderung von Rechten anschließt. So schließt sich z. B. an die Kündigung das Aufhören des gekündigten Verhältnisses an; an eine Auslobung schließt sich an die Entstehung von Verpflichtungen für den Auslobenden; durch ein Vertragsangebot bindet sich der Antragsteller auf gewisse Zeit und in bestimmter Weise; aus einem Kaufvertrage ergeben sich Verpflichtungen für beide Teile 2c. 2c.

Allen diesen Handlungen ist gemeinsam, daß sie vorgenommen werden, damit bestimmte juristische Wirkungen eintreten, aber es gibt auch Handlungen, die nicht vorgenommen werden in der Absicht, juristische Wirkungen zu erzeugen, die aber dennoch juristische Wirkungen im Gefolge haben. Auch sie sind juristische Handlungen.

Solcher Art sind zunächst die unerlaubten Handlungen: wer eine Fensterscheibe einwirft, tut dies aus allen möglichen anderen Gründen, nur nicht zu dem Zweck, um dem Eigentümer der Fensterscheibe eine Ersatzforderung zu verschaffen.

Die Handlungen, die juristische Wirkungen im Gefolge haben, ohne daß sie zum Zweck dieser juristischen Wirkungen vorgenommen sind, müssen aber nicht notwendig unerlaubte Handlungen sein. So

ift z. B. an sich keine unerlaubte Handlung die Zeugung, die zur
Folge hat die Alimentation, das Erbrecht des Gezeugten ꝛc. Ferner
ist nicht unerlaubt die Spezifikation, die dem Spezifikanten Eigentum
an der spezifizierten Sache verschafft ꝛc. Alle Handlungen dieser
letzten Art sind grundsätzlich ebenso wie die unerlaubten Handlungen
von den Rechtsgeschäften zu scheiden, denn unter Rechtsgeschäften verstehen wir die Handlungen, die vorgenommen werden nur zu dem
Zweck, um juristische Wirkungen zu erzeugen.

II. Da die Rechtsgeschäfte Wirkungen haben, nur weil und
nur soweit sie Wirkungen haben sollen, so liegt auf der
Hand, daß ihre Wirkungen auf den menschlichen Willen zurückzuführen sind. Weil in den als Rechtsgeschäfte bezeichneten Handlungen sich der menschliche Wille ausdrückt, daß gewisse juristische
Wirkungen eintreten sollen, deshalb sind sie auch alle Willenserklärungen: in ihnen erklärt der Mensch seinen Willen, daß es in
bestimmter Weise gehalten werden solle. Eine Willenserklärung ist
z. B. die Vollmachtserteilung: der Vollmachtgeber erklärt, daß der
Bevollmächtigte an seiner, des Vollmachtgebers, Stelle stehen und
handeln solle. Eine Willenserklärung ist die Genehmigung, die Anerkennung, die Auslobung, aber auch das Vertragsangebot und die
Vertragsannahme. Eine Willenserklärung haben wir auch bei dem
Eigentumsübertragungsvertrage, überhaupt bei jedem dinglichen Vertrage vor uns. Der Geber bietet die Sache an, erklärt: Wenn
du willst, sollst du sie haben. Der Nehmer erklärt, indem er sie
annimmt: Ich will sie haben.

Wir definieren daher das Rechtsgeschäft als eine Willenserklärung, geeignet und bestimmt, juristische Wirkungen
zu erzeugen.

Daran darf nicht irre machen, daß viele Willenserklärungen
nur zusammen mit einem äußerlichen Akt vorkommen, z. B. die
Eigentumsübertragung an beweglichen Sachen fordert immer Übergabe der Sache, die Schuldtilgung durch Zahlung fordert immer
Übergabe des Geldes, zum Abschluß eines Realvertrages ist stets
Übergabe der betreffenden Sache notwendig ꝛc. Wir müssen dementsprechend die Rechtsgeschäfte scheiden in solche, die reine Willenserklärungen sind, und solche, in denen sich die Willenserklärung
mit einer anderen Handlung verbindet.

Falsch wäre es, anzunehmen, daß des Rechtsgeschäftes Wirkungen nur ober in erfter Linie auf den menfchlichen Willen zurückzuführen find. In erfter Linie find Wirkungen zurückzuführen auf den Spruch, den Befehl, die Vorfchrift des objektiven Rechtes, das die menfchliche Handlung mit juriftifchen Wirkungen ausrüftet. Dreierlei muß zufammentreffen: die menfchliche Handlung, der Wille, mit der Handlung juriftifche Wirkungen zu erzielen, und die Vorfchrift des objektiven Rechtes, die Handlung und Wille mit juriftifchen Wirkungen ausftattet.

Wie fehr die Vorfchrift des objektiven Rechtes die überwiegende Bedeutung für fich beanfpruchen darf, ergibt fich daraus, daß die menfchliche Handlung und der menfchliche Wille nur einen der mehreren Faktoren darftellen, durch die das objektive Recht juriftifche Wirkungen entftehen läßt. Denn juriftifche Wirkungen entftehen auch aus anderen Tatfachen, die nicht als Rechtsgefchäfte zu bezeichnen find. Solche Tatfachen, find z. B. Tod einer Perfon, Zeitablauf bei der Verjährung; in gewiffem Sinne kann man auch die Verwandtfchaft hieher rechnen, obgleich hier ein anderer Begriff, der Begriff der Rechtshandlung (f. unten S. 298 f. IX, Zeugung) unter Umftänden ebenfo nahe liegt. Alle Tatfachen, an die das objektive Recht juriftifche Wirkungen anknüpft, find nur Faktoren für die Entftehung diefer Wirkungen und fo ift der menfchliche Wille auch nur ein Faktor von vielen.

§ 75. Einteilung der Rechtsgefchäfte.

I. Die allgemeinfte Einteilung der Rechtsgefchäfte ift die in Rechtsgefchäfte unter Lebenden und Rechtsgefchäfte von Todeswegen. Letztere find Teftament, Erbvertrag 2c. Wir wollen hier aber fcheiden 1) die Rechtsgefchäfte des Rechtes der Schuldverhältniffe und des Sachenrechtes; 2) des Familienrechtes; 3) des Erbrechtes. Wie fich noch in der Einzeldarftellung zeigen wird, können diefe drei Gruppen wohl in wichtigen Beziehungen aber nicht überall gleich behandelt werden.

Es empfiehlt fich fchon an diefer Stelle etwas über die Rechtsgefchäfte zu bemerken und zwar werden hier zunächft nur die Rechtsgefchäfte der erften Gruppe dargeftellt. Die Rechtsgefchäfte des Rechtes der Schuldverhältniffe und des Sachenrechtes find vermögensrechtliche Rechtsgefchäfte. Daneben gibt es noch die nichtvermögensrechtlichen Rechtsgeschäfte, z. B. Rechtsgeschäfte des Familienrechtes, Annahme an Kindesstatt, Verlöbnis, Heirat 2c. Alle sind sie Tatbestände, die juristische Wirkungen erzeugen, aber sie sind nicht wesentlich vermögensrechtlicher Natur. Wir wollen uns hier mit diesem Hinweis begnügen, hier sei nur darauf aufmerksam gemacht, daß neben den vermögensrechtlichen Rechtsgeschäften noch die nichtvermögensrechtlichen Rechtsgeschäfte stehen.

II. Man scheidet auch entgeltliche und unentgeltliche Rechtsgeschäfte, jenachdem ob ein vermögensrechtliches Rechtsgeschäft einer Partei einen Vermögenserwerb entgeltlich oder unentgeltlich verschafft. Eine unentgeltliche Zuwendung ist vor allen Dingen die Schenkung, aber sie ist es nicht allein. Leistet jemand für den Nießbraucher an den Eigentümer der dem Nießbrauch unterworfenen Sache Sicherheit (s. oben S. 158 f., 264), so ist die Sicherheitsleistung dem Eigentümer gegenüber ein unentgeltliches Rechtsgeschäft. Ferner ist unentgeltliche Zuwendung, aber keine Schenkung, die Ausstattung, die die Eltern einem Kinde geben zur Verheiratung, zur selbständigen Einrichtung (das unverheiratete Kind richtet sich eine selbständige Wirtschaft ein). Nur insoweit liegt eine Schenkung vor, als die Ausstattung die Vermögensverhältnisse der Eltern übersteigt (§ 1624 I).

Die Unentgeltlichkeit eines Rechtsgeschäftes wird wichtig im Fall des § 822. Hat jemand etwas irrtümlich erhalten, weil der Geber glaubte, es ihm zu schulden, und veräußert er es unentgeltlich weiter an einen Dritten, so muß auch der Dritte dem früheren Eigentümer die Sache herausgeben, wenn gegen den ersten Empfänger infolge der Zuwendung an den Dritten keine Klage mehr wegen ungerechtfertigter Bereicherung geltend gemacht werden kann (s. ferner § 816 B.G.B.).

III. Eine andere Einteilung ist schon durch die Überschrift dieses Buches angedeutet, die Einteilung in obligatorische und in dingliche Rechtsgeschäfte, d. h. in solche, die Forderungen und Schulden, und in solche, die dingliche Wirkungen erzeugen. Beispiele: Die Kaufberedung und die an die Kaufberedung sich anschließende Sachübergabe, der dingliche Eigentumsübertragungsvertrag. Dingliche Rechtsgeschäfte sind auch die Dereliktion und Aneignung (s. oben S. 231 f.).

IV. Eine vierte Einteilung ist die in einseitige und zweiseitige Rechtsgeschäfte. Ein zweiseitiges Rechtsgeschäft ist der obligatorische und der dingliche Vertrag, weil hier zwei Willenserklärungen zu-

sammenwirken müssen, ein einseitiges Rechtsgeschäft ist die Aus=
lobung, die Kündigung, die Genehmigung, die Dereliktion, die An=
eignung, weil hier nur eine einzige Willenserklärung vorliegt. Genau
genommen besteht das sog. zweiseitige Rechtsgeschäft aus zwei ver=
schiedenen Rechtsgeschäften, es stellt nur eine Summe von zwei
Rechtsgeschäften dar, kein einheitliches Rechtsgeschäft in der Einzahl.
Aber der Ausdruck zweiseitiges Rechtsgeschäft hat sich einmal ein=
gebürgert, obgleich er juristisch nicht richtig ist. Das zweiseitige
Rechtsgeschäft identifiziert der heutige Sprachgebrauch völlig mit
dem Vertrage.

Verträge gibt es, wie wir hier vorweg bemerken wollen, vieler=
lei. Wir haben von ihnen schon kennen gelernt die obligatorischen
und die binglichen Verträge und den liberatorischen Vertrag. Außer
ihnen noch den Cessions= und den Anerkennungsvertrag 2c., worauf
wir unten noch näher eingehen werden. Es gibt aber auch Ver=
träge des Familien= und des Erbrechtes, wie schon hier bemerkt sei.
So ist das Verlöbnis, die Heirat ein Vertrag, auch gibt es einen
Erbvertrag. Es ist hier wiederholt zu warnen vor der Meinung,
daß im juristischen Sinne das Gebiet der Verträge sich mit
dem decke, was der Sprachgebrauch des täglichen Lebens unter
Vertrag versteht, nemlich Kauf=, Miet=, Dienstvertrag 2c., d. h. mit
dem obligatorischen Vertrage. Es gibt noch viele andere Tat=
bestände, die nur dann wirsam sind, wenn die eine Partei mit der
anderen übereinstimmt und ihre Übereinstimmung in Form einer
Annahme erklärt. Wenn wir Juristen etwas als Vertrag bezeichnen,
wollen wir damit sagen, daß zwei Parteien mit einander zusammen=
wirken müssen im Wege von Angebot und Annahme, um ein
juristisch wirksames Ergebnis zu erzielen.

Unter den obligatorischen Verträgen scheidet das B.G.B. 1) die
einseitigen und 2) die gegenseitigen Verträge (§ 320 ff.). Einseitig
sind die Verträge, aus denen notwendig nur für die eine Partei
eine Verpflichtung entsteht, gegenseitig die, aus denen notwendig
eine Verpflichtung für beide Parteien entsteht. Gegenseitig sind
Kauf, Miete, Dienstvertrag 2c., einseitig ist der Darlehnsvertrag,
das Schenkungsversprechen 2c. Man würde richtiger die Ausdrücke
einseitig und zweiseitig verpflichtend gebrauchen.

Bei dieser Einteilung ist nicht zu übersehen, daß auch aus den
sogenannten einseitigen Verträgen sich für beide Parteien Ver=

pflichtungen ergeben können, aber sie müssen sich nicht immer aus ihnen ergeben. Der Darlehnsgeber wird regelmäßig nicht verpflichtet, sondern nur berechtigt, aber er kann doch verpflichtet werden, wenn er z. B. grob fahrlässig dem um ein Darlehn von Eiern nachsuchenden Schuldner schlechte Eier verabfolgt und ihn auf diese Weise in Schaden stürzt (s. oben S. 83 f.).

V. Empfangsbedürftige und nicht empfangsbedürftige Rechtsgeschäfte (s. oben S. 34). Nicht empfangsbedürftig sind die Willenserklärungen, die nicht an irgend eine bestimmte Person gerichtet zu sein brauchen. Empfangsbedürftig ist das Vertragsangebot und regelmäßig auch die Vertragsannahme, die Vollmachtserteilung, Rücktrittserklärung bei Verträgen rc. Nicht empfangsbedürftig ist die Vertragsannahme nach § 151: „Der Vertrag kommt durch die Annahme des Antrages zu Stande, ohne daß die Annahme dem Antragenden gegenüber erklärt zu werden braucht, wenn eine solche Erklärung nach der Verkehrssitte nicht zu erwarten ist oder der Antragende auf sie verzichtet hat" (s. oben S. 163). Dies liegt vor, wenn A. in Berlin den B. in Hamburg beauftragt, an C. in Braunschweig eine Ladung englischer Kohlen zu schicken. Dann ist der Vertrag zwischen A. und B. abgeschlossen, wenn B. den Auftrag des A. ausgeführt hat. Benachrichtigt B. den A. brieflich, daß er auf seine (des A.) Rechnung und Gefahr die Sendung an C. ausgeführt habe, so ist dies nicht Annahme des von A. gemachten Vertragsantrages, sondern Benachrichtigung von der schon vorher geschehenen Vertragsannahme. Nicht empfangsbedürftig ist auch, was schon hier erwähnt sei, der Erbschaftsantritt, d. h. die Erklärung, Erbe sein zu wollen, ferner die öffentliche Bekanntmachung einer Auslobung in der Zeitung, durch die Anschlagsäulen.

Ob ein Rechtsgeschäft empfangsbedürftig ist oder nicht, wird praktisch nach verschiedenen Richtungen hin wirksam, z. B. bei der Anfechtung nach § 143 III. Wir werden darauf noch zurückkommen.

VI. Formlos heißen alle Rechtsgeschäfte, die in beliebiger Form vorgenommen werden können, z. B. der gewöhnliche Kauf; formell heißen die Rechtsgeschäfte, für die eine bestimmte Form vorgeschrieben ist, z. B. Verkauf eines Grundstückes (§ 313 gerichtliche oder notarielle Beurkundung). Richtiger würde man sagen formfreie und formgebundene Geschäfte.

VII. Zu scheiden sind unter den vermögensrechtlichen Rechts-

geschäften die Rechtsgeschäfte mit Zweckangabe und die Rechtsgeschäfte ohne Zweckangabe, kausale und abstrakte Rechtsgeschäfte
(vergleiche oben S. 126 f.). Kausale Rechtsgeschäfte, d. h. solche,
die angeben, zu welchem Zwecke die durch das Rechtsgeschäft erzeugte
Rechtswirkung erzeugt worden ist, sind regelmäßig alle obligatorischen
Verträge, z. B. Kauf, Miete, Dienstvertrag zc. (vergl. oben S. 126 f.).
Die Parteien können jedoch den Zweck des Rechtsgeschäftes verschweigen, die gewollte Rechtswirkung in abstrakter Weise hervor-
rufen durch ein abstraktes Rechtsgeschäft. Dies geschieht z. B.
durch das Schuldversprechen und das Schuldanerkenntnis (s. oben
§ 29), die Annahme der Anweisung (s. oben § 30), die Schuldverschreibung auf den Inhaber (s. oben § 31). Die beiden letzten
sind aber nicht immer abstrakt.

Immer sind abstrakt die dinglichen Verträge, d. h. alle Verträge, die gerichtet sind auf Übertragung des Eigentums oder auf
Begründung von Rechten an fremder Sache (vergl. oben S. 225 ff.,
259, 261, 263, 267, 269, 270). Die hauptsächlichsten hier ein-
schlagenden Bestimmungen sind enthalten in den §§ 873 und 929.

„Zur Übertragung des Eigentums an einem Grundstücke, zur
Belastung eines Grundstückes mit einem Rechte, sowie zur Übertragung oder Belastung eines solchen Rechtes ist die Einigung des
Berechtigten und des anderen Teiles über den Eintritt der Rechtsänderung und die Eintragung der Rechtsänderung in das Grundbuch
erforderlich, soweit nicht das Gesetz ein Anderes vorschreibt" (§ 873 I).

„Zur Übertragung des Eigentums an einer beweglichen Sache
ist erforderlich, daß der Eigentümer die Sache dem Erwerber übergibt und beide darüber einig sind, daß das Eigentum übergehen
soll. Ist der Erwerber im Besitz der Sache, so genügt die Einigung
über den Übergang des Eigentums" (§ 929).

Ausdrücklich ist bestimmt, daß die bloße Einigung ohne Angabe
des Zweckes genügt. Davon, daß der Zweck der Eigentumsübergabe
etwa Schenkung, Schuldtilgung, Darlehnsabgabe zc. angegeben
werden müsse, sagen die angeführten §§ kein Wort.

Aus diesen Bestimmungen ergeben sich beispielsweise folgende
Konsequenzen. Ein Erblasser hat in seinem Testament seinen Sohn
E. als Erben eingesetzt und seinem Freunde F. seine Bibliothek
vermacht. Dies Vermächtniß hat er dann später widerrufen, ohne
daß E. davon weiß. F. fordert die Bibliothek und E. in dem

Glauben, sie zu schulden, gibt sie heraus. Er gibt sie dem F. zu dem Zweck, um eine ihm obliegende Nachlaßverbindlichkeit zu tilgen. Diese Verbindlichkeit besteht aber nicht, objektiv fehlt also für die Übergabe der Bibliothek der sie rechtfertigende juristische Grund, es müßte also eigentlich die Übergabe wirkungslos sein, d. h. der F. müßte eigentlich kein Eigentum an den Büchern erwerben. Aber nach der Bestimmung des B.G.B. erwirbt er volles Eigentum, auch wenn er selber betrügerisch handelte, weil er um die Zurücknahme des Vermächtnisses wußte. Beide Parteien waren sich darüber einig, daß F. das Eigentum an den Büchern erwerben sollte und diese Einigung genügt.

Ebenso ist es, wenn der Geber schenken, der Empfänger nur Darlehn nehmen will. Der Empfänger erwirbt das Eigentum an den ihm übergebenen Geldstücken, die er sich leihen wollte, trotzdem sie ihm geschenkt werden sollen, er sie aber nicht geschenkt haben will. Er erwirbt das Eigentum nur dann nicht, wenn er erklärt, daß er unter solchen Umständen das Geld überhaupt nicht haben wolle, wenn er also sowohl Schenkung wie Darlehn ablehnt.

Man spricht häufig auch von dem Rechtsgrunde, statt von dem juristischen Zwecke eines Geschäftes. Beides ist richtig, man muß sich nur über das logische Verhältnis von beiden klar werden. Es kann heißen:

Ich habe die Verpflichtung, 500 Mk. zu zahlen, übernommen, ich übernehme sie, ich werde sie übernehmen zu dem Zwecke, um das Pferd des V. zu kaufen.

Es kann aber auch heißen: Meine Verpflichtung, 500 Mk. zu zahlen, ist dadurch juristisch gerechtfertigt, begründet, daß ich sie übernommen habe zum Zwecke des Kaufes. Der Kauf, der Zweck des Kaufens ist der juristische Rechtfertigungsgrund für meine Verpflichtung. Der juristische Zweck kann also auch als Grund erscheinen, richtiger als juristischer Rechtfertigungsgrund, der es rechtfertigt, warum die betreffende Berechtigung oder Verpflichtung entstanden ist und besteht. Durch die Angabe ihres juristischen Zweckes rechtfertige ich juristisch das Dasein einer Verpflichtung oder einer Berechtigung. Der Darlehnsgläubiger rechtfertigt seine Forderung mit dem Darlehn, dem Darlehnsvertrage, wenn er Antwort darüber stehen muß, woher er seine Forderung gegen den Schuldner herleitet 2c. 2c. Er begründet sein Recht mit dem verfolgten Zweck.

Der Zweck ist etwas Subjektives, vom Menschen Gewolltes, der Rechtsgrund ist etwas Objektives, das entsteht, wenn der Zweck erreicht worden ist. Einen Zweck hat das Rechtsgeschäft, die rechtserzeugende Handlung, einen Rechtsgrund hat die aus dem Rechtsgeschäfte entspringende Wirkung.

VIII. Eine besondere Unterart der Rechtsgeschäfte sind die Verfügungen. Verfügen kann man im Sinne des B.G.B über Forderungsrechte und über Sachen, d. h. die Rechte an Sachen, denn verfügen in der Bedeutung von juristisch verfügen kann man nur durch eine Handlung, die juristische Wirkungen hat. Wer seine Uhr zerschlägt, verfügt nicht über sie, wohl aber, wer seine Uhr versetzt. Daß das Wort Verfügung nach dem B.G.B. den angegebenen Sinn hat, ergibt sich aus den §§ 135, 137 B.G.B., die von Verfügung über einen Gegenstand und über ein veräußerliches Recht reden.

Die Verfügung muß das Recht, über das verfügt wird, unmittelbar ergreifen, so ist Verfügung die Übertragung des Eigentums an einem Hause, aber nicht seine Vermietung. Der Kaufvertrag ist noch keine Verfügung über das Haus, sondern begründet erst eine Verpflichtung, über das Haus zu Gunsten des Käufers zu verfügen. Erst die an den Kaufvertrag sich anschließende Erfüllung des Kaufvertrages, die Eigentumsübertragung ist eine Verfügung.

Der Begriff der Verfügung deckt sich nicht mit dem Begriff der Veräußerung und der Belastung. Über eine Forderung verfügt nicht bloß, wer sie veräußert, vielmehr auch wer Zahlung entgegennimmt, die Forderung stundet, erläßt, die Forderung kündigt. Die Belastung ist nur möglich bei dinglichen Rechten.

Für die Erkenntnis des Sprachgebrauches des B.G.B. sind zu vergleichen die §§ 1396, 1398 einerseits und § 1399 I andererseits.

IX. Von den Rechtsgeschäften sind zu unterscheiden die Rechtshandlungen, die rechtliche Wirkungen haben, ohne daß sie unter den Begriff des Rechtsgeschäftes fallen. Es ist nicht ganz leicht eine allgemeine Grenze zwischen beiden zu ziehen. Von Wichtigkeit wird dies, wenn es sich darum handelt, festzustellen, inwieweit die allgemeinen Regeln über die Gültigkeit oder Ungültigkeit der Rechtsgeschäfte zur Anwendung auch auf die Rechtshandlungen kommen.

Solche Rechtshandlungen sind Verbindung, Vermischung (§ 946 ff.), Herstellung einer neuen Sache durch Bearbeitung, Spezifikation (§ 950), der Fund (§ 965), Trennung der Früchte von der fruchttragenden Sache (§ 953 ff.), Zeugung eines Menschen, die zum Unterhalt verpflichtet (§ 1708) u. a. Rechtshandlungen dieser Art sind nicht unerlaubt, aber doch keine Rechtsgeschäfte, weil ihre Wirkungen eintreten ohne Rücksicht darauf, ob der Handelnde sie gewollt hat und es wird nicht selten der Handelnde gar keine juristischen Wirkungen wollen (s. oben S. 290 f., 292).

Echtes Rechtsgeschäft ist die freiwillige Besitzaufgabe.

Es ist fraglich, ob es notwendig sein wird, die Rechtshandlungen alle oder zum Teil, ganz oder nur in gewissen Beziehungen unter die Regeln der Rechtsgeschäfte zu stellen. Jedenfalls muß dann auf die Besonderheit der einzelnen Rechtshandlung gesehen werden, ob sie sich mit den Grundsätzen über die Rechtsgeschäfte verträgt.

Die Scheidung zwischen Rechtshandlung und Rechtsgeschäft hat also nur den Wert, daß von den Rechtshandlungen behauptet werden kann und muß, für sie seien die Regeln über Gültigkeit und Ungültigkeit der Rechtsgeschäfte nicht ohne Weiteres zur Anwendung zu bringen.

X. Wir sprechen von einem Rechtsgeschäfte auch dann, wenn es gar keine Wirkung hat. Gewöhnlich gebraucht man in solchen Fällen den Ausdruck ungültiges Rechtsgeschäft. Man versteht dann unter dem Wort Rechtsgeschäft bloß den äußerlichen Tatbestand ohne die rechtlichen Wirkungen. Es wird da nur auf die Handlung, die Veränderung in der Außenwelt, gesehen.

§ 76. Rechtsgeschäfte des Rechtes der Schuldverhältnisse.

I. Die zweiseitigen Rechtsgeschäfte.

1) Die obligatorischen einseitigen und gegenseitigen Verträge (s. oben S. 176).

2) Der liberatorische Vertrag, der Erlaßvertrag (s. oben S. 204.).

3) Der Vergleichsvertrag (s. oben S. 125).

4) Der Anerkenntnisvertrag (s. oben S. 125 ff.).

5) Der Abtretungsvertrag (s. oben S. 205).

6) Der Schuldübernahmevertrag (s. oben S. 208).

II. Die einseitigen Rechtsgeschäfte.

1) Auslobung (s. oben S. 107 f.)

2) Bevollmächtigung (s. oben S. 165).

3) Genehmigung (s. oben S. 29, 166).

4) Zustimmung, Einwilligung (s. oben S. 29, 30).

5) Rücktrittserklärung beim Vertrage (s. oben S. 178).

6) Kündigung (s. oben S. 73 ff., 77, 83, 95, 104).

7) Widerruf (s. oben S. 29, 111, 124, 166).

8) Mahnung (s. oben S. 194).

9) Angebot der geschuldeten Leistung an den Gläubiger (s. oben S. 198).

10) Verweigerung der geschuldeten Leistung auf Grund des Zurückbehaltungsrechtes (s. oben S. 177 f.).

11) Aufrechnung (s. oben S. 202 ff., insbesondere S. 204).

12) Aufforderung zur Erklärung über die Genehmigung ꝛc. B.G.B. § 108, 177.

13) Annahme der Kaufsache (s. oben S. 87, 185 f.), Abnahme des bestellten Werkes (s. oben S. 104, 185 f.).

14) Erklärung der Mißbilligung beim Kauf auf Probe (s. oben S. 90 f.), Erklärung des Wiederkaufs (s. oben S. 91), des Vorkaufs (s. oben S. 92), ꝛc.

15) Fristsetzung beim Werkvertrag (s. oben S. 103, 104), beim Kauf (s. oben S. 87), bei der Verpflichtung zu Schadensersatz (B.G.B. § 250).

16) Erklärung, wandeln oder mindern zu wollen (s. oben S. 87, 103).

17) Anerkenntnis, daß die Schuld erloschen sei (§ 371).

Dies sind die hauptsächlichsten einseitigen Rechtsgeschäfte, nicht zu ihnen gehören die bloßen Benachrichtigungen, die Anzeigen von Mängeln, vom geschehenen Verkauf beim Vorkauf ꝛc.

§ 77. Dingliche Rechtsgeschäfte.

I. Die zweiseitigen Rechtsgeschäfte.

1) Der Eigentumübertragungsvertrag.

    a. Die Auflassung (s. oben S. 235).

    b. Die Übergabe (s. oben S. 225).

2) Der Vertrag, durch den dingliche Rechte an fremder Sache bestellt werden (s. oben S. 259, 261, 263, 267, 269, 270).

3) Der Besitzübertragungsvertrag ist an sich auch ein Rechtsgeschäft, aber wegen § 854 hat dies Rechtsgeschäft nicht oft Gelegenheit in die Erscheinung zu treten, denn es wird sich Niemand auf das Rechtsgeschäft berufen, der sich nach § 854 schon auf die bloße Erlangung der tatsächlichen Gewalt berufen kann. Daß die Besitzübertragung ein Rechtsgeschäft ist, ergibt sich daraus, daß sie bald mittelbaren, bald unmittelbaren Besitz gibt, den Besitz auch bald unbedingt, bald nur unter bestimmten Bedingungen geben kann ꝛc. In allen diesen Fällen treten verschiedene Rechtswirkungen ein.

Kein Rechtsgeschäft ist die Übertragung einer Sache durch den Besitzer an den Besitzdiener.

II. Die einseitigen Rechtsgeschäfte.

1) Die Besitzaufgabe, Dereliktion (s. oben S. 231). Kein Rechtsgeschäft ist die Aneignung, weil es hier ohne Rücksicht auf den Willen nur auf die Erlangung der tatsächlichen Gewalt ankommt.

2) Verzicht auf das Eigentum an einem Grundstück, vor dem Grundbuchamt erklärt (s. oben S. 239 f.; Dereliktion von Grundstücken).

3) Bewilligung zum Eintrag eines Widerspruchs (s. oben S. 239). Sonstige Handlungen sind gerichtliche und keine private Handlungen, mag immer auch der Anstoß zu ihnen von den interessierten Parteien ausgehen, z. B. Eintragung einer Vormerkung, eines Widerspruches Grundbuchberichtigung. Die Wirkung dieser Handlungen ist unabhängig davon, ob ein rechtswirksamer Antrag, sie vorzunehmen, gestellt war.

Daß Verbindung, Vermischung, Verarbeitung (s. oben S. 229 ff.) nicht zu den Rechtsgeschäften gehören, ist oben schon bemerkt. Zweifelhaft kann es sein, ob die Wahl eines Wohnsitzes zu den Rechtsgeschäften gehört, doch ist dies wohl zu bejahen.

§ 78. Vornahme und Vollendung des Rechtsgeschäftes.

I. Für alle Rechtsgeschäfte, die keine bloße formlose Willenserklärung sind, die also kraft Gesetzes oder nach Parteiabrede in gewissen Formen vorzunehmen sind oder bei denen zu der Willenserklärung noch ein äußerlicher Akt, z. B. Übergabe einer Sache, hinzukommt, lassen sich keine allgemeinen Regeln aufstellen, hier richtet sich alles nach den Besonderheiten des einzelnen Falles. Nur Einzelnes ist allgemeingültig: Die Sache muß übergeben sein und es müssen folgende positive Vorschriften des B.G.B. beobachtet werden.

1) „Ist durch Gesetz schriftliche Form vorgeschrieben (Quittung des Gläubigers, § 368, Mietvertrag über Grundstücke auf längere Zeit als ein Jahr, § 566), so muß die Urkunde von dem Aussteller eigenhändig durch Namensunterschrift oder mittelst gerichtlich oder notariell beglaubigten Handzeichens unterzeichnet werden.

Bei einem Vertrage muß die Unterzeichnung der Parteien auf derselben Urkunde erfolgen. Werden über den Vertrag mehrere gleichlautende Urkunden aufgenommen, so genügt es, wenn jede Partei die für die andere Partei bestimmte Urkunde unterzeichnet.

Die schriftliche Form wird durch die gerichtliche oder notarielle Beurkundung ersetzt" (§ 126). Diese letzte Form wird der Schreibens-unkundige oder -unfähige wählen, der einen schriftlichen Vertrag schließen will.

Ist die Schriftlichkeit des Vertrages nicht gesetzlich vorge-schrieben, sondern nur von den Parteien verabredet, so gelten im Zweifel die Vorschriften des § 126 ebenfalls, jedoch genügt für ein einseitiges Rechtsgeschäft das Telegramm, für einen Vertrag der Briefwechsel. Es kann aber nachträglich Beurkundung gemäß § 126 verlangt werden (§ 127).

2) Schließen zwei an verschiedenen Orten wohnende Parteien einen Vertrag, so kann jede an ihrem Ort über ihre Willens-erklärung, sei sie Antrag, sei sie Annahme, eine Urkunde aufnehmen lassen. Dies ist eine Erleichterung, die jedoch nur dann zulässig ist, wenn für den Vertrag gesetzlich die gerichtliche oder notarielle Be-urkundung vorgeschrieben ist z. B. bei Schuldversprechen oder Schuld-anerkenntnis zu Schenkungszwecken, § 518 (§ 128).

Neben 1. der bloßen Schriftlichkeit und 2. der gerichtlichen oder notariellen Beurkundung steht

3) die Unterschriftsbeglaubigung. „Ist durch Gesetz für eine Erklärung öffentliche Beglaubigung vorgeschrieben (auf Verlangen des Cessionars bei der Cessionsurkunde, § 403, beim Anerkenntnis, daß die Schuld erloschen sei, § 371), so muß die Erklärung schriftlich abgefaßt und die Unterschrift des Erklärenden von der zuständigen Behörde oder einem zuständigen Beamten oder Notar beglaubigt

werden. Wird die Erklärung von dem Aussteller mittelst Hand-zeichens unterzeichnet, so ist die im § 126 I vorgeschriebene Be-glaubigung des Handzeichens erforderlich und genügend.

Die öffentliche Beglaubigung wird durch die gerichtliche oder notarielle Beurkundung der Erklärung ersetzt" (§ 129).

II, 1. Für die formlosen Willenserklärungen hat das B.G.B. einige allgemeingültige Vorschriften erlassen, die wir oben S. 161 f. schon teilweise kennen gelernt haben, auf die wir jedoch hier noch einmal zurückkommen müssen.

Es ist hier daran zu erinnern, daß die Erklärung vollendet ist mit der Erklärungshandlung, daß also die Vernehmung, als der der Handlung erst nachfolgende Erfolg, nicht mehr zur Erklärungs-handlung gehört, und darum die Frage nach der Vollendung der Erklärungshandlung unabhängig von der Frage nach der wirklichen Vernehmung des Geäußerten ist.

Es ist zu scheiden zwischen empfangsbedürftigen und nicht empfangsbedürftigen Willenserklärungen; die ersten zerfallen wieder in Willenserklärungen unter Anwesenden und Willenserklärungen unter Abwesenden.

2. Für die nicht empfangsbedürftigen Willenserklärungen lassen sich keine allgemeinen Regeln aufstellen, nur so viel wird man sagen dürfen, daß die Erklärungshandlung oder das was im einzelnen Falle als Erklärungshandlung gelten soll, vollendet sein muß und daß die Erklärungshandlung keineswegs mit der unmittelbaren Tätig-keit des Handelnden schon abgeschlossen ist, daß aber der Erfolg der Handlung, die Vernehmung, nicht mit zum Tatbestande der Hand-lung gehört. So ist z. B. eine an die Anschlagssäulen geheftete Auslobungserklärung vollendet mit der Anheftung, mag auch noch Niemand den Anschlag gelesen haben. Wie es zu halten ist, wenn der Erfolg ausbleibt, werden wir noch sehen.

3. Für die empfangsbedürftigen Willenserklärungen unter Ab-wesenden hat das B.G.B. die schon oben beim Vertragschluß er-örterte Vorschrift getroffen, daß eine Willenserklärung wirksam wird in dem Zeitpunkte, wo sie dem Anderen zugeht (§ 130).

Ferner: „Wird die Willenserklärung einem Geschäftsunfähigen gegenüber abgegeben, so wird sie nicht wirksam, bevor sie dem ge-setzlichen Vertreter zugeht.

Das Gleiche gilt, wenn die Willenserklärung einer in der Geschäftsfähigkeit beschränkten Person gegenüber abgegeben wird. Bringt die Erklärung jedoch der in der Geschäftsfähigkeit beschränkten Person lediglich einen rechtlichen Vorteil (Geschenkangebot an einen Minderjährigen) oder hat der gesetzliche Vertreter seine Einwilligung erteilt, so wird die Erklärung in dem Zeitpunkte wirksam, in welchem sie ihr zugeht" (§ 131).

Ferner: „Eine Willenserklärung gilt auch dann als zugegangen, wenn sie durch Vermittlung eines Gerichtsvollziehers zugestellt worden ist. Die Zustellung erfolgt nach den Vorschriften der Zivilprozeßordnung" (§ 132 I).

In allen diesen Fällen wird nur Wahrnehmbarkeit, aber nicht Vernehmung gefordert.

4 a. Der Erklärende kann regelmäßig nicht überwachen, braucht aber auch nicht zu überwachen, ob der Empfänger von der Erklärung wirklich Kenntnis erhalten hat. Muß dies von ihm verlangt werden, wenn er von Mund zu Mund unter Gegenwärtigen eine Willenserklärung abgibt? Diese Frage ist zu bejahen. Jeder hat nach Treu und Glauben die Pflicht, sich zu überzeugen, was aus seiner Willenserklärung geworden ist, wenn er ohne besondere, außerordentliche Anstalten sich diese Überzeugung zu verschaffen vermag. Er darf sich insbesondere nicht auf eine Willenserklärung berufen, von der er weiß, daß sie nicht den gewollten Erfolg hatte, denn eine solche Berufung wäre unredlich, und darum wird unter Umständen eine Willenserklärung, die nach den Gesetzen der Logik an sich vollendet und fehlerlos ist, für ihn mindestens zu seinen Gunsten nicht wirksam sein. Andererseits muß er seine Willenserklärung, wenn er sich zu seinen Gunsten auf sie beruft, auch zu seinen Ungunsten gegen sich gelten lassen.

Die Frage ist nun, wann es unzulässig ist, daß sich jemand auf seine nach den Gesetzen der Logik an sich fehlerlose Willenserklärung unter Anwesenden berufe.

Vor allem ist es unzulässig, wenn der Erklärende weiß, daß der Andere die Erklärung nicht verstanden haben kann, z. B. er schläft, liegt in Narkose ꝛc.

Es ist aber auch ferner unzulässig, wenn der Erklärende aus grober Fahrlässigkeit nicht erkannt hat, daß der Andere seine Erklärung nicht verstand. Der Erklärende hielt den Schlafenden für wach, den Fieberkranken für klar ꝛc.

Ob leichte Fahrläſſigkeit die Berufung auf die Willenserklärung abſchneidet, hängt von dem Rechtsverhältnis ab, in dem der Er⸗ klärende ſteht und das ihn zu der Erklärung veranlaßt hat, aus dem die Erklärung entſprungen iſt. Iſt in dem Rechtsverhältniſſe die Haftung für leichte Fahrläſſigkeit begründet, ſo ſchließt dieſer Grad der Fahrläſſigkeit es auch aus, daß er ſich auf ſeine Erklärung berufe, andernfalls, z. B. bei Schenkung, Hinterlegung, ſchadet ſie nicht. Entſprechend iſt es mit der Haftung für die Sorgfalt in eigenen Angelegenheiten (§ 277).

b. Unter Umſtänden kann der Erklärende, obwohl er weiß oder wiſſen müßte, daß ſeine Erklärung nicht verſtanden iſt, ſich doch auf ſie berufen, wenn nemlich den Anderen eine Schuld trifft, er z. B. abſichtlich ſich die Ohren zuhielt, Klavier ſpielte ꝛc. Unter ſolchen Umſtänden kann, vorbehaltlich des noch zu erwähnenden § 254, der Erklärende mit vollem Recht von ſich ſagen, daß er ſeine Schuldigkeit getan habe. In Schuld iſt der Empfänger der Willenserklärung, der vorſätzlich oder grob fahrläſſig handelte, immer, wer leicht fahrläſſig war, dann, wenn nach dem betreffenden Rechtsverhältnis leichte Fahrläſſigkeit zum Vorwurf gereicht. Ent⸗ ſprechend iſt es mit der Haftung für die Sorgfalt in eigenen An⸗ gelegenheiten (§ 277).

Es liegt nahe den § 254 heranzuziehen. „Hat bei der Ent⸗ ſtehung des Schadens ein Verſchulden des Beſchädigten mitgewirkt, ſo hängt die Verpflichtung zum Schadenserſatze ſowie der Umfang des zu leiſtenden Erſatzes von den Umſtänden, insbeſondere davon ab, inwieweit der Schaden vorwiegend von dem einen oder dem anderen Teile verurſacht worden iſt.

Dies gilt auch dann, wenn ſich das Verſchulden des Beſchä⸗ digten darauf beſchränkt hat, daß er unterlaſſen hat, den Schuldner auf die Gefahr eines ungewöhnlich hohen Schadens aufmerkſam zu machen, die der Schuldner weder kannte noch kennen mußte, oder daß er unterlaſſen hat, den Schaden abzuwenden oder zu mindern“.

In der Tat iſt anzuerkennen, daß § 254 zum Mindeſten analog anzuwenden iſt, wenn es ſich in den praktiſchen Fällen auch nicht eigentlich um Schadenserſatz handeln kann, vielmehr die einfache Er⸗ füllung und nicht Erſatz des Intereſſes zur Frage ſteht.

Hat alſo der Empfänger der Willenserklärung ſchuldhafter Weiſe, alſo abſichtlich oder durch Vernachläſſigung der gebotenen

Sorgfalt die Erklärung nicht verstanden, der Erklärende aber eben=
falls schuldhafter Weise nicht den Erfolg der Erklärungshandlung
genügend überwacht, so ist § 254 anzuwenden, insbesondere in
seinem zweiten Absatz.

Der Grundsatz ist also: Nicht die wirkliche Vernehmung wird
gefordert, sondern es genügt die bloße Wahrnehmbarkeit, aber
auf die an sich vollendete Erklärung darf man sich nicht berufen,
wenn dies mit Treu und Glauben in Widerspruch steht. Dieser
Grundsatz zeigt sich besonders in folgendem Falle als praktisch und
richtig. A. kommt zu B., um ihm persönlich eine Willenserklärung
mitzuteilen und findet B., der die Mitteilung um diese Zeit er=
warten mußte, in schwerer Trunkenheit schlafend. Würde er nun
vor dem Schlafenden seinen Willen erklären und sich dann wieder
entfernen, dürfte er sich auf seine Willenserklärung nicht berufen,
weil dies gegen Treu und Glauben wäre, wohl aber dürfte er es,
wenn er einen schriftlichen Vermerk hinterließe, den B. nach seinem
Erwachen sofort einsehen kann. Im letzten Falle wird wohl Nie=
mand zu leugnen wagen, daß A. Alles, was ihm oblag, getan
habe. A. kann, und das muß genügen, für die Trunkenheit von
B. nicht verantwortlich gemacht werden, da B. sich vielmehr sagen
muß, daß er Herr seiner Sinne bleiben müsse, um sein Geschäft
versehen zu können. Im vorliegenden Falle kommt es auf die
Vernehmung durch den B. garnicht an und wir dürfen es auch
nicht darauf ankommen lassen, denn B. kann ja, aus seinem Rausche
soeben erwacht, sofort wieder, ohne nach den eingelaufenen Schrift=
stücken zu sehen, zum Alkohol greifen und sich von Neuem betäuben.
Soll dann etwa die Wirksamkeit der Willenserklärung des A. davon
abhängen, daß B., der vielleicht periodischer Trinker ist, endlich
einmal mit dem Trinken aufhört? Dann wären Alle, die mit den
vielen periodischen Trinkern rechtsgeschäftlich zu schaffen haben, in
sehr übler Lage.

Lehrt dieser Fall, wo der Empfänger in Verschulden ist, daß es
nur auf die Vernehmbarkeit ankommen kann, so ergibt sich dies
auch aus folgendem Falle. Hat der Erklärende seine Erklärung
ordnungsmäßig abgegeben und bleibt ihm ohne seine Schuld unbe=
kannt, daß der Andere die Erklärung nicht vernommen hat, und ist
der Andere ebenfalls ohne Schuld, so liegt nach der Meinung, die
die Erklärung als erst mit der Vernehmung vollendet ansieht, eine

unvollendete Willenserklärung vor, auf die sich dementsprechend der Erklärende nicht würde berufen können, trotzdem er seine volle Schuldigkeit getan hat und ihm keinerlei Vorwurf zu machen ist. Dies ist unbillig, eben weil er alles, was von ihm verlangt werden konnte, getan hat. Da aber nach richtiger Ansicht die bloße **Wahrnehmbarkeit** genügt, liegt hier eine vollendete Erklärung vor, auf die sich der Erklärende auch berufen kann, ohne mit Treu und Glauben in Widerspruch zu kommen.

Zum Vorstehenden ist noch zu bemerken, daß eine Willenserklärung, auf die man sich nicht berufen kann, unwirksam ist.

5. Im Gegensatz zu der **ausdrücklichen** steht die **stillschweigende** Willenserklärung. Ausdrückliche Willenserklärung ist diejenige Handlung, die wesentlich darauf gerichtet ist, einen Willen zu erklären, stillschweigende Willenserklärung ist diejenige Handlung, die an sich andere Zwecke verfolgt, als einen Willen zu erklären, aus der aber auf einen bestimmten Willen geschlossen werden kann. Ein Beispiel ist die Ausführung eines kaufmännischen Auftrages durch den Angegangenen, ohne daß dieser ausdrücklich seinen Willen auf den Auftrag einzugehen erklärt (vergl. oben § 75, V S. 295). Wann eine stillschweigende Willenserklärung vollendet ist, hängt ganz von den Umständen des einzelnen Falles ab und läßt sich nicht allgemein sagen.

6. Ein Rechtsgeschäft gilt als vollendet, sobald es seine Wirkungen entfaltet, vorausgesetzt daß seine Wirkungen nicht durch besondere, dem Rechtsgeschäft außerordentlicher Weise beigefügte Nebenbestimmungen hinausgeschoben werden, s. u. § 83. Wenn also gesagt wird, ein Rechtsgeschäft sei vollendet, so ist dies nur der bequemere aber auch ungenauere Ausdruck dafür, daß **seine Wirkungen eintreten.** Es müßte eigentlich nicht gefragt werden: Wann ist das Rechtsgeschäft vollendet? sondern: Wann treten seine Wirkungen ein? Die erste Fragestellung verführt dazu und hat lange Jahre dazu verführt, die Frage nach der Wirksamkeit der Rechtsgeschäfte als ein rein logisches Problem zu behandeln, während sie in Wahrheit ein praktisches Problem ist. Die Logik allein kann nicht maßgebend sein, da nicht alle ihre Ergebnisse vom praktischen Standpunkte aus annehmbar sind. Gerade in der Lehre von der sogenannten Vollendung der Rechtsgeschäfte zeigt es sich so recht deutlich, daß die Rechtswissenschaft eine prak-

tische Wissenschaft ist mit praktischen Aufgaben. Die Logik beantwortet uns nur die Frage, wann ein Rechtsgeschäft Wirkungen
haben kann, die praktisch-juristische Erwägung bestimmt darüber,
wann die nach der Logik möglichen Wirkungen des Rechtsgeschäftes
billigenswert und darum vom Rechte anzuerkennen sind. Die
Logik gibt die verschiedenen Möglichkeiten an, die juristisch-praktische
Erwägung wählt aus ihnen das Brauchbare aus und unterdrückt
das Unbrauchbare. Ein Beispiel hiefür ist oben unter II, 4 in der
Ausführung über die Vollendung der Willenserklärung unter Gegenwärtigen enthalten.

§ 79. Nichtigkeit der Rechtsgeschäfte.

I. Ein nichtiges Rechtsgeschäft ist so anzusehen, als ob es
garnicht vorgenommen wäre, es ist dann nur der äußere Tatbestand
eines Rechtsgeschäftes da, aber keinerlei rechtliche Wirkungen; das
Rechtsgeschäft gilt juristisch als nicht vorhanden. Damit ist ver-
träglich, daß andere als die gewollten rechtlichen Wirkungen aus
dem Rechtsgeschäft entspringen, daß es also nicht nach allen
Richtungen hin wirkungslos ist, sondern nur in Beziehung auf
die eigentlich gewollten Wirkungen. Dadurch hört es aber
nicht auf, unter den eigentlich für das Rechtsgeschäft maßgebenden
Gesichtspunkten nichtig zu sein.

II. Die einzelnen nichtigen Rechtsgeschäfte sind folgende.

1) Rechtsgeschäfte, die von einem Geschäftsunfähigen oder im
Zustande der Bewußtlosigkeit oder der vorübergehenden Störung
der Geistestätigkeit vorgenommen sind (§ 105). Über Geschäftsunfähigkeit der Kinder s. oben § 5, S. 28, über die Geschäftsunfähigkeit der wegen Geisteskrankheit Entmündigten und derer, die
sich in einem dauernden, die freie Willensbestimmung ausschließenden
Zustande befinden s. oben a. a. O. S. 32 f. Auch die Handlungen
von nicht geschäftsunfähigen Personen sind nichtig, wenn sie im
Zustande der Bewußtlosigkeit oder vorübergehender Störung der
Geistestätigkeit vorgenommen werden (vergl. oben S. 33).

2) „Wird eine Willenserklärung, die einem Anderen gegenüber
abzugeben ist, mit dessen Einverständnisse nur zum Schein abgegeben,
so ist sie nichtig" (§ 117 I).

Das Rechtsgeschäft ist simuliert und beide Parteien sind über die Simulation einverstanden, es besteht kein Grund sie an ihre eigenen Spiegelfechtereien zu binden, oder ihnen gegenseitig Rechte daraus zu geben. Entspricht das simulierte Geschäft den begrifflichen Erfordernissen eines anderen Geschäftes (ein Kauf wird simuliert, gewollt ist eine Schenkung), so ist das Rechtsgeschäft nach den für das verdeckte, dissimulierte Rechtsgeschäft geltenden Grundsätzen zu behandeln (§ 117 II).

3) „Eine Willenserklärung ist nicht deshalb nichtig, weil sich der Erklärende insgeheim vorbehält, das Erklärte nicht zu wollen. Die Erklärung ist nichtig, wenn sie einem Anderen gegenüber abzugeben ist und dieser den Vorbehalt kennt" (§ 116). Genau genommen hat in einem solchen Falle der Erklärende etwas erklärt, was seinem eigentlichen Willen nicht entspricht, die Erklärung müßte also wirkungslos sein, aber es ist gegen Treue und Glauben, sich auf eine Mentalreservation zu berufen und darum wird die Erklärung als gültig behandelt. Weiß jedoch der Gegner um die Mentalreservation, so besteht kein Grund die Erklärung als gültig zu behandeln.

4) „Eine nicht ernstlich gemeinte Willenserklärung, die in der Erwartung abgegeben wird, der Mangel der Ernstlichkeit werde nicht verkannt werden, ist nichtig" (§ 118). Ich verspreche Jemand im Scherz ein Vermögen zum Geschenk, der akademische Lehrer bildet zu Unterrichtszwecken Beispiele, in denen er anderen Personen Forderungsrechte gegen ihn selber zuschreibt.

5) „Ein Rechtsgeschäft, welches der durch Gesetz vorgeschriebenen Form ermangelt, ist nichtig. Der Mangel der durch Rechtsgeschäft (d. i. vorherige Verabredung) bestimmten Form hat im Zweifel gleichfalls Nichtigkeit zur Folge" (§ 125). Beispiele in den §§ 313, 518, 766 B.G.B.

6) „Ein Rechtsgeschäft, das gegen ein gesetzliches Verbot verstößt, ist nichtig, wenn sich nicht aus dem Gesetz ein Anderes ergibt" (§ 134; s. oben S. 150). Nichtig ist also die Abmachung mit dem Angestellten einer Fabrik oder eines Geschäftes, daß dieser Fabrikgeheimnisse gegen Entgelt verraten solle (R.G. vom 27. Mai 1896, § 9).

7) „Ein Rechtsgeschäft, das gegen die guten Sitten verstößt, ist nichtig (Versprechen einer Belohnung, wenn jemand eine bestimmte Person, z. B. eine geschwängerte Maitresse, heiratet, eine

bestimmte Person nicht heiraten werde, Versprechen eines Lohnes für Gestattung der Beiwohnung).

Nichtig ist insbesondere ein Rechtsgeschäft, durch das Jemand unter Ausbeutung der Notlage, des Leichtsinnes oder der Unerfahrenheit eines Anderen sich oder einem Dritten für eine Leistung Vermögensvorteile versprechen oder gewähren läßt, welche den Wert der Leistung dergestalt übersteigen, daß den Umständen nach die Vermögensvorteile in auffälligem Mißverhältnisse zu der Leistung stehen" (§ 138). (Wucher; s. oben S. 150).

8) Neben den allgemeinen Vorschriften der §§ 134, 138 enthält das B.G.B. noch verschiedene Sondervorschriften, z. B. „eine im Voraus getroffene Vereinbarung, daß fällige Zinsen wieder Zinsen tragen sollen, ist nichtig" (§ 248 I). Verträge über das künftige Vermögen sind nichtig, wenn sich Jemand im Voraus verpflichtet, es ganz oder teilweise zu übertragen oder einen Nießbrauch am Ganzen oder einem Teil zu bestellen (§ 310); „Ein Vertrag über den Nachlaß eines noch lebenden Dritten ist nichtig" 2c. (§ 312 I); „Eine Vereinbarung, durch welche das Kündigungsrecht (bei der Gesellschaft) ausgeschlossen . . . wird, ist nichtig" (§ 723 III) 2c.

9) „Ein auf eine unmögliche Leistung gerichteter Vertrag ist nichtig" (§ 306; s. oben S. 150).

10) Das B.G.B. spricht zuweilen von unwirksamen Geschäften, die tatsächlich nichtig sind, z. B. § 111: „Ein einseitiges Rechtsgeschäft, das der Minderjährige ohne die erforderliche Einwilligung des gesetzlichen Vertreters vornimmt, ist unwirksam", d. h. weil nachträgliche Genehmigung ausgeschlossen ist, bleibt es für immer unwirksam, also nichtig, z. B. eine Kündigung (§ 111). Wir werden unten in der Lehre von den Bedingungen noch verschiedene andere Beispiele kennen lernen.

11) Echte Fälle der Nichtigkeit sind auch alle jene, in denen das B.G.B. bestimmt, daß gewisse Handlungen nicht vorgenommen werden können. „Die Befugnis zur Verfügung über ein veräußerliches Recht kann nicht durch Rechtsgeschäft ausgeschlossen oder beschränkt werden", d. h. eine Veräußerung wird nicht dadurch ungültig, daß der Veräußernde sich anderen Personen verpflichtet hat, die Veräußerung nicht vorzunehmen. Dennoch hat die Abmachung, die Veräußerung nicht vorzunehmen, die Wirkung, daß Zuwiderhandeln schadenersatzpflichtig macht. „Die Wirksamkeit einer Ver-

pflichtung, über ein solches Recht nicht zu verfügen, wird durch diese Vorschrift nicht berührt" (§ 137).

Ein anderes Beispiel, zugleich außerdem eine Ausnahme von dem § 137 enthält § 399: „Eine Forderung kann nicht abgetreten werden, wenn die Leistung an einen Anderen als den ursprünglichen Gläubiger nicht ohne Veränderung ihres Inhaltes erfolgen kann oder wenn die Abtretung durch Vereinbarung mit dem Schuldner ausgeschlossen ist (s. oben S. 207 f.).

„Sonderrechte eines Mitgliedes (eines Vereins) können nicht ohne dessen Zustimmung durch Beschluß der Mitgliederversammlung beeinträchtigt werden" (§ 35).

„Die Mitgliedschaft ist nicht übertragbar und nicht vererblich. Die Ausübung der Mitgliedschaftsrechte kann nicht einem Anderen überlassen werden" (§ 38); vergl. jedoch § 40.

„Die Wandelung wegen eines Mangels der Hauptsache erstreckt sich auch auf die Nebensache. Ist die Nebensache mangelhaft, so kann nur in Ansehung dieser Wandelung verlangt werden" (§ 470) 2c. 2c.

III. Im Gegensatz zum Bisherigen steht die relative Nichtigkeit. „Verstößt die Verfügung über einen Gegenstand gegen ein gesetzliches Veräußerungsverbot, das nur den Schutz bestimmter Personen bezweckt, so ist sie nur diesen Personen gegenüber unwirksam" (§ 135 I), d. h. diese Person kann die Verfügenden so behandeln, als ob die Verfügung garnicht vorgenommen wäre. Beispiel: „Rechtshandlungen, welche der Gemeinschuldner nach der Eröffnung des Verfahrens (Konkurs) vorgenommen hat, sind den Konkursgläubigern gegenüber nichtig (§ 6 K.O.). Veräußert der Gemeinschuldner an einen Dritten, so gilt dieser Dritte dem Gemeinschuldner und allen übrigen Personen gegenüber als Eigentümer, nur nicht gegenüber den Konkursgläubigern, die vielmehr die veräußerte Sache als zur Konkursmasse gehörig mit einer dinglichen Klage in Anspruch nehmen können, sodaß, falls der dritte Erwerber ebenfalls in Konkurs verfällt, sie die Sache aus seiner Konkursmasse ohne Weiteres herausholen können. Eine Ausnahme besteht aber für den Fall, daß der Dritte gutgläubig die Sache erwarb, denn die Bestimmungen über den gutgläubigen Erwerb, insbesondere die §§ 892, 893, 932, 936 finden nach § 135 II entsprechende Anwendung.

IV. Es gibt ferner eine teilweise Nichtigkeit eines Rechtsgeschäftes, z. B.: Eine Waffenfabrik veräußert mehrere Modelle, darunter auch das Modell des neuesten Infanteriegewehres, das noch nicht für den Verkehr freigegeben ist. Die Veräußerung nur dieses Modelles ist nichtig und zwar absolut und nicht relativ. Oder es wird eine Bücherei aus einem Nachlaß veräußert, in der sich verbotene Bücher befinden, dann ist der Verkauf nur teilweise nichtig, in Ansehung nur der verbotenen Bücher. Für solche Fälle bestimmt § 139: „Ist ein Teil eines Rechtsgeschäftes nichtig, so ist das ganze Rechtsgeschäft nichtig, wenn nicht anzunehmen ist, daß es auch ohne den nichtigen Teil vorgenommen sein würde". Ob in den beiden angegebenen Beispielen das Rechtsgeschäft ganz oder teilweise nichtig ist, hängt davon ab, welchen Wert für die Parteien die verbotenen Sachen im Verhältnis zu dem Gesamtobjekt des Kaufvertrages haben. In dem letzten Beispiele wird meistens teilweise Nichtigkeit vorliegen.

V. „Entspricht ein nichtiges Rechtsgeschäft den Erfordernissen eines anderen Rechtsgeschäftes, so gilt das letztere, wenn anzunehmen ist, daß dessen Geltung bei Kenntnis der Nichtigkeit gewollt sein würde" (§ 140). Das Rechtsgeschäft, das unter seinen eigentlichen Gesichtspunkten nichtig ist, wird aufrecht erhalten unter anderen Gesichtspunkten, vorausgesetzt, daß man annehmen kann, es würde auch unter diesen anderen Gesichtspunkten gewollt sein. Man spricht in solchen Fällen von Konversion des Rechtsgeschäftes, d. i. Aufrechterhaltung eines Rechtsgeschäftes unter anderen als den ursprünglichen rechtlichen Gesichtspunkten, z. B.: Ein Vertrag, durch den sich Jemand eine Wasser-, Weide- 2c. Gerechtigkeit bestellen läßt, wird mangels Eintragung in das Grundbuch als Pacht- oder Mietvertrag aufrecht zu halten sein.

§ 80. Anfechtbarkeit der Rechtsgeschäfte.

I, 1. Vielfach besteht kein Interesse, ein Rechtsgeschäft für nichtig zu erklären, es genügt häufig schon, einer beteiligten Partei die Möglichkeit zu geben, das Rechtsgeschäft, wenn sie will, nichtig zu machen. Es ist dann nicht von Anfang an nichtig, sondern wird erst nichtig dadurch, daß die Partei das Rechtsgeschäft ansicht, d. h. erklärt, sie wolle es nicht gelten lassen. Unterläßt sie es, das Rechtsgeschäft anzufechten, so wird es als vollkommen gültig behandelt. Die Wirksamkeit des Rechtsgeschäftes hängt also ganz vom Parteibelieben ab. Die ursprüngliche Nichtigkeit tritt ein ganz unabhängig vom Wünschen und Wollen der Partei ohne Weiteres von Rechtswegen, während durch die Anfechtbarkeit das Rechtsgeschäft in die Hand der Partei gegeben wird, die nach eigenem Gutdünken darüber befindet, ob das Rechtsgeschäft Wirkungen haben soll oder nicht.

2. Ein anderer Unterschied von der Nichtigkeit ist, daß das Rechtsgeschäft grundsätzlich nur für bestimmte Personen anfechtbar ist.

Der Grund für die verschiedene Behandlung liegt darin, daß in den Fällen der Nichtigkeit der Staat unter keinen Umständen zugeben will und glaubt zugeben zu können, daß das betreffende Rechtsgeschäft irgend welche Wirkungen habe. So sollen z. B. unsittliche Geschäfte auf keinen Fall geduldet werden, oder es soll sich niemals Jemand in der Verfügungsgewalt über seine veräußerlichen Rechte soweit binden können, daß er die Verfügungsgewalt selber verlöre 2c.

In den Fällen der Anfechtbarkeit werden allgemeine Interessen nicht berührt, sondern nur Privatinteressen und da überläßt es das B.G.B. ganz mit Recht den Einzelnen, inwieweit sie ihre Interessen selber wahrnehmen wollen durch Anfechtung des Rechtsgeschäftes.

3. Ein dritter Unterschied liegt in der verschiedenen Behandlung der Bestätigung. Genau genommen kann ein nichtiges Rechtsgeschäft überhaupt nicht bestätigt werden, denn es ist ein juristisches Nichts, es muß also von Neuem wieder vorgenommen werden unter Beobachtung der für das Rechtsgeschäft vorgeschriebenen Formen. Dies will sagen

§ 141. „Wird ein nichtiges Rechtsgeschäft von demjenigen, welcher es vorgenommen hat, bestätigt, so ist die Bestätigung als erneute Vornahme zu beurteilen.

Wird ein nichtiger Vertrag von den Parteien bestätigt, so sind diese im Zweifel verpflichtet, einander zu gewähren, was sie haben würden, wenn der Vertrag von Anfang an gültig gewesen wäre."

Die Folge davon ist, daß als Datum des Rechtsgeschäftes nicht das Datum seiner ersten, sondern das Datum seiner zweiten Vornahme gilt.

Dagegen ist eine richtige Bestätigung möglich bei dem anfechtbaren Rechtsgeschäft und diese Bestätigung wird denn auch anders geregelt, wie die Bestätigung eines nichtigen Rechtsgeschäftes.

§ 144. „Die Anfechtung ist ausgeschlossen, wenn das anfechtbare Rechtsgeschäft von dem Anfechtungsberechtigten bestätigt wird.

Die Bestätigung bedarf nicht der für das Rechtsgeschäft bestimmten Form."

Da die Bestätigung sachlich nichts anderes als Verzicht auf das Anfechtungsrecht ist, so datiert das bestätigte Rechtsgeschäft vom Augenblicke seiner Vornahme und nicht vom Augenblicke seiner Bestätigung.

II. Die einzelnen Fälle der Anfechtbarkeit sind folgende:

1. Irrtum bei Abgabe der Willenserklärung. Der Erklärende hat sich versprochen, verschrieben, irrt sich in der Person, will mit Karl Bobsien abschließen und wendet sich an dessen Vetter Wilhelm Bobsien, der in einem sehr schlechten geschäftlichen Ruf steht; will eine gute teure Sense kaufen und kauft eine schlechte billige 2c.

„Wer bei der Abgabe einer Willenserklärung über deren Inhalt im Irrtume war oder eine Erklärung dieses Inhaltes überhaupt nicht abgeben wollte, kann die Erklärung anfechten, wenn anzunehmen ist, daß er sie bei Kenntnis der Sachlage und bei verständiger Würdigung des Falles nicht abgegeben haben würde.

Als Irrtum über den Inhalt der Erklärung gilt auch der Irrtum über solche Eigenschaften der Person oder der Sache, die im Verkehr als wesentlich angesehen werden" (§ 119).

Zu beachten ist, daß a. nur der Irrtum über wesentliche Umstände berücksichtigt wird und b. auch nur dann, wenn anzunehmen ist, daß ohne ihn bei verständiger Würdigung des Falles die Erklärung nicht abgegeben worden wäre.

Gleichwertig mit diesem ersten Fall ist der folgende:

„Eine Willenserklärung, welche durch die zur Übermittelung verwendete Person oder Anstalt (Post, Telegraph) unrichtig übermittelt worden ist, kann unter den gleichen Voraussetzungen angefochten werden, wie nach § 119 eine irrtümlich abgegebene Willenserklärung" (§ 120). Verstümmelte Telegramme können also unter Umständen von dem Absender angefochten werden, wenn z. B. der Absender telegraphiert: Kaufen Sie 100 Eisenbahnaktien und die Post macht daraus: Verkaufen Sie, so kann der Absender anfechten.

2a. „Wer zur Abgabe einer Willenserklärung durch arglistige

Täuschung, oder widerrechtlich durch Drohung bestimmt worden ist, kann die Erklärung anfechten" (§ 123 I).

Notwendig ist, daß der Irrtum durch die Täuschung und die Willenserklärung durch den Irrtum hervorgerufen sei. Wem der Pferdehändler vorlügt, daß das Pferd 6 Jahre alt sei, während es 8 Jahre alt ist, kann deshalb den Kauf wegen Betruges noch nicht immer anfechten, denn in den meisten Fällen würde er das Pferd gekauft haben, auch wenn er wußte, daß es 8 Jahre alt sei.

Andererseits muß die Gegenpartei den Betrug verübt haben. Gutsbesitzer A. hat, ein heftiges, unruhiges Wagenpferd zu verkaufen. Der Gutsbesitzer B., der hievon nichts weiß, fragt einen Kommissionär, ob er ihm ein ruhiges Reitpferd nachweisen kann. Der Kommissionär lügt ihm vor, daß Pferd von A. sei so, wie er es wünsche. B. kauft das Pferd. In diesem Falle wäre an sich die Willenserklärung des B. anfechtbar, weil B. nur durch die ihm betrügerisch zugesicherten, aber nicht vorhandenen Eigenschaften des Pferdes zum Ankauf bewogen worden ist, aber da A. die Täuschung nicht kannte und nicht erkennen mußte, ist der Kauf wegen Betruges nicht anfechtbar. Wohl aber ist er anfechtbar wegen Irrtums über eine wesentliche Eigenschaft nach § 119.

Der Unterschied zwischen § 119 und § 123 liegt darin, daß § 123 I ursächlichen Zusammenhang zwischen der Täuschung oder Drohung der Gegenpartei und dem Rechtsgeschäft des Anfechtungsberechtigten fordert, § 119 aber nicht. Dagegen fordert § 119 eine gewisse Erheblichkeit des Irrtums, § 123 nicht.

b. Werde ich von meiner Aufwartefrau unter dem lügnerischen Vorgeben, daß sie für einen verunglückten Arbeiter sammle, damit er in seine Heimat zu seinen Eltern zurückreisen könne, angebettelt, und schicke ich dem Arbeiter das Geld zu, so kann ich die Schenkung ihm gegenüber nicht anfechten, wenn er nicht den Betrug meiner Aufwartefrau kannte oder kennen mußte, aber ich kann wegen ungerechtfertigter Bereicherung (§ 812 I) klagen und kann Schadensersatz von der Aufwartefrau verlangen auf Grund von § 826.

Habe ich mit der Aufwartefrau einen Vertrag zu Gunsten Dritter geschlossen, derart, daß aus meinem Schenkungsversprechen der Arbeiter unmittelbar gegen mich ein Forderungsrecht auf die versprochene Summe erwerben soll, und auch gegen mich erworben hat, so kann ich mein Schenkungsversprechen ihm gegenüber nur dann anfechten, wenn er den Betrug kannte oder kennen mußte, z. B. wenn die Frau ihm vorher gesagt hatte, welches Mittel sie anwenden wollte.

„Hat ein Dritter die Täuschung verübt, so ist eine Erklärung, die einem Anderen gegenüber abzugeben war, nur dann anfechtbar, wenn dieser die Täuschung kannte oder kennen mußte. Soweit ein Anderer als derjenige, welchem gegenüber die Erklärung abzugeben war, aus der Erklärung unmittelbar ein Recht erworben hat (Vertrag zu Gunsten Dritter) ist die Erklärung ihm gegenüber anfechtbar, wenn er die Täuschung kannte oder kennen mußte" (§ 123 II).

c. Wohl zu beachten ist, daß eine durch Drohung hervorgerufene Willenserklärung immer anfechtbar ist, auch wenn die Drohung von einem Dritten ausging. Bei der Drohung ist erfahrungsgemäß in vielen Fällen der Nachweis sehr lästig, daß Jemand die Drohung gekannt habe oder habe kennen müssen, denn bei der Drohung hat man es sehr häufig mit einer großen Zahl von Personen zu tun, die durch die Drohung ein Recht ꝛc. erworben haben.

Eine Tatfrage kann bei der Drohung Schwierigkeiten bereiten. Wer in seiner Wohnung überfallen und durch vorgehaltenen Revolver zur Ausstellung eines Schuldscheines veranlaßt wird, kann ihn wegen Drohung anfechten, ebenso wer durch anhaltende Schläge dazu vermocht wird, wenn er aus Furcht vor weiteren Schlägen das Papier ausstellt. Wem jedoch die Hand geführt wird, ohne daß er eine eigene willkürliche Bewegung machen kann, der gibt überhaupt keine Willenserklärung ab, denn er nimmt selber gar keine Erklärungshandlung vor, vielmehr haben wir nur eine Handlung seiner Bedränger vor uns, die ihm gar nicht zuzurechnen ist. Man scheidet diese Fälle als vis compulsiva und vis absoluta.

III. „Die Anfechtung erfolgt durch Erklärung gegenüber dem Anfechtungsgegner.

Anfechtungsgegner ist bei einem Vertrage der andere Teil, im Falle des § 123 II Satz 2 derjenige, welcher aus dem Vertrag unmittelbar ein Recht erworben hat.

Bei einem einseitigen Rechtsgeschäft, das einem Anderen gegenüber vorzunehmen war (Kündigung), ist der Andere der Anfechtungsgegner. Das Gleiche gilt bei einem Rechtsgeschäfte, das einem Anderen oder einer Behörde gegenüber vorzunehmen war, auch dann, wenn das Rechtsgeschäft der Behörde gegenüber vorgenommen worden ist.

Bei einem einseitigen Rechtsgeschäft anderer Art (Auslobung) ist Anfechtungsgegner Jeder, der auf Grund des Rechtsgeschäftes unmittelbar einen rechtlichen Vorteil erlangt hat. Die Anfechtung kann jedoch, wenn die Willenserklärung einer Behörde gegenüber abzugeben war, durch Erklärung gegenüber der Behörde erfolgen; die Behörde soll die Anfechtung demjenigen mitteilen, welcher durch das Rechtsgeschäft unmittelbar betroffen worden ist" (§ 143).

Die Anfechtung erfolgt in der Weise, daß der Anfechtende dem Anderen einfach mitteilt, etwa: Ich fechte das Geschäft an; ich lasse es nicht gelten u. s. w.

„Die Anfechtung ist ausgeschlossen, wenn das anfechtbare Rechtsgeschäft von dem Anfechtungsberechtigten bestätigt wird.

Die Bestätigung bedarf nicht der für das Rechtsgeschäft bestimmten Form" (§ 144).

„Wird ein anfechtbares Rechtsgeschäft angefochten, so ist es als von Anfang an nichtig anzusehen" (§ 142 I).

„Die Anfechtung ist ausgeschlossen, wenn seit Abgabe der Willenserklärung dreißig Jahre verstrichen sind" (§ 121 I, 124 III).

§. 81. Schadensersatz bei nichtigen und anfechtbaren Rechtsgeschäften.

I. Sehr nahe liegt die Erwägung: Wenn Jemand sich auf die Nichtigkeit oder Anfechtbarkeit seiner Willenserklärung berufen kann und sich darauf beruft, so wird doch der Gegner in seiner berechtigten Erwartung getäuscht, daß er sich auf diejenige Willenserklärung, die ihm als die Willenserklärung des Erklärenden zugekommen ist, verlassen dürfe. Ohne Frage ist·der Gegner in vielen Fällen schutzbedürftig.

Nicht schutzbedürftig ist er, wenn er notwendig um die Nichtigkeit oder Anfechtbarkeit weiß, so im Falle der §§ 116, 117, 123. Als nicht schutzbedürftig wird er angesehen in den Fällen, wo unbedingt Kenntnis der gesetzlichen Vorschriften, z. B. über die Formen des Rechtsgeschäftes, verlangt wird.

Als schutzbedürftig erscheint der Gegner im Falle der §§ 119, 120, und dementsprechend bestimmt § 121, damit im geschäftlichen

Leben nicht zu lange Ungewißheit bestehe: „Die Anfechtung muß in den Fällen der §§ 119, 120 ohne schuldhaftes Zögern (unverzüglich) erfolgen, nachdem der Anfechtungsberechtigte von dem Anfechtungsgrunde Kenntnis erlangt hat. Die einem Abwesenden gegenüber erfolgte Anfechtung gilt als rechtzeitig erfolgt, wenn die Anfechtungserklärung unverzüglich abgesendet worden ist" (§ 121 I).

„Die Anfechtung einer nach § 123 (arglistige Täuschung, widerrechtliche Drohung) anfechtbaren Willenserklärung kann nur binnen Jahresfrist erfolgen.

Die Frist beginnt im Falle der arglistigen Täuschung mit dem Zeitpunkt, in welchem der Anfechtungsberechtigte die Täuschung entdeckt, im Falle der Drohung mit dem Zeitpunkt, in welchem die Zwangslage aufhört" (§ 124 I, II). Diese Bestimmung dient zur Sicherung des Gegners dann, wenn die Drohung von einem dritten ausging und der Gegner die Drohung nicht kannte oder kennen mußte.

II. Obige Vorschrift wird es aber nicht verhindern können, daß vielfach der Gegner in Schaden gerät, weil er sich auf die Willenserklärung verlassen und im Vertrauen auf ihren rechtlichen Bestand schon Verfügungen getroffen hat, z. B. er hat statt zu kaufen mit großem Schaden verkauft. Auch hiegegen sucht das B.G.B. zu schützen. Bei der Berechnung des Schadens kann aber nicht das Interesse zu Grunde gelegt werden, das der Gegner daran hat, daß die Willenserklärung erfüllt werde. Dann würde er verlangen Schadensersatz wegen Nichterfüllung dessen, was in der Willenserklärung zugesagt ist. Er kann vielmehr nur verlangen, daß er so behandelt werde, als wäre die Willenserklärung garnicht abgegeben. Denn daß sie abgegeben ist in der Weise, in der sie abgegeben ist, das hat den Anderen in Schaden gestürzt. Das hier zu schützende Interesse ist also ganz anders, als das Interesse, das jemand daran hat, daß die Gegenpartei die in einer rechtsbeständigen Willenserklärung wirklich übernommenen Pflichten erfülle. Dies letzte heißt das positive Interesse an der Erfüllung, das erste das negative an dem Bestande der Erklärung. Dies wird wahrgenommen, indem der Geschädigte verlangt, daß ihm gewährt werde, was er gehabt haben würde, wenn von der Willenserklärung keine Rede gewesen wäre.

Das negative Interesse wird geschützt durch § 122 mit der

Begrenzung, daß sein Umfang nicht über den Umfang des positiven Interesses hinausgehen dürfe.

„Ist eine Willenserklärung nach § 118 nichtig oder auf Grund der §§ 119, 120 angefochten, so hat der Erklärende, wenn die Erklärung einem Anderen gegenüber abzugeben war, diesem, anderenfalls jedem Dritten den Schaden zu ersetzen, den der Andere oder der Dritte dadurch erleidet, daß er auf die Gültigkeit der Erklärung vertraut, jedoch nicht über den Betrag des Interesses hinaus, welches der Andere oder der Dritte an der Gültigkeit der Erklärung hat.

Die Schadenersatzpflicht tritt nicht ein, wenn der Beschädigte den Grund der Nichtigkeit oder Anfechtbarkeit kannte oder infolge von Fahrlässigkeit nicht kannte (kennen mußte)" (§ 122).

„Wer die Anfechtbarkeit kannte oder kennen mußte, wird, wenn die Anfechtung erfolgt, so behandelt, wie wenn er die Nichtigkeit des Rechtsgeschäftes gekannt hätte oder hätte kennen müssen" (§ 142 II). Dies erklärt sich daraus, daß bei durchgeführter Anfechtung das Rechtsgeschäft als von Anfang an nichtig angesehen, die Kenntnis der Anfechtbarkeit als Kenntnis der Nichtigkeit behandelt wird. Die Nichtigkeit des § 142 II ist nicht die ursprüngliche Nichtigkeit des § 139 ff., sondern die durch Rückwirkung eingetretene Nichtigkeit des § 142 I.

Bei Verträgen (und einseitigen Rechtsgeschäften) auf eine unmögliche Leistung muß, wer die Unmöglichkeit kennt oder kennen muß, dem Anderen das negative Interesse ersetzen, wenn nicht dieser ebenfalls die Unmöglichkeit kennt oder kennen muß. Entsprechendes gilt bei teilweiser Unmöglichkeit (§ 307), jedoch ist § 139 zu beachten. Das Gleiche gilt von verbotenen Verträgen (§ 309). Da Unkenntnis bei verbotenen Verträgen regelmäßig auf mangelnder Gesetzeskenntnis d. h. Rechtsirrtum beruht, ergibt sich aus § 309, daß der Rechtsirrtum nicht als grundsätzlich unentschuldbar gilt, sondern entschuldbar sein kann.

Zu beachten ist, daß die §§ 307, 309 Verschulden fordern, § 122 nicht.

Bei den Willenserklärungen der beschränkt Geschäftsfähigen wird dem Gegner auf andere Weise geholfen (s. o. S. 29 ff.). Willenserklärungen von Geschäftsunfähigen haben gar keine Folgen für den Gegner.

§ 82. Unwirksame Geschäfte.

I. In einem allgemeineren Sinne spricht das B.G.B. von Unwirksamkeit eines Rechtsgeschäftes. Die einzelnen Fälle sind hier nur zu erwähnen, da sich an sie besondere Erörterungen über Schadensersatz, Anfechtung ꝛc. nicht knüpfen.

Ein Vertragsangebot wird unwirksam durch Widerruf, Ablehnung, Zeitablauf. Es ist schon für sich allein in gewisser Weise wirksam, und diese erste Wirkung erlischt auf die angegebene Weise. Seine eigentliche und beste Wirkung soll es aber erst haben, wenn es angenommen wird und dadurch der Vertrag entsteht. Diese zweite Wirkung entsteht also erst, wenn zu dem Angebot noch ein zweiter Tatumstand hinzukommt und wenn wir nur auf diese zweite Wirkung sehen, können wir sagen, daß das Angebot ohne den anderen Tatumstand unwirksam ist.

Es kommt wiederholt vor, daß zwei verschiedene Tatbestände zusammenwirken müssen in der Art, daß der eine ohne den anderen unwirksam ist.

Wir haben aber in diesen Fällen der Unwirksamkeit — und das unterscheidet sie von den schon behandelten — keine fehlerhaften Willenserklärungen vor uns, sondern Willenserklärungen, die an sich ohne Mängel sind, aber für sich allein nicht ausreichen, eine bestimmte Wirkung herbeizuführen. Bei diesen Willenserklärungen ist es die vom B.G.B. aufgestellte Regel, daß zur Erzeugung vollkommener rechtlicher Wirkungen zwei Tatbestände gehören, von denen natürlich jeder für sich allein nicht genügend ist.

Darum ist in solchen Fällen an sich das Bedürfnis für eine Nichtigkeit oder Anfechtbarkeit in dem schon bekannten Sinne nicht vorhanden. Beispiele hierfür sind außer den schon angeführten das einseitige Rechtsgeschäft, das ein Minderjähriger ohne Genehmigung eines gesetzlichen Vertreters vornimmt (§ 111). Man kann allerdings gerade bei diesem Fall sehr zweifeln, ob man ihn hieher oder unter die fehlerhaften Willenserklärungen rechnen will. Aber es ist zu bedenken, daß der etwaige Fehler nicht in der Willenserklärung selber liegt, sondern an dem Mangel der Einwilligung. Die Unwirksamkeit ist sofort sicher und nicht zu beheben s. o. § 79 II, 10.

II. Es kann genügen, daß der erforderte Tatumstand erst später hinzutritt, dann besteht bis zu seinem Eintritt ein ungewisser Schwebezuſtand. Iſt zu einem Rechtsgeſchäft die Zuſtimmung eines Dritten erforderlich, ſo kann ſie als Einwilligung vor dem Abſchluß des Geſchäftes (§ 183) als Genehmigung (§ 184) nach dem Abſchluß des Rechtsgeſchäftes erfolgen und hat dann weitgehende Rückwirkung, d. h. es wird im Falle der erfolgten Genehmigung faſt Alles ſo gehalten, als ob die Zuſtimmung in dem Augenblick erfolgt wäre, in dem das Rechtsgeſchäft´ abgeſchloſſen iſt. Ausnahmen von der Rückwirkung ſ. § 184 II.

Beiſpiele hierfür ſind ein Vertrag eines Minderjährigen ohne die erforderliche Einwilligung ſeines geſetzlichen Vertreters (§ 108 ff.), oder Vertragſchluß im Namen eines Anderen ohne Vollmacht (§ 177).

Bis der ſpätere Tatumſtand eintritt, alſo in den genannten Beiſpielen die Einwilligung erfolgt, tritt ein Schwebezuſtand ein, die Beteiligten bleiben bis zur Entſcheidung der Ungewißheit gebunden und müſſen gebunden bleiben. Denn ſonſt wäre ein juriſtiſches Nichts da und die Einwilligung fände garnichts vor, dem ſie Wirkſamkeit geben könnte.

Nicht immer tritt Rückwirkung ein, vielmehr wird unter Umſtänden ein Rechtsgeſchäft erſt wirkſam von dem Augenblick an, wo der ſpätere Tatumſtand hinzukommt, z. B. bei der nach § 873 notwendigen Eintragung in das Grundbuch, die dem dinglichen Vertrage nachfolgt.

III. Unter Umſtänden hat ein nachträglich hinzukommender Tatumſtand negative Wirkungen, inſofern er ein an ſich wirkſames Rechtsgeſchäft unwirkſam macht. Ein Beiſpiel bietet ſcheinbar der Rücktritt vom Vertrage. Der Vertrag wird unwirkſam durch den Rücktritt, jedoch gehört das nicht hieher, da der Vertrag durch den Willen einer Partei unwirkſam wird und es ſich hier um Tatſachen handelt, die ohne den Willen einer Partei eintreten können. Eine ſolche liegt aber vor im Falle des § 354. „Kommt der (zum Rücktritt) Berechtigte mit der Rückgewähr des empfangenen Gegenſtandes oder eines erheblichen Teiles des Gegenſtandes in Verzug, ſo kann ihm der andere Teil eine angemeſſene Friſt mit der Erklärung beſtimmen, daß er die Annahme nach dem Ablauf der Friſt ablehne. Der Rücktritt wird unwirkſam, wenn nicht die Rückgewähr vor dem Ablauf der Friſt erfolgt“ (§ 354).

IV. Ähnlich, aber doch vom vorigen Fall zu trennen iſt der Fall, daß ein Rechtsgeſchäft erſt dadurch wirkſam wird, daß ein bestimmter Tatumstand nicht eintritt, z. B.: „Hat sich der eine Teil den Rücktritt für den Fall vorbehalten, daß der andere Teil seine Verbindlichkeit nicht erfüllt, so ist der Rücktritt unwirksam, wenn der andere Teil sich von der Verbindlichkeit durch Aufrechnung befreien konnte und unverzüglich nach dem Rücktritt die Aufrechnung erklärt" (§ 357). Von der Nichterklärung der Aufrechnung hängt die Wirksamkeit des Rechtsgeschäftes ab.

Das B.G.B. macht in den Fällen unter III. und IV. einen Unterschied im Ausdruck, indem es in den ersten sagt: das Rechtsgeschäft wird unwirksam, in den letzten: das Rechtsgeschäft ist unwirksam [1]).

§ 83. Bedingung, Auflage und Befristung.

Der Rentner Werner in Leipzig will seinen beiden Neffen ein wertvolles Gemälde schenken und sucht zwischen beiden dadurch auszugleichen, daß er dem in Berlin wohnenden Friedrich das Gemälde am 1. Januar schenkt, ihm aber zugleich erklärt, daß er, Friedrich, seinem Bruder Karl in Hamburg 500 Mk. auszahlen solle und zwar bis 1. Februar ausschließlich.

Dieser Fall kann juristisch verschieden beurteilt werden.

I. Der Schenker will, daß Friedrich das Eigentum an dem Bilde nicht früher erwirbt, als bis er die 500 Mk. an Karl bezahlt hat. Dann treten die Wirkungen des Rechtsgeschäftes, des in Schenkungsabsicht vorgenommenen Eigentumsübertragungsvertrages nicht früher ein, als mit der Zahlung; sie werden also hinausgeschoben. Erhält Friedrich das Bild am 1. Januar und zahlt er am 20. Januar, so wird er erst am 20. Januar Eigentümer des Bildes. Bis dahin ist nicht er, sondern der schenkende Oheim Eigentümer.

Wir sprechen in diesem Falle von einer aufschiebenden Bedingung, denn nur unter der Bedingung des Zahlens soll Friedrich das Eigentum erwerben. Von der Zahlung hängt der Eigentumserwerb vollkommen ab.

Da es aber ganz ungewiß ist, ob die Zahlung jemals erfolgen wird, so tritt zunächst ein Zustand der Ungewißheit, ein Schwebe-

---

1) Vergl. Planck, Kommentar S. 144.

zuſtand ein. Dieſer Schwebezuſtand kann auf zweifache Weiſe beendet werden, durch die Zahlung und ferner dadurch, daß es ſich als gewiß herausſtellt, die Zahlung werde niemals oder jedenfalls nicht mehr mit rechtlicher Wirkſamkeit erfolgen. Dies ſtellt ſich in unſerem Beiſpiel mit Sicherheit am 1. Februar heraus. Hat Friedrich bis dahin nicht gezahlt, dann hat er für alle Zeiten den Eigentumserwerb verſäumt. Eine Zahlung, die erſt am 1. Februar erfolgt, iſt völlig wirkungslos, denn der Oheim hatte den Eigentumserwerb davon abhängig gemacht, daß die Zahlung eben vor dem 1. Februar erfolge.

Hat nun Friedrich während des ganzen Monates Januar, ſo lange er noch nicht gezahlt hat, gar kein Recht an dem Bilde ſelbſt? Geſetzt, der Oheim, dem inzwiſchen ein hoher Preis für das Bild geboten wird, möchte es gerne zurück haben, leiht es ſich zurück, angeblich, um noch eine kleine Veränderung am Rahmen zu treffen, und verkauft es am 15. Januar an einen Kunſthändler, der um die Schenkung an die beiden Neffen weiß, alſo nicht als gutgläubig gelten kann. Friedrich zahlt dem Karl am 20. Januar das Geld aus und verlangt nunmehr vom Oheim und dann vom Händler das Bild, indem er geltend macht, er ſei nunmehr Eigentümer geworden. Der Händler dagegen beruft ſich auf ſeinen Kauf. Friedrich bringt mit ſeiner Klage durch, denn durch die bedingte Veräußerung hatte der Oheim das Eigentum an dem Bilde zwar noch nicht verloren, aber es kann nach dem 1. Januar doch Niemand mehr ſagen, daß der Oheim ſein altes, volles, unbeſchränktes, unbedingtes Eigentum noch habe. Das ergibt ſich daraus, daß er ſein Eigenthum ohne Weiteres in dem Augenblicke verliert, wo Friedrich an Karl zahlt. Wo ſich das Bild auch befinde, es iſt dann Eigentum des Friedrich. Offenbar trägt alſo das Eigentum des Oheim einen Todeskeim in ſich, es iſt nicht mehr unverſehrt und dies hängt zuſammen mit der Anwartſchaft, die der Friedrich auf das Bild hat. Wenn nun der Oheim an den Händler veräußert, kann er ihm nicht mehr Rechte übertragen, als er ſelber hat, er überträgt alſo auf den Händler das Eigentum an dem Bilde mit allen ſeinen Mängeln und weil der Händler genau in die Rechtsſtellung des Oheim eintritt, deshalb verliert er das Eigentum an den Friedrich, wenn der Oheim an ſeiner Stelle das Eigentum auch verloren haben würde. Die Zahlung wirkt also gegen den Händler genau so, wie sie gegen den Oheim gewirkt haben würde.

Dies drückt man dadurch aus, daß man sagt, die Bedingung versetze beide Parteien in einen Zustand der Gebundenheit, insbesondere den unter einer Bedingung Verpflichteten oder Veräußernden. Dadurch bezeichnet man, daß der bedingt Verpflichtete oder Veräußernde der Gegenpartei ihren Rechtserwerb nicht beliebig juristisch verkümmern kann. Tatsächlich kann er ihn unter Umständen verkümmern, indem z. B. in unserem Falle der Oheim das Bild vor der Zahlung zerstört. Aber auch hier zeigt sich, daß der Oheim nicht mehr das freie Verfügungsrecht hat, denn er muß dem Friedrich den Schaden ersetzen. Wenn also der Oheim auch noch Eigentümer ist, so ist Friedrich doch der Anwärter, es stehen sich gegenüber Eigentum und unentziehbare Anwartschaft auf das Eigentum.

Ferner, wenn Werner bereut, dem Friedrich das Gemälde, dessen Wert viel höher als 500 Mk. ist, geschenkt zu haben, so kann er doch nicht zu folgendem Kniff greifen. Er verspricht dem Karl seinerseits 500 Mk., wenn er die 500 Mk. von Friedrich ablehne. Geht Karl, dem es ja gleichgültig sein kann, von wem er die ihm zugedachten 500 Mk. erhält, hierauf ein und weist er die Zahlung des Friedrich zurück, so hat Friedrich nach formellem Recht die vorgeschriebene Bedingung nicht erfüllt und kann, wenn darüber der 1. Februar herankommt, auch nicht das Eigentum des Bildes erwerben. Aber hier zeigt sich die Gebundenheit des Schenkers, denn er darf auf solche Weise den Eintritt der Bedingung nicht vereiteln, ja er kann ihn nicht einmal vereiteln, weil in solchen Fällen die Sache so angesehen wird, als hätte Friedrich die Bedingung erfüllt. Friedrich erwirbt also das Eigentum, obgleich er nicht gezahlt hat. Der Schenker hat nunmehr den selbstverschuldeten Schaden von 500 Mk.

Den im Vorstehenden entwickelten Entscheidungen entsprechend bestimmt das B.G.B.:

„Wird ein Rechtsgeschäft unter einer aufschiebenden Bedingung vorgenommen, so tritt die von der Bedingung abhängig gemachte Wirkung mit dem Eintritte der Bedingung ein" (§ 158 I).

„Hat Jemand unter einer aufschiebenden Bedingung über einen Gegenstand verfügt, so ist jede weitere Verfügung, die er während der Schwebezeit über den Gegenstand trifft, im Falle des Eintrittes der Bedingung insoweit unwirksam, als sie die von der Bedingung abhängige Wirkung vereiteln oder beeinträchtigen würde.

Die Vorschriften zu Gunsten derjenigen, welche Rechte von einem Nichtberechtigten herleiten, finden entsprechende Anwendung" (§ 161 I, III).

„Wer unter einer aufschiebenden Bedingung berechtigt ist, kann im Falle des Eintritts der Bedingung Schadenersatz von dem anderen Teile verlangen, wenn dieser während der Schwebezeit das von der Bedingung abhängige Recht durch sein Verschulden vereitelt oder beeinträchtigt" (§ 160 I).

Eine Vereitelung liegt dann vor, wenn in unserem Falle der von dem Rentner Werner laufende Bilderhändler in gutem Glauben kauft und wegen seiner Gutgläubigkeit Eigentum erwirbt, sodaß das Bild dem Friedrich für immer verloren ist. Aber Vereitelung oder Beeinträchtigung liegt auch dann vor, wenn das Bild von dem Werner während der Schwebezeit vernichtet oder beschädigt wird.

„Wird der Eintritt der Bedingung von der Partei, zu deren Nachteil er gereichen würde, wider Treu und Glauben verhindert, so gilt die Bedingung als eingetreten" (§ 162 I).

II. Der Schenker kann aber auch gewollt haben, daß Friedrich sofort Eigentum erwerben, es aber wieder verlieren solle, wenn er bis zum 1. Februar dem Karl die 500 Mk. nicht bezahlt hat. Dann wird zunächst Friedrich Eigentümer, Werner verliert das Eigentum, aber wenn der 1. Februar herankommt, ohne daß Friedrich gezahlt hat, so geht in der ersten Sekunde des ersten Februar das Eigentum an den Werner zurück. Hat in der Nacht von dem 31. Januar auf den 1. Februar die Uhr zwölf geschlagen, so ist das Eigentum des Bildes auch schon ohne weiteres bei dem Werner, möge das Bild sich bei Friedrich oder bei Werner oder sonst bei irgend jemand Anderem befinden. Dies ist der Fall der auflösenden Bedingung.

Auch hier tritt ein Schwebezustand, eine Schwebezeit ein, bis nemlich Friedrich gezahlt und durch die Zahlung bewirkt hat, daß ihm das Eigentum an dem Bilde nicht mehr verloren gehen kann, oder bis der festgesetzte Termin ohne eine Zahlung seitens des Friedrich verstrichen ist und Friedrich das Eigentum an dem Bilde wieder verloren hat.

Wenn auch Friedrich während der Schwebezeit Eigentümer ist, so hat er doch kein fehlerloses, unbedingtes Eigentum, denn wenn sein Eigentumsrecht ohne Mangel wäre, dann könnte er es durch bloße Unterlassung einer Zahlung nicht verlieren. Sein Eigentum ist also von der Zahlung abhängig. Daraus ergibt sich, daß Werner das Eigentum an dem Bilde auch dann ohne Weiteres wieder erhält, wenn Friedrich das Bild zwischen dem 1. Januar und dem 1. Februar an einen Dritten veräußert hat, der um die bedingte Schenkung wußte, also nicht auf Grund von gutem Glauben unbedingtes Eigentum erwerben konnte. Befindet sich das Bild in der Nacht von dem 31. Januar auf den 1. Februar bei diesem Dritten, so geht doch mit der ersten Sekunde des 1. Februar das Eigentum ohne Weiteres an den Werner zurück, wenn bis dahin Friedrich noch nicht an Karl gezahlt hat. Hier wiederholt sich nur mit veränderten Parteirollen dieselbe Erscheinung, die sich schon bei der aufschiebenden Bedingung gezeigt hat. Als Friedrich veräußerte, konnte er nicht mehr Rechte übertragen, als er hatte, d. h. er übertrug kein volles, fehlerfreies, unbedingtes Eigentum, sondern ein Eigentum, das einen Todeskeim schon in sich trug. Da sein Abkäufer nur in seine Rechtsstellung eingetreten ist, muß er sich alles gefallen lassen, was Friedrich sich würde gefallen lassen müssen. Da Friedrich aber das Eigentum, wenn er es am 31. Januar noch hätte, am 1. Februar verlieren würde, so verliert es unter denselben Umständen, zur selben Zeit, in derselben Weise auch sein Nachmann.

Auch hier besteht während der Schwebezeit ein Zustand der Gebundenheit, Werner soll den Kniff nicht anwenden, Friedrich die Zahlung unmöglich zu machen und wenn er es tut, so ist dies doch wirkungslos und Friedrich kann und soll den Rückfall des Eigentums nicht hindern, er soll die Sache in der Zwischenzeit auch nicht beschädigen oder vernichten, wenn er nicht die ausbedungene Summe an Karl zahlt. Friedrich ist Eigentümer, aber Werner hat eine unentziehbare Anwartschaft auf den Rückfall des Eigentums an dem Bilde.

Würde Werner während der Schwebezeit veräußern, Friedrich bis zum 1. Februar nicht zahlen, so würde der Rechtsnachfolger von Werner in der ersten Sekunde des 1. Februar ohne Weiteres das Eigentum am Bilde erwerben, wie es Werner erworben haben würde. Denn er ist ganz an Stelle des Werner getreten und die Anwartschaft auf den Anfall des Eigentumes steht ihm nunmehr zu.

Bei der auflösenden Bedingung sind die Rollen geradezu vertauscht. Die Anwartschaft auf den Anfall des Eigentumes hat bei aufschiebender Bedingung Friedrich, bei auflösender Werner.

Für die auflösende Bedingung hat das B.G.B. entsprechende Bestimmungen getroffen, wie für die aufschiebende Bedingung.

„Wird ein Rechtsgeschäft unter einer auflösenden Bedingung vorgenommen, so endigt mit dem Eintritte der Bedingung die Wirkung des Rechtsgeschäftes; mit diesem Zeitpunkte tritt der frühere Rechtszustand wieder ein" (§ 158 II).

„Den gleichen Anspruch (auf Schadenersatz, wenn während der Schwebezeit das von der Bedingung abhängige Recht von der Gegenpartei vereitelt oder beeinträchtigt wird), hat unter denselben Voraussetzungen bei einem unter einer auflösenden Bedingung vorgenommenen Rechtsgeschäfte derjenige, zu dessen Gunsten der frühere Rechtszustand wieder eintritt" (Werner) (§ 160 II).

„Dasselbe (Unwirksamkeit weiterer Verfügungen während der Schwebezeit, Veräußerung an Dritte) gilt bei einer auflösenden Bedingung von den Verfügungen desjenigen, dessen Recht mit dem Eintritte der Bedingung endigt" (Friedrich).

Die Vorschriften zu Gunsten derjenigen, welche Recht von einem Nichtberechtigten herleiten, finden entsprechende Anwendung" (§ 161 II, III).

„Wird der Eintritt der Bedingung von der Partei, zu deren Vorteil er gereicht (Werner), wider Treu und Glauben herbeigeführt, so gilt der Eintritt als nicht erfolgt" (§ 162 II).

III. Der Schenker kann auch eine sogenannte Auflage gewollt haben. Er verschenkt dann das Bild nicht unter einer Bedingung und die Folge ist, daß Friedrich volles, unbeschränktes, unbedingtes, fehlerfreies Eigentum sofort erwirbt, mag er nun an Karl sogleich oder später oder garnicht zahlen.

Bei der Bedingung liegt das Druckmittel, um Friedrich zur Zahlung zu bewegen, in der Aussicht, das Eigentum zu erhalten oder in der Aussicht, das Eigentum wieder zu verlieren. Da dieses Druckmittel bei der Auflage fortfällt, wird ein anderes angewandt: Friedrich wird verpflichtet, an Karl zu zahlen. Bei der Bedingung besteht eine solche Verpflichtung nicht. Werner kann also den Friedrich niemals auf Erfüllung der Bedingung verklagen, diese ist vielmehr vollkommen freier Wille des Friedrich und kann nicht mittelst Klage erzwungen werden. Wohl aber kann bei der Auflage die Zahlung erzwungen werden, denn durch die Übernahme der Auflage verpflichtet sich Friedrich, dem Inhalt der Auflage entsprechend zu handeln, d. h. an Karl 500 Mk. zu zahlen.

Ist Friedrich ein bestimmter Termin gesetzt, bis zu dem er zahlen soll, so hat dieser Termin auf sein Eigentumsrecht gar keinen Einfluß. Friedrich behält also das Eigentum am Bilde auch dann, wenn er bis zum 1. Februar nicht gezahlt hat; aber nunmehr kann Werner gegen ihn auf Zahlung klagen.

„Wer eine Schenkung unter einer Auflage macht, kann die Vollziehung der Auflage verlangen, wenn er seinerseits geleistet hat" (§ 525). Sehr häufig, ja man kann wohl sagen, im Zweifel immer wird anzunehmen sein, daß bei einer Schenkung, wie die beschriebene, ein Vertrag zu Gunsten Dritter vorliegt, d. h. daß außer Werner auch Karl das Recht haben soll, Friedrich auf Zahlung zu verklagen (vergl. oben S. 167 ff.). Karl erwirbt dies Klagerecht entsprechend den Regeln des Vertrages zu Gunsten Dritter sofort unmittelbar mit Abschluß des Vertrages.

Die beiden Klagerechte von Werner und Karl schließen einander nicht aus, im Gegenteil bestimmt der in § 40 schon behandelte § 335: „Der Versprechensempfänger (Werner, der Friedrichs Zahlungsversprechen empfängt) kann, sofern nicht ein anderer Wille der Vertragschließenden anzunehmen ist, die Leistung an den Dritten auch dann fordern, wenn diesem das Recht auf die Leistung zusteht" (§ 335).

Werner kann gegen Friedrich aber auch noch auf andere Weise vorgehen, er kann das Bild zurückfordern. Sein Rückforderungsrecht ist aber nicht dinglich, sondern obligatorisch. Es wäre dinglich, wenn eine Bedingung vorläge. Die Klage gründet sich auf folgende Erwägung: Werner hat das Bild dem Friedrich gegeben, damit dieser es behalte, aber auch an Karl 500 Mk. zahle; diesen letzten Zweck hat er nicht erreicht. Friedrich wußte, daß dies der Zweck war und hat gegen den ausgesprochenen Willen des Werner gehandelt, weshalb dieser nunmehr seine Zuwendung rückgängig macht, da er seinen mit ihr verfolgten Zweck nicht erreicht, Friedrich ist ungerechtfertigt bereichert, weil er ohne Zahlung an

Karl das Bild nicht haben soll. Werner klagt wegen ungerechtfertigter Bereicherung (s. oben § 32 S. 135 ff.). Die juristische
Erwägung ist hier im Grunde dieselbe wie bei der Bedingung, nur
hat die Bedingung **schärfere Wirkungen**, sie wirkt **unmittelbar dinglich**, während der Auflage diese Wirkung abgeht, ihr
nur die schwächere **obligatorische Wirkung** innewohnt. Im vorliegenden Falle kann Werner jedoch ausnahmsweise diese Klage
wegen § 527 II nicht anstellen.

„Unterbleibt die Vollziehung der Auflage, so kann der Schenker
die Herausgabe des Geschenkes unter den für das Rücktrittsrecht
bei gegenseitigen Verträgen bestimmten (s. insbes. §§ 325, 326)
Voraussetzungen nach den Vorschriften über die Herausgabe einer
ungerechtfertigten Bereicherung insoweit fordern, als das Geschenk
zur Vollziehung der Auflage hätte verwendet werden müssen.

Der Anspruch ist ausgeschlossen, wenn ein Dritter (hier Karl)
berechtigt ist, die Vollziehung der Auflage zu verlangen" (§ 527),

IV. Die Tatfrage, ob die Schenkung nach den Regeln der
Bedingung oder der Auflage mit oder ohne Vertrag zu Gunsten
Dritter zu beurteilen ist, wird sich zunächst nach Dem richten, was
der Schenker gewollt hat. Die absichtlich unbestimmt gelassene
Ausdrucksweise (s. oben S. 322) ergibt keinen bestimmten Hinweis.
Darum ist die Bedingung abzulehnen, denn ihre Schroffheit würde
auch einen entsprechend bestimmteren Ausdruck verlangen, überdies
gelangt man zu besseren praktischen Ergebnissen, wenn man eine
Auflage annimmt. Aus dieser Erwägung heraus ist auch der
§ 330 B.G.B. zu verstehen: . . . „wenn bei einer unentgeltlichen
Zuwendung dem Bedachten eine Leistung an einen Dritten auferlegt . . . wird", „so ist im Zweifel anzunehmen, daß der Dritte
unmittelbar das Recht erwerben soll, die Leistung zu fordern"
(§ 330), d. h. bei einem Geschäft, wie das beschriebene, wird im
Zweifel ein Vertrag z. G. D. und dementsprechend auch eine Auflage anzunehmen sein.

V. Die Definitionen lauten:

Bedingung ist das Eintreten oder Nichteintreten eines zukünftigen
ungewissen Umstandes, von dem die Wirkungen eines Rechtsgeschäftes
durch den Parteiwillen abhängig gemacht sind.

Die aufschiebende Bedingung ist ein die Wirkung der Willenserklärung hinausschiebender Bestandteil der Willenserklärung.

Die auflösende Bedingung ist eine der Hauptwillenserklärung hinzugefügte Nebenwillenserklärung, gerichtet auf Aufhebung der Wirkungen der Hauptwillenserklärung. Die Nebenwillenserklärung soll aber ihre Wirkung noch nicht gleich entfalten, sondern erst, wenn ein zukünftiger ungewisser Umstand eintritt, daher ist sie selber aufschiebend bedingt. Es muß also genau heißen: Eine aufschiebend bedingte, der Hauptwillenserklärung hinzugefügte Nebenwillenserklärung, die die Wirkungen der Hauptwillenserklärung aufhebt.

Auflage ist die einer unentgeltlichen Zuwendung hinzugefügte Verpflichtung für den Empfänger zu einer Leistung.

VI. Die Auflage kommt nur vor bei unentgeltlichen Zuwendungen[1]), die Bedingungen dagegen sind grundsätzlich überall anwendbar. Aber auch sie haben gewisse Schranken.

Manche Rechtsgeschäfte vertragen keine Bedingung, z. B. die Aufrechnung. „Die Aufrechnung erfolgt durch Erklärung gegenüber dem anderen Teile. Die Erklärung ist unwirksam, wenn sie unter einer Bedingung abgegeben wird“ (§ 388).

„Eine Auflassung, die unter einer Bedingung . . . erfolgt, ist unwirksam“ (§ 925).

Besonders viele Fälle, in denen ein Rechtsgeschäft mit hinzugefügter Bedingung unwirksam ist, enthalten das Familien- und Erbrecht.

VII. Die Bedingung enthält stets eine ungewisse Zeitbestimmung; es gibt aber auch eine gewisse Zeitbestimmung, z. B. Jemand schenkt zwei Brüdern, Hans und Adolf, ein Pferd mit der Bestimmung, daß bis zum Abschluß der Ernte Hans das Eigentum an dem Pferde haben, mit vollendeter Ernte das Eigentum auf Adolf übergehen soll. Dann besteht für das Eigentum des Hans ein Endtermin, für das Eigentum des Adolf ein Anfangstermin, d. h. der Eigentumserwerb des Hans tritt sofort ein, aber sein Eigentum geht ihm am bestimmten Termin verloren, Adolf erwirbt noch nicht sofort, sondern erst an seinem Anfangstermin, der für Hans der Endtermin ist.

---

1) Einen besonderen Fall enthält das Erbrecht § 1940 B.G.B., worauf hier jedoch nicht einzugehen ist.

In diesen ungleichartigen Fällen spricht man von einer Befristung, das Eigentumsrecht ist aufschiebend oder auflösend befristet.

Die Befristung unterscheidet sich von der Bedingung dadurch, daß es bei ihr stets gewiß ist, der Anfangs- oder der Endtermin werde eintreten, während der Eintritt der Bedingung stets ungewiß ist.

Es genügt, daß das Ob des Eintritts bei der Befristung sicher ist, es ist nicht notwendig, daß auch das Wann sicher sei, wie denn umgekehrt bei der Bedingung das Wann durchaus sicher sein kann, während das Ob völlig ungewiß ist, z. B. „Wenn du dich am 31. Januar 1902 Vormittags 10 Uhr auf dem Bureau des Rechtsanwalts X. in der Ystraße einfindest". Für Bedingung und Zeitbestimmung gelten dieselben Regeln, soweit nicht die begrifflichen Unterschiede von beiden in Frage kommen. Insbesondere können alle die Rechtsgeschäfte, die keine Bedingung vertragen, auch nicht unter einer Zeitbestimmung vorgenommen werden.

„Ist für die Wirkung eines Rechtsgeschäftes bei dessen Vornahme ein Anfangs- oder ein Endtermin bestimmt worden, so finden im ersteren Falle die für die aufschiebende, im letzteren Falle die für die auflösende Bedingung geltenden Vorschriften der §§ 158, 160, 161 entsprechende Anwendung" (§ 163).

§ 84. Besonderes von den Bedingungen.

I. Positiv ist die Bedingung, die erfüllt wird durch den Eintritt eines Ereignisses, negativ diejenige, die erfüllt wird durch den Nichteintritt eines Ereignisses. Die Unterscheidung ist hergebracht, aber ziemlich wertlos.

II. Zufällig heißt die Bedingung, auf deren Erfüllung der bedingt Berechtigte gar keinen Einfluß üben kann, willkürlich, wenn die Erfüllung ganz in seine Macht gegeben ist (Kauf auf Probe, s. oben § 16, II S. 90), gemischt, wenn die Erfüllung teilweise in seine Hand gegeben ist, teilweise seiner Macht entrückt ist (wenn du die Antonie Meier heiratest).

III. Scheinbedingungen sind solche, bei denen kein Zustand der Ungewißheit besteht (wenn du deine Arbeit schon vollendet hast; wenn du so groß wirst, daß du mit dem Finger den Himmel von hier aus berühren kannst; wenn du niemals sterben wirst). Die

Ungewißheit entfällt, wie die Beispiele lehren, bei einer auf vergangene oder auf gewisse zukünftige oder auf unmögliche Ereignisse gestellten Bedingung. Eine Scheinbedingung ist auch die Rechtsbedingung, (wenn du mir das Buch abkaufst, sollst du mir 20 Mk. Kaufgeld schulden).

IV. Unzulässig sind die unerlaubten und die unsittlichen Bedingungen (wenn du mir versprichst, niemals zu heiraten, wenn du in der gegen mich anhängigen Straffache einen Meineid zu meinen Gunsten schwörst).

V. Die unzulässigen Bedingungen, die unmöglichen, sowie die widersinnigen (wenn Müller mir 500 Mk. Darlehn schuldet, will ich diese Darlehnsschuld dem Meier erlassen) haben auf die Gültigkeit des Rechtsgeschäftes, dem sie hinzugefügt sind, bedeutenden Einfluß. Als aufschiebende Bedingungen machen sie es nichtig, als auflösende Bedingungen gelten sie als nicht hinzugefügt. Dies ergibt sich aus der Natur der Sache, denn wenn die Wirkung eines Rechtsgeschäftes von einem unmöglichen ꝛc. Umstande abhängen soll, kann das Geschäft überhaupt keine Wirkung haben. Das B.G.B. hat hierüber keine besondere Bestimmung getroffen, wie denn eine solche auch nicht notwendig ist.

§ 85. Auslegung der Rechtsgeschäfte.

Wiederholt nimmt das B.G.B. Bezug auf das, was die Parteien gewollt haben, auf den Parteiwillen.

Konversion (§ 140) ist nur dann zulässig, wenn sie dem mutmaßlichen Willen der Partei entspricht (s. oben S. 312); ferner enthalten alle die vielen Bestimmungen, die nur im Zweifel gelten sollen, die weitgehendste Rücksicht auf den Parteiwillen, denn sie sollen nur dann gelten, wenn nicht ein gegenteiliger Wille der beteiligten Parteien erhellt, z. B. ist Schriftlichkeit des Vertrages verabredet, so gilt im Zweifel der Vertrag nur, wenn er schriftlich ist. es kann aber auch anders sein (§ 154). Vergl. die §§ 270, 271, 315 bis 317 ꝛc.

Bemerkenswert sind auch verschiedene Bestimmungen beim Vertrage zu Gunsten Dritter, z. B. „In Ermangelung einer besonderen Bestimmung (die fast immer ermangeln wird!) ist aus den Umständen, insbesondere aus dem Zweck des Vertrages, zu entnehmen, ob der Dritte das Recht erwerben, ob das Recht des Dritten sofort oder nur unter gewissen Voraussetzungen entstehen und ob den Vertragschließenden die Befugnis vorbehalten bleiben soll, das Recht des Dritten ohne dessen Zustimmung aufzuheben oder zu ändern" (§ 328).

Ferner ist nach positiver Bestimmung des § 330 ein Vertrag z. G. D. anzunehmen, wenn bei einer unentgeltlichen Zuwendung dem Bedachten eine Leistung an einen Dritten auferlegt wird (§ 330). Die Erfahrung hat gelehrt, daß dies in den weitaus meisten Fällen der Parteiabsicht entspricht.

Solche Auslegungsregeln für besondere Fälle enthält das B.G.B. sehr viele, ihnen entspricht die ganz allgemeine in § 133 enthaltene: „Bei der Auslegung einer Willenserklärung ist der wirkliche Wille zu erforschen und nicht an dem buchstäblichen Sinne des Ausdruckes zu haften".

§ 157. „Verträge sind so auszulegen, wie Treu und Glauben mit Rücksicht auf die Verkehrssitte es erfordern".

Sechstes Buch.

Immaterialgüterrecht.

§ 86. Litterarisches Urheberrecht [1]).

I. **Gegenstand.** Der Unterschied zwischen dem Recht an dem einzelnen Buche, dem Eigentum, und dem Urheberrecht ist schon oben S. 7 ff. berührt. Der Verfasser des Manuskripts eines Buchs-

---

1) Im Altertum und Mittelalter hat es noch keinen Schutz für Schriftwerke, Kunstwerke rc. gegen Nachdruck oder gegen sonstige unbefugte Eingriffe in das Recht des Schöpfers gegeben. Zuerst hat sich der Schutz des schriftstellerischen Urheberrechts durchzusetzen vermocht. Der Grund liegt darin, daß erst durch die-

hat das alleinige Recht, darüber nach jeder Richtung zu verfügen, und daher auch das ausschließliche Recht, es zu vervielfältigen. In den seltensten Fällen tut dies heute der Schriftsteller selber, bedient sich hiezu vielmehr der Vermittlung des Verlagsbuchhändlers, der es, regelmäßig gegen ein an den Urheber zu zahlendes Honorar, übernimmt, das Buch drucken zu lassen und in den Verkehr zu bringen.

Das litterarische Urheberrecht setzt ein Schriftwerk voraus oder eine dem Schriftwerk gesetzlich gleichgestellte Abbildung (s. u.) „Das Recht ein Schriftwerk auf mechanischem Wege zu vervielfältigen steht dem Urheber desselben ausschließlich zu" (R.G. vom 11. Juni 1870 § 1).

Schriftwerk ist ein eigenartiger, in Sprachform vorhandener Geistesinhalt von einem gewissen Werte. Sehr schwer ist die Grenze genau zu ziehen zwischen einem eigenartigen und einem nicht eigenartigen Geistesinhalt, auch ist zu beachten, daß als eigenartig nur diejenigen Schriftwerke gelten können, denen wir einen gewissen

---

Erfindung der Buchdruckerkunst die eigentliche Möglichkeit geschaffen wurde, ein Schriftwerk geschäftlich zu verwerten und andererseits litterarische Freibeuterei zu treiben. Die wohl wichtigste und jedenfalls am allgemeinsten bekannte Form der Ausbeutung fremder Erzeugnisse war und ist der Nachdruck und gegen den Nachdruck hat sich die Gesetzgebung zuerst gewandt. Man half durch Privilegien, die man weniger den Urhebern, als vielmehr den Druckern und Verlegern erteilte. Allmählich kam der Brauch auf, ganz allgemein den Nachdruck zu verbieten, sodaß dadurch die Erteilung von Privilegien überflüssig wurde. Einen besonders großen Fortschritt in wissenschaftlicher Erkenntnis des juristischen Wesens des Urheberrechtes und in seinem gesetzlichen Schutze machte das achtzehnte Jahrhundert, bemerkenswert ist u. a. der Einfluß der französischen Revolutionsgesetzgebung. Mehr oder minder folgten alle Kulturländer dem Zuge nach einem besseren Schutze des geistigen Eigentumes. In Deutschland fiel die Aufgabe den Urheber zu schützen, zunächst der Partikulargesetzgebung zu, einen weiteren Fortschritt bedeutete es, daß eine Reihe von Bundesbeschlüssen auf einen durch ganz Deutschland durchgehenden Schutz des Urheberrechtes hinwirkten, den ihm die einzelnen Partikularrechte nicht geben konnten. Das neue deutsche Reich hat über das Urheberrecht verschiedene Gesetze erlassen: R.G. vom 11. Juni 1870 schützt das Urheberrecht an Schriftwerken, Abbildungen, musikalischen Kompositionen und dramatischen Werken, R.G. vom 9. Januar 1876 behandelt das Urheberrecht an Werken der bildenden Künste, und die gewerblichen Urheberrechte (an Photographien und an Mustern und Modellen) werden durch die Gesetze vom 10. und 11. Januar 1876 geschützt.

ästhetischen, wissenschaftlichen ꝛc. Wert zuschreiben. Es ist oft schwer zu sagen, ob eine Niederschrift ein Urheberrecht gibt, die Grenze ist fließend, da es sich nicht um qualitative sondern nur um quantitative Unterschiede handelt. Darum hat hier subjektives Ermessen einen großen Spielraum.

Schriftwerke im Sinne des R.G. vom 11. Juni 1870 sind wissenschaftliche Bücher, Romane, Epen, einzelne Gedichte ꝛc. Keine Schriftwerke im Sinne des Gesetzes sind Reden vor Gericht, in Parlamenten, politischen und ähnlichen Versammlungen (a. a. O. § 7, d.), Gesetzbücher, Gesetze, amtliche Erlasse, öffentliche Aktenstücke und Verhandlungen aller Art (a. a. O. § 7, c.). An sich können diese Geisteserzeugnisse sehr wohl Schriftwerke sein; das Gesetz versagt ihnen aber den Schutz, weil ihre rasche und allgemeine Verbreitung möglichst gefördert werden soll.

Alles, was eine bloße Mitteilung von Tatsachen bezweckt: Telegramme, Wetterberichte, Fremdenlisten ꝛc., gilt nicht als Schriftwerk, denn hier fehlt die Eigenartigkeit des Geistesinhaltes.

Zeitungs- und Zeitschriftenartikel gelten ebenfalls nicht als Schriftwerk, sofern nicht gemäß § 7, b der Nachdruck von der Redaktion untersagt wird, nur novellistische Erzeugnisse und wissenschaftliche Ausarbeitungen genießen den Urheberrechtsschutz. Die politischen Leitartikel einer Zeitung sind also regelmäßig frei, dagegen an dem Inhalt des Feuilleton besteht regelmäßig Urheberrecht. Im Interesse der Presse selber sind die politischen Leitartikel freigegeben, damit sie größere Bewegungsfreiheit und größere Wirksamkeit entfalten kann. Ohne diese Bestimmung würde ein zündender Artikel nicht so schnell oder garnicht die Runde durch die Presse machen und auf die Leser einwirken können, wie es heute möglich ist.

An Briefen besteht an sich kein Urheberrecht, denn sie sind regelmäßig nicht Geistesschöpfungen von solcher Eigenart, die beachtenswert wäre. Sie werden geschützt durch das oben S. 63 dargestellte Persönlichkeitsrecht. Ausnahmsweise können aber Briefe sehr wohl unter Urheberrechtsschutz stehen, wenn ihr Inhalt danach angethan ist. Z. B. Jemand entwickelt brieflich einen neuen wissenschaftlichen Gedanken, teilt brieflich kurz einen wissenschaftlichen Aufsatz mit.

Außer an den eigentlichen Schriftwerken besteht das litterarische Urheberrecht auch an geographischen, topographischen, naturwissenschaftlichen, architektonischen, technischen und ähnlichen Zeichnungen und Abbildungen, „welche nach ihrem Hauptzwecke nicht als Kunstwerke zu betrachten sind" (R.G. vom 11. Juni 1870 § 43).

II. **Entstehung des Urheberrechtes und des Urheberrechtsschutzes.** Beide entstehen sofort mit der Herstellung des Schriftwerkes: Niederschrift des Gedichtes, des Romanes, der wissenschaftlichen Arbeit, Anfertigung der Zeichnung für den anatomischen Atlas, das Lehrbuch der Physik, der Geographie ꝛc. Nicht notwendig ist Drucklegung oder gar Veröffentlichung; das im Schreibtisch liegende Manuskript wird ebenso geschützt wie das gedruckte Buch.

III. **Inhalt des Urheberrechtsschutzes.** Zu scheiden sind die Zeit vor der Veröffentlichung (Druck, öffentlicher Vortrag von Reden zum Zweck der Erbauung, der Belehrung oder der Unterhaltung [§ 5, b. R.G. cit.]) und die Zeit nach der Veröffentlichung. Vor der Veröffentlichung darf Niemand über das fremde Geisteswerk verfügen, nach der Veröffentlichung dürfen einzelne Stellen und kleinere Teile wörtlich angeführt, kleinere Schriften in Schulbücher aufgenommen werden ꝛc., wenn zugleich der Urheber oder die benutzte Quelle angegeben ist (§ 7, a. R.G. cit.). Die vollkommene und ausschließliche Verfügungsgewalt des Urhebers schrumpft also nach der Veröffentlichung sehr zusammen, sein Geisteswerk wird in gewissem Sinne Gemeingut.

Unbeschadet dieser Rechte der Gesamtheit genießt der Urheber in erster Linie den Schutz gegen Nachdruck, aber auch gegen das Abschreiben, wenn es den Druck vertreten soll. Nur der Urheber hat zu bestimmen, ob das Schriftwerk veröffentlicht werden soll, er allein hat das Recht der Vervielfältigung auszuüben oder zu vergeben. „Wer vorsätzlich oder fahrlässig einen Nachdruck in der Absicht denselben zu verbreiten veranstaltet, ist dem Urheber zu entschädigen verpflichtet und wird außerdem mit einer Geldstrafe bis dreitausend Mark bestraft.

Die Bestrafung des Nachdruckes bleibt jedoch ausgeschlossen, wenn der Veranstalter desselben auf Grund entschuldbaren, tatsächlichen oder rechtlichen Irrtums in gutem Glauben gehandelt hat" (R.G. cit. § 18).

Außer dem Veranstalter ist strafbar und ersatzpflichtig auch der, der „vorsätzlich oder aus Fahrlässigkeit einen Anderen zur Veran staltung eines Nachdruckes veranlaßt hat (R.G. cit. § 20) und der, der vorsätzlich Nachdrucksexemplare gewerbsmäßig feilhält, verkauft oder in sonstiger Weise verbreitet" (R.G. cit. § 25).

Vom Nachdruck verschieden ist das Plagiat. Ein Plagiat liegt vor, wenn einzelne Teile, Stellen aus einem bereits veröffentlichten Werke wörtlich angeführt werden, und zugleich vorsätzlich oder fahrlässig der Urheber oder die benutzte Quelle nicht angegeben ist. Plagiat wird mit Geldstrafe bis zu 60 Mark bestraft, ein Schaden braucht nicht ersetzt zu werden, tritt aber auch wohl kaum ein (R.G. cit. § 24).

IV. Übertragung des Urheberrechtes. Das Urheberrecht ist grundsätzlich an die Person des Urhebers geknüpft, geht aber doch nach seinem Tode auf die Erben über. Auf andere Personen, z. B. auf einen Verleger, kann das Urheberrecht selber nicht übertragen werden, vielmehr können andere Personen als der Urheber oder dessen Erben nur die Ausübung des Urheberrechtes, nicht das Urheberrecht selber erwerben. Denn ein Anderer als der wahre Urheber kann nicht zum Urheber werden.

V. Ende des Urheberrechtes. Das Urheberrecht dauert bis 30 Jahre nach dem Tode des Urhebers. Ist der wahre Name des Urhebers nicht genannt, so endet das Urheberrecht 30 Jahre nach der ersten Herausgabe. Wird innerhalb dreißig Jahre von der ersten Herausgabe an gerechnet der wahre Name des Urhebers von ihm selbst oder seinen hierzu legitimierten Rechtsnachfolgern zur Eintragung in die Eintragsrolle, die vom Stadtrat in Leipzig geführt wird (§ 39 R.G. cit.), angemeldet, so wird dadurch dem Werke der Schutz bis 30 Jahre nach dem Tode des Urhebers gesichert (§ 11 R.G. cit.). „Die erst nach dem Tode des Urhebers erschienenen Werke werden dreißig Jahre lang, vom Tode des Urhebers an gerechnet, gegen Nachdruck geschützt" (§ 12 R.G. cit.).

§ 87. Künstlerisches Urheberrecht an musikalischen Kompositionen und dramatischen Werken.

Hierüber ist im Allgemeinen zu bemerken, daß dies Urheberrecht gerade so behandelt wird wie das litterarische Urheberrecht. Die Verfügungsbefugnis des Urheberrechtes erstreckt sich hier insbesondere auf das Recht der Veröffentlichung durch Aufführung und

der Schutz richtet sich daher nicht nur gegen Nachdruck, er geht auch
gegen unbefugte Aufführungen (R.G. cit. § 50 ff.). Geschützt werden
auch Ballets, sobald sie sich als dramatische Werke zeigen.

Wir unterscheiden auch hier wie beim litterarischen Urheberrecht die Zeit vor und nach der Veröffentlichung (sei es durch Druck
oder öffentliche Aufführung). Vor der Veröffentlichung gänzlicher
Ausschluß eines jeden Menschen von dem Werke, nach der Veröffentlichung Erlaubnis einzelne Stellen anzuführen ꝛc. (§ 47 R.G. cit.).

Über das Einzelne sind die §§ 45 ff. des R.G. vom 11. Juni
1870 zu vergleichen.

§ 88. Künstlerisches Urheberrecht an Werken der bildenden Künste.

I. **Entstehung.** Dieses Urheberrecht und sein Schutz entstehen mit der Schaffung des Kunstwerkes, mit der Entwerfung der
Zeichnung, der Herstellung des Gemäldes, des Modelles zu der Bildsäule, der Bildsäule selber. Geschützt wird eben nur, was und
wieviel entstanden ist. Alle diese Bildwerke müssen ihrem Hauptzwecke nach als Kunstwerke zu betrachten sein, dürfen also nicht
geographische, naturwissenschaftliche, architektonische und ähnliche
Abbildungen sein, an denen, wie wir oben gesehen haben, ein
litterarisches Urheberrecht besteht. Das durch R.G. vom 9. Januar
1876 geschützte Urheberrecht entsteht nur an eigentlichen Kunstwerken.
Zu definieren ist das Kunstwerk als ein Werk, das durch künstlerische
Formengebung entstanden ist und nur ästhetischen Zwecken dient.

II. **Inhalt des Urheberrechtsschutzes.** In erster Linie
hat der Urheber das alleinige Recht der Veröffentlichung, ferner
„das Recht ein Werk der bildenden Künste ganz oder teilweise nachzubilden steht dem Urheber desselben ausschließlich zu" (§ 1 R.G.
vom 9. Januar 1876). Also nur der Künstler hat das Recht, sein
Bild in Kupfer zu stechen resp. stechen zu lassen, ohne seine Erlaubnis darf ein illustriertes Wochenblatt sein Werk nicht abbilden,
ein Photograph es nicht photographieren ꝛc.

Aber es bestehen gewisse Grenzen. „Als Nachbildung ist nicht
anzusehen die freie Benutzung eines Werkes der bildenden Künste
zur Hervorbringung eines neuen Werkes" (§ 4 R.G. cit.). Wer
also durch ein Bildwerk angeregt wird ein ähnliches neues, ein

Seitenstück zu dem erſten zu ſchaffen, begeht keine Verletzung des
Urheberrechtes, ſo lange er ſich ſeine Selbſtändigkeit des Schaffens
gegenüber dem erſten Bildwerk bewahrt.

Erlaubt iſt die Anfertigung einer Einzelkopie, ſofern ſie ohne
Verwertungsabſicht angefertigt wird, ferner die Nachbildung eines
Gemäldes ꝛc. durch Skulptur und umgekehrt. Unbefugtes Photographieren iſt verboten, weil es keine Kunſt iſt, das Modellieren
einer Büſte nach einem Gemälde erlaubt, weil dies Kunſt iſt.
Erlaubt iſt die Nachbildung von Kunſtwerken, die auf oder an den
Straßen oder öffentlichen Plätzen dauernd ſich befinden, aber es
darf nicht dieſelbe Kunſtform gewählt werden: ſo darf ein Marmor-
denkmal in Bronze nachgebildet werden, von der Malerei an der
Außenwand eines Hauſes dürfen graphiſche Kopieen gemacht werden
auch in der Abſicht ſie zu verwerten, photographieren iſt unbedingt
erlaubt ꝛc. Ferner dürfen Kunſtwerke zur Erläuterung des Textes
in ein Schriftwerk aufgenommen werden, vorausgeſetzt, daß das
Schriftwerk als die Hauptſache erſcheint (§ 6 R.G. cit.).

Der Urheberrechtsſchutz iſt bedauerlicher Weiſe ganz verſagt den
Werken der Baukunſt (§ 3 a. a. O.). Es kann alſo Jeder nach den
Plänen eines Architekten ſich ein Haus bauen, ohne den Architekten
für die unrechtmäßige Ausnützung ſeines geiſtigen Eigentumes ent-
ſchädigen zu müſſen, es ſei denn, daß hier die Beſtimmungen des
B.G.B. über die unerlaubten Handlungen zur Anwendung gelangen
können.

Als beſondere Unterart der Nachbildung erſcheint die Anfertigung
einer Einzelkopie ohne Verwertungsabſicht, wenn auf die Kopie der
Name oder das Monogramm des Urhebers des Originales hinzugefügt wird. Dies iſt gleichſam das Gegenſtück zum litterariſchen
Plagiat. Dieſe Art der Nachbildung ſteht unter einer Strafe bis
zu fünfhundert Mark (§ 6, 1 a. a. O.).

Im Übrigen macht unbefugte Nachbildung ſtrafbar und auf
Schadenserſatz haftbar wie die Verletzung des litterariſchen Urheberrechtes nach dem Reichsgeſetz vom 11. Juni 1870.

III. Übertragung des Urheberrechtes. Das Urheberrecht iſt auch hier grundſätzlich an die Perſon des Urhebers geknüpft, geht aber doch auf die Erben über. Das Urheberrecht iſt
untrennbar von der Perſon des Urhebers, nur das Nachbildungs-

recht kann unbeschränkt oder nur für bestimmte Kunstformen, z. B.
Kupferstich, Holzschnitt, übertragen werden.

„Wenn der Urheber eines Werkes der bildenden Künste das
Eigentum an einem Werke einem Anderen überläßt, so ist darin die
Übertragung des Nachbildungsrechtes . . . nicht enthalten; bei
Porträts und Porträtbüsten geht dies Recht jedoch auf den Besteller
über (§ 8 a. a. O.)., und zwar nicht erst mit der Übergabe des
Gemäldes oder der Büste, sondern schon mit ihrer Entstehung.

IV. Ende des Urheberrechtes. Auch dieses Urheberrecht
dauert nicht ewig, sondern nur während der Lebenszeit des Urhebers
und 30 Jahre nach seinem Tode. Das gilt für noch nicht veröffent=
lichte Kunstwerke unbedingt, für veröffentlichte unter der Bedingung,
„daß der wahre Name des Urhebers auf dem Werke vollständig
genannt oder durch kenntliche Zeichen ausgedrückt ist" (§ 9 R.G.
cit.). Sind sie anonym oder pseudonym veröffentlicht, so werden
sie 30 Jahre von der Veröffentlichung ab geschützt, können aber
durch Anmeldung zur Eintragsrolle in Leipzig des längeren Schutzes
teilhaftig werden (§ 9 cit.).

„Die erst nach dem Tode des Urhebers veröffentlichten Werke
werden dreißig Jahre lang, vom Tode des Urhebers an gerechnet,
gegen Nachbildung geschützt" (§ 11 R.G. cit.).

§ 89. Urheberrecht an Photographieen.

I. Entstehung. Das Urheberrecht entsteht sofort mit der
rechtmäßigen Herstellung der Photographie, entsteht also nicht,
wenn die Photographie unrechtmäßig hergestellt ist, z. B. es ist erlaubt, ein Gemälde in Marmor nachzubilden oder eine Bronzestatue
abzumalen ohne Erlaubnis des Urhebers, s. o. § 88 II, aber es ist
nicht erlaubt, ein Kunstwerk, das sich nicht auf oder an Straßen
oder öffentlichen Plätzen befindet, zu photographieren. Wer also in
einer Gemäldeausstellung Bilder photographiert ohne Erlaubnis,
verletzt das Urheberrecht des Künstlers und erwirbt an der Photographie kein Urheberrecht.

II. Inhalt des Urheberrechtsschutzes. Der Urheber hat
in erster Linie das Recht der Veröffentlichung. „Das Recht, ein
durch eine Photographie hergestelltes Werk ganz oder teilweise auf
mechanischem Wege nachzubilden, steht dem Verfertiger der photo-

graphischen Aufnahme ausschließlich zu" (§ 1 R.G. vom 10. Januar 1876). Dazu kommt das Recht, die Nachbildungsexemplare gewerbsmäßig zu verbreiten. „Auf Photographieen von solchen Werken, welche gesetzlich gegen Nachdruck und Nachbildung noch geschützt sind, findet das gegenwärtige Gesetz keine Anwendung" (§ 1 cit.), vergl. unter I.

Das photographische Urheberrecht gibt kein Recht, die Nachbildung des Werkes durch ein Kunstverfahren zu verbieten, so können z. B. nach Photographieen Bismarcks oder des Kaisers sofort Gemälde angefertigt werden, auch Kupferstiche ꝛc. Denn alles dies ist keine mechanische Nachbildung. Ferner ist es erlaubt, Photographieen auf Porzellanschalen, Tassen, Biergläsern ꝛc. anzubringen.

„Die Nachbildung eines photographischen Werkes, wenn sie sich an einem Werke der Industrie, der Fabriken, Handwerke oder Manufakturen befindet, ist als eine verbotene nicht anzusehen" (§ 4 R.G. cit.).

Im Übrigen ist die mechanische Nachbildung eines photographischen Werkes, welche in der Absicht, dieselbe zu verbreiten, ohne Genehmigung der Berechtigten hergestellt wird, verboten (§ 3 R.G. cit.).

Verbotene Verletzung des Urheberrechts macht haftbar auf Schadenersatz oder Buße und macht strafbar entsprechend den §§ 18—38. 44—61 I des Gesetzes vom 11. Juni über das Urheberrecht an Schriftwerken (§ 9 R.G. cit.), vgl. oben § 86 III.

IV Übertragung des Urheberrechtes. Das Urheberrecht geht auf die Erben über, wenn es beim Tode des Urhebers noch besteht. „Auch kann dieses Recht von dem Verfertiger oder dessen Erben ganz oder teilweise durch Vertrag oder durch Verfügung von Todeswegen auf Andere übertragen werden". „Bei photographischen Bildnissen (Porträts) geht das Recht auch ohne Vertrag von selbst auf den Besteller über" (§ 7 R.G. cit.), darum darf ohne meine Erlaubnis der Photograph mein Bild durch Aushang in seinem Schaukasten nicht veröffentlichen.

Selbstverständlich gilt auch hier der Satz, daß das Urheberrecht selber mit der Person des Urhebers untrennbar verbunden ist und nur auf die Erben übergeht, auf andere Personen nur seiner Ausübung nach übertragen werden kann.

V. Ende des Urheberrechtes. Der Schutz dauert 5 Jahre

von Ablauf desjenigen Kalenderjahres an, in welchem die rechtmäßigen photographischen oder sonstigen mechanischen Abbildungen
der Originalaufnahme erschienen sind.

„Wenn solche Abbildungen nicht erscheinen, so wird die fünf-
jährige Frist von dem Ablauf desjenigen Kalenderjahres ab gerechnet,
in welchem das Negativ der photographischen Aufnahme entstanden
ist" (§ 6 R.G. cit.).

§ 90. Kunstgewerbliches Urheberrecht.

I. **Gegenstand des Urheberrechtes.** Dem künstlerischen
Urheberrecht steht sehr nahe das kunstgewerbliche Urheberrecht an
den sogenannten Geschmacksmustern. Neue und eigentümliche Muster
und Modelle, die sich in ihrer ihnen eigenen Erscheinungsform an
das ästhetische Empfinden wenden, z. B. ein neues Teppichmuster,
ein neues Spitzenmuster, ein neues Modell eines Damenkleides,
Damenhutes c. geben dem Entwerfer des Musters oder Modelles
ein Urheberrecht. Dieses Urheberrecht gründet sich also auf eine
ästhetische Erfindung von neuen Formen oder neuen Formzusammen-
stellungen, Formkompositionen.

II. **Entstehung des Urheberrechtes und des Urheberrechtsschutzes.** Das Urheberrecht selbst wird begründet
durch Entwerfung oder durch Herstellung eines Musters oder Modelles, die sich als neue und eigentümliche Erzeugnisse darstellen.
„Das Recht ein gewerbliches Muster oder Modell ganz oder teilweise
nachzubilden, steht dem Urheber desselben ausschließlich zu.

Als Muster oder Modelle im Sinne dieses Gesetzes werden
nur neue und eigentümliche Erzeugnisse angesehen" (§ 1 R.G. vom
11. Januar 1876).

Der Urheberrechtsschutz entsteht aber nicht mit dem Urheberrecht, vielmehr muß das Urheberrecht, um Schutz zu erlangen, zu
dem sogenannten Musterregister angemeldet werden. „Der Urheber
eines Musters oder Modelles genießt den Schutz gegen Nachbildung
nur dann, wenn er dasselbe zur Eintragung in das Musterregister
angemeldet und ein Exemplar oder eine Abbildung des Musters c.
bei der mit der Führung des Musterregisters beauftragten Behörde
niedergelegt hat.

Die Anmeldung und Niederlegung muß erfolgen, bevor ein

nach dem Muster oder Modell gefertigtes Erzeugnis verbreitet wird"
(§ 7 R.G. cit.).

„Das Register wird von den mit der Führung der Handels-
register beauftragten Gerichtsbehörden geführt" (§ 9 a. a. O.). Dies
sind in Preußen und anderswo, z. B. in Mecklenburg, die Amtsgerichte. Ferner muß die Anmeldung bei dem zuständigen Gerichte
erfolgen, eine Anmeldung bei einem unzuständigen Gerichte ist wirkungslos. Zuständig ist das Gericht am Orte der Handelsniederlassung
oder, wenn der Urheber keine eingetragene Firma hat, das Gericht
des Wohnortes. Wenn also Jemand seine Fabrik, für die er eine
Firma hat eintragen lassen, in Remscheid hat und wohnt selber in
Koblenz, so muß er sein Geschmacksmuster bei dem Amtsgerichte in
Remscheid eintragen lassen. Entwirft ein Zeichner in Hildesheim
ein neues Muster, so muß er es bei dem Hildesheimer Amtsgericht
anmelden, ebenso, wenn er in einem Dorfe wohnt, das zu dem
Bezirke des Hildesheimer Amtsgerichtes gehört.

„Die Eintragungen werden bewirkt, ohne daß eine zuvorige
Prüfung über die Berechtigung des Antragstellers oder über die
Richtigkeit der zur Eintragung angemeldeten Tatsachen stattfindet
(§ 10 a. a. O.).

„Derjenige, welcher nach Maßgabe des § 7 das Muster oder
Modell zur Eintragung in das Musterregister angemeldet und
niedergelegt hat, gilt bis zum Gegenbeweise als Urheber" (§ 13
a. a. O.). Diese letzte Bestimmung beweist, daß die Eintragung als
solche nicht das Urheberrecht gibt.

Ferner genießt das Urheberrecht schon vor der Anmeldung insofern einen gewissen Schutz, als nur der Urheber berechtigt ist, eine
wirksame Eintragung zu verlangen.

III. Inhalt des Urheberrechtsschutzes. Vor der Anmeldung und Niederlegung hat der Urheber das Recht, zu verlangen, daß jede unbefugte Veröffentlichung und jede unbefugte Anmeldung unterbleibt. Nach der Anmeldung und Niederlegung hat
er das Recht, sein Muster oder Modell allein nachzubilden oder die
Befugnis zur Nachbildung an Andere zu vergeben.

„Die freie Benutzung einzelner Motive eines Musters oder
Modelles zur Herstellung eines neuen Musters oder Modelles ist
als Nachbildung nicht anzusehen" (§ 4. a. a. O.).

Ferner ist keine Nachbildung die Einzelkopie, die Nachbildung von Mustern, welche für Flächenerzeugnisse bestimmt sind, durch plastische Erzeugnisse und umgekehrt, die Aufnahme von Nachbildungen einzelner Muster oder Modelle in ein Schriftwerk (§ 6 a. a. O.).

Wer das Urheberrecht eines Anderen verletzt, ist entsprechend den in §§ 18—36. 38 des Gesetzes vom 11. Juni 1870 enthaltenen Bestimmungen schadensersatzpflichtig und strafbar (§ 14 a. a. O.), vergl. oben § 86, III.

IV. Übertragung des Urheberrechtes. „Das Recht des Urhebers geht auf dessen Erben über. Dieses Recht kann beschränkt oder unbeschränkt durch Vertrag oder durch Verfügung von Todeswegen auf Andere übertragen werden" (§ 3 a. a. O.). Übertragung durch Vertrag ist nicht Übertragung des Urheberrechtes selber, sondern nur Übertragung seiner Ausübung.

V. Ende des Urheberrechtes. Die Dauer des Schutzes ist nicht lang, und der Schutz wird auch nur gegen Erlegung von Gebühren gewährt. Der Urheber kann zunächst nach seiner Wahl auf 1—3 Jahre Schutz erhalten, kann aber eine Verlängerung bis zu 15 Jahren beantragen (§ 8 R.G. cit.). Für jedes Jahr des Schutzes muß er eine nach § 12 R.G. cit. bemessene abgestufte Gebühr von je 1 oder 2 oder 3 Mark jährlich entrichten.

§ 91. Erfinderrecht [1]).

Das Urheberrecht wird gegeben nicht durch einen neuen Gedanken, sondern durch den in einer sinnlich wahrnehmbaren Form

---

1) Auch das Erfinderrecht ist dem Altertum und Mittelalter unbekannt gewesen. Zuerst hat es sich seit dem fünfzehnten Jahrhundert in Form von Privilegien Bahn gebrochen. Dieses Privilegienwesen zeitigte manche Mißbräuche, insofern es vielfach zu ungesunden und unberechtigten Monopolen Anlaß gab. Zuerst hat die Gesetzgebung in England durch eine Parlamentsakte von 1623 eingegriffen, im nächsten Jahrhundert folgten die Vereinigten Staaten (Verfassungsurkunde von 1787) und Frankreich (1791). Darauf folgt eine Periode allgemeiner Gesetzgebung in allen Staaten. Der Schutz entwickelte sich wesentlich in der Form der noch heute sogenannten Patenterteilung. Die Gesetzgebung hierüber war in Deutschland vor dem norddeutschen Bunde bei den einzelnen Staaten, die natürlich eine Erfindung nur innerhalb der eigenen Landesgrenzen schützen konnten. Der Norddeutsche Bund brachte es selber nicht zu einer eigenen Gesetzgebung, obgleich er sie sich vorbehalten hatte, erst das deutsche Reich hat im Jahre 1877 zuerst ein Patentgesetz zu Stande gebracht, das durch das Gesetz vom 7. April 1891 ersetzt wurde, weil es sich in verschiedenen Punkten als verbesserungsbedürftig er=

niedergelegten Gedanken oder durch die neue sinnlich wahrnehmbare Form ohne Rücksicht auf die Neuheit des in ihr offenbarten Geistesinhaltes. Ohne Form also kein Urheberrecht.

Anders das Erfinderrecht; dieses geht weiter. Es schützt nicht erst die in die Form umgesetzte, die verwirklichte Idee, sondern die bloße Idee, die Idee an sich.

Inmitten zwischen Urheberrecht und Erfinderrecht steht nun das Gebrauchsmusterrecht. Hiernach werden geschützt Modelle „von Arbeitsgerätschaften oder Gebrauchsgegenständen oder von Teilen derselben, insoweit sie dem Arbeits- oder Gebrauchszweck durch eine neue Gestaltung, Anordnung oder Vorrichtung dienen sollen".

Juristisch ist das Gebrauchsmusterrecht mit dem Urheberrecht verwandt, da es einen in sinnlich wahrnehmbaren Formen zum Ausdruck gebrachten Gedanken voraussetzt; praktisch gehört es zum Erfinderrecht, da es wie dieses nur dem wirtschaftlichen Leben dienende neue Gedanken schützen soll. Dadurch unterscheidet sich ja eben das Gebrauchsmuster von dem ihm äußerlich ähnlichen Geschmacksmuster, daß es nicht bestimmt ist, eine Form zu schützen, die nach ästhetischen Wirkungen, sondern die nach praktischen Zwecken strebt.

Das, was durch Gebrauchsmuster geschützt wird, ist unzweifelhaft eine Erfindung praktischer Natur, wie das Kunstwerk, das Gedicht zc. eine Erfindung ästhetischer Art ist. Wirtschaftlich betrachtet man im praktischen Leben den Gebrauchsmusterschutz unzweifelhaft als Erfinderschutz, stellt ihn an die Seite des Patentschutzes, als dessen schwächeres Seitenstück das Gebrauchsmuster erscheint. Darum werden hier Gebrauchsmuster und Patent auch zusammengestellt und nicht Gebrauchsmuster und Geschmacksmuster. Mag immerhin das Gebrauchsmuster mit dem Geschmacksmuster eine große Verwandtschaft haben, so ist doch die Verwandtschaft mit dem Patent nicht minder groß. Das Gemeinsame von Patent und Gebrauchsmuster ist, daß es sich stets um eine neue Idee von praktischer Bedeutung

---

wies. Neben diesem Gesetz wurde in demselben Jahre das Gesetz vom 1. Juni 1891 erlassen, wodurch neben dem Patentschutz noch eine zweite Art des Erfinderschutzes geschaffen wurde, für die sog. Gebrauchsmuster aber ein Schutz von geringerer Kraft und mit einem kleineren Anwendungsgebiet. Diese beiden Gesetze bestimmen den heutigen Rechtszustand Deutschlands.

handelt. Vollkommen unerheblich ist es, ob man das Gebrauchsmuster als Urheberrecht oder als Erfinderrecht bezeichnen will,
man kann den einen Ausdruck gebrauchen und den anderen. Hier
wird das Gebrauchsmuster unter das Erfinderrecht eingereiht, wie es
auch seiner praktischen Bedeutung und der unzweifelhaften Volksanschauung entspricht, von der man sich auch in der Namengebung
nicht unnötig entfernen soll. Dies ist trotz der juristischen Verschiedenheiten zwischen Patent und Gebrauchsmuster für diese Darstellung das Richtige.

§ 92. Gebrauchsmuster.

I. **Entstehung des Gebrauchsmusterschutzes.** Es
ist zu scheiden Erfinderschutz und Gebrauchsmusterschutz, denn der
Schutz wird in zwei Abstufungen gewährt, jenachdem der Gebrauchsmusterschutz schon erteilt ist oder nicht.

Der Schutz wird erworben durch schriftliche Anmeldung des
Modelles beim Patentamt mit Angabe der Bezeichnung des Modells
und der neuen Gestaltung der Vorrichtung, die dem Gebrauchs-
oder Arbeitszweck dienen soll. Ferner ist eine Nach- oder Abbildung des Modelles beizufügen und für jedes angemeldete Modell
ist eine Gebühr von 15 Mark einzuzahlen (R.G. vom 1. Juni 1891
§ 2).

„Entspricht die Anmeldung den genannten Anforderungen, so
verfügt das Patentamt die Eintragung in die Rolle für Gebrauchsmuster" (§ 3 R.G. cit.) und der Schutz beginnt mit dem auf die
Anmeldung folgenden Tage (§ 8 a. a. O.), d. h. wenn die Eintragung, wie dies gewöhnlich der Fall, erst einige Tage oder
Wochen nach der Anmeldung stattfindet, so wird doch alles so gehalten, als ob das Gebrauchsmuster schon am Tage nach der Anmeldung erteilt wäre. Dadurch wird der Erfinder schon während
der Zeit geschützt, die bis zur Eintragung vergeht. Der Eingetragene muß nicht notwendig der Erfinder jener durch Gebrauchsmuster geschützten Neuheit sein, der Schutz durch Gebrauchsmuster
steht nicht dem Urheber sondern dem Eingetragenen zu.

Daß aber das Gebrauchsmuster grundsätzlich den Schutz des
Urhebers bezweckt, nicht den Schutz des bloßen Eingetragenen gegen
den Urheber, ist aus Folgendem ersichtlich. Schon vor der Ein-

tragung nemlich ist der Urheber nicht ganz schutzlos. „Wenn der wesentliche Inhalt der Eintragung den Beschreibungen, Zeichnungen, Modellen, Gerätschaften oder Einrichtungen eines Anderen ohne Einwilligung desselben entnommen ist, so tritt dem Verletzten gegenüber der Schutz des Gesetzes nicht ein" (§ 4 III R.G. cit.). Ferner hat der Verletzte einen Anspruch darauf, daß das Gebrauchsmuster gelöscht werde (§ 6 a. a. O.).

Allgemeine Voraussetzung für die Eintragung ist, daß das angemeldete Modell neu sei. „Modelle gelten insoweit nicht als neu, als sie zur Zeit der auf Grund dieses Gesetzes (R.G. vom 11. Juni 1891) erfolgten Anmeldung bereits in öffentlichen Druckschriften beschrieben oder im Inland offenkundig benutzt sind" (§ 1 I R.G. cit.).

„Ist das eingetragene Modell nicht neu, so hat Jedermann gegen den Eingetragenen Anspruch auf Löschung des Gebrauchsmusters" (§ 6 a. a. O.). Zu beachten ist, daß dieser Anspruch Jedermann zusteht, während den Anspruch auf Löschung wegen geistigen Diebstahls nur der Verletzte hat.

Wird in einem solchen Falle das Gebrauchsmuster gelöscht, so bedeutet das, daß ein Gebrauchsmuster überhaupt nicht bestand und seine Nichtigkeit jetzt erklärt wird.

Wenn Mehrere dieselbe Erfindung machen, so erhält den Schutz der erste Anmelder. Decken sich die Erfindungen Mehrerer nur zum Teil, sodaß sie nur ineinander eingreifen, so darf der später Eingetragene sein Recht nur mit Einwilligung des schon früher Geschützten ausüben, sein ganzes Gebrauchsmuster wird dadurch nicht hinfällig. Dies gilt auch im Verhältnis von Patenten zu Gebrauchsmustern (§§ 4, 5 R.G. cit.).

Die Eintragung wird gewährt ohne Prüfung der Berechtigung des Anmeldenden (§§ 2, 3 a. a. O.).

II. Inhalt des Erfinderrechtes. Wie schon oben berührt, genießt der Erfinder schon vor der Eintragung einen Schutz. Er hat zunächst das Recht der Veröffentlichung und zwar, um sich seine Rechte zu sichern, der Veröffentlichung in Form der Anmeldung beim Patentamt. Nach der Eintragung hat er das ausschließliche Recht, „gewerbsmäßig das Muster nachzubilden, die durch die Nachbildung hervorgebrachten Gerätschaften und Gegenstände in Verkehr zu bringen, feilzuhalten oder zu gebrauchen" (§ 4

R.G. cit.). Nicht verboten ist die nichtgewerbemäßige Herstellung, der nichtgewerbemäßige Gebrauch. Ich kann mir also den geschützten Gegenstand selbst herstellen und in häuslichen Gebrauch nehmen; der Schlosser, Tischler ꝛc. aber, der auch nur ein Exemplar für mich macht, verstößt gegen das Verbot.

Wer wissentlich oder aus grober Fahrlässigkeit ein fremdes Gebrauchsmuster verletzt, muß Schadenersatz leisten (§ 9 a. a. O.).

Außerdem kann der wissentliche (aber nicht der bloß grob fahrlässige) Schädiger mit Geldstrafe bis zu fünftausend Mark oder mit Gefängnis bis zu einem Jahr bestraft werden (§ 10 a. a. O.).

Statt der Entschädigung kann auf Verlangen des Beschädigten neben der Strafe auf eine an ihn zu erlegende Buße bis zum Betrage von zehntausend Mark erkannt werden (§ 11 a. a. O.).

III. Übertragung des Erfinderrechtes. Auch hier kann nur die Ausübung, nicht das Recht selbst übertragen werden. Nur im Erbfall treten die Erben in das ganze Recht ein. „Das durch die Eintragung begründete Recht geht auf die Erben über und kann beschränkt oder unbeschränkt durch Vertrag oder Verfügung von Todeswegen auf einen Anderen übertragen werden" (§ 7 a. a. O.). Beschränkt wird es übertragen, wenn z. B. der Erfinder seine Erfindung zur Ausbeutung einem Fabrikanten oder Kaufmann übergibt mit der Beschränkung, daß die hergestellten Waren nur in einer bestimmten Provinz vertrieben werden dürfen, während für andere Provinzen andere Personen das Herstellungs- und Vertriebsrecht haben.

IV. Ende des Erfinderrechtes und des Gebrauchsmusterschutzes. Das Erfinderrecht ist an sich ewig, denn der Erfinder und seine Erben verlieren das Recht, ihre Erfindung zu veröffentlichen oder durch Gebrauchsmuster schützen zu lassen oder Anderen die unbefugte Veröffentlichung zu untersagen oder auf Löschung wegen geistigen Diebstahls zu klagen, niemals, solange nur die Voraussetzung für den Erfinderschutz vorliegt, insbesondere die Erfindung nicht die Neuheit verloren hat dadurch, daß sie auch von einem Anderen gemacht und veröffentlicht ist. Eine heute gemachte und in der Familie sorgsam bewahrte Erfindung kann noch nach hundert Jahren zum Gebrauchsmusterschutz angemeldet werden.

Mit der Veröffentlichung aber hört die Ewigkeit des Erfinderrechtes auf und die beschränkte Dauer des Gebrauchsmusterschutzes hebt an. Sie beträgt drei Jahre und, wie schon bemerkt, beginnt diese Zeit mit dem auf die Anmeldung folgenden Tage zu laufen „Bei Zahlung einer weiteren Gebühr von 60 Mark vor Ablauf der Zeit tritt eine Verlängerung der Schutzfrist um drei Jahre ein" (§ 8 a. a. O.).

Das Gebrauchsmuster erlischt, wenn es nicht verlängert wird, nach drei Jahren, sonst nach sechs Jahren. Es kann aber schon vorher dadurch erlöschen, daß der Eingetragene Verzicht leistet (§ 8 a. a. O.).

Nicht eigentlich eine Beendigung des Gebrauchsmusterschutzes ist die auf Antrag irgend eines Menschen erfolgte Löschung wegen Mangels der in § 1 R.G. cit. aufgestellten Erfordernisse; ebenso ist es mit der auf Antrag des Verletzten erfolgten Löschung wegen geistigen Diebstahls (§ 6 R.G. cit. [s. oben Nr. I]).

§ 93. Patentrecht.

I. Gegenstand. Das Patent hat zur Grundlage eine Erfindung, d. h. eine neue Idee, die eine gewerbliche Verwertung gestattet, indem sie bei der Herstellung von Gebrauchs- und Luxusgegenständen irgend welcher Art verwendet wird. Eine Erfindung liegt vor, wenn eine neue Maschine hergestellt wird, die kraft einer neuen Vorrichtung eine größere Arbeitsleistung ergibt als die bisherigen, oder wenn ein neuer brennbarer Körper hergestellt wird, der eine größere Hitzkraft hat als die bisher bekannten, oder wenn ein neues einfacheres und billigeres Verfahren ersonnen wird, Gebrauchsgegenstände irgend welcher Art in besserer und vollkommenerer Weise herzustellen, als es bisher möglich war ꝛc. Bekanntere Beispiele sind patentierte Petroleum-, Benzinmotore, patentierte Automaten, Schlittschuhe, Gewehrverschlüsse, Visierungen, das patentierte Verfahren zur Herstellung von Antipyrin, von natürlichem Wohlgeruch (z. B. Veilchenparfüm). Das Gebiet des Patentes deckt sich teilweise mit dem des Gebrauchsmusters, ist jedoch weiter als dieses. Es kann auch vorkommen, daß eine und dieselbe Erfindung auch noch als Geschmacksmuster geschützt werden kann, so kann z. B. eine neue Kleidungsform als Geschmacksmuster, als Gebrauchsmuster oder als Patent geschützt werden, wenn, was nicht unmöglich ist, die Voraussetzungen für alle drei Arten des Schutzes für den einen Gegenstand zusammentreffen. Immerhin hat das Patentrecht wesentliche juristische Eigentümlichkeiten, die es von allen übrigen Arten des Schutzes unterscheiden.

Die Erfindung ist zu scheiden von der Entdeckung z. B. eines neuen Elementes, ferner von der neuen Methode praktischen oder wissenschaftlichen Arbeitens, z. B. einer neuen Art geschäftlichen Betriebes, ferner von einer rein wissenschaftlichen Idee, z. B. einer Hypothese über die Herkunft der Arier, Abstammung des Menschen vom Affen, von einer neuen technischen Konstruktion, z. B. einer neuen Bogenspannung beim Bau von Brücken, Bahnhofshallen 2c. 2c.

II. Entstehung des Erfinderrechtes und des Patentschutzes. Schon vor der Erteilung des Patentes genießt der Erfinder einen gewissen Schutz, der sich schon an das bloße Dasein der Erfindung knüpft.

Voraussetzung für diesen Schutz ist, daß die Erfindung neu sei; sie ist aber nicht neu, „wenn sie zur Zeit der . . . Anmeldung in öffentlichen Druckschriften aus den letzten hundert Jahren bereits derart beschrieben oder im Inlande bereits so offenkundig benutzt ist, daß danach die Benutzung durch andere Sachverständige möglich erscheint" (§ 2 R.G. vom 7. April 1891).

Ferner ist Voraussetzung, daß die Verwertung der Erfindung nicht den Gesetzen oder den guten Sitten zuwiderlaufen würde, sowie daß nicht neue Nahrungs-, Genuß- und Arzneimittel, sowie Stoffe, welche auf chemischem Wege hergestellt werden, Gegenstand der Erfindung sind. Im letzteren Falle kann nur das Verfahren zur Herstellung der Nahrungsmittel 2c. geschützt werden (§ 1 R.G. cit.).

Notwendig ist es auch, daß die Erfindung grundsätzlich eine gewerbliche Verwertung zuläßt, ob es jedoch praktisch und einträglich ist, den Versuch zu machen, die Erfindung gewerblich zu verwerten, ist ohne Bedeutung. Insbesondere ist daran zu erinnern, daß eine Erfindung durch die Patentierung nicht den Stempel praktischer Brauchbarkeit aufgedrückt erhält.

Liegen alle die soeben aufgeführten Voraussetzungen vor, so entsteht das Erfinderrecht, sobald die Erfindung äußerlich in die Erscheinung getreten ist, sei es durch Entwurf von Zeichnungen, durch Beschreibung oder Anfertigung eines Musters oder Modelles, durch mündliche Auseinandersetzung ꝛc. Aus dem Erfinderrecht wird dann durch Anmeldung der Erfindung bei dem Patentamte in Berlin und durch die Patenterteilung der Patentschutz. Notwendig ist es, bei der Anmeldung 20 Mark Gebühr zu entrichten (§ 20 III R.G. cit.). Das Patent wird erteilt dem ersten Anmelder (§ 31 R.G. cit.).

III. Inhalt des Erfinderrechtes und des Patent-schutzes. Das Erfinderrecht vor der Anmeldung gibt zunächst das Recht der Veröffentlichung und das Recht, anderen die Veröffent-lichung zu untersagen. Es gibt ferner das Recht auf Erteilung eines Patentes. Meldet ein Anderer als der Erfinder die Erfin-dung zum Patent an, so kann der eigentliche Erfinder Einspruch gegen die Erteilung des Patentes erheben, wenn der wesentliche Inhalt der Anmeldung den Beschreibungen, Zeichnungen, Modellen, Gerätschaften oder Einrichtungen des Erfinders oder einem von diesem angewendeten Verfahren ohne seine Einwilligung ent-nommen ist (§ 3 II R.G. cit.). Der Erfinder kann alsdann innerhalb bestimmter Frist selbst ein Patent anmelden.

Ferner kann in diesem Falle der Erfinder auf Nichtigkeit eines schon erteilten Patentes klagen (§§ 10, 3, 28 II R.G. cit.) und wenn das Patent für nichtig erklärt wird, so bedeutet dies, daß es von Anfang an überhaupt nicht bestand.

In ein zweites Stadium tritt das Erfinderrecht mit der An-meldung; mit ihr kommt unter mehreren Erfindern der eine Erfin-der den übrigen zuvor. Die Anmeldung gibt jetzt nicht mehr bloß das Recht auf das Patent, sondern gibt nunmehr das alleinige Recht auf das Patent. Wer dem Anmelder sein Recht bestreitet, muß die Gründe hiezu beweisen. Er gilt nunmehr als legitimiert, das Erfinderrecht auszuüben.

Das Patent wird erteilt, wenn sich das Patentamt 1) im Vor-prüfungs- und 2) im Prüfungsverfahren überzeugt hat, daß die Anmeldung vorschriftsmäßig gemacht ist und kein Grund vorliegt, etwa mangels Neuheit oder wegen Unsittlichkeit der Verwertung das Patent zu verweigern, und wenn ferner nach Veröffentlichung der Anmeldung mit dem Namen des Patentsuchers im Reichs-anzeiger und nach öffentlicher Auslegung der Anmeldung mit Zeich-nungen, Beschreibungen ꝛc. im Patentamt innerhalb zweier Monate niemand Einspruch erhebt (§§ 13 ff., 20 ff. R.G. cit.).

Das Patent datiert von der Bekanntmachung der Anmeldung

(§ 23 I a. a. O.). „Das Patent hat die Wirkung, daß der Patentinhaber ausschließlich befugt ist, gewerbsmäßig den Gegenstand der
Erfindung herzustellen, in Verkehr zu bringen, feilzuhalten oder zu
gebrauchen. Ist das Patent für ein Verfahren erteilt, so erstreckt
sich die Wirkung auch auf die durch das Verfahren unmittelbar
hergestellten Erzeugnisse" (§ 4 R.G. cit.).

Verboten ist also nur die gewerbsmäßige Herstellung, es kann
sich demnach jeder einen patentierten Gegenstand selbst herstellen
und ihn gebrauchen. Der Handwerker, der für einen Anderen einen
patentierten Gegenstand, wenn auch nur ein einziges Mal, anfertigt,
handelt immer unerlaubt, da seine Nachbildung stets in den Betrieb
seines Gewerbes hineinfällt.

Wie aus dem Wortlaut des § 4 ersichtlich, will das Reichsgesetz auch ein neues Verfahren ebenso weitgehend schützen, wie
Arbeitsgeräte ꝛc. Dieser Schutz hat sich aber nicht sonderlich bewährt und die Patente auf ein Verfahren sind darum immer mehr
verdrängt durch das Fabrikgeheimnis. Die Patentierung eines Verfahrens hat den Nachteil, daß dadurch das Verfahren notwendig
allen interessierten Konkurrenten bekannt gemacht wird. Freilich
hat das Gesetz in § 35 II bestimmt, daß bis zum Beweise des
Gegenteils jeder Stoff von gleicher Beschaffenheit als nach dem
patentierten Verfahren hergestellt gilt. Trotzdem hat die Industrie
das Geschäftsgeheimnis vorgezogen, denn es ist zu leicht, ein neues
Verfahren zu erfinden, das nicht unter das Patent fällt und doch
dieselben Dienste tut. Diesem Umstande trägt das schon früher be-
rührte (s. oben S. 56, 59, 62, 66) Gesetz wider den unlauteren
Wettbewerb Rechnung. Es bestimmt in § 9: „Mit Geldstrafe bis
zu dreitausend Mark oder mit Gefängnis bis zu einem Jahre wird
bestraft, wer als Angestellter, Arbeiter oder Lehrling eines Geschäftsbetriebes Geschäfts- oder Betriebsgeheimnisse, die ihm vermöge des
Dienstverhältnisses anvertraut oder sonst zugänglich geworden sind,
während der Geltungsdauer des Dienstverhältnisses unbefugt an
Andere zu Zwecken des Wettbewerbes oder in der Absicht dem Inhaber des Geschäftsbetriebes Schaden zuzufügen, mitteilt.

Gleiche Strafe trifft denjenigen, welcher Geschäfts- oder Betriebsgeheimnisse, deren Kenntnis er durch eine der im Absatz 1 bezeichneten Mitteilungen oder durch eine gegen das Gesetz oder
gegen die guten Sitten verstoßende eigene Handlung erlangt hat,

zu Zwecken des Wettbewerbes unbefugt verwertet oder an Andere mitteilt.

Zuwiderhandlungen verpflichten außerdem zum Ersatze des entstandenen Schadens" (§ 9 R.G. vom 27. Mai 1896).

§ 384 III Z.P.O. „Das Zeugnis kann verweigert werden über Fragen, welche der Zeuge nicht würde beantworten können, ohne ein Kunst- oder Gewerbegeheimnis zu offenbaren.

„Wer zum Zweck des Wettbewerbes es unternimmt, einen Anderen zu einer unbefugten Mitteilung der in § 9 I bezeichneten Art zu bestimmen, wird mit Geldstrafe bis zu zweitausend Mark oder mit Gefängnis bis zu neun Monaten bestraft" (§ 10 R.G. vom 27. Mai 1896).

Neben der Strafe kann statt Entschädigung eine Buße auferlegt werden (§ 14 ebendaselbst). Diese Bestimmungen greifen, wie auf den ersten Blick ersichtlich, über den Schutz eines patentfähigen Verfahrens hinaus und sind namentlich auch dem Kaufmannsstande besonders günstig, werden aber wegen ihrer praktischen Zusammengehörigkeit hier beim Patentrecht erörtert.

Wer wissentlich oder aus grober Fahrlässigkeit ein fremdes Patent verletzt, muß den daraus entstehenden Schaden ersetzen (§ 35 R.G. vom 7. April 1891); strafbar (Geldstrafe bis zu fünftausend Mark oder Gefängnis bis zu einem Jahre) ist er nur, wenn er wissentlich das Patent verletzt hat (§ 36 a. a. O.). Die Strafverfolgung tritt nur auf Antrag des Beschädigten ein. Statt auf Entschädigung kann im Strafverfahren auf eine neben der Strafe zu verhängende Buße bis zum Betrage von zehntausend Mark erkannt werden, wenn der Beschädigte dies beantragt. „Eine erkannte Buße schließt die Geltendmachung eines weiteren Entschädigungsanspruches aus" (§ 37 a. a. O.).

Gewissen Personen gegenüber genießt der Patentinhaber keinen Schutz. „Die Wirkung des Patentes tritt gegen denjenigen nicht ein, welcher zur Zeit der Anmeldung bereits im Inlande die Erfindung in Benutzung genommen oder die zur Benutzung erforderlichen Veranstaltungen getroffen hatte" (§ 5 a. a. O.).

Dieser Fall liegt vor, wenn eine Erfindung von mehreren Personen unabhängig von einander gemacht ist und nur der Eine anmeldet. Dann wirkt das Patent gegen die Erfindung des Anderen nicht, mag ihr Benutzer sie in erlaubter oder in unerlaubter Weise benutzen. Wenn z. B. der Benutzer selbst nicht der Erfinder ist, sondern nur die Erfindung des A. unerlaubter Weise benutzt, so kann der Erfinder B., der seine Erfindung schützen ließ, gegen den Benutzer nicht vorgehen. Dem B. gegenüber genügt die bloße Tatsache, daß der Benutzer die von B. angemeldete Erfindung unabhängig von B. in Benutzung hatte.

„Die Wirkung des Patentes tritt ferner insoweit nicht ein, als die Erfindung nach den Bestimmungen des Reichskanzlers für das Heer oder für die Flotte oder sonst im Interesse der öffentlichen Wohlfahrt benutzt werden soll." Doch hat der Patentinhaber Anspruch auf angemessene Vergütung (§ 5 R.G. cit.).

Ferner werden Einrichtungen an Fahrzeugen, die nur vorübergehend in das Inland gelangen, durch ein etwaiges Patent nicht geschützt (§ 5 cit.).

Einige Sonderbestimmungen enthält § 40. „Mit Geldstrafe bis zu eintausend Mark wird bestraft:

1) wer Gegenstände oder deren Verpackung mit einer Bezeichnung versieht, welche geeignet ist, den Irrtum zu erregen, daß die Gegenstände durch ein Patent nach Maßgabe dieses Gesetzes (R.G. vom 7. April 1891) geschützt seien;

2) wer in öffentlichen Anzeigen, auf Aushängeschildern, auf Empfehlungskarten oder in ähnlichen Kundgebungen eine Bezeichnung anwendet, welche geeignet ist, den Irrtum zu erregen, daß die darin erwähnten Gegenstände durch ein Patent nach Maßgabe dieses Gesetzes geschützt seien."

Diese Bestimmung richtet sich gegen die mißbräuchliche Behauptung eines in Wirklichkeit garnicht vorhandenen Patentschutzes, dient also wesentlich dem Schutze des redlichen Wettbewerbes und würde daher juristisch mehr in das Gesetz wider den unlauteren Wettbewerb gehören; des praktischen Zusammenhanges wegen wird sie hier gebracht.

IV. Übertragung des Erfinderrechtes und des Patentschutzes. Das Erfinderrecht selber kann nur auf die Erben übergehen, auf andere Personen kann nur die Ausübung des Erfinderrechtes übertragen werden. „Der Anspruch auf Erteilung des Patentes und das Recht aus dem Patent gehen auf die Erben über. Der Anspruch und das Recht können beschränkt oder unbeſchränkt, durch Vertrag oder durch Verfügung von Todeswegen auf Andere übertragen werden" (§ 6 R.G. cit.).

Die häufigſte Art der Patentverwertung iſt die Lizenzerteilung: Der Patentinhaber gibt jemand gegen Zahlung eines beſtimmten Prozentſatzes vom Gewinn das Recht, den geſchützten Gegenſtand herzuſtellen und ihn in ganz Deutſchland oder nur einem Teile von Deutſchland zu vertreiben.

V. Ende des Erfinderrechtes und des Patent- ſchutzes. Das Erfinderrecht iſt an ſich ewig, denn, wenn der Erfinder ſeine Idee nicht veröffentlicht, behält er das Recht auf Veröffentlichung und Patentanmeldung ſolange, bis zufälliger Weiſe ein Anderer dieſelbe Erfindung macht und ſie veröffentlicht oder ſie ſchützen läßt. Auch der Schutz gegen unbefugte Veröffentlichung oder Patentnachſuchung wird nicht dadurch entzogen, daß der Er- finder ſeine Erfindung ſchon vor langen Jahren gemacht und nur nicht veröffentlicht ꝛc. hat (vergl. oben § 92 IV).

Das Patentrecht iſt zeitlich begrenzt, ſeine höchſte Dauer be- trägt 15 Jahre.

„Das Patent erliſcht, wenn der Patentinhaber auf daſſelbe verzichtet oder wenn die Gebühren vor der Erteilung 30 Mk., nach einem Jahr 50 Mk. und dann jährlich 50 Mk. mehr (§ 8 R.G. cit.) nicht rechtzeitig bei der Kaſſe des Patentamtes oder zur Über- weiſung an dieſelbe bei einer Poſtanſtalt im Gebiete des deutſchen Reiches eingezahlt ſind" (§ 9 R.G. cit.).

Das Patent erliſcht mit ſeiner Zurücknahme durch das Patentamt.

„Das Patent kann nach Ablauf von drei Jahren, von dem Tage der über die Erteilung des Patentes erfolgten Bekanntmachung (§ 27 I) gerechnet, zurückgenommen werden:

1) wenn der Patentinhaber es unterläßt, im Inlande die Er- findung in angemeſſenem Umfange zur Ausführung zu bringen oder doch alles zu tun, was erforderlich iſt, um dieſe Ausführung zu ſichern;

2) wenn im öffentlichen Intereſſe die Erteilung der Erlaubnis zur Benutzung an Andere geboten erſcheint, der Patent- inhaber aber gleichwohl ſich weigert, dieſe Erlaubnis gegen angemeſſene Vergütung und genügende Sicherſtellung zu erteilen" (§ 11 R.G. cit.).

Daneben kommt die Nichtigkeitserklärung vor, die aber nicht

Beendigung eines bestehenden Patentes ist, sondern Deklarierung, daß ein gültiges Patent überhaupt nicht besteht, garnicht entstanden ist.

„Das Patent wird für nichtig erklärt, wenn sich ergibt:

1) daß der Gegenstand nach §§ 1 und 2 (Unsittlichkeit der Verwertung, Nahrungs- und Genußmittel ꝛc., Mangel der Neuheit) nicht patentfähig war;

2) daß die Erfindung Gegenstand des Patentes eines früheren Anmelders ist;

3) daß der wesentliche Inhalt der Anmeldung den Beschreibungen, Zeichnungen, Modellen, Gerätschaften oder Einrichtungen eines Anderen oder einem von diesem angewendeten Verfahren ohne Einwilligung desselben entnommen war.

Trifft eine dieser Voraussetzungen nur teilweise zu, so erfolgt die Erklärung der Nichtigkeit durch entsprechende Beschränkung des Patentes" (§ 10 R.G. cit.).

Grundsätzlich kann jedermann den Antrag stellen, daß ein Patent für nichtig erklärt werde, wo jedoch der Anmeldende fremde Zeichnungen ꝛc. (§ 10 Nr. 3) benutzt hat, ist nur der Verletzte zur Stellung des Antrages berechtigt (s. oben unter III).

§ 94. Allgemeine Bemerkungen.

Urheberrecht und Erfinderrecht haben ihren Grund in der geistigen Schöpfungstat und sind, wie schon bemerkt, an die Person des Urhebers geknüpft. Ihr Schutz beruht auf der Erkenntnis, daß es nur gerade gerecht ist, einem Jeden die Früchte seiner Tätigkeit, insbesondere seiner schaffenden geistigen Arbeit zu sichern, daß das Gegenteil höchst ungerecht, zugleich auch sehr unzweckmäßig wäre. Wir stoßen hier auf denselben Gedanken, den wir bei dem Recht der Persönlichkeit schon einmal kennen gelernt haben: Jeder Deutsche hat das Recht auf ungestörte Betätigung seiner Persönlichkeit. In der Tat sind Urheber- und Erfinderrecht nur besondere Ausgestaltungen des allgemeinen Rechtes der Persönlichkeit. Diese Ausgestaltung geht so weit, daß das Urheber- und Erfinderrecht nicht mehr als Rechte an der eigenen Person, sondern als Rechte an einem Dinge außerhalb der Person, an der geistigen Schöpfung erscheinen. Daher hat sich hier denn auch die Anschauung von einem geistigen Eigentum Raum verschafft. Viele dagegen halten streng an der Vorstellung des Persönlichkeitsrechtes fest und bekämpfen insbesondere die Auffassung, daß Urheber- und Erfinderrecht zu den Vermögensrechten zu zählen seien. Man muß sich in dieser Streitfrage zwei Dinge klar machen.

1) Den logischen Ursprung haben Urheber und Erfinderrecht unzweifelhaft von dem Rechte der Persönlichkeit, in seiner Tätigkeit, seinem persönlichen Gehaben nicht durch Andere gestört zu werden, denen ein besonderes Recht auf die Störung nicht zusteht. Dieser Ursprung zeigt sich auch in dem Einfluß, den persönliche Umstände, z. B. Lebensdauer, auf das Urheberrecht haben können, ferner darin, daß niemand zur Veröffentlichung oder geschäftlichen Verwertung seiner geistigen Schöpfertat gezwungen werden kann. Es können z. B. die Gläubiger ein fertiges und druckreifes Manuskript zu einem wissenschaftlichen Buche, einem Drama 2c. nicht pfänden lassen, wenn es der Urheber noch nicht veröffentlicht hat. Ebenso steht es mit Erfindungen. Die geistige Hervorbringung ist, solange sie noch nicht' veröffentlicht ist, dem Urheber unentreißbar. Dagegen sind Pfändungen zulässig an erstandenen angemeldeten Geschmacks-, Gebrauchsmustern, Patenten 2c.

2) Neben dem logischen Ursprunge kommt aber in Betracht der historische und zugleich die praktisch-wirtschaftliche Bedeutung von Urheber- und Erfinderrecht und da kann garnicht zweifelhaft sein, daß ihre überwiegende Bedeutung auf dem Gebiete des Vermögensrechtes liegt. Die ideale Ehre der Urheberschaft ist etwas ganz unjuristisches, eines Rechtsschutzes in ihrer Isoliertheit nicht fähig und auch nicht bedürftig, denn sie wird schon durch ihre Bekanntmachung genügend gesichert.

Wir reihen daher Urheberrecht und Erfinderrecht unter die Vermögensrechte mit absolutem Karakter und definieren sie als die ausschließliche Verfügungsgewalt über eine geistige Hervorbringung mit absoluter Geltung gegenüber jedermann.

Die ausschließliche Verfügungsgewalt ist ein Privatrecht, wie alle übrigen Privatrechte auch und darum auch durch alle sonstigen zum allgemeinen Schutze von Privatrechten geschaffenen Klagen geschützt. Wir sind also keineswegs auf die durch die genannten

Reichsgesetze gegebenen Klagen beschränkt, vielmehr kann entsprechend den Bestimmungen des bürgerlichen Gesetzbuches geklagt werden beispielsweise auf Anerkennung, daß ein Urheber- oder Erfinderrecht bestehe oder darauf, daß Störungen des Urheber- oder Erfinderrechtes unterlassen werden, wobei dann der Richter auf Antrag des Klägers gemäß § 890 C.P.O. Strafen auf Zuwiderhandeln setzen kann.

Insbesondere sind aber anwendbar die Bestimmungen des B.G.B. über die unerlaubten Handlungen, z. B. § 823:

„Wer vorsätzlich oder fahrlässig das Leben, den Körper, die Gesundheit, die Freiheit, das Eigentum oder ein sonstiges Recht eines Anderen widerrechtlich verletzt, ist dem Anderen zum Ersatze des daraus entstehenden Schadens verpflichtet.

Die gleiche Verpflichtung trifft denjenigen, welcher gegen ein den Schutz eines Anderen bezweckendes Gesetz verstößt. Ist nach dem Inhalt des Gesetzes ein Verstoß auch gegen dieses ohne Verschulden möglich, so tritt die Ersatzpflicht nur im Falle des Verschuldens ein".

§ 823 ist in doppelter Weise anwendbar; gemäß Absatz 1 wegen Verletzung eines sonstigen Rechtes, d. i. des Urheber- und Erfinderrechtes, gemäß Absatz 2 wegen Verstoßes gegen ein den Schutz eines Anderen bezweckenden Gesetzes, z. B. Gebrauchsmuster-, Patentgesetz ꝛc.

Ferner ist zu bemerken, daß nach dem B.G.B. an sich jegliche schuldhafte rechtswidrige Verletzung des Urheber- und Erfinderrechtes haftbar machen würde, nicht etwa nur die in den Reichsgesetzen angeführten Fälle der Verletzung. Wäre es also möglich, was aber nicht wahrscheinlich ist, daß die genannten Rechte noch auf andere Weise verletzt werden könnten, so würden diese Verletzungen, die bisher von den Reichsgesetzen nicht getroffen sind, vom 1. Januar 1900 ab haftbar machen. Dieser Fall wird aber kaum eintreten, denn das Urheber- und Erfinderrecht bestehen als Recht nur in der Ausgestaltung, die ihnen durch die Reichsgesetze geworden ist, und darum werden schließlich doch immer die Reichsgesetze maßgebend dafür bleiben, welche Handlungen als Verletzungen anzusehen sind.

Dies gilt insbesondere dann, wenn § 823 II zur Anwendung kommen soll, denn Absatz 2 macht haftbar nur unter den Voraussetzungen, unter denen das den Schutz eines Anderen bezweckende Gesetz haftbar macht.

Zum Überfluß könnte noch § 826 in Betracht gezogen werden.

Siebentes Buch.

Familienrecht.

Erster Abschnitt.
Bürgerliche Ehe.

Erstes Kapitel.
Eingehung der Ehe.

§ 95. Verlöbnis.

Das Verlöbnis ist zu definieren als das gegenseitige Versprechen zweier Personen, sich künftig zu heirathen, also als ein wechselseitiges Heiratsversprechen.

„Aus einem Verlöbnisse kann nicht auf Eingehung der Ehe geklagt werden.

Das Versprechen einer Strafe für den Fall, daß die Eingehung der Ehe unterbleibt, ist nichtig" (§ 1297).

Die Heirat soll Sache des freiesten Entschlusses sein und bleiben; darum erkennt das B.G.B. keinerlei Zwang zur Heirat an. Aber Zweierlei fordert Berücksichtigung; einmal liegt in dem unberechtigten Bruch des Verlöbnisses ein Vertrauensbruch, denn ein jeder Teil darf sich bei der Verlobung darauf verlassen, daß es auch zur Heirat kommen werde, zweitens steht dem Bruche der Verlobung gleich das Verschulden des einen Teiles, das dem anderen einen wichtigen Grund zur Aufhebung der Verlobung gibt. Für diese Fälle hat das B.G.B. Vorsorge getroffen.

Hat z. B. die Mutter oder der Vater in Voraussicht der Heirat, um mit ihren Kindern zusammen zu leben, ihren Wohnsitz aufgegeben, Vermögensgegenstände veräußert und sieht sie sich in Folge der Auflösung des Verlöbnisses gezwungen, alle diese Verfügungen rückgängig zu machen, so hat sie doch unzweifelhaft durch die Auflösung des Verlöbnisses einen Schaden erlitten, den sie nicht erlitten haben würde, wenn sie nicht mit den Brautleuten abgemacht hätte, daß sie mit ihnen zusammen wohnen wollte. Oder der Schwiegervater bezahlt die Schulden des Schwiegersohnes, oder der Vater des Verlobten bezahlt die Schulden des Vaters der Braut; ja auch dann, wenn vom Vater des Verlobten veranlaßt ein guter Freund, der mit den Brautleuten garnicht verwandt ist, die Schulden des Brautvaters bezahlt, liegt unzweifelhaft ein Vermögensverlust vor, den der Verlierende nicht auf sich genommen haben würde, wenn er vorausgesehen hätte, das das Verlöbnis zurückgehen würde. Dementsprechend bestimmt das B.G.B.: „Tritt ein Verlobter von dem Verlöbnisse zurück, so hat er dem anderen Verlobten und dessen Eltern sowie dritten Personen, welche an Stelle der Eltern gehandelt haben, den Schaden zu ersetzen, der daraus entstanden ist, daß sie in Erwartung der Ehe Aufwendungen gemacht haben oder Verbindlichkeiten eingegangen sind. Dem anderen Verlobten hat er auch den Schaden zu ersetzen, den dieser dadurch erleidet, daß er in Erwartung der Ehe sonstige sein Vermögen oder seine Erwerbsstellung berührende Maßnahmen getroffen hat.

Der Schaden ist nur insoweit zu ersetzen, als die Aufwendungen bei Eingehung der Verbindlichkeiten und die sonstigen Maßnahmen den Umständen nach angemessen waren.

Die Ersatzpflicht tritt nicht ein, wenn ein wichtiger Grund für den Rücktritt vorliegt" (§ 1298).

„Veranlaßt ein Verlobter den Rücktritt des anderen durch ein Verschulden, das einen wichtigen Grund für den Rücktritt bildet, so ist er nach Maßgabe des § 1298 I, II zum Schadensersatze verpflichtet" (§ 1299).

„Hat eine unbescholtene Verlobte ihrem Verlobten die Beiwohnung gestattet, so kann sie, wenn die Voraussetzungen des § 1298 oder des § 1299 vorliegen, auch wegen des Schadens, der nicht Vermögensschaden ist, eine billige Entschädigung in Geld verlangen" (§ 1300; vergl. oben S. 138 f.).

Neben dem Anspruche auf Schadenersatz gibt es sogar für den Verlobten, der die Aufhebung des Verlöbnisses verschuldete, einen Anspruch auf Rückgabe der Geschenke und der zum Zeichen des Verlöbnisses gegebenen Gaben (Trauring). Dieses Rückforderungsrecht beschränkt sich aber auf die Bereicherung (s. oben S. 135 f.). Die Verpflichtung zur Herausgabe des Gegebenen oder zum Ersatze des Wertes ist ausgeschlossen, wenn die Herausgabe unmöglich geworden und der Empfänger nicht mehr bereichert ist (§ 818).

„Unterbleibt die Eheschließung, so kann jeder Verlobte von dem anderen die Herausgabe desjenigen, was er ihm geschenkt oder zum Zeichen des Verlöbnisses gegeben hat, nach den Vorschriften über die Herausgabe einer ungerechtfertigten Bereicherung fordern. Im Zweifel ist anzunehmen, daß die Rückforderung ausgeschlossen sein soll, wenn das Verlöbnis durch den Tod eines der Verlobten aufgelöst wird" (§ 1301).

Dritte Personen können etwaige Geschenke gemäß § 812 zurückfordern.

§ 96. Heirat. Formerfordernisse.

I. Das B.G.B. hat verschiedene Formvorschriften erlassen, von denen einige bloße Ordnungsvorschriften sind, deren Befolgung zwar wünschenswert ist und angestrebt wird, deren Nichtbeachtung aber die Ehe nicht ungültig macht; dagegen macht die Nichtbefolgung der wesentlichen Formvorschriften die Ehe ungültig. Die Ordnungsvorschriften kennzeichnen sich dadurch, daß das Wort „sollen" gebraucht ist.

Eine bloße Ordnungsvorschrift ist die Vorschrift des Aufgebotes, da eine ohne Aufgebot geschlossene Ehe durch den Mangel des Aufgebotes nicht ungültig wird.

„Der Eheschließung soll ein Aufgebot vorhergehen. Das Aufgebot verliert seine Kraft, wenn die Ehe nicht binnen sechs Monaten nach Vollziehung des Aufgebotes geschlossen wird.

Das Aufgebot darf unterbleiben, wenn die lebensgefährliche Erkrankung eines der Verlobten den Aufschub der Eheschließung nicht gestattet. Von dem Aufgebot kann Befreiung bewilligt (d. h. dispensiert) werden" (§ 1316).

II. Für den Eheschließungsakt bestehen wesentliche und Ordnungsvorschriften:

A. Wesentliche Vorschriften.

1) „Die Ehe wird dadurch geschlossen, daß die Verlobten vor einem Standesbeamten persönlich und bei gleichzeitiger Anwesenheit erklären, die Ehe mit einander eingehen zu wollen.

2) Der Standesbeamte muß zur Entgegennahme der Erklärungen bereit sein" (b. h. gegen seinen Willen kann keine Ehe vor ihm geschlossen werden, z. B. wenn er glaubt, daß ein Ehehindernis vorliegt; man kann den Standesbeamten nicht überrumpeln § 1317 I).

B. Reine Ordnungsvorschriften, deren Nichtbefolgung die Ehe nicht ungültig macht, sind die folgenden.

1) „Der Standesbeamte soll bei der Eheschließung in Gegenwart von zwei Zeugen an die Verlobten einzeln und nach einander die Frage richten, ob sie die Ehe mit einander eingehen wollen, und, nachdem die Verlobten die Frage bejaht haben,

2) aussprechen, daß sie kraft dieses Gesetzes nunmehr rechtmäßig verbundene Eheleute seien (§ 1318 I).

3) „Der Standesbeamte soll die Eheschließung in das Heiratsregister eintragen" (§ 1318 III).

Aus der ersten Bestimmung ergibt sich, daß die Eheschließung der Abschluß eines Vertrages ist, des Ehevertrages. Wir werden auf die Wirkungen dieses Vertrages noch zurückkommen.

Wie der Wortlaut von 1317 deutlich ergibt, wird die Ehe durch die Erklärung der beiden gleichzeitig anwesenden Verlobten vor dem zur Entgegennahme der Erklärung bereiten Standesbeamten geschlossen. Alles was weiter folgt, dient nur dazu, den schon vollzogenen Eheschluß zu deklarieren. Darum kommt es auch für die Gültigkeit der Ehe nicht darauf an, ob der Standesbeamte es ausspricht, daß die Verlobten rechtmäßig verbundene Eheleute seien. Trifft ihn ein Schlaganfall, nachdem die Verlobten ihre Erklärung abgegeben haben, so ist die Ehe doch geschlossen.

„Als Standesbeamter im Sinne des § 1317 gilt auch derjenige, welcher, ohne Standesbeamter zu sein, das Amt eines Standesbeamten öffentlich ausübt, es sei denn, daß die Verlobten den Mangel der amtlichen Befugnis bei der Eheschließung kennen" (§ 1319).

4) „Die Ehe soll vor dem zuständigen Standesbeamten ge-

schlossen werden. Zuständig ist der Standesbeamte, in dessen Bezirk einer der Verlobten seinen Wohnsitz oder seinen gewöhnlichen Aufenthalt hat (§ 1320 I, II).

Unter mehreren zuständigen Standesbeamten haben die Verlobten die Wahl" (§ 1320 IV).

„Auf Grund einer schriftlichen Ermächtigung des zuständigen Standesbeamten darf die Ehe auch vor dem Standesbeamten eines anderen Bezirkes geschlossen werden" (§ 1321).

Ob eine vor dem 1. Januar 1900 geschlossene Ehe gültig geschlossen ist, bestimmt sich nach dem bis zu diesem Termin geltenden Rechte.

Zu vergleichen sind noch die Bestimmungen des Personenstandsgesetzes vom 6. Februar 1875 und der Artikel 46 E.G.

§ 97. Heirat. Ehehindernisse.

Wir haben schon gesehen, welchen Einfluß Minderjährigkeit, beschränkte Geschäftsfähigkeit, Geschäftsunfähigkeit rc. auf die Handlungen der Menschen haben. Selbstverständlich haben alle diese Zustände auch auf die Eheschließung oder vielmehr auf die Gültigkeit der geschlossenen Ehe Einfluß. Aber damit ist es noch nicht genug, zum gültigen Abschluß einer Ehe gehört etwas ganz Anderes und mehr als zum gültigen Abschluß eines Kaufvertrages, eines Mietvertrages rc. Die Ehe ist die wichtigste Grundlage des Staates und überdies eine durch religiöse Anschauungen geheiligte, durch sittliche Anschauungen besonders hoch gewertete Rechtseinrichtung. Mit Grund verlangt daher der Staat, daß beim Eheschluß weit strengere Grundsätze befolgt werden als beim Abschluß irgend eines gewöhnlichen Geschäftes.

Dies zeigt sich in den Formvorschriften, die das Reich erlassen hat, und zeigt sich noch mehr in den Vorschriften über die sogenannten Ehehindernisse. Nicht genug damit, daß alle Gründe, die sonst ein Geschäft, z. B. Kauf, Miete, Vergleich, Darlehn rc. ungültig machen, auch für die Ehe wichtig werden, haben wir außerdem noch eine Anzahl von besonderen Ehehindernissen, d. h. Ungültigkeitsgründen, die nur für die Ehe gelten oder die zwar auch sonst vorkommen, aber bei der Ehe eine besondere Wirkung haben.

Wir scheiden daher allgemeine Ungültigkeitsgründe und besondere Ehehindernisse.

I. Solche Ehehindernisse sind die folgenden.

Nicht jeder kann eine gültige Ehe abschließen, denn die Heirat setzt Ehemündigkeit voraus und nicht alle Menschen sind heiratsfähig. Dementsprechend kennt das B.G.B. verschiedene Ehehindernisse.

1) Alter. „Ein Mann darf nicht vor dem Eintritt der Volljährigkeit, eine Frau darf nicht vor der Vollendung des sechszehnten Lebensjahres eine Ehe eingehen.

Einer Frau kann Befreiung von dieser Vorschrift bewilligt werden" (§ 1303).

Zu beachten ist, daß der Mann als Termin die Volljährigkeit abwarten muß, da aber nach § 5 der für volljährig Erklärte die rechtliche Stellung des Volljährigen erlangt, so kann der nach Vollendung des achtzehnten Lebensjahres für volljährig erklärte Minderjährige auch schon heiraten.

2) Beschränkte Geschäftsfähigkeit. „Wer in der Geschäftsfähigkeit beschränkt ist (z. B. wegen Geistesschwäche, Verschwendung, Trunksucht entmündigte Volljährige oder die vorläufig Entmündigten, §§ 106, 114, 1906; s. oben S. 28 ff.), bedarf zur Eingehung einer Ehe der Einwilligung seines gesetzlichen Vertreters", z. B. Vater, Vormund.

Ist der gesetzliche Vertreter ein Vormund, so kann die Einwilligung, wenn sie von ihm verweigert wird, auf Antrag des Mündels durch das Vormundschaftsgericht [1]) ersetzt werden. Das Vormundschaftsgericht hat die Einwilligung zu ersetzen, wenn die Eingehung der Ehe im Interesse des Mündels liegt" (§ 1304).

Die vormundschaftliche Einwilligung des Vaters, die wegen der beschränkten Geschäftsfähigkeit des Kindes notwendig ist, kann nicht erzwungen oder ersetzt werden. Anders ist es mit der elterlichen Einwilligung des Vaters.

---

1) Die Tätigkeit des Vormundschaftsgerichtes ist nicht zu verwechseln mit der Tätigkeit des Amtsgerichts als Prozeßgericht. Das Prozeßgericht wird in aller Öffentlichkeit tätig und nur auf Grund einer Klage. Den Vormundschaftsrichter geht das Publikum an, etwa wie es einen Arzt aufsuchen würde. Die Verhandlungen vor und mit dem Vormundschaftsrichter sind grundsätzlich geheim, sodaß Unberufene davon garnichts erfahren. Auf die Gesuche, Anträge 2c. der Eheleute entscheidet der Vormundschaftsrichter ohne förmliches Verfahren, nicht

3) **Mangel der elterlichen Einwilligung.** „Ein eheliches Kind bedarf bis zur Vollendung des einundzwanzigsten Lebensjahres zur Eingehung einer Ehe der Einwilligung des Vaters, ein uneheliches Kind bedarf bis zum gleichen Lebensalter der Einwilligung der Mutter. An die Stelle des Vaters tritt die Mutter, wenn der Vater gestorben ist oder wenn ihm die sich aus der Vaterschaft ergebenden Rechte nach § 1701 nicht zustehen. Ein für ehelich erklärtes Kind bedarf der Einwilligung der Mutter auch dann nicht, wenn der Vater gestorben ist.

Dem Tode des Vaters oder der Mutter steht es gleich, wenn sie zur Abgabe einer Erklärung dauernd außer Stande sind oder wenn ihr Aufenthalt dauernd unbekannt ist" (§ 1305).

„Einem an Kindesstatt angenommenen Kinde gegenüber steht die Einwilligung zur Eingehung einer Ehe an Stelle der leiblichen Eltern demjenigen zu, welcher das Kind angenommen hat.

Die leiblichen Eltern erlangen das Recht zur Einwilligung auch dann nicht wieder, wenn das durch die Annahme an Kindesstatt begründete Rechtsverhältnis aufgehoben wird" (§ 1306 Satz 1, II).

Wenn Jemand für volljährig erklärt ist, aber noch nicht das einundzwanzigste Lebensjahr vollendet hat, so ist er an sich schon ehemündig (§ 1303), aber er bedarf außerdem noch der elterlichen Einwilligung nicht minder wie ein Minderjähriger. Wenn diese Einwilligung unberechtigter Weise verweigert wird, so hat das für volljährig erklärte Kind das Recht, das Vormundschaftsgericht anzurufen. Es ist aber wohl zu beachten, daß dies Recht nicht jedem Kinde, insbesondere nicht jedem Minderjährigen zusteht, sondern nur den für volljährig erklärten Kindern, die noch nicht das einundzwanzigste Lebensjahr vollendet haben.

„Wird die elterliche Einwilligung einem volljährigen (d. h. für volljährig erklärten) Kinde verweigert, so kann sie auf dessen Antrag durch das Vormundschaftsgericht ersetzt werden. Das Vormund-

anders, wie wenn der Arzt eine Verordnung gibt, oder die Polizeibehörde auf Bitte eines Privaten die Erlaubnis gibt, ein Feuerwerk abzubrennen. Daß Vormundschaftssachen und Prozeßsachen nichts mit einander gemein haben, ergibt sich auch noch daraus, daß für beide, wo es durchführbar ist, verschiedene Diensträume, verschiedene Sprechstunden oder Terminstage angesetzt werden, und daß die Obliegenheiten auf verschiedene Beamten bei beschäftigten Gerichten verteilt sind. Der Prozeßrichter ist dann eine ganz andere Person als der Vormundschaftsrichter.

schaftsgericht hat die Einwilligung zu ersetzen, wenn sie ohne wichtigen Grund verweigert wird" (§ 1308 I).

4) Doppelehe. „Niemand darf eine Ehe eingehen, bevor seine frühere aufgelöst oder für nichtig erklärt worden ist" (§ 1309 I).

Sind bei einer Eheschließung die vorgeschriebenen Formen nicht beobachtet worden, sodaß die Ehe infolge dessen nach § 1324 nichtig ist, so können diese Formmängel dadurch geheilt werden, daß die Ehegatten die Eheschließung noch einmal wiederholen und für diesen Fall bestimmt § 1309 I Satz 2: „Wollen Ehegatten die Eheschließung wiederholen, so ist die vorgängige Nichtigkeitserklärung nicht erforderlich".

§ 1309 II. „Wird gegen ein Urteil, durch das die frühere Ehe aufgelöst oder für nichtig erklärt worden ist, die Nichtigkeitsklage oder die Restitutionsklage erhoben, so dürfen die Ehegatten nicht vor der Erledigung des Rechtsstreits eine neue Ehe eingehen, es sei denn, daß die Klage erst nach dem Ablaufe der vorgeschriebenen fünfjährigen Frist erhoben worden ist".[1]

5) § 1349. „Ist das Urteil, durch das einer der Ehegatten für tot erklärt worden ist, im Wege der Klage angefochten, so darf der andere Ehegatte nicht vor der Erledigung des Rechtsstreits eine neue Ehe eingehen, es sei denn, daß die Anfechtung erst zehn Jahre nach der Verkündung des Urteils erfolgt ist.

6) Verwandtschaft und Schwägerschaft. „Eine Ehe darf nicht geschlossen werden zwischen Verwandten in gerader Linie, zwischem vollbürtigen und halbbürtigen Geschwistern, sowie zwischen Verschwägerten in gerader Linie (Schwiegereltern und Schwiegerkindern; s. oben S. 42 f.).

Eine Ehe darf nicht geschlossen werden zwischen Personen, von denen die eine mit Eltern, Voreltern und Abkömmlingen der anderen Geschlechtsgemeinschaft gepflogen hat.

Verwandtschaft im Sinne dieser Vorschriften besteht auch zwischen einem unehelichen Kinde und dessen Abkömmlingen einerseits und dem Vater und dessen Verwandten andererseits" (§ 1310).

---

1) Über die Nichtigkeitsklage s. u. unter B. Die Restitutionsklage wird vornemlich dann angestellt, wenn das Urteil durch falsche Eide, falsche Zeugenaussagen, falsche Urkunden gemäß § 580 C.P.O erwirkt ist u. s. w., vergl. § 580 C.P.O.

„Wer einen Anderen an Kindesstatt angenommen hat, darf mit ihm oder dessen Abkömmlingen eine Ehe nicht eingehen, solange das durch die Annahme begründete Rechtsverhältnis besteht" (§ 1311).

7) **Ehebruch.** „Eine Ehe darf nicht geschlossen werden zwischen einem wegen Ehebruchs geschiedenen Ehegatten und demjenigen, mit welchem der geschiedene Ehegatte den Ehebruch begangen hat, wenn dieser Ehebruch in dem Scheidungsurteil als Grund der Scheidung festgestellt ist.

Von dieser Vorschrift kann Befreiung bewilligt werden" (§ 1312).

8) **Wartezeit.** „Eine Frau darf erst zehn Monate nach der Auflösung (Scheidung, Tod des Mannes) oder Nichtigkeitserklärung ihrer früheren Ehe eine neue Ehe eingehen, es sei denn, daß sie inzwischen geboren hat.

Von dieser Vorschrift kann Befreiung bewilligt werden" (§ 1313).

Der Grund dieser Bestimmung ist, daß ohne sie zu leicht ungewiß werden könnte, ob ein zu Anfang der zweiten Ehe geborenes Kind aus der ersten oder aus der zweiten Ehe stammt.

9) **Elterliche Gewalt oder Vormundschaft.** Wer Kinder in väterlicher Gewalt hat oder Vormund seiner eigenen Kinder ist und nach dem Tode des anderen Elternteiles oder nach der Ehescheidung eine neue Ehe schließen will, muß das von ihm verwaltete Vermögen seiner Kinder erster Ehe sicher stellen.

Vormund seiner Kinder kann ein Elternteil sein, wenn sie noch minderjährig sind (im Falle von § 1765 zusammen mit § 1768) oder wenn sie als Volljährige wegen Geisteskrankheit 2c. entmündigt sind.

In diesen Fällen muß der Elternteil seine Absicht sich wieder zu verheiraten dem Vormundschaftsgerichte (also gewöhnlich dem Amtsgerichte) anzeigen, auf seine Kosten ein Verzeichnis des seiner Verwaltung unterliegenden Vermögens der Kinder einreichen, eine etwaige Vermögensgemeinschaft mit den Kindern aufheben und sich mit ihnen auseinandersetzen (§ 1669).

Dementsprechend bestimmt § 1314 I. „Wer ein eheliches Kind hat, das minderjährig ist oder unter seiner Vormundschaft steht, darf eine Ehe erst eingehen, nachdem ihm das Vormundschaftsgericht ein Zeugnis darüber erteilt hat, daß er die im § 1669 bezeichneten Verpflichtungen erfüllt hat, oder daß sie ihm nicht obliegen". Sie liegen ihm aber nicht ob, wenn der Elter einmal ausnahmsweise, aus besonderen Gründen nicht Vormund seiner Kinder ist.

Lebt nach Auflösung der Ehe ein Elternteil mit den Kindern in Gütergemeinschaft, d. h. in Fortsetzung der während der Ehe bestehenden Gütergemeinschaft, und will er sich wieder verheiraten, so muß auch in diesem Falle das Vermögen der Kinder aus erster Ehe sicher gestellt werden. Dementsprechend hat § 1493 II dem sich wieder verheiratenden Elternteil folgende Pflichten auferlegt: „Der überlebende Ehegatte hat, wenn ein anteilsberechtigter Abkömmling minderjährig ist oder bevormundet wird, die Absicht der Wiederverheiratung dem Vormundschaftsgericht anzuzeigen, ein Verzeichnis des Gesamtgutes einzureichen, die Gütergemeinschaft aufzuheben und die Auseinandersetzung herbeizuführen".

Auf diese Bestimmung bezieht sich § 1314 II: „Ist im Falle der fortgesetzten Gütergemeinschaft ein anteilsberechtigter Abkömmling minderjährig oder bevormundet, so darf der überlebende Ehegatte eine Ehe erst eingehen, nachdem ihm das Vormundschaftsgericht ein Zeugnis darüber erteilt hat, daß er die im § 1493 II bezeichneten Verpflichtungen erfüllt hat oder daß sie ihm nicht obliegen" (§ 1314 II). Sie liegen ihm nicht ob, wenn keine Gütergemeinschaft vorliegt.

9) Eheerlaubnis für Militärpersonen und Landesbeamte. „Militärpersonen und solche Landesbeamte, für die nach den Landesgesetzen zur Eingehung einer Ehe eine besondere Erlaubnis erforderlich ist, dürfen nicht ohne die vorgeschriebene Erlaubnis eine Ehe eingehen.

Ausländer, für die nach den Landesgesetzen zur Eingehung einer Ehe eine Erlaubnis oder ein Zeugnis erforderlich ist, dürfen nicht ohne diese Erlaubnis oder ohne dieses Zeugnis eine Ehe eingehen" (§ 1315).

II. Die Wirkung der Ehehindernisse. A. Einzelne Hindernisse sind nur aufschiebender Natur. Der Standesbeamte soll sie zwar berücksichtigen und, wenn sie vorliegen, seine Mitwirkung zur Eheschließung (§ 1317 Satz 2) versagen, ist aber doch einmal ein solches Hindernis unbeachtet geblieben und hat die Eheschließung vor dem Standesbeamten stattgefunden, so ist doch eine gültige Ehe entstanden, die nicht nachträglich wieder aufgelöst werden kann.

Die Ehe gilt dann vollkommen, als ob gar kein Hindernis bestanden hätte. Solche aufschiebende Ehehindernisse sind Mangel der Ehemündigkeit, Mangel der elterlichen Einwilligung, Geschlechtsgemeinschaft des einen Teiles mit Eltern, Voreltern oder Abkömmlingen des anderen, Adoption des einen Teiles durch den anderen, Wartezeit der Frau, Pflicht sich mit seinen Kindern vermögensrechtlich auseinanderzusetzen, Anfechtung der Todeserklärung eines Ehegatten, Mangel der dienstlichen oder obrigkeitlichen Eheerlaubnis für Militärpersonen, Landesbeamte und Ausländer.

B. **Trennende Hindernisse.** Unter den trennenden Hindernissen sind zu unterscheiden diejenigen, die im Interesse der öffentlichen Ordnung und weil sie mit dem Grundwesen der Ehe nicht vereinbar sind, berücksichtigt werden müssen, z. B. Doppelehe, schwere Trunkenheit des einen Teiles bei der Eheschließung ec., und andererseits diejenigen Ehehindernisse, bei denen es den Beteiligten am besten überlassen bleibt, ob sie an dem Ehehindernis Anstoß nehmen wollen oder nicht. Dem entspricht auch die Scheidung zwischen Nichtigkeit und Anfechtbarkeit der Ehe, da die Hindernisse der ersten Art Nichtigkeit, die der letzten Art nur Anfechtbarkeit zur Folge haben.

Nichtigkeit und Anfechtbarkeit der Eheschließung sind aber vom B.G.B. anders behandelt, wie die Nichtigkeit und Anfechtbarkeit der übrigen Rechtsgeschäfte; es bedarf zu ihrer Geltendmachung stets einer Klage, der Nichtigkeits- und der Anfechtungsklage. Während die übrigen Rechtsgeschäfte, wenn sie nichtig sind, einfach juristisch nicht vorhanden sind, und es genügt, wenn auf ihre Nichtigkeit nur aufmerksam gemacht wird, muß die Nichtigkeit der Ehe in einer Klage geltend gemacht werden und kann auch nur in einer Klage geltend gemacht werden. Darum kann auch Niemand, wenn für einen Prozeß über irgend welche Vermögensrechte oder Kindesrechte ec. die Frage wichtig wird, ob eine Ehe nichtig ist, sich gelegentlich auf die Nichtigkeit berufen, wenn sie nicht durch richterliches Urteil festgestellt ist. Ja, kein Gatte kann sich auf die Nichtigkeit bloß gelegentlich berufen, solange sie noch nicht in einem Prozesse festgestellt ist, der sich nur um die Nichtigkeit drehte. Die Nichtigkeit kann also zunächst nur in einem Prozesse, dessen Gegenstand nur die Nichtigkeit selber ist, geltend gemacht werden und erst dann, wenn sie in diesem Prozesse festgestellt ist, kann man sich auch sonst auf sie und bloß gelegentlich berufen (§ 1329).

Entsprechend ist es mit der Anfechtbarkeit, aber die anfechtbare Ehe wird wie jedes anfechtbare Rechtsverhältnis bis zur erfolgten Anfechtung als gültig behandelt, nach erfolgter und durchgeführter Anfechtung aber als von Anfang an nichtig angesehen (§ 1343). Die Anfechtung kann nicht wie bei anderen Rechtsgeschäften durch eine bloße Erklärung etwa des Inhaltes geschehen: „Ich fechte hiemit die Ehe an", sondern es muß die Anfechtungsklage erhoben werden und erst mit dem richterlichen Urteil, das auf Grund dieser Klage ergeht, tritt die Wirkung der Anfechtung ein. Auch die Anfechtbarkeit kann zunächst nur in einem Prozesse geltend gemacht werden, dessen Gegenstand eben die Anfechtung ist: ist in diesem Prozesse durch richterliches Urteil der Anfechtung stattgegeben, die Ehe für nichtig erklärt, so kann der dazu Berechtigte sich auf die früher anfechtbare, nunmehr nichtige Ehe, bei jedem Anlaß auch bloß gelegentlich berufen. Dies besagt § 1343 II: „Die Nichtigkeit einer anfechtbaren Ehe, die im Wege der Klage angefochten worden ist, kann, solange nicht die Ehe für nichtig erklärt oder aufgelöst ist, nicht anderweit geltend gemacht werden".

1) „Eine Ehe ist nur in den Fällen der §§ 1324—1328 nichtig" (§ 1323).

a. „Eine Ehe ist nichtig, wenn bei der Eheschließung die im § 1317 vorgeschriebene Form (persönliche Erklärung der gleichzeitig anwesenden Verlobten vor dem zur Entgegennahme der Erklärungen bereiten Standesbeamten) nicht beobachtet worden ist (z. B. der Standesbeamte ist überrumpelt worden).

Ist die Ehe in das Heiratsregister eingetragen worden und haben die Ehegatten nach der Eheschließung zehn Jahre oder, falls einer von ihnen vorher gestorben ist, bis zu dessen Tode, jedoch mindestens drei Jahre, als Ehegatten mit einander gelebt, so ist die Ehe als von Anfang an gültig anzusehen. Diese Vorschrift findet keine Anwendung, wenn bei dem Ablaufe der zehn Jahre oder zur Zeit des Todes des einen Ehegatten die Nichtigkeitsklage erhoben ist" (§ 1324).

b. „Eine Ehe ist nichtig, wenn einer der Ehegatten zur Zeit der Eheschließung geschäftsunfähig war oder sich im Zustande der Bewußtlosigkeit oder vorübergehender Störung der Geistestätigkeit (§§ 104, 105; s. oben S. 32 f.) befand.

Die Ehe ist als von Anfang an gültig anzusehen, wenn der Ehegatte sie nach dem Wegfall der Geschäftsunfähigkeit, der Bewußtlosigkeit oder der Störung der Geistestätigkeit bestätigt, bevor sie für nichtig erklärt oder aufgelöst worden ist. Die Bestätigung bedarf (abweichend von den Vorschriften für die übrigen Rechtsgeschäfte) nicht der für die Eheschließung vorgeschriebenen Form" (§ 1325), ist also schon wirksam, auch wenn sie nur mündlich in einem Zwiegespräch oder stillschweigend, z. B. durch eheliche Beiwohnung, erklärt wird.

c. „Eine Ehe ist nichtig, wenn einer der Ehegatten zur Zeit der Eheschließung mit einem Dritten in einer gültigen Ehe lebte" (§ 1326).

Das Hindernis der Doppelehe ist trennend und nicht zu verwechseln mit dem Ehehindernis, das in der Anfechtung der Todeserklärung eines Ehegatten liegt. Die bloße Anfechtung gibt noch keinerlei Gewißheit, ob der für tot erklärte fälschlich für tot erklärt ist oder gar im Augenblick der Anfechtung oder der Eheschließung noch lebt, darum ist dies Hindernis mit Recht auch nur aufschiebender Natur.

d. „Eine Ehe ist nichtig, wenn sie zwischen Verwandten oder Verschwägerten dem Verbote des § 1310 I (f. oben I, 6, S. 366) zuwider geschlossen worden ist" (§ 1327).

e. „Eine Ehe ist nichtig, wenn sie wegen Ehebruchs nach § 1312 verboten war" (f. oben I, 7, S. 367).

Wird nachträglich Befreiung von der Vorschrift des § 1312 bewilligt, so ist die Ehe als von Anfang an gültig anzusehen (§ 1328).

f. „Die Nichtigkeit einer nach den §§ 1325 bis 1328 nichtigen Ehe kann, solange nicht die Ehe für nichtig erklärt oder aufgelöst ist, nur im Wege der Nichtigkeitsklage geltend gemacht werden. Das Gleiche gilt von einer nach § 1324 nichtigen Ehe, wenn sie in das Heiratsregister eingetragen worden ist" (§ 1329).

Sind beim Eheabschluß die wesentlichen Formen (f. § 1317 B.G.B.) nicht beobachtet, und ist die Ehe auch nicht in das Heiratsregister eingetragen, so bedarf es keiner Nichtigkeitsklage, z. B. wenn ein Mädchen durch eine bloß scheinbare standesamtliche Eheschließung betrogen ist, um sie zur Beiwohnung zu bewegen.

2) „Eine Ehe kann nur in den Fällen der §§ 1331 bis 1335 und des § 1350 angefochten werden" (§ 1330).

24*

a. „Eine Ehe kann von dem Ehegatten angefochten werden, der zur Zeit der Eheschließung oder im Falle des § 1325 zur Zeit der Bestätigung in der Geschäftsfähigkeit beschränkt war, wenn die Eheschließung oder die Bestätigung ohne die Einwilligung seines gesetzlichen Vertreters erfolgt ist" (§ 1331). Die Anfechtung ist ausgeschlossen, wenn der Vertreter die Ehe genehmigt oder der Anfechtungsberechtigte, nachdem er unbeschränkt geschäftsfähig geworden ist, die Ehe bestätigt (§ 1337 I).

b. „Eine Ehe kann von dem Ehegatten angefochten werden, der bei der Eheschließung nicht gewußt hat, daß es sich um eine Eheschließung handle, oder dies zwar gewußt hat, aber eine Erklärung, die Ehe eingehen zu wollen, nicht hat abgeben wollen" (§ 1332); **Irrtum über den Eheabschluß.** Dieser Fall wird sehr selten praktisch werden ist aber denkbar, wenn ein Ausländer, unbekannt mit deutscher Sprache und deutschen Gesetzen, ohne seinen Willen eine Heiratserklärung abgibt. Die Anfechtung wird ausgeschlossen durch Bestätigung der Ehe.

c. „Eine Ehe kann von dem Ehegatten angefochten werden, der sich bei der Eheschließung in der Person des anderen Ehegatten oder über solche persönliche Eigenschaften des anderen Ehegatten geirrt hat, die ihn bei Kenntnis der Sachlage und bei verständiger Würdigung des Wesens der Ehe von der Eingehung der Ehe abgehalten haben würden" (§ 1333); **Irrtum über die Person oder persönliche Eigenschaften.** Beispiele: Irrtum über die geschlechtliche Reinheit der Frau, über die Begattungsfähigkeit des anderen Teiles, Geschlechtskrankheit des anderen Teiles, Geisteskrankheit. Die Anfechtung wird ausgeschlossen durch Bestätigung (§ 1337 II).

d. „Eine Ehe kann von dem Ehegatten angefochten werden, der zur Eingehung der Ehe durch arglistige Täuschung über solche Umstände bestimmt worden ist, die ihn bei Kenntnis der Sachlage und bei verständiger Würdigung des Wesens der Ehe von der Eingehung der Ehe abgehalten haben würden. Ist die Täuschung nicht von dem anderen Ehegatten verübt worden, so ist die Ehe nur dann anfechtbar, wenn dieser die Täuschung bei der Eheschließung gekannt hat.

Auf Grund einer Täuschung der Vermögensverhältnisse findet die Anfechtung nicht statt" (§ 1334); **Täuschung über sonstige wesentliche Umstände.** Die Frau will nicht ohne die Ein-

willigung der Eltern heiraten und der Mann hat sie ihr vorge-
spiegelt. Ein Teil wird getäuscht über eine frühere Ehe des anderen Teiles, über das Dasein von Kindern aus einer früheren Ehe.
Nicht genügend ist regelmäßig Täuschung über eine frühere Verlobung, wohl aber über ein zur Zeit der Eheschließung bestehendes
Liebesverhältnis.

Die Anfechtung wird ausgeschlossen durch Bestätigung (§ 1337 II).

e. „Eine Ehe kann von dem Ehegatten angefochten werden,
der zur Eingehung der Ehe widerrechtlich durch Drohung bestimmt
worden ist" (§ 1335). Beispiel: Drohung den Vater der Verlobten
in Konkurs zu stürzen, ihn wegen einer strafbaren Handlung anzuzeigen.

Die Anfechtung der Ehe wird ausgeschlossen durch Bestätigung
(§ 1337 II).

f. „Die Anfechtung der Ehe kann nicht durch einen Vertreter
erfolgen. Ist der anfechtungsberechtigte Ehegatte in der Geschäftsfähigkeit beschränkt, so bedarf er nicht der Zustimmung seines gesetzlichen Vertreters. (Die minderjährige Ehefrau bedarf zur Anfechtung nicht der Einwilligung ihres Vormundes.)

Für einen geschäftsunfähigen Ehegatten kann sein gesetzlicher
Vertreter (z. B. der Vormund eines Geisteskranken) mit Genehmigung des Vormundschaftsgerichtes die Ehe anfechten (aber nicht
wegen eigener Geisteskrankheit, sondern etwa wegen Irrtums über
die Jungfräulichkeit der Frau). In den Fällen des § 1331 (beschränkte Geschäftsfähigkeit zur Zeit der Heirat) kann, solange der anfechtungsberechtigte Ehegatte in der Geschäftsfähigkeit beschränkt ist,
nur sein gesetzlicher Vertreter die Ehe anfechten" (§ 1336).

g. Die Anfechtbarkeit der Ehe hört auf durch Bestätigung, die
auch hier nicht der für den Eheschluß vorgeschriebenen Formen bedarf, formlos mündlich geschehen kann und sehr häufig auch stillschweigend geschehen wird durch Fortsetzung der ehelichen Gemeinschaft, insbesondere durch Ausübung oder Duldung der ehelichen Beiwohnung. § 1337. „Die Anfechtung der Ehe ist in den Fällen des § 1331
ausgeschlossen, wenn der gesetzliche Vertreter die Ehe genehmigt oder
der anfechtungsberechtigte Ehegatte, nachdem er unbeschränkt geschäftsfähig geworden ist, die Ehe bestätigt. Ist der gesetzliche Vertreter
ein Vormund, so kann die Genehmigung, wenn sie von ihm verweigert wird, auf Antrag des Ehegatten durch das Vormundschafts-

gericht ersetzt werden; das Vormundschaftsgericht hat die Genehmigung zu ersetzen, wenn die Aufrechterhaltung der Ehe im Interesse des Ehegatten liegt.

In den Fällen der §§ 1332 bis 1335 ist die Anfechtung ausgeschlossen, wenn der anfechtungsberechtigte Ehegatte nach der Entdeckung des Irrtums oder der Täuschung oder nach dem Aufhören der Zwangslage die Ehe bestätigt.

Die Vorschriften des § 1336 I gelten auch für die Bestätigung."

„Die Anfechtung ist nach der Auflösung der Ehe ausgeschlossen, es sei denn, daß die Auflösung durch den Tod des zur Anfechtung nicht berechtigten Ehegatten herbeigeführt worden ist" (§ 1338). Das Recht zur Anfechtung ist höchst persönlich, geht nicht auf die Erben über, wird aber auch nicht durch den Tod des Anfechtungsgegners verloren. Die Fristen bestimmen sich nach den §§ 1339, 1340.

Die Anfechtung erfolgt während der Ehe durch Klage (§ 1341), nach Auflösung der Ehe durch den Tod des zur Anfechtung nicht berechtigten Ehegatten erfolgt die Anfechtung der Ehe durch Erklärung gegenüber dem Nachlaßgericht in öffentlich beglaubigter Form (§ 1342). Wird die Klage zurückgenommen, so gilt es so, als wäre die Anfechtung garnicht erfolgt (§ 1341 II).

3) Der Unterschied zwischen Nichtigkeit und Anfechtbarkeit, der an sich darin besteht, daß das nichtige Rechtsgeschäft von Anfang an ohne Wirkung ist, während das anfechtbare Rechtsgeschäft zunächst seine vollen Wirkungen hat und sie möglicher Weise (mangels Anfechtung) garnicht verliert, macht sich bei der Ehe praktisch nicht so sehr geltend, weil beide, Nichtigkeit und Anfechtbarkeit im Wege der Klage geltend gemacht werden müssen. Aber es ist doch ein wichtiger Unterschied dabei, weil nemlich die Nichtigkeitsklage außer von einem Gatten auch von dem Staatsanwalt erhoben werden kann, ja auch von jedem Dritten, für den von der Nichtigkeit der Ehe ein Anspruch oder von der Gültigkeit der Ehe eine Verbindlichkeit abhängt, sowie im Falle des Verstoßes gegen das Verbot der Doppelehe von demjenigen, mit dem die frühere Ehe geschlossen war (§ 632 I Z.P.O.). Die Anfechtungsklage dagegen kann nur von dem anfechtungsberechtigten Gatten, in gewissen Fällen nur von seinem gesetzlichen Vertreter erhoben werden. (§ 1336).

C. Die Wirkung der ursprünglichen und der in Folge von Anfechtung entstandenen Nichtigkeit ist von Bedeutung für die Gatten und für Dritte.

I a. „Wird eine anfechtbare Ehe angefochten, so ist sie als von Anfang an nichtig anzusehen" (§ 1343 I). Wer die Anfechtbarkeit kannte oder kennen mußte, wird, wenn die Anfechtung erfolgt, so behandelt, wie wenn er die Nichtigkeit der Ehe gekannt hätte oder hätte kennen müssen (§ 1343 I, 142 II).

b. Der gutgläubige Dritte wird geschützt und muß geschützt werden, wenn er im Vertrauen, es mit einer gültigen Ehe zu tun zu haben, mit dem Ehegatten sich in Verbindung eingelassen hat, z. B. wenn der Schuldner der Frau eine Schuld an den Mann entrichtet, weil dieser, wenn die Ehe gültig wäre, berechtigt gewesen wäre, das Geld für seine Frau in Empfang zu nehmen.

„Einem Dritten gegenüber können aus der Nichtigkeit der Ehe Einwendungen gegen ein zwischen ihm und einem der Ehegatten vorgenommenes Rechtsgeschäft oder gegen ein zwischen ihnen ergangenes rechtskräftiges Urteil nur hergeleitet werden, wenn zur Zeit der Vornahme des Rechtsgeschäftes oder zur Zeit des Eintrittes der Rechtshängigkeit die Ehe für nichtig erklärt oder die Nichtigkeit dem Dritten bekannt war (§ 1344 I).

§ 1344 II. „Die Nichtigkeit kann ohne diese Beschränkung geltend gemacht werden, wenn sie auf einem Formmangel beruht und die Ehe nicht in das Heiratsregister eingetragen worden ist."

Der Dritte wird nur dann geschützt, wenn die Ehe in Folge Eintragung in das Heiratsregister wenigstens äußerlich besteht.

Der gutgläubige Gatte soll ebenso gestellt werden, als wenn er berechtigt wäre, auf Ehescheidung zu klagen. Er kann also verlangen, daß auf die nichtige Ehe die Grundsätze der Ehescheidung Anwendung finden. Aber wenn er sich für das Eine erklärt hat, kann er auf das Andere nicht zurückkommen (§ 1347 I).

Dies Recht kommt ihm aber dann nicht zu, wenn die Ehe mangels Eintragung nicht einmal äußerlich besteht (§ 1345 II).

§ 1345. „War dem einen Ehegatten die Nichtigkeit der Ehe bei der Eheschließung bekannt, so kann der andere Ehegatte, sofern nicht auch ihm die Nichtigkeit bekannt war, nach der Nichtigkeitserklärung oder der Auflösung der Ehe verlangen, daß ihr Verhältnis in vermögensrechtlicher Beziehung, insbesondere auch in Ansehung der Unterhaltspflicht, so behandelt wird, wie wenn die Ehe zur Zeit

der Nichtigkeitserklärung oder der Auflösung geschieden und der Ehe=
gatte, dem die Nichtigkeit bekannt war, für allein schuldig erklärt
worden wäre.

Diese Vorschrift findet keine Anwendung, wenn die Nichtigkeit
auf einem Formmangel beruht und die Ehe nicht in das Heirats=
register eingetragen worden ist."

§ 1346. „Wird eine wegen Drohung anfechtbare Ehe für
nichtig erklärt, so steht das im § 1345 I bestimmte Recht dem an=
fechtungsberechtigten Ehegatten zu. Wird eine wegen Irrtums an=
fechtbare Ehe für nichtig erklärt, so steht dieses Recht dem zur An=
fechtung nicht berechtigten Ehegatten zu, es sei denn, daß dieser den
Irrtum bei der Eingehung der Ehe kannte oder kennen mußte."

§ 98. Wiederverheiratung im Falle der Todeserklärung.

I. Ist der Matrose Peter Jenssen versegelt, verschollen und für
tot erklärt und seine Frau Marie heiratet in zweiter Ehe den
Schiffer Wilhelm Harmsen, so gilt diese zweite Ehe, auch wenn
einer von beiden, Marie oder Wilhelm, wußte, daß Peter Jenssen
noch lebte, als sie heirateten. Sie gilt nicht, wenn beide es wußten
(§ 1348 I).

„Geht ein Ehegatte, nachdem der andere Ehegatte für tot
erklärt worden ist, eine neue Ehe ein, so ist die neue Ehe nicht
deshalb nichtig, weil der für tot erklärte Ehegatte noch lebt, es
sei denn, daß b e i d e Ehegatten bei der Eheschließung wissen, daß er
die Todeserklärung überlebt hat.

Mit der Schließung der neuen Ehe wird die frühere Ehe auf=
gelöst. Sie bleibt auch dann aufgelöst, wenn die Todeserklärung
infolge einer Anfechtungsklage aufgehoben wird" (§ 1348). Wer
schon verheiratet ist, etwa seine Frau im Stich gelassen hat und
sich an einem anderen Ort mit einer zweiten Frau verheiratet,
schließt nach § 1326 eine nichtige Ehe; anders liegt die Sache,
wenn der auf der Seefahrt verschollene Matrose für tot erklärt ist
und nach der Todeserklärung die Frau zu einer neuen Ehe schreitet,
trotzdem sie nach der Todeserklärung erfahren hat, daß ihr Mann
noch lebt. Um den gutgläubigen neuen Gatten zu schützen, wird
in einem solchen Falle, wo eine Todeserklärung vorliegt, die zweite
Ehe für gültig erklärt. Ferner läßt sich auch dem für tot erklärten

Ehegatten häufig ein Vorwurf daraus machen, daß er keine Nach-richten von sich gegeben und die Todeserklärung verschuldet hat.

II. Hat keiner von beiden um das Leben von Peter Jenssen bei der Heirat gewußt, so kann jeder, wenn Peter Jenssen wieder auftaucht, die Ehe anfechten (§ 1350 I). Hat aber beispielsweise Harmsen bei der Heirat gewußt, daß Jenssen noch lebe, so kann nur Marie Harmsen die Ehe anfechten (§ 1350 I). Erklärt sie aber, nachdem sie von dem Leben ihres früheren Mannes erfahren hat, daß sie bei Wilhelm Harmsen bleiben wolle, so verliert sie das Recht, die neue Ehe anzufechten (§ 1350 II). Diese Bestätigung (§ 1350 II) der neuen Ehe kann in beliebiger Weise, auch still-schweigend, geschehen, z. B. dadurch, daß Marie das eheliche Leben mit Wilhelm fortsetzt, insbesondere die eheliche Beiwohnung duldet. Sie verliert ihr Recht, die neue Ehe anzufechten auch durch den Tod von Wilhelm Harmsen (§ 1350 II). War Harmsen ebenfalls berechtigt, die Ehe anzufechten, so verliert er sein Anfechtungsrecht auf dieselbe Weise, wie Marie (§ 1350 II).

„Jeder Ehegatte der neuen Ehe kann, wenn der für tot er-klärte Ehegatte noch lebt, die neue Ehe anfechten, es sei denn, daß er bei der Eheschließung von dessen Leben Kenntnis hatte.

Die Anfechtung ist ausgeschlossen, wenn der anfechtungsbe-rechtigte Ehegatte die Ehe bestätigt, nachdem er von dem Leben des für tot erklärten Ehegatten Kenntnis erlangt hat, oder wenn die neue Ehe durch den Tod eines der Ehegatten aufgelöst worden ist" (§ 1350).

III. Ficht Marie die Ehe an und wird ihre Ehe mit Wilhelm Harmsen aufgelöst, so muß sie ihn standesgemäß ernähren, insoweit er außer Stande ist, sich z. B. wegen Schwindsucht selbst zu er-nähren. Sie braucht ihn aber nicht zu ernähren, wenn er bei der Heirat wußte, daß Peter Jenssen die Todeserklärung überlebt hatte (§ 1351, 1578 II). Wohl zu beachten ist in diesem Falle, daß Harmsen nur zu wissen braucht, Jenssen habe die Todeserklärung überlebt, er braucht nicht zu wissen, daß Jenssen noch bei der Heirat lebt, so im Gegensatz zu § 1350. Marie hat ein Recht auf Ernährung gegen Wilhelm nicht, denn ihre erste Ehe lebt nun-mehr auf und Peter Jenssen ist ihr gesetzlicher Ernährer.

Der § 1578 I würde zur Anwendung kommen, wenn das Bei-spiel anders wäre. Gesetzt, Frau Jenssen ist verschollen und für tot erklärt, Jenssen verheiratet sich wieder mit Wilhelmine Tönissen und sicht nach Rückkehr seiner ersten Frau seine zweite Ehe an, dann muß er Wilhelmine Tönissen standesmäßigen Unterhalt soweit gewähren, als sie ihn nicht aus den Einkünften ihres Vermögens und, sofern nach den Verhältnissen, in denen die Ehegatten gelebt haben, Erwerb durch die Arbeit der Frau üblich ist, was im vorliegenden Falle zutrifft, aus dem Ertrag ihrer Arbeit bestreiten kann (§ 1578 I).

Wenn der zum zweiten Male verheiratete Ehegatte die zweite Ehe ansicht, muß er seinem zweiten Ehegatten nach den für die Scheidung geltenden Vorschriften Lebensunterhalt gewähren (§§ 1578—1582), es sei denn, daß der zweite Ehegatte wußte, daß der für tot erklärte erste Ehegatte die Todeserklärung überlebt hat (§ 1351). Der Sinn ist, daß der gutgläubige zweite Ehegatte geschützt werden muß.

IV. Bleibt es bei der Ehe von Marie mit Wilhelm Harmsen, so kann Marie verlangen, daß Peter Jenssen, wenn er wieder auftaucht, seine mit Marie gezeugten Kinder ernähre, aber sie muß ihm zu den Kosten einen Beitrag zahlen aus den Einkünften ihres Vermögens und dem Ertrag ihrer Arbeit oder eines von ihr selbständig betriebenen Erwerbsgeschäftes (§ 1352, 1585). Entsprechendes gilt, wenn Marie zu Peter zurückkehrt und ihre Ehe mit Wilhelm Harmsen aufgelöst wird und sie mit Wilhelm Kinder hat.

Sind aus der ersten Ehe Kinder da, so ist der Mann, wenn er aus der Verschollenheit wieder auftaucht, ohne Weiteres verpflichtet, die Kinder zu ernähren, aber auch die Frau ist verpflichtet, zur Ernährung der Kinder beizutragen und diese Pflicht ist durch ihre Wiederverheiratung mit einem neuen Manne nicht untergegangen. Da die erste Ehe aber getrennt ist, so richtet sich die Pflicht der Frau nach den Vorschriften des § 1585 über die Scheidung.

Zweites Kapitel.

Wirkungen der Ehe im Allgemeinen.

§ 99. Persönliche Rechtsstellung.

I. Die Ehe hat doppelte Wirkungen, persönliche und vermögensrechtliche. Die persönlichen sind grundsätzlich zusammengefaßt in der Bestimmung des § 1353 I:

„Die Ehegatten sind einander zur ehelichen Lebensgemeinschaft verpflichtet", d. h. sie müssen zusammen wohnen, gemeinsam leben, einander Treue halten und zur Seite stehen, haben gegen einander das Recht auf die eheliche Beiwohnung 2c., kurz, auf die Erfüllung aller jener vielen großen und kleinen Pflichten, die ein Ehegatte gegen den anderen bei der Heirat übernimmt.

„Stellt sich das Verlangen eines Ehegatten nach Herstellung der Gemeinschaft als Mißbrauch seines Rechtes dar (der Mann ergibt sich der Vagabondage und verlangt, daß seine Frau ihn begleite, oder ein Mann verlangt trotz eigener geschlechtlicher Erkrankung die eheliche Beiwohnung), so ist der andere Ehegatte nicht verpflichtet, dem Verlangen Folge zu leisten. Das Gleiche gilt, wenn der andere Ehegatte berechtigt ist, auf Scheidung zu klagen" (§ 1353 II).

Die Ehegatten haben eine echte gerichtliche Klage auf Herstellung der ehelichen Gemeinschaft, aber es ist die Zwangsvollstreckung aus dem verurteilenden Erkenntnis ausgeschlossen, sodaß die Gatten vom Staate nicht zur Herstellung des ehelichen Lebens gezwungen werden. Immerhin hat eine Verurteilung ihre moralische Wirkung. Aber sie kann auch die Grundlage abgeben zu einer Ehescheidungsklage (§ 1567). Der allgemeine Grundsatz des B.G.B. ist, daß die Erfüllung der ehelichen Pflichten in erster Linie unter dem Drucke der religiösen und Sittlichkeitsanschauungen des Volkes stehe und wesentlich nur unter ihnen stehen dürfe.

II. Im Einzelnen bestimmt das B.G.B. über die Rechte und Pflichten der Ehegatten gegen einander Folgendes.

1) „Dem Manne steht die Entscheidung in allen das gemeinsame eheliche Leben betreffenden Angelegenheiten zu; er bestimmt insbesondere Wohnort und Wohnung.

Die Frau ist nicht verpflichtet, der Entscheidung des Mannes Folge zu leisten, wenn sich die Entscheidung als Mißbrauch seines Rechtes darstellt" (§ 1354). Beispiel: Ein vermögender Geizhals mietet sich, um möglichst billig zu wohnen, eine lebensgefährlich ungesunde Wohnung, die Frau weigert sich um ihrer selbst und um ihrer Kinder willen in die Wohnung zu ziehen.

2) „Die Frau erhält den Familiennamen des Mannes" (§ 1355).

3) „Die Frau ist unbeschadet der Vorschriften des § 1354 berechtigt und verpflichtet, das gemeinschaftliche Hauswesen zu leiten" (1356 I).

Sie befiehlt dementsprechend den Dienstmädchen die einzelnen häuslichen Arbeiten, bestimmt über das Reinigen der Zimmer, des ganzen Hauses 2c., während der Kutscher regelmäßig seine Befehle nur von dem Herrn erhält und der Herr seine Befehle auch an die Dienstmädchen richtet. Die Anordnungen der Hausfrau z. B. über eine große Wäsche kann aber der Hausherr vermöge § 1354 wieder aufheben, es sei denn, daß er sein Recht mißbraucht.

„Zu Arbeiten im Hauswesen und im Geschäfte des Mannes ist die Frau verpflichtet, soweit eine solche Tätigkeit nach den Verhältnissen, in denen die Ehegatten leben, üblich ist" (§ 1356 II).

Die Gatten haben entsprechend ein Klagerecht gegen einander, wenn der Mann der Frau die Rechte verkümmert oder die Frau sich ihren Pflichten entzieht.

4) Die Zeitungen bringen oft Inserate von folgendem Inhalt: Ich warne Jeden, meiner Frau etwas auf meinen Namen zu borgen, da ich für nichts hafte.

Dies ist juristisch Beschränkung der Schlüsselgewalt der Frau, die darin besteht, daß die Frau in gewissen Fällen Schulden machen kann, die der Mann bezahlen muß, als wenn er sie selber gemacht hätte.

„Die Frau ist berechtigt, innerhalb ihres häuslichen Wirkungskreises die Geschäfte des Mannes für ihn zu besorgen und ihn zu vertreten. Rechtsgeschäfte, die sie innerhalb dieses Wirkungskreises vornimmt, gelten als im Namen des Mannes vorgenommen, wenn nicht aus den Umständen sich ein Anderes ergibt.

Der Mann kann das Recht der Frau beschränken oder ausschließen (Hilfsmittel gegen die Untüchtigkeit der Frau, wenn die Sachlage nicht zur Ehescheidung reif ist). Stellt sich die Beschränkung oder Ausschließung als Mißbrauch des Rechtes des Mannes dar, so kann sie auf Antrag der Frau durch das Vormundschaftsgericht aufgehoben werden" (§ 1357).

Die im § 1357 der Frau gegebene Befugnis heißt die Schlüsselgewalt. Die Schlüsselgewalt geht weiter als die im § 1356 gegebenen Befugnisse. Nach § 1357 wird beispielsweise der Mann zur Zahlung verpflichtet, wenn die Frau für den Hausstand Fleisch, Brod 2c. einkauft, zur Wäsche oder zum Scheuern des Hauses eine Frau zur Aushülfe annimmt 2c. Nach § 1357 wird der Mann auch dann zur Zahlung verpflichtet, wenn die Frau für die Kinder oder für sich selbst Kleider beschafft, ja auch wenn sie für ihren Mann Gegenstände beschafft, deren Beschaffung ihr obliegt, z. B. Gardinen oder Vorhänge für sein Zimmer oder etwa auch Leibwäsche.

Beschränkung und zwar gerechtfertigte Beschränkung der Schlüsselgewalt liegt dann vor, wenn der Mann der Frau den Ankauf zu teurer Nahrungs- und Genußmittel (Leckereien, Delikatessen) untersagt, wenn er verbietet, für die Kleidung der Kinder ungerechtfertigt große Ausgaben zu machen rc. Ungerechtfertigte Beschränkung liegt vor, wenn der vermögende Ehemann seiner Frau untersagt, für die mit vielen Kindern gesegnete Familie mehr als ein Dienstmädchen zu halten, sodaß mangels ausreichender Bedienung die Frau zu häuslichen Arbeiten gezwungen sein würde, die nach den Verhältnissen der Ehegatten nicht üblich sind.

Zu beachten ist auch noch § 56 H.G.B.: „Wer in einem Laden oder in einem offenen Warenlager angestellt ist, gilt als ermächtigt zu Verkäufen und Empfangnahmen, die in einem derartigen Laden oder Warenlager gewöhnlich geschehen", dies gilt selbstverständlich auch von der Ehefrau, die entsprechend § 1356 II im Geschäfte des Mannes tätig ist.

Da die Beschränkung der Schlüsselgewalt auch für Dritte von Bedeutung ist, wenn nemlich der Mann sich weigert, eine Schuld der Frau zu zahlen, weil er sie in der Schlüsselgewalt beschränkt habe, ist bestimmt, daß die Beschränkung Dritten gegenüber nur dann gilt, wenn sie in das Güterrechtsregister des Amtsgerichtes (§ 1558) eingetragen oder dem Dritten bekannt ist. Das bloße Inserat im Lokalblatt genügt also nicht unbedingt, sondern nur dann, wenn der Dritte es gelesen hat, vergl. § 1357 a. E. u. § 1435.

5) Da die Frau ihre Tätigkeit in erster Linie ihren Angehörigen und ihrem Hauswesen zuzuwenden hat, kann ihr auch nicht das Recht zugestanden werden, sich jedem beliebigen Dritten zu solchen Handlungen zu verpflichten, die ihre Tätigkeit außerhalb des Hauses in Anspruch nehmen, denn die Gefahr besteht, sie werde durch Erfüllung der den Dritten gegenüber übernommenen Pflichten ihre Angehörigen und ihr Hauswesen vernachlässigen. Dies kann vorkommen, wenn die Frau sich zu mechanischen Arbeiten verpflichtet, als Aufwartefrau, Näherin, Schneiderin, aber auch, wenn sie sich zu künstlerischen Leistungen rc. verpflichtet, z. B. öffentlich aufzu-

treten als Sängerin, Schauspielerin, in einem Wohltätigkeitskonzert ꝛc. Wenn sich die Frau zu solchen oder anderen von ihr in Person zu bewirkenden Leistungen verpflichtet, so kann der Mann das Rechtsverhältnis ohne Einhaltung einer Kündigungsfrist kündigen, wenn er auf seinen Antrag von dem Vormundschaftsgericht dazu ermächtigt worden ist. Das Vormundschaftsgericht hat die Ermächtigung zu erteilen, wenn sich ergibt, daß die Tätigkeit der Frau die ehelichen Interessen beeinträchtigt (§ 1358 I). Diese letzte Bestimmung soll die Frau vor grundlosen Verboten des Mannes schützen und eine Sicherheit dafür geben, daß der Mann seine Frau nicht ungerecht tyrannisiere.

Die ganze Bestimmung scheint auf den ersten Blick allein im Interesse des Mannes getroffen zu sein, dient in Wirklichkeit aber ebenso sehr den Interessen der Frau, denn die Frau wird durch die Kündigung des Mannes aus dem Pflichtenkonflikt befreit, wenn sie sich übereilt dem Dritten verpflichtet hat und nachträglich sich herausstellt, daß sie ihre Pflichten nicht erfüllen kann. Da man ihr kein Recht auf Wortbruch geben kann, gibt man dem Manne ein Kündigungsrecht wegen Verletzung seiner Interessen. Durch die Kündigung wird die Frau nur frei, ob sie nicht trotz der Kündigung die Leistung bewirken will, bleibt ganz ihrem Ermessen vorbehalten.

§ 1358 II. „Das Kündigungsrecht ist ausgeschlossen, wenn der Mann der Verpflichtung zugestimmt hat oder seine Zustimmung auf Antrag der Frau durch das Vormundschaftsgericht ersetzt worden ist. Das Vormundschaftsgericht kann die Zustimmung ersetzen, wenn der Mann durch Krankheit oder durch Abwesenheit an der Abgabe einer Erklärung verhindert und mit dem Aufschube Gefahr verbunden ist oder wenn sich die Verweigerung der Zustimmung als Mißbrauch seines Rechtes darstellt. Solange die häusliche Gemeinschaft aufgehoben ist, steht das Kündigungsrecht dem Manne nicht zu."

6) „Die Ehegatten haben bei der Erfüllung der sich aus dem ehelichen Verhältnis ergebenden Verpflichtungen einander nur für diejenige Sorgfalt einzustehen, welche sie in eigenen Angelegenheiten anzuwenden pflegen" (§ 1359).

7) „Der Mann hat der Frau nach Maßgabe seiner Lebensstellung, seines Vermögens und seiner Erwerbsfähigkeit Unterhalt zu gewähren.

Die Frau hat dem Manne, wenn er außer Stande ist, sich selbst zu unterhalten, den seiner Lebensstellung entsprechenden Unterhalt nach Maßgabe ihres Vermögens und ihrer Erwerbsfähigkeit zu gewähren.

Der Unterhalt ist in der durch die eheliche Lebensgemeinschaft gebotenen Weise zu gewähren" (§ 1360). Das Recht auf Unterhalt geht durch Verzicht nicht verloren (§ 1614 I).

„Leben die Ehegatten getrennt, so ist, so lange einer von ihnen die Herstellung des ehelichen Lebens verweigern darf und verweigert (Beispiel s. oben I, II 1), der Unterhalt durch Entrichtung einer Geldrente zu gewähren; auf die Rente finden die Vorschriften des § 760 (s. oben S. 154) Anwendung. Der Mann hat der Frau auch die zur Führung eines gesonderten Haushaltes erforderlichen Sachen aus dem gemeinschaftlichen Haushalte zum Gebrauche herauszugeben, es sei denn, daß die Sachen für ihn unentbehrlich sind oder daß sich solche Sachen in dem der Verfügung der Frau unterliegenden Vermögen befinden.

Die Unterhaltspflicht des Mannes fällt weg oder beschränkt sich auf die Zahlung eines Beitrages, wenn der Wegfall mit Rücksicht auf die Bedürfnisse sowie auf die Vermögens- und Erwerbsverhältnisse der Ehegatten der Billigkeit entspricht" (§ 1361). Beispiel: Der Mann verdient ein mäßiges Gehalt und beide haben ein auskömmliches Vermögen.

Die Unterhaltspflicht des Mannes ist nur ein besonderer Fall seiner allgemeinen Pflicht den ehelichen Aufwand zu tragen (§ 1389), muß aber besonders geregelt werden, zumal deshalb, weil häufig die Ehegatten getrennt leben, und dann von gegenseitigem Unterhalt, aber nicht von ehelichem Aufwand die Rede sein kann.

8) „Zu Gunsten der Gläubiger des Mannes wird vermutet, daß die im Besitz eines der Ehegatten oder beider Ehegatten befindlichen beweglichen Sachen dem Manne gehören.

Für die ausschließlich zum persönlichen Gebrauch der Frau bestimmten Sachen, insbesondere für Kleider, Schmucksachen und Arbeitsgeräte, gilt im Verhältnisse der Ehegatten zu einander und zu den Gläubigern die Vermutung, daß die Sachen der Frau gehören" (§ 1362).

Alle diese angeführten Bestimmungen gelten, welches auch

das Güterrecht sei, nach dem die Gatten leben. Sie kommen immer zur Anwendung.

Drittes Kapitel.

Eheliches Güterrecht.

§ 100. Gesetzliches und gewillkürtes Güterrecht.

I. Gesetzlich ist das Güterrecht, das zur Anwendung kommt, wenn die Ehegatten bei der Heirat über ihr Güterrecht nichts bestimmt haben. Sind die Vermögensverhältnisse der Ehegatten absichtlich oder unabsichtlich nicht in einem Ehevertrage geregelt, so tritt das Gesetz ein und regelt den Güterstand der Eheleute.

Die Regeln des B.G.B. gelten nicht für eine vor dem ersten Januar 1900 geschlossene Ehe, für die vielmehr das bisherige Recht maßgebend bleibt (Art. 200).

Das deutsche Recht hat die verschiedensten Güterrechte ausgebildet, unter denen sich jedoch einige Hauptgruppen unterscheiden lassen.

Folgende Möglichkeiten, das Verhältnis der Ehegatten zu einander zu regeln, sind denkbar.

1) Jeder Teil behält sein eigenes Vermögen zu vollständig freier Verwaltung und alleiniger Verfügung. Die Gatten leben dann zusammen, wie etwa Geschwister oder Freunde zusammen leben würden (vergl. jedoch § 1353 ff., § 1426 ff.); System der völligen Gütertrennung.

2) Die Frau behält einen Teil zu freier Verwaltung und Verfügung und tritt ihrem Manne dauernd den Rest ab, sodaß er Teil seines Vermögens wird. Dieser abgetretene Teil, dessen Eigentümer der Mann wird, heißt dos, wird dem Manne als Beitrag zu den Ehelasten gegeben und ist regelmäßig nach Auflösung der Ehe von dem Manne herauszugeben. Für die Frau gibt die dos häufig auch ihr Vater oder sonst ein Anderer her; römisches Dotalsystem.

3) Die Ehegatten haben ein beiden Teilen gemeinsames Vermögen (Gesamtgut), jeder kann gesondertes Vermögen besitzen (Vorbehaltsgut); allgemeine Gütergemeinschaft.

4) Die Ehegatten haben Alles gemeinsam, was sie während der Ehe erwerben; was sie einbringen bleibt getrennt und bestimmter Erwerb der Frau fällt nicht in das gemeinsame Vermögen hinein, wird Vorbehaltsgut; Errungenschaftsgemeinschaft.

5) Die Ehegatten haben das bewegliche Vermögen und die Errungenschaft gemeinsam. Das eingebrachte unbewegliche Gut bleibt dem einzelnen Ehegatten. Außerdem Vorbehaltsgut der Frau; Fahrnisgemeinschaft.

6) Der Mann hat Verwaltung und Nutznießung an dem eingebrachten Vermögen der Frau, während die Frau Eigentümerin ihres Gutes bleibt. Die Frau hat außerdem Vorbehaltsgut, an dem der Mann keine Rechte hat; Verwaltungsgemeinschaft.

Andere Kombinationen sind möglich, haben aber für uns kein Interesse. Wir beschränken uns auf die genannten Systeme.

II. Aus der Darstellung scheidet aus das römische Dotalsystem. Von den übrigen ist die Verwaltungsgemeinschaft das gesetzliche Güterrecht, d. h. wenn die Ehegatten über ein Güterrecht nichts ausgemacht haben, tritt dieses ein.

§ 101. Verwaltungsgemeinschaft. Allgemeines.

I. Auf das Vermögen des Mannes bleibt die Verwaltungsgemeinschaft ohne jeden Einfluß. Er hat volles Eigentum, freie Verwaltung und Verfügung.

II. Die Frau hat an ihrem Vermögen volles Eigentum, aber Verwaltung und Nutznießung steht dem Manne zu. Die Verwaltung und Nutznießung ist für gewisse Gegenstände durch das B.G.B. ausgeschlossen und kann durch Übereinkunft der Eheleute auch an anderen Gegenständen, überhaupt an einem mehr oder minder großen Teile des Frauenvermögens ausgeschlossen werden. Das Frauengut, das der ehemännlichen Nutznießung und Verwaltung unterliegt, heißt eingebrachtes Gut, was ihr nicht unterliegt, heißt Vorbehaltsgut.

III. Über das Vorbehaltsgut kann der Mann garnicht und über das Eingebrachte nur in gewissen sehr bescheidenen Grenzen verfügen. Dies Letztere ist sehr wichtig, da der Mann grundsätzlich die Substanz des eingebrachten Vermögens nicht soll antasten können.

Um die Frau gegen Übergriffe und Fehler des Mannes zu schützen, hat das B.G.B. eine Reihe von Schutzbestimmungen getroffen. Andererseits ist die Frau in der Verfügung über ihr Vorbehaltsgut zwar völlig frei, aber im Interesse des ehemännlichen Nutznießungsrechtes in der Verfügung über ihr Eingebrachtes beschränkt.

IV. Die Früchte des eingebrachten Gutes fallen dem Manne zu, er muß aber die ehelichen Lasten tragen und außerdem gewisse Lasten, die auf dem Eingebrachten ruhen. Diese Verpflichtungen treffen ihn auch dann, wenn ihm das Eingebrachte nichts einträgt.

V. Für die Schulden des Mannes haftet sein Vermögen und die Einkünfte des Eingebrachten, aber nicht das Eingebrachte selbst oder gar das Vorbehaltsgut.

Unter den Schulden des Ehemannes sind zu unterscheiden solche Schulden, die mit seiner Verpflichtung, die ehelichen Lasten und Ausgaben zu tragen, nichts zu schaffen haben, und solche Schulden, die gerade im Hinblick auf diese Pflicht gemacht sind. Nur von den letzten ist es richtig, daß für sie unbedingt auch die Früchte des Eingebrachten haften, während für sonstige Schulden des Mannes die Früchte nur soweit haften, als sie nicht zur Bestreitung des ehelichen Aufwandes notwendig sind, vergl. § 861 Z.P.O.

VI. Für die Schulden der Frau haften Eingebrachtes und Vorbehaltsgut unbedingt, wenn die Schulden schon vor der Ehe entstanden sind; sind sie erst während der Ehe entstanden, so haftet das Eingebrachte a. für rechtsgeschäftliche Schulden grundsätzlich nicht, wohl aber b. für deliktische, gesetzliche und Bereicherungsschulden 2c., jedoch gibt es in beiden Fällen Ausnahmen. Das Vorbehaltsgut haftet für alle Schulden. Die Früchte des Eingebrachten haften für die Schulden der Frau an sich niemals, da sie dem Manne verfallen sind.

VII. Für gewisse Schulden der Frau haftet auch der Mann, und zwar dann mit seinem Vermögen und den Früchten des Eingebrachten.

§ 102. (Fortsetzung). **Eingebrachtes und Vorbehaltsgut**.

I. „Das Vermögen der Frau wird durch die Eheschließung der Verwaltung und Nutznießung des Mannes unterworfen (eingebrachtes Gut).

Zum eingebrachten Gut gehört auch das Vermögen, das die Frau während der Ehe erwirbt" (§ 1363).

II. Dies ist der allgemeine Grundsatz, der jedoch im Einzelnen abgeändert wird, wie aus dem Folgenden sich ergibt.

1) „Die Verwaltung und Nutznießung des Mannes erstreckt sich nicht auf das Vorbehaltsgut der Frau" (§ 1365).

a. „Vorbehaltsgut sind die ausschließlich zum persönlichen Gebrauche der Frau bestimmten Sachen, insbesondere Kleider, Schmucksachen und Arbeitsgeräte" (§ 1366). Selbstverständlich sind sie nur dann Vorbehaltsgut, wenn sie Eigentum der Frau sind. Ein alter, in der Familie des Mannes schon seit Jahrhunderten eigener Familienschmuck, den der Mann seiner Frau zum Tragen gibt, wird nicht ohne Weiteres Eigentum der Frau und ihr Vorbehaltsgut. Kommt es zu einer Auseinandersetzung zwischen Mann und Frau, so hilft der § 1362 II (s. oben S. 383), der die Vermutung aufstellt, daß die ausschließlich zum persönlichen Gebrauche der Frau bestimmten Sachen, insbesondere Kleider, Schmucksachen und Arbeitsgeräte der Frau gehören.

b. Vorbehaltsgut ist ferner, „was die Frau durch ihre Arbeit oder durch den selbständigen Betrieb eines Erwerbsgeschäftes" (z. B. Putzhandlung, Grünhandel) „erwirbt" (§ 1367), jedoch gehört Erwerb durch Arbeiten im Haushalt oder im Geschäft des Mannes gemäß § 1356 II nicht hieher.

c. „Vorbehaltsgut ist, was durch Ehevertrag für Vorbehaltsgut erklärt ist" (§ 1368).

d. § 1369. „Vorbehaltsgut ist, was die Frau durch Erbfolge, durch Vermächtnis oder als Pflichtteil erwirbt (Erwerb von Todeswegen) oder was ihr unter Lebenden von einem Dritten unentgeltlich zugewendet wird, wenn der Erblasser durch letztwillige Verfügung, der Dritte bei der Zuwendung bestimmt hat, daß der Erwerb Vorbehaltsgut sein soll".

Dies wird nicht selten sein, denn häufig haben dritte Personen, die der Frau etwas zuwenden wollen, die Absicht nur der Frau und nicht dem aus irgend einen Grunde mißliebigen Manne etwas zuzuwenden.

e. Ferner fällt in das Vorbehaltsgut, was in Ansehung desselben unter den Begriff der Surrogation fällt (§ 1370): aller Schadensersatz für Zerstörung, Beschädigung oder Entziehung eines zum Vorbehaltsgut gehörenden Gegenstandes, ebenso was die Frau auf Grund eines zum Vorbehaltsgut gehörenden Rechtes erwirbt (z. B. Zinsen eines ausgeliehenen Kapitales, Fruchterwerb auf Grund von Niesbrauch, oder ihr wird eine zum Vorbehaltsgut gehörende Hypothek zurück gezahlt), oder was sie durch ein Rechtsgeschäft erwirbt, das sich auf das Vorbehaltsgut bezieht, z. B. die Frau versetzt ihren Schmuck.

2) „Auf das Vorbehaltsgut finden die bei der Gütertrennung für das Vermögen der Frau geltenden Vorschriften entsprechende Anwendung; die Frau hat jedoch einen Beitrag zur Bestreitung des ehelichen Aufwandes nur insoweit zu leisten, als der Mann nicht schon durch die Nutzungen des eingebrachten Gutes einen angemessenen Beitrag erhält" (§ 1371; vergl. unten S. 409 ff.).

III. „Jeder Ehegatte kann verlangen, daß der Bestand des eingebrachten Gutes durch Aufnahme eines Verzeichnisses unter Mitwirkung des anderen Ehegatten festgestellt wird.

Jeder Ehegatte kann den Zustand der zum eingebrachten Gute gehörenden Sachen auf seine Kosten durch Sachverständige feststellen lassen" (§ 1372).

§ 103. (Fortsetzung.) Verwaltung und Nutznießung des Mannes.

I. 1) Verwaltung. Eine Sache verwalten heißt für sie sorgen, sie bewahren und schützen. Verfügung ist keine Verwaltung, verwalten heißt erhalten, verfügen heißt entäußern, belasten, kurz die Substanz angreifen. Darum hat der Mann zwar Verwaltung, aber nicht ohne Weiteres Verfügung.

„Der Mann ist berechtigt, die zum eingebrachten Gut gehörenden Sachen in Besitz zu nehmen" (§ 1373), d. h. die Frau muß sie ihm herausgeben und er wird dann der alleinige unmittelbare (§ 868) Besitzer.

„Der Mann hat das eingebrachte Gut ordnungsmäßig zu verwalten. Über den Stand der Verwaltung hat er der Frau auf Verlangen Auskunft zu erteilen" (§ 1374), und dementsprechend kann sie ihn, wenn er die Auskunft verweigert, auf Erteilung der Auskunft verklagen und ihn auf diese Weise zur Erteilung der Auskunft zwingen.

2) Das eingebrachte Gut haftet für seine Schulden nicht (§ 1410) und der Mann kann auch nicht die Frau für Schulden, die er macht, haftbar machen in der Weise, daß er die Schulden von Anfang an auf den Namen der Frau macht; er kann im Gegenteil niemals ohne Vollmacht der Frau auf ihren Namen Schulden machen (§ 1375).

3) Ferner ist er nicht berechtigt, eingebrachtes Gut ohne Zustimmung der Frau zu veräußern (§ 1375), und wenn er veräußert hat, kann seine Frau auch gegen seinen Willen ihre Rechte an den veräußerten Dingen gegen den Dritten gerichtlich geltend machen (§ 1407 Nr. 3).

Aber es besteht eine allgemeine Ausnahme. Sie ist die Folge davon, daß § 932 dem gutgläubigen Erwerber das Eigentum einer beweglichen Sache gibt, auch wenn der Veräußerer nicht Eigentümer ist (vergl. oben § 52 S. 226 und § 60 Fig. 2, 4, 7, § 61 Fig. 10, 13). Veräußert also der Mann unbefugter Weise Sachen der Frau und ist der Erwerber in dem guten Glauben, daß der Mann eine ihm gehörige Sache veräußere, so erwirbt er das Eigentum an den der Frau gehörenden Sachen. In solchem Falle muß dann der Mann der Frau Ersatz geben, die Sachen selber jedoch sind ihr verloren (vergl. ferner § 892).

Besondere Ausnahmen sind in § 1376 einzeln aufgeführt.

a. Der Mann kann ohne Zustimmung der Frau über Geld und andere verbrauchbare Sachen der Frau (z. B. Lebensmittel) verfügen. Der Sinn ist, daß diese zum Umsatz bestimmten Sachen auch leicht sollen veräußert werden können. Mißbrauch ist allerdings möglich.

b. Er kann ferner jeden Gläubiger, dem wegen seiner Forderung auch das eingebrachte Gut der Frau haftet, befriedigen dadurch, daß er mit einer Forderung der Frau gegen ihn aufrechnet, und er kann,

c. wenn die Frau einem Dritten verpflichtet ist, ihm einen zum eingebrachten Gut gehörenden Gegenstand zu leisten, diese Verpflichtung der Frau dadurch erfüllen, daß er dem Gläubiger den von der Frau geschuldeten Gegenstand herausgibt (§ 1376). Alles dies ist eingeführt, damit die Verwaltung möglichst einfach und durchgreifend geführt werden kann.

4) a. Allgemeine Bestimmung ist, daß der Mann alle Ver-

figungen, zu denen nach § 1376 er ohne Zustimmung der Frau berechtigt ist, nur zum Zwecke ordnungsmäßiger Verwaltung des eingebrachten Gutes vornehmen soll (§ 1377 I). Das nicht für die laufenden Ausgaben notwendige Geld hat er für die Frau verzinslich mit pupillarischer Sicherheit anzulegen (§ 1377 II).

b. Um der Frau ihr Eingebrachtes möglichst unvermindert zu erhalten, bestimmt § 1381: „Erwirbt der Mann mit Mitteln des eingebrachten Gutes bewegliche Sachen, so geht mit dem Erwerbe das Eigentum auf die Frau über, es sei denn, daß der Mann nicht für Rechnung des eingebrachten Gutes erwerben will". Dies gilt entsprechend auch, wenn der Mann nur dingliche Rechte an fremder Sache erwirbt oder Forderungen sich abtreten läßt (§ 1381 II). Durch den § 1381 wird die Regel des gewöhnlichen Lebens ganz umgekehrt, denn regelmäßig ist es für den Eigentumserwerb gleichgültig, ob die erworbenen Sachen mit eigenem oder fremdem Gelde bezahlt werden, und wenn der Erwerber einmal ausnahmsweise nicht für sich sondern für einen Anderen erwerben will, so ist dies die besonders zu beweisende Ausnahme. Diese Ausnahme ist aber im vorliegenden Falle zur Regel gestempelt. Durch § 1381 wird vielen Gefahren, die sich aus § 1376 ergeben, begegnet, trotzdem sind Mißbräuche des Mannes möglich, aber sie müssen in den Kauf genommen werden, weil sonst der Mann in der Verwaltung zu sehr behindert würde.

c. Noch weiter geht der Schutz der Frau in einem anderen Punkte, wo sie sogar auf Kosten des Mannes geradezu bereichert wird:

„Haushaltsgegenstände, die der Mann an Stelle der von der Frau eingebrachten, nicht mehr vorhandenen oder wertlos gewordenen Stücke anschafft, werden eingebrachtes Gut" (§ 1382), auch wenn der Mann sie aus eigenen Mitteln bezahlt. Dies ist bestimmt, um klare Verhältnisse zu schaffen.

Die Frau ist nicht verpflichtet an Stelle der verbrauchten Messer, Gabeln, Teller, Schüsseln, Möbel, Teppiche, Leinen u. s. w. neue anzuschaffen, dies ist Sache des Mannes, der den ehelichen Aufwand gemäß § 1389 (s. unt. § 104 I A 1) zu tragen hat. Bezahlt er die neuen Messer, Gabeln u. s. w. aus den Einkünften des Eingebrachten oder aus seinem Privatvermögen, immer werden die Haushaltsgegenstände Eigentum der Frau.

Vermehrungen der Haushaltsgegenstände, die kein Ersatz an

Stelle der verbrauchten sind, gehören dem Manne, z. B. ein Bären-
fell, das der Mann sich aus Luxus kauft. Sie sind jedoch Eigentum der Frau, wenn der Mann sie aus der Substanz, dem Kapital
des Eingebrachten anschafft, s. oben § 1381.

Was von Luxuserwerb gilt, den zu machen der Mann nicht
verpflichtet ist, gilt um so mehr von einem Erwerbe, den er macht
in Erfüllung seiner Pflicht, den ehelichen Aufwand zu tragen z. B.
er schafft eine Kinderwiege an. Bezahlt er sie aus seinem Privatvermögen oder aus den Nutzungen des Eingebrachten, so wird sie,
da § 1382 nicht zur Anwendung kommen wird, sein Eigentum, bezahlt er sie aus der Substanz des Eingebrachten, so wird sie nach
§ 1381 Eigentum der Frau.

5) a. „Gehört zum eingebrachten Gute ein Grundstück samt Inventar, so bestimmen sich die Rechte und die Pflichten des Mannes
in Ansehung des Inventars nach den für den Nießbrauch geltenden
Vorschriften des § 1048 I" (§ 1378).

b. „Ist zur ordnungsmäßigen Verwaltung des eingebrachten
Gutes ein Rechtsgeschäft erforderlich, zu dem der Mann der Zustimmung der Frau bedarf, so kann die Zustimmung auf Antrag
des Mannes durch das Vormundschaftsgericht ersetzt werden, wenn
die Frau sie ohne ausreichenden Grund verweigert.

Das Gleiche gilt, wenn die Frau durch Krankheit oder durch
Abwesenheit an der Abgabe einer Erklärung verhindert und mit dem
Aufschube Gefahr verbunden ist" (§ 1379).

6) a. Der Mann kann alle Rechte der Frau, die zum eingebrachten Gut gehören, (Forderungen der Frau, ihre dinglichen
Rechte) im Prozesse im eigenen Namen geltend machen, als ob sie
ihm selbst zuständen (§ 1380). Dadurch erhält er nicht die Befugnis über die Rechte der Frau zu verfügen, sondern nur die Befugnis, die Rechte der Frau im Prozesse zu wahren.

b. Am durchgreifendsten wird die Frau gesichert durch § 1410:
„Die Gläubiger des Mannes können nicht Befriedigung aus dem
eingebrachten Gut verlangen".

II. Nutznießung. 1) Der Mann hat im Wesentlichen die
Stellung eines Nießbrauchers (§ 1383, 1384) und kann, wenn er
für die Verwaltung des Eingebrachten Aufwendungen macht, „die
er den Umständen nach für erforderlich halten darf", von der Frau

Erſatz verlangen, ſofern ſie nicht nach den Vorſchriften über den Nießbrauch ihm ſelbſt zur Laſt fallen (§ 1390).

2) Um den Mann gegen ungerechtfertigte Verminderung des Eingebrachten zu ſchützen, iſt Folgendes beſtimmt:

a. „Die Frau bedarf zur Verfügung über eingebrachtes Gut der Einwilligung des Mannes" (§ 1395), denn ſie ſoll ihm während der Ehe nicht willkürlich das Eingebrachte ſchmälern, ſonſt hätte es keinen Sinn, daß ihm ein Eingebrachtes beſtellt wird.

Wenn die Frau ohne Einwilligung des Mannes über eingebrachtes Gut verfügt, ſo iſt zu unterſcheiden, ob ſie einen Vertrag ſchließt oder ein einſeitiges Rechtsgeſchäft vornimmt. Dies geſchieht beiſpielsweiſe, indem ſie eine Forderung kündigt, eine dritte Perſon zur Einkaſſierung einer Forderung ermächtigt oder von einem Vertrage zurücktritt, bei dem ihr das Rücktrittsrecht zuſteht 2c.

α. „Ein einſeitiges Rechtsgeſchäft, durch das die Frau ohne Einwilligung des Mannes über eingebrachtes Gut verfügt, iſt unwirkſam" (§ 1398), d. h. es iſt von Anfang an unwirkſam und kann niemals wirkſam werden, auch nicht durch nachträgliche Genehmigung. Es muß vielmehr mit Einwilligung des Mannes noch einmal vorgenommen werden (ſiehe oben S. 29).

β. „Verfügt die Frau durch Vertrag ohne Einwilligung des Mannes über eingebrachtes Gut, ſo hängt die Wirkſamkeit des Vertrages von der Genehmigung des Mannes ab.

Verweigert der Mann die Genehmigung, ſo wird der Vertrag nicht dadurch wirkſam, daß die Verwaltung und Nutznießung aufhört" (§ 1396 I, III).

„Bis zur Genehmigung des Vertrags iſt der andere Teil zum Widerruf berechtigt. Der Widerruf kann auch der Frau gegenüber erklärt werden.

Hat der andere Teil gewußt, daß die Frau Ehefrau iſt, ſo kann er nur widerrufen, wenn die Frau der Wahrheit zuwider die Einwilligung des Mannes behauptet hat; er kann auch in dieſem Falle nicht widerrufen, wenn ihm das Fehlen der Einwilligung bei dem Abſchluſſe des Vertrages bekannt war" (§ 1397). Ob die Frau nun lügt oder nicht, macht keinen Unterſchied, wenn der andere Teil weiß, daß ſie tatſächlich keine Einwilligung hat.

Der Schutz des Mannes gegen die Verringerung des Eingebrachten durch die Frau geht im Übrigen ſoweit, daß ſogar der

Grundsatz vom Rechtserwerb auf Grund des guten Glaubens teilweise aufgegeben wird. Auch wenn der Dritte, mit dem die Frau
ein Geschäft über das Eingebrachte abschließt, in gutem Glauben ist,
daß die Frau keine Ehefrau sei, erwirbt er doch keine Rechte, über
die die Frau nicht verfügen kann. Dies ist anders geregelt, wie
bei den vom Manne unerlaubt vorgenommenen Verfügungen, die
den Schutz des guten Glaubens genießen. Die §§ 407, 892, 893,
932, 936, 1138, 1155, 1207, 1208, 1244 kommen also nicht
immer zur Anwendung.

„Die Beschränkungen, denen die Frau nach den §§ 1395 bis
1403 unterliegt, muß ein Dritter auch dann gegen sich gelten lassen,
wenn er nicht gewußt hat, daß die Frau eine Ehefrau ist"
(§ 1404). Wußte der Dritte, daß die Frau Ehefrau sei, war er
aber entschuldbarer Weise in dem guten Glauben, daß sie die Einwilligung des Mannes habe, so greifen die Vorschriften über
den Rechtserwerb im guten Glauben u. s. w. durch, werden durch
§ 1404 nicht außer Kraft gesetzt.

Es ist da vor der Annahme zu warnen, daß durch diese Bestimmungen die Frau in ihren durch die Leitung des Hauswesens
gebotenen geschäftlichen Abschlüssen und in ihrer Schlüsselgewalt
irgendwie beengt würde, vielmehr bleiben die damit verbundenen
Befugnisse der Frau durchaus bestehen, sodaß sie in ihrem eigentlichen durch die §§ 1356, 1357 gesicherten Wirkungskreis vollkommen unberührt bleibt. Der hier zur Rede stehende § 1396
handelt nur davon, daß etwa die Frau aus dem Eingebrachten
etwas verschenkt, verkauft, verpfändet ꝛc.

Nicht zu verwechseln ist die hier behandelte Frage mit der
anderen, ob die Frau über ihr Vorbehaltsgut frei verfügen kann.
Dies steht zu ihrer unbeschränkten Verfügung und mit ihm kann sie
machen, was sie will.

b. Von der unmittelbaren Verfügung über das Eingebrachte
ist zu scheiden der Fall, daß die Frau Verpflichtungen übernimmt,
die, wenn sie von dem Gläubiger eingeklagt werden, dahin führen
können, daß ihr Vermögen von dem Gerichtsvollzieher gepfändet
wird.

An sich kann die Frau sich gegenüber jedermann zu allen möglichen Dingen verpflichten, die Verwaltung und die Nutznießung
des Mannes am Eingebrachten haben nicht den geringsten Einfluß

auf die Geschäftsfähigkeit der Frau. Daß sich die Frau nach § 1358 nicht beliebig zu einer von ihr in Person zu erbringenden Leistung verpflichten kann, weil sie sonst zu leicht ihrer Tätigkeit im Haus- wesen und in der Familie entzogen werden kann, hat mit der ehe- männlichen Verwaltung und Nutznießung nichts zu schaffen, denn diese Bestimmung greift durch, welches auch das eheliche Güterrecht sei, sogar, wenn die Gatten in völliger Gütertrennung leben. Übernimmt die Frau aber eine Verpflichtung, die ihre persönliche Tätigkeit nicht in Anspruch nimmt, sodaß also nicht zu befürchten ist, sie werde ihrer Familie und ihrem Hauswesen entzogen, so hat der Mann kein Kündigungsrecht und die Frau bedarf an sich auch keiner ehemännlichen Zustimmung. Ihr Vorbehaltsgut haftet also in allen Fällen. Gegenüber einem Engagementsvertrag der Frau hat der Mann das Recht der Kündigung, aber gegenüber einem Darlehnsvertrage, aus dem die Frau eine Schuld von 500 Mk. auf sich nimmt, hat der Mann an sich kein Einspruchsrecht, denn die Darlehnsverpflichtung nimmt die Kräfte der Frau nicht außer- halb des Hauses in Anspruch.

Aber ein Recht hat der Mann doch: Er kann verhindern, daß die Gläubiger der Frau das Eingebrachte angreifen, daß für die Darlehnsschuld der Frau das Eingebrachte vom Gerichtsvollzieher gepfändet wird. Dementsprechend kann er der Darlehnsschuld seiner Frau die Genehmigung versagen. Dadurch wird die Schuld der Frau nicht hinfällig, sondern sie bleibt an sich sehr wohl bestehen, aber für die Schuld haftet nur noch das Vorbehaltsgut, und der Mann muß nur einen etwaigen Vorteil, den das Eingebrachte aus dem Darlehn der Frau hat, herausgeben (§ 1399), er haftet auf die Bereicherung des Eingebrachten.

„Zu Rechtsgeschäften, durch die sich die Frau zu einer Leistung verpflichtet, ist die Zustimmung des Mannes nicht erforderlich.

Stimmt der Mann einem solchen Rechtsgeschäfte zu, so ist es in Ansehung des eingebrachten Gutes ihm gegenüber wirksam. Stimmt er nicht zu, so muß er das Rechtsgeschäft, soweit das eingebrachte Gut bereichert wird, nach den Vorschriften über die Herausgabe einer ungerechtfertigten Bereicherung gegen sich gelten lassen" (§ 1399).

Zuweilen muß der Mann mit dem Eingebrachten aus Rechts- geschäften der Frau haften, auch wenn er seine Einwilligung nicht gab, s. u. S. 396 ff. Ferner wird ihm kein Schutz gewährt, wenn die Frau sich Delikte zu Schulden kommen läßt, ungerechtfertigt bereichert wird u. s. w. Die verschiedene Behandlung der Verpflichtungen aus Rechtsgeschäften und der gesetzlichen Verpflichtungen rechtfertigt sich deshalb, weil bei Rechtsgeschäften die Verpflichtung der Frau nur mit Hülfe ihrer Gläubiger begründet werden kann und die Gläubiger sich mit einer Ehefrau nicht leichtsinnig einzulassen brauchen. Diese Erwägung greift aber bei gesetzlichen Verbindlichkeiten der Frau nicht Platz, da sie ohne Zutun der Gläubiger entstehen.

c. „Ein zum eingebrachten Gute gehörendes Recht kann die Frau im Wege der Klage nur mit Zustimmung des Mannes geltend machen" (§ 1400 II), d. h. wenn ihr die Zustimmung fehlt, fehlt ihr auch die Legitimation zum Prozesse, sie wird mit ihrem Prozesse abgewiesen, weil ihr die Befugnis fehlt, über das zum Eingebrachten gehörende Recht als Klägerin zu prozessieren. Ihr fehlt die sogenannte Aktivlegitimation für das zum Eingebrachten gehörende Recht, die Passivlegitimation als Beklagte und für eine Verbindlichkeit dagegen fehlt ihr trotz mangelnder Zustimmung des Mannes nie. Eine andere Frage ist, ob trotz Mangels der Zustimmung das Eingebrachte gepfändet werden kann. Dies ist zu verneinen wegen § 1400 I, jedoch haftet das Eingebrachte für die Prozeßkosten gemäß § 1412 II, s. unten 4.

Es ist hier vor einer Verwechselung zu warnen. Mangel der Aktivlegitimation und Ausschluß der Verfügung über Eingebrachtes sind nicht zu verwechseln mit Beschränkung der Prozeßfähigkeit oder gar der Geschäftsfähigkeit. In beiden ist die Ehefrau nicht im Mindesten beschränkt, dies versteht sich von selbst, ist aber für die Prozeßfähigkeit noch ausdrücklich bestimmt in § 52 II Z.P.O.

3) Da mit dem Einwilligungsrechte des Mannes die Gefahr des Mißbrauches verbunden ist, hat das B.G.B. einige Sicherungsmaßregeln zu Gunsten der Frau getroffen.

a. Einmal hilft hier die schon bekannte allgemeine Bestimmung des § 1359, daß der Mann seiner Frau (wie sie ihm) für diejenige Sorgfalt einzustehen hat, die er (sie) in seinen (ihren) eigenen Angelegenheiten anzuwenden pflegt. Vernachlässigung dieser Sorgfalt, z. B. bei Genehmigung von Handlungen seiner Frau, verpflichtet ihn, ihr etwaigen Schaden zu ersetzen (aber erst nach Beendigung von Verwaltung und Nutznießung, § 1394).

b. Der Schutz der Frau geht aber noch weiter. Die Frau

bedarf der Einwilligung des Mannes nicht, wenn er durch Krankheit oder Abwesenheit verhindert ist, seinen Willen zu erklären und
mit dem Aufschube Gefahr verbunden ist (§ 1401).

c. Ferner „ist zur ordnungsmäßigen Besorgung der persönlichen
Angelegenheiten der Frau ein Rechtsgeschäft erforderlich, zu dem die
Frau der Zustimmung des Mannes bedarf (die Frau braucht Reise-
geld, um ihre sterbende Mutter aufzusuchen), so kann die Zustimmung auf Antrag der Frau durch das Vormundschaftsgericht
ersetzt werden, wenn der Mann sie ohne ausreichenden Grund verweigert" (§ 1402).

d. Ferner: „Erteilt der Mann der Frau die Einwilligung zum
selbständigen Betriebe eines Erwerbsgeschäftes, so ist seine Zustimmung zu solchen Rechtsgeschäften und Rechtsstreitigkeiten nicht
erforderlich, die der Geschäftsbetrieb mit sich bringt.

Der Einwilligung des Mannes in den Geschäftsbetrieb steht es
gleich, wenn die Frau mit Wissen und ohne Einspruch des Mannes
das Erwerbsgeschäft betreibt" (§ 1405 I, II).

Zu beachten ist, daß nach § 1367 der Erwerb aus dem
selbständigen Betrieb eines Erwerbsgeschäftes Vorbehaltsgut wird
und zwar ohne Rücksicht auf eine etwaige Einwilligung des Mannes.
Die Einwilligung hat nur die Bedeutung, daß durch Rechtsgeschäfte
und Rechtsstreitigkeiten, die der Geschäftsbetrieb mit sich bringt, das
Eingebrachte in Mitleidenschaft gezogen werden kann, daß die Frau
also in den Grenzen des Geschäftsbetriebes über das Eingebrachte
verfügen kann. S. unten § 104, S. 401.

Es ist also zu scheiden: Gibt der Mann seine Einwilligung,
so haftet auch das Eingebrachte, gibt er sie nicht, so haftet nur das
Vorbehaltsgut. Die Versagung der Einwilligung zum selbständigen
Betriebe eines Erwerbsgeschäftes bewirkt also nicht, daß die von der
Frau abgeschlossenen Rechtsgeschäfte überhaupt unwirksam sind.

e. Ferner bedarf die Frau in mehreren vom B.G.B. ausdrücklich angeführten Fällen der Zustimmung des Mannes überhaupt nicht.

α. „Die Frau bedarf nicht der Zustimmung des Mannes:
1) zur Annahme oder Ausschlagung einer Erbschaft oder eines
Vermächtnisses, zum Verzicht auf den Pflichtteil sowie zur
Errichtung des Inventars über eine angefallene Erbschaft,
(s. ob. § 102 II, 1 d).

2) zur Ablehnung eines Vertragsantrages oder einer Schenkung;

3) zur Vornahme eines Rechtsgeschäftes gegenüber dem Manne"
(§ 1406).

Erwerb von Todeswegen wird eingebrachtes Gut, wenn dies nicht durch die Bestimmung des Erblassers (§ 1369) oder des Ehevertrags (§ 1368) ausgeschlossen ist. Wenn auch ein Erbschaftserwerb wegen einer etwaigen Überschuldung gefährlich für das Eingebrachte werden kann, so bedarf doch die Frau dazu keiner Zustimmung des Mannes. Um sich gegen die Überschuldung der Erbschaft zu sichern, ist dem Manne im Erbrecht ein Hülfsmittel gegeben worden, vergl. § 2008 I. Wenn die Frau die Erbschaft als Vorbehaltsgut erwirbt, so haftet für die etwaigen Erbschaftsschulden das Eingebrachte nicht (§ 1413) und deshalb kommt es auf eine etwaige Zustimmung des Mannes auch nicht an, s. u. § 104 I, 2.

Die Ablehnung eines Vertragsantrages oder einer Schenkung (§ 1406, 2) läßt das Eingebrachte völlig in seinem bisherigen Zustande und darum besteht auch kein Bedürfnis für die Einwilligung des Mannes.

Die Vorschrift des § 1406, 3 rechtfertigt sich von selber.

β. „Die Frau bedarf nicht der Zustimmung des Mannes:

1) zur Fortsetzung eines zur Zeit der Eheschließung anhängigen Rechtsstreites (das Eingebrachte kommt mit diesem Rechtsstreite belastet in die Ehe);

2) zur gerichtlichen Geltendmachung eines zum eingebrachten Gute gehörenden Rechtes gegen den Mann;

3) zur gerichtlichen Geltendmachung eines zum eingebrachten Gute gehörenden Rechtes gegen einen Dritten, wenn der Mann ohne die erforderliche Zustimmung der Frau über das Recht verfügt hat (s. o. I, 3);

4) zur gerichtlichen Geltendmachung eines Widerspruchsrechtes gegenüber einer Zwangsvollstreckung" (§ 1407).

Dies letzte ist besonders wichtig, weil nicht selten der Gerichtsvollzieher, der den Mann wegen einer nur den Mann allein angehenden Schuld pfänden will, nicht unterscheiden kann, was dem Manne und was der Frau gehört, daher häufig auch Frauengut für Schulden des Mannes pfänden wird. Hiegegen kann sich die Frau schützen, indem sie der Pfändung widerspricht. Das Nähere gehört dem Zivilprozesse an.

f. „Wird durch das Verhalten des Mannes die Besorgnis begründet, daß die Rechte der Frau in einer das eingebrachte Gut erheblich gefährdenden Weise verletzt werden, so kann die Frau von dem Manne Sicherheitsleistung verlangen.

Das Gleiche gilt, wenn die der Frau aus der Verwaltung und Nutznießung des Mannes zustehenden Ansprüche auf Ersatz des Wertes verbrauchbarer Sachen (die der Mann nach § 1376 ohne Zustimmung der Frau veräußern ꝛc. kann) erheblich gefährdet sind" (§ 1391). Besonderes ist in den §§ 1392, 1393 wegen Inhaberpapiere der Frau bestimmt.

4) Damit nicht wegen jeder Meinungsverschiedenheit das Gericht angerufen werden könne, bestimmt § 1394: „Die Frau kann Ansprüche, die ihr auf Grund der Verwaltung und Nutznießung gegen den Mann zustehen, erst nach der Beendigung der Verwaltung und Nutznießung" (also nicht notwendig erst nach Auflösung der Ehe) „gerichtlich geltend machen, es sei denn, daß die Voraussetzungen vorliegen, unter denen die Frau nach § 1391 Sicherheit verlangen kann". Ihre Gläubiger sind aber an diese Wartezeit nicht gebunden (§ 1411), sie können die der Frau gegen den Mann zustehenden Ansprüche pfänden lassen, ebenso wie jedes andere Recht der Frau.

Reicht nemlich das vorhandene bare Vermögen der Frau zur Befriedigung ihrer Gläubiger nicht aus, so machen natürlich die Gläubiger alle Forderungen, die die Frau gegen Dritte, also auch wegen Verwaltung und Nutznießung gegen ihren Mann hat, gegen diese Dritte geltend, nachdem sie sich dieselben etwa haben abtreten lassen. Da es nun von den Gläubigern nicht zu verlangen ist, daß sie mit Geltendmachung der Frauenforderungen ebenso lange wie die Frau bis zur Aufhebung der Verwaltungsgemeinschaft, etwa durch den Tod eines Gatten, warten sollen, anderseits für sie alle persönlichen Gründe fortfallen, den Mann zu schonen, können sie die Frauenforderungen gegen den Mann schon während bestehender Ehe geltend machen.

§ 104. (Fortsetzung.) Haftung der Ehegatten.

I. A. 1) „Der Mann hat den ehelichen Aufwand zu tragen. Die Frau kann verlangen, daß der Mann den Reinertrag des eingebrachten Gutes, soweit dieser zur Bestreitung des eigenen und des der Frau und den gemeinschaftlichen Abkömmlingen zu gewährenden Unterhaltes erforderlich ist, ohne Rücksicht auf seine sonstigen Verpflichtungen zu diesem Zwecke verwendet" (§ 1389).

Zur unmittelbaren Verwirklichung dieser Bestimmung ist die oben schon erwähnte Schlüsselgewalt der Frau eingeführt. Zur Bestreitung des ehelichen Aufwandes gehört es, daß der Mann Eß- und Trinkwaren, Hausgeräte, Kleidung u. s. w. anschaffe, daß er den Arzt rufe, Handwerker bestelle, wo es notwendig ist, u. s. w. Dies kann er selber tun, aber hier kann auch seine Frau für ihn eintreten kraft ihrer Schlüsselgewalt. In normalen ähnlichen Verhältnissen wird die Frau kraft ihrer Schlüsselgewalt sogar den größeren Teil aller jener kleinen Geschäfte besorgen, die das tägliche Leben mit sich bringt und der Mann wird die daraus entstehenden Verbindlichkeiten zu tragen haben.

2) Er haftet für alle der Frau obliegenden öffentlichen Lasten, mit Ausnahme der auf dem Vorbehaltsgut ruhenden Lasten und der außerordentlichen Lasten, die als auf den Stammwert des Eingebrachten gelegt anzusehen sind, z. B. Kriegskontributionen, ferner für alle privatrechtlichen, auf dem eingebrachten Gut ruhenden Lasten, und für die Versicherungsprämien, die für das eingebrachte Gut zu zahlen sind (§ 1385, 1388). Der Gedanke ist, daß diese Lasten auf den Nutzungen ruhen und den treffen, der die Nutzungen hat, denn sie sollen aus den Nutzungen und nicht aus dem Stammkapital bestritten werden. Daraus erklärt sich auch die Ausdrucksweise von § 1385, 1. Außerordentliche öffentliche Lasten können vorkommen, wenn im Kriegsfall den Grenzbezirken besondere Leistungen in militärischem Interesse aufgelegt werden, aber auch im Frieden, vergl. Reichsrayongesetz v. 21. Dezember 1871, das bei Neuanlage von Festungen den in dem Rayon liegenden Grundstücken große Lasten auflegt, § 13 ff. Der Mann muß alle diese Auslagen tragen ohne Rücksicht darauf, ob die Einkünfte aus dem Eingebrachten diese Auslagen decken oder nicht, sodaß unter Umständen das Eingebrachte ihm mehr Ausgaben als Einnahmen bringt. Die Frau kann verlangen, daß er diese Ausgaben trage und wenn sie die Auslagen gemacht hat, kann sie von ihm Ersatz verlangen. Es ist dabei immer im Auge zu behalten, daß der Mann mit seinem **Privat-**

vermögen haftet, es sich also nicht in erster Linie um die Haftung mit dem Kapital des Eingebrachten handelt.

Um dies möglichst einfach und durchgreifend zu verwirklichen, ist bestimmt, daß der Mann auch den Gläubigern der Frau für die öffentlichen und privaten Lasten, die Versicherungsprämien ꝛc. haften solle. Er kann also vom Staat wegen der öffentlichen Lasten, von den Privatgläubigern wegen der privaten Lasten und von den Versicherungsgesellschaften wegen der Versicherungsprämien verklagt werden neben der Frau. Die Frau wird von ihren Lasten und Schulden gegenüber den Gläubigern nicht frei, vielmehr können sich, wie schon angedeutet, die Gläubiger auch an sie halten, aber ihr Mann wird ihr Nebenschuldner und zwar Gesamtschuldner (§ 1388).

3) Dieses selbe Verhältnis, daß zwar die Frau Schuldnerin ihrer Gläubiger bleibt, aber vom Manne verlangen kann, daß er ihre Gläubiger befriedige oder daß er ihr die zur Befriedigung der Gläubiger gemachten Auslagen ersetze, und ferner, daß zugleich der Mann neben seiner Frau Gesamtschuldner wird, ohne von ihr Ersatz seiner auf die nunmehr gemeinsame Schuld gemachten Auslagen fordern zu können, dieses Verhältnis kehrt noch zweimal wieder.

Um dies zu verstehen, muß man sich Folgendes vor Augen halten: Für die vorehelichen Schulden haftet das Eingebrachte unbedingt (§ 1411, 1412), für Schulden, die die Frau während der Ehe macht, haftet das Eingebrachte an sich nicht, aber es gibt gewisse Ausnahmen. 1) der Mann hat seine Zustimmung gegeben (§ 1399 II), 2) das Rechtsgeschäft bedarf seiner Zustimmung nicht, z. B. der Mann kann wegen Krankheit oder Abwesenheit keine Erklärung abgeben und es ist Gefahr im Verzuge (§ 1401), oder die Zustimmung ist gemäß § 1406 überhaupt nicht erforderlich, s. oben § 103 II, 3 e, S. 396 f.), 3) die grundlos verweigerte Zustimmung des Mannes ist durch das Vormundschaftsgericht ersetzt (§ 1402), 4) der Mann hat der Frau die Einwilligung zum selbständigen Betriebe eines Erwerbsgeschäftes erteilt und die Frau nimmt ein Rechtsgeschäft vor, das der Geschäftsbetrieb mit sich bringt (§ 1405). Dies sind vier Fälle, in denen das Eingebrachte ausnahmsweise aus Rechtsgeschäften der Frau haftet.

Für die sonstigen Schulden, insbesondere für die öffentlichen und privatrechtlichen Lasten u. s. w. (§ 1385); für die Zinsen gemäß § 1386, für die Kosten der Verteidigung gemäß § 1387, die Prozeßkoſten gemäß § 1387 und überhaupt für Prozeßkoſten (§ 1412 II), haftet das Eingebrachte grundſätzlich immer (§ 1411), mögen die Schulden vor oder während der Ehe entſtanden ſein, z. B. die Frau läßt ſich eine Sachbeſchädigung, einen Diebſtahl, einen Betrug zu Schulden kommen oder ſie iſt ungerechtfertigt bereichert (vergl. unten S. 403 f.).

Aber dieſer Grundſatz hat Ausnahmen.

a. „Das eingebrachte Gut haftet nicht für eine Verbindlichkeit der Frau, die infolge des Erwerbes einer Erbſchaft oder eines Vermächtniſſes entſteht, wenn die Frau die Erbſchaft oder das Vermächtnis nach der Eingehung der Ehe als Vorbehaltsgut erwirbt“ (§ 1413). Die Nachlaßgläubiger können ſich alſo nicht an das Eingebrachte halten.

b. „Das eingebrachte Gut haftet nicht für eine Verbindlichkeit der Frau, die nach der Eingehung der Ehe infolge eines zu dem Vorbehaltsgute gehörenden Rechtes oder des Beſitzes einer dazu gehörenden Sache entſteht“ (ein zum Vorbehaltsgut gehörendes Tier, z. B. die Dogge der Frau, beſchädigt einen anderen Menſchen, das Vorbehaltsgut iſt ungerechtfertigt bereichert), „es ſei denn, daß das Recht oder die Sache zu einem Erwerbsgeſchäfte gehört, das die Frau mit Einwilligung des Mannes ſelbſtändig betreibt“ (§ 1414; ſ. oben S. 396).

Entſprechend dem Bemerkten iſt § 1386 zu verſtehen.

a. Der Mann haftet für die Zinſen der Frauenſchulden, ſoweit als für dieſe Schulden auch das eingebrachte Gut haftet, z. B. Hypothekenzinſen, wenn das mit Hypotheken belaſtete Grundſtück zum Eingebrachten gehört.

b. Er haftet für alle wiederkehrenden Leiſtungen, zu denen die Frau verpflichtet iſt, ſoweit dieſe bei ordnungsmäßiger Verwaltung aus den Einkünften des Vermögens beſtritten werden. Er hat für alle dieſe Schulden aufzukommen, ohne Rückſicht auf die Höhe der Einkünfte, die das Eingebrachte abwirft. Iſt beiſpielsweiſe der Frau von ihrem Vater teſtamentariſch die Verpflichtung auferlegt, einer alten Dienerin eine Rente zu zahlen, ſo muß der Mann dieſe Rente zahlen, auch wenn das Eingebrachte hiezu nicht ausreicht, vorausgeſetzt, daß die Frau die väterliche Erbſchaft nicht nach Eingehung der Ehe als Vorbehaltsgut erwirbt. Die Frau hat auch hier ein Klagerecht darauf, daß der Mann diese Zahlungen leiste, wie andererseits der Mann ihren Gläubigern haftet.

§ 1386. „Der Mann ist der Frau gegenüber verpflichtet, für die Dauer der Verwaltung und Nutznießung die Zinsen derjenigen Verbindlichkeiten der Frau zu tragen, deren Berichtigung aus dem eingebrachten Gute verlangt werden kann. Das Gleiche gilt von wiederkehrenden Leistungen anderer Art, einschließlich der von der Frau auf Grund ihrer gesetzlichen Unterhaltungspflicht geschuldeten Leistungen, sofern sie bei ordnungsmäßiger Verwaltung aus den Einkünften des Vermögens bestritten werden.

Die Verpflichtung des Mannes tritt nicht ein, wenn die Verbindlichkeiten oder die Leistungen im Verhältnisse der Ehegatten zu einander dem Vorbehaltsgute der Frau zur Last fallen.“

4) Wird die Frau einer strafbaren Handlung angeklagt und wird gegen sie ein Strafverfahren eingeleitet, so muß der Mann die Kosten der Verteidigung tragen, sofern die Aufwendung dieser Kosten den Umständen nach geboten ist, oder wenn er seine Zustimmung zu ihnen gegeben hat. Er haftet dann dem Rechtsanwalt. Wird die Frau verurteilt, so hat er das Recht, von ihr Ersatz zu verlangen (§ 1387,2). Dies ist umsomehr selbstverständlich, als nach § 1568 Begehung von Verbrechen durch die Frau zu einem Scheidungsgrund werden kann und der Mann, der das Recht hat, sich von seiner Frau scheiden zu lassen, auch das Recht haben muß, die Kosten des Strafverfahrens von ihr wieder zu fordern (s. unten III).

B. Unter Umständen haftet nach Außen das Eingebrachte den Gläubigern der Frau, aber wenn die Gläubiger aus dem Eingebrachten befriedigt sind, kann der Mann verlangen, daß die Frau das Eingebrachte wieder aus dem Vorbehaltsgut ergänze. Da sind nun zwei Möglichkeiten. Entweder das Eingebrachte haftet ohne Weiteres für gewisse Schulden der Frau, z. B. für Schulden aus unerlaubten Handlungen (Diebstahl, Betrug der Frau), oder das Eingebrachte haftet den Gläubigern nur, wenn der Mann seine Zustimmung gibt; aber der Mann kann nachträglich trotz seiner Zustimmung von der Frau Ersatz aus dem Vorbehaltsgut verlangen. Also während sonst regelmäßig seine Zustimmung die Wirkung hat, daß das Eingebrachte den Gläubigern haftet, die Frau das Eingebrachte aber nicht zu ergänzen braucht, hat sie hier die Wirkung, daß das Eingebrachte den Gläubigern zwar haftet, aber nachher von der Frau aus dem Vorbehaltsgut wieder ergänzt werden muß. Es sollen eben gewisse Schulden nicht dauernd auf dem Eingebrachten haften bleiben, mögen die Gläubiger auch das Recht haben, sich zunächst an das Eingebrachte zu halten. Hievon handelt der § 1415.

„Im Verhältnisse der Ehegatten zu einander fallen dem Vorbehaltsgute zur Last:

1) die Verbindlichkeiten der Frau aus einer unerlaubten Handlung, die sie während der Ehe begeht, oder aus einem Strafverfahren, das wegen einer solchen Handlung gegen sie gerichtet wird (s. unten III),

2) die Verbindlichkeiten der Frau aus einem sich auf das Vorbehaltsgut beziehenden Rechtsverhältnis, auch wenn sie vor Eingehung der Ehe oder vor der Zeit entstanden sind, zu der das Gut Vorbehaltsgut geworden ist" (§ 1415).

Besonders wichtig wird Nr. 2 für den Fall, daß die Frau mit Einwilligung des Mannes ein selbständiges Erwerbsgeschäft betreibt. Das Erwerbsgeschäft mit allen seinen Aktiven und Passiven ist gemäß § 1367 Vorbehaltsgut, aber die Frau schließt ihre mit dem Erwerbsgeschäft zusammenhängenden Rechtsgeschäfte unter Zustimmung des Mannes ab (§ 1405) und darum haftet das Eingebrachte für alle im Betriebe des Geschäftes gemachten Schulden der Frau. Hat der Mann oder die Frau diese Schulden aus dem Eingebrachten getilgt, oder hat der Gerichtsvollzieher das Eingebrachte dafür gepfändet, so muß die Frau aus ihrem Vorbehaltsgut Ersatz an das Eingebrachte leisten. Stimmt der Mann dem Erwerbsgeschäfte nicht zu, so haftet das Eingebrachte für die während der Ehe gemachten Schulden nicht.

C. Haftet der Mann für Frauenschulden persönlich mit seinem Privatvermögen (Lasten gemäß 1385, Zinsen und wiederkehrende Leistungen gemäß § 1386, Kosten der Verteidigung der Frau gemäß § 1387), so kann er persönlich mit seinem Privatvermögen in Anspruch genommen werden mittelst einer gegen ihn selber gerichteten Klage auf Leistung oder die Kosten der Verteidigung (§ 1387) können unmittelbar von ihm beigetrieben werden.

Haftet für eine Frauenschuld das Eingebrachte, ohne daß der Mann persönlich mit seinem Privatvermögen haftet, so bedeutet dies, daß der Mann eine Pfändung des Eingebrachten für eine Frauenschuld sich gefallen lassen muß. Dies kann Unzuträglichkeiten mit sich bringen, wenn die Frau den Prozeß schlecht geführt und der Gläubiger zu Unrecht ihr gegenüber ein obsiegendes Urteil erstritten hat. Im praktischen Ergebnisse würde dann durch die unordentliche Prozeßführung der Frau auch der Mann geschädigt werden, da durch die Pfändung das Eingebrachte geschädigt und somit seine Nutznießung schwer verkürzt würde.

Um dem vorzubeugen bestimmt

§ 739 Z.P.O. „Bei dem Güterstande der Verwaltung und Nutznießung (der Errungenschaftsgemeinschaft oder Fahrnisgemeinschaft) ist die Zwangsvollstreckung in das eingebrachte Gut der Ehefrau nur zulässig, wenn die Ehefrau zu der Leistung und der Ehemann zur Duldung der Zwangsvollstreckung verurteilt ist." Vergl. auch noch §§ 741, 742 Z.P.O.

Der Gläubiger, der im Prozesse gegen die Frau gesiegt hat, muß gegen den Mann auf Duldung der Zwangsvollstreckung klagen und bringt mit dieser Klage durch, wenn wegen seiner Forderung das Eingebrachte gemäß § 1411 ff. haftet. Er kann den Mann zugleich mit oder nach der Frau verklagen.

Der Gläubiger muß in dem Prozesse gegen den Mann alles, was er in dem Prozesse gegen die Frau dargetan hat, noch einmal vorbringen und beweisen, er kann sich nicht einfach darauf berufen, daß auf seine Klage die Frau schon verurteilt sei, er kann dem Manne das Urteil gegen die Frau nicht entgegenhalten, dies Urteil hat also dem Manne gegenüber keine Rechtskraft, sondern nur gegenüber der Frau. Darum kann der Mann in dem zweiten Prozesse immer noch vorbringen, daß wichtige Tatsachen nicht berücksichtigt seien, das Urteil im ersten Prozesse falsch sei u. s. w. Er braucht also das gegen die Frau ergangene Urteil nicht gegen sich gelten zu lassen. Ausnahmsweise muß er es doch gegen sich gelten lassen und ausnahmsweise kann der Gläubiger ihm einfach das gegen die Frau ergangene Urteil entgegenhalten, wenn nemlich der Mann dem Prozesse der Frau zugestimmt hat.

§ 1400 I. „Führt die Frau einen Rechtsstreit ohne Zustimmung des Mannes, so ist das Urteil dem Manne gegenüber in Ansehung des eingebrachten Gutes unwirksam."

Dies bedeutet: Ein Gläubiger, der Befriedigung aus dem Eingebrachten verlangen kann (wegen vorehelicher Schulden, oder der

Mann hat dem Rechtsgeschäft der Frau zugestimmt, oder seine Zustimmung ist durch das Vormundschaftsgericht ersetzt oder nicht erforderlich oder die Frau hat eine unerlaubte Handlung begangen,
ist ungerechtfertigt bereichert u. s. w.), kann zwar das Eingebrachte
nicht ohne Weiteres wegen auf Grund seines ihm günstigen Urteils
pfänden lassen, aber wenn er den Mann auf Duldung der Zwangsvollstreckung verklagt, kann er ihm das gegen die Frau ergangene
Urteil entgegenhalten, sich darauf berufen und der Mann muß den
Inhalt des Urteils als wahr gelten lassen, kann sich nicht dagegen
verteidigen mit dem Vorbringen, daß wichtige Tatsachen nicht berücksichtigt seien, das Urteil unrichtig sei u. s. w. Das Urteil
gilt ihm gegenüber als richtig. Durch § 1400 I wird dem
Gläubiger der Prozeß gegen den Mann auf Duldung der Zwangsvollstreckung zwar nicht erspart, aber er wird ihm erleichtert.

Nicht zu verwechseln mit der Zustimmung zum Prozesse der
Frau ist die freiwillige Unterwerfung des Mannes unter die Zwangsvollstreckung gemäß §§ 795, 794,5 Z.P.O. Der Mann kann in
gewissen Fällen in einer gerichtlichen oder notariellen Urkunde sich
der Zwangsvollstreckung in das Eingebrachte schon im Voraus
unterwerfen und dadurch den Prozeß auf Duldung der Zwangsvollstreckung unnötig machen.

Die Bestimmung des § 1400 I bedeutet andererseits nicht, daß
während der ehemännlichen Nutznießung die Gläubiger der Frau,
denen das Eingebrachte haftet, überhaupt keinen Zugriff auf das
Eingebrachte hätten. Das wäre ein Widerspruch zu den §§ 1411 ff.,
die ausdrücklich den Zugriff auf das Eingebrachte erlauben.

II. Kosten eines Zivilprozesses. Es ist zu unterscheiden:
1) Für alle Prozesse, die er führt, muß der Mann aufkommen
mit seinem Vermögen und den Einkünften des Eingebrachten vorbehaltlich § 861 Z.P.O. (§ 1416 I).

2) Andererseits haftet für die Kosten aller Prozesse der Frau
das Frauenvermögen, Vorbehaltsgut und Eingebrachtes, aber unter
Umständen haftet auch der Mann mit seinem Vermögen. Jedenfalls
ist es auch hier so, daß der Mann, wo er neben der Frau haftet,
ihr und ihren Gläubigern verpflichtet ist, ihre Prozeßkosten zu zahlen.

Es ist zu unterscheiden, ob die Frau mit dem Manne oder
mit Dritten prozessiert.

a. Prozessiert sie mit ihrem Manne, so haftet der Mann für

die Prozeßkosten mit seinem Privatvermögen und mit den Einkünften aus dem Eingebrachten, wenn er den Prozeß verliert. Verliert die Frau, so haftet sie mit ihrem Vorbehaltsgut und mit dem Einge=brachten für die Prozeßkosten, aber der Mann kann, wenn die Kosten aus dem Eingebrachten entrichtet sind, verlangen, daß das Eingebrachte aus dem Vorbehaltsgut wieder ergänzt werde (§ 1416 I, § 1417 I).

b. Prozessiert die Frau mit Dritten, so haftet immer das Vor=behaltsgut und das Eingebrachte, das Erste versteht sich von selbst, das Zweite ist in § 1412 II ausdrücklich bestimmt. Aber es ist zu=weilen billig, daß der Mann sogar mit seinem Privatvermögen hafte, denn ein Prozeß über das Eingebrachte geht ihn auch an, ja die Frau kann sogar ein zum Eingebrachten gehörendes Recht im Wege der Klage nur mit Zustimmung des Mannes geltend machen (§ 1400 II), s. o. § 103, II, 2 b, S. 395. Andererseits erscheint es verschiedentlich billig, daß zwar nach Außen das Eingebrachte für die Prozeßkosten hafte, diese jedoch nicht dauernd auf dem Eingebrachten bleiben, sondern Ersatz zu geben ist. Dies gilt besonders in einigen Fällen dann, wenn das Urteil in der Sache nicht gegen das Ein=gebrachte wirksam ist (§ 1412 II, § 1416 II S. 1) z. B. die Frau prozessiert ohne seine Zustimmung frivol darauf los.

3) Diese Erwägungen haben zu folgenden Bestimmungen geführt: Die Frau haftet mit ihrem ganzen Vermögen, Vorbehaltsgut und Eingebrachtem und der Mann ebenfalls mit dem Eingebrachten und außerdem mit seinem Privatvermögen.

a. wenn der Mann zum Prozesse seine Zustimmung gegeben hat (§§ 1400 I, 1416 I Satz 1, 1387 Nr. 1, 1388), ohne Unterschied, ob er dem Rechtsgeschäfte zugestimmt hatte oder nicht.

b. wenn gemäß § 1401 die Zustimmung des Mannes wegen Krankheit ꝛc. ausnahmsweise nicht erforderlich ist (§§ 1401, 1416 II Satz 1, 1387 I, 1388).

c. ferner, wenn die Frau gemäß § 1405 oder § 1407 der Zustimmung des Mannes zum Prozesse nicht bedarf (s. oben S. 397). (§§ 1405, 1407, 1416 II Satz 1, 1387 Nr. 1, 1388).

d. ferner, wenn der Prozeß sich bezieht auf eine persönliche Angelegenheit der Frau (ihre eheliche Abstammung, überhaupt ihre Abstammung von einer bestimmten Person, ihre Verwandtschaft mit einer anderen Person, oder sie verlangt ein Kind aus früherer Ehe, das ihr vorenthalten wird, heraus, sie führt einen Beleidigungsprozeß gegen einen Verleumder ꝛc.) und die Kosten den Umständen nach geboten sind (§ 1416 II Satz 2). Auf Zustimmung des Mannes kommt es nicht an, er muß in solchen Fällen auch gegen seinen Willen für seine Frau einspringen, sie schützen. Den Umständen nach geboten sind die Kosten, wenn die Frau siegt, aber ihren Anwalt selber bezahlen muß, weil der zahlungsunfähige Gegner die Kosten, also auch ihre Anwaltskosten, nicht zahlen kann. Ist die Frau im Unrecht und prozessiert sie frivol ohne seine Zustimmung darauf los, so haftet der Mann nicht, sondern nur Vorbehaltsgut und Eingebrachtes und die Frau muß aus dem Vorbehaltsgut an das Eingebrachte Ersatz geben, s. Nr. 4.

e. ferner, wenn die Frau über eine nicht aus einer unerlaubten Handlung entspringende Verbindlichkeit, nicht über ein Recht, prozessiert und die Kosten den Umständen nach geboten sind. Jedoch darf die Verbindlichkeit nicht „aus einem auf das Vorbehaltsgut sich beziehenden Rechtsverhältnis" entsprungen sein (§ 1415, 2), sondern für sie muß auch das Eingebrachte haften, z. B. die Frau muß, wegen Bereicherung des Eingebrachten verklagt, den Prozeß notgedrungen führen, ob mit oder ohne Zustimmung des Mannes.

4) In allen sonstigen Prozessen der Frau haften nur Eingebrachtes und Vorbehaltsgut und die Frau muß aus dem Vorbehaltsgut Ersatz an das Eingebrachte leisten (§§ 1412 II, 1416 II, 1417), wenn die Kosten aus dem Eingebrachten gezahlt sind. Diese allgemeine Regel ist für die Fälle des § 1415 Nr. 1, 2, in denen sie sich keineswegs von selbst versteht, noch besonders angeordnet worden.

An sich haftet a) gemäß § 1411 für Deliktsschulden und b) gemäß §§ 1405, 1414 für Schulden aus einem vom Manne erlaubten Erwerbsgeschäfte das Eingebrachte. Daraus folgt gemäß § 1416 II Satz 1, daß die Prozeßkosten nicht auf dem Vorbehaltsgut allein ruhen bleiben sollen, aber § 1415, 3 bestimmt das Gegenteil.

Wenn die Frau a) über eine Deliktsschuld, die sie während der Ehe auf sich geladen hat, prozessiert oder b) über Verbindlichkeiten, die aus einem auf das Vorbehaltsgut sich beziehenden Rechtsverhältnis entsprungen sind, so haftet für die Prozeßkosten auch das Eingebrachte; aber die Frau muß das Eingebrachte wieder aus ihrem Vorbehaltsgut ergänzen (§ 1415, 3).

Ein Beispiel für Letzteres ist folgender Fall: Betreibt die Frau mit Einwilligung des Mannes ein Erwerbsgeschäft selbständig und bringt dessen Betrieb einen Prozeß über eine Schuld der Frau, nicht über ein Recht, mit sich, so handelt es sich um eine Verbindlichkeit der Frau aus einem sich auf das Vorbehaltsgut beziehenden Rechtsverhältnis (s. oben S. 403).

III. Für die Strafprozeßkosten haftet immer die Frau mit Vorbehaltsgut und Eingebrachtem, muß aber, wenn die Kosten aus dem Eingebrachten gezahlt worden sind, aus dem Vorbehaltsgut zum Eingebrachten Ersatz leisten (§§ 1415, 1, 3; 1417 I).

Jedoch haftet der Mann für die Kosten der Verteidigung der Frau, soweit sie den Umständen nach geboten sind oder der Mann ihrer Aufwendung zugestimmt hat, auch mit seinem Privatvermögen, aber er kann, wenn die Frau verurteilt wird, Ersatz verlangen (§ 1387, 2), s. oben I, A 4; B.

IV. „Wird eine Verbindlichkeit, die nach den §§ 1415, 1416 dem Vorbehaltsgute zur Last fällt, aus dem eingebrachten Gut berichtigt, so hat die Frau aus dem Vorbehaltsgute, soweit dieses reicht, zu dem eingebrachten Gute Ersatz zu leisten.

Wird eine Verbindlichkeit der Frau, die im Verhältnisse der Ehegatten zu einander nicht dem Vorbehaltsgute zur Last fällt, aus dem Vorbehaltsgute berichtigt, so hat der Mann aus dem eingebrachten Gute, soweit dieses reicht, zu dem Vorbehaltsgut Ersatz zu leisten" (§ 1417).

§ 105. Beendigung von Verwaltung und Nutznießung.

I. „Die Verwaltung und Nutznießung endigt mit der Rechtskraft des Beschlusses, durch den der Konkurs über das Vermögen des Mannes eröffnet wird" (§ 1419); ebenso, „wenn der Mann für tot erklärt wird, mit dem Zeitpunkte, der als Zeitpunkt des Todes gilt" (§ 1420).

„Die Frau kann auf Aufhebung der Verwaltung und Nutznießung klagen:

1) wenn die Voraussetzungen vorliegen, unter denen die Frau nach § 1391 Sicherheitsleistung verlangen kann;
2) wenn der Mann seine Verpflichtung, der Frau und den gemeinschaftlichen Abkömmlingen Unterhalt zu gewähren, verletzt hat und für die Zukunft eine erhebliche Gefährdung

des Unterhaltes zu besorgen ist. Eine Verletzung der Unterhaltspflicht liegt schon dann vor, wenn der Frau und den gemeinschaftlichen Abkömmlingen nicht mindestens der Unterhalt gewährt wird, welcher ihnen bei ordnungsmäßiger Verwaltung und Nutznießung des eingebrachten Gutes zukommen würde;

3) wenn der Mann entmündigt ist;

4) wenn der Mann nach § 1910 zur Besorgung seiner Vermögensangelegenheiten einen Pfleger erhalten hat;

5) wenn für den Mann ein Abwesenheitspfleger bestellt ist und die baldige Aufhebung der Pflegschaft nicht zu erwarten ist" (§ 1418 I).

II. Unter Umständen kann der Mann auf Wiederherstellung seiner Rechte klagen, z. B. wenn die Entmündigung oder Pflegschaft aufgehoben oder der Entmündigungsbeschluß mit Erfolg angefochten worden ist (§ 1425 I).

§ 106. Gütertrennung.

I. **Entstehung.** Die Braut- oder Eheleute können vereinbaren (§ 1432), daß sie an dem beiderseitigen Vermögen gegenseitig keine Rechte haben sollen; dies ist die gewillkürte Gütertrennung. Außerdem gibt es noch einige Fälle der gesetzlichen Gütertrennung, die schon erwähnt worden sind.

"Die Verwaltung und Nutznießung des Mannes tritt nicht ein, wenn er die Ehe mit einer in der Geschäftsfähigkeit beschränkten Frau ohne Einwilligung ihres gesetzlichen Vertreters eingeht" (§ 1364; s. oben § 97 I, 2 S. 364).

Ferner tritt Gütertrennung ein nach den schon aufgeführten Bestimmungen der §§ 1418—1420 (s. oben § 105 S. 409 f.).

Außerdem greift die allgemeine Bestimmung des § 1436 ein, der die Gütertrennung zum subsidiären gesetzlichen Güterstande macht: "Wird durch Ehevertrag die Verwaltung und Nutznießung des Mannes ausgeschlossen oder die allgemeine Gütergemeinschaft, die Errungenschaftsgemeinschaft oder die Fahrnisgemeinschaft aufgehoben, so tritt Gütertrennung ein, sofern sich nicht aus dem Vertrag ein Anderes ergibt" (§ 1436).

II. **Die einzelnen Bestimmungen.** 1) „Der Mann hat den ehelichen Aufwand zu tragen.

Zur Bestreitung des ehelichen Aufwandes hat die Frau dem Manne einen angemessenen Beitrag aus den Einkünften ihres Vermögens und dem Ertrag ihrer Arbeit oder eines von ihr selbständig betriebenen Erwerbsgeschäftes zu leisten. Für die Vergangenheit kann der Mann die Leistung nur insoweit verlangen, als die Frau, ungeachtet seiner Aufforderung, im Rückstande geblieben ist. Der Anspruch des Mannes ist nicht übertragbar" (§ 1427).

2) „Ist eine erhebliche Gefährdung des Unterhaltes zu besorgen, den der Mann der Frau und den gemeinschaftlichen Abkömmlingen zu gewähren hat (der Mann vertrinkt wiederholt seinen Wochenlohn), so kann die Frau den Beitrag zu dem ehelichen Aufwand insoweit zur eigenen Verwendung zurückbehalten, als er zur Bestreitung des Unterhaltes erforderlich ist.

Das Gleiche gilt, wenn der Mann entmündigt ist oder wenn er nach § 1910 zur Besorgung seiner Vermögensangelegenheiten einen Pfleger erhalten hat oder wenn für ihn ein Abwesenheitspfleger bestellt ist" (1428).

3) „Macht die Frau zur Bestreitung des ehelichen Aufwandes aus ihrem Vermögen eine Aufwendung (bezahlt den Bäcker, Kaufmann, Arzt, Apotheker) oder überläßt sie dem Manne zu diesem Zweck etwas aus ihrem Vermögen, so ist im Zweifel anzunehmen, daß die Absicht fehlt, Ersatz zu verlangen" (§ 1429). Die Frau hätte an sich eine Klage wegen unbeauftragter Geschäftsführung, das B.G.B. stellt aber die Vermutung auf, daß die Frau auf diese Klage verzichtet. Im Gegensatz zu § 1417 wird hier Schenkungsabsicht vermutet.

4) „Überläßt die Frau ihr Vermögen ganz oder teilweise der Verwaltung des Mannes, so kann der Mann die Einkünfte, die er während seiner Verwaltung bezieht, nach freiem Ermessen verwenden, soweit nicht ihre Verwendung zur Bestreitung der Kosten der ordnungsmäßigen Verwaltung und zur Erfüllung solcher Verpflichtungen der Frau erforderlich ist, die bei ordnungsmäßiger Verwaltung aus den Einkünften des Vermögens bestritten werden. (Zinsen ihrer Schulden, etwa der auf ihrem Gute ruhenden Hypotheken, Schulden für Einkäufe beim Modewarenhändler). Die Frau kann eine abweichende Bestimmung treffen" (§ 1430). Zu beachten ist, daß der

Mann nicht zur Rechnungslegung verpflichtet ist, wodurch die Sach=
lage rechtlich sehr vereinfacht wird. Ferner steht der Frau zu jeder
Zeit frei, dem Manne die Verwaltung zu nehmen, was bei der
Verwaltungsgemeinschaft nicht zulässig ist, denn der Mann steht ihr
gegenüber grundsätzlich nicht anders da, wie irgend ein Anderer,
z. B. ein Rechtsanwalt, dem die Frau die Verwaltung ihres Ver=
mögens anvertraut.

5) Da das ehemännliche Verwaltungs= und Nutznießungsrecht
vom B.G.B. als gesetzlicher ehelicher Güterstand eingeführt wird,
geht das B.G.B. von der auch ganz begründeten Annahme aus,
daß die Verwaltungsgemeinschaft die Regel sein wird und alle
übrigen Gestaltungen des ehelichen Güterstandes die Ausnahme.
Dies ist wichtig wegen des Verhältnisses der Ehegatten zu Dritten
und darum bestimmt § 1431, daß die Gütertrennung Dritten gegen=
über nur dann wirksam sein soll, wenn sie in das Güterrechtsregister
des zuständigen Amtsgerichts eingetragen oder dem Dritten bekannt
ist. Hat der Ehemann nach aufgehobener Verwaltungsgemeinschaft
gegenüber einem Dritten, der gegen die Frau eine Forderung auf
Eingebrachtes geltend macht, mit einer Gegenforderung der Frau
gegen den Dritten, die auch zum Eingebrachten gehört, aufgerechnet
§ 1376, 2), so ist diese Aufrechnung gültig, wenn die Aufhebung
der Verwaltungsgemeinschaft weder in das Güterrechtsregister ein=
getragen noch dem Dritten bekannt ist. Der Mann kann sie nicht
nachträglich als nichtig behandeln, weil ihm die Befugnis zur Auf=
rechnung nicht zugestanden habe. Ebenso ist es, wenn der Mann
ein zum Eingebrachten gehörendes Recht im eigenen Namen geltend
macht (§ 1380) und er den Prozeß verliert. Er kann das Urteil
nicht damit anfechten, daß er nachträglich behauptet, er sei garnicht
legitimiert gewesen, denn die Verwaltungsgemeinschaft sei schon lange
aufgehoben. Er wird hiermit nicht gehört, wenn die Aufhebung
zur Zeit, als die Sache rechtshängig wurde, noch nicht in das
Register eingetragen und auch dem Dritten nicht bekannt war.

Die Bestimmung des § 1435 lautet:

„Wird durch Ehevertrag die Verwaltung und Nutznießung
des Mannes ausgeschlossen oder geändert, so können einem Dritten
gegenüber aus der Ausschließung oder der Änderung Einwendungen
gegen ein zwischen ihm und einem der Ehegatten vorgenommenes
Rechtsgeschäft oder gegen ein zwischen ihnen ergangenes rechts=

kräftiges Urteil nur hergeleitet werden, wenn zur Zeit der Vornahme des Rechtsgeschäftes oder zur Zeit des Eintrittes der Rechtshängigkeit die Ausschließung oder die Änderung in dem Güterrechtsregister des zuständigen Amtsgerichtes eingetragen oder dem Dritten bekannt war. Das Gleiche gilt, wenn eine in dem Güterrechtsregister eingetragene Regelung der güterrechtlichen Verhältnisse durch·Ehevertrag aufgehoben oder geändert wird".

„Das Gleiche gilt im Falle des § 1425 von der Wiederherstellung der Verwaltung und Nutznießung, wenn die Aufhebung in das Güterrechtsregister eingetragen worden ist" (§ 1431 II). Die Frau kann sich also Dritten gegenüber auf ihre Unfähigkeit, über Eingebrachtes ohne Einwilligung des Mannes zu verfügen (§ 1395), nicht berufen, eine Verfügung über Eingebrachtes nicht als nichtig behandeln, wenn die Aufhebung der Verwaltung und Nutznießung des Mannes in das Register eingetragen ist, ihre Wiedereinführung aber nicht und wenn zugleich der Dritte um die Wiedereinführung nicht wußte.

III. Es ist nicht zu übersehen, daß auch im Falle der Gütertrennung die §§ 1353—1362 B.G.B. ebensowohl Anwendung finden wie bei der Verwaltungsgemeinschaft und den übrigen Güterständen. Es gilt also die Pflicht zur ehelichen Lebensgemeinschaft; das Entscheidungsrecht des Mannes in allen das gemeinschaftliche eheliche Leben betreffenden Angelegenheiten, insbesondere über Wohnort und Wohnung; das Recht der Frau, das Hauswesen zu leiten, gegebenen Falles ihre Verpflichtung, im Haushalt oder Geschäft des Mannes mitzuarbeiten; ihre Schlüsselgewalt; das Recht des Mannes, mit Ermächtigung durch das Vormundschaftsgericht Verpflichtungen der Frau zu kündigen, wenn sie sich zu einer Leistung verpflichtet, die ihre Person und Tätigkeit dem Hauswesen und der Familie entziehen kann; die gegenseitige Haftung für die Sorgfalt in eigenen Angelegenheiten; Pflicht des Mannes, der Frau nach Maßgabe seiner Lebensstellung, seines Vermögens und seiner Erwerbsfähigkeit Unterhalt zu gewähren; Pflicht der Frau dem erwerbsunfähigen Manne nach Maßgabe ihres Vermögens und ihrer Erwerbsfähigkeit den seiner Lebensstellung entsprechenden Unterhalt zu gewähren; Vermutung, daß die beweglichen Sachen dem Manne gehören, die ausschließlich zum persönlichen Gebrauch der Frau bestimmten Sachen der Frau.

§ 107. Allgemeine Gütergemeinschaft. [1])

I. 1) „Das Vermögen des Mannes und das Vermögen der Frau werden durch die allgemeine Gütergemeinschaft gemeinschaftliches Vermögen beider Ehegatten (Gesamtgut.) Zu dem Gesamtgut gehört auch das Vermögen, das der Mann oder die Frau während der Gütergemeinschaft erwirbt" (§ 1438 I). Damit die dinglichen und obligatorischen Rechte gemeinsam werden, müßte eigentlich jeder Teil durch besonderes Rechtsgeschäft dem anderen Ehegatten seinen Anteil an den Rechten übertragen, aber davon sieht das B.G.B. mit Recht ab und läßt die Rechtsgemeinschaft an allen Rechten mit einem Male eintreten, „die einzelnen Gegenstände werden gemeinschaftlich, ohne daß es einer Übertragung durch Rechtsgeschäft bedarf" (§ 1438 II). Grundbuchsrechte werden ebenfalls ohne weiteres gemeinsam und jeder Ehegatte kann von dem anderen verlangen, daß das Grundbuch berichtigt werde (§ 1438 III).

2) Von dem Gesamtgut ist zu scheiden das Vorbehaltsgut, das durch Ehevertrag für Vorbehaltsgut eines Ehegatten erklärte Vermögen (§ 1440) und das, was ein Ehegatte erbt oder als Vermächtnis oder als Geschenk erhält, wenn der Erblasser oder Schenker es zum Vorbehaltsgut bestimmt hat (§§ 1440, 1369). Vorbehaltsgut ist ferner, was auf Grund eines zum Vorbehaltsgut gehörenden Rechtes oder als Ersatz für Vorbehaltsgut erworben wird (§§ 1440, 1370; s. oben bei der Verwaltungsgemeinschaft § 102 S. 387 f.).

3) Von Vorbehaltsgut und Gesamtgut zu scheiden sind die Gegenstände, die nicht durch Rechtsgeschäft übertragen werden können, also immer unübertragbar sind, z. B. der Nießbrauch (§ 1059). Diese Rechte werden behandelt, wie das Eingebrachte bei der Errungenschaftsgemeinschaft, nur ist der § 1524 ausgeschlossen (§ 1439). Das Nähere folgt unten bei der Errungenschaftsgemeinschaft.

II. „Auf das Vorbehaltsgut der Frau finden die bei der

---

1) Viele Einzelbestimmungen bei der allgemeinen Gütergemeinschaft sind den Bestimmungen über die Verwaltungsgemeinschaft nachgebildet. Beispiele zu ihnen sind bei der Verwaltungsgemeinschaft zu finden, worauf im Folgenden durch Angabe der Seitenzahlen verwiesen wird.

Gütertrennung für das Vermögen der Frau geltenden Vorschriften entsprechende Anwendung; die Frau hat jedoch dem Manne zur Bestreitung des ehelichen Aufwandes einen Beitrag nur insoweit zu leisten, als die in das Gesamtgut fallenden Einkünfte zur Bestreitung des Aufwandes nicht ausreichen" (§ 1441). Für das Vorbehaltsgut des Mannes sind besondere Vorschriften nicht notwendig.

III. In Ansehung des Gesamtgutes stehen die Ehegatten, wie schon bemerkt, in einer Rechtsgemeinschaft, diese Rechtsgemeinschaft ist eine Gemeinschaft zur gesamten Hand, wie sich aus den Bestimmungen des § 1442 ergibt.

„Ein Ehegatte kann nicht über seinen Anteil an dem Gesamtgut und an den einzelnen dazu gehörenden Gegenständen verfügen; er ist nicht berechtigt, Teilung zu verlangen" (§ 1442 I).

Die Gemeinschaft zur gesamten Hand kommt zur Anwendung auch bei der Gesellschaft (§ 719 I).

Die Gemeinschaft zur gesamten Hand zeigt sich darin, daß der einzelne Gemeinder ohne Mitwirkung der übrigen Gemeinder weder über das Ganze, noch über einen Teil des gemeinschaftlichen Gegenstandes verfügen kann. Man spricht auch wohl von einem Miteigentum ohne bestimmte Anteile der einzelnen Genossen. Dieser Begriff hat auf den ersten Blick etwas Verschwommenes an sich, wenn man ihn mit dem klaren, folgerichtigen Miteigentumsbegriff zu ideellen Anteilen vergleicht, aber es ist doch etwas Richtiges an ihm.

Beim gewöhnlichen Miteigentum ist, wie oben § 62 S. 256 f. ausgeführt ist, nicht die Sache selber als geteilt zu denken, sondern das Recht an der Sache. Es ist geteilt nach genau begrenzten Bruchteilen, ideellen Teilen, Anteilen. Jeder Anteil steht zur alleinigen Verfügung des betreffenden Berechtigten, der in Ansehung des Anteiles ebenso frei und unbeschränkt ist, als wäre er alleiniger Eigentümer. Denkt man sich nun eine Sache als im Miteigentum von A. und B. stehend, so sind ihre beiden Rechtsgebiete beim gewöhnlichen Miteigentum in der Vorstellung scharf gegen einander begrenzt. Der A. ist Miteigentümer zur Hälfte, B. ebenfalls. Gesetzt B. beschränkt sich in seinem Rechte zu Gunsten des A. derart, daß er keinerlei Verfügung über seinen Anteil ohne Zustimmung oder Mitwirkung des A. vornehmen kann, so wird die Grenzlinie zwischen den Berechtigungen der beiden Miteigentümer schon etwas verwischt, wenn sie auch noch grundsätzlich weiter besteht. Sie verschwindet noch mehr, wenn B. dem A. auch das Nutzungs- und Verwaltungsrecht an seinem, des B., Anteil in demselben Maße zugesteht, wie B. es selber hat. Demzufolge hat A. an dem Anteil des B. dieselben Rechte wie B. Denkt man sich weiter, daß nunmehr auch A. dem B. das Recht einräumt, zu den Verfügungen des A. über seinen Anteil zuzustimmen oder dabei mitzuwirken, sodaß A. über seinen Anteil ohne Zustimmung oder Mitwirkung des B. garnicht verfügen kann und nimmt man ferner an, daß A. dem B. an seinem Anteil auf ein gleiches Verwaltungs- und Nutzungsrecht in demselben Maße, wie er, A., es hat, zugesteht, so sind die Grenzlinien zwischen den Berechtigungen der beiden Beteiligten vollkommen aufgehoben, denn jeder hat an dem Anteil des Anderen dieselben Rechte wie der Andere. Alle Befugnisse sind gemeinsam, und zwar unteilbar gemeinsam. Aus dem Miteigentum zu scharf begrenzten Anteilen ist ein Miteigentum geworden, bei dem kein Miteigentümer auch nur über das geringste Rechtsteilchen ohne die übrigen Miteigentümer verfügen kann. Insofern ist also der Begriff des Miteigentums ohne bestimmte Anteile durchaus haltbar. Die Rechtsgemeinschaft zur gesamten Hand kommt, abgesehen von der zwitterhaften Erbengemeinschaft, nur in den beiden genannten Fällen vor, sonst kennt das B.G.B. nur das gewöhnliche Miteigentum, die Gemeinschaft (§ 747), bei dem jeder Teilhaber über seinen Anteil frei verfügen und auch jederzeit die Aufhebung der Gemeinschaft verlangen kann (§ 749).

Der Beschränkung des einzelnen Gemeinders in der Verfügungsgewalt über das Gesamtgut entspricht die Bestimmung, daß gegen eine zum Gesamtgut gehörende Forderung nur mit einer solchen Forderung aufgerechnet werden darf, deren Befriedigung aus dem Gesamtgute verlangt werden kann (§ 1442 II). Wie die Ehegatten, so soll auch der Schuldner nicht das Gesamtgut beliebig schmälern, seinen Zwecken entfremden können.

§ 108. (Fortsetzung.) Rechte des Mannes.

I. „Das Gesamtgut unterliegt der Verwaltung des Mannes. Der Mann ist insbesondere berechtigt, die zum Gesamtgut gehörenden

Sachen in Besitz zu nehmen (er kann sie also von der Frau oder einen unbefugten sonstigen Besitzer herausverlangen), über das Gesamtgut zu verfügen, sowie Rechtsstreitigkeiten, die sich auf das Gesamtgut beziehen, im eigenen Namen zu führen (vergl. oben S. 391).

Die Frau wird durch die Verwaltungshandlungen des Mannes weder Dritten noch dem Manne gegenüber persönlich verpflichtet" (§ 1443; vergl. oben S. 389). Die Frau kann im Bereiche ihrer Schlüsselgewalt den Mann vertreten und ihn gegenüber Dritten verpflichten, aber nicht umgekehrt.

II. Die Verfügungsgewalt des Mannes über das Gesamtgut ist in Wahrheit die Verfügungsgewalt beider Ehegatten, sie ist nur dem Manne anvertraut, weil ein zweiköpfiges Regiment nicht durchführbar ist. Die Befugnisse beider Ehegatten sind in die eine Hand des Mannes gelegt.

Aber der Mann hat nicht alle Befugnisse.

1) „Der Mann bedarf der Einwilligung der Frau zu einem Rechtsgeschäfte, durch das er sich zu einer Verfügung über das Gesamtgut im Ganzen verpflichtet, sowie zu einer Verfügung über Gesamtgut, durch die eine ohne Zustimmung der Frau eingegangene Verpflichtung dieser Art erfüllt werden soll" (§ 1444).

2) „Der Mann bedarf der Einwilligung der Frau zur Verfügung über ein zu dem Gesamtgute gehörendes Grundstück, sowie zur Eingehung der Verpflichtung zu einer solchen Verfügung" (auch wenn das Grundstück von dem Manne eingebracht ist (§ 1445).

3) „Der Mann bedarf der Einwilligung der Frau zu einer Schenkung aus dem Gesamtgute sowie zu einer Verfügung über Gesamtgut, durch welche das ohne Zustimmung der Frau erteilte Versprechen einer solchen Schenkung erfüllt werden soll. Das Gleiche gilt von einem Schenkungsversprechen, das sich nicht auf das Gesamtgut bezieht (weil hiefür auch das Gesamtgut haftet).

Ausgenommen sind Schenkungen, durch die einer sittlichen Pflicht oder einer auf den Anstand zu nehmenden Rücksicht entsprochen wird" (§ 1446).

4) „Ist zur ordnungsmäßigen Verwaltung des Gesamtgutes ein Rechtsgeschäft der in den §§ 1444, 1445 bezeichneten Art erforderlich, so kann die Zustimmung der Frau auf Antrag des Mannes

durch das Vormundschaftsgericht ersetzt werden, wenn die Frau sie ohne ausreichenden Grund verweigert.

Das Gleiche gilt, wenn die Frau durch Krankheit oder durch Abwesenheit an der Abgabe einer Erklärung verhindert und mit dem Aufschube Gefahr verbunden ist" (§ 1447).

5) a. Nimmt der Mann ohne Einwilligung der Frau ein Rechtsgeschäft der in den §§ 1444 bis 1446 bezeichneten Art vor, so hängt die Wirkung des Rechtsgeschäftes von der nachträglichen Genehmigung der Frau ab, wenn es ein Vertrag ist.

b. Ein einseitiges Rechtsgeschäft bleibt für immer unwirksam und muß, wenn eine rechtliche Wirkung eintreten soll, noch einmal vorgenommen werden. Bis zur Genehmigung des Vertrages durch die Frau kann der Gegner widerrufen.

Es wird also im Großen und Ganzen alles entsprechend so gehalten, wie wenn bei der Verwaltungsgemeinschaft die Frau ohne Einwilligung des Mannes über Eingebrachtes verfügt (§§ 1448, 1396 I, III; §§ 1397, 1398; vergl. oben S. 392 f.).

Wird durch ein vom Manne ohne die erforderliche Zustimmung der Frau vorgenommenes Rechtsgeschäft das Gesamtgut bereichert, so kann er die Herausgabe der Bereicherung nach den Vorschriften über die Herausgabe einer ungerechtfertigten Bereicherung fordern (§ 1455).

III. „Verwendet der Mann Vorbehaltsgut in das Gesamtgut, so kann er Ersatz aus dem Gesamtgute verlangen" (§ 1466 II).

§ 109. (Fortsetzung.) Rechte der Frau.

I. 1) „Verfügt der Mann ohne die erforderliche Zustimmung der Frau über ein zu dem Gesamtgut gehörendes Recht, so kann die Frau das Recht ohne Mitwirkung des Mannes gegen Dritte gerichtlich geltend machen" (§ 1449).

2) „Ist der Mann durch Krankheit oder durch Abwesenheit verhindert, ein sich auf das Gesamtgut beziehendes Rechtsgeschäft vorzunehmen oder einen sich auf das Gesamtgut beziehenden Rechtsstreit zu führen, so kann die Frau im eigenen Namen oder im Namen des Mannes das Rechtsgeschäft vornehmen oder den Rechtsstreit führen, wenn mit dem Aufschube Gefahr verbunden ist"

(§ 1450, vergl. oben S. 396). Diese Befugnis hat die Frau außer ihrer Schlüsselgewalt.

3) „Ist zur ordnungsmäßigen Besorgung der persönlichen Angelegenheiten der Frau (s. oben § 103, S. 396, 406) ein Rechtsgeschäft erforderlich, das die Frau mit Wirkung für das Gesamtgut nicht ohne Zustimmung des Mannes vornehmen kann, so kann die Zustimmung auf Antrag der Frau durch das Vormundschaftsgericht ersetzt werden, wenn der Mann sie ohne ausreichenden Grund verweigert" (§ 1451, vergl. oben S. 396).

5) Betreibt die Frau mit Erlaubnis oder mit Wissen und ohne Einspruch des Mannes selbständig ein Erwerbsgeschäft, so ist seine Zustimmung zu solchen Rechtsgeschäften und Rechtsstreitigkeiten nicht erforderlich, die der Geschäftsbetrieb mit sich bringt (§ 1452), d. h. sie haben Wirkung auch gegen das Gesamtgut ohne seine besondere Zustimmung; vergl. oben S. 396.

6) „Zur Annahme oder Ausschlagung einer der Frau angefallenen Erbschaft oder eines ihr angefallenen Vermächtnisses ist nur die Frau berechtigt; die Zustimmung des Mannes ist nicht erforderlich. Das Gleiche gilt von dem Verzicht auf den Pflichtteil, sowie von der Ablehnung eines der Frau gemachten Vertragsantrages oder einer Schenkung" (§ 1453 I, vergl. oben S. 396).

7) „Zur Fortsetzung eines bei dem Eintritte der Gütergemeinschaft anhängigen Rechtsstreites bedarf die Frau nicht der Zustimmung des Mannes" (§ 1454), es ist so anzusehen, als ob das von der Frau in das Gesamtgut Eingebrachte mit dem Rechtsstreit belastet wäre (vergl. oben S. 397).

II. Die Frau hat ebenfalls die Bereicherungsklage aus § 1455, wenn das Gesamtgut durch ein ohne die erforderliche Zustimmung des Mannes vorgenommenes Rechtsgeschäft bereichert ist.

III. Die Frau hat nicht das Recht, den Mann für die Verwaltung des Gesamtgutes zur Verantwortung zu ziehen. „Er hat jedoch für eine Verminderung des Gesamtgutes zu diesem Ersatz zu leisten, wenn er die Verminderung in der Absicht, die Frau zu benachteiligen, oder durch ein Rechtsgeschäft herbeiführt, das er ohne die erforderliche Zustimmung der Frau vornimmt" (§ 1456).

Ferner kann die Frau Ersatz verlangen, wenn der Mann Gesamtgut in sein Vorbehaltsgut verwendet (§ 1466 I).

§ 110. (Fortsetzung.) Haftung der Ehegatten.

I. Der oberste Grundsatz der Gütergemeinschaft ist, daß der eheliche Aufwand dem Gesamtgut zur Last fällt, also beiden Ehegatten (§ 1458). Daneben kommt unter Umständen jene allgemeine Bestimmung des § 1360 über die gegenseitige Unterhaltspflicht zur Anwendung.

II. Allen Gläubigern des Mannes haftet das Gesamtgut unbedingt für alle ihre Forderungen, mögen sie vor oder während der Gütergemeinschaft entstanden sein; den Gläubigern der Frau haftet das Gesamtgut nur dann, wenn ihre Schulden Gesamtgutsverbindlichkeiten sind. Während die Schulden des Mannes stets Gesamtgutsverbindlichkeiten sind, sind es die Schulden der Frau nicht immer.

a. Gesamtgutsverbindlichkeiten sind die Schulden der Frau aus einem nach Eintritt der Gütergemeinschaft mit Einwilligung des Mannes von ihr vorgenommenen Rechtsgeschäft. Diese Schulden sind auch dann Gesamtgutsverbindlichkeiten, wenn die Frau ohne Einwilligung des Mannes handelte, aber ausnahmsweise gemäß §§ 1449 bis 1454 der ehemännlichen Zustimmung nicht bedarf (§ 1460).

b. Gesamtgutsverbindlichkeiten sind auch die Schulden der Frau aus einem von ihr mit ehemännlicher ausdrücklicher oder stillschweigender Einwilligung selbständig betriebenen Erwerbsgeschäft (§ 1452).

c. Unter allen Umständen sind Gesamtgutsverbindlichkeiten die Kosten eines von der Frau geführten Prozesses, auch wenn sie ihn ohne Zustimmung des Mannes führt (§ 1460 II).

d. Gesamtgutsverbindlichkeiten sind auch die Schulden aus einer unerlaubten Handlung.

2. a. Keine Gesamtgutsverbindlichkeiten sind die Schulden der Frau aus einem ohne die erforderliche ehemännliche Einwilligung vorgenommenen Rechtsgeschäfte, es sei denn, daß sie der Einwilligung ausnahmsweise nicht bedarf.

b. Keine Gesamtgutsverbindlichkeiten sind die Schulden der Frau, „die in Folge des Erwerbes einer Erbschaft oder eines Vermächtnisses (nach § 1453 bedarf die Frau hiezu der ehemännlichen Zustimmung nicht) entstehen, wenn die Frau die Erbschaft oder

27*

das Vermächtnis nach dem Eintritte der Gütergemeinschaft als Vorbehaltsgut erwirbt" (§ 1461, vergl. oben S. 401.

c. Keine Gesamtgutsverbindlichkeit ist die Verbindlichkeit der Frau, "die nach dem Eintritt der Gütergemeinschaft infolge eines zu dem Vorbehaltsgute gehörenden Rechtes oder des Besitzes einer dazu gehörenden Sache entsteht, es sei denn, daß das Recht oder die Sache zu einem Erwerbsgeschäfte gehört, das die Frau mit Einwilligung des Mannes selbständig betreibt" (§ 1462; vergl. oben S. 401).

Die Ausnahmen betreffen nur Verbindlichkeiten, die nach Eintritt der Gütergemeinschaft entstanden sind, die vorher entstandenen, also alle vorehelichen Schulden treffen stets das Gesamtgut.

II. Für die Gesamtgutsverbindlichkeiten der Frau haftet der Mann ihren Gläubigern auch persönlich mit seinem Vorbehaltsgut als Gesamtschuldner (§ 1459 II). Für gewisse Schulden haftet er aber nur, solange die Gütergemeinschaft dauert, nämlich für alle Schulden, deren Zahlung nicht endgültig auf dem Eingebrachten haften soll. Zunächst haftet für sie zwar der Mann persönlich und das Gesamtgut, aber die Frau hat aus dem Vorbehaltsgut Ersatz zu zahlen. Dies sind ersatzpflichtige Gesamtgutsverbindlichkeiten.

III. Ersatzpflichtige Gesamtgutsverbindlichkeiten können nicht bloß der Frau obliegen, auch den Mann können sie treffen, sobaß er aus seinem Vorbehaltsgut das Gesamtgut ergänzen muß, wenn seine Schulden aus dem Gesamtgut bezahlt sind.

1) Ersatzpflichtige Verbindlichkeiten für beide Ehegatten sind

a. die Verbindlichkeiten aus einer unerlaubten Handlung, die ein Ehegatte nach Eintritt der Gütergemeinschaft begeht;

b. die Verbindlichkeiten aus einem Strafverfahren, das wegen einer solchen Handlung gegen ihn gerichtet wird;

c. die Verbindlichkeiten aus einem sich auf sein Vorbehaltsgut beziehenden Rechtsverhältnis (Bereicherung des Vorbehaltsguts), auch wenn sie vor dem Eintritte der Gütergemeinschaft oder vor der Zeit entstanden sind, zu der das Gut Vorbehaltsgut geworden ist;

d. die Kosten eines Rechtsstreites über eine der genannten Verbindlichkeiten (§ 1463);

e. "Verspricht oder gewährt der Mann einem nicht gemeinschaftlichen Kinde eine Ausstattung aus dem Gesamtgute, so fällt sie im

Verhältnisse der Ehegatten zu einander dem Vater oder der Mutter des Kindes zur Last, der Mutter jedoch nur insoweit, als sie zustimmt, oder die Ausstattung nicht das dem Gesamtgut entsprechende Maß übersteigt" (§ 1465).

Dies sind die Gesamtgutsverbindlichkeiten, für die gegebenen Falles Mann und Frau Ersatz aus ihrem Vorbehaltsgut zu leisten haben.

2) Ersatzpflichtige Verbindlichkeiten der Frau allein sind

a. die Kosten eines Rechtsstreites zwischen den Ehegatten, „soweit sie nicht der Mann zu tragen hat" (§ 1464 I, vergl. oben S. 406 f.).

b. „Das Gleiche gilt von den Kosten eines Rechtsstreites zwischen der Frau und einem Dritten, es sei denn, daß das Urteil dem Gesamtgute gegenüber wirksam ist", vergl. S. 406; d. h. nach außen sind Prozeßkosten immer Gesamtgutsverbindlichkeiten, aber die Frau muß sie aus ihrem Vorbehaltsgut ersetzen, wenn z. B. der Mann zu dem Rechtsgeschäft, über das sie prozessiert, nicht zugestimmt hat oder wenn der Proceß sich um eine der in den §§ 1461, 1462 genannten Verbindlichkeiten dreht. Betrifft jedoch der Rechtsstreit eine persönliche Angelegenheit der Frau oder eine nicht unter die Vorschriften des § 1463 Nr. 1, 2 fallende Gesamtgutsverbindlichkeit der Frau, so fallen die Prozeßkosten doch dem Gesamtgut endgültig zur Last und der Mann haftet für sie auch noch nach Auflösung der Gütergemeinschaft persönlich, wenn die Aufwendung der Kosten den Umständen nach geboten war (§ 1464 II; vergl. S. 406 f.).

3) Nur der Mann ist bei folgender Gesamtgutsverbindlichkeit beteiligt: „Im Verhältnisse der Ehegatten zu einander fällt eine Ausstattung, die der Mann einem gemeinschaftlichen Kinde aus dem Gesamtgut verspricht oder gewährt, dem Manne insoweit zur Last, als sie das dem Gesamtgut entsprechende Maß übersteigt" (§ 1465 I).

IV. „Was ein Ehegatte zu dem Gesamtgut oder die Frau zu dem Vorbehaltsgut des Mannes schuldet, ist erst nach der Beendigung der Gütergemeinschaft zu leisten; soweit jedoch zur Berichtigung einer Schuld der Frau deren Vorbehaltsgut ausreicht, hat sie die Schuld schon vorher zu berichtigen. (Hat die Frau ohne Einwilligung des Mannes mit einem Dritten prozessiert, sei es über ein zum Gesamtgut oder zum Vorbehaltsgut gehörendes Recht und hat sie 800 Mk. Prozeßkosten zu zahlen, während ihr Vorbehaltsgut

500 Mk. beträgt, so kann der Mann, wenn er die Prozeßkosten freiwillig oder durch den Gerichtsvollzieher auf Grund von § 1460 II gezwungen bezahlt hat, von der Frau sofort Ersatz von 500 Mk. verlangen.)

Was der Mann aus dem Gesamtgute zu fordern hat, kann er erst nach der Beendigung der Gütergemeinschaft fordern" also den Rest von 300 Mk. (§ 1467).

§ 111. Ende der Gütergemeinschaft.

I. Die Gütergemeinschaft endet durch Tod eines Gatten (§ 1482), Vertrag beider Ehegatten (§ 1432, 1437 I), Scheidung (§ 1478), Ablehnung des überlebenden Ehegatten nach dem Tode des anderen die Gütergemeinschaft mit den Kindern fortzusetzen (§ 1484), Aufhebungsurteil (§ 1468—1470).

II. „Die Frau kann auf Aufhebung der Gütergemeinschaft klagen:

1) wenn der Mann ein Rechtsgeschäft der in den §§ 1444 bis 1446 bezeichneten Art (Verfügungen und Schenkungen des Mannes ohne Einwilligung der Frau, s. oben S. 416) ohne Zustimmung der Frau vorgenommen hat und für die Zukunft eine erhebliche Gefährdung der Frau zu besorgen ist;

2) wenn der Mann das Gesamtgut in der Absicht, die Frau zu benachteiligen, vermindert hat;

3) wenn der Mann seine Verpflichtung, der Frau und den gemeinschaftlichen Abkömmlingen Unterhalt zu gewähren, verletzt hat und für die Zukunft eine erhebliche Gefährdung des Unterhaltes zu besorgen ist;

4) wenn der Mann wegen Verschwendung entmündigt ist oder wenn er das Gesamtgut durch Verschwendung erheblich gefährdet;

5) wenn das Gesamtgut infolge von Verbindlichkeiten, die in der Person des Mannes entstanden sind, in solchem Maße überschuldet ist, daß ein späterer Erwerb der Frau erheblich gefährdet wird" (§ 1468).

III. „Der Mann kann auf Aufhebung der Gütergemeinschaft klagen, wenn das Gesamtgut infolge von Verbindlichkeiten der Frau, die im Verhältnisse der Ehegatten zu einander nicht dem Gesamtgute zur Last fallen (für die also der Mann nach Aufhebung der Gütergemeinschaft nicht mehr persönlich mit seinem Vorbehaltsgut haftet), in solchem Maße überschuldet ist, daß ein späterer Erwerb des Mannes erheblich gefährdet wird" (§ 1469).

Gefährdet wird der Erwerb nur durch die Fortdauer der Gütergemeinschaft, da mit der Gütergemeinschaft auch die Haftung des Mannes erlischt.

IV. „Dritten gegenüber ist die Aufhebung der Gütergemeinschaft nur nach Maßgabe des § 1435 wirksam" (1470 I; f. oben S. 411 f.).

V. Bis zur erfolgten Auseinandersetzung verwalten die Ehegatten das Gesamtgut gemeinsam (§§ 1471, 1472). In dieser Übergangszeit kann das Gesamtgut noch wachsen durch Ersatzleistungen ꝛc. (§ 1473).

Haben die Ehegatten über die Art der Auseinandersetzung nichts abgemacht, so gelten die §§ 1475—1481. Zunächst sind die Gesamtgutsverbindlichkeiten zu tilgen (§ 1475) und der Rest dann in gleichen Hälften zu verteilen (§ 1476), ohne Rücksicht darauf, wie viel der einzelne Ehegatte eingebracht hat.

Wer bei der Scheidung für allein schuldig erklärt ist, muß dem anderen Ehegatten auf dessen Verlangen sein ganzes Eingebrachtes herausgeben oder ersetzen (§ 1478).

§ 112. Fortgesetzte Gütergemeinschaft.

I. „Sind bei dem Tode eines Ehegatten gemeinschaftliche Abkömmlinge vorhanden, so wird zwischen dem überlebenden Ehegatten und den gemeinschaftlichen Abkömmlingen, die im Falle der gesetzlichen Erbfolge (d. h. wenn kein Testament gemacht ist) als Erben berufen sind, die Gütergemeinschaft fortgesetzt. Der Anteil des verstorbenen Ehegatten am Gesamtgute gehört in diesem Falle nicht zum Nachlaß (d. h. die Rechte der Kinder und des überlebenden Ehegatten an dem Anteil des verstorbenen richten sich nach den Bestimmungen des Familiengüterrechtes und nicht nach den Bestimmungen des Erbrechtes); im Übrigen erfolgt die Beerbung des Ehegatten (d. h. seines Vorbehaltsgutes) nach den allgemeinen Vorschriften (d. h. des Erbrechtes)" (§ 1483). Das Schicksal des Gesamtgutes richtet sich also nach den Bestimmungen des Familienrechtes, das Schicksal des Vorbehaltsgutes nach den Bestimmungen des Erbrechtes, aber die Bestimmungen des Familienrechtes nehmen auf die Bestimmungen des Erbrechtes Rücksicht.

Die fortgesetzte Gütergemeinschaft tritt nicht ein, wenn der überlebende Ehegatte ablehnt (§ 1484) oder wenn sie durch Vertrag der Eheleute (§ 1508) oder durch letztwillige Verfügung unter den Voraussetzungen des § 1509 ausgeschlossen ist.

II. Das Gesamtgut der fortgesetzten Gütergemeinschaft besteht aus dem bisherigen ehelichen Gesamtgut und aus dem, was der überlebende Ehegatte erwirbt. Sonstiges Vermögen und jeglicher Erwerb der Abkömmlinge fällt nicht in das Gesamtgut (§ 1485).

Das Vorbehaltsgut des überlebenden Ehegatten bleibt unberührt (§ 1486 I).

Der überlebende Ehegatte hat die Stellung des Mannes, die Abkömmlinge haben die Stellung der Frau (§ 1487). Im Allgemeinen gelten für die fortgesetzte Gütergemeinschaft die Regeln der ehelichen Gütergemeinschaft.

Die fortgesetzte Gütergemeinschaft endet durch Aufhebung seitens des überlebenden Ehegatten (§ 1492), seine Wiederverheiratung (§ 1493), seinen Tod (§ 1494 I), seine Todeserklärung (§ 1494 II). Überdies kann ein anteilsberechtigter Abkömmling auf Aufhebung der Gemeinschaft klagen, besonders wenn das Gesamtgut gefährdet wird oder (zwar das Gesamtgut ordnungsmäßig verwaltet wird) aber der Ehegatte seine Unterhaltspflicht gegen den Abkömmling verletzt, oder wenn er wegen Verschwendung entmündigt wird, oder die elterliche Gewalt verwirkt hat ꝛc. (§ 1495). Sie· erlischt nicht durch den Tod eines Abkömmlings, an dessen Stelle vielmehr regelmäßig seine Abkömmlinge treten. Stirbt er ohne Abkömmlinge, die berechtigt sind, an seine Stelle zu treten, so wächst sein Anteil den übrigen Gemeindern· an (§ 1490), d. h. über das Schicksal seines Anteils entscheidet· nicht das Erbrecht, sondern das Familiengüterrecht. Der Verstorbene wird in Ansehung seines Anteiles nicht „beerbt“.

Für die der Aufhebung folgende Auseinandersetzung gelten gemäß der §§ 1497 ff. im Allgemeinen die Vorschriften über die Auseinandersetzung bei der ehelichen Gütergemeinschaft.

Nach Abzug aller aus dem Gesamtgut zu entrichtenden Schulden erhält der überlebende Ehegatte die eine Hälfte, die Abkömmlinge zusammen die andere (§ 1503 I).

§ 113. Errungenschaftsgemeinschaft.

I. „Was der Mann oder die Frau während der Errungenschaftsgemeinschaft erwirbt, wird gemeinschaftliches Vermögen beider
Ehegatten. (Gesamtgut.)

Auf das Gesamtgut finden die für die allgemeine Gütergemeinschaft geltenden Vorschriften des § 1438 II, III und der §§ 1442
bis 1453, 1455 bis 1457 Anwendung" (§ 1519).

Außer dem Gesamtgut kommt vor das eingebrachte Gut und
das Vorbehaltsgut der Frau. Eingebrachtes kann jeder Ehegatte
haben, Vorbehaltsgut nur die Frau.

II. „Eingebrachtes Gut eines Ehegatten ist, was ihm bei dem
Eintritte der Errungenschaftsgemeinschaft gehört" (§ 1520), was er
von Todeswegen oder mit Rücksicht auf ein künftiges Erbrecht durch
Schenkung oder als Ausstattung erwirbt (der Erblasser beschenkt
schon bei Lebzeiten, „mit warmer Hand", seinen künftigen Erben).
Ausgenommen ist ein Erwerb, der den Umständen nach zu den
Einkünften zu rechnen ist" z. B.: das Geschenk ist nur gering, wird
einem Gatten zu einer gemeinschaftlichen Erholungsreise beider Gatten
gemacht (§ 1521); Eingebrachtes werden alle durch Rechtsgeschäft
nicht übertragbaren Gegenstände, alle höchst persönlichen Rechte
(Nießbrauch) und Rechte, deren Erwerb durch den Tod des einen
Ehegatten bedingt sind (Rechte aus einer Lebensversicherung) (§ 1522;
vergl. o. S. 413); Eingebrachtes ist ferner, was im Ehevertrage
dafür erklärt ist (§ 1523). § 1524 I. „Eingebrachtes Gut eines
Ehegatten ist, was er auf Grund eines zu seinem eingebrachten
Gute gehörenden Rechtes oder als Ersatz für die Zerstörung, Beschädigung oder Entziehung eines zum eingebrachten Gute gehörenden
Gegenstandes oder durch ein Rechtsgeschäft erwirbt, das sich auf
das eingebrachte Gut bezieht. Ausgenommen ist der Erwerb aus
dem Betrieb eines Erwerbsgeschäfts".

„Das eingebrachte Gut wird für Rechnung des Gesamtgutes
in der Weise verwaltet, daß die Nutzungen, welche nach den für
den Güterstand der Verwaltung und Nutznießung (Verwaltungsgemeinschaft) geltenden Vorschriften dem Manne zufallen, zu dem
Gesamtgute gehören.

Auf das eingebrachte Gut der Frau finden im Übrigen die

Vorschriften der §§ 1373 bis 1383, 1390 bis 1417 entsprechende Anwendung" (§ 1525).

III. „Vorbehaltsgut der Frau ist, was durch Ehevertrag für Vorbehaltsgut erklärt ist oder von der Frau nach § 1369 oder 1370 (Erwerb von Todeswegen oder unentgeltlich unter Lebenden, wenn der Geber den Erwerb zu Vorbehaltsgut bestimmt, Ersatzleistung zum Vorbehaltsgut, überhaupt Surrogation) erworben wird. Vorbehaltsgut des Mannes ist ausgeschlossen.

Für das Vorbehaltsgut der Frau gilt das Gleiche, wie für das Vorbehaltsgut bei der allgemeinen Gütergemeinschaft" (§ 1526).

IV. „Es wird vermutet, daß das vorhandene Vermögen Gesamtgut sei" (§ 1527).

§ 114. (Fortsetzung.) Haftung der Ehegatten.

I. „Der eheliche Aufwand fällt dem Gesamtgute zur Last.

Das Gesamtgut trägt auch die Lasten des eingebrachten Gutes beider Ehegatten" in dem bei der Verwaltungsgemeinschaft festgesetzten Umfange der §§ 1384—1387 (§ 1529).

Das Gesamtgut haftet für die Gesamtgutsverbindlichkeiten (§ 1530 I).

Gesamtgutsverbindlichkeiten sind sämtliche Verbindlichkeiten des Mannes und einige Verbindlichkeiten der Frau.

1. § 1531. „Das Gesamtgut haftet für Verbindlichkeiten der Frau, die zu den im § 1529 II bezeichneten Lasten des eingebrachten Gutes gehören".

Die in § 1529 II bezeichneten Lasten sind dieselben für die bei der Verwaltungsgemeinschaft der Mann persönlich aufkommen muß ohne Rücksicht auf die Einkünfte aus dem Eingebrachten, s. oben bei der Verwaltungsgemeinschaft (§ 103 II S. 401 f.).

2. § 1532. „Das Gesamtgut haftet für eine Verbindlichkeit der Frau, die aus einem nach dem Eintritte der Errungenschaftsgemeinschaft vorgenommenen Rechtsgeschäft entsteht, sowie für die Kosten eines Rechtsstreits, den die Frau nach dem Eintritte der Errungenschaftsgemeinschaft führt, wenn die Vornahme des Rechtsgeschäfts oder die Führung des Rechtsstreits mit Zustimmung des Mannes erfolgt oder ohne seine Zustimmung für das Gesamtgut wirksam ist".

Ohne Zustimmung des Mannes sind gemäß § 1519 II das

Rechtsgeschäft oder die Prozeßführung für das Gesamtgut wirksam entsprechend den für die allgemeine Gütergemeinschaft geltenden Grundsätzen, die selber aber wieder den Grundsätzen bei der Verwaltungsgemeinschaft nachgebildet sind, s. oben bei der Gütergemeinschaft § 109 S. 417 f.

3. § 1533. „Das Gesamtgut haftet für eine Verbindlichkeit der Frau, die nach dem Eintritte der Errungenschaftsgemeinschaft infolge eines ihr zustehenden Rechtes oder des Besitzes einer ihr gehörenden Sache entsteht, wenn das Recht oder die Sache zu einem Erwerbsgeschäfte gehört, das die Frau mit Einwilligung des Mannes selbständig betreibt.

Hierzu ist zu vergleichen oben bei der Gütergemeinschaft § 110 II, S. 419, bei der Verwaltungsgemeinschaft § 102 II, 2 e S. 387, § 104 I, A. 3, S. 400.

4. § 1534. „Das Gesamtgut haftet für Verbindlichkeiten der Frau, die ihr auf Grund der gesetzlichen Unterhaltspflicht obliegen".

Hierzu ist zu vergleichen oben bei der Verwaltungsgemeinschaft § 104 I, A. 3, S. 400.

Niemals sind Gesamtgutsverbindlichkeiten ihre Verbindlichkeiten, die vor dem Eintritt der Gemeinschaft oder aus unerlaubten Handlungen nach dem Eintritt der Gemeinschaft entstanden sind.

II. Für Gesamtgutsverbindlichkeiten der Frau haftet der Mann auch persönlich als Gesamtschuldner. Aber seine Haftung erlischt in den Fällen des § 1535 mit dem Aufhören der Gemeinschaft (§ 1530).

„Im Verhältnisse der beiden Ehegatten zu einander fallen folgende Gesamtgutsverbindlichkeiten dem Ehegatten zur Last, in dessen Person sie entstehen:

1) die Verbindlichkeiten aus einem sich auf sein eingebrachtes Gut (Mann oder Frau) oder sein Vorbehaltsgut (nur die Frau) beziehenden Rechtsverhältnis, auch wenn sie vor Eintritt der Errungenschaftsgemeinschaft oder vor der Zeit entstanden sind, zu der das Gut eingebrachtes Gut oder Vorbehaltsgut geworden ist; vergl. oben S. 420. (Das Eingebrachte oder das Vorbehaltsgut ist ungerechtfertigt bereichert; für die Ausbesserung einer zum Eingebrachten oder Vorbehaltsgut gehörenden Sache ist dem Handwerker der Lohn zu zahlen.)

2) die Kosten eines Rechtsstreites, den der Ehegatte über eine der in Nr. 1) bezeichneten Verbindlichkeiten führt" (§ 1535).

III. Die Verbindlichkeiten des Mannes sind wie schon erwähnt immer Gesamtgutsverbindlichkeiten, aber zuweilen muß er aus seinem Eingebrachten zu dem Gesamtgut ersetzen, was aus dem Gesamtgut für seine Schulden gezahlt ist. Davon handelt § 1536:

„Im Verhältnisse der Ehegatten zu einander fallen dem Manne zur Last:

1) die vor dem Eintritte der Errungenschaftsgemeinschaft entstandenen Verbindlichkeiten des Mannes (also mindestens alle vorehelichen Schulden);

2) die Verbindlichkeiten des Mannes, die der Frau gegenüber aus der Verwaltung ihres eingebrachten Gutes entstehen (der Mann hat eine fällige Forderung der Frau eingezogen), soweit nicht das Gesamtgut zur Zeit der Beendigung der Errungenschaftsgemeinschaft bereichert ist;

3) die Verbindlichkeiten des Mannes aus einer unerlaubten Handlung, die er nach dem Eintritte der Errungenschaftsgemeinschaft begeht oder aus einem Strafverfahren, das wegen einer unerlaubten Handlung gegen ihn gerichtet wird;

4) die Kosten eines Rechtsstreites, den der Mann über eine der in Nr. 1) bis 3) bezeichneten Verbindlichkeiten führt" (§ 1536).

IV. Die soeben dargelegten Bestimmungen des § 1535 und des § 1536, 1, 4, können unter Umständen in Widerspruch treten mit § 1529 II, der bestimmt, daß das Gesamtgut auch die Lasten des eingebrachten Gutes beider Ehegatten zu tragen hat, s. oben unter I. In solchen Kollisionsfällen geht § 1529 vor (§ 1537 I).

V. 1. Wird ein Erwerbsgeschäft für Rechnung des Gesamtgutes geführt, so fallen die im Betriebe des Erwerbsgeschäftes gemäß § 1537 II entstehenden Verbindlichkeiten in dem in § 1537 II bezeichneten Maße dem Gesamtgute dauernd zur Last.

2. Die Ausstattung eines Kindes fällt dem Gesamtgute zur Last, ihr Übermaß aber dem Manne (§ 1538).

3. Bereicherung des Gesamtgutes auf Kosten des Eingebrachten eines Ehegatten ist auszugleichen, ebenso Bereicherung des Eingebrachten auf Kosten des Gesamtgutes, soweit die Bereicherung zur Zeit der Beendigung der Errungenschaftsgemeinschaft besteht. (§ 1539).

4. Schulden eines Gatten an das Gesamtgut oder Schulden der Frau an das Eingebrachte des Mannes (der Mann hat mit seinem Eingebrachten eine Deliktsschuld der Frau beglichen) sind erst nach Beendigung der Gemeinschaft zu entrichten, aber die Frau muß schon vorher zahlen, soweit ihr eingebrachtes Gut und ihr Vorbehaltsgut dazu ausreichen. Forderungen des Mannes an das Gesamtgut (er hat aus eigenem Gelde für das Gesamtgut Anschaffungen gemacht) können erst nach Beendigung der Gemeinschaft geltend gemacht werden (§ 1541).

§ 115. Beendigung der Errungenschaftsgemeinschaft.

Die Errungenschaftsgemeinschaft endigt durch Tod oder Toterklärung eines Gatten, durch Scheidung, mit Konkurs des Mannes, ferner auf Klage eines Gatten durch richterliches Erkenntnis (vergl. die §§ 1542—1544).

Endigt sie in Folge Klage, Konkurs des Mannes oder Toterklärung eines Ehegatten, so tritt Gütertrennung ein (§ 1545).

Die Frau kann bei Konkurs des Mannes auf Wiederherstellung der Gemeinschaft klagen, der Mann, wenn die über ihn angeordnete Entmündigung oder Pflegschaft wieder aufgehoben oder der Entmündigungsbeschluß mit Erfolg angefochten ist (§ 1547).

„Dritten gegenüber ist die Wiederherstellung der Gemeinschaft, wenn die Beendigung in das Güterrechtsregister eingetragen ist, nur nach Maßgabe des § 1435 wirksam" (§ 1548 II), d. h. die Wiederherstellung muß in das Güterrechtsregister eingetragen oder dem Dritten bekannt sein.

§ 116. Fahrnisgemeinschaft.

I. Fahrnisgemeinschaft ist die Gemeinschaft des beweglichen Vermögens und der Errungenschaft; sie ist eine abgeänderte allgemeine Gütergemeinschaft insofern, als das in die Ehe mitgebrachte unbewegliche Vermögen von dem Gesamtgut ausgeschlossen bleibt. Das während der Ehe entgeltlich erworbene, errungene, bewegliche und unbewegliche Vermögen wird Gesamtgut, wenngleich dies durch den Namen Fahrnisgemeinschaft nicht gerade ausgedrückt wird. Wenn kein Ehegatte unbewegliches Vermögen hat, deckt sie sich praktisch mit der Gütergemeinschaft.

„Auf die Gemeinschaft des beweglichen Vermögens und der Errungenschaft (Fahrnisgemeinschaft) finden die für die allgemeine Gütergemeinschaft geltenden Vorschriften Anwendung, soweit sich nicht aus den §§ 1550 bis 1557 ein Anderes ergibt" (§ 1549).

II. Die allgemeine Gütergemeinschaft kennt kein eingebrachtes Gut, sondern außer dem Gesamtgut nur das Vorbehaltsgut eines Ehegatten, die Fahrnisgemeinschaft läßt außer dem Gesamtgut noch zu das Vorbehaltsgut der Frau und das eingebrachte Gut beider Gatten. (§ 1550 I).

1) „Auf das eingebrachte Gut finden die bei der Errungenschaftsgemeinschaft für das eingebrachte Gut geltenden Vorschriften Anwendung" (§ 1550 II).

„Eingebrachtes Gut eines Ehegatten ist das unbewegliche Vermögen, das er bei dem Eintritte der Fahrnisgemeinschaft hat oder während der Gemeinschaft durch Erbfolge, durch Vermächtnis oder mit Rücksicht auf ein künftiges Erbrecht durch Schenkung oder als Ausstattung erwirbt" (§ 1551 I). Der leitende Grundsatz ist, daß unentgeltlicher Erwerb an Grundstücken nicht in das Gesamtgut fällt.

Eingebrachtes Gut sind alle unübertragbaren unveräußerlichen Gegenstände, z. B. Nießbrauch, (§ 1552; s. oben S. 425).

Eingebrachtes ist, was durch Ehevertrag für eingebrachtes Gut erklärt ist und Erwerb von beweglichen Sachen von Todeswegen oder unentgeltlich unter Lebenden, wenn der Geber die Zuwendung zum eingebrachten Gut bestimmt, (§ 1553; s. oben S. 413).

Ferner werden Ersatzleistungen zum Eingebrachten selber wieder auch Eingebrachtes, Surrogation nach § 1524 (§ 1554; s. oben S. 425).

2. „Vorbehaltsgut des Mannes ist ausgeschlossen" (§ 1555).

§ 117. Güterrechtsregister.

Das schon mehrfach erwähnte Güterrechtsregister wird von dem Amtsgerichte geführt; zuständig für die einzelne Ehe ist das Amtsgericht, in dessen Bezirk der Mann seinen Wohnsitz hat (§ 1558 I). Der Antrag auf Eintragungen in das Register darf nicht formlos sein, muß vielmehr schriftlich abgefaßt und von der zuständigen Behörde oder einem zuständigen Beamten oder Notar beglaubigt sein (§ 1560).

„Das Amtsgericht hat die Eintragung durch das für seine Bekanntmachungen bestimmte Blatt zu veröffentlichen" (§ 1562 I).

„Die Einsicht des Registers ist jedem gestattet. Von den Eintragungen kann eine Abschrift gefordert werden; die Abschrift ist auf Verlangen zu beglaubigen" (§ 1563).

Viertes Kapitel.

Scheidung der Ehe.

§ 118. Gründe der Ehescheidung.

I. Die Ehe wird durch den Tod, Wiederverheirathung im Falle der Todeserklärung und durch Scheidung aufgelöst.

Von den **Ehehindernissen** sind sehr wohl zu trennen die **Scheidungsgründe.** Ein Ehehindernis besteht schon zur Zeit der Eheschließung, Scheidungsgründe entstehen erst während der Ehe. Ein Scheidungsgrund kann ja freilich benutzt werden, eine schon auf Grund von Ehehindernissen ungültige Ehe aufzulösen, aber Scheidungsgründe dienen in erster Linie dazu, eine an sich vollkommen gültige Ehe trotz ihrer Gültigkeit wieder aufzulösen.

II. Die Scheidungsgründe zerfallen in **absolute** und **relative.** Die ersteren geben ein unbedingtes Recht auf Scheidung, die relativen nur dann, wenn dem klagenden Ehegatten die Fortsetzung der Ehe nicht mehr zugemutet werden kann. Es kann also ein Ehegatte wegen Ehebruchs, der absoluter Scheidungsgrund ist, auf Scheidung klagen, auch wenn nach seiner eigenen Anschauung und nach den Anschauungen seines Standes Ehebruch gar kein so großes Vergehen ist. Wenn er den Ehebruch als Gelegenheit benutzt, um etwa aus rein geschäftlichen Gründen seine Ehe aufzulösen, so läßt sich ihm nichts in den Weg legen. Anders ist es aber mit einem relativen Ehescheidungsgrund aus § 1568, z. B. Begehung eines Verbrechens; hier hat der Richter nur dann die Ehe zu trennen, wenn dem Kläger die Fortsetzung der Ehe nicht zugemutet werden kann. Bei Ehebruch wird dagegen die Ehe un-

bebingt geschieden, auch wenn ihre Fortsetzung dem Kläger zugemutet werden könnte.

· Alle Scheidungsgründe mit Ausnahme der Geisteskrankheit
setzen ein Verschulden des beklagten Ehegatten voraus.

III. Absolute Scheidungsgründe.

1) „Ein Ehegatte kann auf Scheidung klagen, wenn der andere
Ehegatte sich des Ehebruchs oder einer nach den §§ 171 (Doppel-
ehe), 175 (widernatürliche Unzucht) des Strafgesetzbuches strafbaren
Handlung schuldig macht.

Das Recht des Ehegatten auf Scheidung ist ausgeschlossen,
wenn er dem Ehebruch (mit seiner Prostituierten verheirateter Zu-
hälter) oder der strafbaren Handlung zustimmt oder sich der Teil-
nahme schuldig macht" (§ 1565).

2) „Ein Ehegatte kann auf Scheidung klagen, wenn der andere
Ehegatte ihm nach dem Leben trachtet" (§ 1566).

3) „Ein Ehegatte kann auf Scheidung klagen, wenn der andere
Ehegatte ihn böslich verlassen hat.

Bösliche Verlassung liegt nur vor:

a. wenn ein Ehegatte, nachdem er zur Herstellung der häuslichen Gemeinschaft (§ 1353; s. oben S. 379) rechtskräftig verurteilt
worden ist, ein Jahr lang gegen den Willen des anderen Ehegatten
in böslicher Absicht dem Urteil nicht Folge geleistet hat;

b. wenn ein Ehegatte sich ein Jahr lang gegen den Willen
des anderen Ehegatten in böslicher Absicht von der häuslichen Gemeinschaft fern gehalten hat und die Voraussetzungen für die öffentliche Zustellung seit Jahresfrist gegen ihn bestanden haben" (§ 1567),
d. h., wenn sein Aufenthalt unbekannt ist und ihm darum die Klage
auf Ehescheidung nicht bekannt gegeben, zugestellt werden kann.
In solchen Fällen, wo des Beklagten Aufenthaltsort unbekannt ist,
erfolgt die sogenannte öffentliche Zustellung der Klage. Diese geschieht durch Aushang einer beglaubigten Abschrift an die Gerichts-
tafel, zweimaliges Einrücken eines Auszuges aus der Klage in das
für die amtlichen Bekanntmachungen des Gerichtes bestimmte Blatt
und einmaliges Einrücken des Auszuges in den deutschen Reichs-
anzeiger.

Die Scheidung ist im letzten Falle unzulässig, „wenn die Voraussetzungen für die öffentliche Zustellung am Schlusse der mündlichen Verhandlung, auf die das Urteil ergeht, nicht mehr bestehen"

(§ 1567). Durch diese letzte Bestimmung wird erschwert, daß zwei Gatten die bösliche Verlassung als Vorwand nehmen, um im gegenseitigen Übereinkommen die Ehe zu lösen.

IV. Relative Scheidungsgründe. 1) „Ein Ehegatte kann auf Scheidung klagen, wenn der andere Ehegatte durch schwere Verletzung der durch die Ehe begründeten Pflichten (Verweigerung der Beiwohnung, ja Weigerung sich einem ungefährlichen Heilverfahren zu unterziehen, um ein Hindernis der Beiwohnung, z. B. Vaginismus, zu heben) oder durch ehrloses oder unsittliches Verhalten (Meineid, Einbruch 2c., aber auch strafbare unzüchtige Handlungen, die nicht unter die §§ 171, 175 fallen) eine so tiefe Zerrüttung des ehelichen Verhältnisses verschuldet hat, daß dem Ehegatten die Fortsetzung der Ehe nicht zugemutet werden kann. Als eine schwere Verletzung gilt auch grobe Mißhandlung" (§ 1568).

2) „Ein Ehegatte kann auf Scheidung klagen, wenn der andere Ehegatte in Geisteskrankheit verfallen ist, die Krankheit während der Ehe mindestens drei Jahre gedauert und einen solchen Grad erreicht hat, daß die geistige Gemeinschaft zwischen den Ehegatten aufgehoben, auch jede Aussicht auf Herstellung dieser Gemeinschaft ausgeschlossen ist" (§ 1569).

IV. 1) Das Recht auf Scheidung erlischt durch Verzeihung, ausgenommen bei Geisteskrankheit, wo sie ihrem Begriffe nach überhaupt nicht möglich ist (§ 1570).

2) Den Fall der Geisteskrankheit ausgenommen muß die Scheidungsklage spätestens sechs Monate, nachdem der Ehegatte von dem Scheidungsgrund erfahren hat, angestellt werden. Diese Frist von sechs Monaten läuft aber nicht, solange keine häusliche Gemeinschaft besteht. „Wird der zur Klage berechtigte Ehegatte von dem anderen Ehegatten aufgefordert, die häusliche Gemeinschaft herzustellen oder die Klage zu erheben, so läuft die Frist von dem Empfange der Aufforderung an" (§ 1571).

Diese Bestimmung verhindert einen etwaigen Mißbrauch durch den klagberechtigten Gatten, da sie ihn zwingt die Lage schnell und entschieden zu klären.

3) Sind seit dem Eintritt des Ehescheidungsgrundes zehn Jahre verstrichen, so ist die Klage in allen Fällen untergegangen (§ 1571 I Satz 2).

4) a. Ist das Recht einen Scheidungsgrund, z. B. einen am

10. Mai 1900 begangenen Ehebruch geltend zu machen, verloren, weil der klagende Teil schon am 20. Mai davon erfahren hat, ihn aber erst am 15. Dezember geltend macht und zwar in einem Prozesse, den er vor dem 20. November wegen eines etwa am 1. Juni begangenen Ehebruchs anstellt, so kann er trotzdem in dem Prozesse über den am 1. Juni begangenen Ehebruch den am 10. Mai begangenen Ehebruch ebenfalls vorbringen, weil dieser zur Zeit der Geltendmachung zwar wirkungslos geworden ist, aber zur Zeit der Klageerhebung noch nicht wirkungslos war (§ 1572).

b. „Tatsachen, auf die eine Scheidungsklage nicht mehr gegründet werden kann, dürfen zur Unterstützung einer auf andere Tatsachen gegründeten Scheidungsklage geltend gemacht werden" (§ 1573). Um die Klage wegen Ehebruches zu verstärken, kann der Kläger auch einen älteren, schon verjährten Ehebruch zur Unterstützung heranziehen.

5) Jeder Ehegatte erwirbt durch den Ehebruch 2c. des anderen ein Recht auf Scheidung, verkümmert sich dieses Recht aber selbst wieder dadurch, daß er auch seinerseits einen Scheidungsgrund verschuldet. Sein eigenes Recht auf Scheidung wird dadurch ge wissermaßen abgeschwächt und er kann in einem Scheidungsprozesse demzufolge nur ein entsprechend abgeschwächtes Recht geltend machen und muß sich deshalb gefallen lassen, daß auch er für schuldig er klärt wird. Darum hat der Richter, den Fall der Geisteskrankheit ausgenommen, wenn er die Ehe scheidet, den Beklagten für schuldig zu erklären, aber auch den Kläger, wenn der Beklagte begründete Widerklage erhoben hat, oder berechtigt ist Scheidungsklage zu er heben oder zu der Zeit, als er den vom Kläger geltend gemachten Scheidungsgrund verschuldete, berechtigt war, auf Scheidung zu klagen, mag auch sein Recht durch Verzeihung oder Zeitablauf unter gegangen sein (§ 1574).

6) Neben der Scheidungsklage kennt das B.G.B. noch die Klage auf Aufhebung der ehelichen Gemeinschaft. Dies ist mit Rücksicht auf die Katholiken bestimmt, denn das katholische kirchliche Eherecht läßt grundsätzlich die Ehescheidung nicht zu, da nach katholischem Kirchenrecht die Ehe ein Sakrament ist. Um sich den Grundsätzen des katholischen Kirchenrechtes anpassen zu können, dürfen daher Ehegatten (auch Protestanten) statt auf Scheidung auch auf Auf hebung der ehelichen Gemeinschaft klagen. Aber der Beklagte kann

beantragen, daß die Ehe, falls die Klage begründet ist, geschieden werde; es kann also Niemand zu einer bloßen Aufhebung der ehelichen Gemeinschaft gezwungen werden, denn man kann nur dann auf Aufhebung der ehelichen Gemeinschaft klagen, wenn ein Scheidungsgrund vorliegt (§ 1575 I). Ja, wenn schon auf Aufhebung der ehelichen Gemeinschaft erkannt ist, „so kann jeder Ehegatte auf Grund des Urteils die Scheidung beantragen, es sei denn, daß nach der Erlassung des Urteils die eheliche Gemeinschaft wiederhergestellt worden ist" (§ 1576). Nach dem auf Aufhebung der ehelichen Gemeinschaft erkennenden Urteil ist eine Verzeihung wirkungslos, es sei denn, daß zugleich die eheliche Gemeinschaft wieder aufgenommen wird; ferner verjährt der Anspruch auf Scheidung nicht, aber die Erlaubnis andere Scheidungsgründe oder andere Tatsachen entsprechend den §§ 1572, 1573 anzuführen fällt fort, es besteht dafür aber auch kein Bedürfnis (§ 1576 II).

§ 119. Wirkungen der Ehescheidung.

I. „Die geschiedene Frau behält den Familiennamen des Mannes" (§ 1577 I).

Die Frau kann ihren Familiennamen (d. h. Mädchennamen) wieder annehmen" (§ 1577 II Satz 1).

Wird ihre zweite Ehe geschieden, so kann sie den Namen erster Ehe wieder annehmen, es sei denn, daß sie allein für schuldig erklärt ist (§ 1577 II Satz 2).

Ist sie allein für schuldig erklärt, „so kann der Mann ihr die Führung seines Namens untersagen. Mit dem Verluste des Namens des Mannes erhält die Frau ihren Familiennamen wieder" (§ 1577 III)

II. 1) „Der allein für schuldig erklärte Mann hat der geschiedenen Frau den standesmäßigen Unterhalt insoweit zu gewähren, als sie ihn nicht aus den Einkünften ihres Vermögens und, sofern nach den Verhältnissen, in denen die Ehegatten gelebt haben, Erwerb durch Arbeit der Frau üblich ist, aus dem Ertrag ihrer Arbeit bestreiten kann" (§ 1578 I).

2) „Die allein für schuldig erklärte Frau hat dem geschiedenen Manne den standesmäßigen Unterhalt insoweit zu gewähren, als er außer Stande ist, sich selbst zu unterhalten" (§ 1578 II).

Jedoch braucht der schuldige Gatte, soweit sein eigener standesmäßiger Unterhalt gefährdet wird, nicht mehr als ein Drittel seiner Einkünfte herzugeben. Aber auch dies wird ihm nicht zugemutet, wenn sein notdürftiger Unterhalt dadurch gefährdet wird. Was er zu seinem eigenen notdürftigen Unterhalt bedarf, kann er unter allen Umständen zurückbehalten (§ 1579 I Satz 1).

Hat er minderjährige Kinder oder in Folge einer neuen Ehe einen neuen Ehegatten zu unterhalten, so wird zwischen diesen und dem geschiedenen Gatten nach Billigkeit geteilt (§ 1579 I Satz 2).

3) „Die Unterhaltspflicht erlischt mit der Wiederverheiratung des Berechtigten" (§ 1581 I), erlischt nicht mit dem Tode des Verpflichteten, jedoch muß sich der Berechtigte mit der Hälfte der Einkünfte abfinden lassen, die der Verpflichtete bei seinem Tode aus seinem Vermögen hatte (§ 1582).

4) „Ist die Ehe wegen Geisteskrankheit eines Ehegatten geschieden, so hat ihm der andere Ehegatte Unterhalt in gleicher Weise zu gewähren, wie ein allein für schuldig erklärter Ehegatte" (§ 1583).

III. „Hat der Mann einem gemeinschaftlichen Kinde Unterhalt zu gewähren, so ist die Frau verpflichtet, ihm aus den Einkünften ihres Vermögens und dem Ertrag ihrer Arbeit oder eines von ihr selbständig betriebenen Erwerbsgeschäftes einen angemessenen Beitrag zu den Kosten des Unterhaltes zu leisten, soweit nicht diese durch die dem Manne an dem Vermögen des Kindes zustehende Nutznießung gedeckt werden.

Steht der Frau die Sorge für die Person des Kindes zu und ist eine erhebliche Gefährdung des Unterhaltes des Kindes zu besorgen, so kann die Frau den Beitrag (den sie an den Mann zahlen müßte) zur eigenen Verwendung für den Unterhalt des Kindes zurückbehalten" (§ 1585). Der Verbleib der Kinder ist in § 1635 geregelt, und von der Unterhaltspflicht gegen die Kinder zu scheiden. Die Sorge für die Person des Kindes ist etwas Anderes als die Unterhaltspflicht (§ 1635).

IV. „Ist ein Ehegatte allein für schuldig erklärt, so kann der andere Ehegatte Schenkungen, die er ihm während des Brautstandes oder während der Ehe gemacht hat, widerrufen" (§ 1584 I). Dies Widerrufsrecht ist höchst persönlich und geht auch nicht gegen die Erben (§ 1584 II).

V. Aufhebung der ehelichen Gemeinschaft durch Richterspruch

hat die Wirkungen der Scheidung, nur ist Wiederverheiratung ausgeschlossen und eine etwaige Nichtigkeit oder Anfechtbarkeit der Ehe wird durch die Aufhebung auch nicht berührt, so daß dieserhalb eine Klage angestellt werden kann (§ 1586).

„Wird die eheliche Gemeinschaft nach der Aufhebung wieder hergestellt, so fallen die mit der Aufhebung verbundenen Wirkungen weg und tritt Gütertrennung ein" (§ 1587).

Fünftes Kapitel.

Kirchliche Verpflichtungen.

§ 120. Kirchliche Verpflichtungen.

Kirchenrecht und bürgerliches Recht gehen durchaus nicht Hand in Hand. Die bürgerliche Ehe hat bei ihrer Einführung viel Widerstand bei der Geistlichkeit gefunden, die zum großen Teile nur eine kirchliche Ehe als vollgültig anerkennen wollte. Wenn auch nicht zu leugnen ist, daß die Ehe durch sittliche und religiöse Anschauungen geheiligt ist, so kann doch der Staat die Regelung einer bürgerlichen Rechtseinrichtung nicht aus den Händen geben. So ist es gekommen, daß einzelne Bestimmungen des B.G.B. dem Kirchenrecht, insbesondere dem katholischen Kirchenrecht geradezu widersprechen mußten, z. B. die Bestimmungen über die Ehescheidung. Die katholische Kirche betrachtet noch heute, abgesehen von verschwindend geringen Ausnahmefällen, die Ehe als unauflöslich. Eine nach dem B.G.B. geschiedene Ehe ist für die katholische Kirche noch immer eine vollgültige Ehe. Deshalb ist ja auch die Klage auf Trennung von Tisch und Bett zugelassen, damit die Gewissensbedenken der Katholiken berücksichtigt werden können.

Dieser Sonderbestimmung entspricht die allgemeine Bestimmung des § 1588.

„Die kirchlichen Verpflichtungen in Ansehung der Ehe werden durch die Vorschriften dieses Abschnittes (§ 1297—1588) B.G.B) nicht berührt".

Zweiter Abschnitt.

Verwandtschaft.

§ 121. Eheliche Abstammung.

Der allgemeine Verwandtschaftsbegriff ist schon oben im § 6 S. 42 f. erörtert. Die Verwandtschaft durch eheliche Abstammung, für das bürgerliche Recht von höchster Bedeutung, setzt eheliche, Zeugung voraus. Da aber die Zeugung gerade dieses Kindes durch diesen Vater sehr schwer zu beweisen ist, hat das B.G.B. verschiedene Vermutungen aufgestellt, um den Beweis zu erleichtern oder überhaupt möglich zu machen.

Folgende Möglichkeiten bestehen:

1) Das Kind ist während der Ehe gezeugt und geboren; es ist ehelich, es sei denn, daß es offenbar unmöglich ist, daß es vom Manne (der nachgewiesener Weise zeugungsunfähig, Kastrat u. dergl. ist) gezeugt sein kann (§ 1591).

2) Das Kind ist vor der Ehe gezeugt und während der Ehe geboren; es ist ehelich, es sei denn, daß es offenbar unmöglich ist, daß es vom Manne gezeugt sein kann (§ 1591).

Zu 1) und 2): Voraussetzung ist in beiden Fällen, daß der Mann während der Empfängniszeit der Frau beigewohnt habe (§ 1591 I). „Als Empfängniszeit gilt die Zeit von dem einhunderteinundachtzigsten bis zu dem dreihundertundzweiten Tage vor dem Tag der Geburt des Kindes, mit Einschluß sowohl des einhunderteinundachtzigsten als des dreihundertundzweiten Tages" (§ 1592 I), d. h. rund die Zeit vom zehnten bis zum sechsten Monat vor der Geburt.

Ist das Kind am 1. Dezember geboren, so ist es ehelich, wenn die Mutter am 1. Dezember verheiratet ist und ihr Mann ihr in der Zeit vom 2. Februar eingeschlossen bis zum 3. Juni eingeschlossen beigewohnt hat. Hieran ändert sich auch nichts, wenn nachgewiesen wird, daß die Frau in derselben Zeit Ehebruch getrieben hat. Dieser Nachweis genügt nicht, sondern nur der Nachweis, daß der Mann offenbar der Erzeuger nicht sein kann.

a. Damit ein Kind ehelich sei, ist der Beweis der Beiwohnung notwendig und hier hilft die Vermutung des § 1591 II).

„Es wird vermutet, daß der Mann innerhalb der Empfängniszeit der Frau beigewohnt habe (Gegenbeweis, daß der Mann während dieser Zeit auf fernen Meeren segelte, oder in fernen Ländern Forschungsreisen machte, ist zulässig). Soweit die Empfängniszeit in die Zeit vor der Ehe fällt (die Ehegatten haben in unserem Beispiel erst am 1. September geheiratet), gilt die Vermutung nur, wenn der Mann gestorben ist, ohne die Ehelichkeit des Kindes angefochten zu haben" (§ 1591 II). Bestreitet der Mann die Ehelichkeit, so muß bewiesen werden, daß er der Mutter in der Empfängniszeit beigewohnt habe; ist dieser Beweis erbracht, so ist ihr Kind ehelich, es sei denn, daß der Mann beweist, es sei offenbar unmöglich, daß das Kind von ihm gezeugt sei.

b. Unter Umständen dauert die Schwangerschaft ausnahmsweise länger als 302 Tage. In diesen, allerdings sehr seltenen, Fällen kann nicht gesagt werden, daß der Mann während der gesetzlich auf höchstens 302 Tage festgesetzten Empfängniszeit das Kind gezeugt habe. Wenn nun sogar feststeht, daß er z. B. wegen Abwesenheit oder plötzlicher Erkrankung am Schlaganfall während der Empfängniszeit (in unserem Beispiel also vom 2. Februar bis zum 3. Juni) der Frau nicht beigewohnt haben kann, so wird dadurch die Ehelichkeit des in einer ausnahmsweise langen Schwangerschaft ausgetragenen Kindes gefährdet. Dem begegnet das B.G.B. durch folgende Bestimmung.

„Steht fest, daß das Kind innerhalb eines Zeitraumes empfangen ist, der weiter als dreihundertundzwei Tage vor dem Tage der Geburt zurückliegt (also etwa am 31. Januar), so gilt zu Gunsten der Ehelichkeit des Kindes dieser Zeitraum als Empfängniszeit" (§ 1592 II).

Läßt sich also nachweisen, daß die Schwangerschaft in Folge der am 31. Januar vollzogenen Beiwohnung eingetreten ist, so ist das Kind ehelich.

3) Das Kind wird nach der Ehe geboren, aber während der Empfängniszeit hat der Mann der Frau beigewohnt.

a. Die Eheleute heiraten am 1. Januar, der Mann stirbt am 1. Oktober, das Kind wird am 1. Dezember geboren. Es wird vermutet, daß der Mann in der Zeit vom 2. Februar bis zum 3.

Juni der Frau beigewohnt hat (§ 1591 II); das Kind ist ehelich, es sei denn, daß bewiesen wird, der Mann habe der Frau während der ganzen Empfängniszeit nicht beigewohnt oder er habe ihr zwar beigewohnt, es sei aber offenbar unmöglich, daß er das Kind gezeugt habe (§ 1591 I).

b. Die Eheleute heiraten am 10. Juni, der Mann stirbt am 1. Oktober, das Kind wird am 1. Dezember geboren. Hier wird alles so gehalten wie unter a, wegen der Vermutung des § 1591 II Satz 2, denn der Mann kann die Ehelichkeit eines Kindes nicht vor seiner Geburt anfechten (§ 1594 II).

c. Die Eheleute heiraten am 1. Januar, die Ehe wird wegen Ehebruchs der Frau am 1. Oktober rechtskräftig geschieden, das Kind wird am 1. Dezember geboren. Dieser Fall entscheidet sich in Allem wie der Fall unter a.

d. Die Eheleute heiraten am 10. Juni, die Ehe wird wegen Ehebruchs der Frau am 1. Oktober rechtskräftig geschieden, das Kind wird am 1. Dezember geboren. Der Mann ficht innerhalb der vorgeschriebenen Frist einer Jahres (§ 1594) die Ehelichkeit des Kindes an durch Erhebung der Anfechtungsklage (§ 1596) oder wenn das Kind gestorben ist durch öffentlich beglaubigte Erklärung gegenüber dem Nachlaßgerichte [1]), d. h. dem Gerichte, das für die Sicherung des vom Kinde hinterlassenen Vermögens zu sorgen hat (§ 1597 I).

Es wird n i c h t vermutet, daß der Mann in der Zeit vom 2. Februar bis zum 3. Juni der Frau beigewohnt habe (§ 1591 II), demzufolge muß bewiesen werden, daß der Mann der Frau in dieser Zeit beigewohnt hat. Ist dies nachgewiesen, so ist das Kind ehelich, auch wenn der Mann nachweist, daß die Frau in der kritischen Zeit Ehebruch getrieben hat. Das Kind ist nur dann unehelich, wenn es offenbar unmöglich ist, daß es vom Manne gezeugt sei (§ 1591 I).

e. Derselbe Fall wie unter d, aber der Mann stirbt nach Erhebung der Anfechtungsklage. Alles wird wie unter d gehalten, nur sind jetzt auch dritte Personen befugt sich auf die Unehelichkeit zu berufen (§ 1593). Die Ehelichkeit eines Kindes kann nur der Mann anfechten, dritte Personen können die Unehelichkeit nur dann

---

1) Das Nachlaßgericht soll etwaigen Erbprätendenten Nachricht geben (§ 1597 II).

geltend machen oder die Ehelichkeit nur dann anfechten, wenn der Mann die Ehelichkeit angefochten hat, oder ohne das Anfechtungsrecht verloren zu haben, gestorben ist.

4. Das Recht die Ehelichkeit anzufechten geht verloren durch Zeitablauf (§ 1594) und durch Anerkennung des Kindes als eines ehelichen (§ 1598 I). Die Anerkennung kann erst nach der Geburt des Kindes und nicht unter einer Bedingung oder Zeitbestimmung erfolgen (§ 1598).

Sie geschieht formlos, kann auch stillschweigend geschehen. Sie ist wie alle übrigen Rechtsgeschäfte anfechtbar wegen Irrtums, Betrug, Drohung ꝛc. (§ 1599).

5. Da es nicht unmöglich ist, daß eine Frau trotz des aufschiebenden Hindernisses des § 1313 vor Ablauf der Wartezeit wieder heiratet, so kann es unter Umständen zweifelhaft werden, ob ein Kind zur ersten oder zur zweiten Ehe gehört. Dann „gilt das Kind, wenn es innerhalb zweihundertundsiebzig Tagen nach der Auflösung der früheren Ehe geboren wird, als Kind des ersten Mannes, wenn es später geboren wird, als Kind des zweiten Mannes" (§ 1600). Diese Vermutung kann widerlegt werden.

§ 122. Unterhaltspflicht.

I. 1. Wer nicht im Stande ist sich selbst zu unterhalten (§ 1602 I), kann zunächst von seinen Abkömmlingen, dann von Ascendenten (§ 1606 I) Unterhalt verlangen, wenn sie bei Berücksichtigung ihrer sonstigen Verpflichtungen im Stande sind ohne Gefährdung ihres eigenen standesmäßigen Unterhaltes den geschuldeten Unterhalt zu gewähren (§ 1603 I).

2. Besonderes gilt für minderjährige Kinder.

„Ein minderjähriges unverheiratetes Kind kann von seinen Eltern, auch wenn es Vermögen hat, die Gewährung des Unterhalts insoweit verlangen, als die Einkünfte seines Vermögens und der Ertrag seiner Arbeit zum Unterhalte nicht ausreichen" (§ 1602 II).

Ist nach § 1603 II der standesmäßige Unterhalt der Eltern gefährdet, so haben sie alle verfügbaren Mittel mit den minderjährigen unverheirateten Kindern zu teilen, soweit nicht das Kind wenigstens von dem Kapital seines Vermögens leben kann, mögen die Zinsen auch nicht ausreichen, es zu unterhalten (§ 1603 I).

II. Der Vater haftet vor der Mutter (§ 1606·II Satz 2), der Ehegatte vor den Verwandten (§ 1608 I), der nähere Ascendent vor den ferneren, mehrere gleich nahe zu gleichen Teilen (§ 1606 II Satz 1), der Descendent mit dem besseren Erbrecht vor den übrigen (§ 1606 I Satz 2). Ist jemand wegen Gefährdung seines standesmäßigen Unterhaltes nicht im Stande, „so hat der nach ihm haftende Verwandte den Unterhalt zu gewähren" (§ 1607 I).

III. Der Bedürftige kann standesmäßigen Unterhalt fordern (§ 1610 I). „Der Unterhalt umfaßt den gesamten Lebensbedarf, bei einer der Erziehung bedürftigen (auch volljährigen) Person, z. B. Student, auch die Kosten der Erziehung und der Vorbildung zu einem Berufe" (§ 1610 II).

IV. „Wer durch sein sittliches Verschulden bedürftig geworden ist, kann nur den notbürftigen Unterhalt verlangen" (§ 1611 I).

Bei gewissen Verfehlungen (§§ 2333—2335), die den Unterhaltspflichtigen zur Enterbung berechtigen würden, können Abkömmlinge, Ascendenten und Ehegatten nur den notbürftigen Unterhalt verlangen, selbst wenn sie unverschuldet in Dürftigkeit geraten sind (§ 1611 II).

V. Der Unterhalt ist in Form einer Geldrente zu gewähren, nur die Eltern sind ihren unverheirateten Kindern gegenüber nicht an diese Vorschrift gebunden (§ 1612).

VI. „Für die Zukunft kann auf den Unterhalt nicht verzichtet werden" (§ 1614), für die Vergangenheit kann nur insoweit nachgefordert oder Schadenersatz verlangt werden, als Verzug (§ 284) des Schuldigen oder Rechtshängigkeit der Klage auf Unterhalt vorliegt (§ 1613).

VII. § 1615. „Der Unterhaltsanspruch erlischt mit dem Tode des Berechtigten oder des Verpflichteten, soweit er nicht auf Erfüllung oder Schadenersatz wegen Nichterfüllung für die Vergangenheit oder auf solche im Voraus zu bewirkende Leistungen gerichtet ist, die zur Zeit des Todes des Berechtigten oder des Verpflichteten fällig sind.

Im Falle des Todes des Berechtigten hat der Verpflichtete die Kosten der Beerdigung zu tragen, soweit ihre Bezahlung nicht von den Erben zu erlangen ist."

§ 123. Rechtsverhältnis zwischen den Eltern und dem Kinde im Allgemeinen. Aussteuer und Ausstattung.

I. „Das Kind erhält den Familiennamen des Vaters" (§ 1616).

II. 1. „Das Kind ist, solange es dem elterlichen Hausstand angehört und von den Eltern erzogen oder unterhalten wird, verpflichtet, in einer seinen Kräften und seiner Lebensstellung entsprechenden Weise den Eltern in ihrem Hauswesen und Geschäfte Dienste zu leisten" (§ 1617).

2. „Macht ein dem elterlichen Hausstand angehörendes volljähriges Kind zur Bestreitung der Kosten des Haushaltes aus seinem Vermögen eine Aufwendung oder überläßt es den Eltern zu diesem Zwecke etwas aus seinem Vermögen, so ist im Zweifel anzunehmen, daß die Absicht fehlt, Ersatz zu verlangen" (§ 1618), vergl. § 1429.

3. „Überläßt ein dem elterlichen Hausstand angehörendes volljähriges Kind sein Vermögen ganz oder teilweise der Verwaltung des Vaters, so kann der Vater die Einkünfte, die er während seiner Verwaltung bezieht, nach freiem Ermessen verwenden, soweit nicht ihre Verwendung zur Bestreitung der Kosten der ordnungsmäßigen Verwaltung und zur Erfüllung solcher Verpflichtungen des Kindes erforderlich ist, die bei ordnungsmäßiger Verwaltung aus den Einkünften des Vermögens bestritten werden. Das Kind kann eine abweichende Bestimmung treffen.

Das gleiche Recht steht der Mutter zu, wenn das Kind ihr die Verwaltung seines Vermögens überläßt" (§ 1619), vergl. § 1430.

3. a. „Der Vater ist verpflichtet, einer Tochter im Falle ihrer Verheiratung zur Einrichtung des Haushaltes eine angemessene Aussteuer zu gewähren, soweit er bei Berücksichtigung seiner sonstigen Verpflichtungen ohne Gefährdung seines standesmäßigen Unterhaltes dazu im Stande ist und nicht die Tochter ein zur Beschaffung der Aussteuer ausreichendes Vermögen hat. Die gleiche Verpflichtung trifft die Mutter, wenn der Vater zur Gewährung der Aussteuer außer Stande oder wenn er gestorben ist.

Die Vorschriften des § 1604 und des § 1607 II finden entsprechende Anwendung" (§ 1620).

b. „Der Vater und die Mutter können die Aussteuer verweigern, wenn sich die Tochter ohne die erforderliche elterliche Einwilligung verheiratet.

Das Gleiche gilt, wenn sich die Tochter einer Verfehlung schuldig gemacht hat, die den Verpflichteten berechtigt, ihr den Pflichtteil zu entziehen d. h. sie zu enterben" (§ 1621).

„Die Tochter kann eine Aussteuer nicht verlangen, wenn sie für eine frühere Ehe von dem Vater oder der Mutter eine Aussteuer erhalten hat" (§ 1622), ihr Mann hat überhaupt kein Recht auf Aussteuer.

c. „Der Anspruch auf die Aussteuer ist nicht übertragbar. Er verjährt in einem Jahre von der Eingehung der Ehe an" (§ 1623).

4. „Was einem Kinde mit Rücksicht auf seine Verheiratung oder auf die Erlangung einer selbständigen Lebensstellung zur Begründung oder zur Erhaltung der Wirtschaft oder der Lebensstellung von dem Vater oder der Mutter zugewendet wird (Ausstattung), gilt, auch wenn eine Verpflichtung nicht besteht, nur insoweit als Schenkung, als die Ausstattung das den Umständen, insbesondere den Vermögensverhältnissen des Vaters oder der Mutter, entsprechende Maß übersteigt.

Die Verpflichtung des Ausstattenden zur Gewährleistung wegen eines Mangels im Rechte oder wegen eines Fehlers der Sache bestimmt sich, auch soweit die Ausstattung nicht als Schenkung gilt, nach den für die Gewährleistungspflicht des Schenkers geltenden Vorschriften" (§ 1624). Eine Pflicht zur Ausstattung besteht nicht.

„Gewährt der Vater einem Kinde, dessen Vermögen seiner elterlichen oder vormundschaftlichen Verwaltung unterliegt, eine Ausstattung, so ist im Zweifel anzunehmen, daß er sie aus diesem Vermögen gewährt. Diese Vorschrift findet auf die Mutter entsprechende Anwendung" (§ 1625).

§ 124. Elterliche Gewalt des Vaters.

I. Den Eltern steht über ihre Kinder die sogenannte elterliche Gewalt zu, kraft der sie Vormünder ihrer Kinder sind und für ihre Person und ihr Vermögen sorgen müssen. Die Gewalt steht beiden Eltern zu, wird jedoch während der Ehe vom Vater ausgeübt, die Mutter übt sie neben dem Vater aus, soweit die Sorge für die Person des Kindes dies fordert, sonst nur in Ausnahmefällen anstatt des Vaters, wenn er verhindert ist.

Von der eigentlichen Vormundschaft unterscheidet sich die elterliche Gewalt besonders durch Zweierlei, die freiere Stellung des Gewalthabers und seine Nutznießung am Kindesvermögen.

II. „Das Kind steht, solange es minderjährig ist, unter elterlicher Gewalt" (§ 1626).

III. 1. „Der Vater hat kraft der elterlichen Gewalt das Recht und die Pflicht, für die Person und das Vermögen des Kindes zu sorgen" (§ 1627).

§ 1631. „Die Sorge für die Person des Kindes umfaßt das Recht und die Pflicht, das Kind zu erziehen, zu beaufsichtigen und seinen Aufenthalt zu bestimmen.

Der Vater kann kraft des Erziehungsrechts angemessene Zuchtmittel gegen das Kind anwenden. Auf seinen Antrag hat das Vormundschaftsgericht ihn durch Anwendung geeigneter Zuchtmittel zu unterstützen."

Ob der Vater auch das religiöse Bekenntnis des Kindes bestimmt bis zu dem Zeitpunkt, wo es selber die Bestimmung über sein Bekenntnis erhält, richtet sich nach Landesrecht, Art. 134.

Soweit sein Erziehungsrecht reicht, hat jeder Vater auch einen gewissen Einfluß auf die Berufswahl des Kindes, indem er dem Kinde das Einschlagen eines bestimmten Berufes vor beendeter Erziehung z. B. vor abgelegtem Abgangsexamen verbieten kann. Mit Beendigung der Erziehung hört auch das Recht des Gewalthabers einen bestimmten Beruf zu verbieten auf, auch wenn das Kind noch in der elterlichen Gewalt steht. Jedoch ist zu beachten, daß die Erziehung nicht notwendig Schulerziehung sein muß und vereinbar mit einer gleichzeitigen gewerblichen Tätigkeit des Kindes als Arbeiter u. s. w. ist.

§ 1632. „Die Sorge für die Person des Kindes umfaßt das Recht, die Herausgabe des Kindes von jedem zu verlangen, der es dem Vater widerrechtlich vorenthält" s. oben S. 10.

2. Er hat das Kind zu vertreten (§ 1630), er kann also z. B. im Namen des Kindes Aktien zeichnen und dadurch das Kind zur Abnahme der Aktien verpflichten. Würden die Aktien nicht abgenommen und nicht bezahlt, so ist nicht der Vater auf Abnahme und Bezahlung der Aktien zu verklagen, sondern das Kind, denn nicht der Vater ist verpflichtet und Prozeßpartei, sondern das Kind.

3. § 1634. „Neben dem Vater hat während der Dauer der Ehe die Mutter das Recht und die Pflicht, für die Person des

Kindes zu sorgen; zur Vertretung des Kindes ist sie nicht berechtigt, unbeschadet der Vorschrift des § 1685 I. Bei einer Meinungsverschiedenheit zwischen den Eltern geht die Meinung des Vaters vor."

4. Die Sorge für die Person des Kindes und die Vertretungsbefugnis endigen immer mit der elterlichen Gewalt, die ersteren zuweilen aber auch ohne daß die elterliche Gewalt endigt.

a. Das Vormundschaftsgericht kann dem Vater die Sorge für die Person des Kindes nehmen, wenn es durch seine Schuld in der in § 1666 I angegebenen Weise verwahrlost wird, s. unten IV (§ 1666 I).

Bei Ehescheidung wegen Verschuldung erhält die Sorge für die Person des Kindes der unschuldige Gatte. Sind beide für schuldig erklärt, so erhält sie die Mutter, nur über Söhne über sechs Jahre erhält sie der Vater. Das Vormundschaftsgericht kann es jedoch anders anordnen (§ 1635 I).

Jeder Elternteil, auch der schuldige, behält das Recht mit dem Kinde persönlich zu verkehren (§ 1636).

Mit dem Tode des anderen Ehegatten tritt der schuldige Gatte wieder in alle seine Rechte ein, wenn nicht das Vormundschaftsgericht anders anordnet (§ 1635 Satz 1).

Wird die Ehe durch Wiederverheiratung nach fälschlicher Todeserklärung gelöst (§ 1348 II), so wird die Sorge für die Person des Kindes so verteilt, als ob bei Ehescheidung beide Teile für schuldig erklärt sind (§ 1637).

Scheidung wegen Geisteskrankheit beendet die elterliche Gewalt nicht, aber während der Geschäftsunfähigkeit des Vaters in Folge von Geisteskrankheit ruht seine elterliche Gewalt (§ 1676 I). Darüber unten.

Ist der Vater in der Geschäftsfähigkeit beschränkt, so steht ihm die Sorge für die Person des Kindes neben dem gesetzlichen Vertreter des Kindes zu (§ 1676 II).

b. Die Vertretungsbefugnis endigt nur mit der elterlichen Gewalt, der Vater behält sie gemäß § 1635 II, auch wenn ihm die Sorge für die Person des Kindes nicht zusteht. Dies kann leicht zu Mißhelligkeiten zwischen den Gatten führen.

Die Vertretungsbefugnis des Vaters wird auch durch die Verheiratung der Tochter nicht beendigt, sie wird nur beschränkt auf die die Person der Tochter betreffenden Angelegenheiten, f. oben S. 445. Sie ruht, wenn der Vater geschäftsunfähig oder beschränkt geschäftsfähig ist (§ 1676), und kann nach § 1630 II für bestimmte Angelegenheiten dem Vater entzogen werden.

IV. 1. Der Vater hat das ganze Vermögen des Kindes zu verwalten, aber die Verwaltung ist an dem Kindesvermögen ausgeschlossen, das dem Kinde von Dritten unter Lebenden unentgeltlich oder von Todeswegen zugewendet wird mit der Bestimmung, daß das Verwaltungsrecht des Vaters ausgeschlossen sein solle (§ 1638).

§ 1640 I. „Der Vater hat das seiner Verwaltung unterliegende Vermögen des Kindes, welches bei dem Tode der Mutter vorhanden ist, oder dem Kinde später zufällt, zu verzeichnen und das Verzeichnis, nachdem er es mit der Versicherung der Richtigkeit und Vollständigkeit versehen hat, dem Vormundschaftsgericht einzureichen. Bei Haushaltsgegenständen genügt die Angabe des Gesamtwerts.“

2. „Der Vater kann nicht in Vertretung des Kindes Schenkungen machen. Ausgenommen sind Schenkungen, durch die einer sittlichen Pflicht oder einer auf den Anstand zu nehmenden Rücksicht entsprochen wird“ (§ 1641).

Der Vater bedarf zu manchen Rechtsgeschäften für das Kind der Genehmigung des Vormundschaftsgerichtes (§ 1643).

3. Geld des Kindes hat der Vater mündelsicher (§ 1807, 1808) verzinslich anzulegen (§ 1642 I).

4. Die Verwaltung endigt mit der elterlichen Gewalt, mit Konkurs des Vaters (§ 1647), durch Entziehung durch das Vormundschaftsgericht (§ 1666 II, § 1670).

V. 1. Der Vater hat auch die Nutznießung am Kindesvermögen (§ 1649).

„Von der Nutznießung ausgeschlossen (freies Vermögen) sind die ausschließlich zum persönlichen Gebrauche des Kindes bestimmten Sachen, insbesondere Kleider, Schmucksachen, und Arbeitsgeräte“, mögen sie auch vom Vater angeschafft sein (§ 1650).

Freies Vermögen ist Erwerb durch Arbeit oder einen nach § 112 erlaubten selbständigen Betrieb eines Erwerbsgeschäftes, ferner Erwerb von Todeswegen oder unentgeltlich unter Lebenden, wenn der Geber die Nutznießung des Vaters bei der Zuwendung ausschließt (§ 1651).

2. Der väterliche Nießbrauch hat im Allgemeinen dieselben Wir-

kungen wie der ehemännliche Nießbrauch (§ 1652, 1654), jedoch
darf der Vater verbrauchbare Sachen aus dem Kindesvermögen für
sich veräußern und verbrauchen, Geld nur mit Genehmigung des
Vormundschaftsgerichtes. Er hat Ersatz dafür zu leisten (§ 1652,
1653). Betreibt der Vater im Namen des Kindes ein dem Kinde
gehörendes Erwerbsgeschäft, so gebührt ihm nur der jährliche Rein-
gewinn. Eine Unterbilanz ist aus den Überschüssen der folgenden
Jahre zu decken (§ 1655).

3. Zuweilen steht dem Vater die Nutznießung ohne die Verwaltung zu, z. B. wenn Dritte dem Kinde etwas vermachen oder
schenken und nur die Verwaltung, aber nicht die Nutznießung ausschließen (§ 1638) oder wenn der Vater in Konkurs verfällt
(§ 1647 I) oder geschäftsunfähig oder beschränkt geschäftsfähig ist
(§ 1676), wenn ihm die Verwaltung entzogen worden ist (§ 1666 II,
1670) 2c. In solchen Fällen kann er nur Herausgabe der Nutzungen,
soweit sie Nettoüberschuß sind, verlangen (§ 1656 II).

4. „Die Gläubiger des Kindes können ohne Rücksicht auf die
elterliche Nutznießung Befriedigung aus dem Vermögen des Kindes
verlangen" (§ 1659). Auf die väterliche Nutznießung wird also
nicht annähernd die Rücksicht genommen, die der ehemännlichen zu
Teil wird.

5. Der Vater haftet nur für die Sorgfalt in eigenen Angelegenheiten (§ 1664); s. oben S. 116, 382, 395.

6. Die Nutznießung endigt mit der elterlichen Gewalt und mit
der Verheiratung des Kindes. Heiratet das Kind ohne die erforderliche elterliche Einwilligung, so verbleibt die Nutznießung dem
Vater bis zur Volljährigkeit des Kindes (§ 1303, 1626, 1649,
1661). Über § 1685 vergl. unten § 125 II, 2.

Sie endigt ferner durch Verzicht (§ 1662) und durch Entziehung durch das Vormundschaftsgericht (§ 1666 II).

VI. Ist der Vater in der Ausübung der Gewalt verhindert,
so tritt für ihn die Mutter ein, und wenn auch sie verhindert ist,
hilft das Vormundschaftsgericht (§ 1665).

„Wird das geistige oder leibliche Wohl des Kindes dadurch
gefährdet, daß der Vater das Recht der Sorge für die Person des
Kindes mißbraucht, das Kind vernachlässigt oder sich eines ehrlosen
oder unsittlichen Verhaltens schuldig macht, so hat das Vormundschaftsgericht die zur Abwendnng der Gefahr erforderlichen Maß-

regeln zu treffen. Das Vormundschaftsgericht kann insbesondere anordnen, daß das Kind zum Zwecke der Erziehung in einer geeigneten Familie oder in einer Erziehungsanstalt oder einer Besserungsanstalt untergebracht wird.

Hat der Vater das Recht des Kindes auf Gewährung des Unterhaltes verletzt und ist für die Zukunft eine erhebliche Gefährdung des Unterhaltes zu besorgen, so kann dem Vater auch die Vermögensverwaltung sowie die Nutznießung entzogen werden" (§ 1666).

Wird das Vermögen des Kindes dadurch gefährdet, daß der Vater die mit der Vermögensverwaltung oder die mit der Nutznießung verbundenen Pflichten verletzt, oder daß er in Vermögensverfall gerät, so hat das Vormundschaftsgericht einzuschreiten und kann z. B. ein Verzeichnis und Rechnungslage vom Vater verlangen 2c. (§ 1667), gegebenen Falles auch Sicherheitsleistung (§ 1668).

Handelt der Vater den Anordnungen des Vormundschaftsgerichtes zuwider, so kann ihm das Vormundschaftsgericht die Vermögensverwaltung entziehen (§ 1670).

Will der Vater wieder heiraten, so muß er dies dem Vormundschaftsgerichte anzeigen, ein Verzeichnis des von ihm verwalteten Kindesvermögens einreichen und sich mit dem Kinde auseinandersetzen (§ 1669; s. oben S. 367 f.), widrigenfalls ihm das Gericht die Vermögensverwaltung entziehen kann (§ 1670).

„Verletzt der Vormundschaftsrichter vorsätzlich oder fahrlässig die ihm obliegenden Pflichten, so ist er dem Kinde nach § 839 I, III verantwortlich" (§ 1674).

VIII. „Der Gemeindewaisenrat hat dem Vormundschaftsgericht Anzeige zu machen, wenn ein Fall zu seiner Kenntnis gelangt, in welchem das Vormundschaftsgericht zum Einschreiten berufen ist" (§ 1675).

IX. Die elterliche Gewalt des Vaters ruht, wenn er geschäftsunfähig, oder in der Geschäftsfähigkeit beschränkt ist, wenn er nach § 1910 I einen Pfleger für seine Person und sein Vermögen erhalten hat (§ 1676); wenn das Vormundschaftsgericht feststellt, daß er auf längere Zeit an der Ausübung tatsächlich (der Marineoffizier erhält zweijährige Segelordre) verhindert ist (§ 1677). Solange die Gewalt ruht, kann der Vater sie nicht ausüben, jedoch bleibt ihm regelmäßig die Nutznießung (§ 1678). Ausnahme s. unten § 125 II, 2.

Ruht die Gewalt, weil der Vater in der Geschäftsfähigkeit beschränkt ist oder unter einem Pfleger steht, so kann er das Kind zwar nicht vertreten, aber er hat noch das Recht, gemeinsam mit dem gesetzlichen Vertreter des Kindes (Mutter oder Vormund) für die Person des Kindes zu sorgen (§ 1676 II), s. oben I, 4.

X. Von dem Ruhen der elterlichen Gewalt einerseits und der Beendigung bloß der Sorge für die Person des Kindes oder der Verwaltung oder der Nutznießung zu scheiden ist die Beendigung der elterlichen Gewalt. Die Gewalt des Vaters e n d i g t mit dem Tode, der Volljährigkeit und der Volljährigkeitserklärung des Kindes, mit der Entziehung (§ 1666), mit dem Tode oder der Todeserklärung des Vaters (§ 1679), der Adoption des Kindes durch einen Dritten (§§ 1757 II, 1765). Der Vater kann ferner die elterliche Gewalt v e r w i r k e n. „Der Vater verwirkt die elterliche Gewalt, wenn er wegen eines an dem Kinde verübten Verbrechens oder vorsätzlich verübten Vergehens zu Zuchthausstrafe oder zu einer Gefängnisstrafe von mindestens sechs Monaten verurteilt wird" (§ 1680).

„Endigt oder ruht die elterliche Gewalt des Vaters oder hört aus einem anderen Grunde seine Vermögensverwaltung auf, so hat er dem Kinde das Vermögen herauszugeben und über die Verwaltung Rechenschaft abzulegen" (§ 1681).

Die Gewalt endigt nicht durch Verzicht, denn sie ist auch eine Pflicht.

Bei der Adoption geht die elterliche Gewalt auf den Adoptierenden über (1765, 1757).

§ 125. Elterliche Gewalt der Mutter.

In normalen Fällen tritt die elterliche Gewalt der Mutter neben der des Vaters wenig hervor, da bei Meinungsverschiedenheiten der Wille des Vaters maßgebend ist (§ 1634). Nur in einigen ganz bestimmten Fällen hat die Mutter statt des Vaters die elterliche Gewalt. Bezeichnend ist, daß sie die Gewalt niemals deshalb erhält, weil dem Vater die Gewalt in e i n z e l n e n Beziehungen nicht zusteht. In solchen Fällen wird vielmehr dem

Kinde ein Pfleger bestellt (§ 1909), damit nicht durch das Nebeneinanderwirken beider Eltern Unfriede entstehe.

Verliert der Vater die elterliche Gewalt, ohne daß sie auf die Mutter übergeht, z. B. beide Eltern verwirken sie (§ 1680, 1686), oder der Vater verliert sie und die Mutter hat sich inzwischen wiederverheiratet (§ 1697) u. s. w., so wird ein Vormund bestellt (§ 1773).

Es ist aber zu beachten, daß die Mutter sowohl zum Pfleger, wie zum Vormund des Kindes bestellt werden kann.

II. 1. „Der Mutter steht die elterliche Gewalt zu:

a) wenn der Vater gestorben oder für tot erklärt ist;

b) wenn der Vater die elterliche Gewalt verwirkt hat und die Ehe aufgelöst ist" (§ 1684 I). Bei nicht gelöster Ehe erhält das Kind einen Vormund, weil sonst der Familienfrieden gefährdet würde.

2. „Ist der Vater an der Ausübung der elterlichen Gewalt tatsächlich verhindert, oder ruht seine elterliche Gewalt (wegen Geschäftsunfähigkeit oder beschränkter Geschäftsfähigkeit u. s. w. s. o. § 124 IX S. 449 f.), so übt während der Dauer der Ehe die Mutter die elterliche Gewalt mit Ausnahme der Nutznießung aus.

Ist die Ehe aufgelöst, so hat das Vormundschaftsgericht der Mutter auf ihren Antrag die Ausübung zu übertragen, wenn die elterliche Gewalt des Vaters ruht und keine Aussicht besteht, daß der Grund des Ruhens (Geisteskrankheit ꝛc.) wegfallen werde. Die Mutter erlangt in diesem Falle auch die Nutznießung an dem Vermögen des Kindes" (§ 1685). Dies ist der einzige Fall, wo der Vater während des Ruhens der Gewalt die Nutznießung verliert (s. oben § 124, IX).

III. Die elterliche Gewalt der Mutter steht im Allgemeinen unter denselben Regeln wie die Gewalt des Vaters (§ 1686).

Ruht ihre Gewalt wegen Minderjährigkeit, so behält sie das Recht und die Pflicht, für die Person des Kindes zu sorgen, kann das Kind aber nicht vertreten (§ 1696). Sie verliert die Gewalt durch Wiederverheiratung, behält jedoch die Sorge für die Person des Kindes (§ 1697).

„Wird für das Kind ein Vormund bestellt, weil die elterliche Gewalt des Vaters ruht oder verwirkt ist, oder weil die Vertretung des Kindes dem Vater entzogen ist (die Mutter erhält die alleinige Gewalt und Vertretung nur in den Fällen des §§ 1684, 1685; s. oben unter II), oder wird für die Erziehung des Kindes an Stelle des Vaters ein Pfleger bestellt, so steht der Mutter die Sorge für die Person des Kindes neben dem Vormund oder dem Pfleger in gleicher Weise zu, wie nach § 1634 neben dem Vater" (§ 1698).

IV. Die Mutter kann einen Beistand erhalten. Der Begriff des Beistandes ergibt sich aus seinen Rechten und Pflichten. Er ist hauptsächlich eine Unterstützung für die Mutter, ihr Gehülfe, hat aber auch Beaufsichtigungsrechte und unter Umständen hat die Mutter seine Genehmigung einzuholen.

„Das Vormundschaftsgericht hat der Mutter einen Beistand zu bestellen:

1) wenn der Vater die Bestellung nach Maßgabe des § 1777 angeordnet hat;
2) wenn die Mutter die Bestellung beantragt;
3) wenn das Vormundschaftsgericht aus besonderen Gründen, insbesondere wegen des Umfanges oder der Schwierigkeit der Vermögensverwaltung, oder in den Fällen der §§ 1666, 1667 die Bestellung im Interesse des Kindes für nötig erachtet" (§ 1687).

„Der Beistand kann für alle Angelegenheiten, für gewisse Arten von Angelegenheiten oder für einzelne Angelegenheiten bestellt werden" (§ 1688 I).

„Der Beistand hat innerhalb seines Wirkungskreises die Mutter bei der Ausübung der elterlichen Gewalt zu unterstützen und zu überwachen; er hat dem Vormundschaftsgerichte jeden Fall, in welchem es zum Einschreiten berufen ist, unverzüglich anzuzeigen" (§ 1689).

„Das Vormundschaftsgericht kann auf Antrag der Mutter dem Beistande die Vermögensverwaltung ganz oder theilweise übertragen; soweit dies geschieht, hat der Beistand die Rechte und Pflichten eines Pflegers" (§ 1693).

„Für die Berufung, Bestellung und Beaufsichtigung des Beistandes, für seine Haftung und seine Ansprüche, für die ihm zu bewilligende Vergütung und für die Beendigung seines Amtes gelten die gleichen Vorschriften, wie bei dem Gegenvormunde.

Das Amt des Beistandes endigt auch dann, wenn die elterliche Gewalt der Mutter ruht" (§ 1694).

Einige Spezialbeftimmungen enthalten die §§ 1690—1692, 1695.

§ 126. Rechtliche Stellung der Kinder aus nichtigen Ehen.

I. Kinder aus einer nichtigen (d. h. von Anfang an oder infolge von Anfechtung nichtigen) Ehe gelten als ehelich, wenn auch nur ein Ehegatte bei der Eheschließung in gutem Glauben die Eheschließung für wirksam hielt (§ 1699).

Dies gilt nicht, wenn die Nichtigkeit der Ehe auf einem Formmangel beruht und die Ehe nicht in das Heiratsregifter eingetragen worden ist (§ 1699 I).

Eigenartig liegt der Fall der Drohung, weshalb § 1704 bestimmt:

„Ist die Ehe wegen Drohung anfechtbar und angefochten, so steht der anfechtungsberechtigte Ehegatte einem Ehegatten gleich, dem die Nichtigkeit der Ehe bei der Eheschließung unbekannt war".

Es kommt nicht darauf an, ob der gute Glaube entschuldbar ist oder nicht.

II. Bösgläubigkeit des einen Teiles ist auf die rechtliche Stellung der Kinder als ehelicher im Ganzen ohne Einfluß, nur schadet sie dem betreffenden Elternteil.

1. „War dem Vater die Nichtigkeit der Ehe bei der Eheschließung bekannt, so hat er nicht die sich aus der Vaterschaft ergebenden Rechte. Die elterliche Gewalt steht der Mutter zu" (§ 1701).

2. „War der Mutter die Nichtigkeit der Ehe bei der Eheschließung bekannt, so hat sie in Ansehung des Kindes nur diejenigen Rechte, welche im Falle der Scheidung der allein für schuldig erklärten Frau zustehen" (§ 1702 I; vergl. oben § 124 III 4a, S. 446).

III. Im Übrigen gelten die Vorschriften für Kinder aus geschiedenen Ehen, wenn beide Ehegatten für schuldig erklärt sind (§ 1700; vergl. § 124 III 4a, S. 446).

„Gilt das Kind nicht als ehelich, weil beiden Ehegatten die Nichtigkeit der Ehe bei der Eheschließung bekannt war, so kann es gleichwohl von dem Vater, solange er lebt, Unterhalt wie ein eheliches Kind verlangen" (§ 1703).

§ 127. Rechtliche Stellung der unehelichen Kinder.

I. „Das uneheliche Kind hat im Verhältnisse zu der Mutter und zu den Verwandten der Mutter die rechtliche Stellung eines ehelichen Kindes" (§ 1705).

„Das uneheliche Kind erhält den Familiennamen der Mutter.

Führt die Mutter in Folge ihrer Verheiratung einen anderen Namen, so erhält das Kind den Familiennamen, den die Mutter vor der Verheiratung geführt hat. Der Ehemann der Mutter kann durch Erklärung gegenüber der zuständigen Behörde dem Kinde mit Einwilligung des Kindes und der Mutter seinen Namen erteilen, die Erklärung des Ehemannes, sowie die Einwilligungserklärungen des Kindes und der Mutter sind in öffentlich beglaubigter Form abzugeben" (§ 1706).

„Der Mutter steht nicht die elterliche Gewalt über das uneheliche Kind zu. Sie hat das Recht und die Pflicht, für die Person des Kindes zu sorgen; zur Vertretung des Kindes ist sie nicht berechtigt. Der Vormund des Kindes hat, soweit der Mutter die Sorge zusteht, die rechtliche Stellung eines Beistandes" (§ 1707).

II. 1. „Als Vater des unehelichen Kindes im Sinne der §§ 1708 bis 1716 gilt, wer der Mutter innerhalb der Empfängniszeit beigewohnt hat, es sei denn, daß auch ein Anderer ihr innerhalb dieser Zeit beigewohnt hat. Eine Beiwohnung bleibt jedoch außer Betracht, wenn es den Umständen nach offenbar unmöglich ist, daß die Mutter das Kind aus dieser Beiwohnung empfangen hat.

Als Empfängniszeit gilt die Zeit von dem einhunderteinundachtzigsten bis zu dem dreihundertundzweiten Tage vor dem Tage der Geburt des Kindes, mit Einschluß sowohl des einhunderteinundachtzigsten, als des dreihundertundzweiten Tages" (§ 1717).

Der als Vater Beklagte, dem nachgewiesen ist, daß er in der Empfängniszeit der Mutter beigewohnt hat, hat die sogenannte exceptio plurium concumbentium, d. h. er kann sich befreien durch das Vorbringen und den Nachweis der Tatsache, daß auch Andere der Mutter in der kritischen Zeit beigewohnt haben, aber „wer seine Vaterschaft nach der Geburt des Kindes in einer öffentlichen Urkunde anerkennt, kann sich nicht darauf berufen, daß ein Anderer der Mutter innerhalb der Empfängniszeit beigewohnt habe" (§ 1718).

2. Während die uneheliche Mutter dem Kinde gegenüber noch einige Rechte hat (§ 1707), hat der Vater gar keine Rechte, sondern hat nur Pflichten.

„Der Vater des unehelichen Kindes ist verpflichtet, dem Kinde bis zur Vollendung des sechszehnten Lebensjahres den der Lebensstellung der Mutter entsprechenden Unterhalt zu gewähren.

Der Unterhalt umfaßt den gesamten Lebensbedarf sowie die Kosten der Erziehung und der Vorbildung zu einem Berufe.

Ist das Kind zur Zeit der Vollendung des sechszehnten Lebensjahres infolge körperlicher oder geistiger Gebrechen außer Stande, sich selbst zu unterhalten, so hat ihm der Vater auch über diese Zeit hinaus Unterhalt zu gewähren; die Vorschrift des § 1603 I findet Anwendung" (§ 1708).

„Der Vater ist vor der Mutter und den mütterlichen Verwandten des Kindes unterhaltspflichtig.

Soweit die Mutter oder ein unterhaltspflichtiger mütterlicher Verwandter dem Kinde den Unterhalt gewährt, geht der Unterhaltsanspruch des Kindes gegen den Vater auf die Mutter oder den Verwandten über. Der Übergang kann nicht zum Nachteile des Kindes geltend gemacht werden" (§ 1709).

„Der Unterhalt ist durch Entrichtung einer Geldrente zu gewähren" (§ 1710 I).

„Der Unterhalt kann auch für die Vergangenheit verlangt werden" (§ 1711).

„Der Unterhaltsanspruch erlischt nicht mit dem Tode des Vaters; er steht dem Kinde auch dann zu, wenn der Vater vor der Geburt des Kindes gestorben ist.

Der Erbe des Vaters ist berechtigt, das Kind mit dem Betrag abzufinden, der dem Kinde als Pflichtteil gebühren würde, wenn es ehelich wäre. Sind mehrere uneheliche Kinder vorhanden, so wird die Abfindung so berechnet, wie wenn sie alle ehelich wären" (§ 1712).

„Der Unterhaltsanspruch erlischt mit dem Tode des Kindes, soweit er nicht auf Erfüllung oder Schadensersatz wegen Nichterfüllung für die Vergangenheit oder auf solche im voraus zu bewirkende Leistungen gerichtet ist, die zur Zeit des Todes des Kindes fällig sind.

Die Kosten der Beerdigung hat der Vater zu tragen, soweit

ihre Bezahlung nicht von dem Erben des Kindes zu erlangen ist"
(§ 1713).

„Eine Vereinbarung zwischen dem Vater und dem Kinde über
den Unterhalt für die Zukunft oder über eine an Stelle des Unterhaltes zu gewährende Abfindung bedarf der Genehmigung des Vormundschaftsgerichtes.

Ein unentgeltlicher Verzicht auf den Unterhalt für die Zukunft
ist nichtig" (1714).

III. 1. „Der Vater ist verpflichtet, der Mutter die Kosten der
Entbindung sowie die Kosten des Unterhaltes für die ersten sechs
Wochen nach der Entbindung und, falls infolge der Schwangerschaft
oder der Entbindung weitere Aufwendungen notwendig werden, auch
die dadurch entstehenden Kosten zu ersetzen. Den gewöhnlichen
Betrag der zu ersetzenden Kosten kann die Mutter ohne Rücksicht
auf den wirklichen Aufwand verlangen.

Der Anspruch steht der Mutter auch dann zu, wenn der Vater
vor der Geburt des Kindes gestorben oder wenn das Kind tot geboren ist.

Der Anspruch verjährt in vier Jahren. Die Verjährung beginnt mit dem Ablaufe von sechs Wochen nach der Geburt des
Kindes" (§ 1715).

2. „Schon vor der Geburt des Kindes kann auf Antrag der
Mutter durch einstweilige Verfügung angeordnet werden, daß der
Vater den für die ersten drei Monate dem Kinde zu gewährenden
Unterhalt alsbald nach der Geburt an die Mutter oder an den
Vormund zu zahlen und den erforderlichen Betrag angemessene Zeit
vor der Geburt zu hinterlegen hat. In gleicher Weise kann auf
Antrag der Mutter die Zahlung des gewöhnlichen Betrages der
nach § 1715 I zu ersetzenden Kosten an die Mutter und die Hinter-
legung des erforderlichen Betrages angeordnet werden.

Zur Erlassung der einstweiligen Verfügung ist nicht erforderlich, daß eine Gefährdung des Anspruches glaubhaft gemacht wird"
(§ 1716).

§ 128. Legitimation unehelicher Kinder.

I. Anerkennung der Vaterschaft und Legitimation
sind wohl zu scheiden.

Die Anerkennung der Vaterschaft gemäß § 1718 vor der Geburt hat nur die Wirkung, daß dadurch ein mehr oder minder starkes Indiz gegen den Anerkennenden geschaffen wird; nach der Geburt bewirkt sie, daß der Anerkennende die exceptio plurium concumbentium verliert. Die Anerkennung hat mit der Legitimation nichts zu tun. Anerkannte Kinder sind noch keine legitimierten Kinder.

II. 1. „Ein uneheliches Kind erlangt dadurch, daß sich der Vater mit der Mutter verheiratet, mit der Eheschließung die rechtliche Stellung eines ehelichen Kindes" (§ 1719).

„Der Ehemann der Mutter gilt als Vater des Kindes, wenn er ihr innerhalb der im § 1717 II bestimmten Empfängniszeit beigewohnt hat, es sei denn, daß es den Umständen nach offenbar unmöglich ist, daß die Mutter das Kind aus dieser Beiwohnung empfangen hat.

Erkennt der Ehemann seine Vaterschaft nach der Geburt des Kindes in einer öffentlichen Urkunde an, so wird vermutet, daß er der Mutter innerhalb der Empfängniszeit beigewohnt habe" (§ 1720).

2. Es kommt nach § 1720 nicht darauf an, daß das Kind während der Ehe geboren ist, vielmehr wird Geburt vor der Ehe vorausgesetzt. Der Fall, daß das Kind während der Ehe geboren wird, ist in den §§ 1591 ff. vorgesehen.

3. Durch die bloße Heirat mit einer unehelichen Mutter wird Niemand rechtlich der Vater ihrer Kinder, der Mann muß vielmehr auch in der kritischen Zeit vor der Geburt des Kindes der Mutter beigewohnt haben. Ist ihm dies nachgewiesen, so kann er sich nur durch den Gegenbeweis befreien, daß er unmöglich der Vater sein kann. Die exceptio plurium concumbentium verliert er also durch die Heirat mit der Mutter ebenso wie durch die Anerkennung der Vaterschaft.

Hat der Mann, der die Mutter geheiratet hat, bevor überhaupt eine Klage erhoben wird, das Kind anerkannt, so braucht ihm nicht einmal bewiesen zu werden, daß er in der kritischen Zeit der Mutter beigewohnt hat; er muß dann vielmehr nachweisen, daß er ihr nicht beigewohnt hat.

Durch Heirat und Anerkennung der Vaterschaft zusammen entsteht die Vermutung, daß er wirklich der Vater sei.

4. „Die Eheschließung zwischen den Eltern hat für die Ab-

kömmlinge des unehelichen Kindes die Wirkungen der Legitimation auch dann, wenn das Kind vor der Eheschließung gestorben ist" (§ 1722).

III. 1 a. „Ein uneheliches Kind kann auf (gerichtlich oder notariell beurkundeten § 1730) Antrag seines Vaters durch eine Verfügung der Staatsgewalt für ehelich erklärt werden" (§ 1723 I).

Diese Erklärung ist eine Gnadensache und kann versagt werden, auch wenn ihr kein gesetzliches Hindernis entgegensteht (§ 1734).

„Die Ehelichkeitserklärung steht dem Bundesstaate zu, dem der Vater angehört; ist der Vater ein Deutscher, der keinem Bundesstaat angehört, so steht sie dem Reichskanzler zu.

Über die Erteilung der einem Bundesstaate zustehenden Ehelichkeitserklärung hat die Landesregierung zu bestimmen" (§ 1723 II, III).

b. „Der Antrag muß die Erklärung des Vaters enthalten, daß er das Kind als das seinige anerkenne" (§ 1725).

c. „Zur Ehelichkeitserklärung ist die Einwilligung des Kindes und, wenn das Kind nicht das einundzwanzigste Lebensjahr vollendet hat, die Einwilligung der Mutter erforderlich. Ist der Vater verheiratet, so bedarf er auch der Einwilligung seiner Frau" (§ 1726 I), obgleich das für ehelich erklärte Kind gegen die Frau seines unehelichen Vaters keine Rechte und Pflichten erlangt; denn die Frau wird nicht mit dem Kinde verschwägert (§ 1737; s. unten).

§ 1726 III. „Die Einwilligung der Mutter ist nicht erforderlich, wenn die Mutter zur Abgabe einer Erklärung dauernd außer Stande oder ihr Aufenthalt dauernd unbekannt ist. Das Gleiche gilt von der Einwilligung der Frau des Vaters."

„Wird die Einwilligung von der Mutter verweigert, so kann sie auf Antrag des Kindes durch das Vormundschaftsgericht ersetzt werden, wenn das Unterbleiben der Ehelichkeitserklärung dem Kinde zu unverhältnismäßigem Nachteile gereichen würde" (§ 1727).

d. „Die Ehelichkeitserklärung ist nicht zulässig, wenn zur Zeit der Erzeugung des Kindes die Ehe zwischen den Eltern nach § 1310 I wegen Verwandtschaft oder Schwägerschaft verboten war" (§ 1732; s. oben § 97 I, 6 S. 366).

„Die Ehelichkeitserklärung kann nicht nach dem Tode des Kindes erfolgen" (§ 1733 I).

„Die Ehelichkeitserklärung kann nicht unter einer Bedingung oder einer Zeitbestimmung erfolgen" (§ 1724).

e. Durch die Ehelichkeitserklärung wird ein Kind nicht immer zum ehelichen Kinde, dies ergibt sich schon aus den unter d. angeführten Bestimmungen. Voraussetzung für die Wirkung der Ehelichkeitserklärung bleibt grundsätzlich (§ 1723 I), daß der uneheliche Vater die Ehelichkeitserklärung seines unehelichen Kindes beantragt, und daß seine Frau und die Mutter des Kindes oder das Kind selbst eingewilligt haben. Aber an diesen Erfordernissen hält das B.G.B. nicht immer streng fest.

§ 1735. „Auf die Wirksamkeit der Ehelichkeitserklärung ist es ohne Einfluß, wenn der Antragsteller nicht der Vater des Kindes ist oder wenn mit Unrecht angenommen worden ist, daß die Mutter des Kindes oder die Frau des Vaters zur Abgabe einer Erklärung dauernd außer stande oder ihr Aufenthalt dauernd unbekannt sei."

Das Kind erhält also die Stellung eines ehelichen Kindes, auch wenn der Antragsteller sich irrtümlich für den Vater hält oder gar weiß, daß er es nicht ist, oder wenn von der Einwilligung der Frau oder der Mutter abgesehen worden ist, weil man sie irrtümlich für geschäftsunfähig u. s. w. hielt.

Nur die nach § 1726 I Satz 1 erforderliche Einwilligung des Kindes ist unerläßlich.

2) Die Wirkungen der Ehelichkeitserklärung sind beschränkter wie die Wirkungen der Legitimation durch nachfolgende Ehe, was sich aus folgenden Bestimmungen ergibt:

a. „Durch die Ehelichkeitserklärung erlangt das Kind die rechtliche Stellung eines ehelichen Kindes" (§ 1736).

b. „Die Wirkungen der Ehelichkeitserklärung erstrecken sich auf die Abkömmlinge des Kindes; sie erstrecken sich nicht auf die Verwandten des Vaters. Die Frau des Vaters wird nicht mit dem Kinde, der Ehegatte des Kindes wird nicht mit dem Vater verschwägert" (§ 1737 I).

„Die Rechte und Pflichten, die sich aus dem Verwandtschaftsverhältnisse zwischen dem Kinde und seinen Verwandten (d. h. den Verwandten im Sinne des B.G.B.) ergeben, bleiben unberührt, soweit nicht das Gesetz (z. B. § 1738) ein Anderes vorschreibt" (§ 1737 II).

c. „Mit der Ehelichkeitserklärung verliert die Mutter das Recht und die Pflicht, für die Person des Kindes zu sorgen. Hat sie dem Kinde Unterhalt zu gewähren, so treten Recht und Pflicht wieder ein, wenn die elterliche Gewalt des Vaters endigt oder wenn sie wegen Geschäftsunfähigkeit des Vaters oder nach § 1677 ruht" (§ 1738; d. h. wegen der von dem Vormundschaftsgericht festgestellten tatsächlichen Verhinderung).

d. „Der Vater ist dem Kinde und dessen Abkömmlingen vor der Mutter und den mütterlichen Verwandten zur Gewährung des Unterhaltes verpflichtet" (§ 1739).

§ 129. Annahme an Kindesstatt.

I. 1. „Wer keine ehelichen Abkömmlinge hat (Mann oder Frau), kann durch Vertrag mit einem Anderen diesen an Kindesstatt annehmen. Der Vertrag bedarf der Bestätigung durch das zuständige Gericht" (§ 1741). Die Adoption ist ein Vertrag, d. h. der zu Adoptierende, oder falls er noch nicht vierzehn Jahre vollendet hat, sein gesetzlicher Vertreter, muß bei der Adoption, die vor Gericht oder vor einem Notar abgeschlossen wird, persönlich mitwirken, mit ihr einverstanden sein, der zu Adoptierende muß stets bei der Adoption gegenwärtig sein (§ 1750).

2. a. Das Vorhandensein von ehelichen Kindern macht die Adoption gänzlich unwirksam, uneheliche und Adoptiv-Kinder dagegen sind kein Hindernis (§ 1741 Satz 1, § 1743).

b. „Der Annehmende muß das fünfzigste Lebensjahr vollendet haben und mindestens achtzehn Jahre älter sein als das Kind" (§ 1744).

„Von den Erfordernissen des § 1744 kann Befreiung bewilligt werden, von der Vollendung des fünfzigsten Lebensjahres jedoch nur, wenn der Annehmende volljährig ist" (§ 1745 I).

Die Altersgrenzen sind gesetzt, weil mit der Möglichkeit gerechnet wird, daß eheliche Nachkommen sich nach der Adoption einstellen und weil adoptio naturam imitatur.

c. § 1746. „Wer verheiratet ist, kann nur mit Einwilligung seines Ehegatten an Kindesstatt annehmen oder angenommen werden.

Die Einwilligung ist nicht erforderlich, wenn der Ehegatte zur Abgabe einer Erklärung dauernd außer stande oder sein Aufenthalt dauernd unbekannt ist."

d. § 1747. „Ein eheliches Kind kann bis zur Vollendung des einundzwanzigsten Lebensjahres nur mit Einwilligung der Eltern, ein uneheliches Kind kann bis zum gleichen Lebensalter nur mit Einwilligung der Mutter an Kindesstatt angenommen werden. Die Vorschrift des § 1746 II findet entsprechende Anwendung".

e. „Als gemeinschaftliches Kind kann ein Kind nur von einem Ehepaar (nicht von unverheirateten Schwestern, von zwei Freunden ꝛc.) angenommen werden" (§ 1749 I), adoptio naturam imitatur.

f. „Ein angenommenes Kind kann, solange das durch die Annahme begründete Rechtsverhältnis besteht, nur von dem Ehegatten des Annehmenden an Kindesstatt angenommen werden" (§ 1749 II).

II. Die Vorschrift, daß der Annahmevertrag durch das Gericht bestätigt werden muß, bedeutet nicht, daß das Gericht das Recht hat, eine Prüfung vorzunehmen, ob die Adoption wohl im Interesse des Kindes liegt oder nicht. Diese Frage geht das Gericht garnicht an. „Die Bestätigung ist nur zu versagen, wenn ein gesetzliches Erfordernis der Annahme an Kindesstatt fehlt", z. B. der Adoptivvater hat eheliche Kinder, ist noch nicht fünfzig Jahre alt, die Adoption wird unter einer Bedingung oder Zeitbestimmung vorgenommen (§ 1742) ꝛc. (§ 1754 II).

„Die Annahme an Kindesstatt tritt mit der Bestätigung in Kraft. Die Vertragschließenden sind schon vor der Bestätigung gebunden" (§ 1754 I).

III. 1. „Durch die Annahme an Kindesstatt erlangt das Kind die rechtliche Stellung eines ehelichen Kindes des Annehmenden.

Wird von einem Ehepaare gemeinschaftlich ein Kind angenommen oder nimmt ein Ehegatte ein Kind des anderen Ehegatten an, so erlangt das Kind die rechtliche Stellung eines gemeinschaftlichen ehelichen Kindes der Ehegatten" (§ 1757).

„Das Kind erhält den Familiennamen des Annehmenden. Wird das Kind von einer Frau angenommen, die in Folge ihrer Verheiratung einen anderen Namen führt, so erhält es den Familiennamen, den die Frau vor der Verheiratung geführt hat. In den Fällen des § 1757 II erhält das Kind den Familiennamen des Mannes.

Das Kind darf dem neuen Namen seinen früheren Familiennamen hinzufügen, sofern nicht in dem Annahmevertrag ein Anderes bestimmt ist" (§ 1758).

Abs. 2 bestimmt die Reihenfolge der Namen: Die von Heinrich

Gieseke adoptierte Frida Lüttmann darf sich nennen Frida Gieseke-Lüttmann, nicht umgekehrt.

2. „Die Wirkungen der Annahme an Kindesstatt erstrecken sich auf die Abkömmlinge des Kindes. Auf einen zur Zeit des Vertragsabschlusses schon vorhandenen Abkömmling und dessen später geborene Abkömmlinge erstrecken sich die Wirkungen nur, wenn der Vertrag auch mit dem schon vorhandenen Abkömmlinge geschlossen wird" (§ 1762).

„Die Wirkungen der Annahme an Kindesstatt erstrecken sich nicht auf die Verwandten des Annehmenden. Der Ehegatte des Annehmenden wird nicht mit dem Kinde, der Ehegatte des Kindes wird nicht mit dem Annehmenden verschwägert" (§ 1763).

3. „Die Rechte und Pflichten, die sich aus dem Verwandtschaftsverhältnisse zwischen dem Kinde und seinen Verwandten ergeben, werden durch die Annahme an Kindesstatt nicht berührt, soweit nicht das Gesetz ein Anderes vorschreibt" (§ 1764).

Der Adoptierte bleibt in seiner Familie, wie er auch in die Familie des Annehmenden nicht eintritt. Es kann sich also durch Adoption Niemand verschlechtern. Von diesem Gesichtspunkte aus ist auch der § 1759 zu verstehen, der Spekulationen auf das Kindesvermögen verhüten soll.

„Durch die Annahme an Kindesstatt wird ein Erbrecht für den Annehmenden nicht begründet" (§ 1759).

Von Einfluß wird die Adoption in folgenden Fällen:

a. „Mit der Annahme an Kindesstatt verlieren die leiblichen Eltern die elterliche Gewalt über das Kind, die uneheliche Mutter das Recht und die Pflicht, für die Person des Kindes zu sorgen.

Hat der Vater oder die Mutter dem Kinde Unterhalt zu gewähren, so treten das Recht und die Pflicht, für die Person des Kindes zu sorgen, wieder ein, wenn die elterliche Gewalt des Annehmenden endigt oder wenn sie wegen Geschäftsunfähigkeit des Annehmenden oder nach § 1677 (vom Vormundschaftsgerichte festgestellte tatsächliche Verhinderung an der Ausübung der elterlichen Gewalt) ruht. Das Recht zur Vertretung des Kindes tritt nicht wieder ein" (§ 1765).

b. „Der Annehmende ist dem Kinde und denjenigen Abkömmlingen des Kindes, auf welche sich die Wirkungen der Annahme erstrecken, vor den leiblichen Verwandten des Kindes zur Gewährung des Unterhaltes verpflichtet". (§ 1766 I).

IV. „In dem Annahmevertrage kann die Nutznießung des Annehmenden an dem Vermögen des Kindes sowie das Erbrecht des Kindes dem Annehmenden gegenüber ausgeschlossen werden.

Im Übrigen können die Wirkungen der Annahme an Kindesstatt in dem Annahmevertrage nicht geändert werden" (§ 1767).

V. 1. „Das durch die Annahme an Kindesstatt begründete Rechtsverhältnis kann wieder aufgehoben werden. Die Aufhebung kann nicht unter einer Bedingung oder einer Zeitbestimmung erfolgen.

Die Aufhebung erfolgt durch Vertrag zwischen dem Annehmenden, dem Kinde und denjenigen Abkömmlingen des Kindes, auf welche sich die Wirkungen der Annahme erstrecken.

Hat ein Ehepaar gemeinschaftlich ein Kind angenommen oder hat ein Ehegatte ein Kind des anderen Ehegatten angenommen, so ist zu der Aufhebung die Mitwirkung beider Ehegatten erforderlich" (§ 1768).

Der Aufhebungsvertrag steht im Ganzen unter den Regeln des Adoptionsvertrages, bedarf gerichtlicher Bestätigung, Vertretung bei seinem Abschluß ist unzulässig 2c. (§ 1770).

2. „Schließen Personen, die durch Annahme an Kindesstatt verbunden sind, der Vorschrift des § 1311 zuwider eine Ehe, so tritt mit der Eheschließung die Aufhebung des durch die Annahme zwischen ihnen begründeten Rechtsverhältnisses ein" (§ 1771 I).

3. „Mit der Aufhebung der Annahme an Kindesstatt verlieren das Kind und diejenigen Abkömmlinge des Kindes, auf welche sich die Aufhebung erstreckt, das Recht, den Familiennamen des Annehmenden zu führen" (§ 1772 Satz 1).

Ist von einem Ehepaar ein Kind gemeinschaftlich angenommen oder nimmt ein Ehegatte das Kind des anderen an, so geht das Recht, den Adoptivnamen zu führen, nicht verloren, wenn die Adoption nach dem Tode eines Ehegatten aufgehoben wird (§ 1772 Satz 2.)

Dritter Abschnitt.

Vormundschaft.

§ 130. Anordnung der Vormundschaft über Minderjährige.

I. 1. Der Minderjährige erhält einen Vormund, wenn beide Eltern verstorben oder für tot erklärt sind, oder wenn beide Eltern nach aufgelöster Ehe die elterliche Gewalt verwirkt haben oder die verwittwete Mutter die elterliche Gewalt durch Wiederverheiratung verloren hat (§ 1697), oder wenn während bestehender Ehe der Vater die elterliche Gewalt verwirkt hat, oder wenn die Eltern weder in den die Person (1631 f.) noch in den das Vermögen (§ 1638 ff.) betreffenden Angelegenheiten zur Vertretung des Minderjährigen berechtigt sind (§ 1773); dies ist der Fall, wenn die elterliche Gewalt des Vaters und der Mutter ruht oder wenn die elterliche Gewalt der verwittweten Mutter wegen ihrer Minderjährigkeit ruht (§ 1696)

„Ein Minderjähriger (z. B. Findelkind) erhält einen Vormund auch dann, wenn sein Familienstand nicht zu ermitteln ist" (§ 1773)

2. „Das Vormundschaftsgericht hat die Vormundschaft von Amtswegen anzuordnen" (§ 1774.)

Man wird Vormund nur durch die gerichtliche Bestellung. Aber gewisse Personen haben ein Vorschlagsrecht und nach ihren Vorschlägen soll sich das Vormundschaftsgericht zunächst richten (§ 1778). Der Vorgeschlagene, Berufene, der unberechtigt übergangen ist, hat das Beschwerderecht, jedoch kann und soll das Vormundschaftsgericht gewisse Personen, auch wenn sie berufen, d. i. vorgeschlagen sind, nicht bestellen.

II. „Zum Vormunde kann nicht bestellt werden, wer geschäftsunfähig oder wegen Geistesschwäche, Verschwendung oder Trunksucht entmündigt ist" (§ 1780).

Die Bestellung ist nichtig.

III. a. „Zum Vormunde soll nicht bestellt werden:

1) wer minderjährig oder nach § 1906 unter vorläufige Vormundschaft gestellt ist;

2) wer nach § 1910 zur Besorgung seiner Vermögensangelegenheiten einen Pfleger erhalten hat;

3) wer in Konkurs geraten ist, während der Dauer des Konkurses;

4) wer der bürgerlichen Ehrenrechte für verlustig erklärt ist,
soweit sich nicht aus den Vorschriften des Strafgesetzbuches
ein Anderes ergibt" (§ 1781).

b. „Zum Vormunde soll nicht bestellt werden, wer durch Anordnung des Vaters oder der ehelichen Mutter des Mündels von
der Vormundschaft ausgeschlossen ist. Die Mutter kann den von
dem Vater als Vormund Benannten nicht ausschließen.

Auf die Ausschließung finden die Vorschriften des § 1777 Anwendung" (§ 1782).

c. „Eine Frau, die mit einem Anderen als dem Vater des
Mündels verheiratet ist, soll nur mit Zustimmung ihres Mannes
zum Vormunde bestellt werden" (§ 1783).

d. „Ein Beamter oder Religionsdiener, der nach den Landesgesetzen einer besonderen Erlaubnis zur Übernahme einer Vormundschaft bedarf, soll nicht ohne die vorgeschriebene Erlaubnis zum
Vormunde bestellt werden" (§ 1784).

e. Die Bestellung ist in allen diesen Fällen vollgültig, der
Vormund kann aber nach § 1886 entlassen werden.

f. Das Vorschlagsrecht hat der eheliche Vater, nach ihm die
eheliche Mutter des Mündels (§ 1776). Zunächst geht der vom
Vater Berufene vor, dann folgt der von der Mutter Berufene,
dann der väterliche Großvater und zuletzt der mütterliche Großvater
(§ 1776). Jedoch sind die Großväter in gewissen Adoptionsfällen
ausgeschlossen (§ 1776 II).

„Der Vater kann einen Vormund nur benennen, wenn ihm
zur Zeit seines Todes die elterliche Gewalt über das Kind zusteht;
er hat dieses Recht nicht, wenn er in den die Person oder in den
das Vermögen betreffenden Angelegenheiten nicht zur Vertretung des
Kindes berechtigt ist. Das Gleiche gilt für die Mutter" (§ 1777 I).

Die in § 1776 zugelassenen Berufungen hat das Vormundschaftsgericht zu beachten (§ 1778 I), aber für eine Ehefrau darf
an erster Stelle der Mann und für ein uneheliches Kind darf die
Mutter vor dem Großvater zum Vormund bestellt werden (§ 1778 III).

„Ist die Vormundschaft nicht einem nach § 1776 Berufenen

zu übertragen, so hat das Vormundschaftsgericht nach Anhörung des Gemeindewaisenrates den Vormund auszuwählen.

Das Vormundschaftsgericht soll eine Person auswählen, die nach ihren persönlichen Verhältnissen und ihrer Vermögenslage sowie nach den sonstigen Umständen zur Führung der Vormundschaft geeignet ist. Bei der Auswahl ist auf das religiöse Bekenntnis des Mündels Rücksicht zu nehmen. Verwandte und Verschwägerte des Mündels sind zunächst zu berücksichtigen" (§ 1779).

IV. „Jeder Deutsche hat die Vormundschaft, für die er von dem Vormundschaftsgerichte ausgewählt wird, zu übernehmen, sofern nicht seiner Bestellung zum Vormund einer der in den §§ 1780 bis 1784 bestimmten Gründe entgegensteht" (§ 1785).

Die Übernahme der Vormundschaft kann abgelehnt werden, aber hierin werden Mann und Frau nicht gleich behandelt, die Frauen können ablehnen ohne bestimmten Grund, die Männer aber nur aus bestimmten, gesetzlich vorgeschriebenen Gründen.

„Die Übernahme der Vormundschaft kann ablehnen:

1) eine Frau;
2) wer das sechzigste Lebensjahr vollendet hat;
3) wer mehr als vier minderjährige eheliche Kinder hat; ein von einem Anderen an Kindesstatt angenommenes Kind wird nicht gerechnet;
4) wer durch Krankheit oder durch Gebrechen verhindert ist, die Vormundschaft ordnungsmäßig zu führen;
5) wer wegen Entfernung seines Wohnsitzes von dem Sitze des Vormundschaftsgerichtes die Vormundschaft nicht ohne besondere Belästigung führen kann;
6) wer nach § 1844 zur Sicherheitsleistung angehalten wird;
7) wer mit einem Anderen zur gemeinschaftlichen Führung der Vormundschaft bestellt werden soll;
8) wer mehr als eine Vormundschaft oder Pflegschaft führt; die Vormundschaft oder Pflegschaft über mehrere Geschwister gilt nur als eine; die Führung von zwei Gegenvormundschaften steht der Führung einer Vormundschaft gleich.

Das Ablehnungsrecht erlischt, wenn es nicht vor der Bestellung bei dem Vormundschaftsgerichte geltend gemacht wird" (§ 1786).

„Wer die Übernahme der Vormundschaft ohne Grund ablehnt, ist, wenn ihm ein Verschulden zur Last fällt, für den Schaden ver-

antwortlich, der dem Mündel dadurch entsteht, daß sich die Be=
stellung des Vormundes verzögert" (§ 1787 I).

„Das Vormundschaftsgericht kann den zum Vormund Ausge=
wählten durch Ordnungsstrafen zur Übernahme der Vormundschaft
anhalten" (§ 1788 I).

V. „Der Vormund wird von dem Vormundschaftsgerichte
durch Verpflichtung zu treuer und gewissenhafter Führung der Vor=
mundschaft bestellt. Die Verpflichtung soll mittelst Handschlag an
Eidesstatt erfolgen" (§ 1789).

§ 1791 I. „Der Vormund erhält eine Bestallung."

„Neben dem Vormunde kann ein Gegenvormund bestellt werden.

Ein Gegenvormund soll bestellt werden, wenn mit der Vor=
mundschaft eine Vermögensverwaltung verbunden ist, es sei denn,
daß die Verwaltung nicht erheblich oder daß die Vormundschaft
von mehreren Vormündern gemeinschaftlich zu führen ist" (§ 1792 I, II).

§ 131. Führung der Vormundschaft über Minderjährige.

I. 1) „Der Vormund hat das Recht und die Pflicht, für die
Person und das Vermögen des Mündels zu sorgen, insbesondere
den Mündel zu vertreten" (§ 1793).

2) „Das Recht und die Pflicht des Vormundes, für die Person
und das Vermögen des Mündels zu sorgen, erstreckt sich nicht auf
Angelegenheiten des Mündels, für die ein Pfleger bestellt ist" (§ 1794).

3) Der Vormund ist kraft Gesetzes unfähig, den Mündel zu
vertreten in den Fällen des § 1795 (Rechtsgeschäfte mit nahen Ver=
wandten des Vormundes und gewisse Rechtsgeschäfte mit dem Vor=
mund selber, gewisse Prozesse).

4) „Das Vormundschaftsgericht kann dem Vormunde die Ver=
tretung für einzelne Angelegenheiten oder für einen bestimmten
Kreis von Angelegenheiten entziehen" (§ 1796 I).

II. 1) „Mehrere Vormünder (d. h. Mitvormünder) führen die
Vormundschaft gemeinschaftlich. Bei einer Meinungsverschiedenheit
entscheidet das Vormundschaftsgericht, sofern nicht bei der Bestellung
ein Anderes bestimmt wird.

Das Vormundschaftsgericht kann die Führung der Vormund=
schaft unter mehrere Vormünder nach bestimmten Wirkungskreisen

30 *

verteilen. Innerhalb des ihm überwiesenen Wirkungskreises führt jeder Vormund die Vormundschaft selbständig" (§ 1797 I, II).

2) Der Gegenvormund (nicht der Mitvormund) hat wesentlich die Pflicht der Aufsichtsführung, er soll den Vormund überwachen (§ 1799).

III. 1) „Das Recht und die Pflicht des Vormundes, für die Person des Mündels zu sorgen, bestimmt sich nach den für die elterliche Gewalt geltenden Vorschriften der §§ 1631 bis 1633" (§ 1800; s. oben S. 445).

2) „Die Sorge für die religiöse Erziehung des Mündels kann dem Vormunde von dem Vormundschaftsgerichte entzogen werden, wenn der Vormund nicht dem Bekenntnis angehört, in dem der Mündel zu erziehen ist" (§ 1801).

3) „Der Vormund hat das Vermögen, das bei der Anordnung der Vormundschaft vorhanden ist oder später dem Mündel zufällt, zu verzeichnen und das Verzeichnis, nachdem er es mit der Versicherung der Richtigkeit und Vollständigkeit versehen hat, dem Vormundschaftsgericht einzureichen" (§ 1802 Satz 1).

„Der Vormund kann nicht in Vertretung des Mündels Schenkungen machen. Ausgenommen sind Schenkungen, durch die einer sittlichen Pflicht oder einer auf den Anstand zu nehmenden Rücksicht entsprochen wird" (§ 1804).

„Der Vormund darf Vermögen des Mündels nicht für sich verwenden" (§ 1805).

„Der Vormund hat das zum Vermögen des Mündels gehörende Geld verzinslich anzulegen, soweit es nicht zur Bestreitung von Ausgaben bereit zu halten ist" (§ 1806).

Nähere Bestimmungen hiezu, insbesondere über die sogenannte pupillarische Sicherheit, d. i. die mündelsichere Geldanlage, enthalten die §§ 1807—1811.

Einzelne Rechtsgeschäfte sind an die Genehmigung des Gegenvormundes geknüpft, soweit nicht Genehmigung des Vormundschaftsgerichtes (s. unten 4) erforderlich ist (§§ 1812, 1813).

Über sonstige Vorschriften über Inhaberpapiere (s. oben S. 130), Buchforderungen (s. oben S. 84), Kostbarkeiten ꝛc. sind die §§ 1814 bis 1820 zu vergleichen.

4) Zu dem in den §§ 1821, 1822 genannten Rechtsgeschäften bedarf der Vormund der Genehmigung des Vormundschaftsgerichtes.

Unter Umständen (§ 1826) soll das Vormundschaftsgericht den Gegenvormund, unter Umständen (§ 1827) den Mündel vor Erteilung der Genehmigung hören.

Auf die Genehmigung finden im Allgemeinen die Vorschriften der §§ 108 ff. (s. oben S. 28 f., 31) Anwendung, mit denen die § 1829 ff. fast wörtlich übereinstimmen.

5) a. „Der Vormund ist dem Mündel für den aus einer Pflichtverletzung entstehenden Schaden verantwortlich, wenn ihm ein Verschulden zur Last fällt. Das Gleiche gilt von dem Gegenvormunde.

Sind für den Schaden Mehrere neben einander verantwortlich, so haften sie als Gesamtschuldner. Ist neben dem Vormunde für den von diesem verursachten Schaden der Gegenvormund oder ein Mitvormund nur wegen Verletzung seiner Aufsichtspflicht verantwortlich, so ist in ihrem Verhältnisse zu einander der Vormund allein verpflichtet" (§ 1833); d. h. dem Mündel haften sie beide, aber der Mitvormund oder der Gegenvormund können von dem eigentlichen Täter Ersatz verlangen.

b. „Verwendet der Vormund Geld des Mündels für sich, so hat er es von der Zeit der Verwendung an zu verzinsen" (§ 1834).

c. „Macht der Vormund zum Zwecke der Führung der Vormundschaft Aufwendungen, so kann er nach den für den Auftrag geltenden Vorschriften der §§ 669, 670 von dem Mündel Vorschuß oder Ersatz verlangen. Das gleiche Recht steht dem Gegenvormunde zu.

Als Aufwendungeu gelten auch solche Dienste des Vormundes oder Gegenvormundes, die zu seinem Gewerbe oder seinem Berufe gehören" (§ 1835); z. B. ein Arzt, der Vormund ist, kann seine ärztlichen Leistungen sich bezahlen lassen.

d. „Die Vormundschaft wird unentgeltlich geführt. Das Vormundschaftsgericht kann jedoch dem Vormund und aus besonderen Gründen auch dem Gegenvormund eine angemessene Vergütung bewilligen. Die Bewilligung soll nur erfolgen, wenn das Vermögen des Mündels sowie der Umfang und die Bedeutung der vormundschaftlichen Geschäfte es rechtfertigen. Die Vergütung kann jederzeit für die Zukunft geändert oder entzogen werden" (§ 1836 I).

§ 132. **Fürsorge und Aufsicht des Vormundschaftsgerichtes.**

I. „Das Vormundschaftsgericht hat über die gesamte Tätigkeit des Vormundes und des Gegenvormundes die Aufsicht zu führen
und gegen Pflichtwidrigkeiten durch geeignete Gebote und Verbote
einzuschreiten.

Das Vormundschaftsgericht kann den Vormund und den Gegenvormund zur Befolgung seiner Anordnungen durch Ordnungsstrafen
anhalten. Die einzelne Strafe darf den Betrag von dreihundert
Mark nicht übersteigen" (§ 1837).

„Das Vormundschaftsgericht kann anordnen, daß der Mündel
zum Zwecke der Erziehung in einer geeigneten Familie oder in einer
Erziehungsanstalt oder einer Besserungsanstalt untergebracht wird.
Steht dem Vater oder der Mutter die Sorge für die Person des
Mündels zu, so ist eine solche Anordnung nur unter den Voraus-
setzungen des § 1666 (s. oben § 124 VI) zulässig" (§ 1838).

„Der Vormund sowie der Gegenvormund hat dem Vormundschaftsgericht auf Verlangen jederzeit über die Führung der Vormundschaft und über die persönlichen Verhältnisse des Mündels
Auskunft zu erteilen" (§ 1839).

Der Vormund hat über seine Vermögensverwaltung dem Vormundschaftsgerichte jährlich Rechnung zu legen. Das Vormundschaftsgericht kann aber zweijährige und sogar dreijährige Rechnungslage zulassen, nachdem einmal Rechnung gelegt ist (§ 1840).

„Das Vormundschaftsgericht kann aus besonderen Gründen
den Vormund anhalten, für das seiner Verwaltung unterliegende
Vermögen Sicherheit zu leisten" (§ 1844 Satz 1).

II. „Will der zum Vormunde bestellte Vater oder die zum
Vormunde bestellte eheliche Mutter des Mündels eine Ehe eingehen,
so liegen ihnen die im § 1669 bestimmten Verpflichtungen ob"
(§ 1845; vergl. oben S. 449). Der § 1845 bezieht sich ebenso
wie § 1314 in seiner zweiten Voraussetzung auf den Fall, daß ein
Minderjähriger durch Adoption aus der elterlichen Gewalt seiner
natürlichen Eltern ausgeschieden und in die elterliche Gewalt der
Adoptiveltern übergetreten ist. Mit dem Tode der Adoptiveltern
lebt die elterliche Gewalt der natürlichen Eltern nicht wieder auf,
sondern dem Kinde wird ein Vormund bestellt, wozu dann die
natürlichen Eltern genommen werden können. Ist in solchem Fall

ein Elternteil Vormund seines eigenen minderjährigen Kindes, so muß er seine Absicht, sich wieder zu verheiraten, dem Vormundschaftsgerichte anzeigen, ein Inventar aufnehmen, sich vermögensrechtlich mit dem Kinde auseinandersetzen.

„Ist ein Vormund noch nicht bestellt oder ist der Vormund an der Erfüllung seiner Pflichten verhindert, so hat das Vormundschaftsgericht die im Interesse des Mündels erforderlichen Maßregeln zu treffen" (§ 1846).

„Das Vormundschaftsgericht soll vor einer von ihm zu treffenden Entscheidung auf Antrag des Vormundes oder des Gegenvormundes Verwandte oder Verschwägerte des Mündels hören, wenn es ohne erhebliche Verzögerung und unverhältnismäßige Kosten geschehen kann. In wichtigen Angelegenheiten soll die Anhörung auch ohne Antrag erfolgen" (§ 1847 Satz 1, 2).

„Verletzt der Vormundschaftsrichter vorsätzlich oder fahrlässig die ihm obliegenden Pflichten, so ist er dem Mündel nach § 839 I, III verantwortlich" (§ 1848; s. oben S. 139).

§ 133. Familienrat.

I. Der Familienrat hat Funktionen eines Vormundschaftsgerichtes (§ 1872), er ist wesentlich die zu Vormundschaftszwecken organisierte Verwandtschaft. Seine Tätigkeit wird besonders wichtig bei Verwaltung von größerem Vermögen, Bank- und Kaufgeschäften, industriellen Unternehmungen ꝛc., er hat den Zweck, besonders sachkundige Verwandte des Mündels an den Funktionen des Vormundschaftsgerichtes teilnehmen zu lassen.

„Ein Familienrat soll von dem Vormundschaftsgericht eingesetzt werden, wenn der Vater oder die eheliche Mutter des Mündels die Einsetzung angeordnet hat" (§ 1858 I).

„Ein Familienrat soll von dem Vormundschaftsgericht eingesetzt werden, wenn ein Verwandter oder Verschwägerter des Mündels oder der Vormund oder der Gegenvormund die Einsetzung beantragt und das Vormundschaftsgericht sie im Interesse des Mündels für angemessen erachtet.

Die Einsetzung unterbleibt, wenn der Vater oder die eheliche Mutter des Mündels sie untersagt hat" (§ 1859).

„Der Familienrat besteht aus dem Vormundschaftsrichter als

Vorſitzendem und aus mindeſtens zwei, höchſtens ſechs Mitgliedern"
(§ 1860).

„Als Mitglied des Familienrates iſt berufen, wer von dem
Vater oder der ehelichen Mutter des Mündels als Mitglied benannt iſt" (§ 1861 Satz 1).

Mitglied des Familienrates wird man nicht durch die Berufung, ſondern durch die Beſtellung.

„Die Mitglieder des Familienrates werden von dem Vorſitzenden durch Verpflichtung zu treuer und gewiſſenhafter Führung
des Amtes beſtellt. Die Verpflichtung ſoll mittelſt Handſchlages an
Eidesſtatt erfolgen" (§ 1870).

II. „Niemand iſt verpflichtet, das Amt eines Mitgliedes des
Familienrates zu übernehmen" (§ 1869).

„Soweit eine Berufung nach § 1861 nicht vorliegt oder die
Berufenen die Übernahme des Amtes ablehnen, hat das Vormundſchaftsgericht die zur Beſchlußfähigkeit des Familienrates erforderlichen Mitglieder auszuwählen" (§ 1862 I Satz 1).

„Die Beſtimmung der Zahl weiterer Mitglieder und ihre Auswahl ſteht dem Familienrate zu" (§ 1862 II). Er hat das Koop-
tationsrecht.

III. 1) „Zum Mitgliede des Familienrates kann nicht beſtellt werden, wer geſchäftsunfähig oder wegen Geiſtesſchwäche,
Verſchwendung oder Trunkſucht entmündigt iſt" (§ 1865).

Die Beſtellung iſt nichtig.

2) „Zum Mitgliede des Familienrates ſoll nicht beſtellt werden:

1. der Vormund des Mündels;

2. wer nach § 1781 oder nach § 1782 nicht zum Vormunde
   beſtellt werden ſoll;

3 wer durch Anordnung des Vaters oder der ehelichen Mutter
   des Mündels von der Mitgliedſchaft ausgeſchloſſen iſt"
   (§ 1866).

„Zum Mitgliede des Familienrates ſoll nicht beſtellt werden,
wer mit dem Mündel weder verwandt noch verſchwägert iſt, es ſei
denn, daß er von dem Vater oder der ehelichen Mutter des Mündels
benannt oder von dem Familienrat oder nach § 1864 (als vor-
läufiger Erſatzmann) von dem Vorſitzenden ausgewählt worden iſt"
(§ 1867).

Die Beſtellung iſt nicht nichtig.

IV. „Die Mitglieder des Familienrates können von dem Mündel Erſatz ihrer Auslagen verlangen; der Betrag der Auslagen wird von dem Vorſitzenden feſtgeſetzt" (§ 1877).

V. „Das Amt eines Mitgliedes des Familienrates endigt aus denſelben Gründen, aus denen nach den §§ 1885, 1886, 1889 das Amt eines Vormundes endigt.

Ein Mitglied kann gegen ſeinen Willen nur durch das dem Vormundſchaftsgericht im Inſtanzenzuge vorgeordnete Gericht entlaſſen werden" (§ 1878).

„Das Vormundſchaftsgericht hat den Familienrat aufzuheben, wenn es an der zur Beſchlußfähigkeit erforderlichen Zahl von Mitgliedern fehlt und geeignete Perſonen zur Ergänzung nicht vorhanden ſind" (§ 1879).

„Der Vater des Mündels kann die Aufhebung des von ihm angeordneten Familienrates für den Fall des Eintrittes oder Nichteintrittes eines künftigen Ereigniſſes (Auflöſung oder Verkauf des Geſchäftes, Tod beſtimmter, beſonders ſachkundiger und erfahrener Mitglieder des Familienrates) nach Maßgabe des § 1777 anordnen. Das gleiche Recht ſteht der ehelichen Mutter des Mündels für den von ihr angeordneten Familienrat zu.

Tritt der Fall ein, ſo hat das Vormundſchaftsgericht den Familienrat aufzuheben" (§ 1880).

§ 134. Gemeindewaiſenrat.

Das B.G.B. ſieht eine Wirkung der Familie vor durch das Organ des Familienrates, es ſieht aber auch eine Mitwirkung der Gemeinde vor durch das Mittel des Gemeindewaiſenrates.

Der Gemeindewaiſenrat wird eingeſetzt von dem betreffenden Bundesſtaat. Das B.G.B. ſetzt ſein Vorhandenſein voraus.

„Der Gemeindewaiſenrat hat dem Vormundſchaftsgerichte die Perſonen vorzuſchlagen, die ſich im einzelnen Falle zum Vormunde, Gegenvormund oder Mitglied eines Familienrates eignen" (§ 1849).

„Der Gemeindewaiſenrat hat in Unterſtützung des Vormundſchaftsgerichtes darüber zu wachen, daß die Vormünder der ſich in ſeinem Bezirk aufhaltenden Mündel für die Perſon der Mündel, insbeſondere für ihre Erziehung und ihre körperliche Pflege, pflichtmäßig Sorge tragen. Er hat dem Vormundſchaftsgerichte Mängel

und Pflichtwidrigkeiten, die er in dieser Hinsicht wahrnimmt, anzuzeigen und auf Erfordern über das persönliche Ergehen und das
Verhalten eines Mündels Auskunft zu erteilen.

Erlangt der Gemeindewaisenrat Kenntnis von einer Gefährdung
des Vermögens eines Mündels, so hat er dem Vormundschaftsgericht Anzeige zu machen" (§ 1850).

§ 135. Befreite Vormundschaft.

In gewissen Fällen kann ein Vormund, etwa weil er den
Eltern des Mündels als besonders vertrauenswürdig erscheint, eine
freiere Stellung erhalten, als sie sonst einem Vormund eingeräumt
wird.

I. 1. „Der eheliche Vater kann, wenn er einen Vormund
benennt, die Bestellung eines Gegenvormundes ausschließen" (§ 1852 I).

„Der Vater kann anordnen, daß der von ihm benannte Vormund bei der Anlegung von Geld den in den §§ 1809, 1810 bestimmten Beschränkungen nicht unterliegen und zu dem im § 1812
bezeichneten Rechtsgeschäften der Genehmigung des Gegenvormundes
oder des Vormundschaftsgerichtes nicht bedürfen soll. Diese Anordnungen sind als getroffen anzusehen, wenn der Vater die Bestellung eines Gegenvormundes ausgeschlossen hat" (§ 1852 II,
vergl. auch § 1853).

2. „Der Vater kann den von ihm benannten Vormund von
der Verpflichtung entbinden, während der Dauer seines Amtes
Rechnung zu legen.

3. Der Vormund hat in einem solchen Falle nach dem Ablaufe
von je zwei Jahren eine Übersicht über den Bestand des seiner
Verwaltung unterliegenden Vermögens dem Vormundschaftsgerichte
einzureichen. Das Vormundschaftsgericht kann anordnen, daß die
Übersicht in längeren, höchstens fünfjährigen Zwischenräumen einzureichen ist" (§ 1854 I, II).

II. Dieselben Rechte wie der Vater hat entsprechend § 1855
die eheliche Mutter.

III. „Die Anordnungen des Vaters oder der Mutter können
von dem Vormundschaftsgericht außer Kraft gesetzt werden, wenn
ihre Befolgung das Interesse des Mündels gefährden würde"
(§ 1857).

§ 136. Vormundschaft über Volljährige.

I. „Ein Volljähriger erhält einen Vormund, wenn er entmündigt ist" (§ 1896).

„Auf die Vormundschaft über einen Volljährigen finden die für die Vormundschaft über einen Minderjährigen geltenden Vorschriften" im Allgemeinen Anwendung, jedoch trifft das B.G.B. verschiedene Ausnahmen (§ 1897).

1. „Der Vater und die Mutter des Mündels sind nicht berechtigt einen Vormund zu benennen oder Jemand von der Vormundschaft auszuschließen" (§ 1898).

2. „Vor den Großvätern ist der Vater und nach ihm die eheliche Mutter des Mündels als Vormund berufen.

Die Eltern sind nicht berufen, wenn der Mündel von einem Anderen als dem Ehegatten seines Vaters oder seiner Mutter an Kindesstatt angenommen ist" (§ 1899 I, II).

Zu beachten ist, daß die genannten Personen nur b e r u f e n sind zur Vormundschaft und Vormünder erst werden durch die B e s t e l l u n g. Daß sie gesetzlich zur Vormundschaft berufen sind, bedeutet auch hier nur, daß das Vormundschaftsgericht in erster Linie sie zu Vormündern bestellen soll. Dementsprechend ist auch § 1899 III zu verstehen; der § 1899 III beruft zur Vormundschaft über ein Kind aus nichtiger Ehe den Elternteil nicht, der um die Nichtigkeit der Ehe bei der Eheschließung wußte. Dies bedeutet nicht, daß der Vater oder die Mutter zur Vormundschaft über ihr Kind aus nichtiger Ehe u n f ä h i g sind, wenn sie die Nichtigkeit bei der Eheschließung kannten. Das widerspräche auch § 1900 II, der ausdrücklich zuläßt, daß eine Mutter für ein Kind aus nichtiger Ehe vor den Großvätern zum Vormund bestellt werde, auch wenn sie bei der Eheschließung die Nichtigkeit kannte.

3. „Eine Ehefrau darf zum Vormund ihres Mannes auch ohne dessen Zustimmung bestellt werden.

Der Ehegatte des Mündels darf vor den Eltern und den Großvätern, die eheliche Mutter darf im Falle des § 1702 vor den Großvätern zum Vormunde bestellt werden.

Die uneheliche Mutter darf vor dem Großvater zum Vormunde bestellt werden" (§ 1900).

4. „Der Vormund hat für die Person des Mündels nur

insoweit zu sorgen, als der Zweck der Vormundschaft es erfordert"
(§ 1901 I).

Er hat also kein Erziehungsrecht.

5. Der Vater hat stets befreite Vormundschaft, aber sie kann
ihm im Interesse des Mündels durch das Vormundschaftsgericht genommen werden (§ 1903).

6. Die Mutter hat ebenfalls befreite Vormundschaft, kann jedoch Bestellung eines Gegenvormundes verlangen. Gegen ihren
Willen wird ein solcher bestellt, wenn die Vermögensverwaltung
schwierig oder sehr umfänglich ist ꝛc. (§ 1904).

II. „Ein Volljähriger, dessen Entmündigung beantragt ist, kann
unter vorläufige Vormundschaft gestellt werden, wenn das Vormundschaftsgericht es zur Abwendung einer erheblichen Gefährdung
der Person oder des Vermögens des Volljährigen für erforderlich
erachtet" (§ 1906; vergl. hierüber oben S. 31, 32).

„Die Vorschriften über die Berufung zur Vormundschaft gelten
nicht für die vorläufige Vormundschaft" (§ 1907).

„Die vorläufige Vormundschaft endigt mit der Rücknahme oder
der rechtskräftigen Abweisung des Antrages auf Entmündigung.

Erfolgt die Entmündigung, so endigt die vorläufige Vormundschaft, wenn auf Grund der Entmündigung ein Vormund bestellt wird.

Die vorläufige Vormundschaft ist von dem Vormundschaftsgericht aufzuheben, wenn der Mündel des vorläufigen vormundschaftlichen Schutzes nicht mehr bedürftig ist" (§ 1908).

§ 137. Pflegschaft.

I. Die Pflegschaft ist eine Vormundschaft (§ 1915) mit be-
schränktem Wirkungskreis, die insbesondere zur Ergänzung der
väterlichen Gewalt und der gewöhnlichen Vormundschaft dient. Sie
unterscheidet sich von der ordentlichen Vormundschaft außer durch
ihren beschränkten Wirkungskreis und ihre beschränkte Anwendbarkeit
noch dadurch, daß sie nicht notwendig Beschränkung oder Verlust
der Geschäftsfähigkeit bei den Personen voraussetzt, in deren Interesse
sie angeordnet wird.

1) „Wer unter elterlicher Gewalt oder unter Vormundschaft
steht, erhält für Angelegenheiten, an deren Besorgung der Gewalt-

haber oder der Vormund verhindert ist, einen Pfleger (§ 1909 I, Satz 1).

Verhinderung liegt z. B. vor, wenn der Gewalthaber in Konkurs verfällt (§ 1647), an der Ausübung der elterlichen Gewalt verhindert ist (§ 1665), ihm die Vermögensverwaltung entzogen ist (§ 1666, 1670), wenn der Vormund keine Vertretungsmacht hat (§ 1795) oder sie ihm entzogen ist (§ 1796) 2c. 2c., vergl. oben § 124 S. 444 ff.

„Er erhält insbesondere einen Pfleger zur Verwaltung des Vermögens, das er von Todeswegen erwirbt oder das ihm unter Lebenden von einem Dritten unentgeltlich zugewendet wird, wenn der Erblasser durch letztwillige Verfügung, der Dritte bei der Zuwendung bestimmt hat, daß dem Gewalthaber oder dem Vormunde die „Verwaltung nicht zustehen soll" (§ 1909 I Satz 2).

„Tritt das Bedürfnis einer Pflegschaft ein, so hat der Gewalthaber oder der Vormund dem Vormundschaftsgericht unverzüglich Anzeige zu machen.

Die Pflegschaft ist auch dann anzuordnen, wenn die Voraussetzungen für die Anordnung einer Vormundschaft vorliegen, ein Vormund aber noch nicht bestellt ist" (§ 1909 II, III).

2) „Ein Volljähriger, der nicht unter Vormundschaft steht, kann einen Pfleger für seine Person und sein Vermögen erhalten, wenn er in Folge körperlicher Gebrechen, insbesondere weil er taub, blind oder stumm ist, seine Angelegenheiten nicht zu besorgen vermag.

Vermag ein Volljähriger, der nicht unter Vormundschaft steht, in Folge geistiger oder körperlicher Gebrechen einzelne seiner Angelegenheiten oder einen bestimmten Kreis seiner Angelegenheiten, insbesondere seine Vermögensangelegenheiten, nicht zu besorgen, so kann er für diese Angelegenheiten einen Pfleger erhalten.

Die Pflegschaft darf nur mit Einwilligung des Gebrechlichen angeordnet werden, es sei denn, daß eine Verständigung mit ihm nicht möglich ist" (§ 1910).

3) „Ein abwesender Volljähriger, dessen Aufenthalt unbekannt ist, erhält für seine Vermögensangelegenheiten, soweit sie der Fürsorge bedürfen, einen Abwesenheitspfleger. Ein solcher Pfleger ist ihm insbesondere auch dann zu bestellen, wenn er durch Erteilung eines Auftrages oder einer Vollmacht Fürsorge getroffen hat, aber

Umstände eingetreten sind, die zum Widerrufe des Auftrages oder der Vollmacht Anlaß geben.

Das Gleiche gilt von einem Abwesenden, dessen Aufenthalt bekannt, der aber an der Rückkehr und der Besorgung seiner Vermögensangelegenheiten verhindert ist" (§ 1911).

4) „Eine Leibesfrucht erhält zur Wahrung ihrer künftigen Rechte, soweit diese einer Fürsorge bedürfen, einen Pfleger. Die Fürsorge steht jedoch dem Vater oder der Mutter zu, wenn das Kind, falls es bereits geboren wäre, unter elterlicher Gewalt stehen würde" (§ 1912).

Dies wird wichtig im Erbrechte, wenn einem künftigen Erben für den Fall, daß er lebend zur Welt kommt, sein Erbe gewahrt wird (s. oben S. 24 f.).

5) „Ist unbekannt oder ungewiß, wer bei einer Angelegenheit der Beteiligte ist, so kann dem Beteiligten für diese Angelegenheit, soweit eine Fürsorge erforderlich ist, ein Pfleger bestellt werden" (§ 1913 Satz 1).

6) „Ist durch öffentliche Sammlung Vermögen für einen vorübergehenden Zweck zusammengebracht worden, so kann zum Zwecke der Verwaltung und Verwendung des Vermögens ein Pfleger bestellt werden, wenn die zu der Verwaltung und Verwendung berufenen Personen weggefallen sind" (§ 1914).

Ein Komitee hat Mittel für ein Denkmal, für Überschwemmte ꝛc. gesammelt, die Mitglieder aber sind entweder gestorben, oder verzogen, oder verschollen, oder ausgetreten ꝛc.

II. Die Endigung der Pflegschaft richtet sich nach den §§ 1918 bis 1921.

Achtes Buch.

Erbrecht.

Erster Abschnitt.

Erbfolge.

§ 138. Stellung des Erben im Allgemeinen.

Wenn ein Vater zwei Söhne Ernst und Ulrich hinterläßt und sie beide zu gleichen Teilen als Erben auf sein 200000 Mk. betragendes Vermögen einsetzt, auf dem 9000 Mk. Verbindlichkeiten ruhen, so erhält jeder Sohn die Hälfte und hat im Endergebnis auch nur die Hälfte der Schulden zu zahlen. Wer mehr als die Hälfte zahlt, kann von dem Miterben Ersatz verlangen.

Gesetzt, der Erblasser hat seinem alten Diener 5000 Mk. vermacht, als Legat ausgesetzt, so wird der Diener Gläubiger der beiden Erben, er wird nicht Erbe, obgleich er etwas aus der Erbschaft erhält. Daß er nicht Erbe wird, zeigt sich darin, daß er für die 9000 Mk. Schulden der Erbschaft nicht aufzukommen braucht, daß er aber auch kein Recht an den Aktiven der Erbschaft hat. Wenn zur Erbschaft 50000 Mk. Buchforderung gegen das Reich oder einen Bundesstaat (s. oben S. 84) gehören, so steht die Buchforderung nur den Erben, aber niemals dem Vermächtnisnehmer zu, der vielmehr unter allen Umständen auf ein Forderungsrecht gegen die Erben beschränkt bleibt. Andererseits können die Nachlaßgläubiger wegen der 9000 Mk. betragenden Nachlaßschulden sich niemals an den Diener, der bloßer Vermächtnisnehmer ist, halten, sie können nur von den Erben Zahlung verlangen. Jeder Vermächtnisnehmer hat eine gleichartige Stellung wie die Nachlaßgläubiger, insofern ihm die Erben haften, er gegen sie vorgehen kann. Er ist ihr Gläubiger nicht minder, wie die Nachlaßgläubiger, die gegen die Erben eine Schuld des Vaters geltend machen.

Gleichwohl wird der Diener als bloßer Vermächtnisnehmer neben den Nachlaßgläubiger zurückgesetzt, denn er ist nur Wohltatenempfänger und deshalb gehen ihm die Nachlaßgläubiger in gewissen Beziehungen vor.

Der heutige Sprachgebrauch ist sehr geneigt den Unterschied zwischen Erben und Vermächtnisnehmer zu vermischen, um so mehr muß dagegen betont werden, daß bedeutende praktische Unterschiede zwischen beiden bestehen, denen auch ein wichtiger begrifflicher Unterschied entspricht: der Erbe ist Gesamtnachfolger des Erblassers, sein Universalsuccessor, der Vermächtnisnehmer ist es nicht.

Der Erbe tritt an die Stelle des Erblassers, er wird grundsätzlich so behandelt, als wäre er der Erblasser; alle dinglichen, alle Forderungsrechte gehen auf den Erben über mit einem Male, er ist ohne Weiteres Gläubiger aller Schuldner und Schuldner aller Gläubiger seines Erblassers und er ist auch ohne Weiteres Eigentümer aller Sachen, die dem Erblasser gehörten.

Nichts von alledem trifft für den Vermächtnisnehmer zu, er kann höchstens Einzelnachfolger, Singularsuccessor des Erblassers werden, wird es aber keineswegs immer. In dem angeführten Beispiele würde der Diener Singularsuccessor werden, wenn ihm eine 5000 Mk. betragende Forderung des Erblassers von den Erben abgetreten würde. Dann succediert er vermöge der Forderungsabtretung, also rein zufällig, dem Erblasser in das betreffende Forderungsrecht und nur in dieses. In sonstige Vermögensgegenstände succediert er nicht. Der Erbe dagegen succediert kraft Rechtsnotwendigkeit und immer.

Wäre dem Diener außer dem Geldvermächtnis auch noch eine Sache, z. B. die goldene Taschenuhr des Erblassers, vermacht worden, und würden ihm die Erben die Uhr übergeben, so würde er dem Erblasser in das Eigentum an der Uhr succedieren, aber auch nur in das Eigentum an dieser Uhr. Hier tritt Singularsuccession ein, weil die Natur des Vermächtnisses es zufällig so mit sich bringt und darum ist die Succession auch nur zufällig. Sie bleibt auch häufig aus, z. B. wenn der Erbe seinen Bankier anweist, aus seinem, des Erben, Guthaben dem Diener die 5000 Mk. zu zahlen. In solchen Fällen succediert der Diener in das Eigentumsrecht des Bankiers an den ausgezahlten Geldstücken, aber er wird niemals

Successor des Erblassers. Der Erbe dagegen succedirt in das Eigentum an allen dem Erblasser gehörigen Sachen.

„Mit dem Tode einer Person (Erbfall) geht deren Vermögen (Erbschaft) als Ganzes auf eine oder mehrere andere Personen (Erben) über.

Auf den Anteil eines Miterben (Erbteil) finden die sich auf die Erbschaft beziehenden Vorschriften Anwendung (§ 1922).

„Erbe kann nur werden, wer zur Zeit des Erbfalles lebt.

Wer zur Zeit des Erbfalles noch nicht lebte, aber bereits erzeugt war, gilt als vor dem Erbfalle geboren" (§ 1923; vergl. oben S. 241, dem nasciturus wird seine Stelle offengehalten).

§ 139. Voraussetzungen der Erbfolge und gesetzliche Erbfolgeordnung.

I. Ein Erblasser kann sterben mit Hinterlassung eines Testamentes oder Erbvertrages und dann tritt die testamentarische Erbfolge ein oder die Erbfolge kraft Erbvertrages. Ein Erblasser kann aber auch sterben ohne Testament oder Erbvertrag und dann tritt die gesetzliche Erbfolge ein. Wer in diesem Falle erben soll, bestimmt das Gesetz, die Erben sind gesetzliche Erben; so sind z. B. die Kinder gesetzliche Erben ihrer Eltern und darum, wenn die Eltern ohne Testament versterben, erhalten die Kinder den Nachlaß, treten als Erben an Stelle der Eltern.

II. 1) „Der Erblasser kann durch einseitige Verfügung von Todeswegen (Testament, letztwillige Verfügung) den Erben bestimmen" (§ 1937).

„Der Erblasser kann durch Testament einen Verwandten oder den Ehegatten von der gesetzlichen Erbfolge ausschließen, ohne einen Erben einzusetzen" (§ 1938).

„Der Erblasser kann durch Testament einem Anderen, ohne ihn als Erben einzusetzen, einen Vermögensvorteil zuwenden (Vermächtnis)" (§ 1939).

„Der Erblasser kann durch Testament den Erben oder einen Vermächtnisnehmer zu einer Leistung verpflichten, ohne einem Anderen ein Recht auf die Leistung zuzuwenden (Auflage)" (§ 1940).

Die Auflage kommt vor, wenn der Erblasser bestimmt, daß ihm selber ein Denkmal gesetzt werden solle oder daß sein Erbe alljährlich an Bedürftige eine gewisse Summe Geldes verteilen solle u. s. w., kurz überall dort, wo keine bestimmte Person bedacht ist.

2) „Der Erblasser kann durch Vertrag einen Erben einsetzen sowie Vermächtnisse und Auflagen anordnen (Erbvertrag).

Als Erbe (Vertragserbe) oder als Vermächtnisnehmer kann sowohl der andere Vertragschließende als ein Dritter bedacht werden" (§ 1941).

III. Die gesetzlichen Erben sind in einer gewissen Reihenfolge berufen, sodaß die zunächst Berufenen die später Berufenen ausschließen (§ 1930).

Das B.G.B. beruft die Erben nach dem sogenannten Parentelsystem und unterscheidet Erben verschiedener Ordnungen; es kennt im Ganzen fünf Ordnungen.

— 1) „Gesetzliche Erben der ersten Ordnung sind die Abkömmlinge des Erblassers.

Ein zur Zeit des Erbfalles lebender Abkömmling schließt die durch ihn mit dem Erblasser verwandten Abkömmlinge von der Erbfolge aus" (§ 1924 I, II).

Der Sohn schließt seinen Sohn (den Enkel) aus.

„An die Stelle eines zur Zeit des Erbfalles nicht mehr lebenden Abkömmlinges treten die durch ihn mit dem Erblasser verwandten Abkömmlinge (Erbfolge nach Stämmen)" (§ 1924 III).

Sind 3 Söhne vorhanden gewesen: Adolf, Ernst, Ludwig und ist Ludwig mit Hinterlassung der Töchter Hertha und Frida vor seinem Vater gestorben, so wird die Erbschaft in drei Stämme geteilt und es erben, wenn das Vermögen 90 000 Mk. beträgt, Adolf und Ernst je 30 000 Mk., Hertha und Frida zusammen 30 000 Mk., jede von ihnen allein 15 000 Mk.

— 2) „Gesetzliche Erben der zweiten Ordnung sind die Eltern des Erblassers und deren Abkömmlinge" (§ 1925 I), also Eltern, Geschwister, Neffen, Nichten, Großneffen, Großnichten ꝛc.

„Leben zur Zeit des Erbfalles die Eltern, so erben sie allein und zu gleichen Teilen" (§ 1925 II).

Die Eltern schließen die Geschwister des Erblassers und ihre Nachkommen aus; das ist das sogenannte Schoßfallrecht.

„Lebt zur Zeit des Erbfalles der Vater oder die Mutter nicht mehr, so treten an die Stelle des Verstorbenen dessen Abkömmlinge nach den für die Beerbung in der ersten Ordnung geltenden Vorschriften. Sind Abkömmlinge nicht vorhanden, so erbt der überlebende Teil allein" (§ 1925 III).

Hinterläßt jemand 60000 Mk., so erhält, wenn der Vater tot ist, die Mutter 30000 Mk., und die drei Geschwister erhalten zusammen 30000 Mk., jeder 10000 Mk. Dies gilt ohne Rücksicht darauf, ob die hinterlassenen 60000 Mk. Vermögen vom Vater oder von der Mutter oder von Dritten oder aus selbständigem Erwerbe stammen. Bringt die Frau dem vermögenslosen Manne 1100000 Mk. in die Ehe, stattet sie ein Kind mit 100000 Mk. aus, so erhält sie nach dem Tode des Kindes 50000 Mk. und der Vater, ihr Mann, ebenfalls. Die Geschwister erhalten nichts. Ist ihr Mann ebenfalls schon gestorben, so erhalten die fünf Geschwister des verstorbenen Kindes zusammen 50000 Mk.; dies ist Teilung nach Linien. Wenn ein Kind stirbt, so erhält die väterliche Linie die eine, die mütterliche Linie die andere Hälfte. Die Mutter erhält also 50000 Mk. und jedes ihrer fünf Kinder je 10000 Mk.

Leben nur Geschwister, so erhalten die Kinder des Vaters die eine Hälfte, die Kinder der Mutter die andere. Dies ergibt bei vollbürtigen Geschwistern einfache Kopfteilung des Nachlasses. Anders ist es bei voll- und halbbürtigen Geschwistern.

Friedrich Sternberg hat aus erster Ehe mit Wilhelmine Fahning die Kinder August und Bertha, aus zweiter Ehe mit Karoline Knop die Kinder Hans, Karl, Anna.

Die Eltern sterben.

August und Bertha haben von ihrer Mutter, geb. Fahning, je 2000 Mk. geerbt; alle Kinder erben vom Vater je 3000 Mk. Die Frau Sternberg, geb. Knop, hat ihren Kindern je 1000 Mk. hinterlassen.

Dann ergibt sich folgender Besitzstand: August und Bertha haben je 5000 Mk. Vermögen, Hans, Karl und Anna je 4000 Mk.

August stirbt. An sich würden je 2500 Mk. seinem Vater Friedrich Sternberg und seiner Mutter, geb. Fahning, zukommen.

Den Erbteil der Mutter erhält ihr Kind, Bertha, allein; in den Erbteil des Vaters müssen sich seine Kinder Bertha, Hans, Karl, Anna teilen, sodaß jedes Kind 625 Mk. erhält.

Das ergibt nunmehr folgenden Besitzstand: Bertha hat 8125 Mk., Hans, Karl und Anna je 4625 Mk. Vermögen.

3) „Gesetzliche Erben der dritten Ordnung sind die Großeltern des Erblassers und deren Abkömmlinge" (§ 1926 I); also Großeltern, Oheime, Tanten, Vettern, Cousinen und deren Kinder.

„Leben zur Zeit des Erbfalles die Großeltern, so erben sie allein und zu gleichen Teilen" (§ 1926 II); d. h. Oheime, Tanten, Vettern, Cousinen rc. werden von den Großeltern ausgeschlossen.

„Lebt zur Zeit des Erbfalles von den väterlichen oder von den mütterlichen Großeltern der Großvater oder die Großmutter nicht mehr, so treten an die Stelle des Verstorbenen dessen Abkömmlinge. Sind Abkömmlinge nicht vorhanden, so fällt der Anteil des Verstorbenen dem anderen Teile des Großelternpaares und, wenn dieser nicht mehr lebt, dessen Abkömmlingen zu" (§ 1926 III).

Werner Taschenbecker stirbt, es leben nur noch sein Großvater Friedrich Taschenbecker und von mütterlicher Seite seine Großmutter Erdmute Spangenberg und seine Oheime Johann und Jürgen Spangenberg. Sein Vermögen beträgt 80 000 Mk. Friedrich Taschenbecker erhält 40 000 Mk., Erdmute Spangenberg 20 000 Mk., Johann und Jürgen Spangenberg je 10 000 Mk.

Ist Erdmute Spangenberg vor ihrem Enkel Werner Taschenbecker gestorben, so erhalten die Oheime Johann und Jürgen je 20 000 Mk., Friedrich Taschenbecker 40 000 Mk.

„Leben zur Zeit des Erbfalles die väterlichen oder die mütterlichen Großeltern nicht mehr und sind Abkömmlinge der Verstorbenen nicht vorhanden, so erben die anderen Großeltern oder ihre Abkömmlinge allein" (§ 1926 IV).

Ist Friedrich Taschenbecker vor seinem Enkel Werner verstorben, ohne Abkömmlinge zu hinterlassen, so erhalten aus Werners Nachlaß Erdmute Spangenberg 40 000 Mk., Johann und Jürgen je 20 000 Mk.

„Soweit Abkömmlinge an die Stelle ihrer Eltern oder ihrer Voreltern treten, finden die für die Beerbung in der ersten Ordnung geltenden Vorschriften Anwendung" (§ 1926 V); d. h. die Abkömmlinge erben zusammen den Stammteil ihres Vorfahren.

4) „Gesetzliche Erben der vierten Ordnung sind die Urgroßeltern des Erblassers und deren Abkömmlinge.

Leben zur Zeit des Erbfalles Urgroßeltern, so erben sie allein; mehrere erben zu gleichen Teilen, ohne Unterschied, ob sie derselben Linie oder verschiedenen Linien angehören.

Leben zur Zeit des Erbfalles Urgroßeltern nicht mehr, so erbt von ihren Abkömmlingen derjenige, welcher mit dem Erblasser dem Grade nach am nächsten verwandt ist; mehrere gleich nahe Verwandte erben zu gleichen Teilen" (§ 1928).

Die Bestimmung des letzten Absatzes ist wohl zu beachten. Hinterläßt ein Erblasser einen Großoheim und von einer verstorbenen Großtante einen Oheim zweiten Grades, einen Vetter des Vaters des Erblassers, dann schließt der Großoheim den Vatersvetter aus. Die Erbschaft wird nicht etwa, wie es sonst der Stammteilung entspricht, in zwei Stammteile geteilt, deren einen der Großoheim, den anderen, als Abkömmling der Großtante, der Vatersvetter erben würde.

5) „Gesetzliche Erben der fünften Ordnung und der ferneren Ordnungen sind die entfernteren Voreltern des Erblassers und deren Abkömmlinge.

Die Vorschriften des § 1928 II, III finden entsprechende Anwendung" (§ 1929).

6) „Der überlebende Ehegatte des Erblassers ist neben Verwandten der ersten Ordnung zu einem Vierteile, neben Verwandten der zweiten Ordnung oder neben Großeltern zur Hälfte der Erbschaft als gesetzlicher Erbe berufen. Treffen mit Großeltern Abkömmlinge von Großeltern zusammen, so erhält der Ehegatte auch von der andern Hälfte den Anteil, der nach § 1926 den Abkömmlingen zufallen würde.

Sind weder Verwandte der ersten oder der zweiten Ordnung noch Großeltern vorhanden, so erhält der überlebende Ehegatte die ganze Erbschaft" (§ 1931).

Stirbt der Vater und hinterläßt er 100 000 Mk., so erhält seine Frau 25 000 Mk., jedes seiner 5 Kinder je 15 000 Mk. Stirbt von einem kinderlosen Ehepaar der Mann und hinterläßt er 100 000 Mk., so erhält die Frau 50 000 Mk. und die Eltern und Geschwister oder die Großeltern des Mannes haben sich in die anderen 50 000 Mk. zu teilen. Leben nur die mütterlichen Großeltern des Mannes noch und die väterlichen Oheime, Tanten, Vettern, Cousinen ꝛc., so erhält die Frau auch noch die 25 000 Mk., die als Stammteil der väterlichen Großeltern an die väterlichen Oheime, Tanten, Vettern, Cousinen ꝛc. fallen würden.

„Ist der überlebende Ehegatte neben Verwandten der zweiten Ordnung oder neben Großeltern gesetzlicher Erbe, so gebühren ihm außer dem Erbteile die zum ehelichen Haushalte gehörenden Gegenftände, foweit fie nicht Zubehör eines Grundftückes find, und die Hochzeitsgeschenke als Voraus. Auf den Voraus finden die für Vermächtniffe geltenden Vorschriften Anwendung" (§ 1932).

„Das Erbrecht des überlebenden Ehegatten sowie das Recht auf den Voraus ift ausgeschloffen, wenn der Erblaffer zur Zeit feines Todes auf Scheidung wegen Verschuldens des Ehegatten zu klagen berechtigt war und die Klage auf Scheidung oder auf Aufhebung der ehelichen Gemeinschaft erhoben hatte" (§ 1933).

7) „Gehört der überlebende Ehegatte zu den erbberechtigten Verwandten, fo erbt er zugleich als Verwandter. Der Erbteil, der ihm auf Grund der Verwandtschaft zufällt, gilt als befonderer Erbteil" (§ 1934).

„Wer in der erften, der zweiten oder der dritten Ordnung verschiedenen Stämmen angehört, erhält den in jedem diefer Stämme ihm zufallenden Anteil. Jeder Anteil gilt als befonderer Erbteil" (§ 1927).

8) „Ift zur Zeit des Erbfalles weder ein Verwandter noch ein Ehegatte des Erblaffers vorhanden, fo ift der Fiskus des Bundesftaates, dem der Erblaffer zur Zeit des Todes angehört hat, gefetzlicher Erbe. Hat der Erblaffer mehreren Bundesftaaten angehört, fo ift der Fiskus eines jeden diefer Staaten zu gleichem Anteile zur Erbfolge berufen.

War der Erblaffer ein Deutscher, der keinem Bundesftaat angehörte, fo ift der Reichsfiskus gefetzlicher Erbe" (§ 1936).

Zweiter Abschnitt.

Rechtliche Stellung des Erben.

§ 140. Annahme und Ausschlagung der Erbschaft. Fürforge des Nachlaßgerichtes.

I. Der Erbe erwirbt die Erbschaft ohne Weiteres, ohne Wiffen und Willen fofort mit dem Tode des Erblaffers. Er braucht die Erbschaft nicht anzutreten, um fie zu erwerben, er erwirbt fie ohne Erbschaftsantritt. Er kann aber die erworbene Erbschaft nachträglich wieder ausschlagen, daher hat der Erwerb der Erbschaft zunächft nur einftweilige Bedeutung.

„Die Erbschaft geht auf den berufenen Erben unbeschadet des Rechtes über, sie auszuschlagen (Anfall der Erbschaft).

Der Fiskus kann die ihm als gesetzlichem Erben angefallene Erbschaft nicht ausschlagen" (§ 1942).

II. 1) „Der Erbe kann die Erbschaft nicht mehr ausschlagen, wenn er sie angenommen hat oder wenn die für die Ausschlagung vorgeschriebene Frist verstrichen ist; mit dem Ablaufe der Frist gilt die Erbschaft als angenommen" (§ 1943).

Hat der Erbe, was an sich nicht notwendig ist, erklärt, daß er die Erbschaft annehme, so bedeutet dies nicht, daß er erst durch diese Erklärung die Erbschaft erhält, denn er hat sie schon vorher erhalten, aber durch diese Erklärung verliert er das Recht, die Erbschaft nachträglich auszuschlagen.

„Die Ausschlagung kann nur binnen sechs Wochen erfolgen.

Die Frist beträgt sechs Monate, wenn der Erblasser seinen letzten Wohnsitz nur im Auslande gehabt hat oder wenn sich der Erbe bei dem Beginne der Frist im Ausland aufhält" (§ 1944 I, III).

Es ist sehr wichtig, ob der Erbe schon vor Ablauf der Frist erklärt, die Erbschaft anzunehmen, oder ob er die Frist ohne auszuschlagen verstreichen läßt. Stirbt der Erblasser am 1. Januar 1900, erfährt der Erbe davon am 2. Januar, so ist die Frist für ihn am 13. Februar um Mitternacht abgelaufen und von da ab fängt z. B. die Frist des § 2014 an zu laufen, vermöge der der Erbe ein Vierteljahr hindurch Zeit hat, bis er die Nachlaßgläubiger befriedigen muß. Nimmt der Erbe jedoch schon am 2. Januar an, so beginnt die Vierteljahrsfrist des § 2014 schon um 6 Wochen früher und endet dementsprechend auch früher.

2) „Die Annahme und die Ausschlagung können nicht unter einer Bedingung oder einer Zeitbestimmung erfolgen" (§ 1947).

3) Wenn ein Sohn im Testamente als Erbe eingesetzt ist, kann er die Erbschaft als Testamentserbe, aber auch als gesetzlicher Erbe der ersten Ordnung antreten. Er ist aus verschiedenen Gründen (Testament — gesetzliche Erbfolge) zur Erbschaft berufen.

§ 1948. „Wer durch Verfügung von Todeswegen als Erbe berufen ist, kann, wenn er ohne die Verfügung als gesetzlicher Erbe berufen sein würde, die Erbschaft als eingesetzter Erbe ausschlagen und als gesetzlicher Erbe annehmen.

Wer durch Testament und durch Erbvertrag als Erbe berufen

ift, kann die Erbschaft aus dem einen Berufsgrund annehmen und aus dem anderen ausschlagen."

4) „Die Annahme gilt als nicht erfolgt, wenn der Erbe über den Berufsgrund im Irrtume war" (§ 1949 I).

Dies ist praktisch wichtig wegen § 1944 II. Die Frist für die Ausschlagung (6 Wochen oder 6 Monate § 1944 I, III) beginnt mit dem Zeitpunkte, in welchem der Erbe von dem Anfall und dem Grunde der Berufung Kenntnis erhalten hat. Stirbt der Erblasser ohne Testament am 1. Januar 1900 und erfährt sein einziger Sohn dies am 2. Januar, so beginnt die Ausschlagungs-frist sofort. Hat der Erblasser aber ein Testament gemacht, so beginnt die Frist mit der Veröffentlichung des Testamentes. Nimmt der Erbe in dem Glauben, daß kein Testament vorhanden sei, die Erbschaft am 2. Januar an und wird später ein Testament vorgebracht, in dem der Erblasser dem Erben die verschiedensten erschwerenden Bedingungen auferlegt, so gilt seine Annahmeerklärung nicht und er kann sich nunmehr endgültig über Annahme oder Ausschlagung schlüssig werden und hiezu läuft ihm jetzt eine neue Frist gemäß § 1944. Die Bestimmung des § 1949 I entspricht also im höchsten Grade der Billigkeit.

Könnte Jemand eigentlich sowohl auf Grund von Testament wie Erbvertrag Erbe sein und schlägt er die Erbschaft ganz allgemein aus, ohne sich auf einen bestimmten Berufsgrund zu beschränken, so enthält er weder von Testaments- noch von Erbvertragswegen etwas, wenn er beide Berufsgründe kennt (§ 1949 II).

5) „Die Annahme und die Ausschlagung können nicht auf einen Teil der Erbschaft beschränkt werden. Die Annahme oder Ausschlagung eines Teiles ist unwirksam" (§ 1950).

6) „Wird die Erbschaft ausgeschlagen, so gilt der Anfall an den Ausschlagenden als nicht erfolgt.

Die Erbschaft fällt demjenigen an, welcher berufen sein würde, wenn der Ausschlagende zur Zeit des Erbfalles nicht gelebt hätte; der Anfall gilt als mit dem Erbfall erfolgt" (§ 1953 I, II).

Nicht, wer der nächste Erbe ist zur Zeit der Ausschlagung, erhält die Erbschaft, sondern wer der nächste Erbe gewesen wäre zur Zeit des Erbfalles.

III. „Bis zur Annahme der Erbschaft hat das Nachlaßgericht für die Sicherung des Nachlasses zu sorgen, soweit ein Bedürfnis besteht. Das Gleiche gilt, wenn der Erbe unbekannt oder wenn ungewiß ist, ob er die Erbschaft angenommen hat" (§ 1960 I).

IV. „Ist zur Zeit des Erbfalles die Geburt eines Erben zu erwarten, so kann die Mutter, falls sie außer Stande ist, sich selbst zu unterhalten, bis zur Entbindung standesmäßigen Unterhalt aus dem Nachlaß oder, wenn noch andere Personen als Erben berufen sind, aus dem Erbteile des Kindes verlangen. Bei der Bemessung des Erbteiles ist anzunehmen, daß nur ein Kind geboren wird" (§ 1963).

V. „Wird der Erbe nicht innerhalb einer den Umständen entsprechenden Frist ermittelt, so hat das Nachlaßgericht festzustellen, daß ein anderer Erbe als der Fiskus nicht vorhanden ist.

Die Feststellung begründet die Vermutung, daß der Fiskus gesetzlicher Erbe sei" (§ 1964).

§ 141. Haftung des Erben für die Nachlaßverbindlichkeiten.

I. Die Bestimmungen des B.G.B. über die Haftung des Erben gehen von folgenden Grundgedanken aus.

Die Gläubiger sollen nicht geschädigt werden dadurch, daß die Erbschaftsmasse anders als zu ihrer Befriedigung verwandt wird.

Der Erbe soll nicht gezwungen werden, gegen seinen Willen aus seinem eigenen Vermögen für die Schulden der Erbschaft aufkommen zu müssen.

Darum haben die Gläubiger das Recht, auf Nachlaßverwaltung oder Eröffnung des Konkurses über den Nachlaß anzutragen und auf diese Weise dem Erben die Verwaltung des Nachlasses aus der Hand zu nehmen, sodaß er außer Stande ist, von dem Nachlaß etwas auf die Seite zu bringen, ihn durch Nachlässigkeit zu verwahrlosen u. s. w. Sie haben ferner die Möglichkeit, ihn zur Errichtung eines Inventars über die Erbschaft zu drängen, wodurch sie erreichen, daß der Bestand des Nachlasses klar gestellt und eine Überwachung möglich wird, oder daß der Erbe, weil er das Inventar nicht oder nicht richtig errichtet, auch mit seinem sonstigen Vermögen für die Erbschaftsschulden aufkommen muß.

Die Schutzmittel des Erben bestehen darin, daß er seine Haftung auf den Betrag des Nachlasses beschränken kann durch rechtzeitigen Antrag auf Nachlaßverwaltung oder auf Eröffnung des Konkurses über den Nachlaß und daß er auch die Nachlaßgläubiger öffentlich durch das Amtsgericht aufbieten lassen kann, wodurch er seine Haftung wenigstens gegenüber den ausgeschlossenen Gläubigern beschränken kann.

II. 1) „Der Erbe haftet für die Nachlaßverbindlichkeiten" (§ 1967 I).

2) a. „Zu den Nachlaßverbindlichkeiten gehören außer den vom Erblasser herrührenden Schulden die den Erben als solchen treffenden Verbindlichkeiten, insbesondere die Verbindlichkeiten aus Pflichtteilsrechten, Vermächtnissen und Auflagen" (§ 1967 II; s. oben § 138 S. 479 f., § 139 S. 481 f.).

b. „Der Erbe trägt die Kosten der standesmäßigen Beerdigung des Erblassers" (§ 1968).

c. „Der Erbe ist verpflichtet, Familienangehörigen des Erblassers, die zur Zeit des Todes des Erblassers zu dessen Hausstande gehört und von ihm Unterhalt bezogen haben, in den ersten dreißig Tagen nach dem Eintritte des Erbfalles in demselben Umfange, wie der Erblasser es getan hat, Unterhalt zu gewähren und die Benutzung der Wohnung und der Haushaltsgegenstände zu gestatten" (§ 1969 I Satz 1).

III. Der Erbe haftet an sich für die Schulden des Erblassers, für die Auszahlung der Vermächtnisse ꝛc. unbeschränkt, aber er kann seine Haftung beschränken dadurch, daß er Nachlaßverwaltung oder Konkurseröffnung beantragt.

Um sich Gewißheit über den Umfang der Aktiven und Passiven zu verschaffen, kann er nach § 1970 alle Nachlaßgläubiger öffentlich im Wege des Aufgebotsverfahrens zur Anmeldung ihrer Forderungen auffordern und dadurch kann er seine Haftung in gewisser Weise ebenfalls beschränken. Die Gläubiger, die sich auf die Aufforderung zu rechter Zeit melden, können ihre ganzen Forderungen geltend machen und er muß sie voll berichtigen, auch wenn die Erbschaft nicht dazu ausreicht. Die nachträglich sich meldenden Gläubiger müssen immer mit dem Überschuß vorlieb nehmen und ihnen haftet der Erbe nur beschränkt, insofern er ihnen gegenüber eine Abzugseinrede hat. [1] Ist der ganze Nachlaß schon den Gläubigern, die

---

1) Das Aufgebotsverfahren ist in Z.P.O. §§ 989—1000 geregelt. Das Amtsgericht bietet auf Antrag des Erben die Gläubiger auf d. h. es fordert

sich auf das Aufgebot gemeldet haben, zur Beute gefallen, sodaß nichts übrig geblieben ist, so erhalten die nachträglich sich meldenden Gläubiger garnichts (§ 1973).

Ist Nachlaßverwaltung oder Konkurs eingeleitet, so haftet der Erbe auch den Gläubigern, die sich auf das Aufgebot rechtzeitig gemeldet haben, nur mit dem Nachlaß, sodaß gegebenen Falles auch diese Gläubiger an ihren Forderungen Verluste erleiden.

Nachlaßverwaltung und Konkurs beschränken die Haftung gegenüber allen Gläubigern, das Aufgebot beschränkt die Haftung nur gegenüber den nachträglich sich meldenden Gläubigern.

IV. „Die Haftung des Erben für die Nachlaßverbindlichkeiten beschränkt sich auf den Nachlaß, wenn eine Nachlaßpflegschaft zum Zwecke der Befriedigung der Nachlaßgläubiger (Nachlaßverwaltung) angeordnet oder der Nachlaßkonkurs eröffnet ist" (§ 1975).

Bei Nachlaßverwaltung und Konkurs wird der Nachlaß von dem Privatvermögen gesondert. Der Erbe haftet nur bis zum Betrage der Erbschaft, sodaß § 1967, der den Erben auf den ganzen Betrag der Schulden haftbar macht, nicht zur Anwendung kommt.

1) „Beantragt der Erbe nicht unverzüglich, nachdem er von der Überschuldung des Nachlasses Kenntnis erlangt hat, die Eröffnung des Nachlaßkonkurses, so ist er den Gläubigern für den daraus entstehenden Schaden verantwortlich" (§ 1980 I Satz 1).

„Der Kenntnis der Überschuldung steht die auf Fahrlässigkeit beruhende Unkenntnis gleich" (§ 1980 II Satz 1).

2) „Die Nachlaßverwaltung ist von dem Nachlaßgericht anzuordnen, wenn der Erbe die Anordnung beantragt" (§ 1981 I).

„Auf Antrag eines Nachlaßgläubigers ist die Nachlaßverwaltung

---

sie auf, sich mit ihren Forderungen spätestens bis zu einem bestimmten vom Amtsgericht bezeichneten Termin, dem Aufgebotstermin, zu melden. Zugleich muß in dem Aufgebot den Gläubigern angedroht werden, daß jeder, der sich nicht meldet, nur insoweit Befriedigung verlangen kann, als nach Befriedigung der nicht ausgeschlossenen Gläubiger ein Überschuß sich ergibt. Alle Gläubiger, die sich nicht rechtzeitig melden, werden vom Amtsgericht durch Ausschlußurteil von der Befriedigung aus dem Nachlaß ausgeschlossen, insoweit die Forderungen der Gläubiger reichen, die sich rechtzeitig gemeldet haben. Erst das Ausschlußurteil gibt dem Erben seine Abzugseinrede.

anzuordnen, wenn Grund zu der Annahme besteht, daß die Befriedigung der Nachlaßgläubiger aus dem Nachlasse durch das Verhalten oder die Vermögenslage des Erben gefährdet wird" (§ 1981
II Satz 1).

Mehrere Miterben können die Nachlaßverwaltung nur gemeinschaftlich beantragen (§ 2062).

3) a. „Mit der Anordnung der Nachlaßverwaltung verliert der
Erbe die Befugnis, den Nachlaß zu verwalten und über ihn zu
verfügen" (§ 1984 I Satz 1).

b. „Der Nachlaßverwalter hat den Nachlaß zu verwalten und
die Nachlaßverbindlichkeiten aus dem Nachlasse zu berichtigen"
(§ 1985 I).

c. „Der Nachlaßverwalter darf den Nachlaß dem Erben erst
ausantworten, wenn die bekannten Nachlaßverbindlichkeiten berichtigt
sind" (§ 1986 I).

d. „Der Nachlaßverwalter kann für die Führung seines Amtes
eine angemessene Vergütung verlangen" (§ 1987).

e. „Die Nachlaßverwaltung endigt mit der Eröffnung des
Nachlaßkonkurses" (§ 1988 I).

4) „Ist die Anordnung der Nachlaßverwaltung oder die Eröffnung des Nachlaßkonkurses wegen Mangels einer den Kosten
entsprechenden Masse nicht tunlich oder wird aus diesem Grunde
die Nachlaßverwaltung aufgehoben oder das Konkursverfahren ein-
gestellt, so kann der Erbe die Befriedigung eines Nachlaßgläubigers
insoweit verweigern, als der Nachlaß nicht ausreicht" (§ 1990 I
Satz 1).

V. 1) Die Gläubiger haben ein Mittel, den Erben innerhalb
gewisser Frist zur Entscheidung zu zwingen, ob er beschränkt oder
unbeschränkt haften wolle. Jeder Nachlaßgläubiger kann beantragen,
daß dem Erben eine bestimmte Frist gesetzt werde, um ein Verzeichnis, Inventar der Erbschaft aufzunehmen (§ 1994 I). Läßt der
Erbe diese Frist ungenutzt verstreichen, so ist der Erbe nicht berechtigt, eine Nachlaßverwaltung zu beantragen und dadurch seine
Haftung zu beschränken, die Nachlaßverwaltung auf Antrag des Erben ist ausgeschlossen und die Nachlaßverwaltung auf Antrag eines Nachlaßgläubigers hat
nicht mehr die Wirkung, die Haftung des Erben zu beschränken, wenn sie nach Versäumung der Inventarfrist angeordnet

wird. Ebenso beschränkt ein nach Versäumung der Inventarfrist eröffneter Konkurs nicht mehr die Haftung des Erben.

Läuft die Inventarfrist früher ab als im Aufgebotsverfahren das Ausschlußurteil ergeht, so hat das Aufgebot nicht die Wirkung, daß der Erbe die Befriedigung der nachträglich sich meldenden Gläubiger insoweit verweigern kann, als der Nachlaß durch die Befriedigung der nicht ausgeschlossenen Gläubiger, die sich also rechtzeitig gemeldet haben, erschöpft wird. Er haftet also allen Gläubigern, wann sie sich auch melden, unbeschränkt, solange er ihnen überhaupt haftet und nicht etwa ihre Forderungen durch Verjährung untergegangen sind. Darum haftet er auch einem Nachlaßgläubiger gegenüber unbeschränkt, der seine Forderung später als 5 Jahre nach dem Erbfall (§ 1974 I) geltend macht (§ 2013 I Satz 1).

Wird die Inventarfrist am 1. Juli 1907 versäumt und macht am 15. November 1907 ein Gläubiger seine Forderung geltend, so kann sich der Erbe nicht darauf berufen, daß am 2. Juli 1907 oder am 14. November 1907, also vor dem 15. November 1907 eine Nachlaßverwaltung angeordnet oder Konkurs eröffnet oder die Aufgebotsfrist abgelaufen sei. Es ist zu spät und dabei kommt es garnicht darauf an, ob schon vor oder nach dem 1. Juli die Aufgebotsfrist angeordnet oder der Antrag auf Nachlaßverwaltung oder Konkurseröffnung gestellt ist.

Nur in zwei Fällen ist die Versäumung der Inventarfrist unschädlich, wenn nemlich a. die Gläubiger aufgeboten sind, das Ausschlußurteil ergangen ist und die Inventarfrist erst nach Erlaß des Ausschlußurteils versäumt wird, z. B. das Ausschlußurteil ergeht am 1. Juli 1907, die Inventarfrist läuft ab am 2. Juli 1907 oder am 2. November 1907 ꝛc., je nachdem, ob dem Erben die Inventarfrist während oder nach der Aufgebotsfrist gesetzt ist. In solchem Falle wird dem Erben die günstige Stellung, die er durch das Aufgebot erlangt hat, nicht mehr nachträglich durch Versäumung der Inventarfrist verkümmert; d. h. ein Gläubiger, der die Aufgebotsfrist am 1. Juli versäumt hat und sich nachträglich mit seiner Forderung meldet, kann sich nur an den Überschuß des Nachlasses halten, und wenn er seine Forderung erst nach Ablauf der Inventarfrist geltend macht, etwa am 15. November 1907, so kann er sich nicht darauf berufen, daß am 2. Juli oder am 2. November, also vor dem 15. November, die Inventarfrist abgelaufen sei (§ 2013 I Satz 2).

b. Dem Falle des Aufgebotes steht gleich der andere, daß nämlich die Inventarfrist erst später als 5 Jahre nach dem Erbfall abläuft. Sind die 5 Jahre am 1. Juli 1907 abgelaufen und meldet sich am 1. Dezember 1907 noch nachträglich ein Gläubiger, so kann er, wenn die Erbschaft schon erschöpft ist, nichts verlangen, und wenn ein Überschuß da ist, muß er sich mit ihm zufrieden geben, auch wenn er zur Deckung seiner Forderung nicht ausreicht. Er kann nicht geltend machen, daß der Erbe eine nach dem 1. Juli 1907, etwa am 2. Juli oder 2. November, ablaufende Inventarfrist versäumt habe.

2) Der Versäumung der Inventarfrist steht es gleich, wenn der Erbe in dem Verzeichnis absichtlich die Aktiva erheblich zu klein angibt oder um die Nachlaßgläubiger zu benachteiligen, eine nicht bestehende Nachlaßverbindlichkeit angibt (§ 2005 I).

3) Abgesehen von der Bedeutung, die die Versäumung der Inventarfrist hat, wird das Inventar nach einer anderen Richtung hin wichtig. **Es erleichtert den Beweis.**

„Ist das Inventar rechtzeitig errichtet worden, so wird im Verhältnisse zwischen dem Erben und den Nachlaßgläubigern vermutet, daß zur Zeit des Erbfalles weitere Nachlaßgegenstände als die angegebenen nicht vorhanden gewesen seien" (§ 2009).

Daher erklärt es sich, warum § 1993 von einem Recht des Erben, ein Inventar zu errichten und sich seine Beweislage zu verbessern, spricht.

„Der Erbe ist berechtigt, ein Verzeichnis des Nachlasses (Inventar) bei dem Nachlaßgericht einzureichen (Inventarerrichtung)" (§ 1993).

4) „Die Inventarfrist soll mindestens einen Monat, höchstens drei Monate betragen" (§ 1995 I Satz 1).

„Auf Antrag des Erben kann das Nachlaßgericht die Frist nach seinem Ermessen verlängern" (§ 1995 III).

5) Das Inventar ist öffentlich, vor einer Behörde, Notar ꝛc. zu errichten, kann auf Antrag des Erben durch das Nachlaßgericht aufgenommen werden (§ 2002, 2003). „Durch die Stellung des Antrages wird die Inventarfrist gewahrt" (§ 2003 I Satz 2).

6) „Der Erbe hat auf Verlangen eines Nachlaßgläubigers vor dem Nachlaßgerichte den Offenbarungseid dahin zu leisten:

daß er nach bestem Wissen die Nachlaßgegenstände so vollständig angegeben habe, als er dazu im Stande sei"
(§ 2006 I).

„Verweigert der Erbe die Leistung des Eides, so haftet er dem
Gläubiger, der den Antrag gestellt hat, unbeschränkt. Das Gleiche
gilt, wenn er weder in dem Termin, noch in einem auf Antrag
des Gläubigers bestimmten neuen Termin erscheint, es sei denn,
daß ein Grund vorliegt, durch den das Nichterscheinen in diesem
Termin genügend entschuldigt wird (§ 2006 III).

7) „Das Nachlaßgericht hat die Einsicht des Inventars
Jedem zu gestatten, der ein rechtliches Interesse glaubhaft macht"
(§ 2010).

8) „Die Errichtung des Inventars durch einen Miterben
kommt auch den übrigen Erben zu Statten, soweit nicht ihre Haftung
für die Nachlaßverbindlichkeiten unbeschränkt ist" (§ 2063 I).

VI. „Der Erbe ist berechtigt, die Berichtigung einer Nachlaßverbindlichkeit bis zum Ablaufe der ersten drei Monate nach der
Annahme der Erbschaft, jedoch nicht über die Errichtung des In-
ventares hinaus, zu verweigern" (§ 2014).

„Hat der Erbe den Antrag auf Erlassung des Aufgebotes der
Nachlaßgläubiger innerhalb eines Jahres nach der Annahme der
Erbschaft gestellt und ist der Antrag zugelassen, so ist der Erbe be-
rechtigt, die Berichtigung einer Nachlaßverbindlichkeit bis zur Be-
endigung des Aufgebotsverfahrens zu verweigern" (§ 2015 I). Der
Zweck dieser Bestimmungen wird klar durch (§ 2016 I).

„Die Vorschriften der §§ 2014, 2015 finden keine Anwendung,
wenn der Erbe unbeschränkt haftet" (§ 2016 I).

Die §§ 2014, 2015 sollen dem Erben Zeit verschaffen, um
sich zu überlegen, ob er beschränkt oder unbeschränkt haften will,
wenn dies aber schon entschieden ist, ist die Anwendung der §§ 2014,
2015 überflüssig.

Zu den angeführten Bestimmungen ist zu vergleichen:

§ 1958. „Vor der Annahme der Erbschaft kann ein Anspruch,
der sich gegen den Nachlaß richtet, nicht gegen den Erben gerichtlich geltend gemacht werden."

Wird der Erbe verklagt, bevor er angenommen hat und bevor
die Frist abgelaufen ist, so kann er dem Kläger entgegenhalten, daß
er, der Beklagte, garnicht der rechte Beklagte sei, denn er sei nur

einftweilen, aber noch nicht endgültig Erbe, er sei also nicht passiv legitimiert. Auf diese Einrede hin wird die Klage als zur Zeit unzulässig abgewiesen, der Erbe wird nicht verurteilt. Der Kläger muß sich an einen etwaigen Nachlaßpfleger halten, dem die Einrede aus § 1958 niemals zusteht.

Der Erbe kann aber statt der Einrede aus § 1958 auch die Einrede aus § 2014 vorbringen, denn diese Einrede steht ihm auch schon vor der Annahme zu. Bringt er sie vor, so wird der Kläger nicht mit seiner Klage abgewiesen, sondern wenn sein Anspruch berechtigt ist, so wird der Erbe verurteilt, aber er wird nicht unbedingt verurteilt, sondern unter dem Vorbehalt der beschränkten Haftung (Z.P.O. § 305 I). Die Zwangsvollstreckung ist jedoch nicht zulässig, nur Arrestmaßregeln sind erlaubt (Z.P.O § 782).

Der Unterschied zwischen den beiden Einreden aus § 1958 und § 2114 ist beträchtlich, erstere ist prozeßrechtlich, aber nicht prozeßhindernd, letztere ist materiellrechtlich.

Die Einrede aus § 1958 wird ergänzt durch § 778 II Z.P.O., der es untersagt, daß wegen einer persönlichen Schuld der Erben der Nachlaß gepfändet werde, wenn der Erbe die Erbschaft noch nicht angenommen hat.

VII. Gemäß den bisher entwickelten Rechtssätzen ergibt sich folgendes Beispiel.

Die Erbschaft beträgt 20 000 Mk., die Schulden 40 000 Mk., Erbe ist Konrad. Der Gläubiger G. macht sofort nach dem Tode des Erblassers eine Forderung von 6000 Mk. geltend.

Wenn Konrad die Schulden des Erblassers auf jeden Fall in ihrer ganzen Höhe bezahlen will, zahlt er den Gläubiger aus auf die Gefahr hin, aus seinem Vermögen zusetzen zu müssen. Die eigentlichen Schwierigkeiten tauchen aber auf, wenn Konrad nicht aus seinem Vermögen für die Schulden des Erblassers etwas zuzusetzen wünscht.

Zunächst bringt er die Einrede aus § 1958 vor oder, wenn sie ihm nicht mehr zusteht oder er von ihr keinen Gebrauch machen will, bringt er die Einrede aus § 2014 vor und verlangt eine Frist bis zu drei Monaten nach Annahme der Erbschaft.

Wenn er die Erbschaft annimmt oder die für die Ausschlagung vorgeschriebene Frist von sechs Wochen oder sechs Monaten (§ 1944

I, III) verstrichen ist, ohne daß er ausgeschlagen hat, kommt nur § 2014 zur Anwendung. Ist also der Erblasser am 1. Januar 1900 gestorben und hat der Erbe am 2. Januar den Tod erfahren, so ist die Frist für die Ausschlagung am 13. Februar 12 Uhr Nachts abgelaufen (§ 1944, § 187 I) und Konrad hat bis zum 14. Mai Zeit, die Schuld zu berichtigen. Er kann sich bis zum 13. Februar einschließlich gegen den Kläger auf Grund von § 1958 und von § 2014, vom 14. Februar ab bis zum 14. Mai auf Grund von § 2014 verteidigen. Hat er jedoch schon am 5. Januar die Erbschaft angenommen, so kann er nur bis zum 6. April einschließlich auf Grund von § 2014 die Zahlung verweigern. Läßt Konrad diese Frist verstreichen ohne rechtzeitig weitere Schritte zu seiner Sicherheit zu tun, Nachlaßverwaltung, Konkurseröffnung zu beantragen, so muß er an G. die 6000 Mk. ungekürzt entrichten.

Aber er kann sich gegen solche Gefahr schützen, wenn er bei dem Nachlaßgericht beantragt, daß eine Nachlaßverwaltung angeordnet oder Konkurs eröffnet werde (§ 1981, 1975), dann beschränkt sich seine Haftung auf den Nachlaß.

Da die Gläubiger sehr interessiert daran sind, zu erfahren, ob Konrad beschränkt oder unbeschränkt haften wolle, muß sobald als möglich Klarheit geschaffen werden, ob Nachlaßverwaltung oder Konkursverfahren eintreten. Das B.G.B. bestimmt keine feste Frist, keinen bestimmten Termin, um diese Zeit der Ungewißheit zu begrenzen, aber es gibt mittelbar den Interessenten Rechtsbehelfe an die Hand.

1) Unter Umständen (§ 1981 II) hat auch der Nachlaßgläubiger das Recht, auf Anordnung der Nachlaßverwaltung anzutragen.

2) Der Nachlaßgläubiger hat, wenn § 97 I K.O. zutrifft, unter allen Umständen das Recht, die Konkurseröffnung zu beantragen.

3) Wenn der Erbe nicht unbedingt Konkurseröffnung beantragt, sobald er die Überschuldung des Nachlasses erkennt oder erkennen muß, muß er den Gläubigern den daraus entstehenden Schaden ersetzen (§ 1980).

4) Der Nachlaßgläubiger kann beim Nachlaßgericht beantragen, daß dem Erben aufgegeben werde, innerhalb einer bestimmten Frist

von mindestens einem bis höchstens drei Monaten (§ 1995) ein
Verzeichnis des Nachlasses aufzunehmen.

Der Gläubiger kann jederzeit, schon am Todestage des Erblassers auf Bestimmung einer Inventarfrist antragen, selbst wenn
es noch nicht feststeht, ob die Erben die Erbschaft ausschlagen
werden oder nicht. Aber die Frist beginnt nicht vor Annahme
der Erbschaft (§ 1995 II). Stellt der Gläubiger am 3. Januar
seinen Antrag, so kann dem Erben eine Frist gesetzt werden, die
nach dem 13. Februar, (wo sich in unserem Beispiel die Annahme oder
die Ausschlagung der Erbschaft entscheidet) beginnt und vor oder
nach dem 14. Mai (dem Termin, an dem § 2014 zuletzt geltend
gemacht werden kann) abläuft [1]).

A. Läuft die Inventarfrist am Schluß des 13. März, als ihrem
frühesten Endtermin (§ 1995 I) oder später, aber noch vor dem 14. Mai,
also etwa am 15. April ab, so hat der Erbe entweder schon ausgeschlagen, oder er hat angenommen. Im ersten Falle ist die Bestimmung einer Inventarfrist bedeutungslos, im zweiten Falle hat
der Erbe, wenn er etwa am 25. Februar angenommen hat, nach
seiner Annahme der Erbschaft regelmäßig noch bis zum Ablauf des
26. März Zeit zur Errichtung des Inventars und sichert sich durch
rechtzeitige Errichtung oder rechtzeitigen Antrag (§ 2003 I) die beschränkte Haftung.

B. In unserem Beispiel läuft die Inventarfrist vor dem 14. Mai
ab, d. h. dem Termin, an dem an sich die Einrede aus § 2014
verloren gehen würde. Wird das Inventar rechtzeitig errichtet, also
etwa am 1. März vollendet, so verliert mit der Inventarerrichtung,
also am 1. März (nicht mit dem Ablauf der Inventarfrist) der
Erbe das Recht, gemäß § 2014 die Zahlung bis zum 14. Mai zu
verweigern; er kann nunmehr sofort auf Zahlung in Anspruch genommen werden, aber er kann auf Nachlaßverwaltung oder auf
Konkurseröffnung jederzeit antragen und sich davor sichern, mit
seinem eigenen Vermögen haften zu müssen. Weil er diese Möglichkeit jeden Augenblick hat und bei rechtzeitiger Errichtung
des Inventars nie verliert, deshalb hat er an dem in § 2014

---

1) Wenn Konrad die Erbschaft schon vor dem 13. Februar, etwa am
8. Januar annimmt, so beginnt und endigt die im Text angegebene Frist des
§ 2014 schon früher. Sie beginnt am 4. Januar, endigt am 4. April. Die
Frist des § 1958 kommt überhaupt nicht in Betracht.

gewährten Rechte kein Interesse mehr, denn nach Anordnung der Nachlaßverwaltung oder nach der Konkurseröffnung sind alle Ansprüche nicht mehr gegen den Erben, sondern gegen den Nachlaßverwalter (§ 1984) oder den Konkursverwalter (K.O. § 5) zu richten. Es besteht also für den Erben gar kein Bedürfnis, sich der im § 2014 gebotenen Hilfsmittel zu bedienen.

C. Läuft die Inventarfrist vor dem 14. Mai, also etwa am 15. April (s. oben A.), ab, ohne daß das Inventar errichtet wird, so verliert dadurch der Erbe die Möglichkeit, seine Haftung zu beschränken und da er spätestens mit Ablauf des 13. Februar endgültig Erbe geworden ist, so haftet er nunmehr unbeschränkt und verliert auch mit Versäumung der Inventarfrist das Recht sich auf § 2014 zu berufen. Denn § 2014 soll dem Erben eine genügende Überlegungsfrist verschaffen, diese wird aber, wie schon bemerkt, gegenstandslos, wenn die Frage, ob beschränkte oder unbeschränkte Haftung schon entschieden ist (§ 2016 I).

D. Läuft die Inventarfrist erst nach dem 14. Mai ab, also etwa am 20. Mai, z. B. weil der Erbe sie sich hat verlängern lassen, so verliert er mit Ablauf des 14. Mai die Befugnis, die Zahlung zu verweigern, kann aber bis zum Ablauf der Inventarfrist, bis zum 20. Mai, Nachlaßverwaltung und Konkurseröffnung beantragen, jedoch müssen beide vor Ablauf des 20. Mai angeordnet sein. Nach dem Ablauf des 20. Mai kann er dies nur dann noch beantragen, wenn er rechtzeitig, d. h. bis zum 20. Mai das Inventar errichtet oder Errichtung beantragt hat. Beschränkt der Erbe auf die angegebene Weise seine Haftung, so hat er auch keinerlei Interesse mehr an den Bestimmungen des § 2014 [1]).

§ 142. Erbschaftsanspruch.

I. 1) „Der Erbe kann von Jedem, der auf Grund eines ihm in Wirklichkeit nicht zustehenden Erbrechtes etwas aus der Erbschaft

---

1) Der Raumersparnis halber und um dem Leser Anlaß zu geben, selbständig ein Beispiel zu entwerfen und durchzudenken, ist das Aufgebot der Gläubiger nicht berücksichtigt. An der Hand der im Texte gegebenen Beispiele möge der Leser selbst einen Versuch machen, die wichtigsten Möglichkeiten durchzudenken.

erlangt hat (Erbschaftsbesitzer), die Herausgabe des Erlangten verlangen" (§ 2018).

Die Klage des Erben geht nur gegen den, der Erbschaftsgegenstände als Erbprätendent besitzt, der sein Recht an den Erbschaftsgegenständen aus einem angeblichen Erbrecht herleitet. Die Klage aus § 2018 geht nicht gegen den, der eine angebliche Nachlaßsache besitzt, aber behauptet, daß er sie gutgläubig gekauft oder durch Spezifikation erworben habe zc. Gegen solche Besitzer von angeblichen Nachlaßsachen, die ihr Recht zum Besitz nicht aus einem Erbrecht herleiten, muß der Erbe die gewöhnliche Eigentumsklage oder die Besitzklage anstellen (s. oben S. 240 ff.).

Das bedingt gewisse Unterschiede, z. B. bei der Eigentumsklage muß der redliche Besitzer für die Zeit, in der die Klage noch nicht rechtshängig ist, die gezogenen Früchte, soweit sie nach den Regeln einer ordnungsmäßigen Wirtschaft nicht als Ertrag der Sache anzusehen sind, nach den Vorschriften über die Herausgabe einer ungerechtfertigten Bereicherung herausgeben; im Übrigen ist er weder zur Herausgabe von Nutzungen noch zum Schadensersatz verpflichtet (§ 993).

Nach § 2020 hat der Erbschaftsbesitzer die gezogenen Nutzungen ohne Einschränkung herauszugeben, auch die Früchte, deren Eigentümer er geworden ist.

Ferner kann der Erbschaftsbesitzer Ersatz aller, auch der nicht notwendigen und nicht nützlichen Verwendungen verlangen, wie § 2022 im Gegensatz zu den §§ 994 ff. bestimmt.

Andererseits haftet der Erbschaftsbesitzer zuweilen auch wegen ungerechtfertigter Bereicherung (§ 2021) oder wegen unerlaubter Handlung (§ 2025). Auf die Erbschaftsklage finden die Bestimmungen über die Eigentumsklage nur insoweit Anwendung, als dies ausdrücklich, z. B. in den §§ 2022, 2023, bestimmt ist.

2. Der praktische Zweck der Erbschaftsklage ist, es dem Erben zu ermöglichen, daß er alle zur Erbschaft gehörigen Gegenstände, dingliche Rechte und Forderungen mit einem Male ohne Unterschied geltend machen kann, daß er nicht eine Reihe von dinglichen und obligatorischen Einzelklagen anzustellen braucht. Ohne die Erbschaftsklage müßte der Erbe alle die Klagen, die der Erblasser, wenn er noch lebte, gegen den Erbschaftsbesitzer anstellen

könnte, gegen den Erbschaftsbesitzer einzeln anstellen. Die Erbschaftsklage ist eine Gesamtklage, die sonstigen Klagen aus Eigentum, Besitz, Kauf, Miete, Darlehnsvertrag ꝛc. sind dagegen Einzelklagen, Singularklagen.

Aus ihrer Eigenschaft als einer erbschaftlichen Gesamtklage erklärt es sich, daß die Erbschaftsklage nur gegen Erbschaftsprätendenten geht, die kraft eines angeblichen Erbrechtes Nachlaßgegenstände im Besitz haben.

Andererseits soll der Erbschaftsbesitzer immer nur nach den Grundsätzen der Erbschaftsklage behandelt werden, auch wenn der Erbe gegen ihn Einzelklagen anstellt; der Erbe kann also durch die Anstellung von Einzelklagen, Singularklagen die Lage des Beklagten nicht verschlechtern.

„Die Haftung des Erbschaftsbesitzers bestimmt sich auch gegenüber den Ansprüchen, die dem Erben in Ansehung der einzelnen Erbschaftsgegenstände zustehen, nach den Vorschriften über den Erbschaftsanspruch" (§ 2029).

3. Die rechte Bedeutung der Erbschaftsklage erhellt auch aus der dem Kläger obliegenden Beweislast. Besitzt ein Erbprätendent auf Grund seines angeblichen Erbrechtes die Bücherei des Erblassers und will der Erbe auf Herausgabe der Bücher klagen, so ist seine Beweislast ganz verschiedenen Inhaltes, je nachdem ob er die erbschaftliche Gesamtklage oder die dingliche Einzelklage anstellt. Stellt er dingliche Einzelklage an, so macht er das Eigentum des Erblassers als dessen Erbe geltend und muß daher dies Eigentum beweisen, d. h. er muß beweisen, daß der Erblasser Eigentümer der Bücher war. Dies muß er für jedes einzelne Buch nachweisen, indem er den Eigentumserwerb des Erblassers darzutun hat. Zugleich muß der Erbe beweisen, daß er an die Stelle des Erblassers getreten, sein Erbe, sein Gesamtnachfolger sei. Bei der Erbschaftsklage hat der Kläger zu beweisen, daß er Erbe sei und daß der eingeklagte Gegenstand zum Nachlasse gehöre und daß der Beklagte als Erbprätendent den Gegenstand im Besitz habe. Er braucht nicht zu beweisen, daß der Erblasser ein Recht an dem Gegenstand hatte, es genügt vielmehr der Nachweis, daß sich der betreffende Gegenstand in der Nachlaßmasse zur Zeit des Erbfalles befand, der Beweis ist also bei der Erbschaftsklage unter Umständen für den Kläger um vieles günstiger. Dies ist die Folge davon,

daß der Beklagte den Gegenstand ebenso wie der Kläger nur auf Grund eines angeblichen Erbrechtes in Anspruch nimmt. Beide Parteien streiten nur um Erbrecht, nicht um Eigentumserwerb auf Grund von Kauf, Geschenk ꝛc. Daher liegt dem Kläger auch der schwierige Beweis nicht ob, den er bei der Einzelklage erbringen muß.

4. Beruft sich der Beklagte auf einen sogenannten Singulartitel und beweist er ihn, so ist die Erbschaftsklage unanwendbar, z. B. wenn der Beklagte behauptet und beweist, er habe das Eigentum an der eingeklagten Sache durch Kauf erworben. Alsdann wird der Kläger mit seiner Erbschaftsklage abgewiesen. Möglicher Weise kann er aber eine Einzelklage anstellen, insbesondere die Klage aus § 1007, und wenn er Glück hat, erhält er die eingeklagte Sache auf Grund einer Einzelklage zugesprochen.

5. Eine besondere Bestimmung ist für die Ersitzung getroffen. Die Ersitzung gibt dem Erbschaftsbesitzer einen Singulartitel, d. h. er rechtfertigt sein Eigentum an der ersessenen Sache nicht dadurch, daß er sich auf Universalsuccession beruft, sondern dadurch, daß er als Erwerbsgrund des Eigentums einen Tatbestand angibt, der niemals Universalsuccession erzeugen kann.

Diese Berufung auf einen Singulartitel ist bei der Ersitzung beschränkt.

„Der Erbschaftsbesitzer kann sich dem Erben gegenüber, solange nicht der Erbschaftsanspruch verjährt ist, nicht auf die Ersitzung einer Sache berufen, die er als zur Erbschaft gehörend im Besitze hat" (§ 2026).

Ließe man die Ersitzung zu, so würde sich die Erbschaft um die von dem Erbschaftsbesitzer ersessene Sache mindern, denn der Erbschaftsbesitzer würde sie nunmehr nicht auf Grund Erbrechtes, sondern auf Grund der Ersitzung besitzen und für sich beanspruchen. Das soll im Interesse des Erben solange verhütet werden, bis die Erbschaftsklage verjährt ist. Die Erbschaftsklage verjährt in 30 Jahren (§ 195), die Ersitzung vollendet sich bei beweglichen Sachen in 10 Jahren (§ 937), bei unbeweglichen Sachen kann der Eigentümer unter bestimmten Voraussetzungen nach 30 Jahren ausgeschlossen werden (§ 927). Das Ergebnis ist also, daß wenigstens bei beweglichen Sachen die Ersitzung unschädlich gemacht wird.

II. Die Klage des Erben geht auch auf Auskunft durch den Erbschaftsbesitzer.

„Der Erbschaftsbesitzer ist verpflichtet, dem Erben über den Bestand der Erbschaft und über den Verbleib der Erbschaftsgegenstände Auskunft zu erteilen.

Die gleiche Verpflichtung hat, wer, ohne Erbschaftsbesitzer zu sein, eine Sache aus dem Nachlaß in Besitz nimmt, bevor der Erbe den Besitz tatsächlich ergriffen hat" (§ 2027).

III. „Wer die Erbschaft durch Vertrag von einem Erbschaftsbesitzer erwirbt, steht im Verhältnisse zu dem Erben einem Erbschaftsbesitzer gleich" (§ 2030), z. B. jemand der die Erbschaft in Bausch und Bogen ersteht.

IV. „Wer sich zur Zeit des Erbfalles mit dem Erblasser in häuslicher Gemeinschaft befunden hat, ist verpflichtet, dem Erben auf Verlangen Auskunft darüber zu erteilen, welche erbschaftliche Geschäfte er geführt hat und was ihm über den Verbleib der Erbschaftsgegenstände bekannt ist.

Besteht Grund zu der Annahme, daß die Auskunft nicht mit der erforderlichen Sorgfalt erteilt worden ist, so hat der Verpflichtete auf Verlangen des Erben den Offenbarungseid dahin zu leisten:

> daß er seine Angaben nach bestem Wissen so vollständig gemacht habe, als er dazu im Stande sei.

Die Vorschriften des § 259 III und des § 261 finden Anwendung" (§ 2028).

Der § 2028 gibt eine besondere Klage neben der Erbschaftsklage.

V. „Überlebt eine für todt erklärte Person den Zeitpunkt, der als Zeitpunkt ihres Todes gilt, so kann sie die Herausgabe ihres Vermögens nach den für den Erbschaftsanspruch geltenden Vorschriften verlangen. Solange der für tot Erklärte noch lebt, wird die Verjährung seines Anspruches nicht vor dem Ablauf eines Jahres nach dem Zeitpunkte vollendet, in welchem er von der Todeserklärung Kenntnis erlangt.

Das Gleiche gilt, wenn der Tod einer Person ohne Todeserklärung mit Unrecht angenommen worden ist" (§ 2031).

Ist Jemand seit 1. Juli 1900 verschollen, und erfährt er am 1. Juli 1935, daß er im Jahre 1901 für tot erklärt und als sein Todestag der 1. September 1900 angenommen sei, so müßte er, wenn am 1. November 1900 ein Erbschaftsbesitzer sich in Besitz

— 504 —

seines Nachlasses setzte, seine Erbschaftsklage am 1. November 1930 verloren haben, aber er verliert sie erst am 1. Juli 1936.

§ 143.   **Mehrheit von Erben.   Rechtsverhältnis der Erben unter einander.   Auseinandersetzung.   Ausgleichung.**

I. 1) a. „Hinterläßt der Erblasser mehrere Erben, so wird der Nachlaß gemeinschaftliches Vermögen der Erben" § 2032 I).

b. „Jeder Miterbe kann über seinen Anteil an dem Nachlasse verfügen" (§ 2033 I Satz 1).

„Über seinen Anteil an den einzelnen Nachlaßgegenständen kann ein Miterbe nicht verfügen" (§ 2033 II).

Der Erbe kann wohl sein Gesamtrecht, aber nicht einzelne Gegenstände des Nachlasses veräußern. Wer also Erbe zu einem Drittel ist, kann seine Erbenstellung, d. h. sein Recht auf ein Drittel des Nachlasses veräußern.

c. „Verkauft ein Miterbe seinen Anteil an einen Dritten, so sind die übrigen Miterben zum Vorkaufe berechtigt" (§ 2034 I).

2) a. „Die Verwaltung des Nachlasses steht den Erben gemeinschaftlich zu" (§ 2038 I Satz 1).

b. „Gehört ein Anspruch zum Nachlasse, so kann der Verpflichtete nur an alle Erben gemeinschaftlich leisten und jeder Miterbe nur die Leistung an alle Erben fordern" (§ 2039 Satz 1).

c. „Die Erben können über einen Nachlaßgegenstand nur gemeinschaftlich verfügen.

Gegen eine zum Nachlasse gehörende Forderung kann der Schuldner nicht eine ihm gegen einen einzelnen Miterben zustehende Forderung aufrechnen" (§ 2040).

Die Rechtsgemeinschaft der Erben ist keine gewöhnliche Gemeinschaft, aber auch keine reine Gemeinschaft zur gesamten Hand. Während einige Bestimmungen den Grundsätzen der Gemeinschaft zur gesamten Hand entsprechen, werden doch andererseits manche Bestimmungen der gewöhnlichen Gemeinschaft (§ 2038 II, § 2042 II, § 2044 I) zugelassen, z. B. jeder Miterbe kann jederzeit über seinen Anteil an dem Nachlasse verfügen (§ 2033 I Satz 1) und kann jederzeit die Auseinandersetzung verlangen (§ 2042), es sei denn, daß die Geburt eines Miterben noch zu erwarten ist (§ 2043 I) oder

der Erblasser die Auseinandersetzung auf höchstens 30 Jahre ausgeschlossen hat (§ 2044) ꝛc. vergl. § 2045.

II. 1) „Aus dem Nachlasse sind zunächst die Nachlaßverbindlichkeiten zu berichtigen" (§ 2046 I Satz 1).

2) „Der nach der Berichtigung der Nachlaßverbindlichkeiten verbleibende Überschuß gebührt den Erben nach dem Verhältnisse der Erbteile.

Schriftstücke, die sich auf die persönlichen Verhältnisse des Erblassers, auf dessen Familie oder auf den ganzen Nachlaß beziehen, bleiben gemeinschaftlich" (§ 2047).

3) „Der Erblasser kann durch letztwillige Verfügung Anordnungen für die Auseinandersetzung treffen. Er kann insbesondere anordnen, daß die Auseinandersetzung nach dem billigen Ermessen eines Dritten erfolgen soll" (§ 2048 Satz 1, 2).

III. 1) a. „Abkömmlinge, die als gesetzliche Erben zur Erbfolge gelangen, sind verpflichtet, dasjenige, was sie von dem Erblasser bei dessen Lebzeiten als Ausstattung erhalten haben, bei der Auseinandersetzung unter einander zur Ausgleichung zu bringen, soweit nicht der Erblasser bei der Zuwendung ein Anderes angeordnet hat" (§ 2050 I).

Beträgt die Erbschaft 120 000 Mk., erben 3 Söhne zu gleichen Teilen und hat der älteste schon 18 000 Mk. vorweg erhalten, so wird die Erbschaft als 120 000 + 18 000 Mk. = 138 000 Mk. betragend angenommen. Zwei Söhne erhalten dann also 46 000 Mk., der älteste erhält 28 000 Mk. (§ 2055).

b. „Zuschüsse, die zu dem Zwecke gegeben worden sind, als Einkünfte verwendet zu werden (Geld zu einer Badereise, kleinere und öftere Zuschüsse zu dem Wirtschaftsgeld), sowie Aufwendungen für die Vorbildung zu einem Berufe sind insoweit zur Ausgleichung zu bringen, als sie das den Vermögensverhältnissen des Erblassers entsprechende Maß überstiegen haben.

Andere Zuwendungen unter Lebenden sind zur Ausgleichung zu bringen, wenn der Erblasser bei der Zuwendung die Ausgleichung angeordnet hat" (§ 2050 II, III).

2) „Hat ein Miterbe durch die Zuwendung mehr erhalten, als ihm bei der Auseinandersetzung zukommen würde, so ist er zur Herauszahlung des Mehrbetrages nicht verpflichtet" (§ 2056 Satz 1).

Dies würde zutreffen, wenn in dem angeführten Beispiel der

älteste Sohn statt 18 000 Mk. etwa 90 000 Mk. als Ausstattung erhalten hätte. Den Mehrbetrag von 20 000 Mk. braucht er nicht wieder herauszugeben, er erhält aber auch nichts aus der Erbschaft.

„Der Nachlaß wird in einem solchen Falle unter die übrigen Erben in der Weise geteilt, daß der Wert der Zuwendung und der Erbteil des Miterben außer Ansatz bleiben" (§ 2056 Satz 2).

Der Nachlaß von 120 000 Mk. wird also zu gleichen Hälften geteilt.

§ 144. Rechtsverhältnis zwischen den Miterben und den Nachlaßgläubigern.

I. „Die Erben haften für die gemeinschaftlichen Nachlaßverbindlichkeiten als Gesamtschuldner" (§ 2058).

Die Nachlaßgläubiger können jeden Miterben allein und sie können alle Miterben zusammen auf Berichtigung der Nachlaßverbindlichkeiten verklagen. Dies letzte Recht haben sie unter allen Umständen, wenn sie Befriedigung aus dem ungeteilten Nachlaß verlangen (§ 2059 II). Es dient dazu, die Erben zu möglichst schneller Teilung des Nachlasses zu veranlassen.

A. Die Haftung des einzelnen Miterben als Gesamtschuldner wird aber nicht immer rein durchgeführt.

„Bis zur Teilung des Nachlasses kann jeder Miterbe die Berichtigung der Nachlaßverbindlichkeiten aus dem Vermögen, das er außer seinem Anteil an dem Nachlasse hat, verweigern" (§ 2059 I Satz 1); d. h. wenn ein Gläubiger den einen Miterben verklagt, so kann dieser der Pfändung seines Privatvermögens widersprechen (§ 766 Z.P.O.). Der Gläubiger wird zwar nicht mit seiner Klage abgewiesen, aber der Gerichtsvollzieher darf weder aus dem Privatvermögen noch aus dem Nachlaß einzelne Gegenstände pfänden. Der Zwangsvollstreckung unterliegt nur der Erbteil des Erben als Ganzes, sein unkörperliches Erbrecht, Z.P.O. § 859, II s. u. § 165. Aber nach § 2059 II kann der Gläubiger, indem er sämtliche Erben zusammen verklagt, Befriedigung aus dem ungeteilten Nachlasse verlangen. Gegen diese Klage schlägt die Einrede des nicht geteilten Nachlasses nicht durch.

B. Die Einrede des nicht geteilten Nachlasses geht verloren, wenn der Erbe nicht innerhalb der vorgeschriebenen Frist ein Inventar errichtet. Errichtet der Erbe ein solches Inventar nicht, so haftet er für die Erbschaftsschulden unbeschränkt und wenn er unbeschränkt haftet, so muß er auch, obgleich der Nachlaß noch nicht geteilt ist, mit seinem Privatvermögen einspringen. Der Erbschaftsgläubiger braucht also nicht mehr alle Erben zusammen zu verklagen.

Aber trotz Versäumung der Inventarfrist hat der Erbe davon, daß der Nachlaß noch nicht geteilt ist, doch einen Vorteil: Obgleich er nach § 2058 Gesamtschuldner ist, so haftet er bis zur durchgeführten Teilung mit seinem Privatvermögen nicht für die ganze Erbschaftsschuld, sondern nur für den Teil dieser Schuld, der seinem Erbteil entspricht. Ist er Erbe zu einem Drittel, so haftet er mit seinem Privatvermögen auch nur auf ein Drittel der Nachlaßschuld, d. h. der Gerichtsvollzieher kann für ein Drittel der Nachlaßschuld, auch wenn der Nachlaß noch nicht verteilt ist, das Privatvermögen des Erben pfänden [1]), vergl. Z.P.O. §§ 780 I, 781.

„Haftet er für eine Nachlaßverbindlichkeit unbeschränkt, so steht ihm dieses Recht in Ansehung des seinem Erbteil entsprechenden Teiles der Verbindlichkeit nicht zu" (§ 2059 I Satz 2).

Dies ist die höchst wahrscheinlich sehr seltene unbeschränkte Haftung auf einen Teil der Schuld.

· C. Ist der Nachlaß verteilt und der Erbe hat es versäumt, seine Haftung zu beschränken, so kommt § 2058 zur Anwendung. Dies ist der eigentliche, aber höchst wahrscheinlich sehr seltene Fall, wo er in Wirksamkeit tritt.

Dies ist unbeschränkte Haftung auf das Ganze der Schuld.

D. Hat der Erbe seine Haftung rechtzeitig beschränkt, so haftet er nach der Verteilung zwar mit seinem Privatvermögen, denn ein Nachlaß besteht nicht mehr, aber doch nur entsprechend dem Betrage des Nachlasses. Gesamtschuldner bleibt er noch immer. Enthält die Erbschaft 30 000 Mk. Aktiva, 40 000 Mk. Passiva, sind

---

1) Die Ausführungen im Texte werden unverständlich, wenn man nicht Folgendes streng im Auge behält: Der Erbe kann haften, a. unbeschränkt auf die ganze Schuld, b. beschränkt auf die ganze Schuld, c. unbeschränkt auf einen Teil der Schuld, d. beschränkt auf einen Teil der Schuld. Gesamtschuldnerische und Teilhaftung einerseits, unbeschränkte und beschränkte Haftung andererseits sind scharf zu trennen.

nur 26000 Mk. Passiva bekannt geworden, so erhält bei der Verteilung nach Berichtigung der 26000 Mk. jeder der beiden Miterben zu gleichen Teilen, Konrad und Jürgen, je 2000 Mk. Meldet
sich nach einiger Zeit ein Gläubiger auf 10000 Mk. bei Konrad,
so kann er an sich gegen Konrad 10000 Mk. einklagen, aber Konrad
kann ihn mit 2000 Mk. abfinden; dann kann der Gläubiger
8000 Mk. von Jürgen einklagen und dieser kann ihn ebenfalls mit
2000 Mk. abfinden. Dies ist beschränkte Haftung auf das
Ganze der Schuld als Gesamtschuldner (§§ 2058, 1975).

E. Nach der Teilung des Nachlasses haftet jeder Miterbe an
sich entweder beschränkt oder unbeschränkt auf das Ganze einer
jeden Nachlaßverbindlichkeit, als Gesammtschuldner, aber § 2060 macht
hievon mehrere Ausnahmen.

Jeder Miterbe haftet nach der Teilung des Nachlasses für eine
Nachlaßverbindlichkeit nicht auf das Ganze, sondern nur im Ver-
hältnis zu seinem Erbteil, d. h. der Erbe zur Hälfte oder zu einem
Drittel haftet nur für die Hälfte oder für ein Drittel der Schuld,

1) wenn er durch öffentliches Aufgebot die Nachlaßgläubiger
hat auffordern lassen, ihre Forderungen anzumelden und wenn sich
ein Gläubiger nachträglich meldet, nachdem die zur Anmeldung gesetzte Frist verstrichen ist (§ 2060, 1). Der durch rechtzeitiges Aufgebot ausgeschlossene Gläubiger darf nach § 1973 nur insoweit
etwas beanspruchen, als etwas übrig bleibt, nachdem die Gläubiger
befriedigt sind, die ihre Forderungen rechtzeitig angemeldet haben.
Wenn der Nachlaß unter die mehreren Miterben schon verteilt ist,
kommt § 1973 an sich ebenfalls zur Anwendung, aber der Gläubiger
kann nur eine Teilforderung geltend machen. Betragen die Aktiva
30000 Mk., die Passiva sind unbekannt, verteilen die beiden Erben
zu gleichen Teilen, Konrad und Jürgen, den Rest von 6000 Mk.
unter sich, nachdem sie den ihnen bekannten Gläubigern 24000 Mk.
ausgezahlt haben, so erhält jeder 3000 Mk. Macht nachträglich
ein Gläubiger eine Forderung von 12000 Mk. gegen Konrad geltend,
so würde Konrad, falls er Alleinerbe wäre und nicht beschränkt
haftete und die Gläubiger auch nicht aufgeboten hätte, das Ganze
bezahlen müssen; wäre er Alleinerbe und haftete er beschränkt
oder hätte er die Gläubiger gerichtlich aufgeboten, so würde er
nur auf 6000 Mk. haften, d. h. er muß alles auskehren. Ist er
Erbe zur Hälfte, so bleibt ihm gleichfalls nichts aus der Erb-

schaft. Ein anderes rechnerisches Ergebniß zeigt sich, wenn die Forderung des Gläubigers 4000 Mk. beträgt, dann haftet Konrad als Alleinerbe allerdings auf das Ganze, im zweiten Falle, wenn er mit Jürgen zu gleichen Teilen erbt, auf 2000 Mk., er behält also aus der Erbschaft noch 1000 Mk., obgleich die Schuld 4000 Mark beträgt (§ 2060 I).

2) Ein Gläubiger, der später als fünf Jahre nach dem Erbfall seine Forderung geltend macht, kann den einzelnen Miterben nicht als Gesamtschuldner, sondern nur entsprechend seinem Erbteil in Anspruch nehmen, er wird ebenso behandelt, wie ein Gläubiger, der beim Aufgebot seine Forderung nicht rechtzeitig angemeldet hat. Es wird hier alles so gehalten, wie unter 1). Jedoch kann der Gläubiger jeden Miterben ausnahmsweise als Gesamtschuldner dann in Anspruch nehmen, wenn seine Forderung dem Erben bekannt war oder im Aufgebotsverfahren angemeldet worden ist (§ 2060 II).

3) a. Wenn rechtzeitig, d. h. vor Ablauf der Inventarfrist, Nachlaßkonkurs eröffnet ist, haftet der Erbe nur mit dem Nachlaß, aber es ist möglich, daß in Ausnahmefällen der Konkurs unnötiger Weise eröffnet worden ist und ein Überschuß verbleibt, der dann dem Erben ausgefolgt wird. Hat ein Gläubiger seine Forderung nicht zum Konkurse angemeldet, sondern macht er sie erst nach Beendigung des Konkurses geltend, so würde ihm an sich der Erbe (zwar beschränkt, aber) als Gesamtschuldner haften, das B.G.B. bestimmt jedoch, daß er (beschränkt und) nur als Teilschuldner haften solle.

Gesetzt, die Aktiven betragen 30000 Mk., die angemeldeten Passiven 20000 Mk., Konkurs wird eröffnet, die beiden Erben erhalten nach Beendigung des Konkurses jeder die Hälfte des Überschusses, je 5000 Mk. Nach einiger Zeit macht G. eine Forderung von 8000 Mk. gegen den Miterben Konrad geltend. Eigentlich müßte nun Konrad gemäß § 2058 auf das Ganze, auf 8000 Mk., haften, und würde, da er wegen der Konkurseröffnung nur beschränkt mit dem Nachlaß haftet, dem G. 5000 Mk. auskehren müssen, aber in diesem Falle haftet er als Erbe zur Hälfte nur auf die Hälfte der Forderung des G., auf 4000 Mk., behält also noch 1000 Mk. aus der Erbschaft. Ebenso Jürgen.

Nach Inhalt des Beispiels kommt es auf die beschränkte Haftung garnicht an, denn der Rest der Erbschaft ist zahlungsfähig für den geltend gemachten Teil der Nachlaßverbindlichkeit. Die beschränkte Haftung wird aber praktisch bedeutsam, wenn für die nachgemeldete Forderung der Rest nicht mehr ausreicht, z. B. die Miterben Konrad und Jürgen erben jeder zur Hälfte einen Nachlaß mit 30000 Mk. Aktiven und 30000 Mk. Passiven, Konkurs wird eröffnet, aber nicht alle Forderungen werden im Konkurse angemeldet; die Erben erhalten jeder noch 2000 Mk. aus dem Konkurse heraus. Einige Zeit nach dem Konkurse macht der Gläubiger G. gegen Konrad eine Forderung von 6000 Mk. geltend. Konrad haftet wegen § 2060, 3 nur auf 3000 Mk. und wegen der Konkurseröffnung beschränkt sich seine Haftung auf nur 2000 Mk., mit denen sich der Gläubiger zufrieden geben muß.

Die Haftung verteilt sich in der angegebenen Weise auf die Miterben auch dann, wenn der Konkurs durch Zwangsvergleich beendigt worden ist (§ 2060, 3).

b. Ist der Konkurs verspätet d. h. nach Ablauf der Inventarfrist eröffnet, so haftet jeder Miterbe an sich unbeschränkt auf das Ganze jeder Schuld, aber es kann jeder Gläubiger sowohl den Ausfall, den er im Konkurse erlitten hat, wie auch eine nicht zum Konkurse angemeldete Forderung nach Beendigung des Konkurses durch Verteilung der Masse oder durch Zwangsvergleich gegen den einzelnen Miterben nur entsprechend seinem Erbschaftsanteil geltend machen. Hat G¹ seine Forderung von 20000 Mk. im Konkurse angemeldet und ist er mit 16000 Mk. ausgefallen, so kann er von Konrad, der zur Hälfte Miterbe ist, nur 8000 Mk. verlangen. Hat G² seine Forderung von 10000 Mk. nicht zum Konkurse angemeldet, so kann er von Konrad nur 5000 Mk. einklagen (§ 2060, 3).

4) Neben dem unter 1) erörterten gerichtlichen Aufgebot der Nachlaßgläubiger läßt das B.G.B. auch ein Privataufgebot der Nachlaßgläubiger durch einen Miterben zu; ein solches liegt vor, wenn ein Miterbe öffentlich, z. B. durch die Zeitung, die Nachlaßgläubiger auffordert, binnen sechs Monaten ihre Forderungen bei ihm oder bei dem Nachlaßgericht geltend zu machen. Ist dies geschehen und ist der Nachlaß verteilt, so haftet jeder Miterbe einem Gläubiger, der nach den sechs Monaten seine Forderung geltend macht, nur für den seinem Erbteil entsprechenden Teil seiner Forderung; ein Erbe zur Hälfte oder zu einem Drittel haftet also nur auf die Hälfte oder auf ein Drittel der Forderung. Ob der Erbe

auf die geteilte Forderung unbeschränkt oder beschränkt haftet, richtet sich danach, ob rechtzeitig Nachlaßverwaltung oder Konkurs eingeleitet ist oder nicht. Ist weder auf Nachlaßverwaltung, noch auf Konkurseröffnung angetragen und keines von beiden durch das Nachlaßgericht rechtzeitig angeordnet, so haften die Miterben jeder unbeschränkt auf die Teilforderung, sonst beschränkt (§ 2061).

Der Unterschied zwischen den Wirkungen des Privataufgebotes und des gerichtlichen Aufgebotes liegt darin, daß beim gerichtlichen Aufgebot die Gläubiger, die ihre Forderungen nicht zu rechter Zeit anmelden, für ihre Teilforderungen (s. oben unter E. 1) nur den Überschuß der Erbschaft in Anspruch nehmen dürfen, der nach Befriedigung der rechtzeitig angemeldeten Forderungen übrig bleibt (§ 1973), daß jedoch beim Privataufgebot die Gläubiger, die sich zu spät melden, gegen den einzelnen Miterben nicht mehr die ganze Forderung, sondern nur die entsprechende Teilforderung geltend machen können, ohne daß sie notwendig auf den Erbschaftsüberschuß beschränkt sind. Ob sie auf den Erbschaftsüberschuß beschränkt sind, hängt davon ab, ob rechtzeitig Nachlaßverwaltung oder Konkurs eingeleitet sind. Beim gerichtlichen Aufgebot haften die Erben den nachträglich sich meldenden Gläubigern für ihre Teilforderungen stets beschränkt, beim Privataufgebot nur im Falle der rechtzeitig angeordneten Nachlaßverwaltung oder rechtzeitigen Konkurseröffnung.

Beträgt der Nachlaß 30 000 Mk., haben sich auf Konrads Privataufgebot Gläubiger mit 28 000 Mk. Forderungen gemeldet und haben es Konrad und Jürgen im Vertrauen, daß später sich Niemand mehr melden werde, versäumt, Nachlaßverwaltung zu beantragen, so haftet jeder dem G., der nach einiger Zeit eine Forderung von 10 000 Mk. geltend macht, auf je 5000 Mk., jetzt also 4000 Mk. zu. Durch das Privataufgebot ist die gesamtschuldnerische Haftung des § 2058 ausgeschlossen worden.

Ist dagegen Nachlaßverwaltung oder Konkurs eingeleitet und haben Konrad und Jürgen jeder 1000 Mk. herauserhalten, so beschränkt sich ihre Haftung hierauf, wie sie sich hierauf auch beschränken würde, wenn die Gläubiger gerichtlich aufgeboten gewesen wären. Das Privataufgebot hat an sich nur Teilhaftung und nicht beschränkte Haftung zur Folge.

5) Die Teilung der Nachlaßverbindlichkeiten entsprechend den

Erbteilen der Miterben hat eine große Bedeutung, wenn ein Miterbe zahlungsunfähig geworden ist. An sich kann jeder Miterbe, was er für eine gemeinsame Nachlaßverbindlichkeit an den Gläubiger geleistet hat, von seinen übrigen Miterben verhältnismäßig wieder beitreiben, aber er trägt die Gefahr der Zahlungsunfähigkeit, d. h. wenn er von seinen Miterben keinen Ersatz erhalten kann, obgleich er die ganze Schuld getilgt hat, so ist es sein Schade. Diese Gefahr wird bei der Teilung der Haftung auf den Gläubiger überwälzt und zwar aus Billigkeitsgründen, der Gläubiger hätte sich rechtzeitig melden können. Auch soll der einzelne Miterbe nach Durchführung des Konkurses die Sicherheit haben, daß er nicht mehr für die Nachlaßverbindlichkeiten als Gesamtschuldner zu haften braucht.

II. Entsprechend der Tatsache, daß die Teilung des Nachlasses von größter Wichtigkeit wird, wenn mehrere Miterben vorhanden sind, ergibt sich folgendes Beispiel.

Vorweg zu bemerken ist, daß die Nachlaßgläubiger immer das Recht haben Befriedigung aus ungeteiltem Nachlasse von sämtlichen Miterben zu verlangen, s. S. 506 (§ 2059 II). Jedoch wird im Folgenden hiervon abgesehen. Konrad und Jürgen erben zu gleichen Teilen einen Nachlaß mit 20000 Mk. Aktiven und 40000 Mk. Passiven, G^1 verlangt von Konrad Zahlung einer Schuld von 6000 Mk., G^2 10000 Mk., G^3 4000.

A. An sich haften Konrad und Jürgen, wie wenn sie Alleinerben wären, für jede Forderung auf das Ganze. Dementsprechend gelten auch hier die Grundsätze über die Annahmefrist (§§ 1944, 1958) und die Verweigerung der Leistung gemäß § 2014. Zu beachten ist, daß der Antrag auf Nachlaßverwaltung von Konrad und Jürgen gemeinschaftlich gestellt werden muß (§ 2062), daß aber jeder für sich allein berechtigt ist, Konkurseröffnung zu beantragen. Andererseits genügt es, wenn Einer rechtzeitig ein Inventar errichtet; dadurch wird den Erben für immer das Recht erhalten, auf Nachlaßverwaltung anzutragen. Ist dies Recht jedoch für den Einen schon verloren gegangen, so wird es ihm durch die Inventarerrichtung des Anderen nicht wieder verschafft (§ 2063), z. B. die Nachlaßgläubiger haben sich zunächst an Konrad gehalten, weil ihnen Jürgen nicht zahlungsfähig schien, und haben ihm eine Inventarfrist setzen lassen. Konrad läßt sie verstreichen, dem Jürgen wird die Frist erst später gesetzt, und er errichtet das Verzeichnis erst, nachdem die Frist für Konrad schon verstrichen ist. Dann haftet Konrad unbeschränkt und hat von Jürgens Inventar keinen Nutzen mehr. Andererseits wird das Recht, auf Nachlaßverwaltung anzutragen, durch die Teilung des Nachlasses für beide Erben und zwar endgültig verloren (§ 2062).

Die durch die Mehrheit von Erben etwas veränderten Grundsätze, die an dem Beispiel in § 141 schon erläutert sind, kommen zur Anwendung, wenn der Nachlaß sofort geteilt wird, z. B. Konrad und Jürgen nehmen die Erbschaft am 3 Januar an, die Frist gemäß § 2014 läuft bis zum 4. April, auch wenn der Nachlaß schon am 5. Januar geteilt ist. Die Teilung des Nachlasses ist auf die Anwendbarkeit des § 2014 ohne Einfluß, wohl aber ist darauf von Einfluß die Versäumung einer etwaigen Inventarfrist.

Ist am 4. April der Nachlaß noch nicht geteilt, sondern erst am 1. Mai, so können Konrad und Jürgen nach dem 4. April die Gläubiger noch bis zum 1. Mai hinhalten, denn nunmehr greift § 2059 I Satz 1 ein, daß nemlich bis zur Teilung Konrad die Bezahlung der gegen ihn geltend gemachten Schulden aus seinem Privatvermögen verweigern kann.

B. Hat er jedoch das Recht verloren, auf Nachlaßverwaltung oder Konkurseröffnung anzutragen, so muß er gemäß § 2059 Satz 2 auf jede Forderung die Hälfte aus seinem Privatvermögen bezahlen, auch wenn der Nachlaß noch nicht verteilt ist. Wenn also die Inventarfrist am 14. März abläuft, ohne daß das Inventar errichtet wird (s. oben § 141 VII, C.), so kann Konrad, statt bis zum 14. Mai sich auf § 2014 zu berufen, bis zur Teilung des Nachlasses die Gläubiger in der angegebenen Weise einstweilen beschränken. Wird er verklagt, so muß er aus seinem Privatvermögen dem G^1 3000 Mk., dem G^2 5000 Mk., dem G^3 2000 Mk. auszahlen.

C. Ist der Nachlaß geteilt, so muß Konrad, wenn keine Nachlaßverwaltung oder Konkurseröffnung beantragt ist, den Gläubigern, G^1, G^2, G^3 noch die fehlende Hälfte auf ihre Forderung leisten, also noch einmal 3000 Mk., 5000 Mk., 2000 Mk. Überhaupt die beiden Miterben haften jeder auf das Ganze einer jeden Erbschaftsschuld und zwar unbeschränkt (s. D.).

D. Ist Nachlaßverwaltung oder Konkurseröffnung beantragt, so besorgt der Nachlaßverwalter oder der Konkursverwalter die

Befriedigung der Gläubiger. Soweit die Gläubiger nichts erhalten, gehen sie eben leer aus ohne das Privatvermögen der Erben angreifen zu können, vorbehaltlich § 1980.

E. Im Falle C. haften die Erben als Gesamtschuldner unbeschränkt mit Nachlaß und Privatvermögen, im Falle D. beschränkt.

Immer aber haften sie als Gesamtschuldner. Daß sie im Falle B. zunächst nicht auf das Ganze haften, sondern nur auf denjenigen Teil einer Nachlaßschuld, der ihrem Erbteil entspricht (darum haftet Konrad als Erbe zur Hälfte auf die Hälfte jeder geltend gemachten Nachlaßverbindlichkeit), diese Tatsache bedeutet nicht, daß die Haftung der Erben nicht auf das Ganze unbeschränkt geht, denn wie Fall C. lehrt, muß Konrad nach Teilung des Nachlasses den Rest voll nachzahlen, haftet also als Gesamtschuldner und unbeschränkt.

Aber immerhin bildet Fall B. insoweit eine Ausnahme von dem Grundsatz des § 2058, daß hier wenigstens zunächst der Miterbe mit seinem Privatvermögen nur auf einen Teil der Nachlaßverbindlichkeit haftet.

Solche Haftung nur für einen Teil der Nachlaßverbindlichkeit ist vom B.G.B. aus Billigkeitsgründen mehrfach bestimmt worden, sie hat aber mit der beschränkten oder unbeschränkten Haftung an sich keinen Zusammenhang, denn der Erbe kann beschränkt oder unbeschränkt haften, sowohl für einen Teil, wie für das Ganze einer Nachlaßverbindlichkeit.

Dritter Abschnitt.

Testament.

§ 145. Allgemeine Vorschriften.

I. „Der Erblasser kann ein Testament nur persönlich errichten" (§ 2064).

Letztwillige Verfügung ist eine höchst persönliche Angelegenheit des Erblassers; er kann seine Verfügungen darum nicht von dem Belieben Dritter abhäng machen.

„Der Erblaſſer kann eine letztwillige Verfügung nicht in der Weiſe treffen, daß ein Anderer zu beſtimmen hat, ob ſie gelten oder nicht gelten ſoll.

Der Erblaſſer kann die Beſtimmung der Perſon, die eine Zuwendung erhalten ſoll, ſowie die Beſtimmung des Gegenſtandes der Zuwendung nicht einem Anderen überlaſſen“ (§ (2065).

Der Erblaſſer ſoll dem Willen Dritter keinen Einfluß gewähren auf Dinge, die von Rechtswegen nur ſeiner eigenen Entſchließung unterworfen ſein ſollen. In dieſem Sinne iſt auch § 2302 zu verſtehen.

„Ein Vertrag, durch den ſich Jemand verpflichtet, eine Verfügung von Todeswegen zu errichten oder nicht zu errichten, aufzuheben oder nicht aufzuheben, iſt nichtig“ (§ 2302).

II. Das B.G.B. beſtimmt in mehreren Fällen, daß und in welcher Weiſe verſchiedene teſtamentariſche Beſtimmungen wirkſam ſein ſollen.

1) Sehr beliebt ſind in Teſtamenten gewiſſe Ausdrücke und Redewendungen, über deren Bedeutung doch unter Umſtänden Streit entſtehen kann, z. B. der Erblaſſer ſchreibt: Ich ſetze „meine geſetzlichen Erben“ ein, „meine Verwandten“, „meine nächſten Verwandten“, „meine Kinder“, „meine Dienſtboten“, „die Armen“ ꝛc. Das B.G.B. beſtimmt für ſolche Fälle in den §§ 2066 ff., wie die letztwillige Verfügung auszulegen ſei, indem es beſonders an die geſetzliche Erbfolgeordnung ſich anſchließt.

2) „Hat der Erblaſſer den Bedachten in einer Weiſe bezeichnet, die auf mehrere Perſonen paßt, und läßt ſich nicht ermitteln, wer von ihnen bedacht werden ſollte, ſo gelten ſie als zu gleichen Teilen bedacht“ (§ 2073).

Es kann aber nicht jeder Friedrich Müller Erbanſprüche erheben, wenn ohne nähere Bezeichnung ein Friedrich Müller eingeſetzt iſt, ſondern es kommen nur die in Betracht, die in einer ſolchen Beziehung zum Erblaſſer ſtehen, daß angenommen werden kann, der Erblaſſer habe an ſie gedacht.

3) „Hat der Erblaſſer eine letztwillige Zuwendung unter einer aufſchiebenden Bedingung gemacht, ſo iſt im Zweifel anzunehmen, daß die Zuwendung nur gelten ſoll, wenn der Bedachte den Eintritt der Bedingung erlebt“ (§ 2074).

4) „Bezweckt die Bedingung, unter der eine letztwillige Zu-

wendung gemacht ist, den Vorteil eines Dritten, so gilt sie im Zweifel als eingetreten, wenn der Dritte die zum Eintritte der Bedingung erforderliche Mitwirkung verweigert" (§ 2076).

Der Bedachte erhält also unter Umständen das ihm Zugedachte, trotzdem die Bedingung nicht eingetreten ist, wenn er nur selber schuldlos ist.

5) Zuwendungen an Ehegatten und Verlobte setzen grundsätzlich voraus, daß die Ehe oder das Verlöbnis beim Erbfall noch bestehen, nicht aufgelöst, nicht geschieden, nicht anfechtbar oder nichtig sind 2c. (§ 2077).

III. 1) Unter Umständen können letztwillige Verfügungen angefochten werden, z. B. wegen Übergehung naher Verwandter, der sogenannten Pflichtteilsberechtigten (§ 2079 I), oder wegen Irrtums des Erblassers über den Inhalt seiner Erklärung (er verschreibt sich, schreibt 20 000 statt 2000 Mk.) 2c. (§ 2078).

2) „Die Unwirksamkeit einer von mehreren in einem Testament enthaltenen Verfügungen hat die Unwirksamkeit der übrigen Verfügungen nur zur Folge, wenn anzunehmen ist, daß der Erblasser diese ohne die unwirksame Verfügung nicht getroffen haben würde" (§ 2085).

IV. „Läßt der Inhalt einer letztwilligen Verfügung verschiedene Auslegungen zu, so ist im Zweifel diejenige Auslegung vorzuziehen, bei welcher die Verfügung Erfolg haben kann" (§ 2084).

§ 146. Erbeinsetzung.

I. Da, wie oben schon dargelegt ist, der Unterschied von Universal= und Singularsuccession, insbesondere Erbeinsetzung und sonstiger Zuwendung von größter praktischer Bedeutung wird, hat das B.G.B. einige Auslegungsregeln gegeben, nach denen festgestellt werden soll, ob Erbeinsetzung und somit Universalsuccession anzunehmen ist oder nicht. Diese Auslegungsregeln sind deshalb unumgänglich, weil der sehr unbestimmte deutsche Sprachgebrauch recht häufig einen bestimmten, klaren Ausdruck vermissen läßt, an dem erkannt werden könnte, ob der Erblasser Vermächtnis oder Universalsuccession, d. h. Erbeinsetzung, gewollt habe.

Jemand ist Universalsuccessor, wenn ihm grundsätzlich das ganze

Vermögen „vermacht" ist, aber er ist es auch, wenn es ihm zu einem Drittel, einem Viertel ꝛc. „vermacht" ist.

„Hat der Erblasser sein Vermögen oder einen Bruchteil seines Vermögens dem Bedachten zugewendet, so ist die Verfügung als Erbeinsetzung anzusehen, auch wenn der Bedachte nicht als Erbe bezeichnet ist" (§ 2087 I).

Andererseits ist Jemand nur Vermächtnisnehmer und daher höchstens Singularsuccessor, wenn er auf eine einzelne Sache als „Erbe eingesetzt" ist.

„Sind dem Bedachten nur einzelne Gegenstände zugewendet, so ist im Zweifel nicht anzunehmen, daß er Erbe sein soll, auch wenn er als Erbe bezeichnet ist" (§ 2087 II).

II. Die Universalsuccession ist unabhängig davon, ob Jemand auf das ganze Vermögen eingesetzt wird, sie ist auch nach Bruchteilen möglich. Dann wird der Betreffende Universalsuccessor zu einem Bruchteil. Die Erbeinsetzung auf Bruchteile kann zu verschiedenen Verwicklungen führen, je nachdem ob alle Bruchteile, oder nur einige oder nur einer oder zu viele vergeben sind, z. B. es ist nur A. eingesetzt auf ein Drittel oder A. und B. jeder auf ein Drittel oder A., B., C., D. jeder auf ein Drittel. Die hieraus sich ergebenden Schwierigkeiten werden in den §§ 2088—2090 geregelt.

III. Fällt einer der eingesetzten Erben vor oder nach dem Eintritte des Erbfalles weg, z. B. durch Ausschlagung, so tritt unter Umständen Anwachsung ein, nemlich dann, wenn ersichtlicher Weise die gesetzlichen Erben von dem frei werdenden Bruchteil ausgeschlossen sein sollen.

„Sind mehrere Erben in der Weise eingesetzt, daß sie die gesetzliche Erbfolge ausschließen, und fällt einer der Erben vor oder nach dem Eintritte des Erbfalles weg, so wächst dessen Erbteil den übrigen Erben nach dem Verhältnis ihrer Erbteile an. Sind einige der Erben auf einen gemeinschaftlichen Erbteil eingesetzt, so tritt die Anwachsung zunächst unter ihnen ein.

Ist durch die Erbeinsetzung nur über einen Teil der Erbschaft verfügt und findet in Ansehung des übrigen Teiles die gesetzliche Erbfolge statt, so tritt die Anwachsung unter den eingesetzten Erben nur ein, soweit sie auf einen gemeinschaftlichen Erbteil eingesetzt sind.

Der Erblasser kann die Anwachsung ausschließen" (§ 2094).

IV. „Der Erblasser kann für den Fall, daß ein Erbe vor oder nach dem Eintritte eines Erbfalles wegfällt (z. B. er schlägt aus) einen Anderen als Erben einsetzen (Ersatzerbe)" (§ 2096).

„Das Recht des Ersatzerben geht dem Anwachsungsrechte vor" (§ 2099).

§ 147. Einsetzung eines Nacherben.

I. Nacherbe und Ersatzerbe sind zu scheiden. Ersatzerbe wird man an Stelle Jemandes, der nicht Erbe geworden ist, der Nacherbe dagegen ist Nachfolger, Successor Jemandes, der eine Zeit hindurch wirklich Erbe gewesen ist.

„Der Erblasser kann einen Erben in der Weise einsetzen, daß dieser erst Erbe wird, nachdem zunächst ein Anderer Erbe geworden ist (Nacherbe)" (§ 2100).

Nacherbschaft oder entsprechend die Vorerbschaft kommt vor, z. B. wenn der Mann seine Frau für ihre Lebenszeit als Erbin einsetzt, das Vermögen aber mit ihrem Tode den gemeinschaftlichen Kindern zuerkennen will, oder wenn der Erblasser sein Vermögen seinem alten, unverheirateten Diener vermacht mit der Bestimmung, daß es nach dessen Tode an eine wohltätige Stiftung fallen soll.

II. „Ist eine zur Zeit des Erbfalles noch nicht erzeugte Person als Erbe eingesetzt, so ist im Zweifel anzunehmen, daß sie als Nacherbe eingesetzt ist" (§ 2101 I Satz 1).

Dies ist wichtig wegen § 1923 (s. oben § 138 S. 481).

„Die Einsetzung als Nacherbe enthält im Zweifel auch die Einsetzung als Ersatzerbe" (§ 2102 I).

Die letztwillige Verfügung soll nach Möglichkeit aufrecht erhalten werden und das geschieht dadurch, daß dort, wo es möglich ist, die Einsetzung als Ersatzerbe angenommen wird.

III. Eine Nacherbschaft ist nach positiver Bestimmung des B.G.B. anzunehmen, wenn Jemand Erbe sein, aber die Erbschaft nach bestimmter Zeit an einen Anderen wieder herausgeben soll, oder wenn Jemand unter einer sonstigen Bedingung eingesetzt ist 2c. Das Nähere enthalten die §§ 2103 ff.

IV. „Die Einsetzung eines Nacherben wird mit dem Ablaufe von dreißig Jahren nach dem Erbfall unwirksam, wenn nicht vorher der Fall der Nacherbfolge eingetreten ist. Sie bleibt auch nach dieser Zeit wirksam:

1) wenn die Nacherbfolge für den Fall angeordnet ist, daß in der Person des Vorerben oder des Nacherben ein bestimmtes Ereignis eintritt, und derjenige, in dessen Person das Ereignis eintreten soll, zur Zeit des Erbfalles lebt;

2) wenn dem Vorerben oder einem Nacherben für den Fall, daß ihm ein Bruder oder eine Schwester geboren wird, der Bruder oder die Schwester als Nacherbe bestimmt ist (§ 2109 I).

Die Nacherbschaft bleibt also in Kraft, z. B. wenn der Mann vorschreibt, daß seine Frau das Vermögen an die Kinder herausgeben soll, sobald sie sich wieder verheiratet und wenn die Frau 32 Jahre nach dem Erbfall wieder heiratet.

V. 1) Der Vorerbe muß das Recht des Nacherben berücksichtigen und kann daher z. B. über Grundstücke nicht zu Ungunsten des Nacherben verfügen, über sonstige Gegenstände kann er zum Schaden des Nacherben nicht unentgeltlich verfügen (§ 2113).

2) Der Nacherbe kann gewisse Sicherungsmaßregeln verlangen z. B. Hinterlegung von Inhaberpapieren bei der Reichsbank ꝛc., vergl. die §§ 2116 ff., Mitteilung eines Verzeichnisses der zur Erbschaft gehörenden Gegenstände (§ 2121), Auskunft über den Bestand der Erbschaft, „wenn Grund zu der Annahme besteht, daß der Vorerbe durch seine Verwaltung die Rechte des Nacherben erheblich verletzt" (§ 2127), entsprechend, unter den in § 2128 angegebenen Voraussetzungen, Sicherheitsleistung.

VI. „Der Vorerbe hat dem Nacherben gegenüber in Ansehung der Verwaltung nur für diejenige Sorgfalt einzustehen, welche er in eigenen Angelegenheiten anzuwenden pflegt" (§ 2131).

„Veränderungen oder Verschlechterungen von Erbschaftssachen, die durch ordnungsmäßige Benutzung herbeigeführt werden, hat der Vorerbe nicht zu vertreten" (§ 2132).

VII. Der Erblasser kann anordnen, daß der Vorerbe gegenüber dem Nacherben eine freiere Stellung haben, ihm weniger verantwortlich sein soll (§ 2136), dies ist bei der Nacherbschaft auf den Überrest ohne Weiteres anzunehmen.

„Hat der Erblasser den Nacherben auf dasjenige eingesetzt, was von der Erbschaft bei dem Eintritte der Nacherbfolge übrig sein wird, so gilt die Befreiung von allen im § 2136 bezeichneten Beschränkungen und Verpflichtungen als angeordnet.

Das Gleiche ist im Zweifel anzunehmen, wenn der Erblasser

bestimmt hat, daß der Vorerbe zur freien Verfügung über die Erb-schaft berechtigt sein soll" (§ 2137).

VIII. 1) „Mit dem Eintritte des Falles der Nacherbfolge hört der Vorerbe auf, Erbe zu sein, und fällt die Erbschaft dem Nach-erben an" (§ 2139).

Aber aus praktischen Gründen wird eine Ausnahme gemacht.

„Der Vorerbe ist auch nach dem Eintritte des Falles der Nach-erbfolge zur Verfügung über Nachlaßgegenstände in dem gleichen Umfange wie vorher berechtigt, bis er von dem Eintritte Kenntnis erlangt oder ihn kennen muß" (§ 2140 Satz 1).

2) „Der Nacherbe kann die Erbschaft ausschlagen, sobald der Erbfall eingetreten ist.

Schlägt der Nacherbe die Erbschaft aus, so verbleibt sie dem Vorerben, soweit nicht der Erblasser ein Anderes bestimmt hat" (§ 2142).

§ 148. Vermächtnis.

I. 1) Durch die Anordnung eines Vermächtnisses begründet der Erblasser eine Verpflichtung für den Erben, dem Vermächtnis-nehmer etwas zu leisten. Es kann aber auch ein Vermächtnis-nehmer mit der Verpflichtung belastet werden, einer anderen Person, ebenfalls einem Vermächtnisnehmer, etwas zu leisten.

„Mit einem Vermächtnisse kann der Erbe oder ein Vermächt-nisnehmer beschwert werden. Soweit nicht der Erblasser ein An-deres bestimmt hat, ist der Erbe beschwert" (§ 2147).

„Sind mehrere Erben oder mehrere Vermächtnisnehmer mit demselben Vermächtnisse beschwert, so sind im Zweifel die Erben nach dem Verhältnisse der Erbteile, die Vermächtnisnehmer nach dem Verhältnisse des Wertes der Vermächtnisse beschwert" (§ 2148).

„Durch das Vermächtnis wird für den Bedachten das Recht begründet, von dem Beschwerten die Leistung des vermachten Gegen-standes zu fordern" (§ 2174).

Der Vermächtnisnehmer erwirbt stets nur eine Forderung, niemals ein dingliches Recht, auch dann nicht, wenn ihm eine zur Erbschaft gehörige individuell bestimmte Sache vermacht ist. Er erwirbt das Eigentum erst durch die Übergabe.

II. 1) Daneben kommt noch das Vorausvermächtnis vor,

d. h. das Vermächtnis an einen Erben, der dann also einen Teil des Nachlasses als Erbe, einen anderen als Vermächtnisnehmer erhält (§ 2150).

2) Ein besonderes Vermächtnis aber von geringer Bedeutung ist auch das **Alternativvermächtnis**.

„Der Erblasser kann Mehrere mit einem Vermächtnis in der Weise bedenken, daß der Beschwerte oder ein Dritter zu bestimmen hat, wer von den Mehreren das Vermächtnis erhalten soll" (§ 2151 I).

Jeder der alternativ Bedachten kann dem belasteten Erben eine Frist zur Ausübung der Wahl durch das Nachlaßgericht setzen lassen. Nach ihrem Ablauf gelten sie als Gesamtgläubiger (§ 2151 III).

3) Nicht viel wichtiger ist das **Wahlvermächtnis**.

„Der Erblasser kann ein Vermächtnis in der Art anordnen, daß der Bedachte von mehreren Gegenständen nur den einen oder den anderen erhalten soll" (§ 2154 I Satz 1).

4) Von erheblicher praktischer Bedeutung ist das **Gattungsvermächtnis**.

„Hat der Erblasser die vermachte Sache nur der Gattung nach bestimmt, so ist eine den Verhältnissen des Bedachten entsprechende Sache zu leisten" (§ 2155 I).

III. Auch beim Vermächtnis kommt Anwachsung vor.

„Ist Mehreren derselbe Gegenstand vermacht, so wächst, wenn einer von ihnen vor oder nach dem Erbfalle wegfällt, dessen Anteil den übrigen Bedachten nach dem Verhältnis ihrer Anteile an" (§ 2158 I Satz 1).

IV. Das Vermächtnis wird aus mehreren, ihm besonders eigentümlichen Gründen unwirksam.

1) „Ein Vermächtnis ist unwirksam, wenn der Bedachte zur Zeit des Erbfalles nicht mehr lebt" (§ 2160).

Dagegen wird es nicht unwirksam durch den Wegfall des Beschwerten (§ 2161).

2) „Ein aufschiebend bedingtes oder aufschiebend befristetes Vermächtnis wird mit dem Ablaufe von dreißig Jahren nach dem Erbfall unwirksam, wenn nicht vorher die Bedingung oder der Termin eingetreten ist" (§ 2162 I). Ausnahmen enthält § 2163.

V. Wichtig ist die Scheidung zwischen Vermächtnissen von solchen Gegenständen, die in der Erbschaft enthalten sind und solchen Gegenständen, die dem Erblasser nicht gehören.

„Das Vermächtnis eines bestimmten Gegenstandes ist unwirksam, soweit der Gegenstand zur Zeit des Erbfalles nicht zur Erbschaft gehört, es sei denn, daß der Gegenstand dem Bedachten auch für den Fall zugewendet sein soll, daß er nicht zur Erbschaft gehört" (§ 2169 I).

„Ist das Vermächtnis eines Gegenstandes, der zur Zeit des Erbfalles nicht zur Erbschaft gehört, nach § 2169 I wirksam, so hat der Beschwerte den Gegenstand dem Bedachten zu verschaffen" (§ 2170 I).

Hat der Erblasser einen Anspruch auf Leistung des vermachten Gegenstandes, so gilt der Anspruch als vermacht (§ 2169 III).

VI. „Ein Vermächtnis, das auf eine zur Zeit des Erbfalles unmögliche Leistung gerichtet ist oder gegen ein zu dieser Zeit bestehendes gesetzliches Verbot verstößt, ist unwirksam. Die Vorschriften des § 308 finden entsprechende Anwendung" (§ 2171), d. h. vorübergehende Unmöglichkeit schadet nicht, wenn das Vermächtnis für den Fall, daß die Leistung möglich wird, angeordnet ist.

VII. Damit der Vermächtnisnehmer das Forderungsrecht aus dem Vermächtnis erwerbe, ist es nicht notwendig, daß er das Vermächtnis annehme, er erwirbt vielmehr die Forderung gegen den Beschwerten ohne Weiteres, ohne Wissen und Wollen in dem Augenblicke des Erbfalles.

„Die Forderung des Vermächtnisnehmers kommt, unbeschadet des Rechtes, das Vermächtnis auszuschlagen, zur Entstehung (Anfall des Vermächtnisses) mit dem Erbfalle" (§ 2176).

Eine Annahme des Vermächtnisses bedeutet, daß er es nicht mehr ausschlagen kann (§ 2180 I). Dies wird z. B. wichtig, wenn der Vermächtnisnehmer selber wieder mit einem Vermächtnis zu Gunsten eines Dritten beschwert ist.

VIII. Hat der Erblasser eine zur Erbschaft gehörende individuell bestimmte Sache vermacht, so muß der Vermächtnisnehmer sie so nehmen, wie sie ist. In allen übrigen Fällen haftet der Beschwerte ähnlich wie ein Verkäufer, z. B. für Mängel im Rechte und auch für körperliche Mängel nach der besonderen Maßgabe der §§ 2182, 2183.

IX. Wie eine Nacherbschaft, so ist auch ein Nachvermächtnis möglich (§ 2191).

§ 149. Auflage.

Der Begriff der testamentarischen Auflage ist schon bekannt aus § 1940.

„Die Vollziehung einer Auflage können der Erbe, der Miterbe und derjenige verlangen, welchem der Wegfall des mit der Auflage zunächst Beschwerten unmittelbar zu Statten kommen würde. Liegt die Vollziehung im öffentlichen Interesse, so kann auch die zuständige Behörde die Vollziehung verlangen" (§ 2194).

Dies ist wichtig z. B. in Fällen, wie die folgenden: Der Erblasser setzt Jemandem etwas aus unter der Auflage, er solle zu wissenschaftlichen, wohltätigen Zwecken ꝛc. etwas hergeben. Wenn die Bestimmung des § 2194 nicht wäre, könnte der mit der Auflage Beschwerte sich ihrer Erfüllung entziehen.

§ 150. Testamentsvollstrecker.

I. „Der Testamentsvollstrecker hat die letztwilligen Verfügungen des Erblassers zur Ausführung zu bringen" (§ 2203).

Er soll darüber wachen, daß die Anordnungen des Erblassers von den Erben, Vermächtnisnehmern, überhaupt von allen bei dem Testament beteiligten Personen geachtet und befolgt werden. Er erhält hiezu Auftrag durch die letztwillige Verfügung des Erblassers. Kraft der ihm vom Gesetze beigelegten Befugnisse steht der vom Erblasser Ernannte über den verschiedenen Erbinteressenten, ist von ihnen unabhängig. Die Anweisungen, denen er Folge zu leisten hat, sind nicht die Weisungen der Erbinteressenten, sondern die Weisungen des Erblassers.

II. Der Erblasser kann seine Testamentsvollstrecker selber ernennen, dies aber auch einem Dritten überlassen, er kann ferner das Nachlaßgericht darum ersuchen und kann sogar seinem Testamentsvollstrecker freistellen, sich noch Mitvollstrecker zu wählen (vergl. die §§ 2197 ff.).

III. Der Testamentsvollstrecker hat im Einzelnen folgende Pflichten: Er muß die Auseinandersetzung unter den Erben bewirken (§ 2204), den Nachlaß verwalten (§ 2205); ein Verzeichnis den Erben mitteilen (§ 2215) ꝛc.

Obgleich er kein Beauftragter der Erben ist, muß er doch gewisse Vorschriften des Auftrages den Erben gegenüber beachten, z. B. Auskunft geben, alles, was er aus dem Nachlaß in der Hand hat, herausgeben 2c. (§ 2218), doch ist klar, daß hieburch seiner freieren Stellung nicht eigentlich Abbruch geschieht.

„Verletzt der Testamentsvollstrecker die ihm obliegenden Verpflichtungen, so ist er, wenn ihm ein Verschulden zur Last fällt, für den daraus entstehenden Schaden dem Erben und, soweit ein Vermächtnis zu vollziehen ist, auch dem Vermächtnisnehmer verantwortlich.

Mehrere Testamentsvollstrecker, denen ein Verschulden zur Last fällt, haften als Gesamtschuldner" (§ 2219).

IV. „Der Testamentsvollstrecker kann für die Führung seines Amtes eine angemessene Vergütung verlangen, sofern nicht der Erblasser ein Anderes bestimmt hat" (§ 2221).

V. Die Verwaltung des Testamentsvollstreckers hat die Wirkung, daß er befugt wird, die seiner Verwaltung unterliegenden Rechte gerichtlich geltend zu machen (§ 2212), andererseits kann der Erbe über einen der Verwaltung des Testamentsvollstreckers unterliegenden Gegenstand nicht verfügen (§ 2211).

§ 151. Errichtung und Aufhebung eines Testamentes.

I. Nur testierfähige Personen können ein Testament errichten. Testierfähigkeit ist aber nicht identisch mit Geschäftsfähigkeit.

„Wer in der Geschäftsfähigkeit beschränkt ist, bedarf zur Errichtung eines Testamentes nicht der Zustimmung seines gesetzlichen Vertreters.

Ein Minderjähriger kann ein Testament erst errichten, wenn er das sechszehnte Lebensjahr vollendet hat.

Wer wegen Geistesschwäche, Verschwendung oder Trunksucht entmündigt ist, kann ein Testament nicht errichten. Die Unfähigkeit tritt schon mit der Stellung des Antrages ein, auf Grund dessen die Entmündigung erfolgt" (§ 2229).

II. Es gibt zwei Arten von Testamenten, das öffentliche und das Privattestament. Dies sind die Arten des ordentlichen Testamentes. Daneben gibt es noch außerordentliche Testamentsformen, die in ganz besonderen Ausnahmefällen zur Anwendung kommen.

III. Die ordentlichen Testamentsformen.

„Ein Testament kann in ordentlicher Form errichtet werden:

1) vor einem Richter oder vor einem Notar (öffentliches Testament);

2) durch eine von dem Erblasser unter Angabe des Ortes und Tages eigenhändig geschriebene und unterschriebene Erklärung" (Privattestament) (§ 2231).

Übrigens kann jeder Partikularstaat auf Grund von Art. 141 E.G. entweder die Gerichte oder die Notare von der Aufnahme von Testamenten ausschließen.

IV. Wegen des ordentlichen öffentlichen Testamentes bestimmt das B.G.B. folgendes:

1) „Zur Errichtung des Testamentes muß der Richter einen Gerichtsschreiber oder zwei Zeugen, der Notar muß einen zweiten Notar oder zwei Zeugen zuziehen" (§ 2233).

2) Gewisse Personen können bei der Errichtung von Testamenten nicht mitwirken und zwar sind sie unfähig oder sie sind nicht unfähig, sollen aber nicht mitwirken, sie können also bei den Testamenten mitwirken.

a. Unfähige Personen.

α. „Als Richter, Notar, Gerichtsschreiber oder Zeuge kann bei der Errichtung des Testamentes nicht mitwirken:

1) der Ehegatte des Erblassers, auch wenn die Ehe nicht mehr besteht;

2) wer mit dem Erblasser in gerader Linie oder im zweiten Grade der Seitenlinie verwandt oder verschwägert ist" (§ 2234).

β. „Als Richter, Notar, Gerichtsschreiber oder Zeuge kann bei der Errichtung des Testamentes nicht mitwirken, wer in dem Testamente bedacht wird oder wer zu einem Bedachten in einem Verhältnisse der im § 2234 bezeichneten Art steht.

Die Mitwirkung einer hiernach ausgeschlossenen Person hat nur zur Folge, daß die Zuwendung an den Bedachten nichtig ist" (§ 2235).

γ. „Als Gerichtsschreiber oder zweiter Notar oder Zeuge kann bei der Errichtung des Testamentes nicht mitwirken, wer zu dem Richter oder dem beurkundenden Notar in einem Verhältnisse der in § 2234 bezeichneten Art steht" (§ 2236).

b. Nicht unfähig sind, sollen aber nicht mitwirken, folgende Zeugen:

„1) ein Minderjähriger;

2) wer der bürgerlichen Ehrenrechte für verlustig erklärt ist, während der Zeit, für welche die Aberkennung der Ehrenrechte erfolgt ist;

3) wer nach den Vorschriften der Strafgesetze unfähig ist, als Zeuge eidlich vernommen zu werden;

4) wer als Gesinde oder Gehülfe im Dienste des Richters oder des beurkundenden Notars steht" (§ 2237).

3) „Die Errichtung des Testamentes erfolgt in der Weise, daß der Erblasser dem Richter oder dem Notar seinen letzten Willen mündlich erklärt oder eine Schrift mit der mündlichen Erklärung übergibt, daß die Schrift seinen letzten Willen enthalte. Die Schrift kann offen oder verschlossen übergeben werden. Sie kann von dem Erblasser oder von einer anderen Person geschrieben sein.

Wer minderjährig ist oder Geschriebenes nicht zu lesen vermag, kann das Testament nur durch mündliche Erklärung errichten" (§ 2238).

4) „Die bei der Errichtung des Testamentes mitwirkenden Personen müssen während der ganzen Verhandlung zugegen sein" (§ 2239).

Dies ist das Erfordernis der Einheit des Errichtungsaktes, wodurch vorgesorgt wird, daß nicht etwa das Testament von einigen Personen in Abwesenheit der Anderen gefälscht werde ꝛc.

5) „Über die Errichtung des Testamentes muß ein Protokoll in deutscher Sprache aufgenommen werden" (§ 2240).

§ 2242. „Das Protokoll muß vorgelesen, von dem Erblasser genehmigt und von ihm eigenhändig unterschrieben werden. Im Protokolle muß festgestellt werden, daß dies geschehen ist. Das Protokoll soll dem Erblasser auf Verlangen auch zur Durchsicht vorgelegt werden.

Erklärt der Erblasser, daß er nicht schreiben könne, so wird seine Unterschrift durch die Feststellung dieser Erklärung im Protokoll ersetzt.

Das Protokoll muß von den mitwirkenden Personen unterschrieben werden."

Das Protokoll ist amtlich zu versiegeln und zu verwahren

und dem Erblaſſer ein Hinterlegungsſchein darüber zu geben (§ 2246).

Für den Fall, daß der Erblaſſer nicht ſchreiben ſprechen oder leſen kann, hat das B.G.B. mehrere Vorſchriften in den §§ 2242 ff. erlaſſen, Unkenntnis der deutſchen Sprache iſt in dem § 2244 vor= geſehen.

V. **Privatteſtament.** Minderjährige oder Solche, die Ge= ſchriebenes nicht leſen können, können kein Privatteſtament errichten (§ 2247), denn nur das öffentliche Teſtament bietet in ſolchen Fällen die nötige Sicherheit, daß der Teſtator ſeinen wahren und eigent= lichen Willen zum Ausdruck bringt.

Auf Verlangen des Erblaſſers iſt ſein Privatteſtament in amt= liche Verwahrung zu nehmen und ihm ein Hinterlegungsſchein zu erteilen (§ 2248).

VI. **Außerordentliche Teſtamentsformen.**

1) **Dorfteſtament.**

§ 2249. „Iſt zu beſorgen, daß der Erblaſſer früher ſterben werde, als die Errichtung eines Teſtamentes vor einem Richter oder vor einem Notar möglich iſt, ſo kann er das Teſtament vor dem Vorſteher der Gemeinde, in der er ſich aufhält, oder, falls er ſich in dem Bereich eines durch Landesgeſetz einer Gemeinde gleichge= ſtellten Verbandes oder Gutsbezirkes aufhält, vor dem Vorſteher dieſes Verbandes oder Bezirkes errichten. Der Vorſteher muß zwei Zeugen zuziehen. Die Vorſchriften der §§ 2234 bis 2246 finden Anwendung; der Vorſteher tritt an die Stelle des Richters oder des Notars.

Die Beſorgnis, daß die Errichtung eines Teſtamentes vor einem Richter oder vor einem Notar nicht möglich ſein werde, muß im Protokolle feſtgeſtellt werden. Der Gültigkeit des Teſtaments ſteht nicht entgegen, daß die Beſorgnis nicht begründet war.“

2) **Teſtament in abgeſperrten Orten.**

§ 2250. „Wer ſich an einem Orte aufhält, der infolge des Ausbruchs einer Krankheit oder infolge ſonſtiger außerordentlicher Umſtände dergeſtalt abgeſperrt iſt, daß die Errichtung eines Teſta= ments vor einem Richter oder vor einem Notar nicht möglich oder erheblich erſchwert iſt, kann das Teſtament in der durch den § 2249 I beſtimmten Form oder durch mündliche Erklärung vor drei Zeugen errichten.

Wird die mündliche Erklärung vor drei Zeugen gewählt, so muß über die Errichtung des Testaments ein Protokoll aufgenommen werden. Auf die Zeugen finden die Vorschriften der §§ 2234, 2235 und des § 2237 Nr. 1 bis 3, auf das Protokoll finden die Vorschriften der §§ 2240 bis 2242, 2245 Anwendung. Unter Zuziehung eines Dolmetschers kann ein Testament in dieser Form nicht errichtet werden."

3) Testament an Bord eines Schiffes.

„Wer sich während einer Seereise an Bord eines deutschen, nicht zur Kaiserlichen Marine gehörenden Fahrzeuges außerhalb eines inländischen Hafens befindet, kann ein Testament durch mündliche Erklärung vor drei Zeugen nach § 2250 errichten" (§ 2251).

4) Die soeben angeführten Testamente sind nur ein Notbehelf und sollen auch nur als ein solcher gelten, darum gelten sie nicht für immer, sondern nur auf gewisse Zeit und werden ungültig, wenn die Notlage aufhört.

„Ein nach § 2249, § 2250 oder § 2251 errichtetes Testament gilt als nicht errichtet, wenn seit der Errichtung drei Monate verstrichen sind und der Erblasser noch lebt.

Beginn und Lauf der Frist sind gehemmt, solange der Erblasser außer Stande ist, ein Testament vor einem Richter oder vor einem Notar zu errichten.

Tritt im Falle des § 2251 der Erblasser vor dem Ablaufe der Frist eine neue Seereise an, so wird die Frist dergestalt unterbrochen, daß nach der Beendigung der neuen Reise die volle Frist von neuem zu laufen beginnt.

Wird der Erblasser nach dem Ablaufe der Frist für tot erklärt, so behält das Testament seine Kraft, wenn die Frist zu der Zeit, zu welcher der Erblasser den vorhandenen Nachrichten zufolge noch gelebt hat, noch nicht verstrichen war" (§ 2252).

VII. Letztwillige Verfügungen sollen Sache des freiesten Willens sein und darum steht dem Erblasser ein unbedingtes Widerrufsrecht zu, das sogar soweit ausgedehnt ist, daß selbst ein wegen Geistesschwäche, Verschwendung oder Trunksucht Entmündigter trotz seiner Entmündigung widerrufen kann (§ 2253).

1) „Der Widerruf erfolgt durch Testament" (§ 2254).

2) „Ein Testament kann auch dadurch widerrufen werden, daß der Erblasser in der Absicht, es aufzuheben, die Testamentsurkunde

vernichtet oder an ihr Veränderungen vornimmt, durch die der Wille, eine schriftliche Willenserklärung aufzuheben, ausgedrückt zu werden pflegt.

Hat der Erblasser die Testamentsurkunde vernichtet oder in der bezeichneten Weise verändert, so wird vermutet, daß er die Aufhebung des Testamentes beabsichtigt habe" (§ 2255).

3) „Ein vor einem Richter oder vor einem Notar oder nach § 2249 errichtetes Testament gilt als widerrufen, wenn die in amtlicher Verwahrung genommene Urkunde dem Erblasser zurückgegeben wird" (§ 2256 I).

4) „Durch die Errichtung eines Testamentes wird ein früheres Testament insoweit aufgehoben, als das spätere Testament mit dem früheren in Widerspruch steht.

Wird das spätere Testament widerrufen, so ist das frühere Testament in gleicher Weise wirksam, wie wenn es nicht aufgehoben worden wäre" (§ 2258).

Der Fall ist so, daß in dem neuen Testament über einen Widerruf des alten Testamentes nichts gesagt ist, daß also nicht ein Widerruf in Testamentsform (§ 2254) vorliegt, sondern ein neues Testament, das sich über sein Verhältnis zum alten Testament garnicht ausspricht, z. B. der Erblasser glaubt, das alte Testament sei vernichtet und errichtet ein neues; nach seinem Tode wird aber das ältere Testament gefunden.

§ 152. Gemeinschaftliches Testament.

I. Das gemeinschaftliche Testament ist genau genommen ein doppeltes Testament von zwei verschiedenen Erblassern über zwei verschiedene Erbschaften. Gewöhnlich ist das gemeinschaftliche Testament auch wechselseitig, d. h. die Erblasser setzen sich in dem gemeinschaftlichen Testamente gegenseitig zu Erben ein. Dies ist das Regelmäßige, aber es ist nicht notwendig.

Nicht alle Personen können ein gemeinschaftliches Testament errichten, sondern nur Eheleute (§ 2265).

II. Grundsätzlich setzt die Wirksamkeit eines gemeinschaftlichen Testamentes voraus, daß zur Zeit des Erbfalles eine vollgültige Ehe zwischen den Ehegatten besteht und auch noch kein Ehegatte berechtigter Weise die Ehescheidungsklage erhoben hat. In solchen

Fällen wird das ganze Testament unwirksam; nicht nur die gegenseitige Erbeinsetzung kommt in Wegfall, auch alle Zuwendungen an dritte Personen und sonstige Verfügungen des Testamentes werden hinfällig. Aber sie bleiben unter Umständen in Kraft (§ 2268).

III. „Haben die Ehegatten in einem gemeinschaftlichen Testamente Verfügungen getroffen, von denen anzunehmen ist, daß die Verfügung des einen nicht ohne die Verfügung des anderen getroffen sein würde, so hat die Nichtigkeit oder der Widerruf der einen Verfügung die Unwirksamkeit der anderen zur Folge" (§ 2270 I). Darin zeigt sich die Korrespektabilität der beiden Testamente.

IV. „Der Widerruf einer Verfügung, die mit einer Verfügung des anderen Ehegatten in dem im § 2270 bezeichneten Verhältnisse steht, erfolgt bei Lebzeiten der Ehegatten nach den für den Rücktritt von einem Erbvertrage geltenden Vorschriften des § 2296" (§ 2271 I Satz 1). Der Widerruf muß dem anderen Teil gegenüber erklärt werden und bedarf der gerichtlichen oder notariellen Beurkundung. Dadurch wird der andere Ehegatte sofort über Alles unterrichtet und kann seine eigenen Maßregeln treffen, z. B. ein neues Testament errichten.

„Durch eine neue Verfügung von Todeswegen kann ein Ehegatte bei Lebzeiten des anderen seine Verfügung nicht einseitig aufheben.

Das Recht zum Widerruf erlischt mit dem Tode des anderen Ehegatten; der Überlebende kann jedoch seine Verfügung aufheben, wenn er das ihm Zugewendete ausschlägt" (§ 2271 I Satz 2 II Satz 1).

Etwas ganz Anderes ist es, daß nach § 2272 die hinterlegte Urkunde nur gemeinsam von beiden Ehegatten zurückgenommen werden kann.

Vierter Abschnitt.

Erbrechtliche Verträge.

§ 153. Erbvertrag.

I. Der Erbvertrag unterscheidet sich von dem gemeinschaftlichen Testamente dadurch, daß ihn beliebige Personen mit einander abschließen können; ferner ist er grundsätzlich nicht widerruflich, wenigstens nicht annähernd in dem Maße, wie das Testament. Gerade seine Unwiderruflichkeit verschafft dem Erbvertrag seine praktische Bedeutung. Dies zeigt sich z. B. bei dem sogenannten Verpfründungsvertrage: Jemand wird von einem Anderen, einer Privatperson oder auch einer Anstalt, in lebenslängliche Pflege genommen und setzt dafür den anderen Teil mittelst eines unwiderruflichen Erbvertrages zu seinem Erben ein. Wichtig wird der Erbvertrag auch zur Regelung bäuerlicher Erbfolge, wenn der kinderlose, bejahrte Bauer seinem Hofe einen tüchtigen Erben sichern will, der aber schon bei Lebzeiten des Bauern die Bewirtschaftung übernimmt. Der zukünftige Hoferbe erhält durch den Erbvertrag eine für immer gesicherte Stellung, sodaß er, mag der Erbfall auch noch im weiten Felde stehen, doch schon sofort mit ihm als einem sicheren Ereignis rechnen und darauf hin alle seine Kräfte auch ohne eine entsprechende bare Vergütung dem Hofe widmen kann. Wichtig wird der Erbvertrag auch für die Einkindschaft. Ein Gatte mit Kindern verheiratet sich zum zweiten Male und wünscht, daß seine Kinder erster Ehe mit den etwaigen Kindern zweiter Ehe erbrechtlich gleichgestellt werden sollen und gleiches Erbrecht gegen beide Ehegatten erhalten. Dies wird erreicht durch einen Erbvertrag zu Gunsten der Kinder zwischen den Eltern. Dieser letzte Fall lehrt die Bedeutung der im § 1941 enthaltenen Bestimmung, daß der Erbvertrag (wie ein gewöhnlicher obligatorischer Vertrag) auch zu Gunsten dritter Personen abgeschlossen werden kann.

Durch den Erbvertrag wird das Erbrecht unmittelbar selbst erzeugt wie durch Testament.

II. 1) „Der Erblasser kann einen Erbvertrag nur persönlich schließen" (§ 2274).

2) Das B.G.B. scheidet mit Recht, ob jemand einen Erbvertrag als Erblasser schließt, oder nicht. Der Pflegling, der einen Verpfründungsvertrag mit der Anstalt schließt, schließt den Erbvertrag als Erblasser, ebenso der kinderlose Bauer, der sich einen Hoferben gewinnen will. Die Gegenpartei schließt den Erbvertrag nicht als Erblasser, sondern als Erbe. Dementsprechend ist zu verstehen § 2275.

III. „Ein Erbvertrag kann nur vor einem Richter oder vor einem Notar bei gleichzeitiger Anwesenheit beider Teile geschlossen werden. Die Vorschriften der §§ 2233 bis 2245 finden Anwendung; was nach diesen Vorschriften für den Erblasser gilt, gilt für jeden der Vertragschließenden.

Für einen Erbvertrag zwischen Ehegatten oder zwischen Verlobten, der mit einem Ehevertrag in derselben Urkunde verbunden wird, genügt die für den Ehevertrag vorgeschriebene Form" (§ 2276; vergl. § 2277).

IV. Die eigentlichen Wirkungen des Erbvertrages, also vornehmlich seine Unwiderruflichkeit beziehen sich nur auf Erbeinsetzungen, Vermächtnisse und Auflagen. Nur Verfügungen dieser Art sind unwiderruflich, andere Verfügungen werden von der vertragsmäßigen Unwiderruflichkeit nicht betroffen und bleiben daher grundsätzlich frei widerruflich, z. B. die Einsetzung von Testamentsvollstreckern, Berufung von Vormündern ꝛc. (§ 2278; vergl. § 2299). Wenn das B.G.B. von „vertragsmäßigen Verfügungen" spricht, so sind darunter nur diese drei: Erbeinsetzung, Vermächtnis, Auflage zu verstehen.

V. Ähnlich wie das Testament kann auch der Erbvertrag angefochten werden wegen Irrtums über den Inhalt der Erklärung ꝛc. (§ 2281 ff.), denn Unwiderruflichkeit ist nicht Unanfechtbarkeit.

VI. Wenn auch der Erbvertrag ein unentziehbares Erbrecht gibt, so bedarf der Vertragserbe doch eines Schutzes gegen eine ungerechtfertigte Entziehung der Nachlaßmasse durch den Erblasser, denn „durch den Erbvertrag wird das Recht des Erblassers, über sein Vermögen durch Rechtsgeschäft unter Lebenden zu verfügen, nicht beschränkt" (§ 2286).

Gegen Mißbrauch dieser Befugnisse schützt das B.G.B. den Vertragserben durch folgende Bestimmungen:

1) „Hat der Erblasser in der Absicht, den Vertragserben zu beeinträchtigen, eine Schenkung gemacht, so kann der Vertragserbe, nachdem ihm die Erbschaft angefallen ist, von dem Beschenkten die Herausgabe des Geschenkes nach den Vorschriften über die Herausgabe einer ungerechtfertigten Bereicherung fordern" (§ 2287 I).

2) „Hat der Erblasser den Gegenstand eines vertragsmäßig angeordneten Vermächtnisses in der Absicht, den Bedachten zu beeinträchtigen, zerstört, bei Seite geschafft oder beschädigt, so tritt, soweit der Erbe dadurch außer Stand gesetzt ist, die Leistung zu bewirken, an die Stelle des Gegenstandes der Wert.

Hat der Erblasser den Gegenstand in der Absicht, den Bedachten zu beeinträchtigen, veräußert oder belastet, so ist der Erbe verpflichtet, dem Bedachten den Gegenstand zu verschaffen oder die Belastung zu beseitigen; auf diese Verpflichtung finden die Vorschriften des § 2170 II entsprechende Anwendung. Ist die Veräußerung oder die Belastung schenkweise erfolgt, so steht dem Bedachten, soweit er Ersatz nicht von dem Erben erlangen kann, der im § 2287 bestimmte Anspruch gegen den Beschenkten zu" (§ 2288).

VII. Aufhebung des Erbvertrages.

1) „Ein Erbvertrag sowie eine einzelne vertragsmäßige Verfügung kann durch Vertrag von den Personen aufgehoben werden, die den Erbvertrag geschlossen haben. Nach dem Tode einer dieser Personen kann die Aufhebung nicht mehr erfolgen.

Der Vertrag bedarf der im § 2276 für den Erbvertrag vorgeschriebenen Form" (§ 2290 I, IV).

2) „Eine vertragsmäßige Verfügung, durch die ein Vermächtnis oder eine Auflage angeordnet ist, kann von dem Erblasser durch Testament aufgehoben werden. Zur Wirksamkeit der Aufhebung ist die Zustimmung des anderen Vertragschließenden erforderlich.

Die Zustimmungserklärung bedarf der gerichtlichen oder notariellen Beurkundung; die Zustimmung ist unwiderruflich" (§ 2291 I Satz 1, 2 erster Halbsatz, II).

3) „Ein zwischen Ehegatten geschlossener Erbvertrag kann auch

durch ein gemeinschaftliches Testament der Ehegatten aufgehoben werden (§ 2292 erster Halbsatz).

VIII. Rücktritt vom Erbvertrage.[1]

1) „Der Erblasser kann von dem Erbvertrage zurücktreten, wenn er sich den Rücktritt im Vertrage vorbehalten hat" (§ 2293).

2) „Der Erblasser kann von einer vertragsmäßigen Verfügung zurücktreten, wenn sich der Bedachte einer Verfehlung schuldig macht, die den Erblasser zur Entziehung des Pflichtteils berechtigt oder, falls der Bedachte nicht zu den Pflichtteilsberechtigten gehört, zu der Entziehung berechtigen würde, wenn der Bedachte ein Abkömmling des Erblassers wäre" (§ 2294).

3) „Der Erblasser kann von einer vertragsmäßigen Verfügung zurücktreten, wenn die Verfügung mit Rücksicht auf eine rechtsgeschäftliche Verpflichtung des Bedachten, dem Erblasser für dessen Lebenszeit wiederkehrende Leistungen zu entrichten, insbesondere Unterhalt zu gewähren, getroffen ist und die Verpflichtung vor dem Tode des Erblassers aufgehoben wird" (§ 2295). Dies ist der Fall, wenn bei einem Verpfründungsvertrage die Verpflichtung zum lebenslänglichen Unterhalt des Erblassers aufgehoben wird.

4) § 2296 II. „Der Rücktritt erfolgt durch Erklärung gegenüber dem anderen Vertragschließenden. Die Erklärung bedarf der gerichtlichen oder notarieller Beurkundung."

IX. Die vertragsmäßen Verfügungen, s. oben IV., sind in ihrem rechtlichen Bestande gegenseitig von einander abhängig.

„Sind in einem Erbvertrage von beiden Teilen vertragsmäßige Verfügungen getroffen, so hat die Nichtigkeit einer dieser Verfügungen die Unwirksamkeit des ganzen Vertrages zur Folge.

Ist in einem solchen Vertrage der Rücktritt vorbehalten, so wird durch den Rücktritt eines der Vertragschließenden der ganze Vertrag aufgehoben" (§ 2298 I, II Satz 1).

X. Der Erbvertrag fungiert als unwiderrufliches Testament, insofern er ein früheres widersprechendes Testament aufhebt und späteres widersprechendes Testament unmöglich macht, falls nicht der Erblasser zum Widerspruche (2297) berechtigt ist.

§ 2289 I. „Durch den Erbvertrag wird eine frühere letztwillige Verfügung des Erblassers aufgehoben, soweit sie das Recht des vertragsmäßig Bedachten beeinträchtigen würde. In dem

gleichen Umfang ist eine spätere Verfügung von Todeswegen unwirksam, unbeschadet der Vorschrift des § 2297.

§ 154. Schenkung von Todeswegen.

I. Beim Untergang eines Schiffes überreicht ein älterer Herr,
der seine Kräfte schwinden fühlt, seine mit Wertpapieren gefüllte
Brieftasche einem neben ihm schwimmenden jüngeren, rüstigen Manne,
da er sein Vermögen lieber einem wildfremden Menschen schenken,
als es zwecklos mit sich in die Tiefe nehmen will. Wider Erwarten werden beide gerettet. Der Beschenkte muß dann die erhaltenen Papiere zurückgeben, denn er hat sie nur erhalten unter
der Voraussetzung, daß er den Schenker in dieser Gefahr überlebe.
Dieser Fall bietet nichts Besonderes dar, da er sich von den gewöhnlichen Schenkungen unter Lebenden nur dadurch unterscheidet,
daß die Schenkung nur für einen bestimmten Fall gelten soll
(§ 2301 II).

II. Anders liegt die Sache, wenn Jemand etwas für den Fall
seines Todes verspricht, aber die Schenkung selber noch nicht vollzieht. Eine solche Schenkung hat wirtschaftlich tatsächlich die Bedeutung einer letztwilligen Verfügung über den Nachlaß und wird
darum rechtlich auch als solche behandelt.

„Auf ein Schenkungsversprechen, welches unter der Bedingung
erteilt wird, daß der Beschenkte den Schenker überlebt, finden die
Vorschriften über Verfügungen von Todeswegen Anwendung. Das
Gleiche gilt für ein schenkweise unter dieser Bedingung erteiltes
Schuldversprechen oder Schuldanerkenntnis der in den §§ 780, 781
bezeichneten Art" (§ 2301 I).

Fünfter Abschnitt.

Pflichtteil. Erbunwürdigkeit.
Erbverzicht. Erbschein. Erbschaftskauf.

§ 155. Pflichtteil.

I. Gewisse, dem Erblasser sehr nahe verwandte Personen
sollen unter allen Umständen etwas aus der Erbschaft erhalten, den

sogenannten Pflichtteil, der ihnen gar nicht entzogen werden kann, wenn sie sich nichts haben zu Schulden kommen lassen. Pflichtteilsberechtigt sind 1. die Abkömmlinge, 2. die Eltern (aber nicht die Großeltern) und 3. der Ehegatte des Erblassers. Sie können als Pflichtteil die Hälfte dessen beanspruchen, was sie erhalten haben würden, wenn sie gesetzliche Erben des Erblassers geworden wären. Beträgt der Nachlaß 30 000 Mk. und sind drei Kinder da, so kann jedes Kind 5000 Mk. als Pflichtteil beanspruchen. Denn, wenn kein Testament gemacht wäre, könnte jedes Kind 10 000 Mk. als gesetzlichen Erbteil verlangen, ist aber ein Testament gemacht und darin eine dritte Person als alleinige Erbin eingesetzt, so haben die Kinder nur die Hälfte ihres gesetzlichen Erbteiles zu fordern.

Hinterläßt der Erblasser Frau und 2 Kinder und beträgt der Nachlaß 60 000 Mk., so steht der Frau das Pflichtteilsrecht auf 7500 Mk., jedem Kinde das Pflichtteilsrecht auf 11 250 Mk. zu und der vom Erblasser an Stelle von Frau und Kindern eingesetzte Erbe würde 30 000 Mk. erhalten, denn der gesetzliche Erbteil der Frau neben Kindern beträgt ein Viertel des Nachlasses (§ 1931) also 15 000 Mk., der Pflichtteil die Hälfte hiervon = 7500 Mk., Der gesetzliche Erbteil der Kinder beträgt zusammen 45 000 Mk. d. h. 60 000—15 000 (gesetzlicher Erbteil der Mutter), für jedes Kind beträgt er demnach 22 500, der Pflichtteil beträgt aber wieder die Hälfte hiervon 11 250 Mk. die Pflichtteile der Kinder und der Mutter zusammengerechnet ergeben 30 000 Mk., es bleiben also für den mit Übergehung der Pflichtteilserben eingesetzten Testamentserben 30 000 Mk.

§ 2303. „Ist ein Abkömmling des Erblassers durch Verfügung von Todeswegen von der Erbfolge ausgeschlossen, so kann er von dem Erben den Pflichtteil verlangen. Der Pflichtteil besteht in der Hälfte des Wertes des gesetzlichen Erbteils.

Das gleiche Recht steht den Eltern und dem Ehegatten des Erblassers zu, wenn sie durch Verfügung von Todeswegen von der Erbfolge ausgeschlossen sind."

II. Um seinen Pflichtteil kann ein Erbe gekürzt werden dadurch, daß ihm garnichts, oder zu wenig oder dadurch, daß ihm sein Erbteil unter Beschränkungen, Beschwerungen 2c. hinterlassen ist. Das B.G.B. gibt verschiedene Hilfsmittel, entweder eine Klage gegen den eingesetzten Erben auf Auszahlung oder Ergänzung des

Pflichtteiles oder das Recht, die Erbschaft auszuschlagen und den Pflichtteil zu verlangen oder das B.G.B. streicht die übermäßigen Beschwerungen und Belastungen; das Nähere siehe in den §§ 2303 ff.

III. Treffen, abgesehen von Ehegatten, mehrere Pflichtteils- berechtigte zusammen, z. B. Jemand hinterläßt Kinder und Eltern, so geht der nähere gesetzliche Erbe dem entfernteren vor. Der nähere gesetzliche Erbe ist auch der nähere Pflichtteils- berechtigte (§ 2309).

IV. Um den Betrag des Pflichtteiles festzustellen, ist der Be- trag des Nachlasses gemäß den §§ 2311 ff. klarzulegen, sodann sind die einzelnen Erbteile der gesetzlichen Erben zu bestimmen. Dabei ist es für den Pflichtteilsberechtigten von größtem Interesse, daß möglichst wenig Erbteile herausgerechnet werden, denn je weniger Erbberechtigte, desto größer ist auch der Anteil des Einzelnen. Dagegen der eingesetzte Erbe, der von den Pflichtteilsberechtigten um Auszahlung oder Ergänzung des Pflichtteiles angegangen wird, hat ein großes Interesse daran, nur einen recht geringen Pflichtteil herauszurechnen. Die Berechnung des Pflichtteils kann sich aber in folgendem Falle sehr verschieden gestalten. Der Erblasser hinterläßt drei Söhne Karl, Lothar, Ulrich und setzt Karl und seinen Neffen Werner als Erben ein. Karl schlägt die Erbschaft aus. Werner wird von Lothar und Ulrich um Auszahlung des Pflichtteiles an- gegangen. Beträgt der Nachlaß 30 000 Mk., so fragt es sich, ob sie jeder 5000 Mk. oder 7500 Mk. verlangen können. Im ersten Falle wird bei Berechnung der Erbteile Karl mitgezählt, im zweiten Falle nicht. Nemlich entweder lautet die Rechnung: Karl, Lothar und Ulrich sind gesetzliche Erben, jeder auf ein Drittel, 10 000 Mk., folglich beträgt ihr Pflichtteil für jeden 5000 Mk. oder es wird berechnet: Karl hat ausgeschlagen, kommt in Wegfall, wird nicht mitgezählt, folglich ist für die beiden anderen der gesetzliche Erbteil je 15 000 Mk., was als Pflichtteil 7500 Mk. ergäbe. Die erste Rechnung ist die richtige. Der Grundsatz des B.G.B. ist: Jeder Pflichtteilsberechtigte erhält nur die Hälfte dessen, was er unter normalen Verhältnissen als gesetzlichen Erbteil erhalten haben würde, wenn nemlich alle gesetzlichen Erben auch wirklich Erben geworden wären. In diesem Sinne ist zu verstehen § 2310.

„Bei der Feststellung des für die Berechnung des Pflichtteiles maßgebenden Erbteils werden diejenigen mitgezählt, welche durch

letztwillige Verfügung von der Erbfolge ausgeschloſſen ſind oder die
Erbſchaft ausgeſchlagen haben oder für erbunwürdig erklärt ſind.
Wer durch Erbverzicht von der geſetzlichen Erbfolge ausgeſchloſſen
iſt, wird nicht mitgezählt" (§ 2310).

Die durch letztwillige Verfügung Ausgeſchloſſenen ſind ſolche
Perſonen, die m i t R e ch t (wegen Verfehlungen § 2333 ff., ſ. unten IX)
ausgeſchloſſen ſind. Daß mit Unrecht ausgeſchloſſene Perſonen mit-
zurechnen ſind, iſt ſelbſtverſtändlich. Wer durch Erbverzicht verzichtet hat, wird deshalb nicht mitgezählt, weil er regelmäßig abgefunden wird und ſeine Abfindung den Nachlaß vermindert.

Auf die Größe des Pflichtteils der Ehegatten iſt § 2310 ohne
Einfluß, denn dieſer bleibt ſich immer gleich und beträgt entweder
ein Achtel, oder ein Viertel oder die Hälfte. Nur im Falle von
§ 1931 I Satz 2 kann die Größe des Pflichtteils ſchwanken.

V. Der Pflichtteilsberechtigte muß ſich unter Umſtänden Zuwendungen unter Lebenden anrechnen laſſen (§ 2315) und Abkömmlinge müſſen einander ausgleichen, was ſie nach § 2050 einander
auszugleichen haben (§ 2316).

VI. Wenn der Pflichtteilsberechtigte den eingeſetzten Erben
auf Auszahlung oder Ergänzung des Pflichtteils verklagt und der
beklagte Erbe mit Vermächtniſſen zu Gunſten von dritten Perſonen
belaſtet iſt, ſo kann er den Ausfall, den er durch Auszahlung des
Pflichtteiles erleidet, in gewiſſem Maße auf ſeine Vermächtnisnehmer
abwälzen.

„Der Erbe kann die Erfüllung eines ihm auferlegten Vermächtniſſes ſoweit verweigern, daß die Pflichtteilslaſt von ihm und dem
Vermächtnisnehmer verhältnismäßig getragen wird. Das Gleiche
gilt von einer Auflage" (§ 2318 I).

VII. Der Pflichtteil kann dem Berechtigten auch durch Schenkungen geſchmälert werden, die der Erblaſſer bei Lebzeiten an dritte
Perſonen macht. Gegen ſolche Verringerung des Nachlaſſes ſchützt
das B.G.B. ebenfalls.

„Hat der Erblaſſer einem Dritten eine Schenkung gemacht, ſo
kann der Pflichtteilsberechtigte als Ergänzung des Pflichtteils den
Betrag verlangen, um den ſich der Pflichtteil erhöht, wenn der ver-
ſchenkte Gegenſtand dem Nachlaſſe hinzugerechnet wird.

Die Schenkung bleibt unberückſichtigt, wenn zur Zeit des Erbfalles zehn Jahre ſeit der Leiſtung des verſchenkten Gegenſtandes

verstrichen sind; ist die Schenkung an den Ehegatten des Erblassers erfolgt, so beginnt die Frist nicht vor der Auflösung der Ehe" (§ 2325 I, III).

Verschenkt der Erblasser von seinem Vermögen im Betrage von 4000 Mk. die Hälfte und hinterläßt er zwei pflichtteilsberechtigte Erben, denen er jedem 700 Mk., also mehr als die Hälfte ihres in Anbetracht des gegenwärtigen Nachlasses auf 1000 Mk. zu berechnenden gesetzlichen Erbteiles zuwendet, so können die beiden Erben dennoch die Ergänzung ihres Pflichtteiles verlangen, denn ihr eigentlicher Pflichtteil betrüge nicht 500 Mk., sondern 1000 Mk., wenn nicht eben die Erbschaft durch die Schenkung um die Hälfte verringert wäre.

„Der Pflichtteilsberechtigte kann die Ergänzung des Pflichtteiles auch dann verlangen, wenn ihm die Hälfte des gesetzlichen Erbteiles hinterlassen ist. Ist dem Pflichtteilsberechtigten mehr als die Hälfte hinterlassen, so ist der Anspruch ausgeschlossen, soweit der Wert des mehr Hinterlassenen reicht" (§ 2326).

VIII. „Der Pflichtteilsanspruch verjährt in drei Jahren von dem Zeitpunkt an, in welchem der Pflichtteilsberechtigte von dem Eintritte des Erbfalles und von der ihn beeinträchtigenden Verfügung Kenntnis erlangt, ohne Rücksicht auf diese Kenntnis in dreißig Jahren von dem Eintritte des Erbfalles an" (§ 2332 I).

IX. 1) Gewisse Verfehlungen berechtigen den Erblasser zur Enterbung.

a. „Der Erblasser kann einem Abkömmlinge den Pflichtteil entziehen:

1) wenn der Abkömmling dem Erblasser, dem Ehegatten oder einem anderen Abkömmlinge des Erblassers nach dem Leben trachtet;

2) wenn der Abkömmling sich einer vorsätzlichen körperlichen Mißhandlung des Erblassers oder des Ehegatten des Erblassers schuldig macht, im Falle der Mißhandlung des Ehegatten jedoch nur, wenn der Abkömmling von diesem abstammt;

3) wenn der Abkömmling sich eines Verbrechens oder eines schweren vorsätzlichen Vergehens gegen den Erblasser oder dessen Ehegatten schuldig macht;

274 des Strafgesetzbuches strafbaren Handlung (Fälschung der Testamentsurkunde u. s. w.) schuldig gemacht hat.

Die Erbunwürdigkeit tritt in den Fällen des Absatzes 1 Nr. 3, 4 nicht ein, wenn vor dem Eintritte des Erbfalles die Verfügung, zu deren Errichtung der Erblasser bestimmt oder in Ansehung deren die strafbare Handlung begangen worden ist, unwirksam geworden ist oder die Verfügung, zu deren Aufhebung er bestimmt worden ist, unwirksam geworden sein würde" (§ 2339).

III. 1) „Die Erbunwürdigkeit wird durch Anfechtung des Erbschaftserwerbes geltend gemacht" (§ 2340 I).

2) „Anfechtungsberechtigt ist Jeder, dem der Wegfall des Erbunwürdigen, sei es auch nur bei dem Wegfall eines Anderen, zu Statten kommt" (§ 2341). Die Einsetzung eines Erbschleichers, der den Erblasser vorsätzlich und widerrechtlich verhindert hat, eine ihm günstige Verfügung aufzuheben, kann angefochten werden, auch wenn im Testamente Pflichtteilsrechte nicht verletzt sind.

3) „Die Anfechtung erfolgt durch Erhebung der Anfechtungsklage. Die Klage ist darauf zu richten, daß der Erbe für erbunwürdig erklärt wird" (§ 2342 I).

4) „Die Anfechtung ist ausgeschlossen, wenn der Erblasser dem Erbunwürdigen verziehen hat" (§ 2343).

IV. „Ist ein Erbe für erbunwürdig erklärt, so gilt der Anfall an ihn als nicht erfolgt.

Die Erbschaft fällt demjenigen an, welcher berufen sein würde, wenn der Erbunwürdige zur Zeit des Erbfalles nicht gelebt hätte; der Anfall gilt als mit dem Eintritte des Erbfalles erfolgt (§ 2344).

V. „Hat sich ein Vermächtnisnehmer einer der im § 2339 I bezeichneten Verfehlungen schuldig gemacht, so ist der Anspruch aus dem Vermächtnis anfechtbar. Die Vorschriften der §§ 2082, 2083, des § 2339 II und der §§ 2341, 2343 finden Anwendung.

Das Gleiche gilt für einen Pflichtteilsanspruch, wenn der Pflichtteilsberechtigte sich einer solchen Verfehlung schuldig gemacht hat" (§ 2345).

§ 157. Erbverzicht.

I. „Verwandte, sowie der Ehegatte des Erblassers können durch Vertrag mit dem Erblasser auf ihr gesetzliches Erbrecht verzichten.

Der Verzichtende ist von der gesetzlichen Erbfolge ausgeschlossen, wie wenn er zur Zeit des Erbfalles nicht mehr lebte; er hat kein Pflichtteilsrecht.

Der Verzicht kann auf das Pflichtteilsrecht beschränkt werden" (§ 2346).

II. „Der Erbverzichtsvertrag bedarf der gerichtlichen oder notariellen Beurkundung" (§ 2348).

III. „Verzichtet ein Abkömmling oder ein Seitenverwandter des Erblassers auf das gesetzliche Erbrecht, so erstreckt sich die Wirkung des Verzichtes auf seine Abkömmlinge, sofern nicht ein Anderes bestimmt wird" (§ 2349).

Dies ist wichtig für die Erbfolge in Landgütern, wenn die Geschwister des Hoferben auf ihren Erbteil verzichten. Dadurch wird dem Hoferben und seinen Abkömmlingen der Hof auf immer gesichert.

Aber „verzichtet Jemand zu Gunsten eines Anderen auf das gesetzliche Erbrecht, so ist im Zweifel anzunehmen, daß der Verzicht nur für den Fall gelten soll, daß der Andere Erbe wird.

Verzichtet ein Abkömmling des Erblassers auf das gesetzliche Erbrecht, so ist im Zweifel anzunehmen, daß der Verzicht nur zu Gunsten der anderen Abkömmlinge und des Ehegatten des Erblassers gelten soll" (§ 2350).

Diese Bestimmung beschränkt den Verzicht in billiger Weise dahin, daß nicht dritte Personen, die mit dem Hoferben nicht so nahe verwandt sind, wie die Verzichtleistenden, den Hoferben und die eigentlich näheren Berechtigten ausschließen.

IV. Erbverzichte sind zulässig auch in Ansehung des bloß testamentarischen Erbrechtes, sie sind also nicht auf das gesetzliche Erbrecht beschränkt (§ 2352).

§ 158. Erbschein.

I. Der Erbschein dient zur Legitimation des Erben, er soll den geschäftlichen Verkehr mit ihm sichern und erleichtern.

In dem Erbschein wird dem Erben sein Erbrecht und gegebenen Falles auch die Größe seines Erbteiles vom Nachlaßgericht bescheinigt, bezeugt (§ 2353); er ist ein Zeugniß.

„Es wird vermutet, daß demjenigen, welcher in dem Erbschein

als Erbe bezeichnet ist, das in dem Erbschein angegebene Erbrecht zustehe und daß er nicht durch andere als die angegebenen Anordnungen beschränkt sei" (§ 2365).

„Erwirbt Jemand von demjenigen, welcher in einem Erbschein als Erbe bezeichnet ist, durch Rechtsgeschäft einen Erbschaftsgegenstand, ein Recht an einem solchen Gegenstand oder die Befreiung von einem zur Erbschaft gehörenden Rechte, so gilt zu seinen Gunsten der Inhalt des Erbscheines, soweit die Vermutung des § 2365 reicht, als richtig, es sei denn, daß er die Unrichtigkeit kennt oder weiß, daß das Nachlaßgericht die Rückgabe des Erbscheines wegen Unrichtigkeit verlangt hat" (§ 2366).

„Die Vorschriften des § 2366 finden entsprechende Anwendung, wenn an denjenigen, welcher in einem Erbschein als Erbe bezeichnet ist, auf Grund eines zur Erbschaft gehörenden Rechtes eine Leistung bewirkt oder wenn zwischen ihm und einem Anderen in Ansehung eines solchen Rechtes ein nicht unter die Vorschrift des § 2366 fallendes Rechtsgeschäft vorgenommen wird, das eine Verfügung über das Recht enthält" (§ 2367).

II. Ein Testamentsvollstrecker kann zwar keinen Erbschein, aber doch ein ähnliches Zeugnis über seine Ernennung vom Nachlaßgericht verlangen (§ 2368).

159. Erbschaftskauf.

I. Nur eine schon angefallene Erbschaft kann verkauft werden.

„Ein Vertrag, durch den der Erbe die ihm angefallene Erbschaft verkauft, bedarf der gerichtlichen oder notariellen Beurkundung" (§ 2371).

II. Gegenstand des Verkaufes ist nicht das Erbrecht, die Erbenstellung als solche, sondern die im Nachlaß enthaltenen einzelnen Vermögensrechte.

Der Verkauf hat nicht die Wirkung, daß der Käufer in die Stellung als Universalsuccessor einrückt. Er wird in Bezug auf die sämtlichen zum Nachlaß gehörenden Rechte nur Singularsuccessor, aber er wird Nebenschuldner des Erben (§ 2382).

III. Der Erbschaftskauf ist dem gewöhnlichen Kauf ziemlich ähnlich gestaltet, vorbehaltlich einiger durch die Natur des Gegenstandes begründeten Besonderheiten (vergl. §§ 2372 ff.).

Neuntes Buch.

Allgemeiner Teil.

---- —

Erster Abschnitt.

Entstehung, Veränderung und Untergang der Rechte.

§ 160. Rechtsgeschäfte.

I. Subjektive Rechte entstehen, verändern sich und gehen unter hauptsächlich durch Rechtsgeschäfte. Zu den schon bekannten Rechtsgeschäften des Rechtes der Schuldverhältnisse und des Sachenrechtes treten noch hinzu die Rechtsgeschäfte des Familien- und Erbrechtes, deren wichtigste sind: Verlöbnis, Heirat, Ehevertrag, Annahme an Kindesstatt, ehemännliche Kündigung gemäß § 1358, ehemännliche Zustimmung zu einem Rechtsgeschäfte, Gewerbebetriebe, Prozesse der Frau, Zustimmung des anderen Ehegatten zu Verfügungen über Eingebrachtes, ehemännliche Genehmigung eines von der Frau geschlossenen Vertrages gemäß § 1397, Einwilligung der Frau bei der allgemeinen Gütergemeinschaft gemäß § 1444 ff., Ablehnung der fortgesetzten Gütergemeinschaft durch den überlebenden Ehegatten, Verzicht eines anteilsberechtigten Abkömmlinges auf seinen Anteil am Gesamtgut 2c. Die wichtigsten Rechtsgeschäfte des Erbrechtes sind Testament, Erbvertrag, Widerruf des Testamentes, Erbvertrages, Erbverzicht, Erbschaftskauf, Annahme und Ausschlagung der Erbschaft, Schenkung von Todeswegen 2c.

II. Die Teilung in Verträge und einseitige Rechtsgeschäfte greift überall durch.

A. Verträge des Familienrechtes sind folgende:

1) Verlöbnis.

2) Heirat.

3) Ehevertrag.

4) Annahme an Kindesstatt.

Einseitige Rechtsgeschäfte des Familienrechtes sind:

1) Zustimmung, Einwilligung, Genehmigung eines Ehegatten in Ansehung von Rechtsgeschäften des anderen.

2) Kündigung des Ehemannes gemäß §§ 1358.

3) Ablehnung der fortgesetzten Gütergemeinschaft durch den überlebenden Ehegatten.

Der Verzicht eines anteilsberechtigten Abkömmlinges auf seinen Anteil an Gesamtgut kann einseitig aber auch vertragsmäßig geschehen.

B. Verträge des Erbrechtes sind:

1) Erbvertrag.

2) Erbverzicht.

3) Erbschaftskauf.

4) Schenkung von Todeswegen.

Einseitige Rechtsgeschäfte des Erbrechtes sind:

1) Testament.

2) Annahme der Erbschaft.

3) Ausschlagung der Erbschaft.

4) Widerruf des Testamentes oder Erbvertrages.

Aus dem Vorstehenden erhellt, was schon einmal betont ist, daß der juristische Begriff des Vertrages weit über den bloßen obligatorischen Vertrag hinausgeht und daher nicht auf ihn allein bezogen werden darf.

III. Grundsätzlich werden die Rechtsgeschäfte des Familien- und Erbrechtes ebenso behandelt, wie die Rechtsgeschäfte des Rechtes der Schuldverhältnisse und des Sachenrechtes. Aber in einzelnen Fällen bestehen doch erhebliche Abweichungen, deren hauptsächlichste sind:

1) Heiratsfähigkeit deckt sich nicht mit Geschäftsfähigkeit.

2) Nichtigkeit und Anfechtbarkeit der Ehe werden anders behandelt als die Nichtigkeit und Anfechtbarkeit von gewöhnlichen Rechtsgeschäften.

3) Testierfähigkeit deckt sich nicht mit Geschäftsfähigkeit.

4) Beschränkte Geschäftsfähigkeit steht nicht immer dem Widerrufe eines Testamentes entgegen.

5) Eine Bedingung gilt unter Umständen als erfüllt, wenn ein Dritter zu ihrer Erfüllung mitwirken muß und seine Mitwirkung verweigert.

6) Ehegatten oder Verlobte, die unter elterlicher Gewalt stehen, bedürfen zu einem Erbverzicht, den sie unter einander schließen, nicht der elterlichen Einwilligung.

7) Wer als Erblasser einen Erbverzicht schließt, bedarf nicht der Genehmigung des gesetzlichen Vertreters.

8) Überhaupt zeigt die familien- und die erbrechtliche Geschäftsfähigkeit verschiedentlich Abweichungen von der gewöhnlichen Geschäftsfähigkeit.

9) Familien und Erbrecht haben besonders viele Formvorschriften für Rechtsgeschäfte.

§ 161. Sonstige Tatbestände.

I. Im Familien und im Erbrecht wird insbesondere Ein Tatbestand von höchster Bedeutung, die eheliche oder uneheliche Zeugung. Sie hat die verschiedensten Rechtswirkungen zur Folge, die schon aufgeführt worden sind.

Es ist wohl zu beachten, daß sie auch Forderungsrechte giebt, wie sonst nur ein obligatorischer Tatbestand. Würde bei ihr und bei manchen Rechtsgeschäften des Familien- und Erbrechtes nur auf die obligatorischen Wirkungen gesehen, so müßte man sie unter die obligatorischen Tatbestände einreihen und sie im Rechte der Schuldverhältnisse behandeln. Aus naheliegenden Gründen gehören sie aber zum Familien- und Erbrecht. Das lehrt, daß Schuldverhältnisse auch aus Tatbeständen entstehen können, die keine Tatbestände des Rechtes der Schuldverhältnisse sind. Entsprechendes gilt auch für die Entstehung von dinglichen Rechten, z. B. Nutznießung am Frauengut in Folge der Heirat rc.

II. Familien- und erbrechtliche Delikte ziehen wohl den Verlust von Rechten nach sich, erzeugen aber nicht eigentlich für andere Personen subjektive Rechte, so ist es z. B. bei Erbunwürdigkeit, schlechter Vermögensverwaltung des Ehemannes rc. Die Delikte, die subjektive Rechte auf Schadensersatz erzeugen, sind Tatbestände des Rechtes der Schuldverhältnisse und oben schon behandelt.

III. Sehr wichtig ist für das ganze Rechtssystem der Zeitablauf. Seine Bedeutung für die Ersitzung ist schon oben behandelt. Im Übrigen wird er besonders wichtig bei der Verjährung.

A. In Ansehung der Verjährung bestimmt das B.G.B. Folgendes:

1) „Das Recht, von einem Anderen ein Tun oder ein Unterlassen zu verlangen (Anspruch), unterliegt der Verjährung.

Der Anspruch aus einem familienrechtlichen Verhältnis unterliegt der Verjährung nicht, soweit er auf die Herstellung des dem Verhältnis entsprechenden Zustandes für die Zukunft gerichtet ist" (§ 194).

Nach dem B.G.B. verjähren nur die Ansprüche, diese sind aber nicht immer dasselbe wie das zu Grunde liegende subjektive Recht. Der Anspruch kann niemals mit dem dinglichen Recht sich decken, denn der Anspruch ist seiner Natur nach nur obligatorisch. Darum verjährt wohl der aus einem dinglichen Rechte entspringende Anspruch aber nicht das dingliche Recht selber, dieses geht vielmehr unter durch Ersitzung. Aus dem dinglichen Rechte, z. B. dem Eigentum, ergeben sich verschiedene Ansprüche, z. B. der Anspruch auf Schadensersatz wegen Beschädigung der Sache, der Anspruch auf Herausgabe der Sache, der Anspruch auf freies Gewährenlassen in der Benutzung der Sache. Wenn einer von diesen Ansprüchen verjährt, so geht dadurch an sich noch nicht das dingliche Recht unter. Andererseits deckt sich der Anspruch ganz mit dem Forderungsrechte gegen eine bestimmte Person.

2) Die Verjährung hebt den Anspruch nicht auf. Dies äußert sich darin, daß der Schuldner, selbst wenn er irriger Weise die verjährte Schuld in dem Glauben, sie sei noch nicht verjährt, gezahlt hat, nicht berechtigt ist, das Geleistete zurückzufordern (§ 222). Seine Zahlung gilt juristisch als volle und echte Schuldzahlung. Die Verjährung bewirkt nur, daß der Verpflichtete berechtigt ist, die Leistung zu verweigern (§ 222 I), d. h. er kann nicht mehr gegen seinen Willen zur Leistung gezwungen werden (vergl. hiezu die §§ 490 III, 821, 853).

3) „Die regelmäßige Verjährungsfrist beträgt dreißig Jahre" (§ 195).

In zwei Jahren verjähren Forderungen von Kaufleuten, Fabrikanten, Handwerkern, Landleuten, Eisenbahnen, Frachtführern, Schiffern, Droschkenkutschern, Gastwirten, Lotteriekollekteuren, Leihbibliothekaren, Frack-, Garderobe- und Maskengarderobeverleihern 2c., Dienstmännern, Dienstboten, Gesellen, Gehülfen, Lehrlingen, Tagelöhnern, Fabrikarbeitern, Professoren, Privatlehrern, Ärzten 2c., Anwälten 2c. 2c. (das Nähere siehe in § 196).

In vier Jahren verjähren rückständige Zinsen, Miet- und Pachtgefälle, Amortisationsgefälle, Renten, Besoldungen, Wartegelder, Ruhegehalte, Alimente 2c. (§ 197). Außer diesen allgemeinen Bestimmungen hat das B.G.B. noch viele Sonderbestimmungen erlassen, auch in den einzelnen Reichsgesetzen ist vielfach die Verjährung speziell geregelt. Reichsgesetzliche Bestimmungen dieser Art bleiben in Kraft, da die lex specialis durch die lex generalis nicht berührt wird.

4) „Die Verjährung beginnt mit der Entstehung des Anspruches. Geht der Anspruch auf ein Unterlassen, so beginnt die Verjährung mit der Zuwiderhandlung" (§ 198).

Es muß also die aufschiebende Bedingung oder der Anfangstermin eingetreten sein, ferner muß die innezuhaltende Kündigungsfrist einmal abgelaufen sein 2c.

„Kann der Berechtigte die Leistung erst verlangen, wenn er dem Verpflichteten gekündigt hat, so beginnt die Verjährung mit dem Zeitpunkte, von welchem an die Kündigung zulässig ist. Hat der Verpflichtete die Leistung erst zu bewirken, wenn seit der Kündigung eine bestimmte Frist verstrichen ist, so wird der Beginn der Verjährung um die Dauer der Frist hinausgeschoben" (§ 199).

Ein zum 1. Januar 1901 kündbares Darlehn, das am 1. August 1900 gegeben ist, beginnt am 1. Januar 1901 zu verjähren.

„Hängt die Entstehung eines Anspruches davon ab, daß der Berechtigte von einem ihm zustehenden Anfechtungsrechte Gebrauch macht, so beginnt die Verjährung mit dem Zeitpunkte, von welchem an die Anfechtung zulässig ist. Dies gilt jedoch nicht, wenn die Anfechtung sich auf ein familienrechtliches Verhältnis bezieht" (§ 200).

Eine sehr praktische Bestimmung ist im § 201 getroffen. Die in den §§ 196, 197 bezeichneten Ansprüche fangen an zu verjähren mit Schluß des Jahres, in dem die Verjährung an sich beginnen würde. Würde z. B. die Honorarforderung eines Arztes am

1. Juni 1900 anfangen zu verjähren, so fängt sie kraft positiver Bestimmung des B.G.B. doch erst am Schluß des 31. Dezember an zu verjähren. Dadurch wird erreicht, daß über das Ende der Verjährung, wenn nicht die Verjährung gehemmt wird, niemals Zweifel entstehen kann, sobald überhaupt nur festfteht, in welchem Jahre die Verjährung anfangen mußte.

5) Unter Umständen ist die Verjährung gehemmt.

„Die Verjährung ist gehemmt, solange die Leistung gestundet oder der Verpflichtete aus einem anderen Grunde vorübergehend zur Verweigerung der Leistung berechtigt ist.

Diese Vorschrift findet keine Anwendung auf die Einrede des Zurückbehaltungsrechtes, des nicht erfüllten Vertrages, der mangelnden Sicherheitsleistung, der Vorausklage, sowie auf die nach § 770 dem Bürgen und nach den §§ 2014, 2015 dem Erben zustehenden Einreden" (§ 202). Über die Einrede s. unten das Nähere in den §§ 170, 171.

„Die Verjährung ist gehemmt, solange der Berechtigte durch Stillstand der Rechtspflege innerhalb der letzten sechs Monate der Verjährungsfrist an der Rechtsverfolgung verhindert ist.

Das Gleiche gilt, wenn eine solche Verhinderung in anderer Weise durch höhere Gewalt herbeigeführt wird" (§ 203).

Über die höhere Gewalt s. oben S. 81. Unter höherer Gewalt ist auch hier, wie aus dem S. 81 gebrachten Beispiel ersichtlich, ein solcher Zufall zu verstehen, der sich als ein rein zufälliges Ereignis ohne Weiteres ausweist und der zugleich unter solchen Umständen auftritt, daß seinen Wirkungen nicht begegnet werden kann.

„Die Verjährung von Ansprüchen zwischen Ehegatten ist gehemmt, solange die Ehe besteht. Das Gleiche gilt von Ansprüchen zwischen Eltern und Kindern während der Minderjährigkeit der Kinder und von Ansprüchen zwischen dem Vormund und dem Mündel während der Dauer des Vormundschaftsverhältnisses" (§ 204).

„Der Zeitraum, während dessen die Verjährung gehemmt ist, wird in die Verjährungsfrist nicht eingerechnet" (§ 205).

6) Unter Umständen kann eine Verjährung nicht vor einem bestimmten Termin ablaufen, auch wenn dadurch ihre Dauer über die gewöhnliche gesetzliche Frist hinaus erstreckt wird.

„Ist eine geschäftsunfähige oder in der Geschäftsfähigkeit beschränkte Person ohne gesetzlichen Vertreter, so wird die gegen sie laufende Verjährung nicht vor dem Ablaufe von sechs Monaten nach dem Zeitpunkte vollendet, in welchem die Person unbeschränkt geschäftsfähig wird oder der Mangel der Vertretung aufhört" (§ 206 I Satz 1; vergl. auch § 207).

Eine Ausnahme ist der Fall, daß die Verjährungszeit kürzer als sechs Monate ist (§ 206 I Satz 2, § 207 Satz 2).

7) Die Verjährung wird unterbrochen.

„Die Verjährung wird unterbrochen, wenn der Verpflichtete dem Berechtigten gegenüber den Anspruch durch Abschlagzahlung, Zinszahlung, Sicherheitsleistung oder in anderer Weise anerkennt" (§ 208).

Sie wird ferner unterbrochen durch Klageerhebung, überhaupt durch gerichtliche Geltendmachung (§ 209), nicht aber durch die bloße Mahnung.

„Wird die Verjährung unterbrochen, so kommt die bis zur Unterbrechung verstrichene Zeit nicht in Betracht; eine neue Verjährung kann erst nach der Beendigung der Unterbrechung beginnen" (§ 217).

8) Hat der Eigentümer E. gegen den B., der eine Sache des E. besitzt, eine Klage auf Herausgabe der Sache und veräußert B. entgeltlich oder unentgeltlich die Sache an B¹ oder wird er von B¹ beerbt, so kann sich B¹ die Verjährungszeit, die schon zu Gunsten des B. gelaufen ist, anrechnen, wenn er von E. auf Herausgabe der Sache verklagt wird.

„Gelangt eine Sache, in Ansehung deren ein dinglicher Anspruch besteht, durch Rechtsnachfolge in den Besitz eines Dritten, so kommt die während des Besitzes des Rechtsvorgängers verstrichene Verjährungszeit dem Rechtsnachfolger zu Statten" (§ 221).

9) Die Wirkungen der Verjährung werden mehrfach abgeschwächt zu Gunsten des Gläubigers.

a. Ist für die verjährte Forderung ein Pfand bestellt, so kann der Gläubiger trotz der Verjährung sein Pfandrecht geltend machen und so gegen den Willen des Schuldners Befriedigung erzwingen. Der Schuldner kann Rückgabe der Pfandsache, weil die verpfändete Forderung nicht mehr bestehe, nicht verlangen (§ 223 I).

„Ist zur Sicherung eines Anspruches ein Recht übertragen worden (z. B. eine Sache ist nicht verpfändet, sondern zu Eigentum übertragen), so kann die Rückübertragung nicht auf Grund der Verjährung des Anspruches gefordert werden" (§ 223 II).

„Diese Vorschriften finden keine Anwendung bei der Verjährung von Ansprüchen auf Rückstände von Zinsen oder anderen wiederkehrenden Leistungen" (§ 223 III).

b. Die Verjährung schließt die Aufrechnung mit einer verjährten Gegenforderung nicht aus, wenn diese auch nur einen Augenblick hindurch vor Ablauf der Verjährung der anderen Forderung gegenüber gestanden hat, mag sie auch unmittelbar darauf verjährt sein, z. B. die Forderung entsteht am 1. August 1905, ihr steht eine Gegenforderung gegenüber, die am 2. August 1905 verjährt; im Dezember 1905 wird die am 1. August entstandene Forderung geltend gemacht und ihr gegenüber wird mit der am 2. August verjährten Forderung aufgerechnet. **Nachträgliche Verjährung schadet also nicht** (§ 390). Jedoch wird von dieser Abschwächung der Verjährung wieder eine Ausnahme gemacht (vergl. § 479).

10) „Mit dem Hauptanspruche verjährt der Anspruch auf die von ihm abhängenden Nebenleistungen, auch wenn die für diesen Anspruch geltende besondere Verjährung noch nicht vollendet ist" (§ 224).

Ist das Kapital verjährt, können auch keine Zinsen mehr eingefordert werden, auch wenn sie an sich noch nicht verjährt wären.

11) „Die Verjährung kann durch Rechtsgeschäft weder ausgeschlossen noch erschwert werden. Erleichterung der Verjährung, insbesondere Abkürzung der Verjährungsfrist, ist zulässig" (§ 225).

B. Neben der Verjährung kommt vor die Ausschlußfrist.

Eine Ausschlußfrist ist die Frist des § 1944: Der Erbe kann die Erbschaft nur binnen sechs Wochen, nachdem er von dem Anfall und dem Grunde der Berufung Kenntnis erhalten hat, ausschlagen. Ebenso ist die Inventarfrist des § 1995 (1—3 Monate) eine Ausschlußfrist. Eine Ausschlußfrist ist auch die Frist für die Ausübung des Wiederkaufs § 503.

Bei der Anfechtung treffen wir die Ausschlußfrist zwei Male. Eine anfechtbare Willenserklärung kann binnen Jahresfrist angefochten werden. Dies ist die eine Ausschlußfrist, die in dem Augenblicke beginnt, wo der Anfechtungsberechtigte die Täuschung entdeckt oder wo bei einer erzwungenen Willenserklärung die Zwangslage aufhört (§ 124).

Wenn seit Abgabe der Willenserklärung dreißig Jahre verstrichen sind, ist die Anfechtung überhaupt ausgeschlossen (§ 124 III). Dies ist zweite Ausschlußfrist.

Dasselbe Nebeneinander von zwei Ausschlußfristen liegt bei Anfechtung einer Ehe vor, hier dauert die eine Ausschlußfrist nur ein halbes Jahr (§ 1339). Daß in den §§ 124, 1339 eine Ausschlußfrist vorliegt, ergibt sich daraus, daß einige Bestimmungen über die Verjährung ausdrücklich auf sie angewandt sind, was nicht geschehen wäre, wenn ihre Anwendung selbstverständlich gewesen wäre.

Der Unterschied zwischen Ausschlußfrist und Verjährung besteht 1) darin, daß der Verjährung nur Ansprüche auf Leistungen unterliegen, die Ausschlußfrist dagegen sich auf rechtliche Befugnisse (z. B. Anfechtung, Inventarerrichtung) bezieht, die keine Ansprüche auf Leistungen sind, 2) darin, daß über die Verjährung besondere Einzelbestimmungen (s. oben unter 4, 5, 8, 9 2c.) bestehen, die auf die Ausschlußfrist an sich keine Anwendung finden.

Die Definitionen lauten:

Verjährung ist der Zeitablauf, der, ohne das Recht des Gläubigers zu zerstören, dem Schuldner das Gegenrecht gibt, auf Grund des Zeitablaufes die Leistung zu verweigern.

Ausschlußfrist ist der Zeitraum, durch dessen Ablauf eine rechtliche Befugnis gänzlich untergeht.

C. Über die Zeitberechnung hat das B.G.B. verschiedene Vorschriften erlassen, von denen schon mehrfach praktische Anwendung gemacht ist (s. oben S. 487, 497 ff.).

„Ist für den Anfang einer Frist ein Ereignis oder ein in den Lauf eines Tages fallender Zeitpunkt maßgebend, so wird bei der Berechnung der Frist der Tag nicht mitgerechnet, in welchen das Ereignis oder der Zeitpunkt fällt.

Ist der Beginn eines Tages der für den Anfang einer Frist maßgebende Zeitpunkt, so wird dieser Tag bei der Berechnung der Frist mitgerechnet. Das Gleiche gilt von dem Tage der Geburt bei der Berechnung des Lebensalters" (§ 187).

„Eine nach Tagen bestimmte Frist endigt mit dem Ablaufe des letzten Tages der Frist.

Eine Frist, die nach Wochen, nach Monaten oder nach einem mehrere Monate umfassenden Zeitraume — Jahr, halbes Jahr,

Vierteljahr — bestimmt ist, endigt im Falle des § 187 I mit dem Ablaufe desjenigen Tages der letzten Woche oder des letzten Monates, welcher durch seine Benennung oder seine Zahl dem Tage entspricht, in den das Ereignis oder der Zeitpunkt fällt, im Falle des § 187 II mit dem Ablaufe desjenigen Tages der letzten Woche oder des letzten Monates, welcher dem Tage vorhergeht, der durch seine Benennung oder seine Zahl dem Anfangstage der Frist entspricht.

Fehlt bei einer nach Monaten bestimmten Frist in dem letzten Monate der für ihren Ablauf maßgebende Tag, so endigt die Frist mit dem Ablaufe des letzten Tages dieses Monates" (§ 188; Beispiele f. oben S. 497, 498; vergl. auch die §§ 189 ff.).

„Ist an einem bestimmten Tage oder innerhalb einer Frist eine Willenserklärung abzugeben oder eine Leistung zu bewirken und fällt der bestimmte Tag oder der letzte Tag der Frist auf einen Sonntag oder einen am Erklärungs- oder Leistungsorte staatlich anerkannten allgemeinen Feiertag, so tritt an die Stelle des Sonntages oder des Feiertages der nächstfolgende Werktag" (§ 193).

IV. 1. Der Tod einer Person wird, wenn wir von seiner allgemeinen Bedeutung für das Erbrecht absehen, besonders wichtig für den Untergang von rechtlichen Befugnissen. Alle Befugnisse, die nicht von der Person des Berechtigten zu trennen sind, heißen höchst persönliche Befugnisse und erlöschen häufig mit dem Tode des Berechtigten. Andererseits gibt es auch höchst persönliche Befugnisse, die zwar vererblich, aber im Zweifel oder überhaupt nicht übertragbar sind, z. B. der Anspruch auf Ausführung des Auftrages ist im Zweifel nicht übertragbar, aber zweifellos vererblich (§ 664 II). Wir bezeichnen also mit dem Ausdruck „höchst persönlich" alle Befugnisse, die entweder unübertragbar oder unvererblich sind. Beides fällt meistens, aber nicht immer, zusammen.

Unübertragbar und unvererblich ist der Nießbrauch (§ 1059), die väterliche Nutznießung am Kindesvermögen (§ 1658), die ehemännliche Nutznießung am Frauengut (§§ 1408), das ehemännliche Recht auf angemessenen Beitrag zur Bestreitung des ehelichen Aufwandes bei Gütertrennung (§ 1427 II), Anspruch der Frau auf Schadensersatz wegen Beiwohnung (§ 1300), die Vereinsmitgliedschaft (§ 38, f. jedoch § 40), der Ersatzanspruch auf Ersatz des immateriellen Schadens bei Körperverletzung, Freiheitsentziehung, Sittlichkeitsdelikten gegen eine Frau 2c. (§ 847).

Aber auch höchst persönliche Verpflichtungen kommen vor, z. B. die Verpflichtung des Beauftragten zur Ausführung des Auftrages (§ 673).

2) Unter Umständen wird der Tod einer Person für die Rechte eines Anderen bedeutungsvoll, indem sich seine Befugnisse ändern oder aufhören oder erst wirksam werden, z. B. eine anfechtbare Ehe ist nach dem Tode des zur Anfechtung nicht berechtigten Ehegatten nicht mehr durch Klage, sondern durch öffentlich beglaubigte Er- klärung gegenüber dem Vormundschaftsgericht anzufechten (§ 1342), oder die Gesellschaft wird durch den Tod auch nur eines Gesell- schafters aufgelöst, sodaß sie auch zwischen den übrig bleibenden Gesellschaftern erlischt (§ 727), oder das Recht des Nacherben wird wirksam mit dem Tode des Vorerben (§ 2106).

Zweiter Abschnitt.

Ausübung der Rechte.

§ 162. Außergerichtliche Ausübung.

I. Das B.G.B. schützt nicht die Chikane.

„Die Ausübung eines Rechtes ist unzulässig, wenn sie nur den Zweck haben kann, einem Anderen Schaden zuzufügen" (§ 226).

II. Die unsichtbaren Grenzen, die das objektive Recht den Einzelnen zieht, werden im Drange der Not nicht immer beachtet. Tausendjährige Erfahrung hat gelehrt, daß gewisse Grenzüber- schreitungen, z. B. bei der Notwehr, immer wieder vorkommen, un- ausrottbar sind, und daß die allgemeinen Rechtsanschauungen des Volkes dem Einzelnen häufig ein Recht zu solchen Grenzüberschrei- tungen gibt. Dieser Tatsache hat sich das B.G.B. nicht verschlossen und hat die zivilrechtliche Notwehr und den zivilrechtlichen Notstand anerkannt.

„Eine durch Notwehr gebotene Handlung ist nicht widerrechtlich.

Notwehr ist diejenige Verteidigung, welche erforderlich ist, um einen gegenwärtigen rechtswidrigen Angriff von sich oder einem Anderen abzuwenden" (§ 227).

Beispiel: Ich schieße die auf mich oder einen Anderen ohne Grund gehetzte bissige Dogge nieder. Darin zeigt sich, daß die Notwehr in Wirklichkeit mehr als Ausübung eines Privatrechtes ist, denn es genügt, daß ein Anderer bedroht wird.

2. Notstand. „Wer eine fremde Sache beschädigt oder zerstört, um eine durch sie drohende Gefahr von sich oder einem Anderen abzuwenden, handelt nicht widerrechtlich, wenn die Beschädigung oder die Zerstörung zur Abwendung der Gefahr erforderlich ist und der Schaden nicht außer Verhältnis zu der Gefahr steht. Hat der Handelnde die Gefahr verschuldet, so ist er zum Schadensersatze verpflichtet" (§ 228).

Das geringere Interesse muß dem wertvolleren weichen. Beispiel: Der Kutscher fährt, um nicht mit den durchgehenden Pferden in die belebten Straßen hineinfahren zu müssen, absichtlich gegen einen Baum, Pferde und Wagen werden beschädigt. Der Kutscher hat den Schaden nur dann zu ersetzen, wenn die Pferde durch seine Schuld durchgehen.

„Der Eigentümer einer Sache ist nicht berechtigt, die Einwirkung eines Anderen auf die Sache zu verbieten, wenn die Einwirkung zur Abwendung einer gegenwärtigen Gefahr notwendig und der drohende Schaden gegenüber dem aus der Einwirkung dem Eigentümer entstehenden Schaden unverhältnismäßig groß ist. Der Eigentümer kann Ersatz des ihm entstehenden Schadens verlangen" (§ 904).

3) „Wer zum Zwecke der Selbsthülfe eine Sache wegnimmt, zerstört oder beschädigt oder wer zum Zwecke der Selbsthülfe einen Verpflichteten, welcher der Flucht verdächtig ist, festnimmt oder den Widerstand des Verpflichteten gegen eine Handlung, die dieser zu dulden verpflichtet ist, beseitigt, handelt nicht widerrechtlich, wenn obrigkeitliche Hülfe nicht rechtzeitig zu erlangen ist und ohne sofortiges Eingreifen die Gefahr besteht, daß die Verwirklichung des Anspruches vereitelt oder wesentlich erschwert werde" (§ 229).

Die Selbsthülfe ist nicht Verteidigung, sondern Angriff und darum sind ihre engere Schranken gezogen und das B.G.B. ist bedacht, durch die eingehenden Bestimmungen des § 230 einem Mißbrauch der Selbsthülfe vorzubeugen.

Beispiel: Der Schuldner ist im Begriff, die geschuldete Sache aus Bosheit zu zerstören oder zu beschädigen, um sie dem Gläubiger nicht zu gönnen; der darüber zukommende Gläubiger nimmt sie ihm mit Gewalt fort, um sie zu schützen.

Wenn die Selbsthülfe objektiv unberechtigt ist, so nützt es demjenigen, der zur Selbsthülfe greift, nicht, daß er entschuldbarer Weise glaubt, zur Selbsthülfe berechtigt zu sein. Irrtum entschuldigt also unter keinen Umständen (§ 231). Über die Selbsthülfe beim Besitz s. oben S. 249 f.

§ 163. Gerichtliche Ausübung. Allgemeines.

I. In der Möglichkeit, das subjektive Recht gerichtlich durchzusetzen, liegt seine eigentliche Kraft. Aber manche Rechte entbehren des gerichtlichen Schutzes insofern, als dem Berechtigten keine Klage zusteht; vergl. z. B die schon mehrfach erwähnten natürlichen Verbindlichkeiten, auf deren Erfüllung nicht geklagt werden kann, deren Erfüllung aber keine Schenkung darstellt, sondern richtige Schuldentilgung ist, sodaß das Geleistete nicht zurückgefordert werden kann. Solche Fälle sind Versprechen eines Lohnes für Heiratsvermittlung (§ 656), Spiel- und Wettvertrag (§ 762) 2c. Eine verjährte Forderung (§ 222) ist keine natürliche Verbindlichkeit, sondern eine echte Vollobligation, der jedoch ein Gegenrecht entgegensteht.

Verschieden von den natürlichen Verbindlichkeiten und den daraus entspringenden Rechten ist die rechtliche Wirkung des Verlöbnisses, dessen juristische Natur sich in den Folgen des berechtigten Rücktrittes, der schuldhaften Veranlassung des Rücktrittes, der Beiwohnung und der Beschenkung zeigt (§§ 1297 ff.). Das Eheversprechen nimmt eine besondere Stellung ein.

II. Ein subjektives Recht wird geltend gemacht angriffsweise mittelst Klage, verteidigungsweise mittelst Einrede.

§ 164. Prozeß und Beweis.

I. Unter Klage versteht man das Klagerecht und die Geltendmachung des Klagerechtes, ferner auch noch die Klageschrift. Im Zweifel versteht das Zivilrecht unter Klage das Klagerecht.

Unter Umständen hat neben dem eigentlich Berechtigten oder statt seiner ein anderer die Befugnis, die Klage anzustellen. Er stellt sie dann entweder im Namen des Berechtigten an, wie der für den Mündel klagende Vormund, oder er stellt sie im eigenen

Namen an, wie der Ehemann, der kraft § 1380 ein zum Eingebrachten gehörendes Recht einklagt. Man sagt dann, daß in solchen Fällen andere Personen als der eigentlich Berechtigte die Legitimation zur Klageerhebung, die Aktivlegitimation haben (vergl. die §§ 2212, 2213 über die Testamentsvollstrecker, § 1630 über die Stellung des Vaters).

II. Um sein Klagerecht durchzusetzen, muß es der Kläger beweisen. Das beste Recht ist wirkungslos, wenn es nicht bewiesen werden kann. Da erheben sich die Fragen: Was muß bewiesen werden? Wer hat die Beweislast?

A. Zunächst ist darauf hinzuweisen, daß jeder nicht das zu beweisen hat, was er behauptet, sondern das, was er zu behaupten hat. Dies ist wichtig insbesondere deswegen, weil die Parteien oft zuviel behaupten, mehr als nötig ist, um ihre Klage oder ihre Verteidigung zu rechtfertigen. Es ist Sache des Richters, die richtige Grenze zu ziehen und von der Partei nicht unnötige Beweise zu verlangen.

Verklagt der Kläger K. den Beklagten B., weil er ihm eine Fensterscheibe zertrümmert habe, so ist zunächst festzustellen, was der Kläger juristisch beweisen muß, und dies richtet sich nach der Klage, die er anstellt.

Im vorliegenden Falle stellt er eine Sachbeschädigungsklage auf Grund von § 823 I an.

Er muß nachweisen: 1) die Beschädigung, 2) eine Handlung des Beklagten, 3) ursächlichen Zusammenhang zwischen der Handlung und der Beschädigung, 4) Verschulden des Beklagten, 5) Rechtswidrigkeit der Handlung, 6) sein Interesse, d. h. seine Klageberechtigung, die Legitimation.

Praktisch wird regelmäßig der Beweis der Punkte 1, 2, 3, 4 und der Beweis der Punkte 5, 6 je in Eines zusammenfallen, aber an sich sind die Gesichtspunkte zu sondern. Seine Legitimation zur Sache weist der Kläger am einfachsten durch den Beweis seines Eigentumes nach. Bei diesem Falle wollen wir stehen bleiben und von anderen Berechtigungen absehen.

B. kann folgendes anführen: 1) Die Scheibe gehört dir nicht, die ganze Sache geht dich garnicht an. 2) Die Scheibe ist überhaupt nicht zertrümmert (der Augenschein spricht für ihn, denn K. hat die Scheibe schon wieder erneuern lassen). 3) Sie ist wohl zertrümmert, aber ich habe es nicht getan, sondern der X. ist der Schuldige. 4) Ich habe es getan, aber ich bin durch einen Anderen ohne mein Verschulden in die Scheibe hineingestoßen worden. 5) Ich war bei Begehung der Tat zurechnungsunfähig. 6) Ich habe es getan, aber du hast es mir ausdrücklich erlaubt. 7) Ich habe es getan, aber ich habe den Schaden schon an dich bezahlt. 8) Ich habe es getan, aber du hast mir die Schuld erlassen. 9) Ich habe es getan, aber die Schuld ist verjährt. 10) Ich habe es getan, aber ich rechne mit einer Gegenforderung auf. 11) Ich habe es getan, aber du hast mir die Schuld noch gestundet.

Zu 1): Wenn B. auf die Klage vorbringt, daß die Scheibe garnicht dem K. gehöre, so leugnet er die Legitimation des K., seine Berechtigung zu klagen und bestreitet somit, daß eine der unerläßlichen Voraussetzungen der Klage vorliege. Die Beweislast bleibt also nach wie vor bei K.

Zu 2): Ebenso ist es, wenn B. in Abrede nimmt, daß überhaupt eine Sachbeschädigung stattgefunden habe.

Zu 3): Ebenso ist es, wenn er zwar die Beschädigung nicht ableugnet, aber behauptet, daß X. der Täter gewesen sei. B. hat nicht zu beweisen, das X. der Schuldige ist, vielmehr muß noch immer K. beweisen, daß B. der Täter war. Auf die Behauptung des B., daß X. der Schuldige sei, kommt es nur insoweit an, als sich daraus ergibt, daß B. seine eigene Verantwortlichkeit leugnet. B. hätte sich mit dem bloßen Leugnen begnügen können, hat aber überflüssiger Weise noch die positive Behauptung hinzugefügt, daß X. der Täter sei. Diese Behauptung braucht er nicht zu beweisen, denn, wie oben schon bemerkt, eine Partei muß nicht alles beweisen, was sie behauptet, sondern nur das, was sie behaupten muß. Im vorliegenden Falle braucht B. aber garnichts zu behaupten, sondern zu seiner Verteidigung genügt schon das bloße Leugnen einer Klagevoraussetzung.

Zu 4): B. gibt zu, die Scheibe zertrümmert zu haben, aber er leugnet seine Handlung, denn er sei ohne sein Verschulden von einem anderen in die Scheibe hineingestoßen worden, er habe also nicht positiv gehandelt, sondern sei das unselbständige Werkzeug eines Anderen gewesen. Dies ist ein ganz anderer Tatbestand als der Tatbestand einer Sachbeschädigung, der immer vorsätzliches oder fahrlässiges Handeln verlangt. B. leugnet also mittelst seiner positiven Behauptung, daß er hineingestoßen worden sei, eine unumgängliche Klagevoraussetzung, und darum muß scheinbar K. beweisen, daß B. schädigend gehandelt habe. Dies ist offenbar unbillig, denn, wenn K. nachgewiesen hat, daß B. im zertrümmerten Schaufenster gelegen hat, so muß doch B. nachweisen, daß ihn keine Verantwortung treffe und nicht K. muß, obgleich B. zugegeben hat, die Zertrümmung des Fensters veranlaßt zu haben, noch besonders nachweisen, daß B. verantwortlich sei. In Wirklichkeit muß B. sich durch einen Gegenbeweis befreien, denn er hat wohl geleugnet, aber auf sein Leugnen kommt es angesichts des von K. nachgewiesenen oder von B. eingeräumten Tatbestandes nicht an. Das Leugnen genügt nach Lage der Sache nicht mehr. Zu Gunsten des K. spricht nemlich eine ganz allgemeine Vermutung und zwar die Vermutung, daß jeder Herr seiner Handlungen sei oder es schuldhafter Weise nicht sei. Diese Vermutung rechtfertigt sich daraus, daß bei jedem Menschen geistige Gesundheit und überhaupt normale Zustände vermutet werden müssen und auch wirklich vermutet werden. Vermöge dieser Vermutung trifft zunächst jeden vermutungsweise auch die rechtliche Verantwortung für sein Verhalten, mag es nun aktive Tätigkeit oder rein passives Verhalten sein, und darum trifft den Beklagten der Nachweis, daß er ausnahmsweise nicht verantwortlich sei, wenn zwischen seinem Verhalten und dem Schaden ursächlicher Zusammenhang nachgewiesen ist. B.'s Leugnen nützt ihm also nicht, denn er leugnet etwas, das als zutreffend vermutet wird, B. wird also einen Gegenbeweis antreten müssen, um sich zu befreien.

Zu 5) und 6): B. leugnet im Fall 5) sein Verschulden und im Fall 6) die Rechtswidrigkeit seiner Handlung, denn eine von einem Zurechnungsunfähigen begangene Handlung ist unverschuldet und eine vom Eigentümer erlaubte Beschädigung ist nicht rechtswidrig. Es müßte also K., da Verschulden oder entsprechend Rechtswidrigkeit des B. Klagevoraussetzung ist und B. sie leugnet, das Verschulden und die Rechtswidrigkeit dem B. nachweisen. Trotzdem fällt die Beweislast auf B., denn sein Verschulden, d. h. vorsätzliches oder fahrlässiges Handeln, wird vermutet, weil die Vermutung für Zurechnungsfähigkeit des Menschen spricht. Ferner wenn feststeht, daß er die Scheibe zertrümmert hat, und dies hat er ja selber zugegeben, und wenn auch feststeht, daß K. Eigentümer der Scheibe ist, so folgt aus dem Eigentum des K. ohne Weiteres, daß der

Nichteigentümer nicht berechtigt ist, die Scheibe zu zertrümmern und also widerrechtlich handelt, wenn er sie beschädigt. Durch den Nachweis seines Eigentums an der Scheibe hat K. die Widerrechtlichkeit von B.'s Tun bewiesen. Es ist an B., wenn er die Beschädigung zugestanden hat, seinerseits darzutun, daß die Beschädigung **ausnahmsweise nicht widerrechtlich** war. Die Beweislage verschiebt sich also zu Ungunsten des B. **vermöge der durch das Eigentum des K. begründeten Vermutung, daß B. widerrechtlich gehandelt habe.** So kommt es, daß B. beweisen muß, trotzdem er nur eine Klagevoraussetzung leugnet, denn dies Leugnen ist nicht genügend angesichts der Tatsache, daß für das Dasein der Klagevoraussetzung, der Widerrechtlichkeit, eine Vermutung spricht, sobald das Eigentum des K. und damit das Nichteigentum des B. nachgewiesen ist. Darum läuft dies Leugnen des B. auf das Vorbringen einer **Einrede** hinaus, nemlich der Einrede, daß er das Gegenrecht habe, die Beschädigung vorzunehmen, z. B.: Der Ofensetzer, der den Ofen ausbessern soll, nimmt ihn auseinander und der Eigentümer beschwert sich darüber. Der Ofensetzer kann sich auf die Erlaubnis des Eigentümers berufen, wenn die Ausbesserung das Auseinandernehmen des Ofens bedingte.

Die Fälle 5) und 6) unterscheiden sich trotz äußerlicher Ähnlichkeit doch sehr von Fall 4), da in ihnen die Beweislast sich verschiebt.

Zu 7): B. gibt die Tat zu, leugnet auch nicht, daß seine Verpflichtung zu Schadenersatz entstanden sei, behauptet jedoch, daß er diese Verpflichtung schon getilgt habe. Dadurch ist die Klage des K an sich als berechtigt anerkannt, K. braucht nichts mehr zu beweisen, B. muß sich vielmehr durch Gegenbeweis befreien. Er behauptet eine Tatsache, die den Anspruch des K. zerstört und muß diese Tatsache beweisen, denn nachdem er einmal zugegeben hat, daß eine Forderung des K. entstanden sei, wird vermutet, daß sie auch noch weiter bestehe; ihr Untergang muß besonders bewiesen werden. B. macht geltend den **Einwand der Zahlung,** der Schuldtilgung.

Zu 8): Ebenso ist es, wenn er den Einwand des Schulderlasses vorbringt.

Zu 9): Auch hier räumt B. die Klagevoraussetzungen ein,

aber er bringt die Einrede der Verjährung vor; die Beweislast trifft ihn.

Zu 10): B. rechnet auf, er macht sein Recht zur Aufrechnung geltend; ihn trifft die Beweislast. Der Fall 9) unterscheidet sich von den Fällen 7) und 8) dadurch, daß B. ein Gegenrecht gegen das Recht des K. geltend macht. Aus der Zahlung und dem Erlaß kann B. kein Gegenrecht herleiten und dementsprechend behauptet er auch nur, daß die Forderung getilgt sei, nicht mehr bestehe. In dem Falle 9) behauptet er nicht, daß die Forderung getilgt sei, sondern er gibt ihr Bestehen zu, aber er macht eine Einrede geltend, die der eingeklagten Forderung auf immer ihre Wirkung nimmt. Daß er hiezu befugt sei, muß er natürlich beweisen, insofern besteht zwischen den letzten Fällen kein Unterschied. Die Verschiedenheit liegt vielmehr darin, daß hier B. eine eigentliche Einrede, eine Einrede im engeren Sinne vorbringt, da er sich auf ein Gegenrecht stützt, während er in den Fällen 7), 8) eine Einrede im weiteren Sinne, einen bloßen Einwand vorbringt. Der Fall 10) liegt besonders, denn indem der Beklagte die Einrede der Aufrechnung vorbringt, hebt er auch zugleich die beiden Forderungen gegen einander auf; er tilgt die eingeklagte Forderung als ob er sie gezahlt hätte. Nachdem er erklärt hat, aufrechnen zu wollen, besteht die eingeklagte Forderung nicht mehr. Genau genommen hat der Beklagte vor der Aufrechnung das Gegenrecht, durch Aufrechnung die eingeklagte Forderung aufzuheben, nach der Aufrechnung hat er den Einwand der vollzogenen Aufrechnung (s. S. 202 ff.).

Es besteht sonach ein Unterschied, ob die Forderung selbst aufgehoben ist, oder ob sie an sich weiter besteht, aber, wenn der Beklagte sich auf sein Gegenrecht beruft, nicht geltend gemacht werden kann oder erst durch Geltendmachung des Gegenrechtes wie bei der Aufrechnung aufgehoben wird. Dies ist keine theoretische Spielerei, sondern beruht auf feinen und gerechten rechtlichen Erwägungen. Die Einrede der Aufrechnung oder besser der gleichartigen Gegenforderung muß nach Natur der Sache ganz in das Belieben der Partei gestellt werden, die bald ihren Vorteil dabei findet, ihre Gegenforderung geltend zu machen, bald klüger tut, ihre Gegenforderung in diesem Prozesse nicht geltend zu machen. Würden die Forderungen ohne Weiteres gegenseitig getilgt, sobald sie einander gegenübertreten, so würden dadurch oft berechtigte Interessen empfindlich verletzt werden. Man braucht nur an den Fall zu denken, daß eine der beiden Parteien beabsichtigt, ihre Forderung vorteilhaft abzutreten und später erfährt, daß der abgetretenen Forderung eine Gegenforderung gegenüberstehe. Weil die Gegenforderung nur ein Gegenrecht gibt, nicht die Forderung des Gläubigers selber beeinflußt, deshalb kann die Hauptforderung auch beliebig abgetreten werden. Anderenfalls wäre die Abtretung nicht möglich. Das B.G.B. begnügt sich im Interesse der menschlichen Bewegungsfreiheit mit der schwächeren Wirkung des Gegenrechtes. Die Partei soll die freie Möglichkeit haben, das Recht des Gläubigers unschädlich zu machen, wenn es ihr paßt, und damit ist den Interessen des Einzelnen auch am besten gedient. Diese Erwägung trifft für alle Einreden zu[1]).

Die Einrede der Verjährung ist ebenso zu beurteilen, wie die übrigen, aber es kommt noch ein besonderer Umstand zur Frage. Die Volksanschauung betrachtet eine verjährte Schuld immer noch als Schuld, die Berufung auf die Verjährung gilt nicht als unerlaubt, aber nicht als anständig. Wer sich auf die Verjährung berufen will, möge es tun, aber das Gesetz hat die Interessen der Partei schon in genügendem Umfang wahrgenommen, wenn es die

---

1) Man gebraucht auch den Ausdruck rechtsverfolgende Einrede für die Einrede im engeren Sinne, weil mit der Einrede ein Recht, nemlich das Gegenrecht, verfolgt, geltend gemacht wird und statt Einwandes sagt man auch rechtsverneinende Einrede, weil mit ihr das Recht des Gegners verneint wird, weil es nicht bestehe, untergegangen sei. Dieser Sprachgebrauch ist unklar und nicht zu empfehlen, denn als Objekt ist bald das eingeklagte Recht, bald das Gegenrecht zu verstehen, eine große Inkonsequenz. Sprachlich noch schlimmer ist es, beide Male als Objekt das eingeklagte Recht zu denken. Andere Ausdrücke sind Einrede im materiellen Sinne, d. h. Gegenrecht, und Einrede im prozessualischen Sinne, d. h. Einwand, Einwendung. Da das B.G.B. die Ausdrücke Einwendung und Einrede gebraucht, bleibt man am besten bei diesen kurzen Worten stehen. Einwendungen sind außer Zahlung und Erlaß noch Eintritt einer auflösenden Bedingung, vollzogene Aufrechnung. Annahme an Erfüllungsstatt, Untergang durch Tod des eigentlich Berechtigten rc. Einreden sind außer den schon genannten die Einrede des Zurückbehaltungsrechtes, der mangelnden Sicherheitsleistung (§§ 509, 1039, 1051, 1218 rc.), der Vorausklage (§§ 771, 773), der Anfechtbarkeit, des ungeteilten Nachlasses (s. oben S. 506) rc. rc. Die Zahl der Einreden ist sehr groß.

Einrede zuläßt, mehr zu tun, und mit dem Zeitablauf die Forderung selbst untergehen zu lassen, wäre von großem Übel, wäre eine ungesunde Bevormundung. Das B.G.B. hat die Wirkung der Verjährung weise dahin beschränkt, daß der Schuldner sich der Forderung des Gegners erwehren kann, wenn er sich ihrer erwehren will. Dies ist auch prozessualisch von großer praktischer Bedeutung. Wenn der Richter aus der Klage des Klägers ersieht, daß die Forderung schon verjährt ist, so muß er dennoch den Beklagten verurteilen, es sei denn, daß dieser sich auf die Verjährung beruft. Beruft er sich nicht darauf, so wird auf die Verjährung keinerlei Rücksicht genommen. Anders ist es mit dem Einwand der Zahlung, des Erlasses. Ersieht der Richter aus der Klage, daß die Schuld schon gezahlt oder erlassen ist, so weist er den Kläger mit seiner Klage ab, auch wenn der Beklagte sich nicht auf Zahlung oder Erlaß beruft. Der Richter weist den Kläger ab, weil dieser eine garnicht mehr bestehende Forderung einklagt und aus seinen eigenen Behauptungen sich ergibt, daß die Forderung nicht besteht. Hat bei Zahlung und Erlaß der Kläger seine Klage in dieser Hinsicht ungeschickt abgefaßt, so braucht der Beklagte garnicht darauf zu antworten, der Richter wird schon allein den Kläger abweisen. Bei Aufrechnung und Verjährung dagegen muß sich der Beklagte rühren, anderenfalls hilft ihm der Richter nicht.

Zu 11): B. macht eine Einrede geltend mit den gewöhnlichen Folgen für die Beweislast, nur unterscheidet sich diese Einrede von den vorhergehenden dadurch, daß sie das eingeklagte Forderungsrecht bloß zeitweilig und nicht für immer hemmt. Sie ist eine aufschiebende, dilatorische Einrede, während die vorhergehenden Einreden peremptorische Einreden sind.

Die drei Verteidigungsmittel sind also Leugnen, Vorbringen eines Einwandes und Vorbringen einer Einrede. Alle drei Arten heißen Einwendungen (§§ 334, 404 u. a.). Das bloße Leugnen verbindet den Beklagten zum Beweise, wenn für die von dem Beklagten geleugnete Tatsache eine Vermutung spricht, die dann durch den Beklagten zu widerlegen ist. Tatsächlich liegt dann die Sache so, daß der Beklagte einen schon prima facie bewiesenen Tatumstand leugnet, nicht einen noch nicht bewiesenen Tatumstand, und darum eine Einrede vorbringen muß.

Das Vorbringen eines Einwandes oder einer Einrede verpflichtet regelmäßig zum Beweise, aber eine Ausnahme macht die Einrede des nicht erfüllten Vertrages bei den gegenseitigen Verträgen. Verklagt der Verkäufer den Käufer auf Zahlung des Kaufpreises und dieser wendet ein, daß ihm die Ware noch nicht geliefert sei, so muß der Verkäufer beweisen, daß die Ware schon geliefert sei. Der Käufer macht gegen die Klage sein Gegenrecht geltend auf Lieferung der Ware, denn er ist nicht verpflichtet, schlechthin die ausbedungene Summe zu zahlen, sondern nur als Entgelt für die Ware, gegen Lieferung der Ware. Sein Gegenrecht müßte eigentlich der Käufer beweisen, aber ihn trifft keine Beweislast, denn der Verkäufer hat in seiner Klage schon alle die Tatsachen angeführt, auf die sich der Beklagte beruft, er hat diese Tatsachen dadurch als wahr zugestanden, der Beklagte braucht sie daher nur anzuführen und nicht mehr zu beweisen. Der Verkäufer kann nemlich in seiner Klage nicht kurzweg sagen: Ich verklage den Beklagten auf Zahlung von 30 Mk., sondern er muß sagen: Ich verklage den Beklagten auf Zahlung von 30 Mk. Kaufgeld für gewisse ihm von mir verkaufte Waren. In diesen Anführungen liegt das Zugeständnis, daß er, der Kläger, als Verkäufer zur Lieferung von Waren gegen die Summe von 30 Mk. sich verpflichtet habe. Hierauf braucht der Beklagte nur hinzuweisen, um sein Gegenrecht, auf das er seine Einrede stützt, zu beweisen. An sich träfe ihn also ganz wohl die Beweislast, aber tatsächlich wird sie ihm notgedrungener Weise vom Kläger abgenommen, denn daß eine Forderung auf Lieferung der Ware entstanden sei, räumt der Kläger ein und für den Fortbestand der Forderung spricht die Vermutung.

B. Der Inhalt des Beweises richtet sich, wie oben bemerkt, nach der angestellten Klage. Der Verleiher V. kann den Entleiher E. wegen Beschädigung eines geliehenen Buches, das der Entleiher mit Tinte besudelt zurückliefert, mit der Sachbeschädigungsklage und mit der Leihklage verklagen. Was er im ersten Falle zu beweisen hat, ist nach dem oben Bemerkten klar, im zweiten Falle muß er beweisen den Leihvertrag und die Beschädigung, er braucht nicht zu beweisen sein Eigentum und auch nicht die Täterschaft des Beklagten. Der Inhalt des dem Kläger aufliegenden Beweises ist aus folgenden Gründen ganz anders als bei der Sachbeschädigungsklage. Im Leihvertrage übernimmt der E. die Pflicht, das Buch unverſehrt zurückzuliefern und bei dieſer Pflicht hält ihn der V. feſt. Er braucht nur die Pflichtverletzung zu beweiſen und hat damit ſeinen Anſpruch auf Entſchädigung bewieſen. Durch den Nachweis des Leihvertrages enthebt er ſich des Nachweiſes ſeines Eigentumes, des Kauſalzuſammenhanges zwiſchen Handlung und Beſchädigung, der Verſchuldung des E. und der Rechtswidrigkeit ſeines Handelns ꝛc. Er braucht überhaupt nicht zu beweiſen, daß E. ſchädigend gehandelt habe. Der Beweis iſt hier alſo viel leichter. E. muß dagegen nachweiſen, daß er für die Beſchädigung nicht verantwortlich ſei, weil ihn keine Schuld treffe, da er weder ſelber die Beſchädigung fahrläſſig oder vorſätzlich verurſacht habe, noch fahrläſſig oder vorſätzlich die Sache durch einen Anderen habe beſchädigen laſſen. Er muß den Gegenbeweis ſeiner Schuldloſigkeit führen, wenn er nicht das Vorliegen eines Leihvertrages überhaupt leugnet. Da er nach den Grundſätzen des Leihvertrages auch für leichte Fahrläſſigkeit haftet, muß er nachweiſen, daß ihm nicht einmal leichte Fahrläſſigkeit zur Laſt falle. Würde er nur für grobe Fahrläſſigkeit haften, wie bei der Hinterlegung, ſo müßte er nachweiſen, daß ihm keine grobe Fahrläſſigkeit zur Laſt falle. Wäre er nur zur Sorgfalt in eigenen Angelegenheiten verpflichtet, wie bei der Geſellſchaft, ſo müßte er nachweiſen, daß er dieſe Sorgfalt nicht verletzt hätte. In dieſen beiden letzten Fällen wird ihm ſein Gegenbeweis erleichtert, denn es wird dem Beklagten eine erweiterte Möglichkeit gegeben, ſich durch Gegenbeweis zu befreien. Haftet dagegen der Beklagte in einem Rechtsverhältnis auch für Zufall, ſo bedeutet dies praktiſch, daß ihm der Gegenbeweis entweder völlig abgeſchnitten, oder auf den Nachweis der höheren Gewalt beſchränkt iſt.

In den Fällen, wo der Berechtigte mehrere Klagen anſtellen kann, liegt Klagenkonkurrenz vor und wenn der Kläger mehrere Klagen verbindet, z. B. die Deliktsklage und die Kontraktsklage, oder die Erbſchaftsklage und die Singularklage, ſo entſteht Klagenkumulation.

III. 1) Das B.G.B. hat ziemlich viele Beſtimmungen hinſichtlich des Beweiſes getroffen, von denen hier einige erwähnt ſeien.

„Iſt ſtreitig, ob die Unmöglichkeit der Leiſtung die Folge eines von dem Schuldner zu vertretenden Umſtandes iſt, ſo trifft die Beweislaſt den Schuldner" (§ 282).

„Hat sich der eine Teil den Rücktritt für den Fall vorbehalten, daß der andere Teil seine Verbindlichkeit nicht erfüllt, und bestreitet dieser die Zulässigkeit des erklärten Rücktrittes, weil er erfüllt habe, so hat er die Erfüllung zu beweisen, sofern nicht die geschuldete Leistung in einem Unterlassen besteht" (§ 358).

„Zu Gunsten der Gläubiger des Mannes wird vermutet, daß die im Besitz eines der Ehegatten oder beider Ehegatten befindlichen beweglichen Sachen dem Manne gehören" (§ 1362 I Satz 1).

„Ist das Inventar rechtzeitig errichtet worden, so wird im Verhältnisse zwischen dem Erben und den Nachlaßgläubigern vermutet, daß zur Zeit des Erbfalles weitere Nachlaßgegenstände als die angegebenen nicht vorhanden gewesen seien" (§ 2009).

„Sind Mehrere in einer gemeinsamen Gefahr umgekommen, so wird vermutet, daß sie gleichzeitig gestorben seien" (§ 20).

Das oben auf S. 27 gegebene Beispiel entscheidet sich im Prozeßfalle folgendermaßen. Die mütterlichen Verwandten müssen beweisen, daß sie den Sohn beerben, d. h. daß sie nicht durch nähere Verwandte, also den Vater, ausgeschlossen worden sind. Sie haben darum zu beweisen, daß der Vater den Sohn nicht überlebt hat. Dies bestimmt § 20, folglich beerben die mütterlichen Verwandten den Sohn, aber auch die väterlichen erben, denn ob der Vater den Sohn überlebt hat oder nicht, darauf kommt es für die väterlichen Verwandten überhaupt nicht an. Folglich teilen die mütterlichen und die väterlichen Verwandten den Nachlaß des Sohnes. In Bezug auf den Nachlaß des Vaters müssen die väterlichen Verwandten nachweisen, daß sie die nächsten Erben und nicht durch den Sohn ausgeschlossen sind. Diesen Nachweis erbringen auch sie durch Berufung auf § 20, da der Sohn als gleichzeitig mit dem Vater gestorben gilt. Folglich fällt den väterlichen Verwandten das väterliche Vermögen ganz zu.

Wie sich aus den angeführten Gesetzesstellen ergibt, hat das B.G.B. in verschiedener Weise auf die Verteilung der Beweislast eingewirkt, teils indem es unmittelbar einer bestimmten Partei einen bestimmten Beweis auflegt, teils indem es gewisse Vermutungen aufstellt, die dann von dem, zu dessen Ungunsten sie sprechen, widerlegt werden müssen. Solche Vermutungen heißen Rechtsvermutungen, praesumptiones juris.

Von diesen Vermutungen hat das B.G.B. besonders im Familienrecht umfangreichen und praktisch sehr bedeutsamen Gebrauch gemacht, um die Stellung der Kinder rechtlich zu sichern (vergl. § 1591 II, § 1592 II, § 1717 I).

2) Außer den von dem B.G.B. positiv aufgestellten Vermutungen kommen bei der richterlichen Beweiswürdigung noch viele andere vom B.G.B. nicht erwähnte Vermutungen zur Anwendung. So wird z. B. vermutet, daß jeder Mensch zurechnungsfähig sei. Diese Vermutung entspricht derart der täglichen Erfahrung, daß sie garnicht entbehrt werden kann. Auch sie gehört zu den rechtlichen Vermutungen.

Von der rechtlichen Vermutung ist zu scheiden die bloß tatsächliche Vermutung von schwächerer Kraft. Sie liefert nur ein mehr oder minder starkes Indiz für eine Tatsache, ist aber nicht im Stande, schon für sich allein diese Tatsache endgiltig oder vorläufig genügend zu erhärten. So begründet die bloße Übersendung einer Geldsummen ohne Angabe des Zweckes eine nur sehr schwache tatsächliche Vermutung, daß der Übersender dem Empfänger diese Summe schulde, sie begründet vielmehr nur die rechtliche Vermutung, daß der Übersender irgend einen Zweck verfolge, begründet aber nicht die Vermutung für einen bestimmten Zweck. Wohl aber begründet Übersendung einer Geldsumme zum angegebenen Zwecke der Schuldentilgung die rechtliche Vermutung, daß der Absender dem Empfänger etwas schuldig gewesen sei. Dies hat wichtige praktische Folgen. Behauptet S., das Geld ohne Angabe eines Grundes an G. gesandt zu haben, so muß er doch die Vermutung widerlegen, daß er, wenn er auch darüber nichts bemerkt habe, einen bestimmten Grund tatsächlich gehabt habe, er muß demzufolge dartun, daß er tatsächlich zu keinem Zwecke das Geld an G. gesandt habe, sondern daß ein Versehen, z. B. eine Verwechselung der Adressen vorliege. Er muß also nachweisen, daß er keinerlei Grund für die Zahlung gehabt habe. Da das Geld zu den verschiedensten Zwecken gegeben werden kann, in Schenkungsabsicht, zum Darlehn, zur Schuldtilgung, zum Zweck der Sicherheitsleistung, um eine Auflage, eine Bedingung zu erfüllen, so muß der Beklagte, wenn er behauptet, daß das Geld nur zu einem bestimmten Zwecke gegeben sei und wenn Kläger dargetan hat, er habe keinen bestimmten Zweck angegeben, nachweisen, daß es eben zu diesem Zwecke gegeben sei. Weist der Beklagte nach, daß der Kläger bei der Geldsendung einen bestimmten Grund angegeben habe, z. B. Schuldtilgung, so muß alsdann der Kläger die hiedurch gegen ihn entstandene Vermutung, daß eine solche Schuld, wie vom Kläger bei der Einsendung angegeben, wirklich bestehe, widerlegen, d. h. er muß beweisen, daß die angegebene Schuld nicht bestehe.

Hat der Kläger in der Klage selber angegeben, daß er das Geld zum Zwecke der Schuldtilgung irrtümlich eingesandt habe, so entfällt für ihn der Beweis, daß er das Geld versehentlich an die falsche Adresse eingesandt habe und für den Beklagten entfällt der Gegenbeweis, daß der Kläger bei der Einsendung einen bestimmten Grund genannt habe; Kläger muß sofort dartun, daß die als bestehend angenommene Schuld nicht bestehe. Das Ergebnis ist, daß der Kläger, möge er nun einen Grund für die Geldsendung angegeben haben oder nicht, schließlich auch negative Tatsachen beweisen muß, das Nichtvorhandensein von gewissen Tatumständen. Ob und wann der Kläger auch negative Tatsachen beweisen muß, hängt davon ab, ob zu Gunsten des Beklagten für eine positive Tatsache rechtliche Vermutungen sprechen, die dann vom Kläger zu widerlegen sind. Der Satz: Negativa non sunt probanda ist falsch, wie der andere, daß negative Tatsachen vom Kläger bewiesen werden müßten, wenn sie sich in positive Tatsachen umsetzen lassen.

Die Richtigkeit des hier gelehrten Satzes ergibt sich ferner auch, wenn als Beispiel angenommen wird, das Geld sei zum Zweck der Erfüllung einer Bedingung übersandt. Ist die Übersendung tatsächlich zu diesem Zwecke geschehen, aber dieser Zweck bei der Übersendung nicht angegeben, so hat die rechtliche Vermutung nur den Inhalt, daß der Absender zu der Sendung irgend einen vernünftigen rechtlichen Grund gehabt habe. Die tatsächliche Vermutung geht vielleicht darauf, daß der Grund die Erfüllung einer Bedingung sei. Ist der Grund dagegen angegeben, so spricht die rechtliche Vermutung dafür, daß der Grund wirklich bestehe und der Kläger muß sie widerlegen.

3) Unter Umständen kann zweifelhaft sein, ob die Verteidigung des Beklagten ein Leugnen oder ein Zugeständnis des Klagegrundes

ist und ob den Beklagten für seine gegenteiligen Behauptungen die Beweislast trifft.

Wenn V. eine Kaufpreisforderung einklagt, so ist zur Verurteilung notwendig, daß die Forderung nicht bloß entstanden, sondern auch fällig sei. Der Beklagte K. gibt den Abschluß eines Kaufvertrages mit dem vom Kläger angegebenen Inhalt zu, behauptet aber, die Forderung sei noch nicht fällig. Die Frage, wer die Fälligkeit oder die Nichtfälligkeit zu beweisen hat, richtet sich danach, ob eine Vermutung für die Fälligkeit spricht, wenn bloß der Abschluß eines Kaufvertrages bewiesen ist. Dies ist zu bejahen, denn beim Kauf geht die Verpflichtung auf sofortige Leistung Zug um Zug, dies ist die Regel für die erdrückende Mehrheit aller Fälle, die verhältnismäßig seltenen Ausnahmen sind besonders zu beweisen. Behauptet also der Beklagte, der aus irgend einem Grunde die Einrede des nicht erfüllten Vertrages nicht geltend macht, die Forderung sei noch nicht fällig, so muß er dies beweisen. Anders steht es beim Mietvertrage, hier genügt es nicht, das Dasein eines Vertrages nachzuweisen, sondern es muß auch nachgewiesen werden, daß die eingeklagte Forderung fällig, der Fälligkeitstermin gekommen sei. Dies hat seinen Grund in der gesetzlichen Vorschrift, daß im Zweifel die Miete postnumerando zu zahlen ist, wobei dann natürlich gewisse Zeitabschnitte innezuhalten sind (§ 551). Dienst-, Werk- und Werklieferungsvertrag sind ebenso zu behandeln, wie der Mietvertrag, denn der Arbeitgeber hat nachzuleisten (§ 614) oder erst bei Abnahme des Werkes zu leisten (§ 641). Der Kläger muß, wenn die Fälligkeit bestritten wird, beweisen. Ebenso ist es beim Darlehn (§ 609). Umgekehrt muß der Schuldner die Nichtfälligkeit beweisen, wenn der Kläger eine Deliktsklage wegen Sachbeschädigung anstellt, denn diese Forderung ist sofort fällig.

Es ergibt sich also aus dem einzelnen Rechtsverhältnis, ob die daraus entspringende Forderung sofort fällig ist oder nicht und ob vom Kläger die Fälligkeit oder vom Beklagten die Nichtfälligkeit bewiesen werden muß. Es ist falsch, wie von manchen Seiten geschieht, die Frage für alle Forderungen allgemein zu bejahen oder sie allgemein zu verneinen, insbesondere ist es falsch, von einem Rechtsverhältnis auf das andere schließen zu wollen.

Jedoch ist die allgemeine Bestimmung des § 271 I zu beachten.

§ 271 I. „Ist eine Zeit für die Leistung weder bestimmt noch aus den Umständen zu entnehmen, so kann der Gläubiger die Leistung sofort verlangen, der Schuldner sie sofort bewirken".

Die vorstehenden Erörterungen beziehen sich aber nicht auf den Fall, wo der Beklagte gegen eine eingeklagte Forderung sich auf eine Befristung oder Bedingung beruft. Hier gelten eigene Regeln.

Bestreitet der Beklagte die eingeklagte Forderung, weil eine aufschiebende Bedingung vorliege, so leugnet er juristisch den Tatbestand. Dies klingt sonderbar, da scheinbar der Beklagte den vom Kläger behaupteten Tatbestand einräumt bis auf die hinzugefügte Bedingung. Er leugnet zwar nicht, daß bei der Abmachung das, was der Kläger behauptet, gesagt worden sei, aber er leugnet, daß es den vom Kläger behaupteten Sinn habe, da der Sinn der Abmachung durch eine hinzugefügte Bedingung abgeändert worden sei. Der Beklagte behauptet also, daß eine Abmachung ganz anderen Inhalts vorliege, als der Kläger angibt, juristisch leugnet er die Klagevoraussetzung des Klägers, mag er auch immerhin einige äußere Tatsachen, z. B. die gebrauchten Worte, die der Kläger anführt, zugeben. Eine bedingte Willenserklärung ist eben ganz anderer Art als eine unbedingte. Die aufschiebende Bedingung ist nicht etwa nur äußerlich hinzugefügt, sondern sie ergreift die Willenserklärung selber, verändert sie in tiefgehender Weise, denn sie ist ein organischer Bestandteil von ihr. Die aufschiebend bedingte Willenserklärung ist durchaus einheitlich und kann nicht etwa in die eigentliche Willenserklärung und die Bedingung auseinandergerissen werden. Daraus folgt, daß sie durch den Zusatz der Bedingung inhaltlich verändert wird und wenn der Beklagte nur einräumt, daß eine durch den Zusatz einer Bedingung veränderte Willenserklärung vorliegt, so räumt er die Behauptung des Klägers nicht ein, er leugnet vielmehr, daß die Behauptung des Klägers, es liege eine nicht durch den Zusatz einer Bedingung veränderte Willenserklärung vor, wahr sei.

Folglich bleibt beim Kläger die Beweislast, denn nur eine schlechthin verpflichtende Willenserklärung kann die Verurteilung des Beklagten rechtfertigen, eine aufschiebend bedingte Willenserklärung kann es nicht, es sei denn, daß die Bedingung schon eingetreten sei. Darum muß der Kläger Eines von beiden beweisen, daß die Willenserklärung unbedingt sei oder daß die Bedingung für die vom Beklagten zugestandene bedingte Willenserklärung erfüllt sei.

Mit der aufschiebenden Befristung verhält es sich ebenso wie mit der aufschiebenden Bedingung. Der Eintritt der Bedingung oder Befristung wird nicht vermutet, kann nicht vermutet werden. Andererseits ergibt sich häufig schon aus dem Inhalt einer Befristung, ob der Termin herangekommen ist, nemlich wenn ein bestimmter Kalendertermin festgesetzt worden ist.

Beruft sich der Beklagte auf eine auflösende Bedingung oder auf einen Endtermin, so hat er zweifellos die Beweislast. Dies ist nach dem Vorhergehenden selbstverständlich und rechtfertigt sich durch die obige Beweisführung ebenfalls, denn der Beklagte gibt einen Tatbestand zu, aus dem an sich die eingeklagte Forderung sich genügend rechtfertigt, an ihm ist es nun, darzutun, daß ausnahmsweise die Wirkungen dieses Tatbestandes aufgehört haben. Und darum muß er zum Unterschiede von dem Fall der aufschiebenden Bedingung und der aufschiebenden Befristung, das Dasein und den Eintritt der auflösenden Bedingung oder des Endtermines beweisen. Die auflösende Bedingung bildet mit der Willenserklärung keine Einheit, sondern ist ihr nur äußerlich hinzugefügt.

4) Das B.G.B. schreibt unter Umständen vor, daß ein Beweis nur in ganz bestimmter Weise erbracht werden kann; so kann z. B. die Unehelichkeit eines nach § 1591 I ehelichen Kindes nur dadurch erwiesen werden, daß nachgewiesen wird, es sei den Umständen nach offenbar unmöglich, daß das Kind ehelich sei. Dies ist eine Ausnahme von dem durch die Z.P.O. anerkannten Satz der freien Beweiswürdigung.

IV. Die Bedeutung von manchen Bestimmungen des B.G.B. wird so recht klar erst dann, wenn man sich die betreffenden Bestimmungen im Prozesse angewandt denkt.

1. Ein Schuldversprechen, das seinen Schuldgrund angibt und ein Schuldversprechen, das seinen Schuldgrund nicht angibt, werden im Prozesse ganz verschieden behandelt. Klagt der Verkäufer auf Grund eines Kaufvertrages und bestreitet der Beklagte das Vorliegen eines Kaufvertrages, so muß der Kläger beweisen, daß ein Kaufvertrag des angegebenen Inhaltes abgeschlossen sei und wenn ihm dies nicht glückt, wird er abgewiesen, mag ihm auch immerhin aus einem anderen als dem angegebenen Tatbestande, z. B. einer Miete,

Schenkung der Beklagte eine Summe von der angegebenen Höhe schulden. Der Kläger muß also den eigentlichen Schuldgrund beweisen. Kann er sich dagegen auf ein Schuldversprechen berufen, das den eigentlichen Schuldgrund nicht angibt, so braucht er nur zu beweisen, daß ein Schuldversprechen in der behaupteten Höhe abgegeben sei. Wenn dagegen der Beklagte behauptet, er habe das Schuldversprechen gegeben, weil er irrigerweise angenommen habe, es bestehe in der angegebenen Höhe eine Kaufschuld, so muß der Beklagte beweisen, daß eine solche Kaufschuld nicht bestehe, er also sein Schuldversprechen ohne objektiven Rechtsgrund abgegeben habe. Vergl. oben S. 127, wo erörtert ist, wie die Einrede des nicht erfüllten Vertrages durch die Beweislast dem Beklagten sehr verkümmert ist, während sonst gerade diese Einrede für den Beklagten gar keine Schwierigkeiten macht (vergl. oben die §§ 35 ff.). Wenn der Käufer in Höhe der Kaufsumme ein abstraktes Schuldversprechen abgibt, so erschwert er sich dadurch den Rückgriff auf den eigentlichen Schuldgrund, den Kaufvertrag, und diese Erschwerung äußert sich in der Verschiebung der Beweislast.

2. Von größter Bedeutung für den Beweis sind die Grundsätze über die Gefahrtragung beim Kauf, Werk- und Werklieferungsvertrag (s. oben S. 185 f.) und überhaupt bei der nachfolgenden Unmöglichkeit der Leistung (vergl. oben S. 179 ff., wo insbesondere ausgeführt ist, daß unverschuldete Unmöglichkeit von der Verpflichtung befreit, ja unter Umständen auch verschuldete Unmöglichkeit, vorausgesetzt, daß der Schuldner nachweist, daß eine solche Fahrlässigkeit vorliege, für die er nicht zu haften brauche; vgl. oben S. 566).

Wird die Gefahr überwälzt, wie die Transportgefahr beim Kauf, beim Werk- und beim Werklieferungsvertrag, wenn die Ware auf Verlangen des Abnehmers anders wohin, als nach dem Erfüllungsort versendet wird, so bedeutet dies praktisch, daß der Verkäufer oder der Unternehmer, der Verfertiger des Werkes bei zufälligem Untergang der Ware auf dem Transport nicht zu beweisen braucht, die Ware sei zufällig untergegangen, vielmehr muß der Käufer oder der Besteller nachweisen, daß die Ware infolge eines Verschulden des Absenders, z. B. schlechter Verpackung untergegangen sei.

3. „Wer zur Rückgabe einer Sache verpflichtet ist, die er einem

Anderen durch eine unerlaubte Handlung entzogen hat, ist auch für den zufälligen Untergang, eine aus einem anderen Grunde eintretende zufällige Unmöglichkeit der Herausgabe oder eine zufällige Verschlechterung der Sache verantwortlich, es sei denn, daß der Untergang, die anderweitige Unmöglichkeit der Herausgabe oder die Verschlechterung auch ohne die Entziehung eingetreten sein würde" (§ 848).

Diese Bestimmungen wären praktisch fast illusorisch, wenn nicht der Verpflichtete beweisen müßte, daß die Sache auch ohne die Entziehung untergegangen sein würde.

„Ein zwischen dem Gläubiger und einem Gesamtschuldner vereinbarter Erlaß wirkt auch für die übrigen Schuldner, wenn die Vertragschließenden das ganze Schuldverhältnis aufheben wollten" (§ 423).

Es muß besonders bewiesen werden, daß der Erlaß auch für die übrigen Schuldner wirken solle, im Zweifel ist anzunehmen, daß die Wirkungen nicht über die Parteien hinaus erstreckt werden sollten.

4. „Der Gläubiger kommt nicht in Verzug, wenn der Schuldner zur Zeit des Angebotes oder im Falle des § 296 zu der für die Handlung des Gläubigers bestimmten Zeit außer Stande ist, die Leistung zu bewirken" (§ 297).

Die Wirkungen dieses § 297 richten sich ganz nach der Verteilung der Beweislast. Muß der Gläubiger beweisen, daß der Schuldner zu der angebotenen Leistung nicht fähig war, so hilft ihm § 297 fast garnicht, anders aber ist es, wenn der Schuldner beweisen muß, daß er zu der Leistung fähig war. Dementsprechend trifft auch immer nur den Schuldner die Beweislast, denn nach der Bestimmung des B.G.B. liegt nur dann ein wirksames Angebot vor, das den Gläubiger in Verzug setzt, wenn der Schuldner auch zur Leistung fähig ist; Leistungsfähigkeit ist Bedingung für ein wirksames Angebot und darum muß derjenige, der sich auf ein wirksames Angebot beruft, die Wirksamkeit und somit auch die Leistungsfähigkeit beweisen.

5. „Erwirbt der Mann mit Mitteln des eingebrachten Gutes bewegliche Sachen, so geht mit dem Erwerbe das Eigentum auf die Frau über, es sei denn, daß der Mann nicht für Rechnung des eingebrachten Gutes erwerben will. Dies gilt insbesondere auch

von Inhaberpapieren und von Orderpapieren, die mit Blanko=
indossament versehen sind.

Die Vorschriften des Abs. 1 finden entsprechende Anwendung,
wenn der Mann mit Mitteln des eingebrachten Gutes ein Recht
an Sachen der bezeichneten Art oder ein anderes Recht erwirbt,
zu dessen Übertragung der Abtretungsvertrag genügt" (§ 1381).

Die Bedeutung dieses Paragraphen besteht praktisch zum guten
Teil in der Umkehrung der Beweislast (s. oben S. 390). Der
Frau wird der ihr zugedachte Vermögenserwerb erst dadurch ge=
sichert, daß, entgegen der Regel des täglichen Lebens, der Mann
seine Ansprüche beweist. Ihm muß zunächst nachgewiesen werden,
daß er aus Mitteln des eingebrachten Gutes bewegliche Sachen
erworben habe und er muß dann nachweisen, daß er für sich habe
erwerben wollen. Diese Bestimmung hat den Fehler, daß bei ihrer
Anwendung Eide kaum zu umgehen sind und daß von gewissen=
losen Männern damit Mißbrauch getrieben werden wird.

6. Von großer Wichtigkeit wegen des Beweises ist auch der
§ 830 (s. oben S. 140 f.).

7. Die Bestimmungen über die Mängelhaftung beim Kaufe
sind in ihrer praktischen Bedeutung erst im Zusammenhang mit
dem Beweis verständlich, s. o. S. 86 f.

8. Ebenso ist es mit den Bestimmungen über die Mängel=
haftung bei der Miete.

a. Wenn der Mieter wegen wesentlicher Fehler (§ 537 I) der
Sache Minderung des Mietzinses fordert, braucht er nicht zu be=
weisen, daß der Fehler schon im Augenblick des Vertragschlusses
vorhanden war, es genügt, wenn er nachweist, daß der Fehler bei
der Annahme der Sache beim Einzug in das Haus u. s. w. bestand
oder später entstand (§ 537 I).

b. Kann jedoch der Mieter nachweisen, daß der Fehler schon
beim Abschluß des Mietvertrages bestand oder daß der Fehler,
wenn auch erst nach Abschluß des Mietvertrages aber in Folge
eines Umstandes, den der Vermieter zu vertreten hat, also in Folge
von Verschulden entstanden ist oder daß der Vermieter mit der
Beseitigung des Fehlers in Verzug gekommen ist, so kann der
Mieter sogar Schadensersatz verlangen (§ 538). Der Mieter hat
sonach die Wahl, je nachdem wie ihm der Beweis glückt. Kann er
Verschulden u. s. w. nachweisen, wird er sich auf § 578 berufen,

kann er es aber nicht nachweisen, so wird er sich mit § 537 begnügen, letzteres wird er aus Mangel an Beweisen vielfach tun müssen, auch wenn objektiv die Voraussetzungen des § 538 vorliegen.

Aber es bestehen Ausnahmen von a. und b.

Der Mieter hat keine Ansprüche, wenn der Vermieter nachweist, daß der Fehler im Augenblick des Vertragsschlusses schon bestand und dem Mieter bekannt war oder in Folge von grober Fahrlässigkeit unbekannt geblieben ist oder daß der Fehler im Augenblick der Annahme der Sache, des Einzugs in die Wohnung u. s. w. schon bestand, der Mieter aber eingezogen ist, obschon er den Fehler kannte (§ 539). Das kann zunächst ein eigentümliches Schauspiel geben, wenn der Mieter nur auf Grund von § 537 klagt und dementsprechend behauptet und beweist, daß der Fehler beim Einzug in die Wohnung u. s. w. bestanden habe. Dann muß der Vermieter beweisen[1]), daß der Fehler schon beim Abschluß des Mietvertrages bestanden habe und verschlechtert dadurch seine Lage, wenn er nicht zugleich nachweist, daß der Mieter den Fehler gekannt habe. Glückt ihm dieser letzte Nachweis nicht, so schadet sich der Vermieter durch seinen eigenen Entlastungsbeweis, indem er nunmehr dem Mieter die Möglichkeit schafft, auch noch Schadensersatz zu verlangen.

d. Zuweilen hat gegen den Gegenbeweis des Vermieters der Mieter wieder einen Gegenbeweis.

Weist nemlich der Vermieter nach, daß dem Mieter der Fehler in Folge von grober Fahrlässigkeit beim Abschluß des Mietvertrages unbekannt geblieben ist, so kann der Mieter dagegen den Gegenbeweis versuchen und erbringen, daß der Vermieter den Fehler arglistig verschwieg und kann daraufhin Schadensersatz fordern (§§ 539. 460).

Ferner, hat der Vermieter bewiesen, daß der Mieter eingezogen ist, obschon er den Fehler kannte, so kann der Mieter dagegen

---

1) Dieser Gegenbeweis wird in den meisten Fällen ein dem Mieter höchst erwünschtes Zugeständnis sein, der Vermieter wird seine Behauptung selten zu beweisen brauchen, da der Mieter sie in den meisten Fällen ohne Weiteres als wahr gelten lassen wird. Jedoch hat er dann ein Interesse, die Wahrheit dieser Behauptung des Vermieters zu bestreiten, wenn er die zweite Behauptung des Vermieters, Kenntniß des Fehlers, auf andere Weise als zugleich durch Leugnen der ersten Behauptung nicht bestreiten kann.

wieder beweisen, daß er sich seine Rechte beim Einzug u. s. w. vorbehalten habe (§§ 539, 464).

e. Wenn der vermieteten Sache eine zugesicherte Eigenschaft fehlt, so hat der Mieter Anspruch auf Schadensersatz, wenn er nachweisen kann, daß die Eigenschaft schon beim Abschluß des Mietvertrages fehlte oder später in Folge eines Umstandes, den der Vermieter zu vertreten hat, also Verschulden, untergegangen ist oder daß sie zwar ohne einen solchen Umstand fortgefallen ist, der Vermieter aber mit ihrer Wiederherstellung in Verzug gekommen ist (§ 538).

f. Kann der Mieter nur nachweisen, daß die zugesicherte Eigenschaft fehlt, ohne nachweisen zu können, daß den Vermieter Verschulden trifft oder daß sie schon bei Abschluß des Mietvertrages fehlte u. s. w., so kann er nur Minderung des Mietzinses verlangen (§ 537).

g. Der Vermieter kann den Gegenbeweis antreten, daß dem Mieter der Mangel der zugesicherten Eigenschaft schon beim Abschluß des Vertrages bekannt gewesen sei oder daß der Mieter die vermietete Sache angenommen habe, in die Wohnung eingezogen sei, obschon er den Mangel der zugesicherten Eigenschaft kannte. Gegen den letzten Gegenbeweis kann aber der Mieter seinerseits wieder beweisen, daß er sich seine Rechte bei Annahme der Sache, Einzug in die Wohnung vorbehalten habe (§§ 539, 464).

Auch hier bringt der Gegenbeweis[1]) für den Mieter unter Umständen die Notwendigkeit mit sich, seine Lage dadurch zu verschlechtern, daß er nachweist, die zugesicherte Eigenschaft habe schon beim Ausschluß des Vertrages gefehlt. Dies ist für ihn ungefährlich, wenn er zugleich nachweist, daß der Mieter das Fehlen der zugesicherten Eigenschaft beim Abschluß des Vertrags gekannt habe oder daß er trotz Kenntnis hievon die Sache angenommen habe, in die Wohnung eingezogen sei u. s. w. Glückt dem Vermieter dieser zweite Nachweis nicht, so schadet er sich durch seinen Gegenbeweis[1]).

§ 165. Zwangsvollstreckung.

I. In der Zwangsvollstreckung wird das Recht des Siegers im Prozeß gegen den Besiegten mit Staatsgewalt durchgesetzt. Es wird durchgesetzt nicht von der Partei, sondern vom Staate.

---

1) Vergl. oben die Anmerkung auf S. 576.

Die Zwangsvollstreckung ist Real- und Spezialexekution, d. h. der dem Sieger geschuldete Gegenstand wird unmittelbar mit Beschlag belegt und dem Sieger ausgeantwortet.

Verschieden von der Spezialexekution ist das Konkursverfahren als Generalexekution in das ganze Vermögen. Der gewöhnliche Prozeß kennt dagegen nur die Zwangsvollstreckung in einzelne Gegenstände, die Spezialexekution, und zwar zugleich unmittelbar in die geschuldeten Gegenstände, Realexekution.

Zahlungsunfähigkeit hat auf den Bestand der Schuld keinen Einfluß, eine fruchtlos verlaufene Spezial- oder Generalexekution läßt die Schuld nicht untergehen.

II. Wohl aber ist Zahlungsfähigkeit oder richtiger gesagt ein Mindestmaß von Vermögen unter Umständen Bedingung für das Entstehen einer Schuld und dementsprechend natürlich auch für das Fortbestehen der Schuld.

„Unterhaltspflichtig ist nicht, wer bei Berücksichtigung seiner sonstigen Verpflichtungen außer Stande ist, ohne Gefährdung seines standesmäßigen Unterhaltes den Unterhalt zu gewähren" (§ 1603 I).

„Der Ehegatte des Bedürftigen haftet vor dessen Verwandten. Soweit jedoch der Ehegatte bei Berücksichtigung seiner sonstigen Verpflichtungen außer Stande ist, ohne Gefährdung seines standesmäßigen Unterhaltes den Unterhalt zu gewähren, haften die Verwandten vor dem Ehegatten (§ 1608 I Satz 1, 2).

„Der Schenker ist berechtigt, die Erfüllung eines schenkweise erteilten Versprechens zu verweigern, soweit er bei Berücksichtigung seiner sonstigen Verpflichtungen außer Stande ist, das Versprechen zu erfüllen, ohne daß sein standesmäßiger Unterhalt oder die Erfüllung der ihm kraft Gesetzes obliegenden Unterhaltspflichten gefährdet wird" (§ 519 I).

Wer für Delikte nicht verantwortlich ist, muß trotz mangelnder Verantwortlichkeit nach Billigkeit und der Berücksichtigung der Verhältnisse der Beteiligten den Schaden ersetzen, soweit ihm nicht die Mittel entzogen werden, deren er zum standesmäßigen Unterhalte, sowie zur Erfüllung seiner gesetzlichen Unterhaltspflichten bedarf. Voraussetzung ist, daß der Schaden nicht von aufsichtspflichtigen Personen zu ersetzen ist (§ 829; f. oben S. 140).

Die angeführten Bestimmungen des B.G.B. geben dem Schuldner verschiedene Hilfsmittel. Im Falle des § 829 muß dem Beklagten nachgewiesen werden, daß er schadenersatzpflichtig sei und der Richter hat festzustellen, in welchem Umfange er es ist. Der Beklagte braucht seine Bedürftigkeit, Gefährdung seines standesmäßigen Unterhaltes, nicht zu beweisen, vielmehr ist die Nichtgefährdung seines Unterhalts Klagevoraussetzung. In den übrigen Fällen muß der Beklagte beweisen, denn ihm steht nur eine Einrede zu, die sogenannte Einrede des Notbedarfes, die er im Prozesse geltend machen kann, sodaß er entsprechend seiner Leistungsfähigkeit zu Schadenersatz verurteilt wird. Diese Einrede kann unter Umständen auch der Zwangsvollstreckung entgegengehalten werden, z. B. sie wird im Prozesse nicht geltend gemacht, da der Schuldner erst nach der Verurteilung und nachdem das Urteil rechtskräftig und dadurch unanfechtbar geworden ist, große Vermögensverluste erleidet, sodaß die Summe, zu deren Zahlung er verurteilt ist, infolge der veränderten Verhältnisse nachträglich für ihn unerschwinglich wird. Ferner, wenn schon bei der Verurteilung Rücksicht auf seine Vermögensverhältnisse genommen ist, so muß gegebenen Falles in der Zwangsvollstreckung noch einmal darauf Rücksicht genommen werden, sodaß der Gerichtsvollzieher nicht einmal die erkannte Summe ganz beitreiben kann [1]).

III. Unter Umständen hat eine Einrede nur Bedeutung für die Zwangsvollstreckung und nicht im Prozesse. So bewirkt z. B. mit der Einrede des ungeteilten Nachlasses (s. oben S. 506) der verklagte Teilerbe, daß der Gerichtsvollzieher bei der Pfändung gehemmt wird. Die Einrede ist eine Einwendung gegen die Art und Weise der Zwangsvollstreckung (§ 766 Z.P.O.), die beim Gerichte zu erheben ist. Das Gericht verbietet dann dem Gerichtsvollzieher die Pfändung. Aber der Erbschaftsanteil als solcher, das unkörperliche Recht des Erben, seine rechtliche Stellung als Universalnachfolger des Erblassers, kann gepfändet werden und diese Pfändung nimmt das Gericht selber in die Hand (§ 857 Z.P.O.), denn der Gerichtsvollzieher ist zu Pfändungen dieser Art nicht befugt.

---

1) Damit ist nicht gesagt, daß der Gerichtsvollzieher ohne Weiteres auf die Einrede des Notbedarfes Rücksicht nehmen müßte, wenn es den Beklagten einfällt, sie ihm entgegen zu halten, sondern der Schuldner muß gemäß § 767 Z.P.O. eine Klage bei Gericht erheben dahin, daß er noch nachträglich die Einrede des Notbedarfes geltend mache, auf Grund dieser Klage entscheidet das Gericht, ob und inwieweit der Gerichtsvollzieher die Pfändung zu beschränken habe.

Dritter Abschnitt.

Allgemeine Lehren über das Recht.

§ 166. Einteilungen des Privatrechtes.

I. **Gemeines** und **partikuläres** Recht. Das B.G.B. ist gemeines Recht, denn es ist gegeben und gilt für ganz Deutschland.

Daneben gibt es partikuläres Recht, das nur in Teilen von Deutschland gilt und nur in ihnen gelten soll. Es kann sein Gesetz oder Gewohnheitsrecht. Solches Partikularrecht gibt es bis zum 1. Januar 1900 z. B. als sächsisches bürgerliches Gesetzbuch im Königreich Sachsen, preußisches Landrecht im Königreich Preußen 2c.

Welches Recht ist stärker: das gemeine Recht oder das partikuläre Recht? Soweit das B.G.B. in Frage kommt, das gemeine Recht. Vergl. Art. 55 E.G.: „Die privatrechtlichen Vorschriften der Landesgesetze treten außer Kraft, soweit nicht in dem B.G.B. oder in diesem Gesetz ein Anderes bestimmt ist". Reichsrecht bricht Landrecht.

An dieser Stelle wollen wir uns mit dieser Andeutung begnügen, wir werden im § 8 noch einmal die Frage und zwar auf allgemeinerer Grundlage behandeln.

Eine andere Frage ist, ob partikuläres Gewohnheitsrecht oder Reichsgesetz stärker ist. Diese Frage kann erst unten beim Gewohnheitsrecht beantwortet werden.

Allgemeines Recht kommt heute kaum noch vor, ist aber doch möglich. Es entsteht, wenn alle deutschen Staaten selbständig Gesetze erlassen, die alle untereinander übereinstimmen, inhaltlich gleiches, aber aus verschiedenen Quellen entsprungenes Recht. Dies kann entstehen hinsichtlich der vom B.G.B. nicht geregelten und der Landesgesetzgebung überlassenen Materien, z. B. Art. 134 E.G. bestimmt: „Unberührt bleiben die landesgesetzlichen Vorschriften über die religiöse Erziehung der Kinder".

Hier ist noch zu erwähnen das für die Familien des hohen Adels geltende Recht, soweit es als Sonderrecht (s. unten IV) bestehen bleibt. Vorzüglich bezeichnet man es mit dem Namen Hausgesetz, z. B. Hausgesetz der Hohenzollern, der Hohenlohe, der Stollberg 2c. Diese Familien haben die sogenannte Autonomie. Die Autonomie in diesem Sinne ist echtes Gesetzgebungsrecht einiger privilegierter Familien in Bezug auf ihre Hausgesetze. Diese den hohen Adel bildenden Familien hatten bei Auflösung des alten Reiches erbliche Reichsstandschaft.

II. Zwingendes und nichtzwingendes Recht. Nach § 2065 I. B.G.B. ist es ungültig, wenn der Erblasser im Testament eine Person bedenkt, aber einer anderen Person erlaubt, die testamentarische Bestimmung beliebig zu widerrufen. „Der Erblasser kann eine letztwillige Verfügung nicht in der Weise treffen, daß ein Anderer zu bestimmen hat, ob sie gelten oder nicht gelten soll". Nur der Erblasser selber kann sein Vermächtnis beliebig widerrufen, niemals können dies andere Personen. § 2065 enthält zwingendes Recht, denn die Parteien können nicht davon abweichen. Ein Widerruf durch Dritte ist und bleibt ungültig. Zwingend ist das der Parteiwillkür entzogene Recht, das die Parteien nicht beliebig außer Kraft setzen können.

Läßt sich jemand von einem Versandtgeschäfte in Berlin oder Leipzig Waren kommen und diese Waren werden unterwegs beschädigt oder vernichtet, so muß er nach § 447 B.G.B. dennoch den Kaufpreis zahlen, aber die Parteien können auch das Gegenteil ausmachen. Sie können z. B ausmachen, daß der Verkäufer die Gefahr während der ersten Hälfte des Transportes oder während der gesamten Beförderung zu tragen habe. Daraus folgt: § 447 ist nicht zwingendes Recht. Hier bricht Willkür, d. h. Parteiabsicht, das Recht.

III. Einige Rechtssätze gebieten, andere verbieten, andere erlauben. Diese Einteilung ist unwichtig.

IV. Wichtiger ist die Abteilung der begriffsentwickelnden Rechtssätze. Vergl. Art. 2 E.G.: Gesetz im Sinne des bürgerlichen Gesetzbuches ist jede Rechtsnorm, d. h. z. B. Reichsrecht und das vom Reichsrecht anerkannte Partikularrecht. Art. 2 entwickelt den Begriff des Wortes Gesetz.

Begriffsentwickelnde Rechtssätze enthalten z. B. auch die §§ 90 ff.

über die Sachen, ihre Bestandteile, ihr Zubehör ꝛc., s. oben S. 212 ff.

V. **Allgemeines Recht und Sonderrecht.** Hier ist das Wort „allgemein" in einem anderen Sinne als oben unter I gebraucht. Die Bedeutung erhellt aus dem Folgenden. Es ist allgemeines Recht, daß nach § 1922 B.G.B. der Erbe Mobilien, Häuser, sonstige Liegenschaften, Forderungen unterschiedslos alle erbt; es ist aber Sonderrecht, daß unter Umständen gewisse Güter, z. B. Fideikommisse, Lehngüter ꝛc., an eine andere Person als den Erben des übrigen Vermögens gelangen, vgl. Art. 59, 64 E.G.

Das allgemeine Recht ist grundsätzlich anwendbar auf alle Sachen und Rechtsverhältnisse, das Sonderrecht schließt jedoch für gewisse Sachen und Rechtsverhältnisse das allgemeine Recht aus.

Es ist ferner allgemeines Recht, § 1305 B.G.B., daß eheliche Kinder bis zum einundzwanzigsten Lebensjahr, um heiraten zu können, Erlaubnis vom Vater resp. der Mutter haben müssen, und daß nach erreichter Volljährigkeit die Kinder das Vormundschafts= gericht um Hilfe angehen können, wenn ihnen die Erlaubnis ver= weigert wird (§ 1308).

Diese Bestimmungen gelten aber nach Art. 57 E.G. nicht ohne weiteres für den Landesherrn, die Mitglieder der landesherrlichen Familien und die Mitglieder der fürstlichen Familie Hohenzollern. Denn für diese Personen sind Hausverfassung und Landesgesetze maßgebend. Letztere sind Sonderrecht, weil sie nur für bestimmte Personen gelten. Wir kommen im § 8 auf diese Hausgesetze noch zurück.

Der Gegensatz von allgemeinem Recht und Sonderrecht ist also ein doppelter: das Gesetz gilt entweder für alle oder besondere 1) Sachen und Rechtsverhältnisse, 2) Personen. Das Sonderrecht gibt also eine Ausnahmestellung und wenn diese eine Vergünstigung enthält, so sprechen wir von einem Privilegium im Sinne eines subjektiven (Vor=) Rechtes. Häufig versteht man darunter aber auch das objektive (Sonder=) Recht. Ein Privilegium im ersten Sinne hat der Staatsbürger, der berechtigt ist, den Adelstitel oder einen sonstigen, z. B. den Ratstitel, zu führen, bestimmte ihm ver= liehene staatliche Orden zu tragen ꝛc. Da die Privilegienerteilung, wie aus diesen Beispielen zu sehen ist, teilweise sehr häufig ist, ver= meidet man vielfach Privilegien durch ein besonderes Gesetz zu ver= leihen und wählt den einfacheren und kürzeren Weg einer Verfügung, indem bestimmte Personen, z. B. Behörden, ein für allemal ermächtigt werden, solche Verfügungen zu erlassen.

Nicht zu verwechseln mit dem Sonderrecht ist das Spezialgesetz. Sonderrecht ist häufig aber nicht immer Inhalt des Spezialgesetzes, z. B. Bestimmungen über Familiengüter brauchen nicht in einem Spezialgesetz enthalten zu sein, können vielmehr sehr wohl in das allgemeine Gesetzbuch aufgenommen werden. Spezialgesetz ist nur ein ad hoc erlassenes Gesetz, z. B. der Staat erläßt ein Gesetz, um eine vor mehreren Jahrhunderten gemachte Stiftung zu modernisieren, z. B. zum Loskauf von christlichen Kriegsgefangenen aus türkischer Sklaverei. Ein solches Gesetz enthält kein Sonderrecht, ja man könnte sogar zweifeln, ob ein Gesetz, das den Ueberschwemmten am Rhein eine außerordentliche Unterstützung bewilligt, Sonderrecht enthält. Jedoch muß m. E. diese Frage bejaht werden.

§ 167. Entstehung des Rechtes.

Das B.G.B. ist gesetztes Recht, ist Gesetz. Wie es entstand, zeigt die Einleitung.

I. Reichsgesetze entstehen, indem die zur Gesetzgebung berechtigten Faktoren, im deutschen Reich, Reichstag und Bundesregierungen, sich darüber einigen, was Gesetz sein soll.

Zu dieser Einigung muß aber noch hinzukommen die Verkündigung, Publikation im Reichsgesetzblatt. Diese steht dem Kaiser zu. In Wirksamkeit tritt das Gesetz entweder an dem im Gesetze selbst ausdrücklich bestimmten Tage oder mit dem 14. Tage nach dem Ablauf desjenigen Tages, an welchem das betreffende Stück des Reichsgesetzblattes in Berlin ausgegeben worden ist. (Art. 2 der Reichsverfassung.)

II. Neben dem Gesetze erscheint die Verordnung, durch die das Staatsoberhaupt zivilrechtliche Grundsätze hie und da in besonderen Fällen feststellen kann.

III. Autonomie des hohen Adels. Der hohe Adel, d. h. die Familien, die bei Auflösung des alten Reiches erbliche Reichsstandschaft hatten, können sich selbständig Hausgesetze geben. Unbeschränkt gilt dies von den in Art. 57 genannten, beschränkt von den in Art. 58 aufgeführten Familien, unter denen eine Gruppe aber an sich nicht zum hohen Adel gehört. Die Hausverfassungen sind gesetztes Recht.

IV. Eine andere Art des Rechtes ist das Gewohnheitsrecht, so genannt, weil es durch Übung, lange Gewohnheit entsteht.

Wenn die Bauern des Dorfes ihren Pastor seit 30 Jahren stets zuerst gegrüßt haben, so folgten sie einem bloßen Sitten- und Anstandsgesetz. Wenn sie aus gutem Willen und Dankbarkeit ihrem allgemein geliebten Seelsorger seit langen Jahren, um ihm eine Freude zu machen, zu Ostern einen großen Kuchen schenken, so entsteht dadurch ebenfalls kein Gewohnheitsrecht. Denn sie geben kraft freien Willens und nicht infolge rechtlicher Verpflichtung.

Anders wird die Sache, wenn sie, in der Meinung verpflichtet zu sein, den Kuchen nicht als freiwillige, sondern als vermeintlich pflichtmäßige Gabe darbringen.

Geschieht dies nur einmal irriger Weise, so schadet es nicht, denn dadurch entsteht noch keine Gewohnheit. Erst wenn es zur dauernden Gewohnheit wird, auf Grund einer vermeintlichen Verpflichtung, dem Pastor den Kuchen zu schenken, entsteht ein Gewohnheitsrecht.

Der vermeintliche Rechtssatz wird durch Gewohnheit, d. h. gewohnheitsmäßige Übung, zu einem tatsächlich vollwirksamen Rechtssatz, wenn er geübt wird als ein Rechtssatz.

Darin liegt, daß er jedenfalls eine Zeit hindurch als Rechtssatz irrtümlich geübt worden sein muß. Ein Gewohnheitsrecht, das bewußter Weise eingeführt sei, ist nicht denkbar, denn bewußte Rechtschaffung ist Gesetzgebung. Daher ohne eine Zeit irrtümlicher Anwendung kein Gewohnheitsrecht.

Der Glaube an die Verpflichtungskraft der Gewohnheit, an ihre zwingende Kraft gibt ihr schließlich Verpflichtungskraft.

Wie lang muß die Zeit sein, um ein echtes Gewohnheitsrecht zu erzeugen? Diese Frage läßt sich nicht allgemein beantworten, es ist vielmehr von Fall zu Fall zu unterscheiden, ob eine Gewohnheit, d. h. längere Übung, vorliegt und ob sie im gegebenen Fall lange genug gedauert hat und ihr Dasein sicher genug ist, damit sie als unzweifelhaft gelten kann. Es muß also eine wirkliche Gewohnheit vorliegen. Ihre Zeitdauer kann kürzer sein, wenn sich für den betreffenden Rechtssatz häufig Gelegenheit zur Anwendung bietet, sie muß länger sein, wenn er nur selten zur Anwendung kommen kann.

Bei Käufen, die täglich abgeschlossen werden, kann sich ein Gewohnheitsrecht in einigen Monaten entwickeln, bei den viel selteneren Vorkaufsrechten an Grundstücken, § 1094 ff. B.G.B., wird es, wenn überhaupt eine Gelegenheit dazu sich bieten sollte, viel länger dauern[1]).

Wenn der Gesetzgeber ein Gesetz erläßt, so gilt das einmal erlassene Gesetz so lange weiter, bis es abgeschafft wird. Der Gesetzgeber braucht sich um sein Gesetz nicht mehr zu kümmern, es besteht von selber weiter. Kommt es also lange Zeit hindurch nicht zur Anwendung, weil die Gelegenheit zur Anwendung fehlt, dann geht dadurch das Gesetz noch nicht unter.

Ganz anders das Gewohnheitsrecht. Dies muß fortdauernd von einer stets sich erneuernden Übung und Gewohnheit getragen werden, in jedem Akte der Übung, der Gewohnheit muß es sich immer wieder erneuern. Wo diese unaufhörliche Selbsterneuerung nicht geschieht, wo also die Gewohnheit ausbleibt, dort verschwindet auch das Gewohnheitsrecht.

Nach § 3 B.G.B. kann ein Minderjähriger von 18 Jahren für volljährig erklärt werden, sodaß alles so gehalten wird, als ob er schon 21 Jahre alt wäre. Wenn infolge irgend welches Zufalles von diesem Rechtssatze lange Jahre hindurch kein Gebrauch gemacht würde, Volljährigkeitserklärungen in dem betreffenden Zeitraum nicht vorkommen, so ist damit § 3 B.G.B. noch nicht abgeschafft. Es müßte vielmehr noch etwas positiv hinzukommen, z. B. es finden Volljährigkeitserklärungen statt, aber man läßt sie erst mit 19 Jahren zu.

Gäbe es den § 3 B.G.B. nicht und wäre es Gewohnheitsrecht, schon mit dem vollendeten 18. Jahre Personen für volljährig zu erklären, und würde dann von diesem Gewohnheitsrechtssatz lange Jahre kein Gebrauch gemacht, weil die Gelegenheit dazu fehlt, dann würde schon durch die bloße Nichtanwendung der Gewohnheits-

---

1) Daß dingliche Vorkaufsrechte selber durch Gewohnheitsrecht begründe werden können, ist wegen §§ 1094, 873—902 fast ausgeschlossen. Dies ist aber auch im Texte nicht gemeint, vielmehr z. B. Abänderung des Inhaltes des Vorkaufsrechtes: es entwickelt sich ein Gewohnheitsrecht, daß das Vorkaufsrecht nur bedingter Weise ausgeübt werden darf.

rechtssatz verschwunden sein, denn es fehlt — welches auch immer der Grund sei — die Gewohnheit, die lebendige Gewohnheit. Ohne stete Anwendung kein Gewohnheitsrecht. Einzelne gegenteilige Ausnahmen von der Gewohnheit schaden jedoch nicht, so lange sie vereinzelt bleiben.

Was ist stärker: Gesetz oder Gewohnheitsrecht? Mit anderen Worten: Kann eine Bestimmung des B.G.B. durch Gewohnheitsrecht abgeschafft werden? Das B.G.B. schweigt hierüber mit Absicht. Darum müssen wir die Frage aus allgemeinen Gründen beantworten. Das B.G.B. versteht unter Gesetz auch das Gewohnheitsrecht, Art 2 E.G. Darin liegt aber keine unbedingte Anerkennung jeden Gewohnheitsrechtes. Vielmehr anerkennt das B.G.B. nur dasjenige Gewohnheitsrecht, dessen Daseinsberechtigung schon aus anderen Gründen nachgewiesen ist. Wir werden daher nach solchen anderen Gründen suchen müssen. Zu beachten ist stets, daß die Frage, ob Gewohnheitsrecht oder B.G.B. stärker sei, eine reine Machtfrage ist, die sich nur historisch lösen läßt. Wir müssen daher fragen: Welches von beiden, Gewohnheitsrecht oder B.G.B., wird sich als stärker erweisen? Die Theorie kann diese Frage nicht einfach mathematisch lösen, sondern muß sich auf eine reine Vorhersage dessen, was wahrscheinlich kommen wird, beschränken und auf das Streben, derjenigen Entwicklung, die ihr die günstigste zu sein scheint, möglichst die Wege zu ebnen.

Es handelt sich hiebei um zweierlei: Reichsgewohnheitsrecht und partikulares Gewohnheitsrecht. Reichsgewohnheitsrecht ist durch ganz Deutschland geübtes Gewohnheitsrecht, partikulares Gewohnheitsrecht ist ein solches, das nur in einzelnen Teilen von Deutschland geübt wird. Nicht notwendig ist, daß das partikulare Gewohnheitsrecht sich stets auf einen Bundesstaat beschränke, d. h. daß seine räumlichen Grenzen mit den politischen Grenzen irgend eines oder mehrerer Bundesstaaten zusammenfalle. Vielmehr ist das Gegenteil wahrscheinlich und es wird sich vermutlich ein Bedürfnis für ein Gewohnheitsrecht nach Landschaften mit gleichartigen wirtschaftlichen Bedürfnissen ohne Rücksicht auf politische Grenzen herausstellen.

Sehen wir zunächst auf das Reichsgewohnheitsrecht.

Da liegt auf der Hand, daß durch eine allgemeine, durch ganz Deutschland gleichförmige Übung, der sich alle einzelnen Menschen fügen, jedes Reichsrecht ergänzt, abgeändert und aufgehoben werden kann. Wir stehen dann einfach vor der vollendeten Tatsache, daß ein Reichsrechtssatz tatsächlich nirgendwo zur Geltung kommt, um sofort die Überlegenheit eines jüngeren Reichsgewohnheitsrechtes über ein älteres Reichsrecht darzutun. Von großem Einflusse wird hier die Rechtsprechung der höchsten Gerichte, insbesondere des Reichsgerichtes, werden, da wahrscheinlich dem angesehensten Gerichtshofe Deutschlands sehr häufig die Aufgabe zufallen wird, in Streitigkeiten über Bestand oder Nichtbestand eines Gewohnheitsrechtes das letzte entscheidende Wort zu sprechen.

Schwieriger ist die Frage, ob partikulares Gewohnheitsrecht die Bestimmungen des B.G.B. bricht. Man verneint die Frage auf Grund von Art. 2 der Reichsverfassung, aber dies ist mit Recht sehr streitig.

§ 168. Geschäftsgebrauch, Autonomie, Juristenrecht, Gerichtsgebrauch.

I. A. in Rostock bestellt bei B. in Neubrandenburg ein Grabgitter für ein dortiges Grab, 8 Fuß im Geviert. B. liefert ein solches von 7½ Fuß im Geviert und beruft sich darauf, es wäre in Neubrandenburg Usance, d. h. Geschäftsgebrauch, bei Grabgittern unter 8 Fuß im Geviert stets 7½ Fuß im Geviert zu verstehen.

Das will sagen: Wenn ein neubrandenburger Einwohner bei einem neubrandenburger Schlossermeister ohne weiteren Zusatz ein Grabgitter von 8 Fuß im Geviert bestellt, so bekommt er eine Länge von 7½ Fuß im Geviert.

Die Bestellung auf 8 Fuß wird ausgelegt als eine Bestellung auf 7½ Fuß. Der Geschäftsgebrauch, die Usance, ist kein Gewohnheitsrecht, sondern nur Interpretationsmittel. Unter Zuhilfenahme des Geschäftsgebrauches wird erforscht: Was haben die Parteien gewollt? Nicht wird gefragt: Was bestimmt das Gesetz oder etwa das Gewohnheitsrecht? Die praktisch wichtige Frage ist, ob der Rostocker an die neubrandenburger Usance gebunden ist. Dies muß verneint werden, denn er hat seine Bestellung eben nicht vom Standpunkte der neubrandenburger Usance gemacht.

II. In den Statuten des Radfahrervereins Sturmvogel ist gesagt:

Den Mitgliedern wird bei Strafe von 20 Mk. das übermäßig schnelle Fahren in den Straßen verboten.

Diese Bestimmung erläßt der Verein kraft seiner Autonomie.
Dieses Wort, das uns schon oben begegnete, hat einen doppelten
Sinn. Als Autonomie des hohen Adels bezeichnet es echtes Gesetzgebungsrecht, aber in diesem Falle ist sie keine wirkliche Gesetzge-
bungsgewalt und die genannte Bestimmung in den Vereinsstatuten
ist auch kein Recht im objektiven Sinne, sondern nur eine gewöhnliche Abmachung, wie sie zwischen Privatleuten getroffen werden.
Die Vereinsmitglieder machen untereinander ab, daß sie im Falle
Zuwiderhandelns 20 Mk. Strafe an die Vereinskasse zahlen wollen.

Die Autonomie der Vereine, Körperschaften ꝛc. und die Autonomie der Familien des hohen Adels sind also zu scheiden. Ferner
ist zu berücksichtigen, daß man unter Autonomie auch die Rechtssätze in den Hausgesetzen des Hochadels resp. die Statuten von
Vereinen ꝛc. selber versteht.

III. Juristenrecht.

Bei einem Werkvertrage hat der Arbeiter einen Teil der Arbeit
schon erbracht, z. B. er hat den Rock schon zur Hälfte ausgebessert
und durch Zufall wird die weitere Arbeit zwecklos, da der Rock,
ohne daß den Schneider Verantwortlichkeit träfe, durch Brand derartig beschädigt wird, daß zwar die dem Schneider aufgetragenen
Ausbesserungsarbeiten an sich noch möglich bleiben, aber keinen vernünftigen Zweck mehr haben. Hat in solchem Falle der Schneider
Anspruch auf Lohn? Das B.G.B. hat diesen Fall nicht vorgesehen, denn es regelt nur die Unmöglichkeit aber nicht die Zweck-
losigkeit der Leistung, darum muß das Juristenrecht einspringen und
die Lücke ausfüllen.

Die Frage ist: Kann der Schneider entsprechend der geleisteten
Arbeit Lohn beanspruchen, wenn die Arbeitsleistung nicht untergegangen ist, eine Fortsetzung der Arbeit aber wirtschaftlich zwecklos
ist? Kann er sogar verlangen, daß ihn der Besteller den ganzen
Lohn verdienen lasse, da er bereit sei, die Leistung zu erbringen?

Die erste Frage ist zu bejahen, denn § 644 entzieht den Anspruch auf Lohn nur, wenn die Arbeit untergegangen ist, das Ar-
beitsergebniß also nicht mehr sichtbar vorhanden ist. Hier ist es
aber noch sichtbar vorhanden. Die zweite Frage ist zu verneinen,
denn § 645 billigt dem Unternehmer nur den schon verdienten Lohn

zu, auch wenn die Arbeit unterging in Folge eines Mangels des vom Besteller gelieferten Stoffes, also in Folge von Veranlassung des Bestellers. Daß die Fortführung der Arbeit zwecklos wurde, ist vom Besteller nicht einmal veranlaßt und darum dem Unternehmer der Anspruch auf den vollen Lohn abzusprechen.

Hier wird eine scheinbare Lücke im B.G.B. ausgefüllt, nicht durch Gesetzgebung, auch nicht durch Gewohnheitsrecht, sondern durch wissenschaftliche Thätigkeit der Juristen. Dies kann sich überall dort wiederholen, wo neue Tatbestände auftauchen, die vom Gesetze nicht ausdrücklich geregelt sind. Dann geht die wissenschaftliche Erwägung auf die Grundprinzipien des Rechtes zurück und sucht aus ihnen eine Entscheidung für den gerade behandelten Fall herzuleiten. Verfährt die Wissenschaft hierbei richtig, dann deckt sie ein noch verborgenes Recht auf, indem sie aus den schon bekannten Grundprinzipien nur einfach neue Folgerungen zieht. Dieses neu gefundene wissenschaftliche Recht hat nur dann die Autorität des Gesetzgebers für sich, wenn wissenschaftlich richtig verfahren und ein wirklich geltender Rechtssatz aufgedeckt ist. Wird er als irrig nachgewiesen, ist es mit seiner Bedeutung vorbei.

Das wissenschaftliche Recht kann enthalten sein in theoretischen Lehrbüchern, Abhandlungen, Gutachten, Monographien ꝛc. und in gerichtlichen Erkenntnissen. Im letzteren Falle heißt es G e r i c h t s - g e b r a u c h. Der Gerichtsgebrauch ist also d i e i n g e r i c h t l i c h e n E r k e n n t n i s s e n n i e d e r g e l e g t e, i n i h n e n e n t h a l t e n e A n - s i c h t u n s e r e r R i c h t e r ü b e r e i n e R e c h t s f r a g e. Dieser wird besonders dort wichtig, wo es sich um Entscheidung von Streitfragen aus dem bürgerlichen Rechte handelt, ist aber nicht zu verwechseln mit Gewohnheitsrecht. Dies zeigt sich in Folgendem. Wenn sich in der Gemeinde Auhagen gewohnheitsrechtlich ein obligatorisches Vorkaufsrecht gemäß § 504 ff. (s. oben S. 92), kein dingliches Recht gemäß § 1094 (vergl. oben S. 266), der Bauern in Bezug auf das Grundstück des Nachbaren entwickelt, so wird dies Gewohnheitsrecht von den Dorfeinwohnern geschaffen und das Gericht hat nur das so geschaffene Recht anzuwenden. Das Gericht schafft also das Recht nicht. Es ist aber möglich, daß es in Widerspruch mit den Anschauungen der Auhäger Bauern zu der Ansicht gelangt, das Vorkaufsrecht gelte nicht unbedingt, sondern nur unter gewissen Voraussetzungen. Wenn es in einem Prozesse dementsprechend erkennt und die Praxis sich in allen vorkommenden Prozessen dauernd dieser Ansicht anschließt, dann haben wir einen Gerichtsgebrauch, der tatsächlich dem Gewohnheitsrechte widerspricht und mächtiger ist als dasselbe. Darum muß mit einem feststehenden Gerichtsgebrauch als einer nun einmal vorhandenen Größe gerechnet werden.

§ 169. Auslegung des Rechtes.

I. Der Bauer Pflüger nimmt einen Knecht an auf die Zeit vom 1. Oktober 1901 bis dahin 1902. Nach einigen Wochen macht er die Entdeckung, daß der Knecht Pferdefutter stiehlt und an einen Händler verkauft. Er jagt sofort den Knecht aus dem Hause; dieser klagt auf Weiterzahlung von Lohn, denn Pflüger müsse den Vertrag bis Michaelis 1902 aushalten.

Da ist es eine Frage der Rechtsanwendung und Rechtsauslegung, ob Pflüger oder der Knecht im Rechte ist. Die betreffenden Bestimmungen können nur in dem Abschnitt über den Dienstvertrag zu finden sein, B.G.B. Buch II, Recht der Schuldverhältnisse; Abschnitt VII: Einzelne Schuldverhältnisse; Sechster Titel: Dienstvertrag §§ 611—630, zitiert: B.G.B. II, 7.6. In diesem Titel bestimmt § 626, daß aus wichtigen Gründen das Dienstverhältnis von jedem Teile sofort gekündigt werden kann. Da fragt sich: 1) Ist § 626 überhaupt anwendbar? 2) Wie entscheidet sich in concreto die Streitfrage? Die erste Frage beantwortet sich ohne weiteres und auf die zweite ist zu antworten, daß Unredlichkeit des Knechtes ganz ohne Zweifel ein „wichtiger Grund" im Sinne des § 626 B.G.B. ist.

Dies ist ein Beispiel der einfachsten Auslegung. Ihre allgemeinen Grundsätze sind: Es ist auf den Sinn und nicht auf die Worte zu sehen: Sinninterpretation im Gegensatz zur Wortinterpretation. Hierbei sind zu berücksichtigen Sprachgebrauch und die erstrebte praktische Wirkung. Das Letztere muß besonders betont werden. Jeder Rechtssatz ist zu einem bestimmten praktischen Zwecke da und im Dienste dieses Zweckes muß er ausgelegt werden.

II. Das B.G.B. knüpft mit seinen Begriffen stets an den z. Z. der Abfassung vorhandenen Rechtszustand und Wissensstand an. Dies ist das alle Menschen zwingende Gesetz der geistigen Kontinuität. Freilich darf man nicht sagen, daß die im B.G.B.

angewendeten Begriffe' ohne weiteres den Sinn haben, den ihnen Gesetze, Wissenschaft und Rechtsprechung vor Abfassung des B.G.B. beigelegt haben. Vielmehr ist dies von Fall zu Fall zu untersuchen, aber als Ausgangspunkt der Auslegung haben die Begriffe des römischen Rechtes, des deutschen Privatrechtes, des Reichszivilrechtes, auch der wichtigeren Partikularrechte, z. B. des preußischen allgemeinen Landrechtes, zu gelten.

III. Für die Unterscheidung, ob ein Rechtssatz zwingend ist oder nicht, gewährt einen sicheren Anhaltspunkt der Gebrauch der Worte „wenn nicht ein Anderes bestimmt ist" §§ 24, 80 2c., „soweit nicht ein Anderes gestattet ist" § 181, „wenn nicht das Gegenteil bestimmt ist" § 799 2c. In allen diesen Fällen haben wir unzweifelhaft eine dispositive, nicht zwingende Vorschrift vor uns.

Für die zwingenden Rechtssätze fehlt ein solches äußeres Merkmal, doch kommen auch ausdrückliche Bestimmungen in dieser Hinsicht vor, z. B. § 619 „die dem Dienstberechtigten nach den §§ 617, 618 obliegenden Verpflichtungen können nicht im Voraus durch Vertrag aufgehoben oder beschränkt werden".

Im Übrigen ist stets auf den Inhalt des betreffenden Rechtssatzes zu sehen. So ist z. B. der § 2231 entschieden zwingender Natur.

„Ein Testament kann in ordentlicher Form errichtet werden

    1) vor einem Richter oder vor einem Notar,

    2) durch eine von dem Erblasser unter Angabe des Ortes und Tages eigenhändig geschriebene und unterschriebene Erklärung."

Ebenso § 1014:

„Die Beschränkung des Erbbaurechtes auf einen Teil eines Gebäudes, insbesondere auf ein Stockwerk ist unzulässig."

IV. Häufig sind dispositive Rechtssätze noch mit Auslegungsregeln versehen. Wenn nemlich die Erfahrung lehrt, daß bei einem Geschäfte die Parteien häufig in Streit geraten, weil ungewiß ist, welche von mehreren im Gesetz ihnen offen gelassenen Möglichkeiten die wirklich gewollte ist, dann kommt das Gesetz zu Hilfe und erklärt authentisch, was im Zweifel anzunehmen sei, z. B. § 314:

„Verpflichtet sich jemand zur Veräußerung oder Belastung einer Sache, so erstreckt sich die Verpflichtung im Zweifel auch auf das Zubehör der Sache."

Der Veräußerer hat die freie Wahl, ob er das Zubehör mit

verkaufen will oder nicht, das ist eine dispositive Rechtsregel ganz allgemeiner Natur, die sich aus der Regel der Vertragsfreiheit ergibt. Wenn der Veräußerer aber verkauft, so gilt das Zubehör mit verkauft, dies ist die Auslegungsregel.

§ 30. „Durch die Satzung kann bestimmt werden, daß neben dem Vorstande (eines Vereins) für gewisse Geschäfte besondere Vertreter zu bestellen sind. Die Vertretungsmacht eines solchen Vertreters erstreckt sich im Zweifel auf alle Rechtsgeschäfte, die der ihm zugewiesene Geschäftskreis gewöhnlich mit sich bringt."

Es ist dispositives Recht, die Macht des Vertreters beliebig weit zu fassen, es ist Auslegungsregel, daß sie im Zweifel den angegebenen Umfang haben soll. Die Auslegungsregel tritt nicht an Stelle des positiven Rechtes, sondern tritt zu ihm hinzu.

V. Wenn jemand etwas thun kann oder darf, so bedeutet dies, daß es rechtlich erlaubt und rechtlich wirksam ist.

Wenn jemand etwas nicht kann, so bedeutet dies etwas Anderes, als wenn er es nicht darf. Nach § 35 können keinem Vereinsmitgliede seine Sonderrechte ohne seine Zustimmung durch die Generalversammlung entrissen werden, d. h. er behält sie trotz eines abweichenden Beschlusses der Mitgliederversammlung.

Nach § 627 darf der Hausarzt der von ihm z. B. am Typhus behandelten Familie nur in der Art kündigen, daß sie sich anderweitige ärztliche Hilfe im Bedarfsfalle sofort verschaffen kann, es sei denn, daß ein wichtiger Grund für die unzeitige Kündigung vorliegt. Dies bedeutet, daß die betreffende Familie kein Recht hat, zu verlangen, daß der Arzt sie weiter behandele, daß sie vielmehr nur auf Schadensersatz klagen kann, wenn der Arzt ohne wichtigen Grund unzeitig kündigt. Z. B. zwei Aerzte, A. und B., sind in der Stadt, A. verreist und läßt sich durch B. vertreten; B. führt als Hausarzt im eigenen Namen die Behandlung der kranken Familie und kündigt plötzlich ohne wichtigen Grund, indem er erklärt, niemals wieder in das Haus kommen zu wollen. In dringender Gefahr wird ein weit entfernt wohnender Arzt geholt, der sich dementsprechend auch höher honorieren läßt. B. muß gemäß § 627 die Mehrkosten, die der Familie erwachsen, bezahlen.

Ein Unterschied ist zwischen den Worten „muß" und „soll", beruht aber auf einem gleichen Gegensatze wie zwischen „kann" und „darf".

Wichtig ist die Ausdrucksweise des B.G.B., durch die angedeutet werden soll, wie sich die Beweislast verteilt, was bewiesen
werden muß und von wem es bewiesen werden muß. Nur durch
die Rücksichtnahme auf die Beweislast erklärt sich z. B. die Abfassung der §§ 1411, 1459. Nach ihrem Wortlaut scheint es, daß
bei der Verwaltungsgemeinschaft das Eingebrachte und bei der allgemeinen Gütergemeinschaft das Gesamtgut für alle Schulden der
Frau mit wenigen Ausnahmen haften. In Wirklichkeit aber bilden
die Ausnahmen die Regel. Dies wird durch den Wortlaut der §§
1411, 1459 nicht angedeutet und der Grund hiefür ist, daß für
den klagenden Gläubiger die Vermutung sprechen soll, das Eingebrachte oder das Gesamtgut hafte für die eingeklagte Forderung.
In Folge dessen muß der Mann beweisen daß das Eingebrachte
oder das Gesamtgut nicht hafte, nicht der Gläubiger muß beweisen,
daß es hafte. Nur in Hinblick auf die beabsichtigte Verteilung der
Beweislast werden die angeführten Bestimmungen verständlich.

Im Übrigen ist auf die Erörterung über den Beweis zu verweisen.

VI. Sehr bestritten ist der Wert von gesetzgeberischen Vorarbeiten, Protokollen, Motiven u. dergl. Sie können ein gutes
Hilfsmittel sein, um festzustellen, welcher Sinn möglicherweise
in den gebrauchten Worten stecken kann. Welchen Sinn die gebrauchten Worte in Wirklichkeit haben, läßt sich nur aus ihnen
selber ermessen. Also läuft der Gesetzgeber Gefahr, daß der von
ihm gewollte Sinn nur in den Motiven, Protokollen zu genügendem
Ausdruck kommt, sinngemäße Auslegung des Gesetzes aber zu einem
ganz anderen Ergebnis gelangt, als das vom Gesetzgeber nach Wortlaut der Protokolle ꝛc. gewollte ist. Solange sich die Vorarbeiten
dem Gesetzestexte nicht unbedingt fügen, sind sie für die Auslegung
ohne Wert. Der Gesetzgeber hätte, wenn er den in den Vorarbeiten
enthaltenen Sinn zur Geltung bringen wollte, den Wortlaut der
Motive zum Gesetz machen sollen.

Dazu kommt, daß auch die Vorarbeiten veralten. Je weiter
die Zeit sich entfernt von dem Augenblicke der Abfassung des Gesetzes, desto unabhängiger wird der Sinn des Gesetzes von den
Voraussetzungen, Umständen, Verhältnissen, die zur Zeit seiner Abfassung maßgebend waren. Jedes Gesetz wird allmählich in seinem
Sinne abhängig von seiner eigenen Zeit. Der Sinn der Gesetze

verwandelt sich mit den Zeiten. Schon aus diesem Grunde wäre es ein grober Fehler, noch nach Jahrzehnten, wie es leider vielfach geschieht, aus den Gesetzesmaterialien das Gesetz zu erklären [1]).

VII. Die Auslegung teilt sich in authentische und usuelle einerseits und wissenschaftliche andererseits. Die erste geschieht durch ein neues Gesetz oder ein Gewohnheitsrecht, z. B. wenn es zweifelhaft wäre, was § 626 B.G.B. unter dem „wichtigen Grund" verstände, der zur sofortigen Aufkündigung des Dienstverhältnisses berechtigt, so könnte dies nachträglich noch durch ein neues Gesetz oder durch ein Gewohnheitsrecht festgestellt werden. Dann aber haben wir keine eigentliche Auslegung alten Rechtes, sondern eine Schaffung neuen Rechtes vor uns.

VIII. Die eigentliche Auslegung ist die wissenschaftliche, sie teilt sich in ausdehnende und einengende. Die ausdehnende Auslegung erweitert den Sinn eines Rechtssatzes, die einengende engt ihn ein, z. B. § 835 B.G.B. bestimmt, daß Ersatz geleistet werden muß für den Schaden, den Schwarz-, Rot-, Elch-, Dam- oder Rehwild oder Fasanen an Grundstücken anrichten. Wird nun in Deutschland eine neue, schädliche Wildart eingebürgert, wie es z. B. mit Känguruhs versucht wird, so ist die Frage, ob diese ebenfalls unter § 835 fällt oder nicht. Strenge Auslegung wird dies verneinen, ausdehnende Auslegung wird dies möglicherweise bejahen. Die ausdehnende Auslegung unterstellt das Gleiche dem selben Gesetz, bringt neue, gleiche Fälle unter das alte Gesetz. Eine andere Art ist das argumentum a contrario und die Analogie, von welch letzterer wir oben ein Beispiel in § 168 III gesehen haben. Die Analogie stellt für neue gleichartige Fälle einen neuen Rechtssatz auf, unterstellt das Gleichartige den gleichartigen Gesetzen, z. B. nach § 823 verpflichtet Körperverletzung zum Schadens- ersatz, ebenso Freiheitsberaubung. Wäre diese im B.G.B. nicht vorgesehen, so wären wir doch berechtigt gewesen, nach Analogie der Körperverletzung anzunehmen, daß sie zum Schadensersatz ver- pflichte. Ausdehnende Auslegung wäre dies nicht, denn Körper- verletzung und Freiheitsberaubung sind nicht dasselbe. Während wir oben mit dem einheitlichen Begriff des Wildschadens zu thun hatten, haben wir hier zwei verschiedene Begriffe vor uns.

---

1) Vergl. Regelsberger, I, S. 144; Kohler, Krit. Vierteljahrsschrift 36, S. 515 f.

Im weiteren Sinne fällt unter die Frage, was Recht ist, auch die Frage, ob etwas auch *wirklich* Recht sei, was als solches nur auf den ersten Anblick erscheint. Dies ist die Frage nach dem Dasein eines Rechtssatzes, z. B. die Frage, ob ein Reichsgesetz auch wirklich die Zustimmung von Reichstag und Bundesrat gefunden habe und ob es richtig publiziert sei.

Auch diese Frage hat der Richter zu prüfen und zu beantworten, denn er soll nur das anwenden, was wirklich Recht i st, nicht was bloß Recht s cheint.

§ 170. Räumliche Geltung des Rechtes.

In Deutschland wird künftig das B.G.B. herrschen, in Frankreich gilt der Code civil. Jedes Recht reicht nicht über sein Gebiet hinaus. Wie ist es aber, wenn Kaufmann Friedrich Heinze in Berlin mit Kaufmann Etienne Gérard in Bordeaux einen Kauf abschließt über Lieferung von Rotwein? Werden dann die Rechte und Pflichten beider Parteien nach französischem oder nach deutschem Rechte beurteilt? Die Antwort hierauf gibt das *internationale Privatrecht*, das die Regeln enthält, nach denen im einzelnen Fall zu entscheiden ist, welches von mehreren nationalen Rechten, in diesem Fall deutsches oder französisches Recht, anzuwenden ist.

Das internationale Privatrecht ist nicht zu verwechseln mit dem Völkerrecht, das zum öffentlichen Rechte gehört. Es ist aber auch nicht als ein objektives Recht anzusehen, das, wie die einzelnen nationalen Privatrechte, die Rechtsverhältnisse u n m i t t e l b a r regelt. Es hat vielmehr die Aufgabe, wenn es zweifelhaft ist, welches der verschiedenen nationalen Privatrechte zur Anwendung kommen muß, dasjenige nationale Privatrecht zu bestimmen, das auf eine bestimmte Rechtssache Anwendung findet. Näher auf das internationale Recht einzugehen ist hier kein Raum.

§ 171. Zeitliche Geltung des Rechtes.

I. Das B.G.B. hebt w i d e r s p r e c h e n d e ältere Reichs- und Landesgesetze auf. So bestimmen ausdrücklich Art. 32 und Art. 55 E.G. Es werden ferner mit dem 1. Januar 1900 alle n i c h t widersprechenden privatrechtlichen Vorschriften der L a n d e s gesetze aufgehoben, soweit sie nicht ausdrücklich durch das B.G.B. oder

38*

das E.G. zugelassen werden, Art. 55 E.G. Ferner bestimmt Art. 3 E.G., daß für alle Gegenstände, die den Landesgesetzgebungen vorbehalten bleiben, auch in Zukunft neue Gesetze von dem betreffenden Bundesstaat erlassen werden können. Darin liegt, daß dort, wo eine solche partikuläre Gesetzgebung nicht erlaubt ist, auch die künftige partikuläre Gesetzgebung dem B.G.B. keinen Abbruch tun kann.

In allen diesen Fällen haben wir eine ausdrückliche Bestimmung des Gesetzgebers darüber, ob gewisse ältere Gesetze von jüngeren aufgehoben werden. Wie ist es aber, wenn älteres und jüngeres Recht zusammentrifft, ohne daß eine Bestimmung getroffen ist, ob das ältere Recht aufgehoben sein soll oder nicht? Da hebt das jüngere Recht das ältere auf, insoweit, als es dem älteren Rechte widerspricht. Dies ist möglich, wenn nach dem 1. Januar 1900 neue Reichsgesetze erlassen werden. Die jüngere Willensmeinung des Gesetzgebers geht vor.

II. Eine schwierige Frage ist, ob Gesetze rückwirkende Kraft haben. V. hat am 1. April 1898 an M. eine Wohnung auf fünf Jahre vermietet, ohne daß anderweitige Verabredungen getroffen worden sind, z. B. über den Termin der Mietzahlung, Reparaturpflicht, die Kündigung in besonderen Ausnahmefällen (z. B. der Mieter wird in eine andere Stadt versetzt ꝛc.). Da die Parteien alle diese Punkte, obgleich sie es gekonnt hätten, nicht geregelt haben, so tritt das objektive Recht ein und bestimmt, wie es mangels einer Parteiverabredung gehalten werden soll. Bis zum 1. Januar 1900 hin macht diese Frage keine Schwierigkeiten, nachher aber erhebt sich der Zweifel, ob das Mietsverhältnis nach neuem oder nach altem Rechte beurteilt werden soll. Hierauf antwortet E.G. Art. 171, daß eine am 1. Januar 1900 schon bestehende Miete erst dann nach dem B.G.B. beurteilt wird, wenn der Termin, auf den sie nach bisherigem Recht gekündigt werden konnte, vorüber ist. Wird M. also am 1. April 1900 versetzt und steht ihm nach bisherigem Rechte in diesem Falle eine Kündigung auf den 1. Oktober 1900 zu, so wird vom 1. Oktober 1900 ab die Miete nach dem B.G.B. beurteilt.

In dieser Weise enthält E.G. Art. 153 ff. eine Reihe von Übergangsvorschriften, um zu bestimmen, ob und wie weit Zustände, Verhältnisse, Ereignisse, die schon unter dem alten Rechte entstehen oder anfangen sich zu entwickeln, von dem alten Rechte oder schon von dem neuen Rechte des B.G.B. ergriffen werden.

Wie ist es, wenn in diesen Bestimmungen eine Lücke sich zeigt?

Dann ist, wenn auch die Analogie versagt, auf die im E.G. Art. 153 ff. enthaltenen Grundsätze zu sehen und es muß versucht werden, ob sich aus ihnen für die Zweifelsfrage eine Entscheidung herleiten läßt. Läßt sich auf diese Weise keine Entscheidung gewinnen, dann muß der Grundsatz, daß Gesetze keine rückwirkende Kraft haben, zur Anwendung kommen. Dies bedeutet, daß auch nach dem Inkrafttreten des neuen Rechtes das alte Recht Anwendung findet auf alle Zustände, Verhältnisse und Ereignisse, die unter dem alten Recht entstanden oder in rechtlich verbindlicher Weise angefangen haben zu entstehen und über die das B.G.B. resp. E.G. nichts vorschreibt.

Praktisch wird die Frage immer auf Folgendes hinauslaufen. Wer nach dem 1. Januar 1900 sich darauf beruft, daß ein erst nach diesem Termin zum Abschluß gekommenes Verhältnis nach altem Rechte beurteilt werden müsse, weil es begonnen habe unter dem alten Rechte, der wird mit dieser Behauptung nur dann durchdringen, wenn ihm schon nach altem Rechte aus dem „werdenden Verhältnis" eine durch Parteiwillkür nicht entziehbare Anwartschaft auf ein subjektives Recht geworden war. Gewährt das alte Recht eine von Rechtswegen beliebig entziehbare Anwartschaft, so kommt es nach dem 1. Januar 1900 nicht zur Anwendung. A. hat kein Testament gemacht, B. würde nach altem Rechte sein Erbe sein, aber diese Anwartschaft kann A. ihm jederzeit durch ein Testament entziehen. Stirbt A. am 10. Januar 1900 und wäre nach neuem Rechte nicht B., sondern C. sein Erbe, so erhält C. den Nachlaß.

Bei der Rückwirkung taucht gewöhnlich auch die Frage auf, ob ein Gesetz rückwirkende Kraft hat, weil es etwas, was bisher erlaubt war, nunmehr als unsittlich verbietet. Diese Frage ist überall dort zu bejahen, wo das neue Gesetz das bisher Erlaubte zu einer schweren, groben Unsittlichkeit stempelt, zu einer Unsittlichkeit, die nicht streng genug verfolgt werden kann. Ein ziemlich sicheres Anzeichen hiefür ist, ob der Tatbestand nicht bloß zivilrechtlich, sondern auch strafrechtlich mißbilligt wird. Insbesondere wo schwerere Strafen angedroht werden, dürfen wir dem Zivilgesetz unbedingt rückwirkende Kraft zuschreiben. Im Einzelnen kann die Entscheidung ja zweifelhaft sein, aber die Rückwirkung unbedingt zu leugnen, ist verkehrt, wie es auch bedenklich ist, sie unbedingt anzunehmen.

Für das B.G.B. besteht keine Veranlassung, eine Rückwirkung irgend eines Rechtssatzes aus diesem Grunde anzunehmen.

§ 171. Das Verhältnis des Bürgerlichen Gesetzbuches zu dem sonstigen Recht.

I. Neben dem Bürgerlichen Gesetzbuch enthalten insbesondere noch manche Reichsgesetze und Landesgesetze bürgerliches Recht.

Alles in älteren Reichsgesetzen enthaltene bürgerliche Recht bleibt an sich in Kraft.

Art. 32. „Die Vorschriften der Reichsgesetze bleiben in Kraft. Sie treten jedoch insoweit außer Kraft, als sich aus dem Bürgerlichen Gesetzbuch oder aus diesem Gesetze (d. h. dem Einführungsgesetze) die Aufhebung ergibt."

Also nur, wo die Bestimmungen des B.G.B. sich mit Bestimmungen in älteren Reichsgesetzen nicht vertragen, treten die betreffenden Bestimmungen der Reichsgesetze außer Kraft.

Dies ist die allgemeine Regel, zu ihr kommen aber noch verschiedene Sonderbestimmungen.

So ist z. B. in Art. 33 gesagt:

„Soweit in dem Gerichtsverfassungsgesetze, der Zivilprozeßordnung, der Strafprozeßordnung, der Konkursordnung und in dem Gesetze, betreffend die Anfechtung von Rechtshandlungen eines Schuldners außerhalb des Konkursverfahrens vom 21. Juli 1879 an die Verwandtschaft oder die Schwägerschaft rechtliche Folgen geknüpft sind, finden die Vorschriften des Bürgerlichen Gesetzbuches über Verwandtschaft oder Schwägerschaft Anwendung."

Das will sagen, was Verwandtschaft oder Schwägerschaft im juristischen Sinne sei, richtet sich nunmehr auch für die genannten Gesetze nach dem B.G.B. §§ 1589, 1590. Art. 33 bestimmt also, wie gewisse im B.G.B. und anderen Reichsgesetzen verwertete Begriffe ausgelegt werden sollen. Für die übrigen dem B.G.B. und den Reichsgesetzen gemeinsamen Begriffe gibt es keine Regel. Die Ausdrücke, die im B.G.B. gebraucht worden sind, müssen daher in ihrer Auslegung nicht notwendig maßgebend sein für die übrigen Reichsgesetze, es sei denn, daß Art. 32 eingreift. Im Übrigen ist jedes Reichsgesetz für sich allein, aus sich selbst heraus auszulegen.

Einige Gesetze, z. B. Strafgesetzbuch, Strafprozeß= und Ge=
werbeordnung, Freizügigkeits=, Konsulats=, Haftpflicht=, Personen=
stands=, Militärgesetz ꝛc. ꝛc. werden in den Artikeln 34—54 positiv
abgeändert.

Ferner ist zu beachten Art. 4. „Soweit in Reichsgesetzen oder
in Landesgesetzen auf Vorschriften verwiesen ist, welche durch das
Bürgerliche Gesetzbuch oder durch dieses Gesetz außer Kraft gesetzt
werden, treten an deren Stelle die entsprechenden Vorschriften des
Bürgerlichen Gesetzbuches oder dieses Gesetzes."

II. Wegen der Landesgesetze bestimmt Art. 55: „Die privat=
rechtlichen Vorschriften der Landesgesetze treten außer Kraft, soweit
nicht in dem Bürgerlichen Gesetzbuch oder in diesem Gesetz ein An=
deres bestimmt ist".

Also alles genau entgegengesetzt geregelt, wie bei den Reichs=
gesetzen, Art. 32. Landesgesetz ist nach Art. 2 auch partikulares
Gewohnheitsrecht. Auch dieses tritt mit dem 1. Januar 1900
außer Kraft, kann aber, wie in § 3, III ausgeführt, sich sofort
wieder selber neu erzeugen und dann neue Geltung gewinnen. Im
praktischen Ergebnisse wird in Ansehung des Gewohnheitsrechtes
also durch die Art. 55, 2 nichts geändert.

Die privatrechtlichen Bestimmungen der Landesgesetze werden
aufgehoben, auch wenn sie an sich sehr wohl mit dem B.G.B. ver=
träglich wären. Aber die Art. 56—152 lassen eine Reihe von Aus=
nahmen zu, indem sie für gewisse Fälle dem Partikularrecht und
dem Sonderrecht Raum gewähren.

Erhalten bleibt z. B. das preußische Recht der Rentengüter,
Art. 62, das mecklenburgische Erbpacht=, Büdner= und Häuslerrecht,
Art. 63, das hannoversche Höferecht, Art. 64, das partikulare Deich=
und Sielrecht, Art. 66, das partikulare Bergrecht, Art. 67, das par=
tikulare Wasser=, Mühlen=, Flöß= und Flössereirecht, Art. 65, ꝛc. ꝛc.

In Ansehung dieser der Landesgesetzgebung vorbehaltenen Ge=
genstände kann sich natürlich auch beliebiges Gewohnheitsrecht bilden,
soweit nicht gerade der Partikularstaat durch seine Gesetzgebung dem
entgegentritt.

III. Wenn das B.G.B. dem öffentlichen Rechte eines
Partikularstaates oder des Reiches widerstreitet, dann geht das
B.G.B. dem Partikularrecht immer vor und dem Reichsgesetz, so=
weit dieses älter ist. Ein solcher Widerstreit ist möglich z. B. bei

ben §§ 1355, 1577, 1616, 1758. Diese bestimmen, daß die Frau
und Kinder den Namen des Mannes, die Adoptierten den Namen
des Adoptierenden erhalten, dies gilt auch für die abligen Namen
„von". Partikularrechte können die Verhältnisse des Adelstandes
öffentlich rechtlich regeln und gewisse Personen von diesem öffentlich
rechtlichen „Stande" ausschließen. Wenn diese Ausschließung nur
dadurch möglich ist, daß man den betreffenden Personen die genannten zum Namen gehörigen Titel versagt, so ist sie ohne Wirkung, die öffentlich rechtliche Bestimmung zerschellt an den Bestimmungen des B.G.B. Sie gilt aber, soweit sie mit dem nach dem
B.G.B. geltenden Namensrecht nicht in Widerspruch tritt. Vergl.
oben § 10, wo die ganze Namensfrage im Zusammenhange ausführlich behandelt worden ist.

IV. Das B.G.B. hebt nicht auf das Privatfürstenrecht.

Art. 57. „In Ansehung der Landesherren- und der Mitglieder
der landesherrlichen Familien, sowie der Mitglieder der fürstlichen
Familie Hohenzollern finden die Vorschriften des Bürgerlichen Gesetzbuches nur insoweit Anwendung, als nicht besondere Vorschriften
der Hausverfassungen oder der Landesgesetze abweichende Bestimmungen enthalten.

Das Gleiche gilt in Ansehung der Mitglieder des vormaligen
Hannoverschen Königshauses, des vormaligen Kurhessischen und des
vormaligen Herzoglich Nassauischen Hauses."

Anhang.

Verordnung, betreffend die Hauptmängel und Gewährfristen beim Biehhandel. Vom 27. März 1899.

§ 1.

Für den Verkauf von Nutz- und Zuchttieren gelten als Hauptmängel:

  I. bei Pferden, Eseln, Mauleseln und Maultieren:

1. Rotz (Wurm) mit einer Gewährfrist von vierzehn Tagen;

2. Dummkoller (Koller, Dummsein) mit einer Gewährfrist von vierzehn Tagen; als Dummkoller ist anzusehen die allmälich oder in Folge der akuten Gehirnwassersucht entstandene, unheilbare Krankheit des Gehirns, bei der das Bewußtsein des Pferdes herabgesetzt ist;

3. Dämpfigkeit (Dampf, Hartschlägigkeit, Bauchschlägigkeit) mit einer Gewährfrist von vierzehn Tagen; als Dämpfigkeit ist anzusehen die Atembeschwerde, die durch einen chronischen, unheilbaren Krankheitszustand der Lungen oder des Herzens bewirkt wird;

4. Kehlkopfpfeifen (Pfeiferdampf, Hartschnaufigkeit, Rohren) mit einer Gewährfrist von vierzehn Tagen; als Kehlkopfpfeifen ist anzusehen die durch einen chronischen und unheilbaren Krankheitszustand des Kehlkopfes oder der Luftröhre verursachte und durch ein hörbares Geräusch gekennzeichnete Atemstörung;

5. periodische Augenentzündung (innere Augenentzündung, Mondblindheit) mit einer Gewährfrist von vierzehn Tagen; als periodische Augenentzündung ist anzusehen die auf inneren Einwirkungen beruhende, entzündliche Veränderung an den inneren Organen des Auges;

6. Koppen (Krippensetzen, Aufsetzen, Freikoppen, Luftschnappen, Windschnappen) mit einer Gewährfrist von vierzehn Tagen;

II. bei Rindvieh:

1. tuberkulöse Erkrankung, sofern in Folge dieser Erkrankung eine allgemeine Beeinträchtigung des Nährzustandes des Tieres herbeigeführt ist, mit einer Gewährfrist von vierzehn Tagen;

2. Lungenseuche mit einer Gewährfrist von achtundzwanzig Tagen;

III. bei Schafen:

Räude mit einer Gewährfrist von vierzehn Tagen;

IV. bei Schweinen:

1. Rotlauf mit einer Gewährfrist von drei Tagen;

2. Schweineseuche (einschließlich Schweinepest) mit einer Gewährfrist von zehn Tagen.

§ 2.

Für den Verkauf solcher Tiere, die alsbald geschlachtet werden sollen und bestimmt sind, als Nahrungsmittel für Menschen zu dienen (Schlachttiere), gelten als Hauptmängel:

I. bei Pferden, Eseln, Mauleseln und Maultieren:

Rotz (Wurm) mit einer Gewährfrist von vierzehn Tagen;

II. bei Rindvieh:

tuberkulöse Erkrankung, sofern in Folge dieser Erkrankung mehr als die Hälfte des Schlachtgewichts nicht oder nur unter Beschränkungen als Nahrungsmittel für Menschen geeignet ist, mit einer Gewährfrist von vierzehn Tagen;

III. bei Schafen:

allgemeine Wassersucht mit einer Gewährfrist von vierzehn Tagen; als allgemeine Wassersucht ist anzusehen der durch eine innere Erkrankung oder durch ungenügende Ernährung herbeigeführte wassersüchtige Zustand des Fleisches;

IV. bei Schweinen:

1. tuberkulöse Erkrankungen unter der in der Nr. II bezeichneten Voraussetzung mit einer Gewährfrist von vierzehn Tagen;

2. Trichinen mit einer Gewährfrist von vierzehn Tagen;

3. Finnen mit einer Gewährfrist von vierzehn Tagen.

1.	2.	3.
Nummer der Eintragung	Name und Sitz des Vereins	Satzung
1.	Concordia, Berlin	Die Satzung ist am 1. Mai 1900 errichtet. Der Vorstand kann Grundstücke nur auf Grund eines Beschlusses der Mitgliederversammlung veräußern. Zur Beschlußfassung des Vorstandes ist Einstimmigkeit erforderlich (Bl. oder Nr. b. A.). [1] 1. Juli Name des
2.		Durch Beschluß der Mitgliederversammlung vom 20. September 1900 sind die Bestimmungen über die Aufnahme neuer Mitglieder geändert (Bl. oder Nr. b. A.). [1] 1. Oktober 1900. Name des Registerführers.
		Nach Beschluß der Mitgliederversammlung vom 25. November 1900 kann der Vorstand Darlehen von mehr als dreihundert Mark nur auf Grund eines Beschlusses der Mitgliederversammlung aufnehmen (Bl. oder Nr. b. A.). [1] 2. Januar 1902. Name des Registerführers.

1) Hinweis auf diejenigen Registerakten, die den Beschluß der Mitgliederversammlung,

Vereinsregister.

Centralblatt für das Deutsche Reich, Jahrgang 20, Nr. 47.

Vereinsregisters 1.

4.	5.	6.
Vorstand	Auflösung; Entziehung der Rechtsfähigkeit; Konkurs; Liquidatoren	Bemerkungen
Kaufmann Johann Neumann und Fabrikant Heinrich Schmidt, beide in Berlin, Kaufmann Fritz Freudenberg in Charlottenburg (Bl. oder Nr. d. A.). 1900. Registerführers.		(Die Spalte dient zur Berichtigung von Schreibfehlern und ähnlichen offenbaren Unrichtigkeiten und zu Berweisungen auf andere Eintragungen.)
Johann Neumann ist ausgeschieden; statt seiner ist der Rentner Karl Kohler in Berlin bestellt (Bl. oder Nr. d. A.). 1. Oktober 1901. Name des Registerführers.		
	Der Verein ist durch Beschluß der Mitgliederversammlung vom 13. Februar 1902 aufgelöst. Zu Liquidatoren sind bestellt der Kaufm. Herm. Meyer und der Fabrikant Georg Kohn, beide in Berlin. (Bl. oder Nr. d. A.). 15. Februar 1902. Name des Registerführers.	

die Namen der Vorstandsmitglieder u. s. w. enthalten.

Muster für das Güterrechtsregister.

(Nach dem Beschluß des Bundesrats vom 3. November 1898. Centralblatt für das deutsche Reich, Jahrgang 26 Nr. 47.)

Nummer der Eintragung	Bezeichnung der Ehegatten: Lehmann, Heinrich Karl, Kaufmann zu Berlin, und Anna geb. Müller.	Rechtsverhältnis	Bemerkungen
1.		Die Verwaltung und Nutznießung des Mannes ist durch Urteil vom 1. März 1901 aufgehoben (Bl. oder Nr. d. A.).¹)	1. Mai 1901. Name des Registerführers. (Dient zur Beglaubigung von Schreibfehlern u.s.w.).
2.		Der Mann hat das Recht der Frau, innerhalb ihres häuslichen Wirkungskreises seine Geschäfte für ihn zu besorgen und ihn zu vertreten, ausgeschlossen (Bl. oder Nr. d. A.).¹)	15. Juni 1902. Name des Registerführers.
3.		Die Verwaltung und Nutznießung des Mannes ist durch Urteil vom 1. April 1903 wiederhergestellt (Bl. oder Nr. d. A.).¹)	15. Juni 1903. Name des Registerführers.
4.		Der Mann hat gegen den Geschäftsbetrieb der Frau Einspruch erhoben (Bl. oder Nr. d. A.).¹)	1. Juli 1904. Name des Registerführers.

Durch Vertrag vom 1. Juli 1905 ist allgemeine Gütergemeinschaft vereinbart unter Ausschließung der fortgesetzten Gütergemeinschaft. Dabei sind für Vorbehaltsgut der Frau erklärt:¹)
Die für sie in dem Grundbuche der Stadt Halle a. S. Band I, Blatt 50, Abth. III Nr. 9 eingetragene Hypothek von 20 000 ℳ.
5000 ℳ. 3½ prozentige Pfandbriefe der Preußischen Hypotheken-Aktienbank in Berlin, Serie XII, Nr. 125 bis 129 zu je 1000 ℳ. (Bl. oder Nr. d. A.)¹),
Fortsetzung der Eintragungen f. S. 100.

1. Juli 1905. Name des Registerführers.

¹) Hinweis auf diejenigen Registerakten, die das Urteil, die beglaubigte Erklärung des Mannes, den Vertrag der Gatten u.s.w. enthalten.

Register.

(Die Zahlen sind Seitenzahlen; A. bedeutet Anmerkung.)

Cessionar 205, 273.
Cession 205; der Forderung ohne Hypothek 272; der Hypothek ohne Forderung 272.
Chikane 66, 555.
Chikaneverbot 66.
Constitutum possessorium 227; Erwerb durch 226, 227.
Coupon 134.

D.

Darlehn 82 ff., 170, 172, 175, 296; Begriff 175.
Darstellung, Ärgerniß erregende 61.
Deckungsprincip 280.
Deckungsverfahren 280.
Delikte 49, 50, 110, 138; erbrechtliche 547; familienrechtliche 547; strafrechtliche 55; Verpflichtung aus 160.
Deliktsfähigkeit 40 ff.
Deliktsklagen 42, 138 ff.
Dereliktion 224, 239 f., 231, 293, 301; von Grundstücken 301.
Dienste, häusliche, der Frau 380; der Kinder 443.
Dienendes Grundstück 261.
Dienstbarkeiten an Grundstücken 260 ff. — persönliche 265, 266; beschränkt persönliche 266.
Dienstbarkeit, Entstehung 261.
Dienstberechtigter, Annahmeverzug des 189.
Dienstbezüge, feste 96.
Dienste, höherer Art 96; Nichtannahme 94; tatsächliche 164.
Diensteinkommen 94.
Dienstvertrag 93, 94, 102, 106, 108, 176, 184, 189, 174; Auslagenersatz 111; Begriff 94, 101; Beendigung 95 f.; Unterschied vom Werkvertrage 97; Vermittlung des 107.
Dienstzeugnis 97.
dies inter pellat pro homine 194, 195.
Dinge, körperliche 7, 8, 212.
Dingliche Rechte 7, 10, 221, 225, 239, 258, 259, 263, 270; an fremder Sache 10, 259, 268, 293, 300; Eigentumsübertragung 93; Pfandvertrag 287; Rang der d. R. 280; Rangordnungsverhältnisse derselben 280; Rechtsgeschäfte 300; Vertrag 235, 259 ff., 263, 267, 270, 291, 293, 299, 300, 321; Vorkaufsrecht 266.
Dispositive Rechtssätze 591, 592.
Dividende 154.
Doppelehe 366, 432.

Dorftestament 527.
Totalsystem 384.
Draufgabe 190 ff.; Anrechnung 191; Rückgewähr 191.
Dramatisches Werk 338; Urheberrecht an 8, 337.
Dritte, Haftung für 211; Leistung an D. 329, 333; Täuschung durch D. 316; Forderungsrecht D. 328; Versprechen der Leistung an einen D. 167 ff., 329; Schutz D. bei Gütertrennung 411.
Drohung, Anfechtbarkeit wegen 8, 453; Anfechtung 315, 318.

E.

Ehe 361 ff.; Anfechtbarkeit 369, 437, 453; Auflösung 451; Fortsetzung 37; persönliche Wirkungen 378; Nichtigkeit 369, 437, 453.
Ehebruch als Ehescheidungsgrund 432.
Ehegatte, Erbrecht d. 485 f.; Unterhalt des geschiedenen 436; Unterhaltspflicht 382 f.; als Vormund 475; Wohnsitz 38.
Ehehindernisse 42; 363 ff., 458; aufschiebende 368; trennende 369.
Eheliche Abstammung 438 ff.
Eheliche Gemeinschaft 9, 379; Aufhebung 434 ff.; Wiederherstellung 437.
Eheliche Kinder 39; Familienname 9; Wohnsitz 39.
— Mutter, Berechtigung zur Vormundschaft 475.
Eheliche Pflichten, Verletzung 433.
Ehelichkeit 453; Anerkennung 441; Anfechtung 438, 439, 440.
Ehelichkeitserklärung 458 fg.
Ehemäklerlohn 159.
Ehemännliche Kündigung 382, 545, 546; Nutznießung 391; Zustimmung 392, 545 fg.
Ehescheidung, Wirkungen 435.
Ehescheidungsgründe 431 ff.
Eheschließung 37, 361 ff.
Ehre 9, 36 f., 55, 57 fg.
Ehrenrechte, bürgerliche 37; Aberkennung der 37, 465.
Ehrloses Verhalten 37, 433, 448, 540.
Eidesstattliche Verpflichtung der Familienratsmitglieder 472.
Eigenbesitz 228, 289 fg.
Eigenhändige Namensunterschrift 302.
Eigenmacht, verbotene 241 fg., 249, 251, 254.
Eigenschaften, zugesicherte, Fehlen 71 fg.,

Sinnentstellender Druckfehler:

S. 271 Zeile 11 von oben muß es heißen G¹ statt G.

Zeile 14 von oben muß es heißen G statt H.

Göttingen, Druck der Univ.-Buchdruckerei von W. Fr. Kästner.

in der am **1. Januar** 1900 in Kraft tretenden Fassung

nebst dem Einführungsgesetze

(in der durch Gesetz vom 17. Mai 1898 abgeänderten Fassung).

Zum Gebrauche für die Praxis und das Studium ·erläutert

von

Dr. Ernst Neukamp,

Landgerichtsrath in Göttingen.

1. Teil. Preis 5 Mk. 60 Pfg.; vollständig etwa 12 Mark.

Die vorliegende Bearbeitung hält die Mitte zwischen den großen Kommentar und den sog. „erläuterten Textausgaben".

Der Verfasser hat sich bei der von ihm gewählten Methode der Behandlung de Stoffes von der auf langjähriger Beobachtung ruhenden Erfahrung leiten lassen, da sich einerseits die großen Kommentare für den täglichen Gebrauch des nicht selten au eine rasche Orientierung angewiesenen Praktikers schon i h r e s Umfangs wege nicht eignen, daß aber andererseits die erläuterten Textausgaben, die sich naturgemä damit begnügen, einzelne aus dem Zusammenhange gerissene Sätze der Entscheidunge des Reichsgerichts als „Erläuterung" mitzutheilen, dem Praktiker leicht zu einer unrich tigen Auslegung und falschen Anwendung des Gesetzes Anlaß geben. Beide Übelständ hat der Verfasser zu vermeiden gesucht: einmal ist er bemüht gewesen, durch eine knappe jede Polemik nach Möglichkeit vermeidende Darstellung den Umfang des Buches in solch Grenzen zu halten, daß es die für schnelle Orientirung erforderliche Handlichkei nicht verliert; und sodann hat er durch systematische Bearbeitung der Erläuterunge dafür Sorge getragen, daß der Leser im Stande ist, über die Tragweite und Bedeutun der einzelnen Gesetzesvorschriften und der zu denselben ergangenen Entscheidungen de Reichsgerichts Klarheit zu gewinnen und sich ein selbständiges Urtheil zu bilden.

Dem wesentlich praktischen Zwecke des Buches entsprechend sind **bei Beleuchtun der einzelnen Streitfragen die Entscheidungen des Reichsgerichts überall in be Vordergrund der Erörterung gestellt** und möglichst vollständig berücksichtigt worde

Ganz besondere Sorgfalt ist der Prüfung der Frage gewidmet, inwieweit di durch die Novelle hervorgerufenen zahlreichen **Änderungen des jetzt geltenden Recht Anwendung auf die am 1. Januar 1900 schwebenden Prozesse finden.**

Gerade in den nächsten Jahren wird nämlich das Arbeitspensum de Kollegialgerichte vorwiegend noch in der Abwicklung der am 1. Januar 1 bereits anhängigen Prozesse bestehen, so daß die Frage, inwieweit die neue Vorschriften auf diese zur Anwendung zu bringen sind oder nicht, in zahlreiche Fällen große Zweifel und Schwierigkeiten bereiten wird.

Um diese lösen zu können, sind nicht bloß die alten Paragraphenzahle den neuen hinzugefügt und die durch die Novelle hervorgerufenen Änderung durch Sperrdruck hervorgehoben, sondern es ist auch in den Anmerkungen alte Text mitgetheilt und gleichzeitig genau geprüft und angegeben, ob un inwieweit die durch die Novelle eingeführten Änderungen auf die schwebende Prozesse Anwendung finden.

Dadurch hofft der Verfasser seine Arbeit für die Erledigung der a l t e n wie d neuen Prozesse gleich brauchbar gestaltet zu haben.

Ein **ausführliches Sachregister** und eine **übersichtliche Druckausstattung** wer der bequemen Handhabung des Buches förderlich sein.

Figurentafeln zu §§ 24, 60 und 61.

Die hier wiederholt abgedruckten Figuren können zu Studienzwecken aus dem Buche herausgenommen werden.

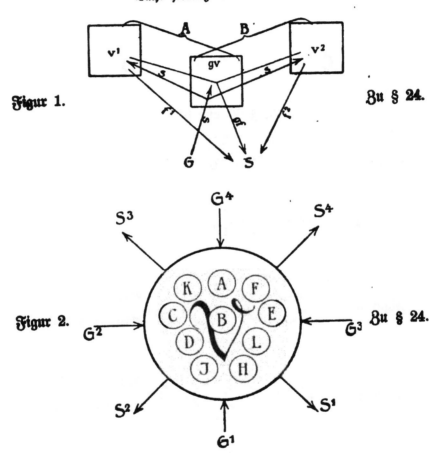

Figur 1.

Zu § 24.

Figur 2.

Zu § 24.

B

Figur 3.

Zu § 24.

C   D

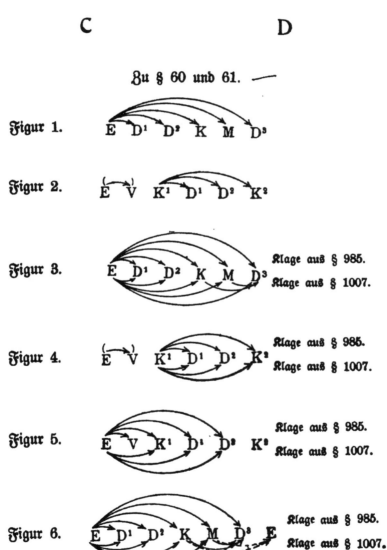

Zu § 60 und 61.

Figur 1.   E D¹ D² K M D³

Figur 2.   E V K¹ D¹ D² K²

Figur 3.   E D¹ D² K M D³   Klage aus § 985.
                                       Klage aus § 1007.

Figur 4.   E V K¹ D¹ D² K²   Klage aus § 985.
                                       Klage aus § 1007.

Figur 5.   E V K¹ D¹ D² K²   Klage aus § 985.
                                       Klage aus § 1007.

Figur 6.   E D¹ D² K M D³ E   Klage aus § 985.
                                       Klage aus § 1007.

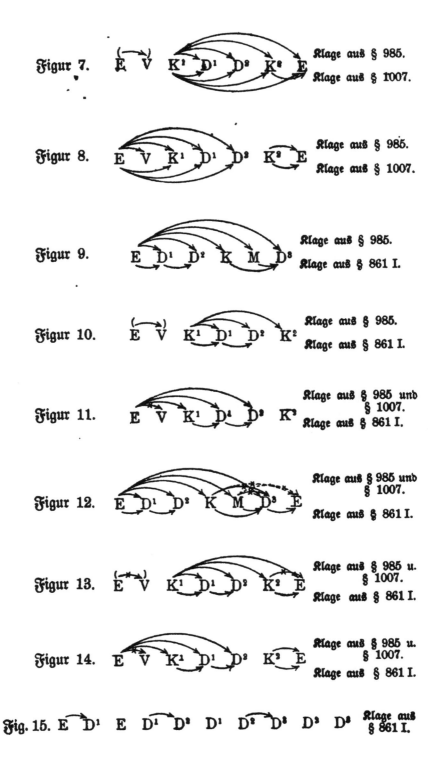

Figur 7.   E V K¹ D¹ D² K² E   Klage aus § 985.

Klage aus § 1007.

Figur 8.   E V K¹ D¹ D³ K² E   Klage aus § 985.

Klage aus § 1007.

Figur 9.   E D¹ D² K M D³   Klage aus § 985.

Klage aus § 861 I.

Figur 10.   E V K¹ D¹ D² K²   Klage aus § 985.

Klage aus § 861 I.

Figur 11.   E V K¹ D⁴ D³ K³   Klage aus § 985 und § 1007.

Klage aus § 861 I.

Figur 12.   E D¹ D² K M D³ E   Klage aus § 985 und § 1007.

Klage aus § 861 I.

Figur 13.   E V K¹ D¹ D² K² E   Klage aus § 985 u. § 1007.

Klage aus § 861 I.

Figur 14.   E V K¹ D¹ D² K³ E   Klage aus § 985 u. § 1007.

Klage aus § 861 I.

Fig. 15.   E D¹ E D¹ D² D¹ D² D³ D³ D⁴   Klage aus § 861 I.

Lightning Source UK Ltd.
Milton Keynes UK
UKHW021431160119
335572UK00009B/528/P